LES
1001
VOITURES
QU'IL FAUT AVOIR CONDUITES DANS SA VIE

LES
1001
VOITURES
QU'IL FAUT AVOIR CONDUITES DANS SA VIE

PRÉFACE DE DOMINIQUE CHAPATTE

OUVRAGE RÉALISÉ SOUS LA DIRECTION DE SIMON HEPTINSTALL

TRÉCARRÉ
Une société de Québecor Média

Copyright © 2012 Quintessence
Tous droits réservés
Titre original : *1001 Cars to dream of driving before you die*

Publié sous la direction de Mark Fletcher
Direction éditoriale : Jane Laing
Édition : Frank Ritter et Fiona Plowman
Designers : Tea Aganovic, Tom Howey et Alison Hau
Iconographes : Giles Chapman et Sara Di Girolamo

Direction de l'édition française : Ghislaine Bavoillot
Traduit de l'anglais par : Stéphanie Alglave, William Audureau, Jacques Guiod,
Anne Marcy-Benitez, Bruno Provezza et Nathan Sommelier
Adaptation de la maquette : David Fourré
Suivi éditorial : Marie-Laure Miranda
Couverture : Clémence Beaudoin

© 2013, Éditions Flammarion pour l'édition française
© 2013, Éditions du Trécarré pour l'édition en langue française au Canada

Éditions du Trécarré
Groupe Librex inc.
Une société de Québecor Média
La Tourelle
1055, boul. René-Lévesque Est
Bureau 300
Montréal (Québec) H2L 4S5 Canada
Tél. : 514 849-5259
www.edtrecarre.com

ISBN : 978-2-89568-550-0
Dépôt légal : octobre 2013
Imprimé en Chine

Sommaire

Préface | Dominique Chapatte

Plus on avance en âge, ce à quoi je n'échappe pas, plus il est fréquent, dit-on, de s'enticher des objets de sa jeunesse. Appelons ça un refuge contre les années qui passent. On apprécie davantage le génie de Jean-Sébastien Bach, à condition d'aimer la musique classique évidemment. Bach, parce qu'il vous rapproche de la puissance divine, et les objets ou les adresses d'antan, parce qu'ils vous raccrochent à un art de vivre que d'aucuns aujourd'hui trouveraient peut-être ringard !

Cela vaut aussi pour l'automobile : loin des autoroutes uniformisées, j'aime ces routes colorées, jalonnées d'auberges où, sans compter, on vous sert des mets savamment composés. Elles étaient et sont aujourd'hui encore celles de mes essais automobiles, celles aussi du Tour de France...

Voilà qui me rapproche du souvenir de celui qui me donna la vie et l'envie, il y a plus de quarante ans aujourd'hui, de devenir journaliste. Après des années à souffrir sur un vélo de course, il se décida un jour à poser sa musette et embrassa, comme on disait autrefois, la carrière d'homme de presse : presse écrite, radio puis télévision.

Dès lors, il ne cessa de voyager et de ces périples il me rapportait des modèles d'une célèbre marque anglaise de voitures miniatures : Dinky Toys.

On s'éloigne, pensez-vous, de l'objet de ce précieux livre ; pas vraiment, on le verra... mais pour conclure ce chapitre laissez-moi tout de même vous dire qu'à l'adolescence une tocade, non pour une femme mais pour une chaîne stéréo, me fit échanger à la sortie du lycée mes précieuses petites autos ! Et depuis je les regrette...

Mon père aimait les voitures, mais pas au point d'en posséder des dizaines ; ainsi, l'arrivée de chaque nouveau modèle était pour moi, à l'heure où j'étais bien loin de l'âge du permis, l'événement majeur de l'année. C'était un véritable rituel qui commençait par un coup de fil de mon père nous annonçant le départ de la concession et le retour à la maison. Alors je guettais son arrivée le nez collé à la fenêtre, et cela pouvait durer des heures. Certes, j'avais idée du modèle et de sa couleur, mais qu'importait, car lorsqu'il arrivait dans la rue, cinq étages plus bas, au volant de la nouvelle voiture, j'étais plus fier que Jules César admirant le défilé de ses soldats rentrant de la bataille couverts des trophées pris à l'ennemi... Le bonheur se poursuivait à bord, tout à la découverte des cadrans, des commandes et des habitacles imprégnés des odeurs du neuf. Incomparables senteurs des tissus, des cuirs que j'inspirais comme à chaque rentrée scolaire en ouvrant mes livres neufs.

Au fil des années, les acquisitions paternelles eurent pour nom Simca Plein Ciel, Ford Taunus, Coupé 404 Peugeot puis sa version cabriolet. Et pour finir Mercedes 230 SL, l'élégante découvrable « toit pagode ». Par deux fois en seize années, depuis la disparition de mon père, ses deux propriétaires successifs m'ont proposé de la leur racheter. Mais je n'ai jamais eu le courage de la revoir… Ce chef-d'œuvre, sur qui le temps n'a pas eu de prise, on le doit au crayon du styliste français Paul Bracq. Bien entendu, on retrouve cette Mercedes intemporelle dans ce *1001 Voitures*, à sa date de naissance, 1963. On découvre ainsi qu'elle a été la coqueluche de bien des stars, de Tony Curtis et Sophia Loren à John Travolta et Kate Moss. De la toute première page se référant, en 1886, à une Daimler jusqu'à la dernière présentant la Ferrari FF, ce *1001 Voitures* recèle bien des trésors et des modèles rarissimes, voire inconnus. Ainsi, qui connaît l'existence de l'Exelero/Maybach ? C'est dire tout l'intérêt et la somme d'informations que représente cet ouvrage…

On me demande souvent : « De toutes les voitures [2 700 environ] que vous avez essayées au cours de votre longue carrière radio et TV, laquelle reste jusqu'ici votre préférée ? »

De deux choses l'une : soit je réponds en utilisant un faux-fuyant : « celle que je n'ai pas encore essayée et qu'il me reste à découvrir… », soit je cite ces Ferrari, Bugatti, Lamborghini, Porsche, Aston Martin que je ne posséderai jamais mais dont j'ai eu le bonheur et la chance de pouvoir prendre le volant à moult reprises. En vérité, j'ai eu dans mon garage une Triumph Herald, une Peugeot 104 ZS, puis une ZS2, une Fiat Panda, une Fiat Uno Turbo ie, une Alfa Sprint Veloce (vert laitue et revendue à un copain non superstitieux), et pour finir une Mini de 1985. À la faveur d'un tout récent tournage en Espagne je suis tombé sur une Porsche mythique : une 356 C type 935 de 1964 magnifiquement restaurée et… à vendre. À défaut de pouvoir l'acheter j'ai passé ma journée à appeler des copains pour les inciter à emporter l'affaire. On ne se refait pas !

Le plus insolite, la situation pour beaucoup inattendue, c'est de me croiser dans le métro ! Eh oui, il m'arrive fréquemment de prendre le métro : c'est plus pratique que la voiture pour ne pas risquer de rater ses rendez-vous. « Vous dans le métro, je n'y crois pas ! » Que voulez-vous que je réponde au risque de décevoir ? « Je vous le confirme c'est exceptionnel mais vous vous en doutez, c'est parce que ma Ferrari est en panne… ! »

Amitiés mécaniques et sportives.

Introduction | Simon Heptinstall

Tout commença un beau matin quand Bertha Benz, profitant du sommeil de son mari Karl, se faufila dans son atelier. Ce hangar abritait en effet son tout nouvel engin motorisé.

Karl et ses techniciens avaient testé cette étrange calèche sans chevaux en réalisant quelques tours d'essais autour de la maison, mais Karl n'osait pas vraiment passer à l'étape suivante. Il doutait du potentiel de sa curieuse invention. Il s'agissait après tout d'une machine hors du commun.

Cela n'empêcha pas Bertha d'emprunter à son insu sa Motorwagen et de parcourir à son bord une distance de 106 kilomètres pour aller rendre visite à sa mère. Elle réalisa ainsi le premier trajet motorisé sur route de l'histoire.

Elle voyagea en compagnie de ses deux fils adolescents. Ensemble, ils durent braver les pistes cahoteuses et dépourvues de toute signalisation du monde pré-automobile. Le voyage dura une journée entière. Les passagers se relayèrent au volant et durent parfois descendre pour pousser la voiture. En 1888, les stations d'essence n'existaient pas. Confrontée à une panne sèche, Bertha fit preuve d'une grande ingéniosité en achetant dans une pharmacie de l'éther de pétrole, une substance chimique compatible avec le moteur.

En chemin, elle déboucha également un tuyau de carburant avec une épingle à cheveux, refit l'isolation d'un câble à l'aide d'une jarretière, et persuada un cordonnier trouvé dans un village de confectionner de nouveaux patins en cuir pour ses freins. En les voyant cheminer cahin-caha sur la route, certains prirent peur. D'autres furent choqués, ou au contraire éblouis. Ce soir-là, Bertha envoya à son mari un télégramme pour lui annoncer qu'elle était bien arrivée.

De nos jours, ce court trajet automobile serait d'une grande banalité. En 1888, il eut un retentissement mondial. Les unes des journaux se firent l'écho de ce merveilleux événement. Soudain, tout le monde voulait se procurer l'une des machines de Karl Benz. Plus de 120 ans plus tard, les gens qui habitent le long de l'itinéraire emprunté par Bertha continuent de célébrer son exploit. Cette modeste route est aujourd'hui une véritable attraction touristique.

La modeste Motorwagen de Karl Benz est devenue un élément majeur du débat houleux portant sur l'avenir de notre planète. Pour certains, les voitures sont devenues des symboles de l'égoïsme humain et de l'indifférence à la cause environnementale. Elles sont dangereuses, destructrices et polluantes… et pourtant, la grande majorité d'entre nous leur vouent toujours le même amour. Celui qui a la chance de décrocher le gros lot à la loterie se précipitera probablement non pas pour se payer un abonnement de train à vie ou un service de bus privé, mais une « supercar » exotique.

Nous aimons les conduire, mais nous aimons également rêver que nous les conduisons. C'est ici qu'intervient ce livre, destiné aux pilotes amateurs du monde entier.

Pilotes amateurs, à défaut de mieux. En effet, un tel exercice prendrait quelques années et personne ne peut se vanter d'avoir conduit chacune de ces voitures. Si nombre d'entre elles sillonnent toujours les routes ou sont parfois mises en vente, elles sont plus nombreuses encore à trôner dans des musées ou des collections privées. Certaines ont hélas totalement disparu.

Cette sélection de 1001 voitures recouvre plus de 125 années et contient des voitures produites sur six continents. Elle recense des véhicules provenant de 31 pays différents, de l'Autriche à l'Australie et des États-Unis à l'Ukraine. Vous y trouverez des voitures à essence, des diesels, des voitures propulsées par la vapeur, l'électricité, l'hydrogène et même des moteurs à réaction.

Les best-sellers écoulés à plusieurs millions d'exemplaires y côtoient des véhicules cryptiques produits à un seul exemplaire, les marques célèbres flirtent avec des bizarreries connues d'une toute petite minorité de spécialistes.

Certaines voitures ont changé le cours de l'histoire automobile, comme la première Mini, sortie en 1959, la première traction avant dotée d'un moteur transversal dont la configuration mécanique devint l'une des plus influentes de l'ère moderne, ou la Jeep de Willys qui contribua à la victoire des Alliés durant la Seconde Guerre mondiale et prépara la planète à l'avènement futur des SUV.

Certaines d'entre elles ont battu des records, comme la Thrust SSC, la voiture la plus rapide du monde. D'autres sont de véritables vitrines technologiques, comme la Mitsubishi GTO ou la Mercedes CL600. Elles occupent parfois une place à part au sein d'une culture, comme la Trabant en Europe de l'Est, ou les pick-up australiens de Holden. Certaines d'entre elles, véritables sculptures automobiles, se distinguent par leur dimension artistique, comme la plupart des premières Bugatti et de nombreuses supercars modernes.

Ce livre contient également quelques voitures ayant appartenu à des personnages célèbres, comme l'Aston Martin de James Bond ou la Skylark de Bob Hope. Certaines ont joué un rôle majeur dans la culture populaire, comme la Chitty Chitty Bang Bang, immortalisée par Ian Fleming ou la Batmobile. D'autres enfin ont été choisies pour leur statut symbolique pour certains pays, comme la Haval de Great Wall, une voiture chinoise qui signale sans nul doute l'émergence d'une future grande nation de la construction automobile. Et n'oublions pas la papamobile, sans doute la plus célèbre voiture du monde catholique.

Naturellement, toute sélection est par nature subjective. Il s'agit selon nous de la meilleure sélection possible, mais il se pourrait que l'une de vos voitures favorites n'y figure pas. Nous avons sans aucun doute omis de nombreux best-sellers et des véhicules superbes, mais nous avons fait de notre mieux, et nos choix nous semblent bons. Nous ne prétendons cependant pas détenir le monopole du bon goût. En compulsant cette énorme sélection, saurez-vous choisir vos modèles favoris ? Si vous décrochiez le gros lot à la loterie, quels seraient les cinq véhicules que vous choisiriez pour enrichir votre garage ? Et d'ailleurs, pourquoi se limiter à cinq ?

Ce livre a nécessité des années de travail : il nous a fallu écrémer la liste de tous les modèles produits pour n'en retenir que 1001, recruter une équipe de douze auteurs venus du monde entier, et recenser plus de 800 photographies et détails techniques pour notre sélection. Cet ouvrage a été conçu de manière à être accessible au public le plus large possible. Vous devriez donc pouvoir en tirer toute la substance sans pour autant être un spécialiste de la chose automobile.

En ce qui concerne les spécifications techniques, nous avons choisi de formuler les vitesses en km/h, la puissance des moteurs en chevaux-vapeur (ch), la consommation de carburant en kilomètres par litre ou en nombres de litres aux 100 kilomètres.

En revanche, la mesure de l'accélération n'est pas aussi simple. Pour la plupart des voitures, elle est formulée en temps nécessaire (en secondes) pour passer de 0 à 97 km/h, ou de 0 à 100 km/h, en fonction des chiffres dont nous disposons. Comparer l'accélération de plusieurs voitures en utilisant des systèmes de mesure différents est souvent hasardeux. Ne partez pas du principe qu'ils sont quasiment équivalents. Le timing d'un changement de rapport pourrait rallonger considérablement le temps nécessaire pour atteindre 100 km/h plutôt que 97 km/h.

L'année citée pour chaque véhicule relève d'une problématique complexe. Les voitures sont classées par ordre chronologique, afin de dresser un tableau général de l'évolution de l'automobile à travers le temps. La date de lancement d'un véhicule pose souvent problème. Les voitures sont généralement présentées au public ou dévoilées durant l'un des principaux salons de l'automobile. Elles sont alors produites au cours des mois qui suivent, quand il ne s'agit pas d'années. L'année de production ne correspond pas toujours à la date de mise sur le marché. De plus, les véhicules sont souvent baptisés en référence à une année (ou « année-modèle »). Cette dernière ne correspond pas nécessairement à l'année de sa commercialisation.

Nous avons fait en sorte d'utiliser la datation la plus exacte possible pour chaque véhicule afin de préserver l'ordre chronologique, ce qui signifie que certains d'entre eux sont datés plusieurs années après leur lancement. De nos jours, les modèles sont généralement renouvelés tous les ans. Nous avons parfois fait le choix d'une version présentant des améliorations notables par rapport au modèle de lancement. La date fournie désigne dans ce cas la version correspondant au texte et à la photographie. Le cas échéant, nous avons fait en sorte d'expliciter ces aspects dans les textes correspondants.

La vitesse maximale pose beaucoup moins de problèmes. Nous avons repris les données fournies par les constructeurs. Selon la politique marketing de la société, il peut s'agir de valeurs très modestes, ou au contraire très optimistes. Dans certains cas, nous avons repris des données issues des tests indépendants les plus fiables. On notera que la vitesse de nombreuses voitures puissantes est aujourd'hui artificiellement limitée. Si on enlevait le limiteur de vitesse, cette dernière serait bien plus élevée, et dans les cas où elle est connue, vous la trouverez mentionnée dans le texte.

Dans le cas où certaines caractéristiques sont inconnues, nous ne les avons pas inventées, pas plus que nous ne nous sommes hasardés à émettre des conjectures éclairées. Nous avons simplement indiqué « inconnue ».

La nation désignée sous chaque photo par son code international correspond simplement au pays le plus étroitement associé au véhicule. Autrefois, le pays d'origine d'un véhicule était une évidence. Aujourd'hui, l'industrie automobile a pris une dimension internationale. Une société basée dans un pays peut fort bien faire appel à une équipe de chercheurs basée dans un second pays, faire fabriquer ses véhicules dans un troisième, et les vendre dans une toute autre région du monde. Nous avons fait de notre mieux pour préciser ces aspects si l'origine d'une voiture est ambiguë.

La cylindrée des moteurs est exprimée grâce au système universel des litres et centilitres, ou des centimètres cubes (cm^3). Cette valeur désigne le volume total balayé par les pistons à l'intérieur des cylindres. Pour obtenir la valeur en litres, il suffit de diviser le volume en cm^3 par 1000. Pour obtenir une valeur en cm^3, il faut multiplier le nombre de litres par 1000. La configuration du moteur, c'est-à-dire le nombre de cylindres et la manière dont ils sont disposés, est également précisée. Les moteurs en ligne sont désignés par un « S » (pour « Straight »). Les moteurs à plat sont désignés par un « F » (pour « Flat »). Le chiffre qui suit la lettre désigne le nombre de cylindres. « S4 » désigne donc un moteur à 4 cylindres en ligne.

Enfin, il nous faut bien évoquer l'un des principaux inconvénients de la passion automobile. Comme nous le savons tous, les voitures coûtent cher, très cher. La valeur de toutes les fabuleuses voitures répertoriées dans cet ouvrage s'élève à des millions d'euros. Les prix mentionnés sont généralement le prix à l'époque du lancement, dans la monnaie du pays d'origine et, dans le cas des véhicules les plus recherchés, le prix atteint lors des dernières ventes aux enchères connues. Ne vous attardez pas trop sur ces chiffres… Asseyez-vous confortablement et profitez de cette sélection hors norme.

Index par constructeur

Nissan
300ZX 627
350Z 746
Cedric 309
Cube 703
Figaro 635
GT-R 840
Leaf 904
President 363
Prince Royal 380
R390 695
S-Cargo 605
Skyline GT-R 423
Skyline GT-R R34 715
Sunny/Pulsar
*   GTI-R* 622
Titan 771

Noble
M400 775
M600 908

NSU
Ro80 387
Sport Prinz 271
Wankel Spider 340

Ogle
SX1000 320

Oldsmobile
442 348
Aurora 663
Curved Dash 25
Holiday 88 Coupé
*   239*
Silhouette 618
Starfire 306
Super 88 215
Toronado 368

Opel
Manta GT/E 435

Orca
SC7 898

Oullin
Spirra 893

Packard
443 Custom Eight 74
Twin Six 96

Pagani
Zonda 710

Panhard
24CT 336
Dyna 110 155
Dyna Z 194

Panoz
Roadster 648

Panther
De Ville 491
J72 466
Lima 508

Peel
P50 334

Pegaso
Z-102 180

Pelland
Steamer 488

Perana
Z-One 913

Peugeot
205 GTI 1.6 561
205 GTI 1.9 586
205 T16 560
401 Éclipse 104

402BL 111
403 Décapotable 212
404 291
405 Mi16 600
406 Coupé V6 695
504 402
504 Cabriolet 493
RCZ 900
Type 126 12/15HP
*   Touring* 43

Pierce-Arrow
38HP Model 51 51

Plymouth
Barracuda V8 349
Fury 240
Hemi Cuda 450
Model U 78
Prowler 690
Road-Runner
*   Superbird* 447

Pontiac
Fiero GT 562
Firebird Trans Am
*   (1967)* 388
Firebird Trans Am
*   (1982)* 542
GTO (1964) 350
GTO (1966) 366
Solstice 785
Tempest LeMans 309

Porsche
356 152
356B 273
550 Spyder 196
904 329
911 334
911 Cabriolet 545
911 GTS 909
911 Targa 467

911 Turbo 496
917 422
924 502
928 517
944 549
959 582
968 Club Sport 650
Boxster 3.4 680
Carrera GT 764
Cayenne Turbo 764
Cayman 779
Panamera Turbo 875

Prince
Tama Electric 146

Proton
Saga 573

Puma
Spyder GTS 452

Radical
SR8 RX 934

Range Rover
Sport 792

Rapier
Superlight 895

Reliant
Robin 477
Scimitar GTE 412

Renault
4 306
5 465
40CV Type JP 61
4CV 145
5 GT Turbo 584
8 Gordini 350
Alpine GTA 574

Avantime 731
Caravelle 259
Clio V6 730
Clio Williams 661
Dauphine 236
Espace 555
Frégate 178
Mégane 2.0T Renault
*   Sport 250* 925
Sport Spider 675
Twingo 644
Twizy 937
Zoom 653

Riley
12/4 Continental 128
Brooklands 80
RMF 2.5 Litre 187

Rolls-Royce
20/25 86
Ghost 865
Phantom 762
Phantom Drophead
*   Coupé* 849
Phantom I 64
Phantom II 84
Phantom VI 407
Silver Cloud 224
Silver Ghost 37
Silver Shadow 362
Silver Wraith 143

Rossion
Q1 852

Rover
8HP 36
Jet 1 172
P5 Coupé 392
P6 2000 324
Range Rover 448
SD1 Vitesse 548

Saab
92 165
96 296
99 Turbo 514
900 Carlsson 620
900 Décapotable 584
900 Turbo 16S 542
Sonett 366

Saleen
S7 732

Salmson
2300S 199
S4 75

Sbarro
Challenge 580

Seat
Ibiza Cupra
* Bocanegra* 897
Leon Cupra R 739
Leon FR TDI 825

Secma
F16 Sport 846

Shanghai
SH760 346

Shelby
Charger GLH-S
* 576*
Cobra 319
Dakota 610

Simca
Aronde Plein Ciel
* 252*

Sinclair
C5 573

Skoda
Fabia vRS S2000
* 914*
Favorit 604
Felicia Super 308

Smart
Crossblade 744
Fortwo 700
Roadster 757

Spyker
60HP 33
C4 Torpedo 58
C8 737
D12 Peking to
* Paris* 801

Squire
Roadster 112

SsangYong
Chairman 856

SSC
Aero 804

SSC Program
Thrust SSC 687

Stanley
Runabout 27

Steyr
50 117

Strathcarron
SC-5A 709

Studebaker
Avanti 313
Champion (1939)
* 136*

Champion (1950)
* 173*
Speedster 225
Starlight 196

Stutz
Bearcat 48

Subaru
360 267
Forester 694
Impreza P1 720
Impreza Turbo 657
Impreza WRX 661

Sunbeam
3 Litre 65
Rapier H120 427
Tiger 343

Suzuki
Aerio/Liana 739
Cappuccino 636
Jimny LJ10 439
SC100 Coupé 511

Swallow
Coachbuilding
Company
SS1 94

Talbot
Sunbeam Lotus
* 527*
T150C SS Goutte d'Eau
* (Teardrop)* 131

Talbot-Lago
T26 Grand Sport
* 146*

Tata
Nano 877

Tatra
603 242
T600 Tatraplan 152
Type 77 105

TD Cars
TD 2000
* Silverstone* 705

Tesla
Roadster 877

The Steam Car
Company
British Steam Car
* 862*

Toyota
2000GT 390
Camry 639
Celica (1970) 434
Celica (1985) 569
Celica (1989) 608
Celica (1993) 660
Celica (1999) 707
Corolla (1966) 382
Corolla (1987) 593
GT 86 939
Hilux 413
iQ 859
Land Cruiser 177
MR2 Mk 1 565
MR2 Mk II 624
Prius 694
Supra Mk 4 656

Tramontana
R 880

Triumph
Dolomite
* Roadster* 133

Dolomite Sprint
* 478*
GT6 377
Stag 443
TR3 225
TR4A 359
TR6 425
TR7 498
Vitesse 312

Troll Plastik &
Bilindustri
Troll 236

Troller
T4 769

Tucker
48 Sedan 158

TVR
3000S 515
350i 564
Cerbera 678
Grantura 260
Griffith 630
Sagaris 796
Tuscan 724

Ultima
GTR 726

Unipower
GT 383

URI
Desert Runner 752

Vauxhall
XR8 915
Ampera 887
Calibra Turbo 4x4
* 653*
Chevette HS 505

Codes internationaux des plaques minéralogiques

A Autriche

AUS Australie

B Belgique

BR Brésil

CDN Canada

CH Suisse

CN Chine

CS ex-Tchécoslovaquie

CZ République tchèque

D Allemagne

DK Danemark

E Espagne

F France

FL Liechtenstein

GB Royaume-Uni

I Italie

IL Israël

IND Inde

J Japon

MA Maroc

MAL Malaisie

MEX Mexique

N Norvège

NL Pays-Bas

NZ Nouvelle-Zélande

PL Pologne

ROK Corée du Sud

RUS Russie

S Suède

SU ex-URSS

UA Ukraine

USA États-Unis

ZA Afrique du Sud

1886–1944

La Rolls-Royce de 1925 arbore
la statuette emblème de la marque
devenue un symbole de luxe.

D.M.G 3735.

Calèche à moteur | Daimler　　　　　　　　　　　　　　　(D)

1886 • 1 526 cm³, simple cylindre • 0,95 ch • inconnue • 16 km/h

L'irruption du moteur à combustion interne se déroula en plusieurs étapes. L'idée d'un système utilisant la compression émergea en 1824, et le premier moteur à vapeur de pétrole en 1826. Le cylindre de compression fut introduit en 1838, et l'Italien Pietro Benini conçut un moteur fonctionnel de 4 kW en 1856, qu'il ne songea cependant jamais à intégrer à une calèche.

En 1860, l'ingénieur belge Jean Lenoir fabriqua un moteur de 1 kW alimenté au gaz avec pistons, bielles et cylindres. Il l'installa sur une roulotte en bois qu'il baptisa «hippomobile» et parcourut à son bord les 18 kilomètres qui séparent Paris de Joinville-le-Pont. En 1876, Nikolaus Otto inventa un moteur au gaz à 4 temps et fabriqua la première moto au monde.

Gottlieb Daimler et Wilhelm Maybach équipèrent des vélos, et même un bateau, avec leurs propres moteurs avant de concevoir un nouveau moteur léger à gicleur d'essence en forme d'horloge comtoise d'une puissance de 0,7 kW, doté d'un unique cylindre vertical et d'un carburateur à barbotage permettant une combustion fiable de l'essence. Au début de l'année 1886, Daimler fit l'acquisition d'une calèche bleu sombre avec sièges en cuir noir et bordure rouge vif auprès de la société des diligences Wilhelm Wimpff & Sohn de Stuttgart. Il installa son moteur à l'avant du siège arrière de la calèche et, le 8 mars 1886 – après quelques modifications – la calèche motorisée Daimler vit le jour.

Une variante à refroidissement liquide lui succéda en 1887, suivie par une autre nouveauté : le permis de conduire. Daimler lui-même fit une demande de permis le 17 juillet 1888 afin de conduire sa propre «calèche légère à 4 places équipée d'un petit moteur». **BS**

Victoria | Benz ◯ D

1893 • 1 720 cm³, simple cylindre • 3 ch • inconnue • 18 km/h

Tard dans la nuit du 31 décembre 1878, l'ingénieur et inventeur allemand Karl Benz mettait la touche finale à sa toute dernière invention : un moteur 2 temps à combustion interne et à refroidissement liquide. Ce moteur à essence était plus compact et plus léger que les imposants moteurs à vapeur d'antan.

En 1885, Benz l'associa à plusieurs autres inventions récentes (le carburateur, la batterie, l'allumage par bobine, la bougie et le différentiel) pour obtenir un tricycle motorisé qu'il baptisa le « Motorwagon ». Cependant, son unique roue avant n'était guère adaptée aux routes européennes creusées d'ornières, et il ne parvint pas à séduire le public.

En 1893, Benz céda à contrecœur aux suppliques de ses collaborateurs et adopta l'approche de son rival Gottlieb Daimler en dotant son Motorwagon d'une quatrième roue. Rebaptisé Victoria, il devint la voiture favorite de Benz. Conçue pour transporter deux passagers, elle comportait un essieu pivotant que le conducteur pouvait actionner au moyen d'une barre reliée à l'essieu par une chaîne et une fixation brevetée.

Au cours de l'été 1894, la création de Benz fut mise à rude épreuve quand l'industriel autrichien Theodor von Liebig effectua aux commandes du véhicule N° 76 un voyage aller-retour de 939 kilomètres reliant Reichenberg, en Bohême, à la rivière Moselle. Durant ce voyage, qui se déroula sans incident notable, Liebig rendit visite à Benz en personne à Mannheim, entre autres détours impromptus. La Victoria effectua ce trajet, considéré comme le premier voyage motorisé longue distance, à une vitesse moyenne de 8,4 km/h sur des routes qui, au mieux, étaient pavées. **BS**

Dogcart (10 ch) | Arrol-Johnston GB

1897 • 3 230 cm³, F2 • 10 ch • inconnue • 40 km/h

L'ingénieur Sir William Arrol, concepteur du Forth Road Bridge, et l'ingénieur en locomotives George Johnston conjuguèrent leurs talents pour créer la première voiture britannique de série. L'Arrol-Johnston tranchait avec ses rivales par sa conception simple. Le moteur, situé sous le plancher et lancé par traction sur une corde, entraînait les roues arrière au moyen d'une chaîne.

Comme une calèche, la Dogcart comportait un châssis léger en bois, de grandes roues en bois et des pneus en dur, ainsi qu'un segment de frein actionné à la main qui venait frotter contre l'arrière du pneu arrière. Le véhicule était quasi inutilisable par temps humide. La suspension, cependant, était très efficace car basée sur des ressorts elliptiques à lame. Elle comportait six sièges : le chauffeur et deux passagers faisaient face à la route et les trois passagers arrière leur tournaient le

dos. La Dogcart s'avéra un véhicule robuste et populaire et fut produite, avec quelques changements mineurs, jusqu'en 1907.

La société Arrol-Johnston opéra à Glasgow entre 1896 et 1931. Elle conçut le premier véhicule destiné au hors-piste pour le gouvernement égyptien, ainsi qu'une voiture destinée à rouler sur la neige pour l'expédition d'Ernest Shackleton vers le pôle Sud, mais qui s'avéra inutile une fois arrivée en Antarctique.

La Victory de 1919, la première Arrol-Johnston de l'après-guerre, fut vendue au prince de Galles mais tomba en panne lors d'une tournée royale dans l'ouest de l'Angleterre – publicité dont A-J se serait bien passé. L'un des derniers faits de gloire du constructeur fut la fabrication de la carrosserie du Bluebird de Malcolm Campbell, qui battit le record de vitesse terrestre en 1929. **SH**

Curved Dash | Oldsmobile (USA)

1899 • 1 563 cm³, simple cylindre • 4,6 ch • inconnue • 32 km/h

Ransom E. Olds, le fondateur de la société Oldsmobile, mériterait d'être aussi connu que son contemporain Henry Ford. Les deux hommes naquirent à une année d'intervalle, respectivement en 1863 et 1864. Olds et Ford s'affrontaient pour produire la première automobile à succès destinée au marché américain de masse. La Curved Dash d'Oldsmobile devint la première voiture américaine produite sur une chaîne d'assemblage.

Le véhicule devait son nom à son repose-pied incurvé, inspiré des calèches de l'époque. Ce modèle n'aurait jamais vu le jour si un incendie n'avait pas ravagé l'usine Oldsmobile située à East Jefferson, dans le Michigan. Auparavant, Olds avait construit onze prototypes, de taille et d'allure différentes, dont deux véhicules électriques. La Curved Dash était appréciée des ouvriers qui la considéraient plus comme un jouet

que comme la première candidate à la commercialisation. C'est alors qu'un incendie, en mars 1901, détruisit tous les prototypes à l'exception de la Curved Dash. Olds révisa sa création et s'y consacra pleinement.

La presse ayant relaté l'incendie, Olds commença à recevoir des commandes pour la Curved Dash avant même qu'elle ne soit proposée à la vente ; 425 d'entre elles furent produites en 1901 et vendues au prix de 650 dollars. La plupart furent livrées en train, souvent accompagnées d'un représentant d'Oldsmobile qui remettait en mains propres la 2 places à son propriétaire. Au total, 19 000 exemplaires furent fabriqués avant l'arrêt de la production en 1907, date à laquelle Oldsmobile, qui souffrait de problèmes financiers, fut rachetée par General Motors. Ransom E. Olds n'en avait pas moins précédé Ford sur le marché de masse. **MG**

Electric Coach | Columbia

1899 • batterie de 44 cellules
2 ch • inconnue • 24 km/h

Avant même de produire l'une des premières voitures électriques américaines, la Columbia Automobile Company de Hartford, dans le Connecticut, affichait en 1899 des statistiques impressionnantes. L'usine s'étalait sur une surface gigantesque de 6,9 hectares et la société comptait plus de 10 000 employés. En 1898, elle produisit le premier vélo sans chaîne d'Amérique. En 1899, elle fabriquait déjà des centaines de voitures par an alors que la plupart des constructeurs américains n'en produisaient que des dizaines.

La Columbia Electric Coach était alimentée par quatre lots de batteries – soit 44 cellules – pour une puissance de 1,49 kW, et couvrait environ 48 kilomètres. Mais pour ceux qui pouvaient se l'offrir, l'idée même de se dispenser de marcher ou d'utiliser une calèche s'avéra irrésistible. Sa carrosserie évoquait celle d'une diligence traditionnelle par ses points d'articulation et de renfort, sa charpente en chêne laqué et sa garniture en peau de bouc. Son aspect le plus exceptionnel, cependant, résidait dans ses pneumatiques, capables de parcourir 5 600 kilomètres sans être changés, et même plus « sur de bonnes routes dépourvues de boue ».

L'autorité new-yorkaise des transports fit l'acquisition de plusieurs exemplaires afin d'assurer le transport des dignitaires de Grand Central Station à leurs bureaux de Manhattan. La société promettait aux clients un véhicule d'une perfection inégalée pour l'époque : « Nous n'avons laissé aucune considération financière nous empêcher de perfectionner chaque pièce de chaque modèle », pouvait-on lire sur ses brochures. En 2011, l'un des rares modèles encore en parfait état fut vendu aux enchères aux États-Unis pour 500 000 dollars. **BS**

Runabout | Stanley

1901 • 2 cylindres, moteur à vapeur
3,5 ch • inconnue • 44 km/h

Les jumeaux Francis E. et Freelan O. Stanley de Kingfield, dans le Maine, possédaient une société prospère de plaques photographiques quand ils assistèrent à une démonstration de « calèche sans cheval » dans le Massachusetts en 1896. Ces quadragénaires furent si impressionnés qu'ils passèrent le restant de leurs vies à dessiner et à fabriquer des automobiles. En quelques semaines, ils avaient vendu leur société à Kodak et à peine douze mois plus tard, ils avaient produit leur première voiture fonctionnelle, un véhicule à vapeur qu'ils baptisèrent Stanley Runabout.

Son moteur double action à 2 cylindres de 3,5 chevaux comportait moins de 25 pièces mobiles et entraînait les roues arrière au moyen d'une transmission par chaîne, grâce à une chaudière verticale de 35 centimètres de diamètre pesant 41 kilos. Installée sous le siège et renforcée par des câbles d'acier enroulés à sa surface, elle pouvait supporter 900 kilos de pression. N'importe quel combustible (bois, kérosène et même huile de baleine) pouvait faire office de carburant, mais cette flexibilité avait un prix. Il fallait au moteur jusqu'à 40 minutes pour produire une vapeur suffisante pour actionner la chaîne, et le réservoir d'eau ne durait que 32 kilomètres environ. Cela n'empêcha pas les Stanley de vendre plus de 200 voitures en 1898.

Freelan et Flora, sa femme, furent les premiers à atteindre en voiture le sommet du mont Washington (1 916 mètres), plus haut sommet du nord-est des États-Unis. L'ascension, le long d'une route carrossable mais sinueuse affichant une déclivité considérable de 12 %, leur prit à peine plus de deux heures. John Walker et Amzi Barber, deux clients, rachetèrent la société en 1898. **BS**

999 | Ford

1902 • 18 800 cm³, S4 • 71 ch • inconnue • 147 km/h

Le nom « Ford 999 » correspondait à un numéro de plaque d'immatriculation et non à un numéro de modèle, et seuls deux exemplaires furent produits. On était loin de la Ford Model A, produite à grande échelle et qui faisait alors la renommée d'Henry Ford.

La Ford 999, conçue par Ford, était née de son amour pour la course automobile. La voiture, dépourvue de carrosserie, était composée d'un siège conducteur perché derrière un moteur de 18 800 cm³ reposant sur un châssis en bois. Souvent, un mécanicien se tenait aux côtés du conducteur, tant pour réparer les pannes que pour faire des réglages pendant la conduite. Dénuée de suspensions, elle devait offrir un confort des plus spartiates.

La 999 originale était peinte en rouge. Un modèle identique, fabriqué au même moment et peint en jaune, fut baptisé Arrow. Cependant, leurs plaques minéralogiques devinrent interchangeables et le nom « Ford 999 » ne tarda pas à s'appliquer aux deux modèles. Ce chiffre faisait référence à une locomotive à vapeur, l'*Empire State Express* n° 999, premier véhicule autopropulsé à avoir dépassé les 160 km/h, en atteignant la vitesse de 181,1 km/h le 10 mai 1893.

La Ford 999 n'égala jamais son illustre homonyme. Elle dut se contenter d'un record de vitesse de 147,05 km/h, réalisé sur la surface gelée du lac St. Clair (qui s'étend entre l'Ontario et le Michigan) le 12 janvier 1904 par Henry Ford en personne, au volant du modèle Arrow, depuis rebaptisé 999. Ce record de vitesse terrestre fut battu un mois plus tard, mais la publicité occasionnée eut un effet très positif pour la Ford Motor Company. La 999 originale est aujourd'hui exposée au musée Henry Ford à Dearborn, dans le Michigan. **MG**

Simplex | Mercedes

(D)

1902 • 6 700 cm^3, S4 • 40,5 ch • inconnue • 119 km/h

Le 29 mars 1901, le pilote allemand Wilhelm Werner participa à la course Nice-La Turbie, sur la Côte d'Azur, au volant d'une Mercedes de 35 chevaux. Il termina avec 43 secondes d'avance sur son plus proche rival, à la vitesse moyenne de 51 km/h. Quand une version routière de 40,5 chevaux de ce modèle de course de 1901 fut commercialisée l'année suivante, la voiture était en passe d'entrer dans la légende, et ce, avant même qu'un seul exemplaire de la version routière ait été vendu.

Avec cette version 1902, le concepteur Wilhelm Maybach souhaitait offrir « le confort par la simplicité ». Son empattement plus important conférait au véhicule un centre de gravité plus bas et le levier de vitesses permettait le débrayage automatique. Une seconde pédale de frein n'était pas de trop pour maîtriser son moteur modifié de 6,7 litres, et son nouveau système de refroidissement à aubes faisait circuler plus efficacement l'air à travers le radiateur alvéolé. La carrosserie innovante, avec ses phares en cuivre surdimensionnés et son klaxon à poire, incarnait la touche Mercedes.

La Simplex, ancêtre de la gamme Mercedes, est aujourd'hui reconnue comme la première véritable automobile, construite selon des principes intemporels : boîte 4 vitesses, traction arrière (avec transmission par chaîne) et configuration 4 places.

En 1902, William K. Vanderbilt Jr. réalisa un record du monde de vitesse en atteignant 69,5 km/h au volant de la Simplex. Partout où elle allait, elle séduisait ceux qui posaient les yeux sur elle, les roturiers comme les têtes couronnées. En 1903, l'empereur Guillaume II déclara à Maybach lors du Salon de l'automobile de Berlin : « C'est un bien bel engin que vous avez là, monsieur. » **BS**

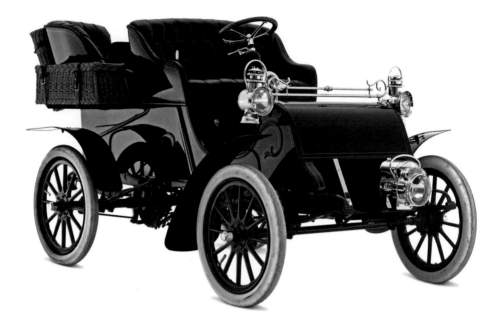

Model A | Cadillac

1903 • 1 609 cm³, simple cylindre • 8 ch • inconnue • 48 km/h

La plus vieille Cadillac à avoir survécu est l'une des trois Model A qui furent vendues au Salon de l'automobile de New York en janvier 1903. Il suffisait de verser un acompte de 10 dollars lors du salon pour repartir avec cette voiture vendue 750 dollars, dont un exemplaire fut acheté par M. Homas, viticulteur à Cucamonga, en Californie. Cette voiture, restée dans la famille Homas jusqu'en 1973, fut finalement vendue aux enchères en 2007 pour 300 000 dollars.

La Cadillac Automobile Company avait été fondée en 1902 à Detroit et baptisée du nom du fondateur de la ville, un explorateur français à la titulature impressionnante : Antoine Laumet de la Mothe, sieur de Cadillac (ville du sud-ouest de la France). Le fondateur de la société et constructeur des premières Cadillac américaines était Henry M. Leland, un inventeur du Vermont

et pionnier de l'automobile qui fonda plus tard la société Lincoln, laquelle fut par la suite cédée à Henry Ford.

La Model A ne fut désignée ainsi qu'à partir de l'année suivante, après la sortie de la Model B. Les deux Cadillac originales de 1903 étaient en réalité le même modèle : la Cadillac Runabout 2 places, qui, moyennant un supplément de 100 dollars, pouvait accueillir deux sièges supplémentaires, devenant alors la Cadillac Tonneau. Les moteurs monocylindres affichaient officiellement 8,2 chevaux de puissance mais atteignaient dans la pratique 10,2 chevaux.

Une Model A originale de 1903 fut vendue en 2011 pour 99 000 dollars. Seuls 2 497 exemplaires furent produits, et en 1908, Cadillac avait déjà progressé jusqu'à la Model T. En 1909, Cadillac fut rachetée par General Motors. **MG**

Model A | Ford

1903 • 1 668 cm³, V2 • 58 ch • inconnue • 48 km/h

Quand Henry Ford vendit sa première Model A au Dr Ernst Pfenning de Chicago le 20 juillet 1903, la toute jeune Ford Motor Company de Detroit n'avait plus que 223,65 dollars sur son compte en banque. La société avait été constituée un mois plus tôt avec un capital de 28 000 dollars et, fort heureusement pour Ford, la Model A, une 2 places vendue 750 dollars, remporta un vif succès. Il en vendit 1 750 en 1903 et 1904, réalisant un bénéfice de presque 39 000 dollars au cours des trois premiers mois. En 1904, le véhicule fut remplacé par la Ford Model C (la Model B était un véhicule de tourisme plus imposant à 4 cylindres vendu 2 000 dollars).

La Model A se vendit mieux que sa concurrente directe, la Curved Dash d'Oldsmobile, malgré un prix supérieur de 100 dollars. Les clients pouvaient opter pour une 4 places moyennant 100 dollars de plus, et

une capote en caoutchouc pour encore 30 autres dollars. Pour une capote en cuir, il fallait ajouter encore 20 dollars. Selon Ford, la voiture était tellement simple qu'un garçon de 15 ans pouvait la conduire.

En juillet 1903, deux autres acheteurs se présentèrent à la suite du Dr Pfenning pour acheter la Ford Model A. L'un de ces véhicules, vendu à Herbert L. McNary, un crémier de Britt, dans l'Iowa, a survécu jusqu'à nos jours. Sa carrosserie arborait le numéro 30. Les voitures n'ayant pas été numérotées dans un ordre logique, le docteur Pfenning, premier acquéreur d'une Ford, hérita de la voiture n° 11. Celle de McNary resta en sa possession pendant 50 ans, et ne connut que quatre propriétaires ultérieurs. Elle fut proposée aux enchères en Californie en 2010, mais la plus haute (325 000 dollars) s'avéra inférieure au prix de réserve. **MG**

60HP | Mercedes   (D)

1903 • 9 293 cm³, S4 • 61 ch • inconnue • 104 km/h

L'ingénieur allemand Wilhelm Maybach était un collaborateur de Gottlieb Daimler, de la société Daimler. Après la mort de celui-ci en 1900, Maybach entama une collaboration avec Paul, le fils de Gottlieb. En 1901, ils produisirent la première Mercedes : la 35HP. Mercedes était le prénom de la fille d'un des membres du comité directeur de Daimler, Emil Jellinek. Jellinek était disposé à payer une énorme somme d'argent pour que Daimler développe une nouvelle voiture de course, à condition qu'elle porte le prénom de sa fille, Mercedes.

La Mercedes 35HP accoucha de la Simplex 28HP Tourer, une version commerciale moins puissante qui fut la première routière au monde à porter le nom de Mercedes. Elle fut suivie du modèle 60HP, reconnaissable à son énorme moteur de 9 293 cm³. Sa vitesse maximale de 104 km/h était impressionnante pour l'époque, mais on raconte que les pilotes parvenaient à la pousser jusqu'à 120 km/h, à une époque où la vitesse sur les routes britanniques était limitée à 19 km/h.

En 1906, la course de côte « Rest and Be Thankful » se déroula en Écosse pour la première fois. Après une longue interruption, elle fut ressuscitée en 1949. Le vainqueur de la course inaugurale, qui triompha de ce parcours pittoresque de 1,6 kilomètre en 2 minutes et 19 secondes, conduisait une Mercedes 60HP.

Seuls 200 exemplaires de la 60HP, en version 2 ou 4 places, furent produits. Officiellement, cinq d'entre elles ont survécu jusqu'à nos jours. En 1991, une Mercedes 60HP 2 places fut vendue aux enchères pour 1,6 million de livres sterling. En 1996, cette voiture participa à la « balade des centenaires », une course de voitures anciennes entre Londres et Brighton. **MG**

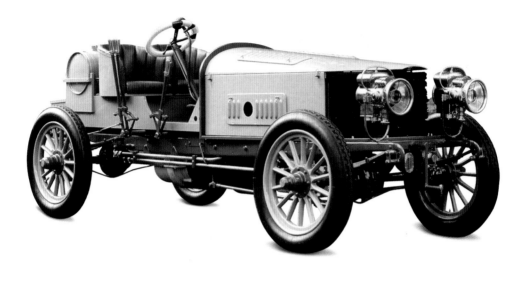

60HP | Spyker NL

1903 • 8 821 cm³, S6 • 61 ch • inconnue • 129 km/h

Jacobus et Hendrik-Jan Spijker, carrossiers à Hilversum, dans le nord de la Hollande, fondèrent en 1880 la société Spijker afin de se lancer dans la construction automobile. En 1898, ils déménagèrent à Amsterdam, où ils avaient été chargés de fabriquer un carrosse doré pour le couronnement de la reine Wilhelmine, le 6 septembre. Cependant, le carrosse ne fut pas utilisé officiellement avant son mariage en 1901, et il sert encore de nos jours.

La commande du carrosse fut un tournant dans la carrière des frères hollandais et, en 1899, ils profitèrent de cette publicité pour se consacrer à la fabrication de voitures. Ils produisirent quelques modèles conventionnels jusqu'en 1903, année marquée par deux évolutions majeures. Les frères Spijker changèrent leur nom et celui de leur société en Spyker, une marque plus en adéquation avec leurs visées internationales, et construisirent l'un des premiers véhicules à porter ce nom : la Spyker 60HP. Il s'agissait d'une voiture remarquable : elle était notamment la première au monde dotée de 4 roues motrices et d'un moteur 6 cylindres. La présence de freins sur les 4 roues était également une première.

Les deux frères furent salués pour leur talent d'innovateurs, et brevetèrent également en 1903 leur idée de « châssis antipoussière », un dispositif que l'on plaçait sous les voitures pour les empêcher de soulever de la poussière sur les routes en terre. Les voitures Spyker étaient également dotées de radiateurs circulaires très singuliers. Par la suite, les deux frères furent surnommés par les Anglais les « Rolls et Royce d'Europe continentale ». **MG**

12HP | Darracq   (F)

1904 • 1 886 cm³, S2 • 12 ch • inconnue • 72 km/h

Né à Bordeaux en 1855, Alexandre Darracq suivit une formation de dessinateur industriel à Tarbes, dans les Hautes-Pyrénées. En 1891, il fonda la société des bicyclettes Gladiator, qu'il céda en 1896. Darracq était à bien des égards le Henry Ford de son temps, l'un des premiers constructeurs européens à envisager et à planifier sérieusement la production automobile à grande échelle.

En 1902, il signa un accord avec le fabricant allemand Adam Opel pour construire des voitures dans son usine de Rüsselsheim, en Allemagne. En 1904, la nouvelle société, Opel Darracq, était devenue le plus important constructeur au monde, avec une production annuelle de 1 600 véhicules, à l'origine d'un dixième des véhicules présents sur les routes françaises.

En 1904, Darracq dessina un roadster 2 places doté d'un moteur bicylindre à 4 temps de 12 chevaux sur un châssis en acier embouti, un véhicule qui aurait, 40 ans plus tard, un profond impact sur les amateurs anglais d'automobile. En 1953, le roadster de Darracq devint la star de *Geneviève*, un film sur la course Londres-Brighton qui fut organisée pour la première fois en 1896 pour fêter l'élévation de la limite de vitesse nationale à 23 km/h. Le film inspira les « rallyes Geneviève » et suscita beaucoup d'intérêt pour les voitures anciennes.

"Geneviève" était le produit de deux Darracq 12 mises au rebut : un châssis rouillé, et une carrosserie évidée découverte dans une décharge en 1945. Après quatre années de restauration, elle termina son premier rallye en 1949. Le rutilant roadster de Darracq, avec ses cuivres étincelants et ses ailes avant saillantes, accéda au statut de star et devint, selon les termes du musée national de l'Automobile britannique, « la mascotte du mouvement des voitures anciennes ». **BS**

200HP | Darracq   (F)

1904 • 25 400 cm³, V8 • 203 ch • inconnue • 196 km/h

Durant les années 1890, Alexandre Darracq se consacra à la fabrication de tricycles à moteur, avant de flirter avec les voitures électriques et les moteurs en étoile. Darracq produisit un moteur vertical bicylindre en 1900, et se lança en 1902 dans la construction de voitures 4 cylindres d'une puissance de 20 chevaux, avec châssis en acier embouti. Il ne se contenta pas d'une course inexorable vers des machines toujours plus complexes et imposantes. En 1905, il créa un moteur comme on n'en avait encore jamais vu : un V8 de 25 400 cm³ à refroidissement liquide qui occupait les deux tiers du châssis. Pour des raisons de poids, le véhicule était dépourvu de carrosserie et ne comportait que deux sièges, un volant, des pédales et un radiateur léger. Ce n'était pas une voiture de course, mais un monstre – un exploit pour un homme qui n'appréciait guère la conduite.

Darracq n'en fabriqua qu'un exemplaire, avec l'intention expresse de battre des records. La Darracq 200HP fit ses débuts le 28 décembre 1905, sans avoir été testée, et il ne lui fallut que deux jours pour battre le record du monde de vitesse terrestre en atteignant la vitesse de 176,5 km/h près de Salon-de-Provence. En 1906, à Ormond Beach, en Floride, elle devint la première voiture à essence à couvrir 2 miles (3,2 kilomètres) en une minute, réalisant ainsi un nouveau record de 197 km/h.

Sa carrière terminée, la Darracq 200HP fut abandonnée en pièces détachées dans un garage anglais jusqu'à son rachat par un fan de Darracq en 1954. Après 50 ans de restauration épique, elle revint à la vie le 4 juillet 2006 dans le Worcestershire, devant un public émerveillé. **BS**

8HP | Rover (GB)

1904 • 1 327 cm³, simple cylindre • 8 ch • inconnue • 38,6 km/h

La Rover 8HP, dessinée par Edmund Lewis, ingénieur en chef à la Daimler Motor Company, représente un moment clé dans l'évolution de l'automobile. Là où la plupart des châssis s'inspiraient directement des calèches traditionnelles, Lewis prit une orientation sans précédent en dotant son véhicule d'une armature en acier comprenant le carter, la boîte de vitesses, l'arbre et un essieu arrière intégré. Le moteur (un monocylindre de 1 327 cm³ monté à la verticale, avec 3 vitesses avant facilement accessibles grâce à un levier situé sur la colonne de direction) était cependant plus conventionnel.

Une pédale permettait d'utiliser la compression naturelle du moteur pour aider au freinage, et l'utilisation de l'aluminium garantissait un poids très faible de 533 kilos. Le premier prototype fut achevé le 1er juillet 1904. Les configurations à 2 et 3 places furent commercialisées le 1er décembre 1904, au prix relativement modeste de 314 dollars, ou 345 dollars pour la version 3 places. Le succès fut immédiat.

Elle n'avait certes pas la beauté et le raffinement d'une Mercedes Simplex, mais elle avait été pensée dès le départ comme une voiture grand public, sans ornements inutiles (et coûteux). Lewis avait sans nul doute trouvé la bonne formule : la Rover 8HP devint la voiture la plus vendue en Angleterre. **BS**

16-24HP | Fiat (I)

1904 • 4 181 cm³, S4 • 24 ch • inconnue • 70 km/h

La Fabbrica Italiana Automobili Torino (usine automobile italienne de Turin), fondée en 1899, allait devenir le premier constructeur automobile italien. Seuls huit exemplaires de son premier modèle, la 3½ CV de 1899, dotée d'un moteur de 697 cm³, furent produits. La 16-24HP de 1904, avec son moteur de 4 181 cm³, était bien plus puissante.

Leur modèle de 1903, baptisé 16-20HP en référence à son moteur de 20 chevaux, fut produit à 100 exemplaires. Ils fabriquèrent 130 exemplaires du modèle 16-25HP, sorti en 1904, puis relancèrent la production d'une 16-20 modifiée en 1905, pour un total de 171 exemplaires. Les modèles 16-20 et 16-24HP furent importants à plus d'un titre. La Fiat 20HP produite en 1903 évoque clairement une version motorisée de calèche traditionnelle. Elle était ouverte aux quatre vents, et conducteur et passager étaient assis côte à côte sur deux sièges séparés. Le modèle de 1904, lui, avait tout d'une voiture, avec toit amovible, châssis surélevé, et deux banquettes biplaces pour quatre personnes.

La version de 1904 avait des caractéristiques innovantes, comme un système de refroidissement liquide activé par une pompe et une boîte à vitesses (4 au total) manuelle. Elle fut également exportée aux États-Unis et vendue 6 700 dollars. À la même époque, la première Cadillac Model A se vendait 750 dollars. **MG**

28HP Landaulette | Lanchester (GB)

1906 • 3 800 cm³, S6 • 28 ch • inconnue • 71 km/h

La Lanchester Engine Company fut fondée en 1899 par les trois frères Lanchester : Frank, George et Frederick. Leur véhicule monocylindre de 1 306 cm³, sorti en 1896, connut un succès immédiat. Leurs premières voitures de série, des bicylindres de 4 033 cm³, virent le jour en 1900. En 1905, les Lanchester produisaient déjà 350 voitures par an.

On devait à Frederick, talentueux ingénieur, l'invention du carburateur à mèches, de la pédale d'accélération, des roulements lubrifiés à l'huile et des pistons segmentés. En 1905, il conçut une machine permettant de fabriquer les engrenages d'une nouvelle transmission à vis sans fin, et une autre machine pour fabriquer les roulements mécaniques du nouvel essieu arrière. Pour diminuer la vibration torsionnelle du nouveau moteur de 3 800 cm³ de la société, il mit au point un compensateur harmonique novateur ainsi qu'un amortisseur qu'il relia au vilebrequin.

La carrosserie personnalisée en panneaux d'aluminium de la Lanchester Landaulette 1906 était découpée sur un gabarit et profilée à l'usine de Birmingham. L'installation du moteur entre les sièges avant permit de remplacer le capot par un tableau de bord revêtu de cuir. Les qualités esthétiques de la voiture alliées à ses innovations techniques faisaient de la Landaulette une voiture unique, en avance sur son temps. **BS**

Silver Ghost | Rolls-Royce (GB)

1906 • 7 036 cm³, S6 • 49 ch • inconnue • 126 km/h

La Rolls-Royce Silver Ghost était à l'origine baptisée « 40/50HP », Silver Ghost étant en réalité le nom d'un exemplaire unique sorti de l'usine Rolls-Royce, même si tout le monde adopta ce sobriquet.

Équipée d'un moteur de 7 036 cm³ produisant ce qui semble aujourd'hui une puissance bien modeste, avec deux bougies pour allumer chacun de ses 6 cylindres, elle était à la pointe de la technologie automobile. Au regard des normes modernes, cependant, elle fait peur : seules les roues arrière étaient munies de freins (actionnés à la main) et les phares électriques ne furent proposés qu'en 1914, juste à temps pour la Première Guerre mondiale, durant laquelle sa production fut suspendue au profit de celle de voitures blindées.

Mais c'est bien sa fiabilité qui distinguait la Silver Ghost de ses concurrentes. Les journalistes automobiles, soucieux de trouver son point faible, la soumirent à quantité d'épreuves dont elle sortit chaque fois la tête haute, battant des records de performance et d'endurance. En 1907, elle remporta une épreuve de 24 000 kilomètres organisée par le Royal Automobile Club.

Même à son lancement, elle n'avait rien d'une voiture pour le grand public. En 1906, un modèle neuf coûtait plusieurs fois le salaire annuel moyen d'un employé. De nos jours, il pourrait atteindre environ 60 millions de dollars aux enchères. **JI**

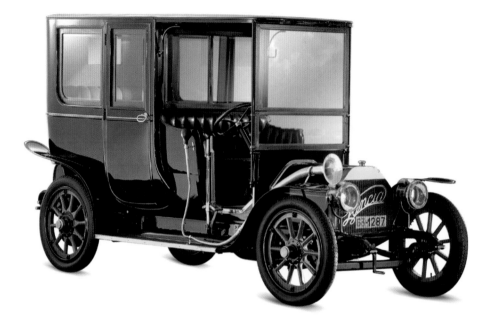

Alpha | Lancia

(I)

1908 • 2 543 cm³, S4 • 57 ch • inconnue • 90 km/h

La Lancia 12HP fut la première voiture de série produite par le fondateur de la société, Vincenzo Lancia, qui la dévoila en 1908 au Salon de l'automobile de Turin.

Né en 1881, Lancia avait d'abord travaillé comme comptable dans une usine de vélos de Turin. Après son rachat par Fiat en 1899, Lancia fut nommé inspecteur en chef. Il travailla chez Fiat pendant huit années, durant lesquelles il œuvra comme pilote d'essai et pilota les voitures de course de la société, remportant de nombreuses compétitions. Quand il créa, en 1906, la société Lancia, il ne se souciait guère du confort ou de l'aspect pratique ; seules les courses lui importaient.

Lancia proposa d'abord un moteur de 12 chevaux monté sur un châssis droit. Différents types de carrosseries furent ensuite proposés, du landaulet fermé à la 2 places sportive. La Lancia Corsa, déclinaison de ce

premier véhicule, participa à une course à Savannah, en Géorgie, en 1908. Ces Lancia de préproduction étaient réputées pour leur légèreté et la qualité de leur conception. Toujours en 1908, Lancia lança la production de sa première automobile. Sa première voiture, baptisée Alpha, était équipée d'un moteur 4 cylindres de 2 543 cm³ avec une soupape latérale.

La société Lancia ne craignait pas les innovations technologiques. Elle produisit le premier V6 standard de série, le premier système électrique embarqué et la première transmission standard à 5 vitesses.

S'il est un domaine que Vincenzo Lancia a marqué d'une empreinte indélébile, c'est probablement celui du sport automobile. Lancia est le seul constructeur à pouvoir se targuer d'avoir remporté dix titres aux championnats du monde des rallyes. **BK**

Cadillac | Cadillac

1908 • simple cylindre • 10 ch • inconnue • inconnue

Durant six années d'indépendance, du jour où elle fut fondée par Henry Leland en 1902 jusqu'à celui où elle fut phagocytée par General Motors en 1908, la société Cadillac avait de quoi être fière. Ses ingénieurs inventèrent la première transmission synchronisée, le démarreur et la suspension frontale indépendante. Quant à ses moteurs monocylindres, les « petits Hercules », ils développaient une puissance de 10 chevaux, bien supérieure à celle des monocylindres concurrents.

En 1908, Cadillac proposait à ses clients un choix de cinq modèles issus de l'année précédente : les modèles H et G, des 4 cylindres conçus pour le marché du luxe, et les modèles S, T et M, des monocylindres plus modestes. Cadillac affirmait que les pièces d'un modèle pouvaient être échangées avec celles d'un autre modèle identique. L'interchangeabilité était devenue synonyme d'ingénierie de précision. Le Royal Automobile Club britannique avait mis les constructeurs du monde entier au défi de prouver l'interchangeabilité de leurs pièces. Seul Cadillac osa relever le défi.

En 1908, trois Model K de 1907 furent conduites jusqu'au circuit de Brooklands à Weybridge, en Angleterre, pour y être démontées pièce par pièce. Il y avait au total 721 composants. Les pièces furent ensuite mélangées et on demanda à deux mécaniciens qui ne connaissaient pas les Cadillac de remonter trois véhicules fonctionnels. Ils y parvinrent, et Cadillac devint le premier constructeur automobile à remporter le très convoité trophée Dewar pour l'innovation automobile. Cadillac adopta un nouveau slogan, le « standard du monde », et ressuscita la devise d'Henry Leland : « Le savoir-faire est notre credo, la précision notre loi. » **BS**

S61 Corsa | Fiat   ⓘ

1908 • 10 087 cm³, S4 • 132 ch • inconnue • 150 km/h

Au tournant du xxᵉ siècle, la Fabbrica Italiana Automobili Torino (FIAT) était persuadée que la meilleure manière de prouver la fiabilité et la robustesse de sa jeune marque consistait à fabriquer des moteurs énormes et à remporter des courses automobiles.

Fiat ne courait pas pour le plaisir ; la course était essentielle au développement de la société. Ses moteurs, comme le S74 4 cylindres de 1904 avec une cylindrée de 14 000 cm³, étaient capables d'atteindre des vitesses dépassant 160 km/h et pouvaient concourir sans problème.

Conçue pour participer à l'édition 1909 du Grand Prix de l'Automobile Club de France (ACF), la S61 était minuscule comparée à la capacité du S74, bien qu'il s'agisse de l'une des voitures de course les plus rapides de l'époque, grâce à un moteur à 4 cylindres en ligne de 10 087 cm³ développant 97 kW à 1 900 tours par minute. La S61, montée sur un châssis de course modifié de 1908, comptait 4 soupapes par cylindre – c'était la première fois qu'un moteur était équipé de plusieurs soupapes actionnées mécaniquement – avec lubrification pressurisée, double allumage et un moteur à couple conique avec transmission par chaîne. La voiture était lourde et peu maniable, mais, à une époque où les pistes de courses, comme celles de Brooklands et Montlhéry, n'avaient pas de bordure, c'était la vitesse et non la tenue de route qui décidait de l'issue d'une course.

En 1909, une S61 fit le tour du circuit de Brooklands à une vitesse moyenne de 180 km/h, et en 1911 trois S61 furent expédiées aux États-Unis, où l'une d'entre elles termina troisième à l'Indianapolis 500 cette même année. Une S61 est exposée dans le Hall of Fame (musée) de l'Indianapolis Motor Speedway. **BS**

Model T | Ford   USA

1908 • 2 900 cm³, S4 • 20 ch • inconnue • 72 km/h

En écrivant dans son roman *Rue de la sardine* (1945) : « La plupart des bébés de cette époque furent conçus dans des Ford Model T, et nombreux furent ceux qui y naquirent », John Steinbeck nous donne une raison inattendue mais néanmoins convaincante pour laquelle la Model T d'Henry Ford est souvent décrite comme la voiture la plus importante du xxᵉ siècle.

Elle avait inspiré à son créateur une phrase célèbre : « Les clients peuvent opter pour la couleur de leur choix, tant qu'il s'agit du noir. » En réalité, durant les premières années d'existence de la Ford Model T, le noir n'était même pas proposé. On pouvait opter pour du gris, du vert, du bleu ou du rouge. Ce n'est qu'en 1914 que le noir devint l'unique couleur disponible, en raison, dit-on, de sa rapidité de séchage, qui permettait d'accélérer la production. En 1918, la moitié des voitures américaines étaient des Ford Model T. Ce modèle remporta un succès tel qu'entre 1917 et 1923 Ford n'eut pas besoin d'investir pour lui faire de la publicité.

Les premières Model T étaient vendues 850 dollars, mais elles furent si demandées que quand Ford en interrompit la production en 1927, après 16,5 millions d'unités produites, les économies d'échelle avaient permis de réduire leur prix à 300 dollars.

En 1927, la voiture était également fabriquée dans plusieurs usines européennes. Seule la Coccinelle de Volkswagen a connu une telle longévité. Avec la Model T, Ford réalisa et dépassa même son rêve de créer une voiture que tout un chacun pourrait s'offrir. Elle fut également la première voiture équipée d'une radio et la première à atteindre le sommet du Ben Nevis, la plus haute montagne d'Angleterre – même si nul bébé ne fut conçu durant ce trajet. **MG**

Model 30 | Cadillac

USA

1910 • 4 185 cm³, S4 • 33 ch • inconnue • 97 km/h

La Cadillac Model 30 de 1910 était la première automobile dotée d'une carrosserie fermée protégeant ses passagers. Une version découverte avait été lancée en décembre 1909, mais il fallut attendre le modèle de 1910, sorti en avril, pour voir décoller les ventes. La Model 30 couverte était vendue 1 600 dollars, soit le double du prix d'une voiture moyenne, et 200 dollars de plus que le modèle précédent. La plupart des carrosseries étaient fabriquées dans le Michigan, qui connut une température record de – 46 °C le 9 février 1934.

La production de la Model 30 ne dura que jusqu'en 1911, date à laquelle elle fut remplacée par des modèles numérotés selon l'année de production, comme la Cadillac Model 1912 (la première voiture dotée d'un démarreur électrique), bien qu'il s'agisse pour l'essentiel du même véhicule. Le démarreur électrique et le

système d'allumage, inventés pour Cadillac par l'ingénieur Charles Kettering, constituent toujours la base des systèmes actuels. On lui doit également l'invention de l'essence au plomb.

La Model 30, qui mesurait 2,26 mètres de hauteur et pesait environ 1 600 kilos, était une voiture imposante. Ce modèle a été décrit comme le précurseur de la voiture moderne.

Comme toutes les Cadillac, elle n'était pas donnée, et le prix grimpa jusqu'à 1 800 dollars en 1912 et 1 980 dollars en 1913. Malgré ces hausses, les ventes passèrent d'à peine plus de 8 000 en 1910 à 14 000 en 1912, et à plus de 15 000 en 1913. Peut-être faut-il y voir un lien avec les rigoureux hivers du Midwest. Aujourd'hui, les Model 30 se vendent plus de 100 000 dollars aux enchères. **MG**

Type 126 12/15HP Touring | Peugeot

1910 • 2 212 cm³, S4 • 12 ch • inconnue • 55 km/h

En France, Peugeot connut des débuts difficiles car ses premières voitures à vapeur avaient la réputation de tomber en morceaux. Lors d'un trajet Paris-Lyon censé prouver l'efficacité de ces nouvelles calèches sans chevaux, l'engin sema de nombreuses pièces dans son sillage, suscitant plus d'hilarité que d'admiration. Fondée en 1882, la branche automobile de Peugeot n'avait vendu en tout et pour tout que cinq voitures en 1891.

Près de 20 ans plus tard, la société avait accompli des progrès spectaculaires, produisant en 1910 350 exemplaires de son nouveau modèle, la Type 126. Cette voiture atteignait la vitesse vertigineuse de 55 km/h. Cependant, les clients pour lesquels une telle vitesse semblait excessive pouvaient se procurer une version moins puissante dotée d'un moteur monocylindre de 785 cm³. À cette époque, les concurrents proposaient des voitures capables d'aller deux fois plus vite. La politique de Peugeot, qui consistait à construire des véhicules bon marché comme la Type 126, se soldait par des véhicules trop encombrants et manquant de puissance.

1910 n'en fut pas moins une grande année pour Peugeot. La maison mère, fondée en 1810 pour fabriquer des moulins à café, s'était lancée en 1830 dans la production de bicyclettes. En 1896, Armand Peugeot quittait la société familiale à la suite d'une dispute pour créer une société rivale utilisant également le nom Peugeot. En 1910, les belligérants se réconcilièrent et fusionnèrent les deux sociétés. Depuis, la société Peugeot a enchaîné les succès, au point de remporter récemment plusieurs prix de meilleure voiture européenne de l'année. Les voitures qui se désagrègent en roulant ne sont plus qu'un mauvais souvenir. **MG**

Tipo 55 Corsa | Lancia

1910 • 3 456 cm³, S4 • 69 ch • inconnue • 110 km/h

(I)

Lancia fut fondée en 1906 à Turin, le fief de Fiat, et entama en 1907 son périple à travers l'alphabet grec en lançant la Lancia Alfa-12HP. La Lancia Dialfa-18HP (*dialfa* étant une lettre fictive) lui succéda en 1908, suivie de la Lancia Beta-15/20HP en 1909. En 1910, ce fut le tour de la Lancia Gamma-20HP, une voiture également connue sous son nom d'origine : Tipo 55 Corsa. (En réalité, toutes les voitures de Lancia possédaient un autre nom : Tipo 51 pour l'Alfa, Tipo 54 pour la Beta, etc.)

Tout comme Fiat, Lancia avait opté pour une politique de développement (création de marchés, cycles de production) plutôt lente. Seules 23 Dialfa et 150 Beta furent produites.

La Tipo 55 ou Gamma-20HP, une version améliorée du modèle précédent dotée d'un plus gros moteur, fut produite en 258 exemplaires. C'était une belle voiture,

et Lancia commençait à se faire un nom en émulant les Fiat de l'époque, tout en soignant davantage leur apparence et en ciblant une clientèle plus haut de gamme. La Tipo 55 avait une carrosserie de style torpédo, introduite en 1908 pour donner aux voitures une apparence plus profilée.

Il existait également une version de compétition dotée d'un moteur de 4 700 cm³, qui lui permit de remporter des courses tant aux États-Unis qu'en Italie. Son aspect le plus insolite résidait dans sa carrosserie, qui pouvait être configurée selon le bon vouloir du client, comme en témoignent les photos très différentes des modèles qui ont survécu à ce jour.

L'angle du marchepied de la Tipo 55 et celui de son long volant, entre autres détails, étaient personnalisables. **MG**

S76 | Fiat

1911 • 28 300 cm³, S4 • 304 ch • inconnue • 228 km/h

Les spécifications techniques de la Fiat S76 montrent qu'il ne s'agit pas d'une voiture ordinaire. Son moteur était si imposant qu'il occupait la quasi-totalité de l'empattement, long de 2,7 mètres. Le conducteur et son mécanicien étaient installés à l'arrière du véhicule. La S76 évoquait une fusée fabriquée à partir d'une gigantesque boîte de conserve, avec des côtés plats. Sur le plan des performances, elle avait également tout d'une fusée… une fusée couchée sur le flanc et propulsée à l'horizontale plutôt qu'à la verticale.

La carcasse de ce monstre (terme pour une fois parfaitement justifié) était si énorme que les pilotes avaient du mal à voir par-dessus le capot et devaient se pencher sur les côtés. Deux énormes pots d'échappement jaillissaient de son flanc avant de se rejoindre. Son moteur était deux fois plus volumineux que celui de la Fiat S74 qui l'avait précédée. Par la suite, l'un des moteurs fut utilisé pour propulser un dirigeable, et l'autre, qui fonctionne toujours, pour actionner la pompe d'une installation pétrolière au Mexique.

Il semble que seules deux S76 aient été fabriquées. Elles furent confiées à certains des plus grands pilotes de l'époque, dont Felice Nazzaro, Antonio Fagnano et Pietro Bordino, qui remportèrent plusieurs Grands Prix européens ainsi que d'autres courses.

À cette époque, il n'y avait pas de record officiel de vitesse terrestre ; au lieu de cela, les fabricants s'affrontaient pour réaliser le meilleur temps sur 1 kilomètre. Il est cependant possible d'estimer la vitesse de pointe de la S76 quand on sait qu'elle parcourut 1,6 kilomètre en 20,2 secondes au cours d'essais à Long Island, ce qui équivaut à presque 290 km/h. **MG**

Prince Henry | Vauxhall (GB)

1911 • 3 000 cm³, S4 • 20,2 ch • inconnue • 104 km/h

La Prince Henry de Vauxhall, considérée par beaucoup comme la première voiture de sport anglaise, était sans nul doute l'une des plus rapides de son époque. Elle dépassait régulièrement les 110 km/h, un chiffre nettement supérieur à sa vitesse maximale officielle.

La Prince Henry remporta d'innombrables trophées au cours d'épreuves de vitesse entre 1911 et 1914. Dans l'une des photos les plus mémorables de l'époque, on voit le directeur de Vauxhall, A. J. Hancock, au volant d'une Prince Henry avec son mécanicien penché de l'autre côté pour faire contrepoids durant la course de Shelsley Walsh près de Worcester, au Royaume-Uni.

La voiture fut officiellement baptisée C10 Type, puis rebaptisée en l'honneur du prince Henri de Prusse, qui sponsorisait à l'époque des essais de fiabilité automobile. Le tsar Nicolas, qui l'avait vue concourir dans la course Saint-Pétersbourg-Sébastopol l'année de son lancement, fut si impressionné qu'il en acheta deux. La voiture, basée sur la Vauxhall 20HP, ciblait les gentlemen aisés de l'époque édouardienne, qui considéraient ce nouveau sport qu'était l'automobile comme un passe-temps amusant. Le quotidien londonien *Daily Telegraph* testa la voiture le 6 octobre 1910 et la décrivit comme « la plus remarquable 20 chevaux du règne automobile ». Une Prince Henry coûtait à l'époque 485 livres sterling, mais le prix ne couvrait que le châssis et les roues. La carrosserie 4 places était en sus. On pense que moins de dix d'entre elles ont survécu.

Une version ultérieure fut renommée « 30/98 », mais la production fut interrompue durant la Première Guerre mondiale. Quand elle fut relancée en 1919, la voiture fut rebaptisée E-Type, nom aujourd'hui plus souvent associé à la Jaguar lancée en 1961. **RY**

40 | Amherst (CDN)

1912 • inconnue • 41 ch • inconnue • inconnue

Cette petite Amherst excentrique fut l'une des premières voitures canadiennes. Bien que fabriquée en Ontario à partir de pièces importées, elle avait été conçue à Detroit, de l'autre côté de la frontière. Les spécifications de la 40 sont mal connues, mais elle offrait sans nul doute des possibilités hors du commun. Il suffisait d'ôter la banquette arrière de cette voiture de tourisme 7 places pour la transformer en pick-up.

L'Amherst, qui tirait son nom d'Amherstburg, la petite ville de l'Ontario où elle était fabriquée, était l'œuvre d'un groupe d'entrepreneurs de Detroit et d'une poignée de Canadiens passionnés, qui fondèrent la Two-in-One (« deux en un ») Automobile Company. Seules neuf Amherst 40 furent officiellement produites durant l'unique année d'existence de la société. Ils ne créèrent jamais d'autre modèle.

L'idée d'une voiture facilement transformable en camionnette avait séduit les citoyens d'Amherstburg. La ville elle-même avait pris une large participation financière dans la société Two-in-One. Un exemplaire finalisé d'Amherst 40 trônait fièrement en ville.

En août 1912, un prototype d'Amherst 40 fut utilisé pour remorquer un véhicule endommagé sur 20 kilomètres de routes difficiles. Une 40 fut également exposée à Toronto durant l'exposition nationale canadienne de la même année. Cependant, en septembre 1912, les financiers de Detroit furent licenciés. Il semble qu'ils aient refusé de payer la contribution promise.

La société eut à peine le temps d'achever quelques Amherst supplémentaires avant de faire faillite et de disparaître pour toujours. Heureusement, l'une de leurs voitures a survécu et se trouve exposée au musée canadien des Transports à Kingsville, dans l'Ontario. **SH**

Bearcat | Stutz

USA

1912 • 6 388 cm³, S4 • 61 ch • inconnue • 128 km/h

De Mr. Magoo au sultan de Brunei, la Stutz Bearcat a connu de nombreux propriétaires. Un modèle de 1936 appartenant à M. Burns fit une apparition dans *Les Simpson*, et en 1971 deux répliques de la Bearcat furent utilisées pour l'éphémère série télé américaine *Bearcats!*, qui mettait en scène deux détectives privés au volant d'une Bearcat juste avant la Première Guerre mondiale.

La Bearcat était la première voiture de sport américaine. Le monde la découvrit en 1911, quand l'une des premières versions de cette 4 cylindres termina la première édition de l'Indianapolis 500 en onzième position. Cet exploit peut sembler modeste, mais il s'agissait d'une toute nouvelle voiture jamais testée encore. Elle courut à domicile devant une foule de 80 000 personnes et parcourut les 500 miles (805 kilomètres) en seulement 7 heures 22 minutes. Cette victoire inspira un slogan publicitaire : « La voiture qui a fait ses preuves en une journée. »

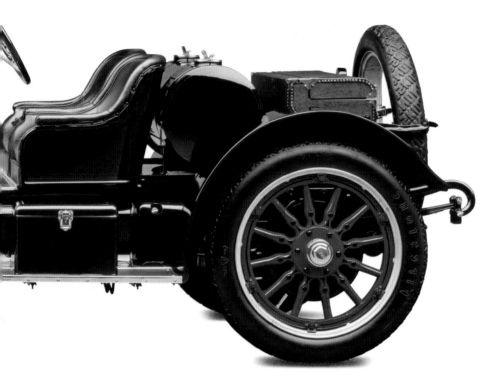

Quand une version commerciale quasi identique au prototype fut mise en vente en 1912, les clients se ruèrent dessus. La voiture continua de concourir et remporta 25 des 30 courses auxquelles elle participa en 1912. En 1915, la Stutz Bearcat fut nommée championne des voitures de course américaines.

La Bearcat fut la première voiture à porter le nom de Stutz. Harry C. Stutz, un pionnier de l'automobile élevé dans une ferme de l'Ohio, avait construit sa première voiture à 21 ans. Il conçut et fabriqua ensuite son propre moteur à essence, et fonda l'Ideal Motor Company en 1911, qui devint la Stutz Motor Company l'année suivante. Stutz inventa également un type de châssis particulièrement bas, conçu pour abaisser le centre de gravité de ses voitures et les rendre plus sûres et manœuvrables. Leur stabilité était si légendaire que même Mr. Magoo, personnage de dessin animé célèbre pour sa maladresse, était capable d'en conduire une. **MG**

Model 51 | Cadillac (USA)

1914 • 5 150 cm³, V8 • 71 ch • inconnue • 100 km/h

Henry Leland, le fondateur de Cadillac, avait en 1914 besoin d'une remplaçante pour la Model 30 de sa société, une 4 cylindres fiable mais dépassée. Les ventes s'étaient effondrées en 1913-1914, passant de 17 000 à 7 000 exemplaires. Les concurrents de Cadillac produisaient désormais des moteurs 6 cylindres plus souples et plus puissants et captaient ainsi la clientèle de Cadillac. Voyant que l'Europe avait des années d'avance sur les constructeurs américains en matière de moteurs haute performance, Leland chargea D. McCall White, un ancien de Daimler d'origine écossaise, de reconquérir ses clients.

Les instructions de Leland étaient simples : concevoir et fabriquer le premier moteur V8 de série, loin des regards indiscrets. Le développement se déroula dans un petit immeuble en béton de Mt. Clemens, dans la banlieue de Detroit, et n'impliqua que les employés dont la participation était vitale au projet. Le résultat fut un moteur V8 de 5 150 cm³ produisant une puissance impressionnante de 71 chevaux, soit presque 10 % de puissance en plus par rapport à la Packard Model 38, vendue deux fois plus cher. White s'était surpassé ; le moteur n'était certes pas parfait – un défaut du vilebrequin provoquait une oscillation irrégulière entre 64 et 80 km/h – mais les ventes rebondirent, avec 13 002 exemplaires vendus en 1915. **BS**

Touring Car | Cunningham (USA)

1916 • 7 200 cm³, V8 • 91 ch • inconnue • 130 km/h

La famille Cunningham se lança dans la production de calèches en 1842. Au début du xxᵉ siècle, elle s'était rendue célèbre pour ses traîneaux magnifiquement sculptés et ses superbes chariots funéraires. En 1907, la société produisit une voiture électrique, suivie en 1908 de ses premières voitures à essence. En 1911, ils fabriquèrent leur première voiture de tourisme – la Model J – propulsée par un moteur 4 cylindres de 40 chevaux.

Il fallut cependant attendre 1916, et le dévoilement de leur moteur V8 à soupape latérale de 7 200 cm³ pour 45 chevaux, doté d'un embrayage multidisque Brown Lipe dernier cri, pour que Cunningham donne enfin toute la mesure de son talent. Plus puissante que sa concurrente directe, la Cadillac V8, cette nouvelle voiture de tourisme au look européen, avec un radiateur cellulaire à tubes d'air revêtu de maillechort, s'imposa comme la nouvelle référence en matière de style et de raffinement.

Elle était dotée d'innovations comme des pompes à air intégrées, des tubulures d'admission chauffées à l'eau, et un tuyau pour le gonflage des pneus qui prenait son origine sous la banquette avant. Elle était proposée en douze configurations, dont une version roadster pour deux passagers, ainsi qu'une 5 et 7 places, toutes vendues 3 750 dollars. Cependant, avec les nombreuses personnalisations du châssis et de l'intérieur, il était rare qu'une Cunningham soit vendue au prix annoncé. **BS**

Dual Power | Woods (USA)

1917 • 1 560 cm³, S4 • 12 ch • inconnue • 56 km/h

38HP Model 51 | Pierce-Arrow (USA)

1919 • 8 587 cm³, S6 • 38,5 ch • inconnue • 113 km/h

On pourrait croire que les voitures hybrides sont une idée moderne, mais la première d'entre elles, la Woods Dual Power, fut produite en 1917. Les voitures électriques étaient courantes à l'aube de l'ère automobile, mais, comme de nos jours, leur puissance et leur autonomie posaient problème. Les moteurs à essence étaient populaires, mais ils offraient une conduite moins souple. La Dual Power tentait de concilier les avantages de chaque système.

Clinton Edgar Woods avait fondé la Woods Motor Vehicle Company à Chicago en 1899. Certaines de ses premières voitures, équipées d'un double moteur électrique, atteignaient une vitesse maximale de 29 km/h, nettement inférieure à celle des moteurs à essence. En 1915, sa société fit breveter une voiture combinant un moteur électrique et un moteur à combustion interne. En 1917, elle était sur les routes.

Le moteur électrique pouvait atteindre une vitesse de 32 km/h, au-delà de laquelle le moteur à essence, capable de grimper à 56 km/h, prenait le relais. Les deux moteurs pouvaient également être utilisés en même temps, mais seul le moteur électrique fonctionnait en marche arrière. Vendue 2 650 dollars, la voiture était nettement plus chère que les véhicules conventionnels équivalents, et d'un entretien bien plus délicat. La carrière de cette hybride précoce dura à peine une année. **MG**

En 1909, deux Pierce-Arrow Model 38 furent commandées pour intégrer un cortège présidentiel. Dix ans plus tard, le président Woodrow Wilson s'en vit proposer une pour son usage personnel. Wilson s'enticha de la voiture et en quittant son poste en 1921, il en fit l'acquisition.

À l'étranger, des Model 51 furent vendues à des ambassadeurs, des Premiers ministres et même des empereurs. Les 8 587 cm³ de son moteur 6 cylindres à double soupape développaient plus de puissance que les moteurs plus anciens à soupape unique. Ce moteur venait remplacer celui du modèle précédent, la Model 66, le plus gros moteur de série jamais produit avec ses 13 502 cm³.

Moteur mis à part, elle brillait par ses panneaux de carrosserie en aluminium parfaitement moulés, fournis par l'Aluminum Company of America. Fruit de longues années de recherches, ces panneaux, dont certains ne mesuraient que 3 millimètres d'épaisseur, permettaient d'obtenir un véhicule léger et résistant à la fois, tout en réduisant les vibrations. Son coût déjà élevé s'en ressentait cependant.

On trouvait également une foule de touches typiques de Pierce-Arrow, comme ses phares brevetés ; au lieu d'être fixés de chaque côté du radiateur, ils étaient sertis dans de superbes réceptacles dépassant du pare-chocs avant. **BS**

Type A | Citroën   (F)

1919 • 1 327 cm³, S4 • 18 ch • inconnue • 65 km/h

Henry Ford introduisit en 1908 les principes de la division du travail et de la ligne de montage à Detroit, avec la Model T. Onze ans plus tard, le concept traversa l'Atlantique et la Citroën Type A devint la première voiture européenne assemblée selon les principes novateurs de Ford ; il s'agissait de la première voiture du constructeur français Citroën.

Durant la Première Guerre mondiale, l'usine d'André Citroën s'était consacrée à la fabrication de munitions. Mais pendant que les canons tonnaient, il avait commencé à caresser l'idée d'une voiture de taille moyenne. Dès la fin des hostilités, il en peaufina la conception. La Type A, aussi connue sous le nom de 10HP, fut commercialisée en juillet 1919 et rencontra un succès immédiat. En l'espace d'un an, l'usine se mit à produire jusqu'à 100 Type A par jour. Quand 23 mois plus tard la production cessa, dix versions différentes avaient vu le jour et les ventes approchaient les 25 000 exemplaires.

Le succès de la Type A bouleversa l'industrie automobile. Au lieu de fournir un châssis motorisé à un carrossier pour qu'il l'équipe d'une carrosserie sur mesure, on se mit à produire l'intégralité d'une auto sur un seul site.

Citroën devint le premier constructeur à pratiquer la production à grande échelle hors de l'Amérique du Nord, mais ses exploits ne s'arrêtèrent pas là. La société innova radicalement en créant un réseau de revendeurs et de garagistes au service des clients. En moins d'une décennie, Citroën devint le premier constructeur européen et le quatrième mondial. La société fut également pionnière dans le domaine du droit des travailleurs, offrant à ses ouvriers des services médicaux, une salle de sport ainsi qu'une garderie. **RY**

A | Essex   (USA)

1919 • 2 930 cm³, S4 • 55 ch • inconnue • 97 km/h

Avec la Model T, Henry Ford avait produit la première automobile découverte bon marché. Cependant, c'est bel et bien l'Essex Motor Company, fondée par la Hudson Motor Company en 1917, qui offrit aux Américains la première voiture couverte, confortable et abordable à la fois, en présentant la berline Essex Model A en 1919. Conçue pour concurrencer la Model T, la Model A d'Essex devint rapidement, grâce à son faible coût, l'une des voitures les plus répandues sur les routes américaines. En six ans, elle permit à Hudson/Essex de passer de la septième à la troisième place, juste derrière Chevrolet et Ford.

L'Essex A était une berline 2 portes produite sur deux chaînes de montage parallèles capables de produire 150 voitures par jour, un chiffre très bas au regard du volume de commandes que recevait la société. Ses panneaux d'acier (la A était l'une des premières voitures américaines dotées d'une carrosserie en acier embouti) étaient fixés sur une armature en bois. Cette approche simpliste permit de réduire les coûts, mais donnait à sa cabine une furieuse allure de boîte. Cependant, près de 22 000 exemplaires furent écoulés durant la première année, et les ventes augmentèrent en 1920 après l'établissement par un roadster d'Essex d'un nouveau record de vitesse pour relier New York à San Francisco (4 jours, 19 heures et 17 minutes). Avec ses 54 chevaux, la A était presque trois fois plus puissante que la Model T.

En 1920, la gamme s'enrichit d'une voiture de tourisme de 4-5 places, d'un roadster 2 places et d'un cabriolet 2 places. Mais c'est la berline qui a bouleversé les habitudes d'achat des Américains, qui désiraient plus de puissance et une protection contre les éléments que ne pouvait leur offrir la Model T. **BS**

H6 | Hispano-Suiza

1919 • 6 597 cm^3, S6 • 101 kW • inconnue • 130 km/h

La H6 d'Hispano-Suiza est un concentré de luxe. Ses créateurs la présentaient dans leur catalogue comme «un chef-d'œuvre incontesté». Les qualités de la voiture reposaient non seulement sur son apparence, mais également sur sa puissance et ses caractéristiques innovantes. Son moteur était l'œuvre de l'ingénieur suisse Marc Birkigt, qui travaillait auparavant sur des moteurs d'avion. Autant dire qu'avec lui, la voiture aurait forcément un monstre sous le capot.

Son système de freinage, qui avait été dévoilé au Salon de l'automobile de Paris en 1919, était tout aussi unique et novateur. Chaque roue était équipée d'un frein assisté conçu pour que, durant le freinage, le simple fait de décélérer renforce l'action des freins. La voiture répondait mieux, sa distance de freinage était diminuée et le blocage des roues éliminé. À une vitesse de 100 km/h, la voiture ne parcourait que 35 mètres avant de s'arrêter. Ses freins étaient si performants que Rolls-Royce acheta une licence pour ses voitures.

Les H6 furent produites jusqu'en 1933, date de leur remplacement par deux versions (H6B et H6C) encore plus performantes. Cinq versions spéciales de la H6B, conçues spécifiquement pour la compétition, battirent plusieurs records du monde de vitesse. En tout, 2 600 exemplaires furent produits, principalement en France. Fait remarquable, le constructeur tchèque Skoda en fabriqua plusieurs exemplaires sous licence, dont une pour Tomáš Masaryk, le président et fondateur de la Tchécoslovaquie. Entre autres propriétaires célèbres, elle séduisit également le roi Alphonse XIII d'Espagne, le réalisateur américain D. W. Griffith et en Angleterre le futur comte Mountbatten de Birmanie. **MG**

Six Décapotable | Australian

AUS

1919 • inconnue, S6 • 25 ch • inconnue • 64 km/h

Il fallut attendre la fin des années 1940 pour que le gouvernement australien se décide à soutenir le développement d'une industrie automobile nationale. Il accepta de subventionner la fabrication de la berline Holden par la société Holden, filiale de General Motors. Quand la première voiture quitta la chaîne de production le 29 octobre 1948, la liste d'attente s'étendait jusqu'en 1950.

L'ère de l'automobile authentiquement australienne venait enfin de commencer. Les acheteurs n'étaient plus forcés d'importer leurs véhicules de l'étranger. Cependant, le pays avait pris 30 ans de retard. En 1919, si le gouvernement avait prêté attention à Frederick Hugh Gordon, un ingénieur et pionnier de l'automobile de Sydney, le réveil aurait pu avoir lieu une génération plus tôt.

En 1918, Gordon s'était rendu aux États-Unis, où il avait rencontré Louis Chevrolet, qui avait accepté de lui vendre plusieurs composants de la Light Six qu'il produisait chez American Motors. Gordon s'était procuré d'autres pièces venues du monde entier : des moteurs 6 cylindres Rutenber provenant de l'Illinois, des boîtes à vitesses Muncie, des différentiels Salisbury et des radiateurs de style « grec ancien » façon Rolls-Royce.

Il lança la production de sa berline australienne dans son usine de Sydney en 1919. La voiture fit ses débuts le 28 juin avec un choix de six modèles australiens, tous dotés de luxueux sièges en cuir plissé. Gordon fabriqua une centaine d'exemplaires par an jusqu'à ce qu'une série de revers financiers, une faillite, un plan de sauvetage puis un incendie viennent mettre un terme à son rêve. Durant cette période, environ 500 exemplaires de la Six australienne furent produits ; il n'en subsiste hélas aujourd'hui que seize. **BS**

Hélica | Leyat

(F)

1919 • 1 203 cm³, 2 cylindres, propulsion à hélice • 8 ch • inconnue • 70 km/h

L'Hélica, une création de l'inventeur français Marcel Leyat, était une voiture légère à hélice dépourvue d'embrayage, de transmission et de différentiel. Leyat n'était guère féru de mécanique complexe, et se souciait davantage des questions de poids et d'aérodynamisme. Cela n'empêcha pas son véhicule de subir plusieurs modifications.

L'un des premiers modèles positionnait le conducteur et le passager dans une cabine ouverte dépourvue de toute protection, alors que l'hélice tournait à quelques centimètres devant le visage du pilote. Un pare-brise fut ajouté, puis supprimé, de même qu'un stabilisateur horizontal.

Les modèles ultérieurs qui ont fait la renommée de Leyat comprenaient une structure monocoque (carrosserie et châssis formant un tout indissociable) dotée d'un cockpit dont l'armature en contreplaqué était recouverte d'aluminium. Le tout pesait seulement 284 kilos. Les passagers – un devant, un derrière – étaient désormais protégés. Le braquage se faisait au moyen de câbles reliés aux roues arrière. L'hélice de 137 centimètres, directement fixée à l'avant de l'Hélica sur le vilebrequin de son moteur Scorpion bicylindre, était dorénavant cerclée d'un déflecteur de protection en bois.

Entre 1919 et 1925, Leyat vendit entre 25 et 30 exemplaires de sa création. En 1921au Salon de l'automobile de Paris, on lui commanda 600 exemplaires d'une version à 4 pales, plus silencieuse et moins remuante, malgré sa vitesse de pointe modeste (69 km/h).

Durant la Seconde Guerre mondiale, les Allemands confisquèrent une Hélica, mais le pilote, désorienté par son pilotage «inversé», termina contre un arbre. **BS**

3 Litre | Bentley

GB

1921 • 2 996 cm³, S4 • 81 ch • inconnue • 129 km/h

S'il est une voiture qui annonça la couleur, c'est bien la Bentley 3 Litre. Non contente d'inaugurer l'élégant style édouardien qui allait caractériser toutes les Bentley de l'époque, elle décrocha la première victoire de la marque durant la légendaire course des 24 Heures du Mans. Des versions légères et « ouvertes » de la 3 Litre remportèrent les éditions 1924, 1927, 1928, 1929 (durant laquelle elle s'empara des quatre premières places), et 1930. La 3 Litre se distingua également dans le Tourist Trophy de l'île de Man (TT) et l'Indianapolis 500. Ses courageux pilotes, surnommés les « Bentley Boys », firent la une des journaux.

Avant la Première Guerre mondiale, Walter Bentley, un passionné de moto, avait fait fortune dans l'importation de voitures de sport françaises de marque DFP. Il avait également conçu des pistons légers en aluminium pour moteurs d'avions, comme celui du Sopwith Camel Fighter. À la fin de la guerre, Bentley se lança dans la création d'un bolide qu'il dévoila en 1919 lors du Salon international de l'automobile à Londres, et proposa à la vente deux ans plus tard. Le prix de cette voiture, fabriquée dans le quartier de Cricklewood, au nord de la capitale, était de 1 100 livres sterling pour un châssis. Les clients avaient le choix entre trois carrosseries : tourisme, sportive ou berline. Quand la production cessa en 1928, date de son remplacement par la 4,5 Litre, plus de 1 600 exemplaires avaient été produits.

Malgré l'accueil du public et ses triomphes en compétition, Bentley Motors se retrouva accablé de problèmes financiers et manqua plusieurs fois faire faillite au cours des années 1920. Bentley fut finalement mis sous séquestre en juin 1931 et racheté par Rolls Royce. **RY**

C4 Torpedo | Spyker (NL)

1921 • 5 700 cm³, S6 • 40 ch • inconnue • 140 km/h

En 1898, les frères Spijker, Jacobus et Hendrik-Jan, réalisèrent la célèbre «calèche dorée» à l'occasion du couronnement de Wilhelmine, reine des Pays-Bas. La reconnaissance et les appuis que leur valut cette commande marqua un tournant dans leur carrière et leur permit de se consacrer à leur vraie passion : la construction d'automobiles de luxe.

En 1907, une Spyker 14/18HP de tourisme s'empara de la seconde place dans la très éprouvante course Pékin-Paris. Durant la Première Guerre mondiale, les deux frères se consacrèrent à la fabrication d'avions, et se remirent à la construction automobile en 1919. En 1921, ils dévoilèrent leur création majeure : la Spyker C4.

Propulsée par un moteur conçu par l'ingénieur allemand Wilhelm Maybach et doté de deux bougies par cylindre, elle réalisa en 1921 un nouveau record dans la course d'endurance Nijmegen-Sittard-Nijmegen, parcourant 30 000 kilomètres en 30 jours à une vitesse moyenne de 35 km/h, et battant ainsi le précédent record détenu par Rolls-Royce sans devoir effectuer la moindre réparation. En 1922, Selwyn Edge opta pour une C4 afin de tenter de battre son propre record (96,5 km/h de vitesse moyenne sur une période de 24 heures), atteint à Brooklands en 1907. Au volant de la C4, il réalisa une moyenne de 120 km/h.

Le magazine *The Autocar* jugea sa puissance et son accélération «extraordinaires», et compara sa conduite à «une sensation de glisse». Les Spyker étaient garanties à vie, et la société bénéficiait du soutien indéfectible de la reine Wilhelmine. Cependant, les louanges, la précision et la sanction royale ne suffirent pas. La C4 était coûteuse et Spyker – qui en vendit tout juste 150 en cinq ans – ferma définitivement en 1926. **BS**

Seven | Austin (GB)

1922 • 696 cm³, S4 • 10 ch • inconnue • 77 km/h

L'Austin Seven, produite entre 1922 et 1939, fut décrite comme la «Ford T britannique». Surnommée «Baby Austin», elle permit aux masses d'accéder à l'automobile à un prix abordable, et rencontra un vif succès dans le monde entier.

Environ 290 000 exemplaires furent produits durant ces 17 années, dont plusieurs sous licence, vendus sous des noms différents selon les pays. La toute première BMW était en fait une Austin Seven produite sous licence. En France, elles s'appelaient «Rosengart», et furent même exportées aux États-Unis et vendues sous l'appellation «American Austin». Certains pays importèrent des pièces d'Angleterre ; d'autres se contentèrent de la copier et de fabriquer leurs propres versions «pirates» de la voiture.

Sir Herbert Austin, qui avait fondé l'Austin Motor Company en 1905, avait commercialisé en 1909 une voiture de 7 chevaux, également baptisée Austin Seven. Cependant, la société s'était toujours spécialisée dans les véhicules chers et imposants, et quand Sir Herbert tenta de produire un autre véhicule de petite taille, le comité directeur de la société s'y opposa. Il lui fallut menacer d'aller proposer son concept à Wolseley, leur grand rival, pour l'emporter. La production de la nouvelle Austin Seven débuta en 1922. Sir Herbert ne toucha qu'un peu plus de 2 livres sterling de royalties pour chaque exemplaire vendu, bien qu'il ait investi beaucoup d'argent personnel dans sa production.

En 1927, l'Austin Seven Swallow, une voiture de tourisme bicolore, remporta un succès équivalent. En 1928, la berline Austin Seven Swallow lui succéda. On estime qu'environ 10 000 Austin Seven ont survécu à ce jour, gage de leur robustesse. **MG**

5CV Type C | Citroën

F

1922 • 850 cm³, S4 • 13,2 ch • inconnue • 60 km/h

La Citroën 5CV Type C fut surnommée «petite citron» en raison de la couleur des premiers modèles : un jaune des plus vifs. Elle était équipée d'un démarreur électrique de série, car la société était persuadée qu'elle obtiendrait ainsi la faveur des femmes. La 5CV possédait une carrosserie ouverte, un arrière en forme de queue de poisson faisant office de coffre, une roue de rechange fixée à l'extérieur de la portière du côté conducteur et une capote très simple à armature en bois. Elle affichait sans complexes un charme féminin et un tantinet désuet, du moins en apparence.

La 5CV était conçue comme la réponse française à la Model T d'Henry Ford : bon marché, généreuse et sans fioritures. Avec son moteur de 850 cm³, elle était plus petite que la plupart des Citroën récentes, et juste un cran ou deux au-dessus des «cyclecars» légères, qui étaient très populaires en France à l'époque. La présence de freins à l'arrière seulement aurait pu sembler suspecte, mais sa vitesse maximale de 60 km/h suffisait à justifier une telle économie.

En 1925, Neville Westwood, âgé de 22 ans et originaire de Perth, en Australie, chamboula la vision qu'avait l'Europe de la 5CV. Westwood fut le premier à réaliser un tour de l'Australie (soit plus de 9 000 kilomètres) à bord de cette voiture. Transportée sur le fleuve Fitzroy, ses pneus crevés bourrés de paille et de cuir de vache, elle accomplit ainsi un périple à faire pâlir d'envie tous les organisateurs de «courses d'endurance» de la vieille – et minuscule – Europe. Les exploits de la 5CV sont célébrés par la petite battante de Westwood, intégralement restaurée, qui fait désormais partie de la collection permanente du Musée national de Canberra. **BS**

40CV Type JP | Renault

1922 • 9 123 cm³, S6 • inconnue • inconnue • 145 km/h

Célèbre pour sa minuscule 2CV, une voiture qui ressemblait à la Morris Minor, Renault produisit également des machines bien plus puissantes.

La 40CV, bâtie comme une calèche traditionnelle et suffisamment imposante pour embarquer un nombre conséquent de passagers, était l'une d'entre elles. La première 40CV sortit en 1911. Quand il l'aperçut lors du Salon de l'automobile de Saint-Pétersbourg en 1913, le tsar de Russie en commanda immédiatement deux exemplaires.

Différents modèles baptisés Type plus deux lettres lui succédèrent, dont la 40CV Type JP de 1922. Cette dernière eut l'honneur d'être élue l'une des voitures les plus dangereuses de tous les temps, car la visibilité du pilote était très réduite. Relevée, la capote bouchait la vue à l'arrière du véhicule, et le rétroviseur, d'une taille modeste en comparaison, n'arrangeait pas grand-chose à l'affaire. Les rétroviseurs devenaient courants au cours des années 1920, et bien que la JP en soit équipée, le conducteur avait besoin de l'aide de ses passagers pour pouvoir doubler un véhicule. Cependant, la JP innovait sur un point précis : son servofrein hydraulique, une évolution du frein hydraulique standard, qui n'avait été inventé qu'en 1918.

La 40CV n'en fut pas moins un succès, et l'une d'entre elles remporta en 1925 le rallye de Monte-Carlo. Le rallye s'était tenu pour la première fois en 1911, mais l'édition 1925 n'était que la quatrième de son histoire, car il avait été suspendu pendant la guerre. La victoire de 1925 consacra les performances de la voiture et fit de la publicité à Renault. La production de la 40CV cessa en 1928, quand Renault la remplaça par la Reinastella. **MG**

◁ Bien que Delage ait remporté de nombreuses victoires sur les pistes de course, la marque est surtout connue pour ses automobiles de luxe.

DH-V12 « La Torpille » | Delage   (F)

1923 • 10 570 cm³, V12 • 96 ch • inconnue • 240 km/h

Louis Delage, un pilote de course passionné, fonda la société des automobiles Delage en 1905 et commença à produire ses propres moteurs en 1909. Quand la guerre éclata en 1914, ses voitures avaient tellement brillé sur les circuits que le gouvernement français l'engagea pour améliorer son arsenal de véhicules militaires.

Delage se remit à la construction automobile au début des années 1920, quand le pilote de course René Thomas lui demanda de concevoir une voiture de course spéciale et unique en son genre. Delage accepta et donna à l'ingénieur Charles Planchon tout juste trois mois pour la concevoir, afin qu'elle puisse faire ses débuts dans le Grand Prix de Tours. La voiture achevée, Delage la qualifia d'« œuvre d'art » et la baptisa d'un nom des plus idoines : « La Torpille ».

Son châssis était profilé et fuselé à l'arrière, à la manière d'une torpille inversée. Cependant, la grande force de la Delage V12 se trouvait sous son capot. Son moteur était si lourd qu'il avait fallu le fixer sur une armature à longerons en acier, avec des amortisseurs dans chaque coin pour en optimiser la stabilité. On la croyait capable de développer 120 chevaux, mais elle était probablement plus proche des 95 chevaux. De plus, elle était équipée de freins sur les roues avant, une rareté pour l'époque, même pour les voitures de course.

La Delage V12 qui fit ses débuts dans la course de côte de Gaillon en 1923 était une supercar. Pilotée par René Thomas, elle pulvérisa le record de vitesse terrestre à Arpajon en atteignant 230 km/h le 6 juillet 1924 (un record qui sera battu une semaine plus tard par Ernest Eldridge à bord d'une Fiat Mefistofele). La DH-V12 poursuivit sa carrière de sprinteuse hors pair jusqu'à sa retraite, en 1935. **BS**

Type 35 | Bugatti   (F)

1924 • 2 262 cm³, S8 • 132 ch • 96 km/h en 6 s • 201 km/h

Certains experts considèrent la Bugatti Type 35 comme la première véritable voiture de sport au monde. Entre 1924 et 1931, les Type 35 remportèrent presque 2 000 courses, dont le premier Grand Prix du championnat du monde en 1926. Les Bugatti, reconnaissables à leur couleur bleue caractéristique et à leur radiateur en forme de fer à cheval, remportèrent la Targa Florio pendant cinq années consécutives. À son apogée, la Type 35 remportait en moyenne quatorze courses par semaine, tout en étant – cas unique à l'époque – également homologuée pour la route.

Même aujourd'hui, la Type 35 serait considérée comme une voiture rapide. Le pilote de course français René Dreyfus déclara : « On pouvait la mener où on voulait, sa tenue de route était fantastique. La précision du braquage était remarquable. » Rien d'étonnant à ce que plus de 300 exemplaires de ces voitures 2 places aient été produits dans l'usine Bugatti de Molsheim, en Alsace.

Ses atours simples mais charmants restèrent inchangés au fil des années, mais elle évolua en termes de taille de moteur. La Type 35B, qui remporta le Grand Prix de France en 1929, fut le premier modèle équipé d'une compression mécanique.

La Type 35 était équipée de roues en alliage alors que la concurrence utilisait toujours des roues à rayons, et d'un essieu avant creux plus léger, à une époque où ses rivaux restaient persuadés qu'un poids plus élevé signifiait une meilleure tenue de route. Cependant, tout n'était pas à la pointe du progrès. Alors que ses rivaux commençaient à adopter les freins hydrauliques, Bugatti resta fidèle aux freins à câble. Ettore Bugatti aurait argumenté : « Je fabrique des voitures pour qu'elles avancent, pas pour qu'elles s'arrêtent. » **SH**

CGS | Amilcar   (F)

1924 • 1 047 cm³, S4 • 35 ch • inconnue • 120 km/h (estim.)

L'Amilcar CGS était surnommée dans le milieu des courses de l'entre-deux-guerres la « Bugatti du pauvre ». Elle était la dernière représentante d'une gamme de voitures de sport légères lancée avec la CC, une 903 cm³, en 1920. Amilcar s'était rapidement taillé une solide réputation dans les courses de catégorie 1 100 cm³ qui proliféraient dans la France du début des années 1920.

La production de la CGS fut lancée en 1924. Elle était la MG de son époque : bon marché et agréable à piloter, avec un échappement surprenant tant il était perçant et guttural. La CGS, dont la rapidité était surprenante pour un modèle monosoupape, affichait un look classique pour une voiture de sport, avec un moteur à haut rendement et une direction directe. Elle était également dotée d'un système de freinage révolutionnaire affectant les 4 roues de manière constante dans les virages.

La CGS était assemblée à la main au rythme d'une ou deux par jour. Durant les deux ans de son cycle de production, 984 exemplaires furent fabriqués. Entre 80 et 100 ont survécu à ce jour. Les commentateurs la considéraient comme une Bugatti miniature, avec ses pare-chocs allongés, son radiateur de course et ses roues à rayons. Le magazine auto français *Moto Revue* tomba également sous le charme, et écrivit en 1924 : « L'Amilcar est une machine de rêve pour les amateurs de voitures rapides et réactives. » **BS**

Phantom I | Rolls-Royce   (GB)

1925 • 7 668 cm³, S6 • 110 ch • inconnue • 145 km/h

Quand la Phantom I fut enfin dévoilée au monde entier en mai 1925, les attentes étaient considérables. Elle succédait en effet à la célèbre Silver Ghost, le fleuron de Rolls-Royce depuis 18 ans. Son moteur à 6 cylindres en ligne avec soupapes en tête était réparti en trois groupes de deux cylindres à culasses détachables – du jamais-vu ! Le châssis était entièrement fait main et l'intérieur comprenait une fenêtre abaissable côté chauffeur et un Interphone. Des lampes « Paris Opéra » plaquées argent et nickel faisaient office de phares, et ses fenêtres étaient ornées de stores en soie.

La Phantom I avait été conçue et fabriquée dans le secret le plus total. Son nom de code était EAC (Easter Armored Car) et des plaques de carrosserie blindées avaient été mises en évidence pour induire les autres constructeurs en erreur. Elle reçut un accueil dithyrambique, sans oublier pour autant le fait qu'elle était basée sur le châssis de la Silver Ghost, une décision qui influait sur ses performances et avait contraint Rolls-Royce à réexaminer leur point de vue sur l'aérodynamisme.

Le maharadjah de Jodhpur acheta une Phanthom I Barker Boattail modèle 1925 et l'utilisa comme véhicule de chasse avant de la céder au maharadjah de Bikaner en 1927. Cette voiture fut vendue aux enchères en 2008 pour 1,21 million de dollars. Aucune marque ne maintient sa valeur comme Rolls-Royce ! **BS**

3 Litre | Sunbeam — GB

1925 • 2 920 cm³, S6 • 22 ch • inconnue • 242 km/h

Sunbeam fabriquait des 3 Litre depuis un certain temps, et elles décrochèrent en 1912 les trois premières places à la Coupe de l'auto de Dieppe. Les Sunbeam remportèrent un succès époustouflant sur le circuit du Grand Prix et remportèrent les première, deuxième et quatrième places au Grand Prix de France de 1923, ainsi que la victoire au Grand Prix d'Espagne. Mais la nouvelle 3 Litre de Bentley remporta l'édition 1924 des 24 Heures du Mans et Sunbeam décida de réagir.

Une Sunbeam 3 Litre fut dévoilée au Salon de l'automobile de Londres en octobre 1924 ; il s'agissait de la première voiture anglaise de série dotée d'un arbre à cames en tête, et la première à employer un carter sec. Deux Sunbeam participèrent à l'édition 1925 des 24 Heures du Mans et, bien que l'une d'elles ait été contrainte d'abandonner, la seconde arriva en deuxième position, devant les Bentley. Mais leur succès fut éphémère et Bentley poursuivit sa domination les années suivantes. Seuls 250 exemplaires de la Sunbeam 3 Litre Super Sport virent le jour avant l'arrêt de la production en 1930, et la société fut mise sous séquestre en 1935. Fondée à Wolverhampton en 1888, elle avait produit la première voiture anglaise à remporter une victoire au Grand Prix, sans oublier ses records de vitesse terrestre. C'est au volant d'une Sunbeam que Malcolm Campbell devint en 1925 le premier pilote à dépasser les 240 km/h. **MG**

4,5 Litre | Bentley — GB

1927 • 4 400 cm³, S4 • 112 ch • inconnue • 158 km/h

La Bentley 4,5 Litre de 1927 vint remplacer la Bentley 3 Litre, raillée pour son manque de puissance par Ettore Bugatti, qui l'avait décrite comme « le poids lourd le plus rapide du monde ». Aussi aérodynamique qu'une porte de grange, elle dégageait un certain sens du raffinement et de la précision : carrosserie ouverte faite main garnie de cuir Vanden Plas, roues à 70 rayons de 48 centimètres de diamètre, pare-brise rabattable, écussons en forme de « B » flanqué d'ailes argentées sur le capot… Quatre énormes freins à câble de 43 centimètres n'étaient pas de trop pour ralentir ce mastodonte de 1 625 kilos. Son moteur à aspiration naturelle comportait 4 soupapes par cylindre, à une époque où la plupart des autres modèles performants n'en comptaient que deux.

Sur requête du pilote de course Henry Birkin, qui rêvait d'une victoire au Mans, une version suralimentée de 130 kW (surnommée « Blower Bentley ») lui succéda, mais elle s'avéra peu fiable en compétition (aucune des deux Blower engagées sur le circuit du Mans en 1930 ne finit la course). La Blower est aujourd'hui considérée comme un moment d'égarement qui, selon le fondateur Walter Owen Bentley, joua un rôle majeur – avec le krach de Wall Street en 1929 – dans la chute de la société en 1931. « Suralimenter un moteur Bentley, déclara-t-il, c'était dénaturer sa conception et corrompre sa performance. » **BS**

Type 43 | Bugatti

1927 • 2 262 cm^3, S8 • 89 kW • 0-96 km/h en 12 s • 170 km/h

Quand elle fut lancée en 1927, la Bugatti Type 43 fut présentée comme la première voiture de série à atteindre les 160 km/h, à une époque où 110 km/h était la norme en termes de vitesse maximale pour une voiture de route. Elle était en réalité capable de bien plus encore, atteignant 179 km/h lors des essais préliminaires. Elle pouvait passer de 0 à 96 km/h en à peu près 12 secondes, quand de nombreuses voitures peinaient à atteindre cette vitesse. L'irruption de la Type 43 confirma

la place de Bugatti parmi les plus grands constructeurs européens, mais aussi sa réputation de fabricant capable de fondre monstre et beauté dans un même véhicule.

La puissance bestiale de cette superbe voiture n'avait rien de surprenant. Son moteur était identique à celui qui équipait la Bugatti Type 35B, laquelle allait remporter le Grand Prix de France en 1929. Le moteur Type 35 de base, qui avait remporté plus de 1 000 courses, avait rencontré un succès phénoménal dans le monde

entier. Dans le cas de la Type 43, le moteur était monté sur un châssis de Type 38. Bugatti avait cependant fait quelques concessions pour l'adapter à une utilisation sur route en équipant la voiture de plus gros freins et d'un radiateur plus imposant.

Seuls 160 exemplaires de la Type 43, qui était pour l'essentiel un hybride de supercar, virent le jour entre son lancement en 1927 et l'arrêt de la production en 1931, au profit du roadster Type 43A, dont la production se poursuivit en 1932. On ne s'étonnera pas qu'elle n'apparaisse que rarement dans les ventes aux enchères. Une Type 43 fut cependant mise en vente par Bonhams & Butterfields en 2011, à un prix estimé de 1,3-1,5 million de dollars. Le prix de réserve n'ayant pas été atteint, la vente fut annulée.

Avec son profil aérodynamique et ses formes en V, la Type 43 a été décrite comme la quintessence de l'automobile de style Art déco. **MG**

Type S 36/220 | Mercedes-Benz Ⓓ

1927 • 6 789 cm³, S6 • 180 ch • inconnue • 177 km/h

La Mercedes Type S a mérité sa place dans les livres d'histoire automobile pour trois raisons. Premièrement, il s'agit du premier véhicule produit après la fusion des sociétés Daimler et Benz en 1926. Deuxièmement, l'homme à qui l'on attribue sa création n'est autre que le professeur Ferdinand Porsche, le directeur technique qui quitta la société en 1928 et forma trois ans plus tard une nouvelle société portant son nom. Troisièmement, le grand pilote de course allemand Rudolf Caracciola était au volant d'une des premières Type S quand il remporta la course inaugurale du légendaire circuit de Nürburgring en juin 1927. Cette voiture était la première d'une génération de modèles légendaires, qui compterait les Mercedes SS, SSK et SSKL.

Comme tous les modèles de cette époque, le système de la Type S ne s'activait que quand la pédale d'accélération était enfoncée à fond, portant sa puissance de 100 à 132 kW. Il était connu pour agresser les oreilles des spectateurs des courses. Le magazine auto britannique *Motor* le décrivit comme « un gémissement strident et menaçant » et un autre journaliste de l'époque écrivit que Mercedes était parvenu à loger sous son capot « une déesse de la vengeance, mugissante ».

La Type S était une version remaniée de la Mercedes-Benz Type K, qui se targuait d'être la première voiture de route à atteindre 100 miles à l'heure (177 km/h). Sa tenue de route était largement supérieure à celle de sa devancière pour des raisons purement physiques : son centre de gravité était beaucoup plus bas. La Type S était connue sous le nom de 36/220, où le premier chiffre représentait la valeur en chevaux fiscaux allemands et le second, la puissance de pointe nominale avec suralimentation. **RY**

Model A | Ford Ⓤⓢⓐ

1927 • 3 300 cm³, S4 • 40 ch • inconnue • 104 km/h

Henry Ford lança sa première Model A en 1903. En l'espace de cinq ans et en respectant l'ordre alphabétique, il sortit la Model T, une voiture dont l'immense succès lui valut d'être produite jusqu'en 1927. Cependant, Ford considérait sa voiture suivante comme un gigantesque pas en avant, au point qu'il décida de revenir à la lettre A. Cette dernière remporta un succès tout aussi considérable ; en 18 mois, Ford en vendit 2 millions, et elle fut rapidement fabriquée dans le monde entier, de l'Argentine à l'Australie. En 1932, la Model A était même produite en URSS. Il s'en vendait alors près de 4 000 par jour dans le monde.

Anecdote célèbre : les dernières années, la Model T était disponible dans n'importe quel coloris, à condition qu'il s'agisse du noir. À son lancement, la nouvelle Model A était disponible en quatre coloris, mais pas en noir, ce qui permettait de la distinguer de sa devancière. Cependant, Ford ne tarda pas à proposer neuf versions différentes (avec le noir désormais disponible en option) pour un prix allant de 385 à 1 400 dollars, dont une version taxi et police. On aperçoit d'ailleurs ces versions dans le remake de *King Kong* sorti en 2005.

Par rapport aux modèles actuels, leurs moteurs étaient toujours imposants, mais leur consommation en carburant (1 litre pour 8-12 kilomètres) était remarquablement faible. La Model A fut également la première voiture dotée d'un pare-brise en verre de sécurité. Henry Ford confia la conception de la carrosserie à son fils, Edsel, président de la société depuis 1919. Edsel persuada son père d'adopter un look plus moderne et d'y intégrer des innovations technologiques, et ce partenariat père-fils permit à la Model A de rencontrer un succès aussi éblouissant que la Model T. **MG**

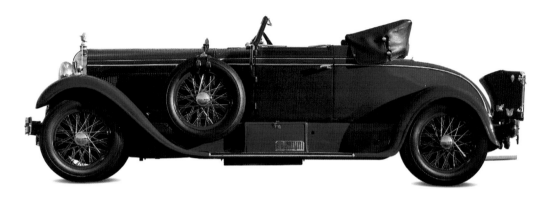

AF | Minerva

1927 • 5 900 cm³, S6 • 34 ch • inconnue • 129 km/h

Minerva était une « vieille » marque belge qui avait commencé à produire des bicyclettes en 1897, avant de se lancer dans la fabrication de motos, puis de voitures. Il s'agissait de véhicules haut de gamme superbement construits. Charles Rolls, le fondateur de Rolls-Royce, était un concessionnaire Minerva en Angleterre. Les Minerva avaient su séduire les rois de Suède, de Norvège et de Belgique. Au cours des années 1920, les Minerva étaient au niveau des Rolls-Royce en termes de qualité, bien qu'un peu moins chères.

Les Minerva utilisaient toutes un moteur insolite de type « Silent Knight », doté d'une double soupape à manchon conçue aux États-Unis. Un manchon en métal se glissait entre le piston et le bloc-cylindres à des intervalles précis du cycle de combustion afin de dévoiler les ouvertures des ports d'entrée et de sortie. Bien plus

silencieux que les moteurs à soupape de ventilation, il était bien plus coûteux à produire. En 1927, la série AK de Minerva fut lancée avec l'ultime version du Silent Knight, un somptueux moteur à 6 cylindres en ligne de 5 900 cm³.

Les voitures – désignées par les lettres AD, AF, AG, AK, etc. – se distinguaient par leur carrosserie. La plupart étaient équipées de roues à rayons, d'un pare-brise droit et de longs marchepieds qui se prolongeaient au-dessus des roues avant. Le bouchon du radiateur représentait un buste de la déesse grecque Minerve, surmontant son nom (Minerva) écrit en relief. Elle figurait également sur l'écusson rouge et blanc de la société. La version landaulet (dotée d'un toit rigide avec une portion décapotable couvrant seulement la banquette arrière) était particulièrement recherchée. **SH**

Super Sports Aero | Morgan

1927 • 1 096 cm^3, V2 • 40,5 ch • inconnue • 185 km/h

Peu de constructeurs pouvaient prétendre égaler la passion de la Morgan Motor Company pour les véhicules à 3 roues. Les voitures à 3 roues d'Henry Frederick Morgan étaient simples, durables et par-dessus tout populaires. L'aventure commença par une trois-roues classique présentée à l'Olympia Motor Show en 1911, suivie d'un modèle de luxe, d'un modèle sportif, d'un modèle familial puis d'un modèle « Grand Prix », l'ancêtre des modèles Aero et Super Sports Aero qui allaient décrocher de nombreux records.

La Super Sports Aero était conçue pour la vitesse. Sa carrosserie était profilée, et son châssis surbaissé – si bas que le siège du conducteur se trouvait à 20 centimètres seulement du sol, ce qui ne laissait que 15 centimètres de garde entre le châssis et la route – permettait d'optimiser son centre de gravité.

Son moteur Matchless MX4 de 29,8 kW était totalement exposé entre les roues avant, une caractéristique qui allait devenir l'une des signatures de la marque. Elle se distinguait également par les silencieux Ghost de ses pots d'échappement et son arrière effilé. Rien d'étonnant à ce que Sterling Moss ait affirmé : « Ma Morgan était un véritable aimant à jolies filles. »

À Brooklands, vers la fin des années 1920, une Super Sports Aero fut jugée si rapide qu'on exigea qu'elle parte avec un tour de retard sur ses concurrentes à 4 roues. Elle décrocha des dizaines de records de vitesse, mais les jours des trois-roues étaient comptés. Leurs cockpits trop étroits et leurs suspensions rigides entraînèrent une baisse progressive des ventes, contraignant Morgan à se reconvertir dans les quatre-roues en 1936, avec la 4/4. **BS**

Speed Six | Bentley

GB

1928 • 6 500 cm³, S6 • 183 ch • 0-97 km/h en 10 s • 192,9 km/h

La Speed Six, l'un des plus célèbres modèles de la marque Bentley, fit ses débuts en 1928 et renforça l'emprise croissante de la société sur les 24 Heures du Mans. Elle termina première en 1929 et en 1930. Avec Joel Woolf Barnato – le directeur de Bentley et sauveur de la société, qui traversait en 1926 de graves difficultés financières – au volant, le succès de la Speed Six en compétition était si écrasant que les autres équipes se mirent à refuser de l'affronter.

Reconnaissable à son radiateur à compartiments parallèles et à son écusson en émail vert, la Speed Six était disponible en version berline, coupé, et sportive ouverte. Les carrosseries étaient l'œuvre de Gurney Nutting, l'un des plus prestigieux carrossiers anglais. Non contente de briller par son moteur à haut rendement, son double carburateur SU et le grondement de son échappement, la Speed Six – la «voiture qui faisait trembler Rolls-Royce» – affichait une vitesse de 130 km/h.

Barnato lança un défi célèbre en pariant 100 livres sterling qu'il parviendrait à battre le fameux *Train bleu* dans une course reliant la Côte d'Azur à Londres à bord de sa Speed Six. Rover y était déjà parvenu avec sa Light Six, un exploit décrié par Barnato comme «sans grand mérite». Il affirma qu'il se trouverait dans son club londonien préféré avant que le *Train bleu* n'atteigne Calais.

La course se déroula le 13 mars 1930. Barnato affronta le brouillard, l'orage, une station de ravitaillement mal indiquée près d'Auxerre et les innombrables ornières des routes nationales françaises avant de traverser la Manche à bord d'un bateau à vapeur et de se garer devant le Conservative Club de Londres, 4 minutes avant que le *Train bleu* arrive en gare de Calais. **BS**

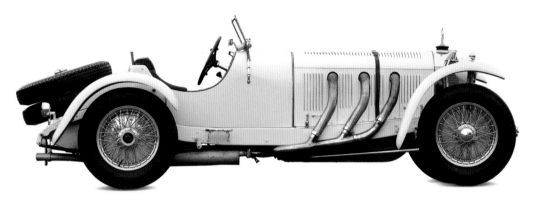

SSK | Mercedes-Benz $\quad$ (D)

1928 • 7 000 cm³, S6 • 228 ch • 0-97 km/h en 14 s • 193,1 km/h

La Mercedes SSK, la «voiture de sport la plus rapide du monde» selon son fabricant, fut la dernière voiture conçue par Ferdinand Porsche pour Mercedes-Benz. Porsche quitta la société après la fusion de Daimler et de Benz en décembre 1928 pour fonder sa propre société.

Conçue comme une voiture de route sportive, la SS (Super Sport) Model K affichait des performances inégalées en ligne droite, avec une vitesse de pointe de 173,8 km/h qui faisait d'elle la voiture de série la plus rapide du monde. Pour optimiser la répartition du poids, Porsche raccourcit le précédent châssis de la série SS de 48 centimètres. Le radiateur et le moteur suralimenté furent placés plus bas et plus près du conducteur afin d'abaisser le centre de gravité. Le capot et le châssis furent également abaissés. Avec son capot long et son coffre court, cette voiture était un parangon d'élégance.

La liste des victoires sur circuit de la SSK s'apparente à un guide des courses les plus prestigieuses : Grand Prix d'Allemagne et d'Irlande, British Tourist Trophy… Pourtant, peu de SSK ont survécu jusqu'à nos jours. La plupart des 40 exemplaires produits furent détruits à la suite d'accidents de course et pillés pour leurs pièces.

La SSKL (L pour «légère») fut la dernière représentante de la série SS. Seuls six exemplaires furent produits. La voiture ne pesait que 1 350 kilos grâce à un châssis en échelle perforé. En avril 1931, Rudolf Caracciola remporta les Mille Miglia, une célèbre course italienne sur route, au volant de sa SSKL, en parcourant 1 635 kilomètres à une vitesse moyenne de 101 km/h. Mais étant donné le moteur très lourd que devait supporter le châssis, les perforations menaçaient son intégrité structurelle et la SSKL subit plusieurs pannes embarrassantes. **SH**

443 Custom Eight | Packard (USA)

1928 • 6 306 cm³, S8 • 107 ch
inconnue • 137 km/h

À la fin des années 1920 et au début des années 1930, Packard intensifia sa collaboration avec des carrossiers comme Rollston, Le Baron et Fleetwood et s'imposa comme le maître incontesté de l'automobile américaine de prestige. La Custom Eight était disponible en neuf versions standards. Le terme *custom* («personnalisable») était un peu abusif. Son châssis à empattement long (363 centimètres) était spécialement conçu pour supporter de lourdes carrosseries faites sur mesure. Personnalisée ou non, il s'agissait d'une voiture très lourde (2 293 kilos). Pour réduire leur poids, on couvrait les Custom Eight et d'autres variantes comme la Phaéton de panneaux d'aluminium ultrafins de type Sylentlyte, conçus par les carrossiers parisiens Hibbard & Darrin.

La voiture possédait un système de lubrification perfectionné qui distribuait l'huile en 38 points différents. Les versions personnalisées de la 443, comme le phaéton décapotable 4 portes, comportaient des amortisseurs double effet hydrauliques brevetés. Cependant, ces suspensions compliquaient le braquage à faible vitesse. Le phaéton se distinguait notamment par ses énormes phares chromés en forme de tonneau. Les coupés décapotables, dessinés par le designer Raymond Dietrich, arboraient un volant et un tableau de bord en bois. **BS**

Type 41 Royale | Bugatti (F)

1929 • 12 763 cm³, S8 • 304,17 ch
0-97 km/h en 18 s • 161 km/h

Quand on lui déclara que ses voitures avaient été surclassées par Rolls-Royce, Ettore Bugatti décida de fabriquer un véhicule de luxe de 6,4 mètres de long, propulsé par un moteur de 12 763 cm³ conçu pour l'aviation française. La Bugatti Type 41 est plus connue sous le sobriquet «Bugatti Royale», car il n'imaginait la vendre qu'à des têtes couronnées. Débutant à 30 000 dollars pour le châssis seul (la carrosserie était en sus), la Royale coûtait deux fois le prix d'une Rolls-Royce.

Son moteur mesurait à lui seul 1,6 mètre de long, mais elle était d'une conduite très sportive, avec un braquage précis et une excellente tenue de route. Entre autres équipements luxueux, on trouvait un volant en noyer et sur le radiateur un éléphant sculpté. La boîte 3 vitesses était surmontée d'un pommeau en ivoire.

Les six voitures produites ont survécu, mais leurs carrosseries ont été changées. Elles furent emmurées dans la demeure de Bugatti à Ermenonville durant la guerre pour échapper aux nazis, la dernière fut dissimulée dans un égout parisien. L'une d'entre elles, équipée d'un moteur de 14 700 cm³, appartenait à Ettore. Par la suite, deux exemplaires furent cédés à Briggs Cunningham pour 3 000 dollars. En 1999, Volkswagen, le nouveau propriétaire de la marque Bugatti, en acheta une pour près de 20 millions de dollars. **BS**

S4 | Salmson   (F)

1929 • 1 300 cm^3, S4 • 30 ch
inconnue • 100 km/h

Entre 1921 et 1928, la société d'Émile Salmson, Salmson de Billancourt, remporta 550 courses et établit dix records du monde. Malgré ces succès sur les circuits, c'est de ses voitures de tourisme que Salmson tirait l'essentiel de ses revenus. En 1929, la société ferma sa division sportive pour se consacrer aux véhicules de tourisme, et en particulier à la très novatrice série S4.

La S4, qui succédait à la type D, était proposée en version berline, cabriolet et coupé, et ciblait la classe moyenne. Entre autres fioritures extérieures, elle arborait un radiateur et un écusson conçus par André Kow, un styliste Art déco renommé.

Mais ce qui distinguait la S4 de ses concurrents, c'était non pas la forme, mais bien le fond. Elle était propulsée par un moteur à double arbre à cames en tête, une avancée boudée par la plupart des autres constructeurs des années 1920 en raison de sa complexité et de son coût élevé. Cependant, les avantages étaient évidents : en avance d'une génération sur les moteurs qui ne possédaient qu'un unique arbre à cames, ce moteur était plus fougueux et réactif. Émile Salmson avait fondé sa société pour produire des moteurs en étoile pour l'aviation en 1912. Son choix ne surprit donc pas grand-monde. Il semblait logique que ce pionnier de l'aviation se pose également en pionnier de l'automobile. **BS**

Minor | Morris   (GB)

1929 • 847 cm^3, S4 • 20 ch
inconnue • 88 km/h

La Morris Motor Company, fondée en 1910 par le fabricant de bicyclettes William Morris, était devenue en 1924 le premier constructeur automobile du Royaume-Uni. En 1928, Morris fit son entrée sur le marché de l'automobile bon marché en produisant la première version d'une voiture qui resterait pour toujours associée à son nom : la Morris Minor.

Les années suivantes, elle fut proposée en plusieurs versions : sportive 2 places, version tourisme 4 places et fourgonnette. La version tourisme ne coûtait que 125 livres sterling lors de sa première apparition au Salon de l'automobile de Londres, en 1928. Son moteur de 847 cm^3 était plus puissant (de 100 cm^3) que celui de sa principale rivale, l'Austin Seven.

La Morris Minor de 1929 était équipée d'un moteur à arbre à cames en tête. Il présentait cependant un problème d'infiltration d'huile dans la dynamo, et son coût de production était élevé. En 1932, il fut remplacé par une version monosoupape, qui résolut non seulement le problème d'huile mais s'avéra également moins cher à produire, ce qui permit à la société de vendre ses voitures à un prix plancher de 100 livres. En 1934, après avoir écoulé plus de 86 000 exemplaires, Morris remplaça la Minor par la Morris Eight, avant de ressusciter ce nom légendaire en 1948. **MG**

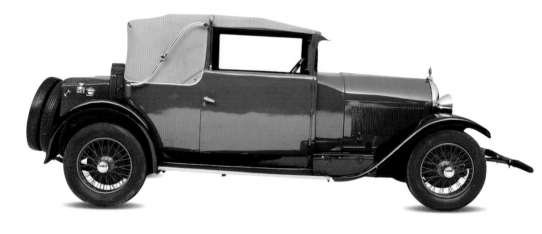

AM 80 Veth Coupé | Hotchkiss

1929 • 3 015 cm³, S6 • 71 ch • inconnue • 150 km/h

La Hotchkiss AM 80 Veth Coupé était un peu la Société des Nations du monde de l'automobile : une voiture française avec une carrosserie néerlandaise et un nom anglais. Sa carrosserie était typique des véhicules de tourisme de l'époque, mais on se souvient de la Veth Coupé pour son pare-chocs avant en caoutchouc, conçu par la firme néerlandaise Overman. Ce dernier, qui dépassait de près de 40 centimètres sous le radiateur, se pliait en cas d'impact grâce à deux bras à ressort en V ; la voiture pouvait ainsi se sortir sans une égratignure de collisions jusqu'à une vitesse de 40 km/h. Les pare-chocs, qui étaient une rareté dans les années 1920, devenaient une option de plus en plus intéressante, car ils permettaient de réduire les primes d'assurance.

La plupart des AM 80 étaient dotées d'habitacles de série, à l'exception de certaines versions coupé conçues par Veth en Zoon, un carrossier d'Arnhem. Elles étaient toutes équipées du puissant moteur 6 cylindres dévoilé en 1928 lors du Salon de l'automobile de Paris, lequel remplaçait le modèle de 2 200 cm³, moteur standard de la société depuis 1923. Le 3 000 cm³ confirma la réputation d'ingénierie de précision dont jouissait la société et, en septembre 1919, une AM 80 dotée d'une nouvelle transmission à tube de torsion parcourut 25 000 kilomètres en seize jours sur le circuit de Montlhéry, à une vitesse moyenne de 106 km/h.

L'emblème de Hotchkiss (deux canons croisés et un boulet de canon) remontait aux origines de la société, qui avait commencé par fabriquer des armes. L'AM 80 continua d'être déclinée en différentes versions jusqu'à l'abandon de la production de véhicules de tourisme par Hotchkiss en 1955. **BS**

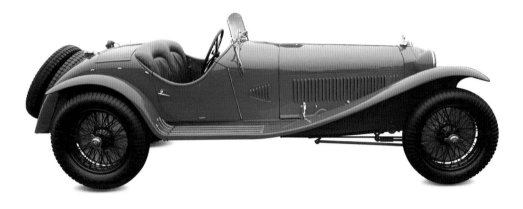

6C 1750 | Alfa Romeo ⓘ

1929 • 1 752 cm³, S6 • 48 ch • inconnue • 109 km/h

L'Alfa Romeo 6C existait depuis 1925, mais quand la 6C 1750 fut lancée à Rome en 1929, elle fut accueillie comme si elle valait 1 million de dollars. Et ce n'est pas qu'une façon de parler : quand une Alfa Romeo 6C 1750 Gran Sport Spyder de 1930 fut proposée aux enchères chez Bonhams & Butterfields, le prix demandé était compris entre 950 000 et 1,25 million d'euros. Une version 1929 fut également proposée lors de la même vente pour une somme à peine inférieure.

Les versions 1925 étaient équipées d'un moteur de 1 487 cm³. Celles de 1929 restaient pour l'essentiel inchangées, à l'exception de plusieurs améliorations majeures, dont la plus importante se trouvait sous le capot : un nouveau moteur, plus puissant, de 1 725 cm³. Ce moteur amélioré faisait toute la différence. Durant sa courte existence (quatre ans), la 6C 1750 s'imposa comme l'une des meilleures Alfa Romeo de tous les temps. Cette voiture de route ne tarda pas à se muer en l'une des meilleures voitures de course de l'époque.

Une version de 1928 était parvenue à remporter les Mille Miglia cette même année, mais la 6C 1750 de 1929 fit encore mieux. Elle remporta non seulement les Mille Miglia, mais aussi toutes les courses auxquelles elle participa, dont les Grands Prix de Monza, de Belgique et d'Espagne, sans oublier l'édition 1930 des Mille Miglia.

En tout, six versions de la 6C 1750 se succédèrent, chacune surpassant la précédente, de la 1750 Turismo de base, capable d'atteindre environ 110 km/h, à la Super Sport-Gran Sport-TF, qui culminait à 176 km/h. Au total, un peu moins de 2 500 exemplaires furent produits, toutes versions confondues. Si vous en voulez une, mieux vaut commencer à économiser dès maintenant. **MG**

Midget M Type | MG   (GB)

1929 • 1 752 cm³, S6 • 48 ch • inconnue • 109 km/h

Quand le magazine *Autocar* découvrit la Midget M Type, il déclara qu'elle « ferait date dans l'histoire des voitures de sport ». Bon marché, rapide, dotée d'une tenue de route exceptionnelle en raison de son faible poids (508 kilos), elle ne tarda pas à envahir les circuits.

Le prototype avait été conçu en 1928 par le cofondateur de MG, Cecil Kimber, qui avait adapté un châssis de Morris Minor pour l'équiper d'une suspension abaissée, d'une colonne de direction repositionnée, d'un pare-brise en V et d'un radiateur à calandre grillagée. Les premiers modèles dévoilés lors du Salon de l'automobile de 1928 étaient dotés de carrosseries en contreplaqué recouvertes de tissu sur une armature en frêne (bientôt remplacé par des panneaux métalliques), avec des roues à rayons. Une capote basique se repliait à l'arrière du véhicule. Nettement moins chère, elle était accessible à la classe moyenne. L'enthousiasme fut tel que Kimber commanda près de 500 carrosseries.

En l'espace d'un an, l'arbre à cames de la Midget fut modifié pour offrir 30 % de puissance supplémentaire, et le système de freinage fut révisé. Avec sa boîte 3 vitesses de série plus une quatrième en option, et la possibilité d'opter pour une version coupé fermée ou une 2 places ouverte, elle était bien partie pour devenir la voiture de sport anglaise la plus vendue. Même Edsel, le fils d'Henry Ford, en acheta une. **BS**

Model U | Plymouth   (USA)

1929 • 2 874 cm³, S4 • 46 kW • inconnue • 105 km/h

La gamme Plymouth de Chrysler fut baptisée en référence à la Plymouth Binder Twine, une marque de ficelle très populaire chez les agriculteurs. Cette habile allusion aux besoins quotidiens des familles des classes laborieuses n'avait probablement pas fait l'objet d'analyses très poussées avant le krach boursier d'octobre 1929. C'est pourtant grâce à la Plymouth Model U, une voiture simple et bon marché, que la société survécut.

La Model U, qui fut produite entre janvier 1929 et avril 1930, n'était pas seulement la première incursion de Chrysler sur le marché de l'entrée de gamme ; elle avait également des années d'avance sur ses concurrentes. Moteur avec pistons en alliage d'aluminium et lubrification pressurisée, roues avant et arrière dotées de freins hydrauliques à expansion interne, frein à main indépendant… Il s'écoulerait une décennie avant que Ford et Chevrolet ne les adoptent à leur tour. À une époque où la plupart des carrosseries étaient en bois, Chrysler proposait une armature métallique de série. Grâce à la Model U, Chrysler fut quasiment le seul constructeur à augmenter ses ventes en 1930-1931 par rapport à celles de 1929-1930.

« Il n'y a pas un seul fermier américain qui n'ait entendu parler de la Plymouth Binder Twine », déclara Joseph Frazer, le directeur des ventes de Chrysler, à Walter Chrysler pour le pousser à valider ce nom. **BS**

L-29 | Cord (USA)

1929 • 4 893 cm³, S8 • 122 ch • 0-97 km/h en 32 s • 125 km/h

La Cord L-29, une voiture belle et innovante, était la première traction avant à voir le jour sur le marché américain. Elle était équipée d'une suspension Dion et de freins intérieurs empruntés aux voitures qui concouraient dans l'Indianapolis 500. Fait rare pour l'époque, le tableau de bord arborait une série de jauges très complètes affichant le niveau d'essence, d'huile, la température de l'eau, un ampèremètre ainsi qu'un compteur de vitesse. Pourtant, seuls 5 010 exemplaires (pour 4 400 ventes) furent produits durant la période 1929-1931.

La L-29 était l'œuvre d'Errett Loban Cord, le concepteur de l'Auburn Speedster et de la Duesenberg Model J. Son capot abritait un moteur à 8 cylindres en ligne de 4 983 cm³ protégé par un ensemble calandre-radiateur façon Duesenberg, conçu par l'ingénieur Al Leamy. Malgré sa taille, le moteur ne développait que 120 chevaux, et ne pouvait donc propulser cette voiture de 2 100 kilos qu'à une vitesse maximale de 125 km/h.

Cependant, la L-29 était pleine de ces détails qui comptent : intérieur bordé de popeline, sièges en cuir, sans oublier une colonne de direction ajustable et un levier de vitesses actionnable du bout des doigts. En remportant une série de concours d'élégance, elle prépara la voie aux grandes Cord à venir (la 810 et la 812) mais il faudrait attendre encore sept années pour que les gens puissent à nouveau se l'offrir. **BS**

8 Litre | Bentley (GB)

1930 • 8 000 cm³, S6 • 223 ch • 0-97 km/h en 13,5 s • 160 km/h

La 8 Litre allait détrôner la Rolls-Royce Phantom II en tant que voiture britannique la plus luxueuse de l'histoire. Rolls-Royce était clairement inquiet : quand Bentley fit faillite en 1931, ils rachetèrent la société et la réorientèrent vers le marché du luxe « entrée de gamme ».

La 8 Litre était une voiture spéciale jusque dans les moindres détails. Son carter était en Elektron, un alliage qui augmentait la résistance à la traction comme à la corrosion. Ses culasses comportaient 4 soupapes par cylindre, et son allumage gémo-statique lui permettait de passer d'une vitesse très basse à la vitesse de pointe même en quatrième vitesse. Avec un empattement de 3,96 mètres, il s'agissait de la plus grosse voiture jamais produite en Angleterre. Elle pesait plus de 2 tonnes, supportées par un châssis bas renforcé par sept croisillons tubulaires. Malgré son poids, son moteur 6 cylindres était capable d'atteindre 160 km/h à charge maximale, soit 16 km/h de plus que la Phantom II.

Tous les grands carrossiers anglais ont travaillé pour la 8 Litre, et chaque modèle proposait de nombreuses options. Les modèles de tourisme 4 places étaient équipés de phares français pivotants intégrés aux montants, les Vanden Plas d'un pare-brise rabattable, et les coupés sportifs d'un toit ouvrant. Cependant, les ventes furent durement affectées par la Grande Dépression. Seules 100 8 Litre furent produites – dont 78 ont survécu. **BS**

Valve Special | Miller Boyle (USA)

1930 • 4 424 cm³, S4 • inconnue • inconnue • 188 km/h

La Miller Boyle Valve Special est une auto légendaire, témoin d'une époque où les courses automobiles
américaines érigeaient en héros tant les conducteurs
que les voitures. La «Miller Boyle» restera toujours dans
les mémoires pour sa quadruple participation à l'Indianapolis 500, trois fois avec un moteur 4 cylindres et une
fois avec un 8 cylindres. «Wild Bill» Cummings remporta
la victoire au volant de l'une d'entre elles en 1934.

La Miller Boyle fit ses débuts sur les circuits en 1930,
équipée d'un moteur 8 cylindres, alors qu'elle était la
propriété du gangster de Chicago Mike «Umbrella»
Boyle. Elle fut ensuite rachetée par Lou Meyer, qui l'équipa
d'un essieu arrière transversal à ressort et remplaça son
moteur 8 cylindres par un moteur Miller 4 cylindres de
4 424 cm³ pour se conformer au nouveau règlement de
la course. Celui-ci exigeait des voitures moins chères et
moins compliquées, dans l'espoir que les ingénieurs de
l'Indy mettent au point des innovations mécaniques qui
finiraient par profiter à tous les Américains.

On estime qu'au total neuf voitures de course à
essieu moteur arrière basées sur la Miller Boyle de Dion
furent produites, mais il s'agit davantage de variantes
que de nouveaux exemplaires, témoins d'une époque
où les voitures de course étaient souvent improvisées
et recyclées à l'aide de pièces provenant d'autres véhicules. Reste à savoir si une version dérivée de la Miller
Boyle Valve Special originale est suffisamment proche
pour mériter d'être considérée comme un exemplaire à
part entière, mais de toute façon, aucune n'a survécu. Il
ne reste que des répliques. L'une d'entre elles est peut-
être réapparue au début des années 1930 sous les traits
de la «voiture fusée» de Sig Haugdahl, un pionnier du
stock-car. **BS**

Brooklands | Riley (GB)

1930 • 1 087 cm³, S4 • 51 ch • inconnue • 129 km/h

Il est facile d'adhérer à l'idée que, pour qu'une
voiture de course soit efficace, elle doit être propulsée
par un moteur monstrueux. La Riley Brooklands offre la
preuve du contraire. Ce bolide était équipé d'un moteur
de moins de 1 100 cm³, ce qui ne l'empêcha pas de
remporter des courses et des défis dans le monde entier.

Malgré sa petite taille, le moteur Riley Nine (conçu
par Percy Riley en personne) était en avance sur son
temps. Ce moteur de petite cylindrée à haut rendement
trouverait parfaitement sa place dans une moto rapide
ou une compacte sportive japonaise moderne. Il était
doté de chambres de combustion hémisphériques avec
soupapes inclinées et d'un double arbre à cames situé
en hauteur. De ce fait, il est souvent cité comme l'un des
moteurs les plus influents des années 1920.

Le Riley Nine attira bien entendu l'attention des
préparateurs et des ingénieurs de course. Parmi eux
se trouvait J. G. Parry-Thomas, qui possédait un atelier
près du célèbre circuit fermé de Brooklands, dans le
Surrey, en Angleterre. C'est dans cet atelier que la Riley
Brooklands, avec sa carrosserie basse et son arrière-train
fuselé caractéristique, vit le jour. Hélas, Parry-Thomas
trouva la mort en tentant d'établir un nouveau record
de vitesse, mais son ami Reid Railton prit la relève et
mena le projet à bien.

L'une des caractéristiques les plus remarquables de
la Riley Brooklands était son profil très bas. Les sièges
n'étaient qu'à 15 centimètres du sol, et le sommet du
bouchon du radiateur, à 91 centimètres seulement.
Grâce à son profil surbaissé, la voiture jouissait d'un
net avantage sur circuit. Au Mans, durant l'Ulster TT et
bien sûr à Brooklands, elle n'eut aucun mal à franchir le
drapeau à damier en pole position. **JI**

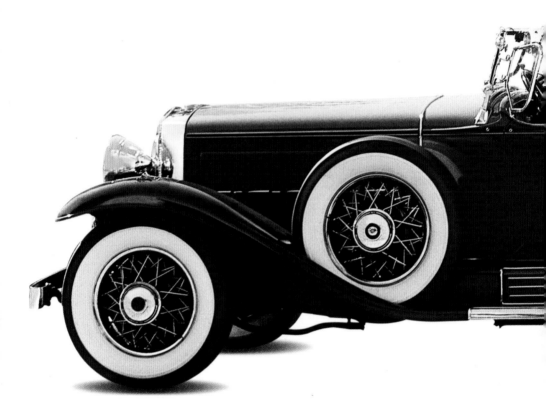

V16 Two-seater Roadster | Cadillac

1930 • 7 400 cm³, V16 • 167 ch • inconnue • 130-160 km/h, selon le modèle

Le moment du lancement de la Cadillac la plus chère de l'histoire laissait quelque peu à désirer. La V16 fut dévoilée lors du Salon de l'automobile de New York en janvier 1930, moins de trois mois après le krach boursier. Néanmoins, malgré la crise financière, la V16 continua de se vendre pendant une dizaine d'années. Cette Cadillac comportait le premier moteur 16 cylindres en V produit en série aux États-Unis, et chaque voiture était assemblée à la main. Seuls 4 076 exemplaires furent

produits, dont la moitié durant les douze premiers mois du cycle de production, avant que la Grande Dépression s'installe vraiment.

Le moteur V16 était plus cher que le V12 ou le V8, sans être pour autant plus puissant ; son atout résidait dans sa souplesse, et il ne fut utilisé que dans des voitures haut de gamme comme la Cadillac V16. Parmi les plus célèbres propriétaires de la V16, on trouvait Marlene Dietrich, Cecil B. DeMille et le célèbre gangster

Al Capone. Le modèle 1930 de Capone, qui lui avait coûté 30 000 dollars, avait été conçu en prenant en compte les menaces qui pesaient sur sa vie. Il s'agissait tout à la fois d'un véhicule de combat et d'une limousine de luxe, avec des vitres et une carrosserie blindées, des pneus anticrevaison, un système permettant d'injecter de l'huile dans l'échappement pour créer un écran de fumée, une sirène de police, ainsi qu'un tube traversant le plancher pour répandre des clous sur la chaussée.

La production des modèles «de 1940» s'arrêta en décembre 1939, mais Capone eut tout le même le temps d'en acheter un. À cette époque, Cadillac n'en fabriquait plus qu'un par mois, et perdait de l'argent sur chacun d'entre eux. Le chanteur Eddie Cantor fut l'un des derniers clients à acheter une V16. Elle reste cependant l'une des voitures les mieux construites de la première moitié du XXᵉ siècle, et un modèle en bon état peut se vendre plus de 500 000 dollars. **MG**

Grosser 770K | Mercedes-Benz Ⓓ

1930 • 7 655 cm³, S8 • 203 ch • inconnue • 150 km/h

Être associé à Hitler, quelle qu'en soit la raison, n'est vraiment pas un cadeau. Comme le dévoilent des images d'archives, la Mercedes 770K, également surnommée « Grosser » (« plus grosse »), était la limousine favorite du Führer. Sur d'innombrables images, on le voit, souvent debout, à bord de cet énorme engin blindé, inspectant les rangs serrés de la machine de guerre nazie. La quasi-totalité des quelque 200 Grosser produites entre 1930 et 1943 fut utilisée comme véhicules officiels pour le gouvernement allemand. Hermann Goering en possé-dait une, tout comme Rommel.

La version standard était basée sur un châssis doté de suspensions à lames. Une version révisée, dotée d'un tout nouveau châssis tubulaire et de suspensions à ressort hélicoïdal, sortit en 1938. Elle présentait un empattement de plus de 3,75 mètres de long, pour un poids total de 3 500 kilos. Cependant, la voiture – ou les voitures, car il en avait peut-être plusieurs – d'Hitler était blindée, et devait peser plus de 5 tonnes.

Pour déplacer cette énorme masse, il n'y avait pas trop d'un moteur à 8 cylindres de 8 000 cm³. Cependant, même avec le compresseur optionnel, il ne dépassait pas les 204 chevaux, ce qui permettait tout de même au véhicule d'atteindre une vitesse assez correcte de 150 km/h sur l'autoroute.

Après la fin de la guerre, la Grosser d'Hitler passa entre plusieurs mains, dont celles d'un propriétaire de casino de Las Vegas. Elle finit par revenir en Allemagne, mais fut récemment vendue à un acheteur russe anonyme. Le prix exact ne fut pas dévoilé, mais on pense qu'il se situait aux alentours de 210 millions d'euros. Contrairement à son premier propriétaire, la Grosser d'Hitler est finalement parvenue jusqu'à Moscou. **JI**

Phantom II | Rolls-Royce ⒼⒷ

1930 • 7 668 cm³, S6 • 122 ch • inconnue • 149 km/h

Aiguillonnée par la concurrence de plus en plus intense des Buick et autres Sunbeam, Rolls-Royce remplaça la Phantom I par la Phantom II après quatre années d'améliorations qui allaient bien au-delà de simples retouches. Son tout nouveau châssis, équipé de ressorts semi-elliptiques plutôt qu'en porte-à-faux, avec une armature surbaissée plus audacieuse et élégante et un radiateur installé plus en arrière, permit à ses concep-teurs de s'éloigner de l'aspect « boîte » du précédent modèle. Le moteur et la transmission furent eux aussi entièrement revus. Les collecteurs furent améliorés, les chambres de combustion refondues, avec l'ajout d'une nouvelle culasse à flux opposés. Pour s'assurer que tout irait pour le mieux, la dernière des grandes 6 cylindres de la société fut supervisée à chaque étape de la production – des premières ébauches jusqu'à la finalisation – par F. Henry Royce en personne, preuve que Rolls-Royce n'était pas du genre à se reposer sur ses lauriers.

Dès la réception d'une commande, la voiture – c'est-à-dire le châssis motorisé – était livrée de l'usine de Rolls-Royce à Derby au carrossier désigné par le client, où l'intérieur et les équipements étaient installés confor-mément à ses instructions.

Les options de la Phantom II étaient légendaires, du superbe pare-brise incurvé de marque Veed – des années avant qu'ils soient à la mode – jusqu'aux boîtes à outil intégrées aux marchepieds. La Phantom II, l'ultime chef-d'œuvre d'Henry Royce, était conçue pour les clients avec chauffeur, qui pouvaient lui indiquer la marche à suivre au moyen d'une série d'indicateurs lumineux situés dans le compartiment chauffeur : « tourner à gauche/droite », « accélérer/ralentir », « retour à la maison ». **BS**

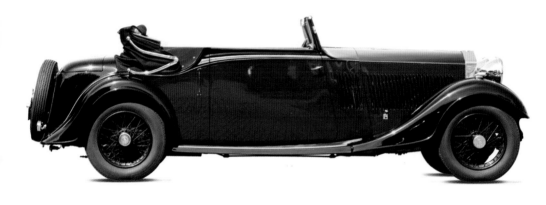

20/25 | Rolls-Royce

1930 • 3 669 cm³, S6 • 66 ch • 0-80 km/h en 28 s • 121 km/h

La 20/25 était la « petite » voiture de Rolls-Royce, la remplaçante de la 20HP 6 cylindres fabriquée depuis 1922. Elle était produite parallèlement à la Phantom II et comme sa sœur, seul le châssis motorisé était fourni, laissant aux clients le soin de choisir leur carrossier.

La 20/25 était injustement considérée comme lente pour l'époque, car les propriétaires avaient tendance à habiller le châssis avec des carrosseries qui privilégiaient le confort et l'esthétique plutôt que les performances.

Le châssis était identique à celui de la 20HP, à cette légère différence qu'il pouvait accueillir le moteur plus imposant (3 699 cm³) requis pour compenser le poids supérieur de la carrosserie. Cependant, les changements ne se firent guère attendre. Les carburateurs, les freins, l'embrayage et l'allumage furent tous modifiés. En l'espace d'un an, le châssis fut rallongé, des montures

de roue flexibles ajoutées et l'échappement amélioré, et une augmentation du taux de compression du moteur vers la fin de l'année 1930 permit d'augmenter sa puissance. Parmi tous les modèles construits par Rolls-Royce pendant l'entre-deux-guerres, aucun ne se vendit plus que la 20/25 (presque 4 000 châssis) en raison notamment de sacrifices faits par Rolls-Royce pour la vendre au même prix que la 20HP avant elle.

Tous les carrossiers habituels (Brewster, Vanden Plas, Park Ward) ajoutèrent une touche de luxe à l'ingénierie de précision de Rolls-Royce. Les pilotes et aventuriers comme Tommy Sopwith, le prince Bira du Siam et Sir Malcolm Campbell en possédaient tous une. Difficile, en effet, de la prendre en défaut. Comme l'écrivit le magazine automobile *The Motor* en 1929 : « C'est une voiture qui ravira les amateurs les plus exigeants. » **BS**

FA | DKW

1931 • 584 cm^3, S2 • 15 ch • inconnue • 75 km/h

La DKW FA était la première voiture à traction avant de série. Elle était également la voiture allemande la moins chère durant la Grande Dépression.

Le concepteur danois Jørgen Rasmussen avait lancé la société pour construire une voiture à vapeur, *Dampf-Kraft-Wagen* en allemand, d'où le nom DKW. Par la suite, il produisit des voitures et des motos. Mais quand la Grande Dépression s'abattit en 1930, DKW se trouva contraint de dynamiser ses ventes. DKW dessina cette voiture en quelques semaines. Il pensa notamment à la traction avant, qu'il mit en application avant Citroën.

L'usine de DKW, située en Saxe, commença à produire à grande vitesse des séries F qui, rétrospectivement, étaient d'une conception très moderne : les roues avant étaient entraînées par un moteur transversal situé à l'avant. Elle comportait des suspensions

indépendantes ainsi qu'un sélecteur de vitesses situé au centre d'un tableau de bord très simple.

La FA était disponible en version cabriolet 2 places et berline 4 places. Les deux versions étaient plutôt agréables à l'œil, avec un long capot fuselé, une calandre impérieuse et une cabine spacieuse. Cependant, le moteur 2 temps était de taille modeste. Il entraînait les roues avant par le biais d'une boîte 3 vitesses à une vitesse maximale de seulement 75 km/h, malgré le poids ultraléger de la voiture (450 kilos).

Plusieurs innovations se succédèrent jusqu'à la Seconde Guerre mondiale. Le moteur était relié à la boîte à vitesses par une chaîne ; un moteur de 684 cm^3 fut introduit ; diverses modifications furent apportées aux suspensions, et le générateur fut remplacé par un « Dynastart », combinant alternateur et démarreur. **SH**

8C | Alfa Romeo

1931 • 2 336 cm³, S8 • 182,5 ch • inconnue • 185 km/h

Alfa Romeo avait connu un succès phénoménal avec la série des 6C 1750, produite entre 1929 et 1933, qui n'en fut pas moins éclipsée par les différents modèles 8 cylindres qu'elle proposa dès 1931. L'un d'entre eux, spécialement conçu pour la très rude épreuve des 24 Heures du Mans, atteignit clairement son but. Baptisée 8C 2300 Le Mans, elle remporta la course pour Alfa Romeo entre 1931 et 1934, sans interruption. En 1931, la 8C acheva cette course de 3 000 kilomètres à une vitesse moyenne dépassant 125 km/h.

Même les voitures standards continuèrent de remporter des courses pour Alfa Romeo. Le premier modèle à voir le jour, la 8C 2300, était une voiture de course qui fut aussi vendue comme voiture de route. Elle remporta, entre autres, le Grand Prix d'Italie à Monza en 1931, et Alfa Romeo perpétua la tradition qui consistait

à accoler le nom de ses victoires à celui de la voiture. Elle fut ainsi baptisée 8C 2300 Monza. L'une d'entre elles, construite en 1933, fut vendue aux enchères en 2010 au prix impressionnant de 6 710 000 dollars. Une version Drophead Coupé de la 8C 2300 de 1933 fut également proposée à la vente en 2009 et vendue 4 180 000 dollars.

Alfa Romeo continua de célébrer les changements des modèles de sa 8C 2300, sans connaître le même succès. En 1935, il produisit une version de course monoplace, la Monoposto 8C 35 Type C, qui fut un demi-échec. L'année 1935 vit l'arrivée du modèle Bimotore, doté de moteurs de 3,2 litres, un à l'avant et l'autre à l'arrière, mais le gain en termes de vitesse était mangé par l'usure des pneus et le temps passé au stand. Alfa Romeo ne remporta pas toutes ses courses, mais on ne saurait lui reprocher de n'avoir pas essayé. **MG**

Type 50 | Bugatti

1931 • 4 972 cm³, S8 • 203 ch • 0-97 km/h en 8 s • 170 km/h

La Bugatti Type 50 avait beau être conçue pour la route et non pour les circuits, cela n'empêcha pas Jean, le fils Bugatti, de chercher à mettre un terme au règne de Bentley sur les 24 Heures du Mans en 1931. Pour ce faire, il persuada son père de lui donner trois Type 50, qu'il peignit en noir en signe de protestation contre le gouvernement français qui refusait de les sponsoriser. Peut-être aurait-il pu gagner, mais un problème de pneus provoqua une sortie de route qui coûta la vie à un spectateur, et Bugatti abandonna la course.

Difficile d'en vouloir à Jean d'avoir tenté sa chance, vu ce qu'il avait à sa disposition : trois moteurs de 5 litres et 8 cylindres suralimentés à double arbre à cames en tête capables de développer 164 kW de puissance – égalés seulement par la Duesenberg SJ. Les moteurs, développés sous sa supervision, étaient si puissants

qu'ils provoquaient une torsion du châssis. Il s'agissait du premier moteur à double arbre à cames fabriqué par Bugatti, et du plus puissant moteur de série de la société.

À bien des égards, la Type 50 était une version miniature de l'énorme (13 000 cm³) Type 46 Royale de la société, produite depuis 1929. Les clients, qui avaient le choix entre un empattement « sport » et une version plus longue de tourisme (baptisée 50T), pouvaient opter pour une carrosserie Bugatti standard ou person-nalisée, comme la Coupé Profilée, avec son pare-brise incliné et sa coloration en ellipse tape-à-l'œil.

En comptant les versions dédiées au Mans, seules 65 Type 50 furent produites. Bien qu'éclipsées en termes de ventes par d'autres Bugatti (les Type 46 et 57), la Type 50 est considérée par de nombreux amateurs comme la meilleure automobile de la marque. **BS**

Pioneer | Goliath   (D)

1931 • 198 cm³, simple cylindre
5,5 ch • inconnue • 60 km/h

Dans les années 1930, une voiture à 4 roues était un luxe que certains ne pouvaient s'offrir. Il fallait se contenter de 3 roues. La Pioneer fut fabriquée en Allemagne trois années durant, pendant la Grande Dépression. Goliath, une petite filiale de la Borgward, une société allemande basée à Brême, la montait sous différentes formes et variantes. Très basique, elle embarquait un minuscule moteur deux temps monocylindre situé à l'arrière de la voiture, qui entraînait les deux roues arrière au moyen d'une boîte 3 vitesses ; l'unique roue avant servait à tourner.

Bien qu'elle ne compte que 2 places, une carrosserie en acier aurait été trop coûteuse. Les propriétaires de Pioneer se contentèrent d'une armature en bois couverte de pans d'un tissu présenté à l'époque comme une « imitation cuir ». Le véhicule fini était baptisé « berline tricycle ». Un modèle décapotable doté d'un toit pliable en tissu vit également le jour.

À l'époque, la Pioneer était considérée comme une version plus sophistiquée du Blitzkarren, un pick-up utilitaire à 3 roues conçu par l'ingénieur et designer Carl Borgward. La Pioneer se vendit à 4 000 exemplaires – un exploit – et sa fabrication impliqua jusqu'à 300 employés. Mais l'usine Goliath fut bombardée pendant la Seconde Guerre mondiale, provoquant l'arrêt de la production.

Après la guerre, Goliath se lança dans la production de camions à 3 roues. Dès 1958, ces modèles Goliath furent vendus sous la marque Hansa, le groupe Borgward cherchant à prendre ses distances avec ses tricycles à 2 temps d'avant-guerre. Cependant, l'ère des tricycles était révolue ; trois ans plus tard, en 1961, le groupe Borgward fit faillite. **SH**

Terraplane | Hudson   (USA)

1932 • 4 000 cm³, S8 • 89 ch
0-97 km/h en 14,4 s • 137 km/h

L'aviatrice Amelia Earheart, célèbre dans le monde entier, fut sollicitée pour le lancement du nouveau Terraplane lors d'une gigantesque soirée organisée à Detroit, aux États-Unis. Plus de 2 000 concessionnaires nord-américains furent invités et l'événement fut chroniqué dans la presse nationale.

Le nom de la nouvelle Hudson avait été savamment choisi pour surfer sur l'engouement populaire qu'inspirait alors l'aviation. Earheart avait achevé sa célèbre traversée de l'Atlantique en solo deux mois auparavant. La Terraplane attira aussi l'attention du pionnier de l'aviation Orville Wright, qui s'empressa d'en acheter une.

Pourtant, sa caractéristique mécanique la plus novatrice n'avait rien à voir avec l'aviation. Elle était équipée de freins « duo-automatiques », c'est-à-dire de deux systèmes de freinage : un hydraulique, comme sur une voiture moderne, et un mécanique, actionné à l'aide d'un câble en cas de panne du premier.

L'année suivante, Hudson proposa une voiture 8 cylindres censée afficher le plus haut rapport puissance/poids du monde… De quoi attirer les amateurs de vitesse, et les gangsters de l'époque. Le chef mafieux John Dillinger, le braqueur de banques John Paul Chase et Baby Face Nelson (déclaré ennemi public n° 1 par le FBI) conduisirent une Terraplane. En 1933, un modèle 8 cylindres réalisa l'ascension du mont Washington en un temps record, qui resta inégalé pendant 20 ans.

Bon marché, durable et rapide, la voiture se vendit bien malgré la Grande Dépression. Son slogan était : « Sur mer, on parle d'aquaplanage, dans les airs, d'aéroplane, mais sur terre, dans les bouchons, en montagne, pardi, c'est de Terraplaning qu'il s'agit ! » **SH**

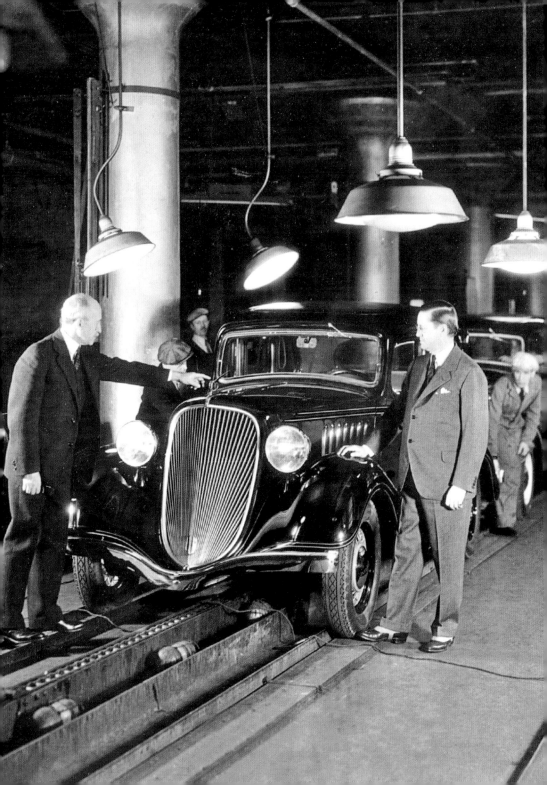

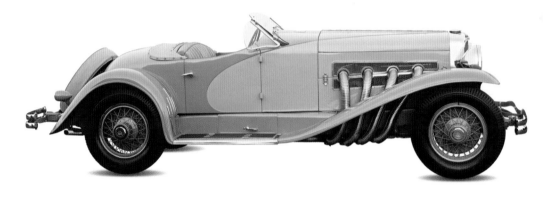

SJ | Duesenberg

1932 • 6 900 cm³, S8 • 325 ch • 0-97 km/h en 8 s • 204 km/h

La Duesenberg Automobile and Motor Company fut fondée par Frederick et August Duesenberg à Des Moines, dans l'Iowa, en 1913. Ingénieurs autodidactes, les deux frères avaient une passion pour la création de voitures de sport faites main. Ils terminèrent l'Indianapolis 500 en dixième position en 1914, avant de décrocher la victoire en 1924, 1925 et 1927.

Les deux frères étaient d'excellents ingénieurs, mais n'avaient guère le sens des affaires. En 1926, leur société fut sauvée de la faillite par Errett Cord, le propriétaire de l'Auburn Automobile Company, qui la racheta. Cord n'attendit pas longtemps avant de rencontrer Fred Duesenberg pour lui lancer un défi. « Fred, lui dit-il, je veux que vous fabriquiez la meilleure voiture au monde. » Cord fut près d'être exaucé lors de la présentation de la Model J au Salon de l'automobile de New York de 1928.

La Model J, une voiture formidable, allait pourtant connaître de nombreuses améliorations. En mai 1932, on lui ajouta un compresseur situé si près de son moteur Lycoming à 8 cylindres en ligne qu'il fallut incurver les huit tuyaux d'échappement pour les dévier vers les panneaux latéraux du capot, conférant ainsi sans le vouloir à la Duesenberg SJ sa griffe intemporelle. Le compresseur d'alimentation porta sa puissance de 272 à 325 chevaux et permit à la voiture d'atteindre 167 km/h, éclipsant ainsi en termes de performances toutes les autres voitures de série de l'époque.

Les vœux d'Errett Cord avaient été exaucés, et de quelle manière ! « Augie », le frère de Fred, fit remarquer que « la seule voiture capable de dépasser une Duesenberg était une autre Duesenberg, et seulement avec l'accord du propriétaire de la première ». **BS**

Type 55 | Bugatti (F)

1932 • 2 262 cm³, S8 • 132 ch • 0-97 km/h en 13 s • 180 km/h

Quand la Bugatti Type 55 fut mise sur le marché en 1932, l'un de ses premiers conducteurs fut le baron Philippe de Rothschild. Membre de la famille de banquiers Rothschild, Philippe avait un temps été pilote de course de Grand Prix. Au volant d'une Bugatti Type 35C, l'une des trois de sa collection, il était arrivé quatrième lors de l'édition 1929 du Grand Prix de Monaco. Quand la plus puissante Type 55 fit son apparition, il l'attendait, bien qu'il ait déjà abandonné la compétition automobile.

La Type 55, la version de tourisme de la Bugatti Type 54 Grand Prix, était la voiture idéale pour le baron. Elle arborait la même carrosserie que l'original, avec cependant un moteur dégonflé, moins de deux fois moins puissant que la version course. Seules 38 Type 55 furent produites, dont 15 avec une carrosserie exclusive conçue par Jean Bugatti en personne. Rien d'étonnant à ce que l'une d'elles ait attiré l'œil du créateur de mode Ralph Lauren, qui en posséda une pendant un moment. En réalité, Bugatti avait dessiné deux modèles : un roadster et un coupé, et son roadster fut décrit comme la voiture de sport la plus élitiste de tous les temps. On disait de la Type 55 qu'elle était aussi agréable à conduire qu'à regarder, avec sa ligne sculpturale.

Quand l'un des rares exemplaires restants fut proposé aux enchères en 2008, il partit à 1 760 000 dollars. En fait, il s'agissait du prototype de la voiture. Son moteur portait même le numéro 1. En 1960, cette même voiture, qui n'était plus en état de fonctionner, s'était vendue tout juste 1 200 dollars, avant d'être restaurée à l'aide d'une superbe recréation de la carrosserie roadster de Jean Bugatti. **MG**

SS1 | Swallow Coachbuilding Company

1932 • 2 054 cm³, S6 • 49 ch • inconnue • 121 km/h

Difficile de croire que Jaguar, la marque aujourd'hui réputée pour ses qualités exceptionnelles, était à l'origine un petit fabricant de side-cars. Les side-cars de la Swallow Sidecar Company – fondée par William Lyons et William Walmsley en 1922 – étaient des modèles de luxe destinés aux motos de marque Norton et Brough Superior, entre autres. Leur première voiture, la Swallow, basée sur l'Austin Seven, vit le jour cinq ans plus tard et la société fut rebaptisée Swallow Coachbuilding Company. À la fin des années 1920, Lyons décida de se lancer dans la fabrication d'un coupé superbe, sportif et pourtant abordable.

Lyons commanda un châssis à Rubery Owen et opta pour le Standard 16, un moteur fiable proposé en version 2 litres ou 2,5 litres. Il chargea Cyril Holland de créer la carrosserie, dotée d'un long capot et d'un toit

très bas. Ses performances étaient modestes, mais son look éblouit les foules assemblées au Salon de l'automobile de Londres en 1931. Le magazine britannique *The Motor* écrivit : « Même si la SS1 est destinée aux connaisseurs, elle est offerte à un prix relativement bas. »

Lyons se trouvait à l'hôpital quand les plans furent finalisés, ce qui fut probablement une bonne chose. Il prônait en effet un toit si bas que les conducteurs de taille moyenne ne pouvaient y entrer. Walmsley l'avait donc fait relever. Lyons détesta le résultat, et imposa d'importantes révisions en 1933.

Le préfixe « SS » signifiait Standard Swallow ou Swallow Special (selon Lyons lui-même, la question n'a jamais été tranchée), mais vu la détestable connotation qu'avaient prise ces initiales après la Seconde Guerre mondiale, elles furent remplacées par la marque « Jaguar ». **LT**

Model B | Ford

1932 • 2 033 cm³, S4 • 66 ch • inconnue • 104 km/h

En 1927, un événement extraordinaire secoua le monde impitoyable de l'industrie automobile américaine. Pour la première fois, les ventes de Chevrolet dépassèrent celles de Ford, avec plus de 250 000 immatriculations supplémentaires. Ils renouvelèrent leur exploit l'année suivante. La Model T était devenue obsolète, et la Model A était déjà démodée. La domination de Ford sur les routes américaines étant menacée, il décida de concevoir et de produire, dans la plus pure tradition Ford, une voiture à grande échelle : la Model B.

La B, qui embarquait un moteur de A amélioré (parfois appelé C par les amateurs, bien que cette appellation n'ait jamais officiellement existé), était disponible en plusieurs versions : berline 2 ou 4 portes, roadster, et coupé 3 ou 5 fenêtres. Elle était dotée de suspensions hydrauliques, d'une calandre verticale rectangulaire et,

selon les articles de presse publiés lors de sa sortie le 31 mars 1932, revêtue du pare-chocs avant au pare-chocs arrière d'une robe d'émail noir, ce qui faisait d'elle « la plus belle » Ford à ce jour. Elle était plus basse et plus racée que la A, avec un centre de gravité et des marche-pieds plus bas, et des touches sympathiques comme ses phares en acier inoxydable. Quand Ford décida de placer le réservoir à l'arrière de la voiture plutôt que de le laisser dépasser du capot, son fils Edsel et le créateur Eugene Gregorie se réjouirent des possibilités esthétiques supplémentaires qui leur étaient offertes. (Ils n'en profitèrent pourtant pas pleinement avant 1933.)

Malgré son esthétique améliorée, le lancement de la Ford V8 – avec son moteur à tête plate de 86 chevaux – sonnait non seulement le glas de la Model B, mais aussi de la révolution des 4 cylindres impulsée par Ford. **BS**

Twin Six | Packard

USA

1932 • 7 292 cm³, V12 • 162 ch • inconnue • 161 km/h

En 1912, Packard devint le premier constructeur au monde à fabriquer un moteur V12 ; sa Twin Six de 1915 fut la première voiture de série à l'utiliser. Cependant, la production fut interrompue en 1920. Puis, en 1932, après douze années, Packard dévoila sa nouvelle V12 au Roosevelt Hotel de New York pour contrer Buick, Duesenberg et les 224 chevaux de la nouvelle Cadillac V16. L'Amérique traversait une grave dépression, et la demande de voitures de luxe avait fortement diminué. Pourtant, son arrivée créa un tel remous dans les milieux aisés que la nouvelle fut même annoncée sur le téléscripteur de la Bourse de New York.

Le cœur de cette voiture était son moteur V12 de 7 292 cm³ à soupape latérale, complété par des carburateurs Stromberg dernier cri et une chambre de combustion spéciale qui lui permettait de produire une puissance remarquable. Le couple obtenu était suffisant pour propulser confortablement tous les modèles de la gamme à une vitesse de 161 km/h. L'absence d'espace entre les soupapes et les organes de transmission lui permettait de parcourir 80 000 kilomètres avant que les soupapes aient besoin d'être révisées.

L'intérieur comportait de somptueux sièges en cuir, un tableau de bord évoquant celui d'un avion, et un pare-brise rabattable pour le confort des passagers arrière, qui bénéficiaient également de larges reposepieds garnis de tissu. Mais la splendeur de la Packard Twin Six résidait dans ses accessoires : des phares allongés en forme d'œil de chat dessinés par Ray Dietrich, un coffre arrière, des barres latérales ainsi qu'un petit compartiment situé juste derrière la portière du conducteur pour ranger ses clubs de golf. **BS**

V8 | Ford

1932 • 3 621 cm³, V8 plat • 66 ch • 0-97 km/h en 21,5 s • 121 km/h

La Ford V8, conçue par le grand Henry Ford, était née en réaction au succès de son éternel rival Chrysler. Également connue sous le nom de Model 18, elle était proposée en quatorze styles de carrosserie, à partir de seulement deux configurations de base : le coupé de luxe 3 fenêtres et le coupé 5 fenêtres. Toutes les versions embarquaient la dernière grande contribution d'Henry Ford à l'évolution de l'automobile américaine : le V8, un moteur plat et compact révolutionnaire.

Imaginé par Henry Ford et dicté en détail à ses ingénieurs, il s'agissait du moteur que les masses attendaient depuis toujours. Coulé en un seul bloc et agrémenté d'un nouveau carburateur inversé, il surclassait tous ses concurrents. Développé avec une économie de moyens typique de Ford, il devait être vendu, selon ses instructions, moins de 700 dollars. Tous les ingénieurs de Ford lui affirmaient qu'il était impossible de fabriquer un V8 d'un seul tenant. «Nous passons de 4 à 8 cylindres car Chrysler vise un 6 cylindres, insista-t-il, et tout ce qui peut être dessiné peut être moulé.»

Les V8 étaient complexes et coûteux à fabriquer, et la plupart des constructeurs préféraient les moteurs à 6 ou 8 cylindres en ligne. Ford ne se laissa pas démonter. Son V8 marqua un tournant décisif dans l'histoire des moteurs, et fut sans cesse amélioré afin d'optimiser ses performances. Son système d'allumage revisité permit de passer de 65 à 75 chevaux. En 1935, sa calandre fut équipée de persiennes droites afin d'améliorer la circulation de l'air, portant la puissance à 86 chevaux. Pour l'anecdote, le braqueur de banques John Dillinger utilisait des Ford V8 pour fuir le lieu de ses crimes. À l'époque, on ne pouvait rêver meilleure publicité. **BS**

◁ La Deuce Coupe jaune canari joua un grand rôle dans le film *American Graffiti* (1973).

Deuce Coupe | Ford   (USA)

1932 • 3 621 cm³, V8 plat • 66 ch
0-97 km/h en 21,5 s • 121 km/h

Au début des années 1940, plus de 4 millions de Model B arpentaient les routes américaines. Un jour, quelqu'un examina la Model B de plus près et se demanda ce qui se passerait si on la dépouillait de ses éléments lourds et superficiels en termes de performance, en apportant peut-être quelques modifications à son V8 déjà puissant. Les bricoleurs pouvaient obtenir des performances remarquables, selon leur budget et leur ingéniosité, atteignant des chiffres sans commune mesure avec ceux cités plus haut.

De nombreux jeunes Américains réalisèrent qu'il leur était possible de « gonfler » cette voiture bon marché pour dépasser les performances d'autres véhicules bien plus coûteux. L'ère des « hot rods » (voitures gonflées) et de la personnalisation façon « Do it yourself » venait de commencer.

Cette mode donna un nouveau souffle à la Model B de 1932 – ainsi qu'à la Ford V8 qui lui succéda – et en fit les deux voitures les plus copiées de l'histoire de l'automobile américaine. Les bidouilleurs surnommaient leurs bolides « Deuce Coupe » (double coupé). La transformation d'une voiture familiale en bolide des rues se traduisait par l'élimination de tout ce qui n'était pas jugé vital : pare-chocs, capot et pare-brise, et par des moteurs mieux réglés ou remplacés par des modèles plus puissants.

En 1963, les Beach Boys immortalisèrent ces voitures grâce à leur tube *Little Deuce Coupe*. Une Deuce jaune vif « profil haut » à 5 fenêtres (le bolide de John Milner) fut immortalisée dans le film de 1973 *American Graffiti*. Sans cesse recréée, révisée, modifiée et parfois même déifiée, la Deuce Coupe est restée la « voiture gonflée » américaine par excellence pendant 70 ans. **SH**

Model Y | Ford   (USA)

1932 • 933 cm³, S4 • 8 ch
0-80 km/h en 24 s • 98 km/h

L'histoire de Ford est considérée comme une *success story* américaine. Pourtant, l'expansion de Ford aux États-Unis s'accompagna d'une expansion similaire en Europe. La première usine Ford ouvrit ses portes au Royaume-Uni en 1911, suivie en 1917 d'une usine de production de tracteurs en Irlande. Des usines d'assemblage virent rapidement le jour à Copenhague, Bordeaux, Cadix, Trieste, Berlin et même Moscou. Mais malgré l'expansion de l'empire européen de Ford, les ventes de la Model T continentale et de la Model A, peu appréciée, chutèrent avec l'arrivée de la Grande Dépression.

Conçue en moins de cinq mois spécialement pour le marché britannique, la Model Y était la voiture que les familles anglaises attendaient. Produite à l'usine de Dagenham, dans l'Essex (la plus importante fabrique automobile d'Angleterre), la Model Y permit à la société de rentabiliser ses investissements dans ce pays. Elle se vendit à plus de 157 000 exemplaires durant les cinq années que dura sa production. À son apogée, elle représentait 41 % du marché cible, au grand dam de Hillman, Morris, Singer et Austin.

Les matériaux utilisés ainsi que les options étaient basiques : une carrosserie en acier (disponible en versions 2 et 4 portes) fixée sur un châssis en acier compressé, avec au choix un toit fixe ou coulissant. La version 2 portes devint la première voiture fermée vendue en Angleterre pour 100 livres sterling. Son prix provoqua un véritable engouement, malgré quelques défauts : sa lenteur, sa boîte 3 vitesses non synchronisée, une tendance à zigzaguer à grande vitesse et, selon le magazine auto britannique *Autocar*, « des freins quasi inexistants ». Mais que pouvait-on demander de plus pour ce prix ? **BS**

AM80S | Hotchkiss

1933 • 3 485 cm³, S6 • 101 ch • inconnue • 145 km/h

Né dans le Connecticut en 1826, Benjamin Hotchkiss avait travaillé comme fabricant d'armes à Hartford avant de déménager à Saint-Denis, au nord de Paris, en 1867. Sa société produisait la mitrailleuse Hotchkiss, et se consacrait à la fabrication de pièces automobiles en temps de paix. La société fabriqua sa première voiture en 1903, et se spécialisa après la Première Guerre mondiale dans la construction de voitures luxueuses comme la Type AK de 6,6 litres. En 1928, les ingénieurs de Hotchkiss créèrent une nouvelle série de voitures de tourisme 6 cylindres qui allaient former la base de leurs futures voitures : l'AM80. Le gouvernement français en acheta pour patrouiller dans les rues des avant-postes coloniaux français dans le désert syrien. En 1929, une AM80 battit 46 records internationaux sur la piste de l'aérodrome de Montlhéry, couvrant 40 000 kilomètres en seize jours.

Le journaliste automobile Charles Faroux écrivit que l'AM80S, la version sport de l'AM8P, possédait une simplicité et une pureté de style qui, combinées, garantissaient « l'assurance de la perfection ». C'est au volant d'un prototype d'AM80S que Maurice Vasselle remporta le rallye automobile de Monte-Carlo en 1932, une course que Hotchkiss marquerait de son empreinte au cours des années suivantes avec des victoires en 1933, 1934 ou encore 1939. L'AM80S était née pour les courses de côte, avec son châssis surbaissé et ses suspensions à ressort dirigées vers l'extérieur du châssis afin d'éliminer la dérive latérale. La partie mécanique était pour l'essentiel identique à celle de l'AM80, mais elle embarquait un moteur plus puissant de 100 chevaux. L'AM80S était disponible en version berline, coupé, roadster, cabriolet et limousine 4 ou 7 places. **BS**

Trumpf Junior | Adler

1934 • 995 cm³, S4 • 28,5 ch • inconnue • 90 km/h

La Trumpf Junior marque une transition avec les voitures de l'ère moderne. La société d'Heinrich Kleyer avait fabriqué toutes sortes de choses, du vélo à la machine à écrire, et les voitures semblaient n'être qu'un débouché parmi d'autres. Avant la Première Guerre mondiale, ses fils avaient remporté des succès au volant de ses voitures et l'empereur Guillaume II avait même acheté une Adler. Durant l'entre-deux-guerres, la société inaugura le premier système de freinage hydraulique d'Europe. À la même époque, la pilote allemande Clärenore Stinnes réalisa le premier tour du monde en voiture, parcourant 47 000 kilomètres au volant de son Adler Standard.

Pendant les années 1930, Adler se consacra à la production de tractions avant. La Trumpf fut lancée en 1932, et la Trumpf Junior, plus petite, en 1934. La gamme comprenait un vaste choix de moteurs à soupapes latérales allant de 995 cm³ à 1 645 cm³, pour des modèles déclinés en berline, cabriolet, semi-cabriolet et voiture de tourisme 2 et 4 portes, sans oublier un modèle sport 2 portes. Ces voitures, également produites par Rosengart en France et Imperia en Belgique, reçurent un bon accueil. Elles ne tardèrent pas à briller sur les circuits, et une Trumpf remporta les 24 Heures du Mans.

Certains équipements de la Trumpf, comme ses freins mécaniques et sa boîte 4 vitesses manuelle, étaient des vestiges. D'autres, comme ses suspensions indépendantes et son volant révolutionnaire à crémaillère, annonçaient l'avènement de l'automobile moderne. La Trumpf Junior fut un succès commercial et malgré la crise plus de 100 000 unités virent le jour avant que la Seconde Guerre mondiale ne mette un terme à sa production. **SH**

Type 57 | Bugatti

1934 • 3 257 cm³, S8 • 138 ch • 0-97 km/h en 10 s • 153 km/h

Une 57SC Atlantic suralimentée (l'une des deux seules à avoir survécu) fut vendue 30 millions de dollars aux enchères aux États-Unis. L'autre exemplaire appartient au créateur de mode Ralph Lauren. Une modeste version «standard» de la 57 fut récemment vendue en Angleterre pour 3 millions de livres sterling. L'acheteur ne se laissa pas rebuter par le fait qu'on l'avait trouvée couverte de poussière dans un garage et qu'on ne l'avait pas fait démarrer depuis 50 ans.

Bien que peu connue, cette sportive française d'avant-guerre est recherchée en raison de son esthétique – elle était déjà rare et élitiste dans les années 1930. Moins de 700 Type 57 furent produites en six ans ; parmi ses propriétaires on relève plusieurs personnalités des années 1930, comme le directeur de cirque français Jérôme Medrano, le comte de Howe, un pilote de course britannique, ainsi que Malcolm et Donald Campbell, des spécialistes du record de vitesse terrestre.

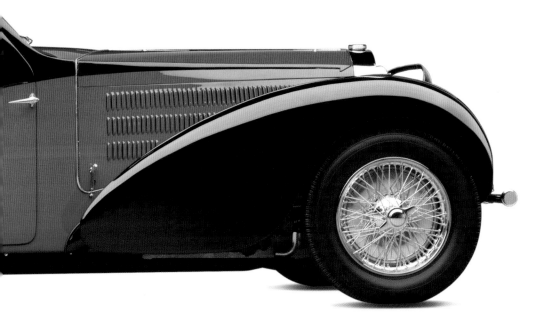

La 57 embarquait le moteur de la Bugatti Grand Prix, parfois préparé ou suralimenté pour atteindre 190 km/h et plus. On la trouvait en version décapotable ou coupé. Les modèles «S» (pour «surbaissé») étaient fabriqués à la demande. Ils étaient dotés d'un châssis spécial, rabaissé pour améliorer leur tenue de route et leur potentiel en termes de performance. La version «fast-back» Atlantic est souvent considérée comme la plus belle voiture d'avant-guerre.

Cependant, même sur des voitures aussi unanimement saluées, certains détails ont mal vieilli. L'intérieur d'origine était garni de cuir imitation crocodile, les roues arrière étaient recouvertes de «cache-roues», et certains modèles étaient dotés d'un toit ouvrant bizarre et mal pensé (on le comparait à une serre) qu'on préférait donc ne pas relever. De nos jours, ce n'est plus un problème : tous les propriétaires de Type 57 savent qu'elle est bien trop précieuse pour être sortie sous la pluie. **SH**

Ulster | Aston Martin (GB)

1934 • 1 500 cm³, S4 • 83 ch
0-97 km/h en 25 s • 164,2 km/h

De toutes les automobiles anciennes, aucune n'égale l'Ulster en termes de capacité de survie. Chacun des 21 exemplaires produits est toujours parmi nous, une donnée impressionnante pour une voiture de course à peine plus volumineuse qu'un kart.

Conçue par le designer et pilote de course italien Augustus Cesare Bertelli, le « père d'Aston Martin », l'Ulster était l'aboutissement d'une expérience de dix années passées sur les circuits.

Sa brève incursion sur les circuits européens marqua les esprits. Équipée de collecteurs externes, d'une suspension rigide, d'un arbre à cames en tête sophistiqué et d'un carter sec, cette « fusée » de 940 kilos entièrement construite en aluminium s'empara des trois premières places lors du British Tourist Trophy de Goodwood, termina troisième au Mans en 1935, et première dans sa catégorie, les 1 101-1 500 cm³. Il s'agit sans doute de la voiture la plus sportive jamais conçue par Aston Martin.

La dernière Ulster non restaurée fut vendue – en pièces détachées, avec « quelques » éléments manquants – chez Christie's en 1996. Ces modèles sont pour la plupart toujours immatriculés, fonctionnels, et, comme Aston Martin l'avait promis il y a 78 ans, « toujours prêts à courir sans aucune préparation ». **BS**

401 Éclipse | Peugeot (F)

1934 • 1 700 cm³, S4 • 45 ch
inconnue • 100 km/h

Introduite lors du Salon de l'automobile de Paris de 1934, la 401 s'imposa comme une référence du design avec ses lignes sculpturales et son look Art déco. Par ailleurs, la 401 était équipée du premier toit métallique entièrement rétractable à commande électrique.

Fruit d'une des plus insolites collaborations de l'histoire automobile, la 401 était l'œuvre d'un curieux groupe de passionnés. Son toit révolutionnaire naquit dans l'imagination de Georges Paulin, un technicien dentaire et inventeur prolifique ; le carrossier français Pourtout s'occupa de la carrosserie, et Émile Darl'mat, un concessionnaire Peugeot de Paris, dessina ses lignes Art déco caractéristiques. Mais ce qui fit sa renommée, c'est son toit incurvé et amovible qui se rangeait dans un coffre tout aussi bombé grâce à un mécanisme électrique spécial, lequel fut immédiatement breveté par Paulin et intégré à la 402 l'année suivante.

La 401, robuste et économique, fut bien accueillie par les fans d'automobiles français. Elle fut adoptée par la compagnie des taxis parisiens G7, qui équipa sa flotte d'un chauffage et de radios sans fil. Cependant, seuls 79 exemplaires virent le jour avant qu'elle ne soit remplacée par la 402 en 1935. Mais le toit de Paulin restera un classique indémodable, que l'on peut toujours trouver sur des Peugeot actuelles. **BS**

500K | Mercedes-Benz ⓓ

1934 • 5 019 cm³, S8 • 162 kW
0-97 km/h en 16 s • 160 km/h

La 500K, dévoilée en 1934, est considérée par beaucoup comme la Mercedes-Benz ultime. Elle succédait à la 380, lancée un an plus tôt, et devint le produit phare de la société. Cela n'avait rien de surprenant. Elle était équipée du même moteur 5 litres que la berline modèle 500, le K (pour *Kompressor*) indiquant l'ajout d'un compresseur mécanique, qui faisait d'elle une voiture de sport. La 500K ciblait sans complexes le marché du luxe, avec un moteur plus puissant, une carrosserie plus luxueuse et un tout nouveau système de suspensions indépendantes. Sa conduite était l'une des plus souples qui soient. Le verre de sécurité, les freins hydrauliques et les serrures de portières électriques faisaient partie de ses équipements dernier cri. Elle était proposée en trois types de châssis et huit types de carrosserie, avec des versions 2 et 4 places. La 540K, un modèle encore plus rapide et léger commercialisé en 1935, portait sa vitesse maximale à 176 km/h.

Seules 342 Mercedes 500K furent produites. L'une d'entre elles fut achetée par Bernie Ecclestone, le grand patron de la formule 1. Quand il vendit sa collection en 2007, sa 500K Special Roadster atteignit un peu moins de 700 000 livres sterling – une broutille comparée au modèle 540K mis aux enchères en 2011, qui partit pour 9 680 000 dollars. Neuf, il avait coûté 7 700 livres. **MG**

Type 77 | Tatra ⓒⓢ

1934 • 2 969 cm³, V8 • 60 ch
0-97 km/h en 38 s • 145 km/h

La Tatra 77 fut la première voiture conçue selon des principes aérodynamiques. L'un de ses concepteurs, Paul Jaray, avait pris part à la conception des dirigeables Zeppelin, dont l'influence sur la Tatra 77 est manifeste. Un autre de ses créateurs, l'ingénieur autrichien Hans Ledwinka, avait dessiné des wagons de chemin de fer. Le résultat aurait dû être un véhicule indigeste, robuste mais encombrant, une sorte de curiosité venue d'Europe centrale. Tel n'a pas été le cas.

La société Tatra, fondée en 1850, avait produit son premier véhicule à moteur en 1897. Elle avait ensuite produit des voitures de luxe très fiables, utilisant pour la première fois la marque Tatra en 1919. Au cours des années 1930, Hans Ledwinka, son fils Erich et l'ingénieur allemand Erich Übelacker entamèrent une collaboration avec Paul Jaray après lui avoir acheté ses plans sous licence. Le résultat fut la Tatra 77, ou encore T77.

La Tatra 77 fut non seulement la première voiture conçue selon des principes aérodynamiques en utilisant un moteur V8 refroidi à l'air et monté à l'arrière, mais elle exerça également une influence durable sur l'industrie automobile. En 1934, quand Hitler ordonna à Ferdinand Porsche de créer une «voiture populaire» pour la nation allemande, ce dernier s'inspira fortement de la Tatra 77 pour concevoir la Volkswagen. **MG**

7CV Traction avant | Citroën

(F)

1934 • 1 303 cm³, S4 • 32 ch • inconnue • inconnue

Ce ne fut pas Citroën et sa Traction avant, comme pourrait le laisser penser le nom du véhicule, qui inventèrent ce concept. Alvis au Royaume-Uni, Cord aux États-Unis et DKW en Allemagne l'avaient déjà inauguré, mais la Traction avant était le premier modèle doté d'une monocoque en acier, et proposé au grand public.

Dès ses débuts en mai 1934, la voiture – également connue sous le nom de Citroën 7CV – fut saluée comme un concentré d'innovations. Outre sa monocoque soudée, qui la rendait nettement plus légère que les autres voitures de l'époque, elle était équipée d'un frein hydraulique pour chaque roue et d'une suspension indépendante à barre de torsion.

Cependant, Citroën paya cher son ambition. Les coûts de développement et de remise à neuf des véhicules acculèrent la société à la faillite cette même

année. Elle fut sauvée par Michelin, qui en resta propriétaire jusqu'en 1976. La Traction avant fut déclinée en de nombreuses versions (7A, 7B, 7C, 11 et 15) chacune dotée d'un moteur différent. Les chiffres faisaient référence au système européen de chevaux fiscaux (ou CV), basés non sur la puissance de la voiture mais sur les dimensions de ses cylindres. C'est pourquoi la Traction avant est souvent appelée « 7CV », bien que cela ne corresponde pas nécessairement à la réalité du modèle concerné.

La production s'arrêta en juillet 1957 après 23 ans, 4 mois et 15 jours, ce qui représentait à l'époque le record du monde pour un modèle unique. Plus de 750 000 exemplaires avaient été produits. La plus vieille 7A (connue) à avoir survécu est actuellement exposée au musée Citroën, à Paris. **RY**

150H Sport Roadster | Mercedes-Benz ⟨ D ⟩

1934 • 1 498 cm³, S4 • 56 ch • inconnue • 126 km/h

Rares sont les Mercedes qui évoquent le style et le comportement d'une Volkswagen. La Mercedes 150H Sport Roadster, avec son moteur situé derrière le conducteur et son nez à la Volkswagen, invite à la comparaison.

La 150H, première voiture au monde dotée d'un moteur central, était l'œuvre de Hans Nibel et Max Wagner, un ingénieur de Mercedes spécialisé dans les châssis, qui avaient fusionné principes aérodynamiques, Art déco et certaines caractéristiques d'un spécimen moins séduisant, la berline roadster 130H, pour créer une nouvelle voiture à moteur central. Dans un monde dominé par les roadsters à moteur avant, elle devait sembler révolutionnaire. Après tout, les voitures avaient toujours embarqué un moteur sous le capot avant, et la 150H aurait bien pu être considérée comme une simple curiosité… s'il ne s'était agi d'une Mercedes.

Cette innovation tombait également à point nommé. Durant les années 1930, les Allemands commençaient à apprécier les autos à moteur central et arrière. La 150H (H pour *Heck*, «arrière» en allemand) était basée sur un châssis à poutres reliant ses essieux avant et arrière, le moteur central étant refroidi par un ventilateur centrifuge qui amenait l'air grâce à des persiennes évoquant elles aussi le système de refroidissement de la Volkswagen Type 1.

«Innovant» ne signifie pas forcément «fonctionnel». Le troisième phare incrusté en bas du capot semblait inutile et le réservoir d'essence, situé au-dessus du moteur dans la 130H, avait été déplacé dans le compartiment avant, réduisant d'autant l'espace disponible. Quelle qu'en ait été la raison, les ventes de la 150H furent décevantes. Elle fut abandonnée en 1936. **BS**

K6 | Hispano-Suiza

(F)

1934 • 5 000 cm³, S6 • 127 ch • inconnue • 145 km/h

La K6 d'Hispano-Suiza, dévoilée au Salon de l'automobile de Paris en 1934, se situait dans la droite ligne du chef-d'œuvre automobile de la société, la H6. Succéder à un classique n'est jamais aisé, mais la K6 illustrait bien la capacité de Marc Birkigt pour anticiper et répondre aux demandes de ses clients – malgré un prix élevé.

La K6 était proposée sous forme de châssis motorisé afin que les clients puissent choisir la carrosserie de leur choix. La voiture fut ainsi parée d'une foule de carrosseries superbes, souvent identiques, voire supérieures, à celle du fleuron de la société, la J12. Les maîtres carrossiers français adoraient la K6 en raison de son raffinement et de l'attention portée aux détails, et Birkigt savait que sa clientèle préférait le luxe et le décorum à la vitesse et aux performances pures. Libre de sacrifier les performances au profit du confort, Rodolphe Hermann conçut un

moteur à 6 cylindres en ligne de 5 000 cm³ en remplaçant les arbres à cames, leurs chaînes et leurs engrenages, par des soupapes en tête « à l'ancienne », avec un boîtier de direction de précision afin d'apporter à ses clients ce qu'ils recherchaient : le silence et la réactivité.

La production de la K6 fut interrompue en 1938 alors que l'Europe s'apprêtait à basculer dans la guerre, Hispano-Suiza se trouvant obligé de se consacrer de plus en plus à son autre branche : les moteurs d'avions. Trente-six K6 personnalisées et fabriquées à la main ont survécu jusqu'à nos jours, comme pour nous rappeler que l'automobile n'est pas toujours une histoire de vitesse. Ces survivantes portent la mémoire du combat que mena Hispano-Suiza pour mériter la préférence de ceux qui cherchaient par-dessus tout le confort, la noblesse, la mécanique de précision et la souplesse. **BS**

NA 8/90 | Buick

1934 • 5 644 cm³, S8 • 118 ch • inconnue • 161 km/h

Les Buick série 90 ne lésinaient pas sur les innovations : verre de sécurité, servofreins à vide, démarreur relié à l'accélérateur et ventilateur à air frais monté sur le capot. Elles étaient équipées d'un nouveau type de suspension frontale baptisé « suspension par quadrilatères ». La nouvelle suspension et le stabilisateur arrière impressionnèrent tant Rolls-Royce qu'il acheta une licence et intégra le système dans sa nouvelle Phantom III V12.

La série 90 était déclinée en versions coupé sport, coupé décapotable, berline 7 places et phaéton décapotable, toutes dotées d'une superbe garniture en velours de mohair ; la version tourisme possédait également un accoudoir rabattable entre les sièges arrière. La berline était munie de pare-soleil en soie sur les portières et vitres latérales arrière, avec une vitre de séparation entre le conducteur et les passagers arrière qui – luxe suprême – disposaient de liseuses et de compartiments de rangement dans les portes. Grâce à un strapontin, le coupé sport pouvait transporter quatre personnes. Le phaéton, lui, se distinguait par ses pneus de rechange accrochés à ses flancs, son porte-bagages de série ainsi que ses portières avant à ouverture inversée. La 8/90 était propulsée par un moteur Buick à 8 cylindres en ligne, l'un des plus sophistiqués de son temps. Développé en 1931 à l'apogée de la Grande Dépression, il resta l'un des piliers de la marque jusqu'en 1953.

La Grande Dépression fut une période difficile pour Buick et les autres constructeurs américains, et bien que le lancement de la série 40 ait permis à la société de surmonter la crise, la série 90 conserva son statut de gamme phare de la marque en termes d'innovation. **BS**

CU Airflow Eight | Chrysler (USA)

1934 • 5 302 cm³, S8 • 132 ch
0-97 km/h en 19,5 s • 153 km/h

En 1933, Carl Breer, un célèbre ingénieur de Chrysler et l'un des légendaires «trois mousquetaires» de la société, regardant un dirigeable en vol ou une formation d'oies en chevron (selon la version de l'histoire), se mit à réfléchir à la manière dont la forme d'un objet affectait son déplacement dans l'air. Il ne tarda pas, avec Owen Skelton et Fred Zeder (les autres mousquetaires), à réaliser des essais en soufflerie au QG de Chrysler, à Highland Park, afin de déterminer quelle serait la forme la plus aérodynamique pour une berline 4 portes.

Leur objectif principal consistait à minimiser la résistance de l'air. Des phares, pare-brise, pare-chocs jusqu'aux calandres de radiateurs, tout fut soit redessiné, soit éliminé. La répartition du poids fut également prise en compte : les berlines remplies de passagers concentraient souvent les trois quarts de leur poids sur les roues arrière, ce qui les rendait instables. Finalement, après des mois d'expériences, ils mirent au point une nouvelle voiture à même de satisfaire toutes leurs exigences en matière d'aérodynamisme : la Chrysler Airflow.

Cependant, les Américains lui réservèrent un accueil glacial. Carolyn Edmundson, la critique de mode de *Harper's Bazaar*, résuma bien la situation en la décrivant comme « *breathlessly different-looking* », une formule ambiguë qui mettait l'accent sur son allure singulière. Personne ne semblait se soucier de sa carrosserie aérodynamique, de son châssis à treillis en acier ni de la répartition harmonieuse de son poids… Son allure était bien trop étrange. Chrysler tenta de réagir en modifiant la calandre. Sans succès. Durant les quatre années de production, les ventes ne décollèrent pas et l'Airflow sombra dans l'oubli en 1937. **BS**

402BL | Peugeot (F)

1935 • 2 148 cm³, S4 • 69 ch
inconnue • 120 km/h

Comme la Lincoln Zephyr et la Chrysler Airflow avant elle, la Peugeot 402 offre un exemple de la fascination croissante qu'éprouvaient les constructeurs des années 1930 pour le « profilage ».

Les talentueux ingénieurs de Peugeot, qui avaient suivi de près l'évolution des concepts aérodynamiques outre-Atlantique, étaient bien décidés à créer une nouvelle auto qui ferait date.

Le résultat fut la 402BL Éclipse Décapotable, livrée avec un moteur de 2 148 cm³, soit 151 cm³ de plus qu'une 402 standard. La carrosserie regorgeait de détails charmants (tous moulés en aluminium) comme de faux marchepieds, des écrins pour les phares arrière et les clignotants, des poignées à tête de lion (l'emblème de Peugeot) et des jupes de pare-chocs. Malgré cela, comme pour la 401 et la 402, le toit ouvrant de Georges Paulin (qu'il avait vendu à Peugeot en 1935) focalisait toute l'attention, bien qu'il soit désormais à commande manuelle et non électrique.

Cependant, la 402BL n'innovait pas sur tous les plans. Ses atours attrayants dissimulaient une technologie plutôt démodée : châssis à traction arrière conventionnel, freins à câbles plutôt qu'hydrauliques… Cependant, les clients français ne furent pas rebutés par ces tares invisibles, hypnotisés qu'ils étaient par l'élégance tapageuse du véhicule, par son nez arrondi et sa calandre en forme de goutte inversée, son superbe pare-brise en V, son levier de vitesse et son frein à main qui jaillissaient d'un tableau de bord de style Art déco avec interrupteurs en Bakélite, tout cela sous le haut patronage du génial et très novateur toit escamotable de Georges Paulin. **BS**

Roadster | Squire

GB

1935 • 1 500 cm³, S4 • 111,5 ch • 0-97 km/h en 12 s • 161 km/h

Raconter l'histoire du Squire Roadster, c'est aussi raconter l'histoire d'Adrian Squire. À 21 ans, Squire, un citoyen britannique qui avait déjà travaillé pour Bentley et MG, décida de fabriquer sa propre voiture et fonda pour ce faire la société Squire. Il voulait produire une voiture que l'on pourrait conduire sur route mais qui serait également capable de remporter un Grand Prix. Il se lança dans cette entreprise avec l'aide d'amis qui lui fournirent à la fois des moyens financiers et de la main-d'œuvre. Squire investit également dans sa société de l'argent issu d'un héritage.

Il chargea la société Vanden Plas de dessiner la carrosserie de son véhicule, et acheta à la société Anzani un lot de puissants moteurs. Il en produisit deux versions, une 2 et une 4 portes, et donna naissance à une voiture très rapide et dotée de capacités de freinage hors du commun. Hélas, Squire ne parvint à produire qu'une poignée de voitures… Selon notre estimation, il ne fabriqua que trois 2 places et quatre 4 places. Les chiffres exacts ne sont pas connus, mais il est possible qu'il en ait produit une dizaine en tout.

Cependant, Squire ne pouvait tout simplement pas produire ses voitures à un tarif concurrentiel. Ses premiers véhicules étaient vendus 1 220 livres sterling, ce qui correspondait à l'époque au prix d'une Bugatti. Il opta ensuite pour une carrosserie moins coûteuse et parvint à faire baisser le prix jusqu'à 995 livres, mais cela n'était pas suffisant.

Par manque de fonds, il fut contraint d'abandonner la production en 1936. Il intégra alors la Bristol Aeroplane Company et connut une fin tragique durant un raid aérien en 1940. Il n'avait que 30 ans. **MG**

Speedster | Auburn

1935 • 4 596 cm³, S8 • 152 ch • 0-97 km/h en 15 s • 160 km/h

L'Auburn Automobile Company fut fondée en 1900 par les frères Eckhart à Auburn, dans l'Indiana. Leur père fabriquait des calèches traditionnelles, mais les deux fils préférèrent se lancer sur le marché émergent des calèches sans chevaux. Ils connurent une carrière en dents de scie dominée par les échecs et durent vendre leur société en 1919.

Les repreneurs s'en tirèrent un peu mieux et produisirent plusieurs modèles, mais aucun d'entre eux ne décolla. En 1925, ils vendirent la société à E. L. Cord, un négociant en automobiles qui se débarrassa immédiatement du stock existant en les dotant d'une robe bicolore avant de les vendre au rabais. En 1926, Cord noua une collaboration avec la société Duesenberg, avec laquelle il produisit plusieurs modèles de Speedster dès 1928. En 1932, un Speedster atteignit pour la première fois la vitesse de 160 km/h sur les Salt Flats de Bonneville, un désert de sel situé dans l'Utah.

Les Speedster classiques 851 et 852 virent le jour en 1935. Ce furent ces modèles encore plus rapides au moteur surpuissant qui retinrent pour la première fois l'attention du public. Hélas, la société était toujours dans une situation financière délicate, et malgré l'enthousiasme suscité par les derniers Speedster, elle ferma ses portes en 1937, entraînant ce qui restait du vaste empire commercial d'E. L. Cord. Seul le siège de la société a survécu. Il abrite désormais le musée de l'automobile Auburn Cord Duesenberg, où l'on peut naturellement admirer plusieurs modèles de Speedster.

De nos jours, le Speedster est l'une des voitures anciennes les plus recherchées, et les modèles originaux de 1935-1937 se vendent 465 000 dollars et plus. **MG**

Une affiche des années 1930 célébrant l'exploit et les nombreux records battus par la Citroën 8CV, surnommée « Petite Rosalie ».

11CV Normale | Citroën

1935 • 1 911 cm³, S4 • 47 ch • inconnue • 109 km/h

André Citroën souhaitait inclure dans sa nouvelle gamme un superbe nouveau roadster 2 portes qu'il voulait dévoiler au Salon de l'automobile, prévu pour le mois d'octobre au Grand Palais, à Paris. Il ordonna à ses deux meilleurs concepteurs, Flaminio Bertoni et Jean Daninos, de lui en créer un.

Ils mirent au point la 11CV Normale Roadster, une version large de la berline Citroën 7A de 1934 (le chiffre 11 faisait référence au nombre de chevaux fiscaux de la voiture, les taux de taxation étant basés sur les dimensions des cylindres des véhicules). Bien que ses pare-chocs, son capot et une grande partie des pièces de la carrosserie proviennent des berlines « série 7 » de l'année précédente, Bertoni et Daninos dessinèrent une carrosserie ample avec un empattement plus long. Le résultat fut un roadster très agréable à conduire et offrant beaucoup d'espace pour le conducteur et le passager.

Les équipements de série de ce nouveau roadster consacraient le statut de grand innovateur de Citroën : barre de torsion indépendante avec triangle de suspension à l'avant, traction avant, sans oublier un nouveau type de construction monocoque, le châssis et la carrosserie étant soudés ensemble. Une version « faux cabriolet » (coupé sportif 2 portes avec des lignes de type roadster) était également disponible.

La version anglaise avec conduite à droite était surnommée « Light 15 », car elle proposait un intérieur en cuir, un tableau de bord en bois et un compteur de vitesse plutôt optimiste limité à 80 miles à l'heure (129 km/h). La 11CV Normale Roadster confirma la réputation d'excellence de Citroën en termes de design et de mécanique et donna tout son sens au slogan de la société : « Citroën : Créative Technologie. » **BS**

Rosalie | Citroën (F)

1935 • 1 452 cm³, S4 • 33 ch • inconnue • 113 km/h

« Les trois Rosalie » a beau évoquer un groupe de country féminin, il désigne en fait les trois modèles de voitures produites par Citroën durant les années 1930 : la 8CV, la 10CV et la 15CV. Les performances des modèles supérieurs dépassaient naturellement celles de la 8CV, mentionnées ci-dessus : la 15CV, par exemple, embarquait un moteur de 2 650 cm³ pour une vitesse maximale de 120 km/h.

La modeste 8CV n'en fit pas moins sensation quand elle se présenta sur le circuit de Montlhéry, au sud de Paris. En 134 jours et 134 nuits, elle parcourut 300 000 kilomètres à une vitesse moyenne de 93,5 km/h, battant 106 records du monde. Un exploit stupéfiant.

Il s'agissait également d'un événement révolutionnaire dans l'histoire de Citroën. Durant les années 1920, la société s'était fait un nom en vendant des petites voitures bon marché qui ne déchaînaient guère les passions.

Au cours des années 1930, elle commença à améliorer la conception et la puissance de ses voitures. Le lancement commercial de la Rosalie, en 1935, représentait une étape cruciale pour la société. Ses exploits à Montlhéry eurent un impact immédiat sur les ventes.

Quant à son look beaucoup plus contemporain, il la plaçait sur un pied d'égalité avec les autres voitures européennes et américaines de l'époque. Encore plus important pour Citroën, les leçons tirées de l'observation des chaînes d'assemblage de Ford aux États-Unis lui avaient permis d'augmenter ses rendements et de réduire ses coûts. Quoi qu'il en soit, si vous aviez l'intention de rouler pendant 134 jours et 134 nuits d'affilée, Rosalie était à vos ordres. **MG**

UNE **8** CV
CITROËN
DE SERIE "PETITE ROSALIE"
A PARCOURU
300000 KMS
EN 134 JOURS A 93 DE MOYENNE
AVEC UTILISATION CONSTANTE D'HUILE YACCO DU COMMERCE
CHASSIS DE PETITE ROSALIE EST STRICTEMENT IDENTIQUE

Zephyr | Lincoln (USA)

1935 • 4 400 cm³, V12 • 112 ch
0-97 km/h en 16 s • 140 km/h

Au début des années 1930, les constructeurs se mirent à tester des techniques de profilage censées réduire la résistance à l'air. La première voiture américaine à exploiter ce concept fut la Chrysler Airflow, qui reçut un accueil glacial. Eugene Gregorie, le nouveau designer de Lincoln, ne se laissa pas ébranler et se mit au travail. En utilisant des formules d'analyse servant à évaluer l'intégrité structurelle des avions, il dessina des pare-chocs enveloppants avec phares incrustés, un capot plat avec charnière à l'arrière, une calandre verticale en V avec de fines barres horizontales. La Lincoln Zephyr était née.

Cependant, l'aérodynamisme n'était pas la seule qualité de la Zephyr. Son moteur, un V12 compact avec un alésage minuscule de 6,8 centimètres, le plus petit jamais vu pour une voiture américaine, prenait donc moins de place que les gros V8 des autres constructeurs pour une puissance équivalente. Son prix était également des plus compétitifs, et 17 700 exemplaires (soit 80 % des ventes totales de Lincoln) furent écoulés la première année. Disponible en version «fastback» 4 portes et coupé 2 portes, la Zephyr était très spacieuse, notamment grâce à l'étroitesse de son tableau de bord chromé. La banquette avant se trouvait donc très près du pare-brise, ce qui libérait assez de place pour permettre à six personnes de voyager confortablement. **BS**

4/4 | Morgan (GB)

1935 • 1 122 cm³, S4 • 34 ch
0-97 km/h en 28,4 s • 120,7 km/h

Entre 1910 et 1935, Henry Morgan se fit connaître pour ses «cyclecars» à 3 roues exonérées d'impôt. Cependant, en 1935, avec l'avènement des 4 roues bon marché de Morris et Austin, l'ère des 3 roues touchait à sa fin. Morgan décida donc à contrecœur de se lancer dans la production de voitures à 4 roues. Et il le fit d'une manière remarquable, en sortant une voiture qui reste en vente de nos jours et dont l'apparence n'a guère changé depuis 1935.

Le terme 4/4 signifiait «4 cylindres, 4 roues», mais toute la partie avant ressemblait à une F4 3 roues. L'arrière et le moteur, par contre, avaient subi de remarquables transformations. La voiture était désormais plus lourde et le moteur de 993 cm³ de la F4 avait été remplacé par un Coventry Climax de 1 122 cm³ développant 34 chevaux. Les rails du châssis ainsi que la suspension avaient été renforcés, et le moteur reposait sur des montures en caoutchouc. À peine la peinture de la première 4/4 avait-elle eu le temps de sécher que Morgan décida de se faire de la publicité en la faisant courir dans l'Exeter Trial, où elle décrocha un modeste Premier Award, le premier prix de son palmarès.

La 4/4, lancée au Salon de l'automobile de Londres en 1936, ne nous a plus quittés depuis, ce qui fait d'elle le modèle le plus durable de l'histoire de l'automobile. **BS**

C28 Aérosport | Voisin   (F)

1935 • 2 994 cm³, S6 • 103 ch
inconnue • 150 km/h

Les voitures Voisin étaient dessinées par le fondateur de la société, Gabriel B. Voisin, et leurs qualités esthétiques ne sont guère surprenantes quand on sait que Voisin avait étudié à l'école des beaux-arts de Lyon. Il créa de superbes voitures, remarquables par leur légèreté et leur châssis surbaissé, et on ne s'étonnera pas que la C28 Aérosport, qui est probablement son chef-d'œuvre, ait plus tard obtenu la faveur des cinéastes. On aperçoit des C28 dans le film *Sahara* (2005) et dans *Indiana Jones et le royaume du crâne de cristal* (2008).

Hélas pour Voisin, la gloire arriva tard. À l'apogée de ses facultés créatives, au milieu des années 1930, sa société était confrontée à des problèmes financiers. En 1934, il dévoila au Salon de l'automobile de Paris la C24 Aérodyne, qui mariait son intérêt pour les voitures aérodynamiques et son amour pour le style Art déco. Entre autres équipements, elle possédait un toit coulissant garni d'une rangée de hublots, de sorte que le conducteur pouvait voir derrière lui même quand il le rabattait.

La C28 Aérosport, variante la plus prestigieuse de ce modèle, était vendue 92 000 anciens francs (environ 65 000 euros actuels), bien plus qu'une Bugatti à la même époque. Quasiment personne ne pouvait se l'offrir, et il n'en fabriqua que trois ou quatre exemplaires, dont un seul a officiellement survécu à ce jour. **MG**

50 | Steyr   (A)

1936 • 984 cm³, S4 • 22 ch
inconnue • 90 km/h

La Steyr 50 avait beau ressembler à une voiture de dessin animé, elle n'en était pas moins très appréciée. Conçue pour le grand public autrichien et les routes alpines, elle était affectueusement surnommée «bébé Steyr». Treize mille exemplaires furent écoulés avant qu'elle ne soit remplacée par la Steyr 55 en 1940. Comme l'Autriche ne comptait à l'époque que 6,7 millions d'habitants, il s'agissait d'un chiffre honorable.

À la voir, on aurait pu croire sa vitesse maximale surestimée, mais elle faisait en réalité appel aux tout derniers principes en matière d'aérodynamisme. Son capot était doucement incurvé, son pare-brise incliné vers l'arrière et le flux d'air coulait le long de ses contours arrondis qui n'étaient pas sans évoquer la Volkswagen, son homologue allemande. La Steyr 50 était également équipée d'un toit coulissant pour profiter de l'été alpin, et d'un compartiment bagages plus spacieux que la Volkswagen.

Sa calandre était ornée du logo de la société, en forme de cible. Steyr fabriquait des fusils depuis le milieu du XIXᵉ siècle. S'étant vu interdire sa production – à l'exception des bicyclettes – depuis la fin de la Première Guerre mondiale, la société en avait profité pour concrétiser un vieux projet en se lançant dans la production automobile. La Steyr 50 serait leur plus grand succès. **MG**

328 | BMW

1936 • 1 971 cm^3, S6 • 57 ch • 0-97 km/h en 10 s • 150 km/h

Il n'y avait rien de très surprenant à retrouver la BMW 328 sur la liste des voitures nominées en 1999 par un panel de journalistes automobiles pour le titre de « voiture du siècle ». (La gagnante fut la Ford Model T.) La 328, considérée par beaucoup comme la meilleure voiture jamais construite par la firme, était la seule BMW de la liste. Elle semblait certes un brin corpulente, mais la « Manufacture bavaroise de moteurs » avait conçu la carrosserie en s'appuyant sur les plus récentes connaissances en aérodynamique, et elle s'avéra tout à la fois rapide et facile à conduire. Sa carrosserie en alliage léger lui permettait d'atteindre des vitesses impressionnantes.

Non contente d'être un excellent roadster, la BMW 328 se distingua également sur les circuits de course. Elle se tailla un époustouflant palmarès en quelques années d'existence (1936-1940), durant lesquelles elle fut produite à 464 exemplaires. En 1939, trois d'entre eux participèrent aux 24 Heures du Mans dans la catégorie 2 litres, décrochant les trois premières places. Elle remporta également le Rallye de Grande-Bretagne en 1939. La version Mille Miglia, quant à elle, triompha lors de l'édition 1940 des Mille Miglia.

La production de la BMW 328 fut interrompue dès la survenue de la Seconde Guerre mondiale. Il était prévu de redémarrer la production dès la cessation des hostilités, mais l'usine, située dans la ville allemande d'Eisenach, se retrouva après la guerre en territoire est-allemand, où seuls les véhicules approuvés par le gouvernement pouvaient être produits. Les origines et la rareté de cette voiture expliquent les prix très élevés qu'elle atteint aux enchères. L'une d'entre elles fut vendue en 2010 pour 667 000 dollars. **MG**

853 Phaeton | Horch $\quad$ (D)

1936 • 4 944 cm³, S8 • 121 ch • inconnue • 130 km/h

August Horch, un forgeron allemand reconverti dans l'ingénierie, fabriqua sa première voiture en 1901. En 1909, quand il quitta la société qu'il avait fondée, il ne fut pas autorisé à utiliser son nom, car il constituait désormais une marque déposée. Il choisit alors de baptiser sa nouvelle société de l'équivalent latin de la signification de son nom : Audi. La société Horch poursuivit son activité, mais elle se trouva bien dépourvue sans son créateur, et finit par fusionner avec Audi et trois autres constructeurs automobiles en 1932 pour former le groupe Auto Union.

Mais ce groupe continua d'utiliser la marque Horch, et produisit en 1936 la meilleure voiture qui porta jamais ce nom : la Horch 853 Phaeton. Il s'agissait d'une voiture élégante, imposante et luxueuse, mais comme elle était moins chère que ses rivales de chez Mercedes, elle ne

tarda pas à afficher des ventes honorables. Bien qu'elle s'inscrive parfaitement dans l'esthétique pompière de l'Allemagne de la deuxième moitié des années 1930, elle aurait pu tout aussi bien convenir à des gangsters de Chicago qu'à des généraux SS. Son imposante carrosserie pesait 2 630 kilos et abritait un moteur de presque 5 litres. Elle était solide comme un char et, avec l'irruption de la Seconde Guerre mondiale, les concepteurs du groupe Union Auto eurent bientôt l'occasion de mettre à profit ce savoir-faire pour la construction de chars et autres véhicules de l'armée allemande.

L'usine Audi où les 853 avaient été produites se trouvait à Zwickau, une ville de l'est de l'Allemagne. Quand la guerre prit fin en 1945, Zwickau passa sous contrôle soviétique. L'usine qui avait fabriqué cette magnifique voiture fut démantelée. **MG**

135M | Delahaye

F

1936 • 3 557 cm³, S6 • 90 ch • inconnue • 160 km/h

Delahaye lança cette imposante mais gracieuse 135 en 1935, rapidement suivie d'une version de course plus dynamique, la 135M, l'année suivante. Une version «gonflée» de la 135 avait remporté la Coupe des Alpes, un rallye alpin, dès sa première année de production. Cette victoire impressionnante donnait raison à Delahaye, qui avait décidé de doter ses voitures de performances et d'un look plus sportifs. Ses derniers modèles avaient été plutôt sages, la société souhaitant retrouver l'élégance et le côté ludique qui l'avaient caractérisée durant les années 1920 et auparavant.

Delahaye décida de produire une version encore plus puissante de la 135, la 135M, afin de poursuivre le retour aux sources de la société. La 135 était notamment remarquable pour son châssis bas. Celui de la nouvelle version était encore plus bas, mais également plus court. Le moteur était encore plus puissant, et la 135M reçut un accueil encore plus chaleureux que la précédente. Les clients pouvaient opter pour un moteur à simple, double ou triple carburateur.

D'autres variantes lui succédèrent, dont une 135MS qui fut produite en deux versions : tourisme, et haute performance dédiée à la course. Les victoires se succédèrent, et elle remporta notamment les deux premières places au Mans en 1938. Delahaye continua de vendre des 135 jusqu'en 1954, date à laquelle la société fut rachetée par un autre constructeur français, Hotchkiss, qui arrêta définitivement la production avant de mettre l'illustre marque Delahaye à la retraite. Une grande partie des quelque 2 000 exemplaires de 135 produits existent toujours. L'une d'entre elles fut vendue 1 320 000 dollars en 2007. **MG**

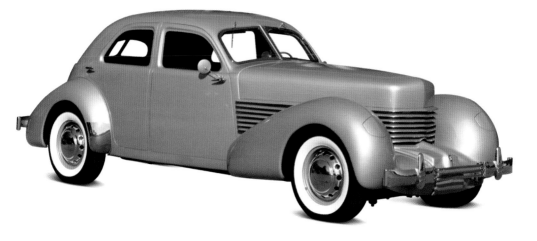

810 | Cord

USA

1936 • 4 730 cm³, V8 • 127 ch • 0-97 km/h en 20,1 s • 145 km/h

Il suffit de contempler la Cord 810 pour comprendre pourquoi son designer, Gordon Buehrig, figurait parmi les finalistes du prix du Meilleur designer automobile du siècle organisé par la Global Automotive Elections Foundation en 1999. Buehrig débuta sa carrière chez Packard. En 1929, il devint à 25 ans designer en chef en charge des carrosseries chez Duesenberg. En 1934, il rejoignit l'Auburn Automobile Company, où il donna naissance à l'Auburn Boattail Speedster l'année suivante. Cependant, son plus grand exploit fut la création, en 1936, de la Cord 810, que le Metropolitan Museum of Art de New York décrivit comme « la plus exceptionnelle contribution américaine au design automobile ».

La grande originalité de la 810 (mais également de la 812, qui lui succéda) résidait dans sa calandre enveloppante striée comme une persienne, qui lui valut son surnom de « *coffin nose* » (« nez de cercueil »). La voiture était si basse qu'elle se passait de marche-pieds. L'intérieur était tout aussi impressionnant, avec un tableau de bord chromé, des leviers manipulables du bout des doigts, des cadrans très lisibles, et même une radio. Le frein à main était muni d'une crosse et les phares (logés à l'intérieur de ses larges garde-boue profilés) pouvaient être abaissés ou relevés au moyen de deux manivelles intérieures chromées. Les foules rassemblées autour de la Cord lors des salons étaient si compactes que les gens montaient sur les autres véhicules pour l'apercevoir. Enfin, au lieu de devoir chercher le petit bouton du klaxon sur le tableau de bord, le conducteur pouvait signaler son mécontentement en frappant à plusieurs reprises sur un anneau chromé très judicieusement placé sur le volant. **BS**

540K | Mercedes-Benz (D)

1936 • 5 401 cm³, S8 • 116 ch • 0-97 km/h en 16,4 s • 170 km/h

La Mercedes 540K est le roadster le plus cher que vous pourrez trouver… si toutefois vous parvenez à la trouver, et à vous procurer les millions de dollars nécessaires à son acquisition. Heureusement pour lui, le grand ponte de la formule 1 Bernie Ecclestone disposait de 8,25 millions de dollars quand la voiture fut proposée à la vente en 2007, et put ainsi l'ajouter à sa collection. D'autres se sont vendues, selon leur état, entre 1 et 3 millions de dollars ces dernières années. On en voit souvent dans les ventes aux enchères – fait surprenant quand on sait que seuls 419 exemplaires furent produits entre 1936 et 1940. En effet, le début de la Seconde Guerre mondiale en 1939 provoqua l'arrêt de la production, et de nombreux propriétaires dissimulèrent, voire enterrèrent parfois leur 540K aux côtés de leur argent, de leurs œuvres d'art et autres objets de valeur.

La 540K fut dévoilée au Salon de l'automobile de Paris en 1936 dans le sillage de la 500K, qui avait été lancée en 1934. Son nom signalait un changement de cylindrée du moteur (de 5 litres à 5,4 litres), permettant de porter la vitesse maximale de la voiture de 160 à 170 km/h.

La voiture n'était pas seulement imposante. Elle constituait l'une des plus énormes jamais produites à cette époque, et pesait 2 700 kilos. Les acheteurs avaient le choix entre plusieurs options, dont une limousine 7 places avec portières et vitres blindées, mais il s'agissait de produits très haut de gamme, au point que Mercedes-Benz proposait de les personnaliser moyennant paiement. L'un des modèles les plus recherchés était la Tourenwagen, une version tourisme 2 portes suffisamment spacieuse pour transporter quatre personnes avec tout le confort possible et imaginable. **MG**

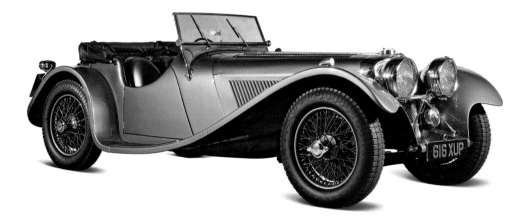

SS100 | Jaguar

1936 • 2 663 cm³, S6 • 127 ch • 0-97 km/h en 10,4 s • 162 km/h

Seules 314 Jaguar SS100 furent produites durant sa période de production, comprise entre 1936 et 1940, ce qui fait d'elle l'une des voitures de sport britanniques les plus recherchées. Il s'agit du véhicule qui fit, littéralement, la renommée de Jaguar. Elles étaient fabriquées non par Jaguar mais par SS Cars de Coventry, ex-Swallow Sidecar Company. SS Cars avait commencé à utiliser le nom Jaguar pour désigner certains de ses modèles, mais après la Seconde Guerre mondiale, l'abréviation SS étant désormais étroitement associée à l'Allemagne nazie, la société fut rebaptisée Jaguar Cars en 1945.

La SS100 était une voiture de sport 2 places au look dynamique, qui embarquait à l'origine un moteur de 2,7 litres, dont la cylindrée avait été portée à 3,5 litres (3 500 cm³) en 1938. Bien qu'elle soit restée proche de son modèle, la SS90, de subtiles différences avaient fait

de la SS100 une véritable star : elle possédait de meilleures suspensions, tirait davantage de puissance du même moteur avec une accélération bien supérieure aux autres sportives, et le design légèrement revu de ses faces avant et arrière lui conférait un look plus sportif et racé. Nous manquons d'informations fiables sur sa vitesse maximale, mais il s'agissait sans nul doute de l'une des premières voitures capables de maintenir aisément une vitesse de croisière de 120 km/h. Elle était vendue 395 livres sterling, un prix relativement bas.

De nos jours, préparez-vous à débourser environ 200 000 dollars pour un modèle en bon état. À défaut, vous pourrez toujours acheter l'une des répliques que produit aujourd'hui encore la Suffolk Jaguar Company, qui en a fabriqué 200 jusqu'ici – presque autant qu'il y eut de modèles originaux. **MG**

101 | ZIS · (SU)

1936 • 5 766 cm³, S8 • 91 ch • inconnue • 115 km/h

La ZIS 101 vit le jour quand des fonctionnaires du Parti communiste de l'URSS d'avant-guerre décidèrent qu'il leur fallait une voiture digne de leur statut. Elle fut conçue en s'inspirant de vieilles marques américaines comme Cadillac, Buick et la préférée de Staline, Packard. Le directeur de l'usine ZIS apporta lui-même un prototype au Kremlin pour que le leader puisse l'inspecter. Staline décida qu'il n'aimait pas la mascotte rouge vif qui trônait sur le capot, et qui fut remplacée à la hâte.

Le gros moteur Buick, un ancien modèle, était combiné à une boîte automatique 3 vitesses et monté dans une carrosserie longue et lourde constituée de panneaux Buick. Le moteur de la voiture ne parcourait que 3,8 kilomètres avec 1 litre (25,6 litres aux 100 kilomètres) et peinait à atteindre 115 km/h. Quelques modèles blindés avec des plaques pare-balles en fer furent produits ; en raison de leur poids plus important, il fallut les équiper d'un moteur de 182 chevaux.

Pendant ce temps, trois jeunes ingénieurs de ZIS mettaient au point leur propre version de ce nouveau véhicule : la 101A Sport, sans doute la plus belle voiture russe de tous les temps. Cette décapotable 2 places à la longue carrosserie plongeante embarquait un moteur de 143 chevaux. Sa vitesse maximale était de 162 km/h, bien qu'un article paru en une de la *Pravda* revendiquait 180 km/h. Seul un exemplaire fut produit, en 1939. Il n'a hélas pas survécu.

Au début de la Seconde Guerre mondiale, la plupart des voitures ZIS furent rangées au garage parce que incapables de circuler sur les routes russes en temps de guerre. Après la guerre, la ZIS fut légèrement modifiée et rebaptisée « 110 ». Bien qu'obsolète, la 110 fut produite jusqu'en 1959. **SH**

500 Topolino | Fiat · (I)

1936 • 569 cm³, S4 • 13 ch • inconnue • 85 km/h

Si Mickey Mouse a conservé son nom dans la plupart des langues, en Italie il s'appelle Topolino, ce qui signifie « petite souris ». Quand Fiat lança sa petite 500, elle fut affectueusement surnommée *il Topolino*.

On tenait là l'équivalent italien de la Ford T, de la 2CV, de la Coccinelle. Le directeur de Fiat, Giovanni Agnelli, avait eu cette idée de « voiture populaire » au retour d'une visite de l'usine Ford en 1922. Il voulait produire un véhicule vendu 5 000 lires et capable de transporter confortablement deux personnes avec 50 kilos de bagages. En 1934, il confia cette tâche à Dante Giacosa, un jeune designer talentueux, qui s'occupa du moteur, de la transmission et du châssis. Rudolfo Schaffer, le carrossier maison de Fiat, fut chargé de créer la carrosserie.

À son lancement, il s'agissait de la plus petite voiture au monde, avec 3,2 mètres de longueur pour un poids de seulement 540 kilos. Elle était livrée avec un toit fixe ou une bande de tissu qu'on pouvait rouler dans le coffre arrière pour profiter du soleil. La Topolino ne fut jamais aussi bon marché qu'Agnelli l'avait espéré, et dut être proposée au prix de 8 900 lires. Avec son moteur de 569 cm³, elle était à peine plus rapide qu'un coureur cycliste professionnel, mais était en contrepartie fort peu gourmande en carburant (6 litres aux 100 kilomètres). Les amateurs de voitures anciennes préfèrent la version revue et corrigée dotée d'un moteur à soupape en tête lancé en 1948, qui porta la vitesse maximale à 95 km/h.

Sa fabrication fut interrompue en 1955 : 511 000 exemplaires avaient été produits. Elle entama une seconde carrière dans les courses de dragsters américaines, très prisée dans la catégorie « carburant modifié ». **LT**

57 Atlantic | Bugatti (F)

1936 • 3 257 cm³, S8 • 203 ch • 0-97 km/h en 10 s • 200 km/h

Vous avez 40 millions de dollars de côté et envie d'un peu de dépaysement ? Que diriez-vous d'une Bugatti 57 Atlantic, l'une des plus belles voitures de tous les temps ? Cependant, il y a un hic : elle n'a été produite qu'en quatre exemplaires, et il n'en reste que deux.

Ce superbe coupé de style Art déco est l'œuvre de Jean Bugatti, fils d'Ettore, le fondateur de la société. Il est parcouru dans le sens de la longueur par une arête caractéristique, sorte d'hommage au prototype original. L'arête du prototype était en Elektron, un alliage si inflammable qu'il devait être riveté, et non soudé à la carrosserie. Sur les modèles de série, par contre, elle était en vulgaire aluminium.

Cette œuvre d'art était propulsée par un moteur 8 cylindres qui développait 177 chevaux sous sa forme courante, et 223 chevaux moyennant l'ajout d'un compresseur mécanique, ce qui permettait à l'Atlantic, un modèle à traction arrière, d'atteindre 200 km/h.

Tout n'était cependant pas aussi futuriste que son apparence : son essieu arrière rigide et ses suspensions à ressorts à lame auraient été plus à leur place sur une muscle car américaine que sur une sportive européenne. Cela n'ôte cependant rien à sa beauté ni à son statut légendaire. Personne ne sait ce qu'il est advenu du prototype et seules deux des versions « aluminium » ont survécu. L'une d'entre elles fait partie de la collection du créateur de mode américain Ralph Lauren. L'autre appartenait à Peter Williamson, un docteur et collectionneur de voitures américain. Sa voiture fut mise aux enchères en 2010, après sa mort. Le prix de vente exact et l'identité de l'acheteur sont inconnus, mais on pense qu'elle s'est vendue environ 40 millions de dollars. **SH**

W25K | Wanderer (D)

1936 • 1 963 cm³, S6 • 85 ch • inconnue • 145 km/h

Le célèbre logo d'Audi, quatre anneaux imbriqués, vit le jour quand la société s'allia à trois autres afin de former le groupe Auto Union en 1932. L'objectif était d'unir leurs forces afin de surmonter les problèmes économiques que traversait le pays. L'un de ces quatre anneaux représentait la société Wanderer, née en 1896, qui produisait depuis 1911 des voitures sous cette même marque. Wanderer avait apporté à l'Auto Union son moteur 6 cylindres léger, puissant et populaire, à cylindres interchangeables, conçu par le célèbre docteur Ferdinand Porsche.

Ce moteur avait déjà équipé la W25K de la société en 1936. Il s'agissait d'une 2 places séduisante et osée, bien plus légère que la plupart des poids lourds allemands des années 1930. Le fait d'être assemblée à la main ne l'empêchait pas d'être abordable pour la classe moyenne. Elle n'entrait donc pas en concurrence avec les autres membres d'Auto Union, qui fabriquaient des voitures bon marché ou haut de gamme. Si l'on excepte la marque aux quatre anneaux, les Wanderer se distinguaient par leur calandre de radiateur en forme de blason qui, étrangement, dessinait comme un sourire à l'avant de la voiture.

La W25K, qui n'avait été produite qu'à 149 exemplaires en 1936, était une voiture rare. Quand la production fut interrompue en 1939 face à la perspective d'un nouveau conflit, seules 250 à peine avaient vu le jour. La guerre mit un terme définitif à sa carrière : les bombardements détruisirent les usines qui la produisaient, et on ne les reconstruisit jamais. En 2006, une W25 originale de 1936, la version non-*kompressor* (suralimentée) de la voiture, se vendit 103 400 dollars aux enchères. **MG**

12/4 Continental | Riley ⟨GB⟩

1937 • 1 496 cm³, S4 • 52 ch
0-97 km/h en 23,1 s • 117 km/h

La Riley 12/4 Continental ne resta pas longtemps une Continental. Bentley disposait d'un monopole sur l'utilisation du terme et intenta une action en justice. Elle fut donc renommée « Close-Couple Touring Saloon » (« berline de tourisme à couplage direct »). Ce changement de nom intervint tardivement, alors que tous les catalogues commerciaux et les publicités étaient déjà en place. Les clients furent désorientés et les ventes en pâtirent. Le cycle de production dura une année et seuls 20 exemplaires furent produits. La voiture conservait sa belle carrosserie, proposée sous différentes formes, montée sur un nouveau châssis plus imposant, mais n'attira pas de nouveaux clients. Son échec fut en partie dû aux tracas financiers de l'année 1937, qui se soldèrent par la mise sous séquestre de Riley en septembre 1938.

La Continental était propulsée par l'un des moteurs Riley les plus populaires de l'entre-deux-guerres, le 12/4, lancé pour la première fois en 1935. Le 12/4 de 1,5 litre, qui tranchait radicalement avec les moteurs Riley du passé, remplaçait le 12/6. Il ne tarda pas à être remplacé à son tour par le « Big 4 », un 4 cylindres de 2,5 litres.

Pour Riley, la construction automobile était une passion – peut-être excessive. Lors de sa mise sur le marché en 1937, la Continental venait s'ajouter à une impressionnante liste de 22 modèles, chacun proposé avec une multitude de carrosseries. Même basés sur un moteur à succès comme le 12/4, les différents modèles étaient pour ainsi dire noyés dans la masse. « Il est évident que nous fabriquons trop de modèles, admit un dirigeant de Riley en septembre 1936, mais nous avons un département design très créatif et nous aimons concevoir des voitures intéressantes et de qualité. » **BS**

8C 2900B | Alfa Romeo ⟨I⟩

1937 • 2 905 cm³, S8 • 182,5 ch
0-97 km/h en 9 s • 225 km/h

La 2900B était une nouvelle variante à succès de l'Alfa Romeo 8C. Le Roadster Mille Miglia (également surnommé Spyder) est l'une des voitures les plus désirables au monde en raison de sa vitesse de pointe de 224 km/h et de sa supériorité sur les longues distances, comme les « mille milles » de la course homonyme. Une sacrée voiture, en somme.

La 2900B s'empara des deux premières places lors de l'édition 1938 des Mille Miglia. L'une des deux gagnantes a depuis rejoint la collection du créateur de mode Ralph Lauren (qui possède plus de 70 voitures rares). Il s'agissait d'une version légère spécialement conçue pour la compétition, mais la version routière était également le plus rapide roadster du monde à sa sortie.

La 2900B Le Mans Speciale, par contre, ne fut pas aussi bien accueillie que la version Mille Miglia. Elle participa aux 24 Heures du Mans en 1938 et prit rapidement une avance remarquable de 160 kilomètres, mais fut contrainte d'abandonner en raison de problèmes techniques. Elle réalisa cependant le tour le plus rapide, à une vitesse de 154,78 km/h. En 1951, la 2900B gagnait encore des courses.

Quand l'une des versions Mille Miglia – qui n'était pourtant pas l'une des voitures gagnantes – fut proposée aux enchères en 1999, elle se vendit plus de 4 millions de dollars, ce qui en fait l'une des voitures les plus chères au monde. Une autre, une Touring Berlinetta, produite à seulement 33 exemplaires, appartenant à Jon Shirley, l'ancien président de Microsoft, remporta la première place du concours d'élégance de Pebble Beach en 2008. Il s'agissait d'un modèle de référence, qui servit de base à toutes les Alfa Romeo modernes. **MG**

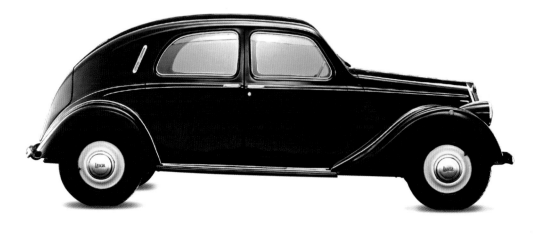

Aprilia | Lancia ⓘ

1937 • 1 352 cm³, V4 • 48 ch • 0-97 km/h en 26 s • 128 km/h

Né en 1881 dans un petit village italien situé près de Turin, Vincenzo Lancia avait travaillé comme pilote d'essai, ingénieur et pilote de course pour Fiat avant de fonder Lancia en 1906. Sa première voiture, la Lancia Alfa, fut lancée en 1908, mais c'est la Lancia Aprilia, un véhicule révolutionnaire, qui marqua le plus durablement les esprits.

Lancia mourut d'une crise cardiaque en février 1937, le mois de sa sortie. L'Aprilia était sa dernière création, et également l'une des premières voitures conçues à l'aide d'une soufflerie. Les souffleries n'avaient rien de nouveau – les frères Wright s'en étaient servi dès 1901 –, mais personne n'en avait encore utilisé pour développer les qualités aérodynamiques d'un véhicule. La voiture n'avait pas l'air particulièrement aérodynamique pour son temps, mais son arrière savamment profilé lui conférait un coefficient aérodynamique très bas record de 0,47. Le principal intérêt pour les automobilistes résidait non dans sa vitesse maximale, somme toute assez modeste, mais dans sa faible consommation.

Détail inhabituel : ses 4 portières (les portières avant s'ouvraient vers l'avant, les portières arrière vers l'arrière) étaient dépourvues de montant central.

La première série Aprilia se vendit à 10 000 exemplaires. Une seconde série, dotée d'un moteur plus performant de 1 486 cm³, fut lancée en 1939 et produite jusqu'au retrait de l'Aprilia, en 1949. Il s'en vendit environ 18 000 exemplaires, ce qui explique qu'elle reste très recherchée. À cette époque, les autres modèles sortaient à des centaines de milliers d'exemplaires. L'acteur Peter Ustinov conduisait une Lancia Aprilia, tout comme Tintin dans l'album *Tintin au pays de l'or noir*. **MG**

T150C SS Goutte d'Eau | Talbot

(F)

1937 • 3 994 cm³, S6 • 142 ch • 0-97 km/h en 13 s • 175 km/h

La Talbot T150C SS est l'exemple ultime de l'engouement des années 1930 pour le profilage. Une période brève, mais faste, qui plaçait forme et fonction sur un pied d'égalité. C'était une voiture de course pour les pilotes qui ne se souciaient pas que de course, pour ceux qui, une fois la course terminée, voulaient inscrire leur bolide tout en courbes au concours d'élégance. Elle existait en deux versions : cinq coupés tricorps baptisés « Jeancart », et onze « fastbacks » baptisés « New York ». Chaque modèle était unique, avec des finitions conformes aux caprices de son propriétaire.

La Goutte d'Eau, dont la carrosserie futuriste a durablement marqué les esprits, était née d'une collaboration entre le designer Giuseppe Figoni et l'homme d'affaires Ovidio Falaschi, qui s'étaient associés en 1935 pour créer la société de carrosserie parisienne Figoni et Falaschi.

Véritable manifeste contre l'esthétique carrée des années 1920, elle était pour ainsi dire dépourvue de ligne droite. Figoni se vantait même d'être parvenu à créer la « vitesse immobile ». Tout n'était cependant pas affaire de look. Elle possédait une carrosserie légère, des suspensions frontales indépendantes et un moteur signé Antonio Lago et Walter Becchia de 6 cylindres pour 104 kilowatts, suffisant pour monter sur le podium du Mans en 1938.

La Goutte d'Eau, qui était à l'époque la voiture la plus chère du monde, reste à ce jour l'une des plus chères sur le marché de l'occasion. Élitiste, rapide et pensée pour séduire sous tous les angles, elle fait partie des rares modèles à pouvoir prétendre au titre de voiture la plus recherchée de l'histoire de l'automobile. Véritable apothéose en matière de design, elle élevait l'automobile au rang d'art à part entière. **BS**

V12 | Lagonda (D)

1937 • 4 480 cm³, V12 • 179 ch
inconnue • 169 km/h

Wilbur Gunn fit ses débuts dans la fabrication de motos avant de fonder la société Lagonda, en 1906. En 1907, il produisit sa première voiture. Elle remporta une course d'essai entre Moscou et Saint-Pétersbourg, lui ouvrant les portes du succès.

Hélas, Gunn mourut en 1920, avant le lancement des premières sportives de la société, mais il aurait été fier de la V12 conçue par W. O. Bentley, le fondateur de la firme Bentley Motors rachetée par Rolls-Royce en 1931. Quand les relations entre Bentley et Rolls-Royce s'envenimèrent, Bentley partit chez Lagonda, qui avait promis de lui confier la création d'une voiture encore plus prestigieuse que la V12 de Rolls-Royce, la Phantom III.

Bentley allait réaliser son rêve… après tâtonnements. En raison de problèmes techniques, bon nombre des premiers exemplaires durent être renvoyés par leurs propriétaires. Les versions de 1939 finirent cependant par atteindre la perfection.

Six mois avant l'édition 1939 des 24 Heures du Mans, Bentley fut mis au défi par Alan P. Good, le propriétaire de Lagonda, de créer une V12 capable de concourir. Deux Lagonda participèrent à la course et finirent en troisième et quatrième position. Seules 190 Lagonda V12 sortirent avant l'arrêt de la production, provoqué par la Seconde Guerre mondiale. **MG**

Y-Job | Buick (USA)

1938 • 5 247 cm³, V8 • 143 ch
inconnue • inconnue

Quand ils sont libérés des objectifs de vente, les constructeurs font souvent preuve d'une audace remarquable. C'est le cas des «concept cars», des exemplaires uniques destinés aux musées ou aux sièges d'entreprise. Et c'est probablement mieux ainsi. Pourquoi produire en série même quelques centaines d'exemplaires d'un véhicule comme la Y-Job, qui ne feraient que des envieux? Mieux valait en produire un exemplaire unique, pour le dérober ensuite à nos regards.

La Y-Job était un concept de Harley Earl, un célèbre designer de General Motors qui l'utilisa comme voiture personnelle, dessiné par le styliste George Snyder. Cette voiture aux dimensions audacieuses (6 mètres de long et seulement 1,80 mètre de haut) s'appuyait sur un châssis de série Buick et inaugurait une foule de concepts que Buick allait lancer au cours des années suivantes: phares escamotables à ouverture automatique, poignées de porte affleurantes, portières et vitres électriques et même un toit pliant électrique.

Mais c'est son look qui faisait le sel de la Y-Job: les ailes se fondaient dans les portes, les pare-chocs dans la carrosserie. Earl la baptisa «Y» en lieu et place du «X» habituel, car il la considérait plus avancée que les autres prototypes. La seule Y-Job jamais produite se trouve aujourd'hui au GM Design Center, dans le Michigan. **BS**

Sixty Special | Cadillac (USA)

1938 • 5 670 cm³, V8 • 132 ch
inconnue • 145 km/h

La Sixty Special a été décrite comme la plus importante Cadillac jamais produite. L'appellation n'a été
retirée qu'en 1993 après 65 années de production. En
Amérique, sa production ne connut qu'une courte interruption, entre 1976 et 1984.

Elle était l'œuvre du designer Bill Mitchell, qui passa
toute sa vie au service de General Motors et créa notamment la Buick Riviera et la Corvette Stringray de 1963.
Pour la Sixty Special, il élimina les marchepieds, allongea
et abaissa le véhicule et l'équipa du puissant moteur
V8 de Cadillac. Le résultat fut une voiture vendue
2 080 dollars, un prix relativement modeste. Dès le
premier jour, elle rencontra un succès phénoménal. Elle
représentait 39 % des ventes totales de Cadillac en 1938.

Le modèle de 1939 ajouta quelques autres innovations, dont un toit ouvrant et des vitres escamotables
entre les sièges avant et arrière. La version de 1941 fut la
dernière à reprendre le design original de Mitchell, mais
son nouveau look ne gêna en rien sa popularité. En fait,
la Sixty Special de 1955 devint l'une des plus célèbres
voitures au monde : Elvis Presley en acheta une pour
sa mère, qui ne la conduisit jamais, et elle devint l'une
des favorites du King, qui la fit peindre en rose. On peut
encore la voir aujourd'hui au musée des Automobiles
d'Elvis Presley près de Graceland, à Memphis. **MG**

Dolomite Roadster | Triumph (GB)

1938 • 1 991 cm³, S6 • 61 ch
0-80 km/h en 15 s • 129 km/h

La Roadster était dérivée de la très populaire série
des Triumph Dolomite, mais sa durée de vie n'en fut
pas moins limitée. Elle fut annoncée en avril 1938 et, en
juillet 1939, Triumph fut mis sous séquestre. La société
fut rachetée et la production de la voiture se poursuivit,
mais l'usine où elle était fabriquée fut détruite lors d'un
raid aérien allemand en 1940, sonnant le glas de la
Dolomite Roadster, qui ne compta que 200 exemplaires.

C'était d'autant plus regrettable qu'il s'agissait d'une
sportive de 5 places très attrayante. Elle était cependant moins puissante et plus coûteuse que la Jaguar
SS100, au look assez similaire. Les Roadster intégraient
certaines des plus récentes innovations du monde de
l'automobile, comme des vitres abaissables, un volant
recouvert de cuir et des phares à faisceau étroit.

Donald Healey, un pilote de course et ingénieur
automobile qui avait remporté le rallye de Monte-Carlo
en 1931, était l'un des cerveaux à l'origine de la Triumph
Dolomite. En 1935, il s'était inscrit pour participer au rallye
à bord du premier exemplaire, la Straight 8, mais une collision avec un train au Danemark l'obligea à se retirer.

En 1944, Triumph fut racheté par Standard Motors.
L'appellation Roadster fut perpétuée par de nouveaux
modèles, mais ils n'avaient plus grand-chose à voir avec
les originaux. **MD**

328 Mille Miglia | BMW （D）

1939 • 1 971 cm³, S6 • 137 ch • inconnue • 193 km/h

La version standard de la BMW 328, lancée en 1936, était déjà impressionnante. Cependant, le modèle ultime de la série fut la version Mille Miglia. Jamais voiture ne mérita plus de porter ce nom. En 1939, la 328 s'était déjà emparée des trois premières places sur le circuit du Mans. Cette année-là, les Mille Miglia n'eurent pas lieu en Italie, car un accident mortel survenu en 1938 avait poussé le Duce, Benito Mussolini, à les suspendre.

La course se déroula donc en Libye, sur un segment de la route reliant Tobrouk à Tripoli, sous la forme d'un événement exceptionnel baptisé les « Mille Miglia d'Afrique ». Trois BMW Mille Miglia participèrent à la course et raflèrent les trois premières places.

En 1940, Mussolini eut la bonne idée de rétablir la course en Italie, et, bien que les deux pays soient en guerre depuis sept mois, il y eut tout de même des participants français. BMW y participa à nouveau et décrocha cette fois les première, troisième et sixième places, avec une vitesse moyenne de 166,7 km/h pour la voiture gagnante.

On raconte que la BMW qui termina troisième avait reçu l'ordre de ralentir pour laisser une Alfa Romeo italienne prendre la seconde place, afin de faire plaisir à l'Italie, alliée de l'Allemagne. La course ne faisait pas exactement 1 000 milles, mais plutôt 939 (1 503 kilomètres), soit neuf tours d'un circuit triangulaire fermé entre Brescia, Crémone et Mantoue.

Comme si ses victoires d'époque dans les Mille Miglia ne suffisaient pas, une BMW 328 de 1939 remporta les Mille Miglia Storica, réservées aux véhicules de course de collection, en 2004 et devint ainsi la première voiture à remporter les deux versions de la course. **MG**

Coccinelle | Volkswagen （D）

1939 • 995 cm³, F4 • 29 ch • inconnue • 90 km/h

Conscient de l'impact de Ford, Citroën et Austin dans le monde entier, Hitler demanda en 1933 au docteur Ferdinand Porsche, le célèbre constructeur automobile allemand, de concevoir une *Volkswagen*, littéralement « voiture du peuple ». Les nazis utilisaient volontiers le terme *Volks* afin de présenter leurs actes comme un bienfait pour la nation.

Hitler avait des exigences très strictes pour ce véhicule. Il devait être capable de transporter deux adultes et trois enfants à une vitesse de 100 km/h. Son prix se devait de rester modeste : moins de 990 Reichsmarks, soit 30 semaines du salaire d'un ouvrier moyen.

Porsche était l'homme de la situation. Il travaillait déjà à la conception d'une « voiture pour tous » dotée d'un moteur arrière plat de 4 cylindres. En 1935, il testait déjà des prototypes de Coccinelle sur les autoroutes allemandes flambant neuves. La production débuta finalement en 1939 dans une nouvelle usine gigantesque et construite sur mesure, quelques mois avant le début de la Seconde Guerre mondiale. Il fallut donc attendre 1946 pour que la Coccinelle commence à être produite en masse et s'impose comme l'un des plus grands succès de l'histoire automobile. Plus de 21 millions d'exemplaires furent fabriqués durant ce qui reste le plus long cycle de production d'un véhicule. Elle était toujours produite en 2003.

Les ingrédients étaient simples : un moteur refroidi à l'air et situé à l'arrière d'une carrosserie incurvée, avec transmission par propulsion. Elle ne comportait que 2 portes, mais 5 sièges. Pour l'époque, elle était robuste, fiable, économique et facile à réparer. Enfin, la « voiture du peuple » avait un côté attachant qui lui permit de conquérir des millions de gens. **BK**

Champion | Studebaker

USA

1939 • 2 687 cm³, S6 • 79 ch • inconnue • 128 km/h

Fondée en 1852, la société Studebaker fabriquait notamment des remorques agricoles. Elle finit par se lancer dans la production automobile, mais fut très affectée par la Grande Dépression. En 1933, elle avait accumulé 6 millions de dollars de dettes, et Russel Erskine, le président de la société, se suicida. Grâce à un plan de restructuration et de refinancement organisé par Lehman Brothers, Studebaker poursuivit ses activités et concentra son énergie dans la conception d'une automobile légère bon marché : la bien nommée Studebaker Champion, qui mit un terme aux déboires de la société.

La Champion a été décrite comme la première voiture écologique au monde, car sa consommation de carburant (8,62 litres aux 100 kilomètres) était très faible pour l'époque. Il s'agissait également d'une des voitures les plus légères sur le marché, proposée pour

un prix modeste de 660 dollars. Studebaker en vendit 300 000 exemplaires en une année, doublant ainsi les chiffres de vente de la société et assurant sa survie (elle finirait cependant par disparaître en 1979).

L'éclatement de la Seconde Guerre mondiale fit du tort à nombre de constructeurs américains, mais la Studebaker Champion s'en tira bien en raison de sa faible consommation, un atout à une époque où l'essence était rationnée. Depuis la guerre de Sécession, Studebaker avait toujours fourni des véhicules militaires, ce qui favorisa la santé économique de la société.

En 1947, après un relancement réussi, la Champion représentait 65 % des ventes totales de Studebaker. Elle resta la plus grosse vendeuse de la société jusqu'en 1958, date de l'arrêt de sa production et de son remplacement par la Studebaker Lark, au nom moins aguicheur. **MG**

Continental | Lincoln

1939 • 4 789 cm³, V12 • 122 ch • inconnue • 125 km/h

La Lincoln Continental se devait d'être exception-nelle, car le premier modèle avait été produit en un seul exemplaire pour Edsel Ford, le fils d'Henry Ford. Il souhai-tait la voir prête pour ses vacances en Floride de mars 1939 – le genre de requête que l'on peut se permettre quand on possède une société automobile. Lincoln était alors une filiale de la Ford Motor Company. Il fallut expédier la voiture à Palm Springs, mais la réaction de ses amis et voisins fut si positive que Ford décida de la commercialiser. Elle sortit dès décembre 1939 dans une version presque identique au prototype privé, et resta quasiment inchangée jusqu'en 1942.

La production de la Continental fut interrompue après l'attaque japonaise sur Pearl Harbor en décembre 1941, qui provoqua l'entrée en guerre des États-Unis. Les Continental de 1942 furent les derniers modèles produits avant plusieurs années d'interruption. Leur design avait alors beaucoup changé : elles étaient plus larges et plus longues que les précédentes, avec une partie avant plus imposante.

La production reprit en 1946 pour une durée de deux ans seulement. Les versions de 1948 de la Lincoln Continental furent les dernières américaines à embar-quer un moteur V12, contrairement à certains modèles ultérieurs produits en Europe et au Japon.

En 1956, Ford lança la Lincoln Continental Mark II, qui avait davantage de punch. Vendue 10 000 dollars, soit le même prix qu'une Rolls-Royce, elle était l'une des voitures les plus chères au monde. La Continental resta en production jusqu'en 2002, et peut donc se prévaloir d'un des plus longs cycles de production jamais vus pour un véhicule. **MG**

Jeep | Willys

1941 • 2 199 cm³, S4 • 61 ch • inconnue • 96 km/h

La Jeep fut le premier véhicule tout-terrain produit à grande échelle, et le précurseur de tous les SUV modernes. Aujourd'hui, cet utilitaire léger pourrait mériter le titre de véhicule le reconnaissable au monde, au point que son nom est devenu un terme générique.

L'origine de ce nom reste cependant un mystère. Selon certains, il provient de l'acronyme militaire GP (pour *general purpose*, véhicule « à tout faire »). Selon d'autres, il est inspiré du personnage « Eugene the Jeep » des dessins animés Popeye des années 1930.

Conçue en à peu près 49 jours à la demande du gouvernement américain, la Jeep avait été produite très rapidement en très grande quantité. Elle était capable de gravir une pente à 40°, de s'incliner de 50° sur le côté sans se renverser, et elle affichait un rayon de braquage minuscule de 9 mètres. Équipée d'adaptateurs spéciaux sur les roues, elle pouvait rouler sur voie ferrée et tracter 25 tonnes à 20 km/h. Son capot plat pouvait servir de table pour étaler un plan, jouer aux cartes, ou bien d'autel pour les cérémonies religieuses. La Jeep pouvait servir d'ambulance, de véhicule de reconnaissance, ou embarquer un canon ou une mitrailleuse.

Sa construction spartiate était si simple que les ingénieurs militaires sont toujours formés pour changer leurs transmissions ou leurs carrosseries en quelques minutes. Selon la légende, le moteur rudimentaire des origines tournait aussi bien à l'essence qu'au diesel.

Willys était le créateur de ce symbole ultime de la puissance industrielle américaine qui contribua à la victoire des Alliés, mais de nombreux autres constructeurs, dont Ford, Kaiser et Bantam, produisirent également la Jeep sous licence. **JB**

Town & Country | Chrysler

1941 • 3 957 cm³, S6 • 116,5 ch • inconnue • inconnue

USA

La Chrysler Town & Country lancée en 1941 n'était certes pas le premier break doté de panneaux latéraux en bois, mais elle était la première à les combiner à un solide toit en acier. Il s'agissait également du premier modèle de *woody wagon*, un type de véhicule qui rencontra un succès incroyable auprès des surfeurs californiens des années 1950 et 1960. Son toit en acier était assez résistant pour supporter leurs planches de surf, et l'intérieur assez vaste pour transporter six ou neuf passagers (du moins officiellement), car elle contenait, selon la version, deux ou trois banquettes pour trois personnes.

Seuls 797 exemplaires de la version 9 places furent produits en 1941. Il n'en subsiste aujourd'hui que quelques-uns, d'où leur statut de pièces rares. L'une des raisons de cette rareté réside dans la fragilité des parties en bois. Les premiers modèles utilisaient un assemblage de frêne et d'acajou, et il était conseillé de les vernir tous les ans, ce dont s'abstinrent nombre de propriétaires, trop oublieux ou paresseux.

Son nom inhabituel venait du fait que Chrysler souhaitait en faire un véhicule adapté à la ville comme à la campagne. Les mauvaises langues parlaient d'un ensemble décousu, avec une partie avant conçue pour la ville et une partie arrière pour la campagne. L'un des premiers modèles à sortir d'usine fut acheté par les studios Warner Bros, qui l'utilisèrent dans des films de Charlie Chaplin ou des *Petites canailles*, entre autres. On aperçoit également la Town & Country dans la version de 1978 de *Superman*, dans *Starsky et Hutch* (années 1970) et dans le film *Tombe les filles et tais-toi!* (1972), avec Woody Allen. **MG**

1945–1959

L'intérieur d'une Cadillac Eldorado
de 1953 ; le modèle subit
une refonte majeure en 1959.

TC Midget | MG

GB

1945 • 1 250 cm³, S4 • 56 ch • 0-97 km/h en 22,7 s • 126 km/h

La MG Car Company fut fondée en 1924, et se fit pour l'éternité un nom dès les années 1930 grâce à Midget, une sportive 2 places décapotable, bien qu'elle ait produit d'autres véhicules. Le premier modèle, baptisé TA, fut lancé en 1936, et la TB (un véhicule rare car produit à seulement 379 exemplaires) en 1939.

La Midget TC sortit en 1945, à la fin de la guerre. MG en produisit 10 000 durant ses quatre années d'existence, dont une grande partie fut exportée aux États-Unis, bien que la société n'ait fabriqué que des modèles destinés au marché anglais, avec conduite à droite. MG ne pouvait que se féliciter de cette relation transatlantique. Durant les années 1960 et 1970, plus de 70 % de ses MGB étaient vendues aux États-Unis.

Les raisons du succès de la TC Midget font toujours débat. Elle n'était pas très puissante et atteignait à grand-peine 130 km/h pendant de brèves périodes. L'avantage résidait dans sa manœuvrabilité supérieure à celle des autres voitures, en particulier les modèles américains, et dans sa très faible consommation d'essence. Elle apportait aussi comme une touche d'optimisme britannique bienvenue après les horreurs de la guerre. Mais quelle qu'en ait été la raison, la TC Midget s'imposa comme la sportive britannique par excellence de son époque, y compris aux États-Unis. L'une de ses caractéristiques les plus excentriques n'était autre que la position du compteur de vitesse, situé devant le siège du passager et non celui du conducteur.

Hélas, Cecil Kimber, le fondateur de MG Motors, mourut dans un accident de train à la gare londonienne de King's Cross en février 1945, et n'eut jamais la chance de constater le succès de la MG après la guerre. **MG**

Silver Wraith | Rolls-Royce

1946 • 4 257 cm³, S6 • inconnue • 0-97 km/h en 16,2 s • 141 km/h

La Silver Wraith, première voiture produite par Rolls-Royce après la guerre, montre bien pourquoi le nom de la société était devenu synonyme d'élitisme. Bien qu'elle ait été produite sur une période de treize ans, jusqu'en 1959, seuls 1 883 exemplaires de la Silver Wraith virent le jour. Pendant ses deux premières années d'existence, la voiture ne fut proposée qu'à l'exportation – sa mise en vente en Grande-Bretagne ne vint qu'en 1948.

En 1951, la cylindrée fut portée à 4 566, puis à 4 877 cm³ trois ans plus tard. Rolls-Royce n'ayant jamais communiqué les chiffres, on ignore quelle était la puissance de ses moteurs. On sait cependant que la Silver Wraith, considérée à l'époque comme la meilleure voiture au monde, était difficile à conduire et coûteuse à entretenir. Si vous en achetiez une aujourd'hui, vous auriez aussi du mal à trouver les pièces détachées, et une Silver Wraith en excellent état coûte environ 30 000 dollars – prix modeste pour une voiture ancienne.

Les premières Silver Wraith perpétuaient la tradition chère à Rolls-Royce consistant à ne livrer que le châssis en laissant au client le soin de trouver le carrossier de son choix, ce qui explique la grande variété des anciens modèles de Wraith. La voiture n'en restait pas moins photogénique, ce qui lui valut de figurer dans de nombreux films des années 1960 jusqu'aux années 1990, dont *Batman*, *La Victime*, *Withnail et moi*, *La Loi du milieu*, *Annie Hall*, *Le Talentueux Mr. Ripley*, *Bons baisers de Russie*, *Le Retour de la Panthère rose* et *Un amour de Coccinelle*. La Silver Wraith fut la dernière voiture vendue sans carrosserie, car le nombre de sociétés capables de réaliser ce travail était en chute libre. **MG**

⊂ Le moteur de la Renault 4CV étant logé à l'arrière, son coffre se tenait donc à l'avant du véhicule.

4CV | Renault ⟨ F ⟩

1946 • 760 cm³, S4 • 21 ch
0-90 km/h en 38 s • 100 km/h

La Renault 4CV fut la première voiture française vendue à plus de 1 million d'exemplaires. Elle avait été développée en secret pendant la Seconde Guerre mondiale. Les usines françaises de Renault ayant été réquisitionnées par l'occupant nazi, les ingénieurs avaient gardé leurs idées pour eux. Ils avaient pour idée de fabriquer une voiture simple et bon marché, adaptée à la période d'austérité qu'ils anticipaient.

Leurs plans étaient donc prêts dès la fin de la guerre. Un ancien héros de la Résistance française fut placé à la tête de la société, qui venait d'être nationalisée, et un an plus tard la première 4CV fut dévoilée au Salon de l'automobile de Paris, sous les acclamations de la foule. Elle fut mise en vente l'année suivante.

Les prévisions sur l'état de la France d'après-guerre étaient justes. L'argent se faisait rare. La 4CV tombait donc à point nommé. Elle n'était proposée qu'en bleu, avec un seul type de motorisation. Cette petite voiture robuste et tout en rondeurs comportait 4 portes, 4 sièges et un moteur situé à l'arrière avec une transmission par propulsion. L'emplacement du moteur libérait de la place pour la cabine, et son faible poids (560 kilos) rendait sa conduite plaisante et économique. Par la suite, elle fut déclinée en une version décapotable, ainsi qu'en une version sportive, avec un moteur bien plus volumineux de 1 063 cm³.

La version sportive remporta plusieurs victoires notables, dont le rallye de Monte-Carlo et les 24 Heures du Mans. Facilement modifiable, elle attira l'attention de Jean Rédélé, dont la société Alpine, spécialisée dans la préparation de voitures de course, nouerait par la suite des liens étroits avec Renault. **SH**

115 | ZIS ⟨ SU ⟩

1946 • 6 005 cm³, S8 • 162 ch
inconnue • 140 km/h

On ne compte plus les modèles de voitures nommés en référence à une personnalité, mais *quid* d'un constructeur à part entière ? Sur ordre de Staline, le constructeur russe ZIL fut rebaptisé ZIS – pour Zavod Imeni Stalina, « usine dédiée à Staline ».

Staline aimait les voitures, et en particulier la marque américaine de luxe Packard (le président Roosevelt lui en avait offert une durant la Seconde Guerre mondiale). Il les aimait tant qu'il ordonna à ZIS d'en produire une version maison, qui fut peut-être réalisée à l'aide de moules provenant de l'usine Packard. La ZIS 115 était son véhicule de transport personnel, pour autant que l'on puisse qualifier ce monstre de 6 tonnes conduit par un chauffeur de « personnel ». Son poids énorme résultait en partie de sa taille démesurée… près de 6 mètres de long. Mais la paranoïa de Staline n'y était pas étrangère. L'habitacle passagers de la 115 était en fait un compartiment blindé séparé du chauffeur, sorte de voiture dans la voiture. Il était équipé de vitres à commande hydraulique, dont les carreaux mesuraient 7,5 centimètres d'épaisseur, assez pour repousser les balles capitalistes, mais également les grenades impérialistes.

Pour supporter tout ce poids, il fallait des pneus spéciaux (Staline ne pouvait donc pas utiliser de pneus blancs comme ceux de la Packard) ainsi qu'un essieu arrière massif emprunté à un camion ZIS. Son moteur 8 cylindres de 6 005 cm³ peinait sous l'effort et ne dépassait pas 140 km/h.

Une quarantaine de 115 furent produites au total. Cela n'était pas de trop, car on raconte que Staline, par peur des tentatives d'assassinat, refusait d'utiliser la même voiture deux jours d'affilée. **JI**

Tama Electric | Prince ⓙ

1947 • moteur électrique
4,5 ch • inconnue • 35 km/h

Prince, qui avait fabriqué des chasseurs Zéro pour l'aviation japonaise pendant la guerre, avait élu domicile à Tokyo, dans une vieille usine désaffectée pour tenter une reconversion dans la production automobile. Le Japon de l'après-guerre souffrait d'une terrible pénurie de carburant. Dans ce contexte de rationnement, développer une voiture à essence n'avait guère de sens.

Les ingénieurs aéronautiques créèrent donc une voiture électrique novatrice. Sa carrosserie était en acier, mais elle était montée sur un châssis en bois. Elle se déclinait en version camionnette et en version tourisme. Elle comportait des clignotants escamotables orange, un coffre vertical niché derrière la vitre arrière et un capot relevable actionné par un levier dissimulé sous l'écusson. Au-dessous se trouvait un câble permettant de brancher la voiture à une prise électrique afin de la recharger.

Cette Tama 2 portes et 4 places était lente, mais permettait de couvrir une distance de 96 kilomètres en une seule charge. Ses batteries au plomb étaient entreposées sous le plancher de l'habitacle et accessibles. Elles étaient munies de roues pour pouvoir être facilement extraites et remplacées par des accus chargés. La Tama Senior, lancée en 1949, était capable de parcourir 200 kilomètres en une seule charge. Les Tama électriques ont été utilisées comme taxis au Japon jusqu'en 1950.

Prince fut ensuite absorbé par Nissan, qui conserva la première Tama Electric à être sortie d'usine. Cette dernière fut récemment utilisée pour divertir des journalistes venus assister au lancement de Leaf, la voiture électrique de Nissan. Plus de 60 ans après sa fabrication, la Tama stupéfia les journalistes par son accélération rapide et quasi silencieuse. **SH**

T26 Grand Sport | Talbot-Lago ⓕ

1947 • 4 482 cm³, S6 • 172 ch
0-97 km/h en 10 s • 200 km/h

Talbot-Lago naquit sur les ruines de la société Sunbeam-Talbot-Darracq en 1935, quand l'ingénieur italien Anthony Lago reprit la société avec la volonté de la moderniser. Lago avait pour double objectif de produire des voitures de course exceptionnelles et des roadsters de luxe, et ce furent ses créations, ainsi que celles du duo italien Figoni et Falaschi, qui devinrent les machines emblématiques de la société.

Falaschi était l'homme d'affaires de l'équipe, Figoni, un artiste qui sculptait le métal. On raconte qu'il détestait le vent, et que les formes saisissantes de ses voitures étaient pour lui comme une manière d'en venir à bout. Figoni et Falaschi dessinèrent également la Delahaye 135M, entre autres véhicules de la marque, et travaillèrent pour Bugatti et Alfa Romeo, mais ce sont leurs superbes créations pour Talbot-Lago qui les ont rendus célèbres.

La plus prestigieuse d'entre elles était la T26 Grand Sport, dont toutes les versions cependant ne sont pas d'eux. À l'époque, il était courant pour un constructeur de fabriquer le châssis et de sous-traiter la carrosserie ou de laisser le client se la procurer par ses propres moyens. Les créations de Figoni et Falaschi, qui étaient les plus recherchées et le restent à ce jour, étaient appréciées pour leur look comme pour leurs performances. Elles dominèrent leurs concurrents (ainsi que le vent) durant l'édition 1950 des 24 Heures du Mans. Le réalisateur George Sidney, connu pour des films comme *La Blonde ou la Rousse* (1957), *L'Amour en quatrième vitesse* (1964) et *Embrasse-moi, chérie* (1953), était l'heureux propriétaire d'une T26 version 1947. Cette voiture remporta le même succès à Hollywood que sur le circuit du Mans. **MG**

PV444 | Volvo (S)

1947 • 1 414 cm³, S4 • 44 ch
inconnue • 122 km/h

Coriace et tout-terrain, capable de transporter les Suédois jusqu'à leur destination malgré les hivers glacials et les routes difficiles, la PV444 fit la réputation de Volvo.

Durant la Seconde Guerre mondiale, la plupart des constructeurs automobiles se consacraient à la fabrication d'avions et de munitions. Profitant de la neutralité suédoise, Volvo fit le pari qu'une nouvelle voiture plus petite et peu gourmande en carburant permettrait d'assurer l'avenir de la société. La PV444 fut dévoilée en septembre 1944, mais ne fut commercialisée qu'en 1947. Son prix de 4 800 couronnes, identique à celui de la première Volvo sortie en 1927, était attractif. Son apparence (pare-chocs protubérant, « fastback » arrondi et vitre arrière séparée en deux pans) trahissait l'influence des grosses américaines d'avant-guerre. Sa carrosserie monobloc et son pare-brise laminé comptaient parmi ses caractéristiques plus modernes. Elle remporta un vif succès et la production atteignit 200 000 unités.

En 1956, elle hérita d'un nouveau moteur de 1 583 cm³ pour 70 chevaux avec un carburateur Zenith, puis, en 1957, de deux carburateurs SU pour une puissance de 85 chevaux, ce qui lui permit d'atteindre une vitesse de 153 km/h. La PV se distingua aussi lors des rallyes. Gunnar Andersson remporta le titre de champion européen de rallye au volant de l'une d'elles en 1958. **LT**

202SC | Cisitalia (I)

1947 • 1 088 cm³, S4 • 56 ch
0-97 km/h en 13 s • 161 km/h

Les journalistes automobiles s'emportent parfois en décrivant certains modèles comme des œuvres d'art ou des chefs-d'œuvre. Dans le cas de la Cisitalia 202SC, cette qualification est justifiée car elle fut sélectionnée pour une exposition baptisée « Huit automobiles » organisée au prestigieux New York Museum of Modern Art (MoMA) en 1951.

Cisitalia avait débuté en 1946 avec la D46, une petite voiture qui avait prouvé ses capacités sur les circuits. La société cherchait déjà à capitaliser sur la compétition et avait engagé Ferdinand Porsche afin de créer une monoplace plus puissante, capable de s'imposer sur le circuit du Grand Prix. Ç'aurait pu être la Cisitalia 360, si toutefois elle n'avait pas été trop coûteuse à fabriquer.

Entre-temps arriva la série 202. Le design choisi pour la 202SC était signé Battista Farina, lequel s'était surpassé. Cette superbe voiture à la carrosserie monobloc – une première pour l'époque – et aux lignes douces et fluides dégageait une impression de vitesse même à l'arrêt, comme si elle était caressée par le vent.

Elle fut choisie par le musée new-yorkais pour son exposition et fit une apparition dans le jeu vidéo à succès *L.A. Noire* (2011). Loin de n'être qu'un bel objet, elle remporta trois des quatre premières places lors de l'édition 1947 des Mille Miglia. **MG**

8C Monterosa | Isotta Fraschini ⓘ

1947 • 3 400 cm³, V8 • 127 ch
inconnue • plus de 161 km/h

La 8C fut lancée dans une Europe ruinée par la guerre, en grand besoin de petites voitures populaires et économiques. La 8C Monterosa, énorme voiture vendue près de 10 000 dollars, soit deux fois plus cher que la plus grosse et la plus luxueuse Cadillac ou Packard « avec chauffeur », était condamnée d'avance.

L'excentrique 8C embarquait un V8 installé à l'arrière, sous une carrosserie en aluminium. L'énorme version berline 4 portes à la ligne élancée qui fut dévoilée au Salon de l'automobile de Paris était l'œuvre du carrossier Zagato. Elle se déclinait également en versions 2 portes et cabriolet « boat-tail », toutes signées par des designers différents.

La partie mécanique était aussi décalée que sophistiquée : le moteur entraînait les roues arrière grâce à une boîte 5 vitesses synchronisée avec surmultiplicateur. Elle était équipée de freins hydrauliques et de suspensions en caoutchouc, avec des portières à ressort, une vitre arrière en plastique, des sièges en cuir de chameau et des ailes à ouverture motorisée.

La société, dont ce fut la dernière voiture, n'en produisit qu'une poignée. Son nom, cependant, fut immortalisé par le film *Giant* (1956), dans lequel l'acteur James Dean conduisait une Isotta Fraschini 8A des années 1930. **SH**

A90 Atlantic | Austin ⓖⓑ

1948 • 2 660 cm³, S4 • 89 ch
0-97 km/h en 15,8 s • 146 km/h

Conçue autant pour le marché anglais qu'américain, l'Austin A90 Atlantic se situe à mi-chemin entre une sportive 2 places britannique et une berline américaine plus massive. Ses performances étaient plus qu'honorables, mais elle souffrait d'une forte consommation et d'une conduite assez inconfortable.

L'Atlantic fut commercialisée en 1948, et Austin consacra beaucoup d'argent et d'efforts à son lancement sur le sol américain. Il faut dire qu'à l'époque le gouvernement anglais limitait l'approvisionnement en acier aux industriels fabriquant des produits destinés à l'exportation. Pour tenter de maximiser son potentiel sur le marché américain, Austin proposa sa voiture dans un ensemble de couleurs qui, aux yeux des Anglais, étaient plutôt criardes. Le résultat fut une voiture bancale. Seuls 350 exemplaires furent vendus aux États-Unis, malgré un prix réduit à 1 000 dollars. Pour les Américains, l'Atlantic n'était ni aussi puissante que ses concurrentes américaines, ni aussi vive et attrayante que la TC Midget, que MG avait exportée avec succès aux États-Unis.

Austin en produisit moins de 8 000, sur lesquelles on ne compte que quelques rescapées, car elles étaient sujettes à la corrosion. La production cessa en 1952, mais l'Atlantic mérite tout de même sa place dans l'histoire en tant qu'expérience audacieuse mais ratée. **MG**

401 | Bristol

1948 • 2 000 cm³, S6 • 85 ch • 0-97 km/h en 17,4 s • 156 km/h

La Bristol 401, une 5 places luxueuse et rapide, ne tarda pas à déchaîner l'enthousiasme de la presse et des passionnés. La Bristol Aeroplane Company, célèbre dans le monde entier, avait mis à profit son savoir-faire et son expérience pour créer une automobile de grande qualité et de tout premier ordre.

La carrosserie de la Bristol 400, le modèle précédent, était en partie inspirée des BMW 326, 327 et 328, dont Bristol avait obtenu les plans au titre de réparations de guerre. Quatre prototypes intégrant chacun certaines des meilleures pièces des BMW d'avant-guerre avaient déjà été fabriqués en 1946.

Après la courte carrière de la Bristol 400, la 401, une berline, fut lancée en 1948. La 401 était rapide, et ses finitions ne craignaient pas la comparaison avec les voitures plus chères et plus prestigieuses de son temps, mais elle aussi était très chère (2 000 dollars). Son moteur 6 cylindres de 2 litres développait 85 chevaux, une puissance impressionnante pour l'époque. La Bristol pouvait tenir une vitesse de croisière de 156 km/h, là encore remarquable pour la fin des années 1940. De plus, elle brillait par son style tranquille et raffiné, et son intérieur spacieux était très silencieux même à grande vitesse.

La Bristol 401 était l'une des rares voitures de l'époque à avoir été développée dans une soufflerie, témoignage de l'expertise aéronautique de la société. Sa carrosserie était renforcée pour une rigidité maximale. Les panneaux de la carrosserie, parfaitement assemblés et ajustés, étaient en alliage léger de qualité aéronautique. La 401 était la voiture par excellence du fringant gentleman de l'Angleterre d'après-guerre. **BK**

2CV | Citroën (F)

1948 • 375 cm³, S2 • 9 ch • inconnue • 64 km/h

Le concept de la *deux chevaux* remontait aux recherches effectuées en 1920 par le fabricant de pneumatiques Michelin. L'idée était de permettre aux masses de s'affranchir de la carriole et du cheval en créant un « parapluie sur roues » solide et bon marché, capable de transporter quatre personnes et 50 kilos de produits agricoles à 50 km/h. Les travaux de développement avaient débuté dès 1936, mais la date de lancement, prévue pour octobre 1939, avait été repoussée à cause de la guerre. La voiture fut finalement dévoilée au Salon de l'automobile de Paris de 1948. Elle fut commercialisée douze mois plus tard, et le resta pendant 42 ans.

Son côté pratique et abordable jouait pour beaucoup dans son charme. Son moteur très simple était facile à entretenir, sa suspension à long débattement offrait une tenue de route confortable, et sa garde au sol élevée était adaptée aux surfaces difficiles. Elle remporta un immense succès. Quelques mois après son lancement, la liste d'attente était déjà de trois ans, et finit par atteindre cinq ans. Une 2CV d'occasion se revendait plus cher qu'un modèle neuf car les acheteurs étaient impatients d'obtenir leur voiture.

Près de 9 millions de 2CV furent produits, en comptant des voitures identiques sur le plan mécanique comme l'Ami, la Dyane et la Méhari. Elle fut déclinée en fourgonnette de livraison. La 2CV était produite un peu partout, y compris au Royaume-Uni, en Uruguay, au Portugal, en Espagne, en Slovénie et au Chili. De nombreuses éditions spéciales furent lancées afin de maintenir l'intérêt du public, dont la Cocorico, en soutien à l'équipe de France de football qui participait à la Coupe du monde de la FIFA en 1986. **RY**

Une publicité de 1954 pour la Porsche 356. ▷

T600 Tatraplan | Tatra (CS)

1948 • 1 952 cm³, S4 • 53 ch
0-80 km/h en 22 s • 130 km/h

Le bloc de l'Est regorgeait de Zaporozhet, de Volga et de Traban, dont les vitres arrière étaient chauffées, comme le disait la blague, pour réchauffer les mains de leurs propriétaires quand ils les poussaient. L'arrivée d'une voiture comme la T600 Tatraplan au milieu d'un tel désert automobile tenait du miracle.

Hans Ledwinka, son designer d'origine autrichienne, avait débarqué sur la scène mondiale en 1933 avec la T77, une voiture profilée qui avait fait sensation lors du Salon de l'automobile de Berlin de cette année-là. La T77 était réussie, mais avec la T600, Ledwinka s'était surpassé. Il s'agissait d'une «fastback», ce qui signifie que son toit filait en une pente continue jusqu'au pare-chocs arrière, une forme classique en «goutte d'eau» qui englobait totalement le châssis et les roues, obtenant ainsi un coefficient aérodynamique de seulement 0,32. Ledwinka avait réduit le poids de la T97, l'ancêtre de la T600, et l'avait harmonieusement réparti sur le châssis. Il avait optimisé son rendement et l'avait dotée d'une carrosserie futuriste en acier compressé, tout en améliorant nettement l'espace et le confort intérieurs. Qui plus est, elle était rapide : la T600 s'était emparée des quatre premières places lors du rallye d'Autriche de 1949.

Tatra appliquait les principes aérodynamiques en matière de design automobile. Un choix qui s'avéra payant et consacra la T600 comme un jalon intemporel dans l'évolution de l'automobile. En 2010, des amateurs britanniques élurent la T600 «voiture classique de l'année» pour la période des années 1940, durant laquelle, pendant un bref instant, on pouvait dire sans ciller : «Faites place, Fiat, Porsche et Ferrari… les Tchèques arrivent.» **BS**

356 | Porsche (D)

1948 • 1 100 cm³, S4 • 40,5 ch
0-97 km/h en 17 s • 139 km/h

C'est la voiture sur laquelle Porsche a bâti sa réputation. Après avoir quitté Mercedes, Ferdinand Porsche créa son propre cabinet de conseil en 1931. Cependant, 17 ans allaient s'écouler avant que sorte la 356 conçue par «Ferry» Porsche (le fils de Ferdinand) et première voiture à être vendue sous le nom de Porsche.

Disponible en coupé ou en cabriolet 2 portes avec moteur installé à l'arrière et transmission par propulsion, elle fut saluée pour son poids réduit et sa maniabilité. Elle avait de nombreux points communs avec la Coccinelle de Volkswagen, une autre création de Porsche, dont elle reprenait d'ailleurs de nombreux éléments mécaniques. Cependant, la 356 fut régulièrement mise à jour en privilégiant les performances, ce qui l'éloigna rapidement de ses racines. Elle se distinguait régulièrement sur les pistes de course et en rallye, en particulier durant les 24 Heures du Mans en France et les Mille Miglia en Italie.

La Porsche 356, qui a mérité sa place dans l'histoire de l'automobile, est très appréciée. Les experts pensent qu'environ la moitié des 76 000 exemplaires produits (avant son remplacement par la 911) ont survécu. La Speedster version 1954 figure parmi les modèles les plus recherchés. L'importateur américain Max Hoffman ayant déclaré à Porsche qu'une version décapotable sans fioritures et à prix cassé se vendrait bien aux États-Unis, la société s'attela à la tâche. Les Californiens tombèrent amoureux de son pare-brise amovible et ses sièges baquets. Le légendaire acteur américain James Dean possédait une Speedster qu'il pilota sur circuit. La Porsche 550 Spyder au volant de laquelle il trouva la mort était basée sur la 356. **RY**

Drive it and be envied

Typ 356

Cabriolet

48-215 | Holden

AUS

1948 • 2 160 cm³, S6 • 61 ch • 0-97 km/h en 28 s • 130 km/h

Le nom Holden remonte à l'époque de la ruée vers l'or en Australie dans les années 1850, quand la société fabriquait des objets pour les explorateurs. Elle se mit ensuite à monter et à réparer des calèches traditionnelles avant de se lancer dans l'automobile en 1908. D'abord filiale de General Motors, les deux sociétés fusionnèrent en 1931 pour former General Motors-Holden's Limited.

Les premières automobiles australiennes étaient soit importées, soit partiellement fabriquées dans le pays. Ce n'est qu'en 1948, avec l'arrivée de la Holden 48-215 (également connue sous le nom de FX), que les Australiens purent acheter la première voiture de série vraiment australienne. Il s'agissait en fait d'un concept de Chevrolet datant de 1938, qui avait été rejeté car jugé trop petit pour les acheteurs américains. Holden fit construire trois prototypes à Detroit avant de décider

de la produire en Australie pour le marché domestique. C'était un grand jour pour l'Australie, et la voiture fut lancée par Ben Chifley, le Premier ministre du pays.

La Holden connut un grand succès. Les Australiens étaient naturellement ravis de pouvoir acheter une voiture australienne plutôt qu'un modèle américain ou européen. La 48-215 affichait une vitesse de pointe respectable, et pouvait rouler confortablement pendant des heures à plus de 100 km/h. Sa carrosserie antipoussière était très appréciée, comme sa force brute qui lui permettait de gravir les côtes les plus raides tout en maintenant le plus haut rapport. Elle avait tout d'une australienne, et Holden ne tarda pas à se tailler un monopole. Seul un des trois prototypes originaux de la 48-215 a survécu. Il se trouve aujourd'hui au Musée national d'Australie. **MG**

Dyna 110 | Panhard

F

1948 • 610 cm³, S2 • 24 ch • inconnue • 110 km/h

Quand les producteurs de cinéma et de télévision ont besoin d'un véhicule pour recréer l'ambiance de la France rurale de l'après-guerre, ils choisissent souvent une Panhard Dyna 100. Il est vrai que ces fourgonnettes dégagent un charme suranné.

La Dyna 110, également connue sous le nom de Dyna X, marquait un changement total de direction pour la société Panhard, qui vendait des voitures depuis 1890 et s'était taillé la réputation de produire de somptueuses voitures de luxe pour l'élite de la société française. Anticipant l'austérité de l'après-guerre, la société décida pourtant de produire une petite voiture bon marché avec un moteur simple qui ne consommerait que peu d'essence. Cette manœuvre permit à la société de poursuivre sa route tout comme la Dyna 110, sans prétention mais surtout sans faire faillite comme nombre

de ses rivaux d'avant-guerre qui avaient continué de produire des voitures plus coûteuses.

Outre la version fourgonnette très fonctionnelle, Panhard proposait la Dyna en versions 2, 3 et 4 portes. Les Dyna 110, 120 et 130 furent baptisées en référence à la vitesse maximale atteinte par leurs moteurs (en kilomètres à l'heure). Aucun d'entre eux n'avait de radiateur. Ils étaient tous refroidis à l'air, au moyen d'une minuscule calandre située en bas, à l'avant du véhicule.

La production dura jusqu'en 1954. 47 000 exemplaires avaient alors été vendus, un chiffre respectable pour une voiture modeste, en particulier face à la concurrence directe de Renault et Citroën, des constructeurs bien plus importants. Le succès de la gamme Dyna permit à Panhard de traverser les années d'après-guerre et de survivre jusqu'en 1967. **MG**

Deluxe | Ford   (USA)

1948 • 3 700 cm³, V8 • 96 ch
0-97 km/h en 21,2 s • 130 km/h

En 1938, Ford introduisit sa gamme Deluxe, qui entra dans l'histoire. C'est sur le capot d'une Deluxe de 1948 que John Travolta remue son popotin dans la version cinéma de *Grease* (1978), sur l'air de *Greased Lightning*. La voiture du méchant Biff Tannen dans les deux premiers *Retour vers le futur* est une Super Deluxe de 1946. Oui, la voiture qui finit remplie de fumier. Cependant, quand elle fut récemment proposée à la vente, les vendeurs s'empressèrent de préciser qu'il s'agissait de liège et non de vrai fumier. Elle était proposée, soit dit en passant, au prix de 29 998 dollars.

La carrière cinématographique de la Deluxe compte des dizaines d'autres films, dont *American Graffiti* (1973), *L'Équipée sauvage* (1953), *La Dernière Séance* (1971), *Un homme est passé* (1955), *Lolita* (1962) et *La Mort aux trousses* (1959), sans oublier les poursuites de voitures de *La Quatrième Dimension* (1983) et *La Vie est belle* (1946). Sa popularité auprès des cinéastes était peut-être en partie due à sa calandre en forme de cœur, l'un des quelques éléments qui la distinguaient des autres modèles Ford à son lancement. Par la suite, le motif en forme de cœur fut modifié pour être moins évident.

En 1941, Ford lança la gamme Super Deluxe, un cran au-dessus des simples Deluxe. La Super Deluxe se déclinait en plusieurs styles, dont une décapotable avec un nouvel équipement spectaculaire : un toit électrique.

En 1947, les Ford commençaient à accuser les ans, tout comme Henry Ford, qui mourut la même année. Enfin, 1948 marqua l'arrêt de la production de la gamme Deluxe. La dernière voiture conduite par Henry était d'ailleurs une berline Ford Super Deluxe bleu sombre de 1942. **MG**

Series 61 | Cadillac   (USA)

1948 • 5 670 cm³, S6 • 152 ch
inconnue • 152 km/h

La Cadillac Series 61 connut une histoire mouvementée et un brin déroutante. Elle fut introduite en 1930 pour remplacer la Series 60 (tout en perpétuant la Sixty Special). À son tour, la Series 61 fut mise à la retraite en 1940 au profit de la Series 62, mais la production fut relancée en 1941. Elle fut ensuite interrompue entre 1943 et 1946, puis reprit en 1946. Ce fut cependant l'édition 1948 qui la distingua de ses concurrentes, au moins durant une courte période. Elle fut définitivement remisée en 1951 pour cause de baisse des ventes.

L'évolution la plus notable du modèle de 1948 résidait dans l'ajout d'ailerons à l'arrière, qui lui conféraient un look un peu plus moderne. Assez légère et rapide, la nouvelle Series 61 se vendit plutôt bien au début.

En 1949, ce modèle – comme la plupart des Cadillac – reçut un coup de pouce quand la société lança son moteur V8 révolutionnaire, portant sa puissance de 150 chevaux à 160 chevaux. Toutes les versions ultérieures de la Series 61 héritèrent du V8. La version de 1951 subit une nouvelle refonte. Elle conserva ses ailerons avec cependant un empattement plus court, un capot plus long et une garde au sol plus réduite. Ces évolutions ne suffirent cependant pas à la sauver de la casse. Les ventes avaient déjà pris une tournure défavorable et, malgré les améliorations, la production fut interrompue.

La Series 61 n'en a pas moins survécu en images, en particulier dans *L.A. Noire*, un jeu vidéo récent mettant en scène les versions décapotable et couverte du modèle de 1947, qui reçut de nombreuses récompenses. On aperçoit souvent le modèle de 1948, reconnaissable à ses ailerons, à l'arrière-plan des films d'époque hollywoodiens. **MG**

'48 Sedan | Tucker

(USA)

1948 • 5 470 cm³, F6 • 168 ch • 0-97 km/h en 10 s • 192 km/h

Le 15 juin 1948, l'homme d'affaires et designer automobile américain Preston Tucker écrivit une lettre ouverte à l'industrie automobile, que publièrent de nombreux journaux américains. Cette missive entendait régler quelques comptes, mais son objectif principal était de faire parler de l'arrivée imminente de la «Tucker Torpedo». Tucker affirmait que «des centaines de milliers de personnes nous ont écrit pour nous dire qu'elles sont prêtes à l'acheter». «L'arrogance précède la ruine», dit le proverbe. La société de Tucker ne produisit au final que 50 exemplaires (plus un inachevé) de la Torpedo, qui fut baptisée Tucker '48, et neuf mois après la rédaction de sa lettre, sa société mit la clé sous la porte.

La voiture en elle-même ne souffrait d'aucun problème, une fois que les plans de Tucker, par trop ambitieux, eurent été révisés. Il avait prévu un énorme moteur de 9 650 cm³, ce qui s'avéra irréaliste. La solution de rechange, un moteur d'avion, ne tenait pas dans l'espace disponible à l'arrière de la voiture. La '48 intégrait cependant d'autres idées novatrices, comme les premières ceintures de sécurité au monde, un châssis renforcé, un tableau de bord matelassé et un design plaçant tous les instruments à portée de vue et de main du conducteur. Elle n'en fut pas moins l'objet de vives critiques, orchestrées en partie par des constructeurs américains qui n'avaient de cesse de couler ses ambitions.

En 1988, ce personnage controversé devint le héros de *Tucker*, un film biographique de Francis Ford Coppola avec Jeff Bridges et Preston Tucker. Aujourd'hui, 47 de ces berlines ont survécu, et certaines se sont vendues plus de 1 million de dollars aux enchères. **MG**

XK120 | Jaguar

1948 • 3 442 cm³, S6 • 162 ch • 0-97 km/h en 9,9 s • 185 km/h

Cette sculpture mobile, créée par Sir William Lyons, le fondateur de Jaguar, n'était pas seulement une belle voiture. Son XK 6 cylindres était le premier moteur de série basé sur un agencement qui reste d'actualité : 2 arbres à cames en tête dans une culasse en aluminium. De nombreux pilotes de course remportèrent leurs premières victoires au volant de la XK120, dont Sir Stirling Moss et Phil Hill, le premier champion de F1 américain. Ian Appleyard (un concessionnaire Jaguar et le beau-fils de Lyons) et sa femme Pat remportèrent de nombreux rallyes internationaux à bord de leur voiture. Cette XK120C (ou Type C) dotée d'une carrosserie spéciale remporta les 24 Heures du Mans en 1951 et 1953.

Quand la voiture fut lancée en 1948 à l'occasion du Earl's Court Motor Show à Londres, tous ceux qui la virent furent séduits, et abasourdis qu'elle soit proposée pour la moitié du prix d'une Ferrari. Il fallait cependant être un peu fou pour produire une telle voiture juste après la Seconde Guerre mondiale. Les Anglais étaient sans le sou. Seuls les constructeurs qui exportaient une grande partie de leur production obtenaient les précieuses matières premières dont ils avaient besoin. Lyons pensait ne vendre que quelques centaines d'exemplaires de sa voiture de sport, mais il en produisit presque 12 000, dont l'essentiel avec le volant à gauche pour l'exportation vers les États-Unis.

De nos jours, sa conduite semble dépassée et ses pédales semblent bien trop grippées, mais certaines belles pièces se vendent pour 300 000 dollars. Elles trouvent toujours grâce aux yeux des célébrités – comme l'acteur Patrick Dempsey (le docteur Shepherd dans *Grey's Anatomy*). **LT**

Series 1 | Land Rover

1948 • 1 595 cm³, S4 • 52 ch
inconnue • 96 km/h

La Land Rover d'origine – la Series 1 de 1948 – était aux antipodes des Land Rover actuelles. De nos jours, les célébrités aiment rouler à bord d'une «Landie», mais la première version était un véhicule très rudimentaire.

Les frères Maurice et Spencer Wilks, respectivement designer en chef et directeur général de Rover, eurent l'idée de cette voiture au lendemain de la Seconde Guerre mondiale. Maurice utilisait une Jeep Willys pour se déplacer dans son domaine de l'île d'Anglesey, au pays de Galles. Malgré la pénurie de matières premières, le duo décida de tenter de produire une voiture de meilleure qualité. Ils commencèrent à construire un prototype à l'aide de pièces d'avion et de pièces de la berline de luxe Rover P3. Ils dévoilèrent leur véhicule hors norme en avril 1948 au Salon de l'automobile d'Amsterdam.

La Land Rover était bel et bien un utilitaire, à mi-chemin entre un tracteur et une camionnette. Les 48 premiers exemplaires de préproduction furent peints en vert pâle, avec une peinture destinée à l'intérieur des chasseurs Spitfire – c'était la seule couleur disponible.

Le véhicule était doté d'un châssis rectangulaire en acier et d'un moteur à essence de 1,6 litre. Sa boîte 4 vitesses, issue de la Rover P3, était accompagnée d'une boîte de transfert avec rapports court et long. L'aluminium de la carrosserie provenait également du surplus de l'industrie aéronautique britannique. Même de nos jours, la Defender de Land Rover possède une carrosserie en aluminium. Le toit était en option.

Les clients appréciaient son côté tout-terrain, mais son confort était trop spartiate pour la plupart. Le modèle break, produit moins d'un an plus tard, était – luxe suprême – équipé d'un chauffage. **JB**

Minor | Morris

1948 • 918 cm³, S4 • 27 ch
0-97 km/h en 36,5 s • 100 km/h

Bien qu'une version plus ancienne de la Morris Minor ait été produite entre 1928 et 1933, c'est celle-ci, relancée sous le même nom en 1948, qui s'imposa comme l'une des voitures favorites des Anglais. Avec sa vitesse maximale de 100 km/h, elle n'avait rien d'un bolide. Il s'agissait d'une voiture familiale confortable à la consommation réduite (7,1 litres aux 100 kilomètres), vendue au prix modeste de 359 livres sterling. Dans l'Angleterre d'après-guerre, où l'essence demeura rationnée jusqu'en 1950, cela n'avait rien d'anecdotique.

La Morris Minor devint la première voiture britannique vendue à plus de 1 million d'exemplaires, et la production finit par atteindre 1,3 million d'unités au total. Elle fut fabriquée en Angleterre jusqu'en 1971 et en Nouvelle-Zélande jusqu'en 1974. Bien qu'elle ait été mise à la retraite depuis près de 40 ans, elle n'a rien perdu de sa popularité, et on compte nombre de clubs de propriétaires dans le monde et d'exemplaires en état de marche au Royaume-Uni.

La Minor a été décrite comme un classique du design britannique. Son créateur n'était autre que le designer anglo-grec Sir Alexandre Arnold Constantine Issigonis, le créateur de la BMC Mini. Le modèle original n'avait que 2 portes, et les phares étaient fixés sur la calandre. Une version berline 4 portes, avec des phares sur les ailes, fut lancée en 1950, suivie en 1952 de la Morris Minor Traveler, version break avec un châssis en bois apparent, qui reçut un accueil tout aussi enthousiaste.

La Morris Minor joua également les vedettes de cinéma, apparaissant dans *Gandhi* (1982), *Les Ombres du cœur* (1993), *Austin Powers* (1997), *Thunderball* (1965), et même (brièvement) dans *American Graffiti* (1973). **SH**

6/80 | Wolseley

1948 • 2 215 cm³, S6 • 73 ch • 0-97 km/h en 21 s • 137 km/h

Malgré son apparition dans la série britannique des années 1950 *L'Homme invisible*, la Wolseley 6/80 n'en fut pas moins très visible dans les séries et films policiers des années 1950. Elle était notamment très prisée par la police, preuve de sa vitesse et de sa robustesse. Elle joua également les vedettes dans des comédies, comme le film *Norman Wisdom, brancardier* (1963) avec Norman Wisdom, et on la voit s'arrêter près de Dirk Bogarde dans *Toubib en liberté* (1957) ainsi que dans *Tueurs de dames* (1955), *Le Saint* (1997) et *Blue Murder at St Trinian's* (1957).

Après la guerre, Wolseley voulut prouver que la situation de l'industrie automobile britannique était revenue à la normale. Rien de tel pour cela que de lancer deux nouveaux modèles. La 6/80 sortit en 1948 en même temps que la 4/50, un modèle légèrement moins puissant. La 4/50 était dotée d'un moteur 4 cylindres et la 6/80 d'un 6 cylindres. Plus puissante, la 6/80 était aussi plus longue, et il s'en écoula durant les années suivantes deux fois plus d'exemplaires que de sa petite sœur, et ce malgré le fait que la soupape d'échappement de certains de ses moteurs avait tendance à brûler. Pour empêcher cela, la police fit recouvrir les soupapes de ses 6/80 de stellite, un alliage de chrome et de cobalt quasi indestructible.

Le prix de lancement de la 6/80 était de 767 livres sterling, un prix élevé pour l'époque. La voiture était cependant équipée de sièges en cuir, d'un chauffage, et d'un essuie-glace électrique à une vitesse ; elle était de plus entièrement tapissée. La 6/80, produite en tout et pour tout à 25 000 exemplaires, fut commercialisée jusqu'en 1954. Le blues d'après-guerre de Wolseley n'était plus qu'un mauvais souvenir. **MG**

Silverstone | Healey

1949 • 2 443 cm³, S4 • 104 ch • 0-97 km/h en 12,2 s • 182 km/h

Pendant la Première Guerre mondiale, l'avion de Donald Healey fut abattu par un tir de DCA britannique. Réformé pour blessures, il profita de sa convalescence pour se former en ingénierie automobile. Pilote talentueux, il remporta le rallye de Monte-Carlo en 1931.

Durant la Seconde Guerre mondiale, Healey eut l'idée de fabriquer sa propre voiture de sport. Il fonda la Donald Healey Motor Company en 1945 et se mit à produire des voitures de sport avec des châssis rigides en acier et des suspensions frontales de sa conception, en sous-traitant la carrosserie. La Healey Elliott de 1948 était une berline considérée comme la voiture à habitacle fermé la plus rapide de son temps. Healey s'était servi de souffleries pour améliorer son aérodynamisme. Mais ces premières voitures étaient coûteuses et hors de portée de la plupart des amateurs d'automobiles britanniques.

La Healey Silverstone de 1949 était une 2 places spartiate sans toit, montée sur un châssis raccourci et renforcé, et vendue moins de 1 000 livres sterling. Habilement conçue, elle possédait 2 phares situés derrière la calandre du radiateur, un pare-brise escamotable pour la course et une roue de rechange partiellement exposée faisant office de pare-chocs arrière. Avec sa carrosserie légère en aluminium, son excellente tenue de route, et un moteur Riley 2,4 litres à double came, la Silverstone remporta plusieurs victoires de catégorie dans la Coupe des Alpes et le rallye Liège-Rome-Liège.

Durant les années 1950, des moteurs Nash propulsèrent la Healey jusqu'à la victoire aux 24 Heures du Mans et aux Mille Miglia. Uniquement 104 Silverstone furent produites, et ces voitures sont désormais extrêmement rares. **DS**

92 | Saab   Ⓢ

1949 • 764 cm³, S2 • 25 ch
inconnue • 105 km/h

Saab se distingua toujours de Volvo, son homologue suédois, par le standing de ses voitures. La société vantait la résistance de ses produits, et sa division marketing n'oubliait jamais de rappeler que Saab était autrefois spécialisé dans l'aéronautique.

Après la Seconde Guerre mondiale, Svenska Aeroplan AB (SAAB) se reconvertit dans la production automobile avec la 92. Son style «goutte d'eau» élancé et futuriste était hautement profilé pour l'époque. Son habitacle de sécurité intégral faisait d'elle l'une des premières voitures conçues pour optimiser la sécurité.

La 92 n'était pas rapide. Son moteur 2 cylindres 2 temps de 764 cm³ développait une puissance maximale de 25 chevaux, et on passait les 3 rapports au moyen d'un levier monté sur la colonne de direction. Il s'agissait cependant d'une traction avant, une caractéristique radicale pour l'époque.

Eric Carlsson, dont le style de conduite lors des rallyes internationaux est bien résumé par son surnom «Carlsson sur le toit», fit la preuve de sa robustesse et de sa fiabilité. Pour l'emporter sur des machines plus puissantes, il gardait en permanence le pied sur l'accélérateur et freinait avec son pied gauche afin de rester (la plupart du temps) sur la route. Le freinage au pied gauche était la meilleure manière de gérer les descentes, car si le conducteur lâchait les gaz, le moteur 2 temps ne recevait que de l'huile. Un bouton «roue libre» permettait de désactiver la transmission.

Saab fut racheté par Spyker, le constructeur néerlandais de supercars, qui comptait produire un modèle rétro inspiré de la 92, suivant en cela l'exemple de la New Beetle, de la Mini et de la Fiat 500. **LT**

1500 | Hansa   Ⓓ

1949 • 1 498 cm³, S4 • 48 ch
0-97 km/h en 30,6 s • 120 km/h

Les automobilistes ont tendance à oublier combien des inventions simples, aujourd'hui considérées comme des acquis, étaient révolutionnaires lors de leur apparition. La Hansa 1500 comportait plusieurs innovations notables. Cette allemande fut la première à accoler des clignotants aux feux de freinage. Les clignotants électriques existaient depuis 1907, mais c'était la première fois qu'ils étaient arrangés ainsi. Autre concept original : son coffre muni d'un couvercle avec charnière, auquel on pouvait ainsi accéder de l'extérieur du véhicule plutôt que de l'intérieur. Le capot pouvait également être ouvert du côté gauche ou du côté droit de la voiture.

L'équipe de concepteurs de l'usine Borgward à Brême, qui produisait la marque Hansa, comptait bien innover radicalement, car la Hansa 1500 devait être la première allemande intégralement conçue et fabriquée après la Seconde Guerre mondiale. Ils avaient opté pour un volant simple, mais original et efficace, dont le pourtour était relié au centre par trois rayons ultra-fins, ce qui permettait au conducteur de voir l'intégralité du tableau de bord. L'idée (dont certains constructeurs actuels feraient bien de s'inspirer) avait été empruntée aux voitures de course de Porsche.

Quand la Hansa 1500 fut dévoilée en mars 1949 au Salon de l'automobile de Genève, ses banquettes firent sensation. Déjà largement préférées aux sièges classiques par les Américains, elles occupaient toute la largeur de la voiture, qui pouvait donc facilement accueillir trois personnes à l'avant comme à l'arrière. Tous ces éléments firent de la 1500 un succès commercial, et elle fut produite jusqu'en 1954. **MG**

Series 62 | Cadillac

1949 • 5 424 cm³, V8 • 162 ch • inconnue • 160 km/h

Les ventes de Cadillac, y compris celles de la très populaire Series 62, furent décevantes en 1948. Les concepteurs avaient ajouté à leur modèle des ailerons à l'arrière mais cela n'empêcha pas les ventes de chuter.

La situation changea radicalement l'année suivante. Le design fut encore légèrement modifié, mais c'est son nouveau moteur V8 léger, permettant à la voiture d'atteindre une vitesse de 160 km/h, qui impressionna le plus le public. Les clients revinrent en masse et les ventes augmentèrent de plus de 50 %. Cadillac était tiré d'affaire, et son moteur était si performant qu'on continua de l'utiliser pendant 18 ans.

Cadillac fit également sensation en lançant en 1949 une nouvelle variante de la Series 62 : un modèle décapotable « hard-top » (à toit rigide), le Coupé de Ville. Ce modèle coûtait 3 497 dollars, soit 55 de plus que la décapotable « soft-top » (à toit flexible), et bien que la version « soft-top » se soit bien mieux vendue la première année, Cadillac tenait là une formule gagnante : les ventes de la « hard-top » augmentèrent fortement les années suivantes. De nos jours, les modèles en bon état sont proposés à la vente à plus de 100 000 dollars.

Cette voiture n'était pas réellement un « coupé de ville » au sens strict du terme. Le terme français « coupé de ville » désignait une voiture de ville coupée en deux, avec une séparation entre le chauffeur et les passagers à l'arrière. Cette version de 1949 américanisée ne comportait pas de séparation, mais on y trouvait un téléphone dans la boîte à gants. Les services de téléphonie mobile existent depuis 1946, date du premier appel passé depuis une voiture grâce au Mobile Telephone Service (MTS) révolutionnaire de Bell. **MG**

P1 | Allard

1949 • 3 600 cm³, V8 • 86 ch • 0-97 km/h en 15 s • 137 km/h

Sydney Allard était l'un des rares hommes à avoir réussi en tant que pilote de course et constructeur automobile. Il se fit une réputation en gagnant des courses au volant de voitures construites par sa propre société. Il remporta notamment la victoire dans le rallye de Monte-Carlo de 1952 au volant d'une Allard P1. Un jeune coureur du nom de Stirling Moss, qui disputait son premier rallye, décrocha de justesse la seconde place.

Allard avait fondé à 26 ans l'Allard Motor Company en Angleterre, en 1936. L'année suivante, il tenta de gravir le Ben Nevis, la plus haute montagne de Grande-Bretagne, au volant d'une Allard, mais l'aventure tourna court. Sa voiture se retourna lors d'un accident.

La P1 fut l'une des plus grandes réussites commerciales d'Allard, et 155 exemplaires furent vendus durant les trois années de vie du modèle. Nombre d'entre elles furent exportées aux États-Unis ; dans l'Angleterre d'après-guerre, il était essentiel d'exporter pour obtenir l'accès à des matériaux rationnés comme l'acier et l'aluminium. Comme Allard utilisait des moteurs Ford, l'entretien de ses voitures était aisé aux États-Unis, et son talent pour faire tenir un énorme moteur dans un espace plutôt réduit avait tout pour séduire le marché américain.

L'Allard Motor Company privilégia toujours la qualité par rapport à la quantité. Le constructeur resta en activité jusqu'en 1966, année de la mort de son fondateur, et fabriqua durant ses 30 années d'existence moins de 2 000 voitures, soit à peine plus d'une par semaine. Ces 30 années représentent pourtant une durée de vie impressionnante, pour une petite société dans un monde où la longévité est plutôt réservée aux grands groupes. **MG**

166 Inter | Ferrari

1949 • 1 995 cm³, V12 • 110,5 ch • 0-97 km/h en 11 s • 178 km/h

Les voitures de course de la société d'Enzo Ferrari, Scudo Ferrari (littéralement l'«écurie Ferrari»), avaient gagné de nombreuses courses depuis sa fondation en 1929. Quand la firme annonça sa première voiture de route au bout de 20 ans d'existence, l'intérêt fut naturellement au rendez-vous. Basée sur la 166 S, un modèle de course, la Ferrari 166 Inter était pour l'essentiel une voiture de course modifiée pour la route, avec une vitesse et une tenue de route exceptionnelles.

Ferrari lança plusieurs modèles de 166, dont l'un des plus populaires fut la 166 MM «Barchetta», une voiture sobre et surbaissée baptisée en référence à une remarque de Giovanni Canestrini, un journaliste automobile italien qui, la voyant pour la première fois, l'avait comparée à une péniche (barchetta). En réalité, elle avait plutôt l'aspect (et le comportement) d'un projectile. Les initiales MM faisaient référence aux Mille Miglia, les «mille milles» de la course d'endurance

italienne, remportée par Ferrari en 1948 au volant de sa 166 S, à une vitesse moyenne de 121 km/h. En 1949, une Ferrari (la 166 MM) s'empara une nouvelle fois de la première place, à une vitesse moyenne de 131 km/h sur toute la distance (1 600 kilomètres). Cette série de victoires allait se prolonger en 1950, 1951 et 1952. Le retentissement de ces cinq victoires consécutives fit connaître Ferrari bien au-delà du monde des courses automobiles, et contribua sans nul doute au succès de son premier véhicule de route. Les 166 Inter ont toutes une apparence très différente, Ferrari ayant adopté une pratique courante à l'époque, qui consistait à ne vendre que le châssis au client, lequel l'apportait alors au carrossier de son choix. La 166 suscite aujourd'hui dans les ventes aux enchères le même engouement qu'à ses débuts. En 2008, l'une d'entre elles fut vendue 801 350 dollars, le prix le plus élevé atteint par une 166 à ce jour. **MG**

1949 | Ford (USA)

1949 • 3 687 cm³, V6 • 90 ch
inconnue • 130 km/h

J2 | Allard (GB)

1949 • 3 920 cm³, V8 • 142 ch
0-97 km/h en 9,3 s • 177 km/h

La 1949, surnommée «la voiture qui sauva Ford», était le premier modèle d'après-guerre de la société. Tout y avait été remanié à l'exception du moteur, et ce dernier avait été légèrement «gonflé» et repositionné pour maximiser l'espace intérieur. Elle était déclinée en versions V6 et V8, signalées sur la calandre par l'inscription correspondante accolée à la marque Ford.

Henry Ford II, le président de la société, avait lancé un appel à projets ouvert tant aux outsiders qu'à l'équipe interne de Ford, et c'est un groupe d'indépendants qui décrocha le contrat. Ford savait qu'il lui fallait faire un gros coup pour sauver sa société, et il était prêt à tout donner pour s'en assurer. La Ford 1949 était plus courte, plus légère et plus basse de 8 centimètres que les précédents modèles, et comportait plusieurs innovations, comme une suspension frontale indépendante.

On comptait au départ quatre modèles de base : un coupé, une berline et des breaks 8 places à 2 ou 4 portes de type «woodie». Les prix allaient de 1 333 dollars à 2 119 dollars. La 1949 permit à Ford de vendre plus de 1 million de voitures cette année-là, et de remettre sa société à flot. De nouvelles variantes furent introduites en 1950 et 1951, et quand la 1949 fut finalement remplacée par la Ford 1952, l'avenir de la société était assuré. **MG**

L'Allard J2, lancée peu après la P1, était capable de performances bien supérieures malgré un moteur à peine plus imposant. Elle était destinée au marché américain, qui offrait, comme l'avait remarqué le fondateur, Sydney Allard, des débouchés pour une petite voiture de sport. Allard, qui outre son statut de constructeur possédait une concession Ford au Royaume-Uni, continua d'utiliser le moteur Ford V8, ce qui simplifiait l'entretien de ses voitures outre-Atlantique.

La J2 succédait également à l'Allard J (ou J1), produite en 1946. L'Allard J avait été conçue pour la course comme pour la route, et la J2, qui bénéficiait de l'ajout de suspensions arrière indépendantes et d'un moteur Cadillac plus imposant de 5,4 litres, était considérée elle aussi comme une voiture de course apte à la conduite sur route. Elle se vendit honorablement compte tenu de sa production limitée, et fut suivie de variantes comme la J2X en 1951 et la J2R en 1953.

Environ 200 J2 furent produites au total, et bien qu'elle n'ait guère brillé sur les circuits, elle décrocha une honnête troisième place aux 24 Heures du Mans, pilotée par Tom Cole et Sydney Allard en personne.

Le prix le plus élevé versé pour une J2 est de 308 000 dollars, atteint lors d'une vente aux enchères en 2008. **MG**

205 | Abarth (I)

1950 • 1 090 cm³, S4 • 76 ch
inconnue • 170 km/h

Carlo Abarth était un champion de moto autrichien et un ingénieur de talent, également reconnu comme un expert de la préparation automobile. Il avait travaillé pour Cisitalia au début des années 1940 mais en 1949 il quitta la société.

En 1950, Abarth s'attela à la création d'une voiture de son cru, l'Abarth 205, mais n'en produisit que trois exemplaires cette année-là. Il fit participer sa première voiture, pilotée par son nouvel associé Guido Scagliarini, aux Mille Miglia (Brescia-Rome-Brescia) en 1950, mais l'Abarth dut abandonner avant d'atteindre Rome. Une autre de ses trois voitures arriva première dans la catégorie des 1 100 cm³ à Monza en 1950, mais ne fit pas aussi bien aux Mille Miglia de 1951. Abarth continua de produire des voitures mais également des pots d'échappement, une autre de ses passions. En 1971, il vendit sa société à Fiat.

En 2009, la toute première Abarth 205 fut inscrite aux Mille Miglia par Mark Gessler, son nouveau propriétaire. L'histoire se répéta et elle dut jeter l'éponge à Florence. Gessler ne se laissa pas décourager et l'inscrivit à nouveau pour l'édition 2011. Il termina cette fois la course en 234ᵉ position sur un total de 376 voitures anciennes, qui avaient toutes déjà participé aux Mille Miglia. Ce n'était certes pas une victoire, mais le résultat était plus qu'honorable pour cette doyenne de 60 ans. **MG**

1900 | Alfa Romeo (I)

1950 • 1 884 cm³, S4 • 81 ch
0-97 km/h en 15 s • 150 km/h

L'Alfa Romeo 1900 marquait un tournant pour la société. Sur un plan technique, il s'agissait de sa première voiture produite sur une chaîne d'assemblage. Le contrôle qualité se devait d'être rigoureux, Alfa Romeo ne voulait pas voir sa réputation ternie.

En termes stratégiques, elle représentait pour Alfa Romeo une tentative de réorientation, sans altérer son image haut de gamme. L'Europe d'après-guerre avait changé, et les Italiens en particulier ne roulaient pas sur l'or. Alfa Romeo avait besoin d'une voiture qui préserverait son image luxueuse tout en restant abordable. La 1900 allait remplir ce rôle.

La transition vers une chaîne de production impliquait que la voiture soit conçue comme un tout, plutôt que construite sous la forme d'un châssis sur lequel on visserait une carrosserie. Il fallut donc intégrer à la carrosserie certaines pièces traditionnellement rattachées au châssis. Le résultat fut une voiture élégante et raffinée.

En l'espace de quatre ans, la 1900 devint la meilleure vente d'Alfa Romeo, et 21 000 exemplaires furent fabriqués avant l'arrêt de la production en 1959. Elle avait par-dessus tout assuré la survie d'Alfa Romeo ; d'autres sociétés, qui s'étaient focalisées sur le domaine du luxe après la guerre, s'aperçurent trop tard que leur marché avait disparu et durent fermer boutique. **MG**

Jet 1 | Rover (GB)

1950 • turbine à gaz • 101 ch
0-97 km/h en 14 s • 145 km/h

Depuis la Seconde Guerre mondiale, il était évident que le moteur à réaction allait révolutionner le vol aérien. Peut-être, pensait Rover, en serait-il de même pour le transport routier ? L'idée n'était pas si irréaliste qu'elle peut le sembler aujourd'hui. Le réacteur de la Jet 1 actionnait une turbine, qui entraînait les roues de manière conventionnelle. Petit et léger, son moteur acceptait de nombreux types de carburants et produisait peu d'émissions. Par ailleurs, il était plus facile à installer, à utiliser et à entretenir qu'un moteur conventionnel.

Cependant, la Jet 1 fonctionnait parfaitement à haute vitesse, mais elle peinait à démarrer et à rouler aux vitesses modérées. Son échappement crachait un air brûlant à 160 km/h, mais le pire était sans doute sa consommation de carburant : 39 litres aux 100 kilomètres. Rover n'en poursuivit pas moins ses recherches sur les turbines. En collaboration avec l'équipe BRM, ils produisirent une sportive à turbine capable d'atteindre 229 km/h. Pilotée par Jackie Stewart et Graham Hill, elle participa aux 24 Heures du Mans dans les années 1960.

Le musicien et animateur de télévision britannique Jools Holland possède une réplique très réussie de Rover Jet 1, basée sur la Rover 80 et propulsée par un moteur de Jaguar capable d'atteindre 241 km/h. L'original se trouve au musée des Sciences de Londres. **SH**

DB2 | Aston Martin (GB)

1950 • 2 580 cm³, S6 • 106 ch
0-97 km/h en 11,2 s • 187 km/h

La DB2 contient en germe la quasi-totalité des Aston Martin ultérieures : l'ADN d'Aston Martin est visible dans les courbes de sa carrosserie, la forme de l'arrière, et dans la partie avant. Sa calandre et ses larges phares étaient inédits en 1950 ; ils sont depuis devenus un symbole incontournable de cette légendaire firme britannique.

La DB2 était la seconde Aston Martin produite après la reprise de la société par David Brown (DB) en 1947. Le modèle précédent, officiellement baptisé Two Litre Sports, avait brillé sur les circuits, et la DB2 lui avait emprunté son châssis tubulaire. Sa puissance provenait d'un moteur Lagonda 6 cylindres de 2,6 litres, et sa carrosserie était en aluminium.

La DB2 fut dévoilée au public lors du Salon de l'automobile de New York en 1950. Les clients allaient cependant devoir attendre un peu, car les premières voitures étaient destinées aux 24 Heures du Mans, où elles s'emparèrent des deux premières places. Mais la vitesse n'était pas le seul atout de la DB2. Sa tenue de route était remarquable, grâce à ses suspensions à ressorts hélicoïdaux équipant chaque roue. À cette époque, les concurrents utilisaient toujours des ressorts à lame, plus adaptés aux camionnettes qu'aux sportives. Un critique déclara que la DB2 se comportait mieux que n'importe quelle voiture de tourisme ou de sport qu'il ait jamais conduite. **JI**

1400 | Fiat ⬤ I

1950 • 1 400 cm³, S4 • 44 ch
0-97 km/h en 35,7 s • 120 km/h

Si l'on en croit les publicités, la Fiat 400 était la « voiture du progrès ». Son attrayante carrosserie tout en rondeurs marquait une nouvelle orientation pour la société ; c'était la première Fiat dépourvue d'un châssis robuste « à l'ancienne ». La 1400 était remarquable à bien des égards : il s'agissait de la première construction monocoque de Fiat, avec le premier moteur diesel de la société, et elle devint en 1953 la première voiture produite par Seat en Espagne.

Entre autres caractéristiques, on trouvait une boîte 5 vitesses et un embrayage hydraulique. Les acheteurs découvrirent des accoudoirs intégrés aux portes, un frein à main situé sous le tableau de bord, un « récepteur radio » et un allume-cigare sans oublier un coffre spacieux. La 1400 était disponible en version coupé 4 portes, cabriolet 3 portes et coupé 2 portes. Chaque version arborait des lignes modernes et racées avec des courbes sobres, une bordure chromée caractéristique et une calandre agressive.

La décapotable affichait un charme glamour encore inédit pour un véhicule grand public, vanté par des clichés publicitaires montrant cinq mannequins dans la voiture, deux hommes et trois femmes. Le conducteur et deux passagers étaient serrés sur la banquette avant, tandis que leurs deux comparses s'étalaient à l'arrière. **SH**

Champion | Studebaker ⬤ USA

1950 • 2 786 cm³, S6 • 85 ch
0-97 km/h en 17,6 s • 132 km/h

L'extravagant Raymond Loewy travaillait comme expert-conseil en design pour Studebaker depuis 1938. Le design radical proposé par le Français pour le modèle 1950 faillit être contrecarré par Virgil Exner, son designer en chef. « Ex », le futur créateur de la ligne Forward Look pour Chrysler, présenta aux dirigeants de Studebaker un autre concept surprenant. Loewy l'emporta cependant, et les lignes sobres et ultramodernes de la Champion furent dessinées par Robert E. Bourke.

Hélas, avec ses caractéristiques techniques, le modèle de 1950 titube plus qu'il ne vole. La Champion franchissait cependant sans peine les virages grâce à une suspension relativement ferme à double fourchette et à ressorts hélicoïdaux équipée d'une barre antiroulis. Son Automatic Drive, une boîte à vitesses automatique très performante développée en collaboration avec Borg Warner, comprenait un convertisseur de couple à entraînement direct afin de prévenir le fluage.

Proposée environ 1 500 dollars, la version de 1950 se vendit à 343 164 exemplaires, mais, tout comme les réacteurs supplantèrent les hélices, Studebaker finit par perdre la guerre des prix que lui menait Detroit. Aujourd'hui, les amateurs de voitures anciennes devraient pouvoir se la procurer pour environ 6 000 dollars. **LT**

We also make a funny-looking car.

We make a car that looks like a beetle. And a station wagon that looks like a bus. (Or so we're told.)

But we think of them a little differently; both Volkswagens look just like what they are.

The VW Sedan is for carrying 4 people. The station wagon is for carrying 8, bag and baggage. (With almost as much headroom and legroom as you get in a real bus.)

The wagon also handles a staggering amount of just stuff. (It has 170 cubic feet of space, compared to about 105 in conventional wagons.)

Both Volkswagens have air-cooled rear engines. No water or anti-freeze needed; terrific traction on ice and snow.

Both park in practically the same space. (The wagon is only 9 inches longer.)

Both defy obsolescence. Nobody knows what year VW you drive. Except you.

 Our sedan is a pretty familiar sight; not many people laugh at it any more. But our station wagon is still good for a few chuckles.

Type 2 | Volkswagen

1950 • 1 192 cm³, F4 • 30 ch
0-97 km/h en 31 s • 86 km/h

La Volkswagen Type 2, « les roues qui propulsèrent une révolution », sont pour toujours associées au mouvement hippie qui agita la côte ouest vers 1960.

Pratique et polyvalent, ce précurseur des monospaces modernes était ainsi nommé pour son rang de second véhicule de série de la marque après la Type 1, ou Coccinelle. On lui connaissait une multitude d'autres appellations : « Transporter » pour la version utilitaire, ou « Kombi » (diminutif de *Kombinationskraftwagen*) pour le camping-car. Comme pour la Coccinelle, ses fans du monde entier lui trouvèrent de nombreux surnoms : « Campervan » au Royaume-Uni, « Microbus » ou simplement « Bus » aux États-Unis, « Bulli » en Allemagne…

Chacun des modèles eut également droit à son propre surnom : « Splittie » pour la version de lancement, la T1, en référence à son pare-brise à séparation (*split*) verticale, ou « Breadloaf » (« miche de pain ») pour la T2, en référence à la forme de la carrosserie. La T5, la version la plus récente, qui ne possède hélas aucun surnom, fut lancée en 2003. La version camping-car est surnommée « California » dans certains pays, en hommage à ses racines « contre-culturelles ».

Le concept de la Type 2 est attribué à un homme d'affaires néerlandais du nom de Ben Pon. Cet importateur local de véhicules Volkswagen l'aurait dessinée au cours du printemps 1947. L'idée fut approuvée deux ans plus tard ; production et mise en vente suivirent en 1950. Elle fut plus tard déclinée en différents formats de véhicules utilitaires : pick-up, camion à plateau, camping-car avec ou sans toit relevable… Elle a même joué les bus de tourisme dans les Alpes, avec un toit en toile amovible pour pouvoir admirer le ciel. **RY**

50-2106 | Holden (AUS)

1951 • 2 171 cm³, S6 • 61 ch
0-97 km/h en 27,7 s • 105 km/h

On aurait pu croire que la firme automobile australienne Holden (aujourd'hui filiale du géant américain General Motors) a inventé le véhicule utilitaire, mais en réalité, c'est à Ford que l'on doit le premier modèle, conçu en 1932. La femme d'un fermier avait écrit à la société pour lui réclamer un véhicule capable de « l'emmener à l'église le dimanche et de transporter les cochons au marché le lundi ». Mais oublions les livres d'histoire, et laissons parler la légende de la Holden 50-2106. Elle était basée sur la Holden 48-125, une berline 6 cylindres de 1948 initialement conçue aux États-Unis, mais jugée trop petite pour le marché américain.

Les Australiens, par contre, l'adoptèrent volontiers, et elle fut suivie d'une version « coupé utilitaire » en 1951. Sa grande polyvalence, ses performances et sa puissance lui permettaient de transporter de lourdes charges sur les terres agricoles tout comme des passagers dans un relatif confort. Comme elle était moins chère que ses concurrentes, on ne s'étonnera pas que la demande ait explosé. À l'issue de sa première année de vente, la liste d'attente australienne de la 50-2106 comptait 70 000 noms.

La carrosserie en acier soudé de la berline originale fut conservée pour l'utilitaire, tout comme son moteur 6 cylindres à soupape en tête. La plupart des acheteurs ne tardèrent pas à découvrir qu'ils pouvaient ignorer sans risque la limite de poids recommandée et charger son plateau à ras bord.

Lors du lancement de la 50-2106, les publicitaires déclarèrent : « La Holden est conçue pour l'Australie et fabriquée en Australie… Voilà un véhicule que vous serez fier de posséder. » Pour une fois, ils avaient raison. **JI**

235 | Delahaye

$$(F)$$

1951 • 3 558 cm³, S6 • 152 ch • 0-97 km/h en 12 s • 169 km/h

Contrairement à des constructeurs comme Panhard ou même Alfa Romeo qui adaptèrent leurs produits au contexte d'austérité de l'après-guerre, Delahaye et d'autres choisirent de s'en tenir à leur domaine d'expertise : les voitures de luxe. Delahaye s'interrogea probablement sur la pertinence de sa démarche, car la société n'avait vendu en tout que 77 exemplaires de ses précédents modèles, la 135 et la 175, en 1951. Son dernier espoir reposait désormais sur la Delahaye 235.

La séduisante 235 fut bien accueillie lors de son lancement au Salon de l'automobile de Paris en 1951. Elle se posait en héritière de la 135, mais son puissant moteur 6 cylindres était capable d'atteindre 170 km/h. Cette voiture, résolument moderne et conçue pour un monde moderne, devint l'unique modèle de la gamme, ce qui permit à Delahaye de s'y consacrer pleinement.

Son prix, dû notamment à sa production à petite échelle, restait, hélas, trop élevé. Elle coûtait le double d'une Jaguar XK120, sortie en 1949 et offrant des prestations similaires. Entre 1951 et 1954, seuls 84 exemplaires de la 235 furent produits, soit des ventes encore plus faibles que les modèles précédents. La société parvint à survivre en fabriquant des véhicules militaires, mais elle avait désespérément besoin d'une voiture viable. Malgré son excellence technique, la 235 ne produisit pas le résultat escompté.

Delahaye fut rachetée par Hotchkiss, qui suspendit sa production automobile avant de reléguer peu après cette illustre marque aux oubliettes. Aujourd'hui, ces voitures sont plus recherchées qu'elles ne l'étaient dans les années 1950. En 2009, une Delahaye 235 de 1952 fut vendue 117 600 euros à Monaco. **MG**

Land Cruiser | Toyota

Ⓙ

1951 • 3 400 cm³, S6 • 85 ch • Inconnue • Inconnue

Très apprécié des organisations humanitaires et des ONG, le Land Cruiser de Toyota n'a cessé d'évoluer depuis 1951. Il descend directement de la Toyota BJ, un 4 x 4 développé à partir d'une base de camionnette pour l'armée… Une Jeep japonaise, en quelque sorte. On raconte qu'un pilote de Toyota parvint à conduire le prototype à une altitude inédite pour une voiture sur les pentes du mont Fuji, qui constituaient une excellente piste d'essai locale.

L'année suivante, elle devint la première voiture pour passagers de la marque à être exportée et, en 1959, à être produite hors du Japon, avec l'ouverture d'une usine au Brésil. En 1955, la BJ céda la place au bien nommé Land Cruiser, dont la réputation de durabilité, de fiabilité et d'excellentes performances sur tout type de terrain ne s'est jamais démentie.

À ce jour, plus de cinq millions d'exemplaires ont été vendus dans plus de 180 pays et territoires. Ironiquement, c'est le succès des constructeurs européens et américains qui contribua à faire du Land Cruiser le phénomène mondial qu'il est aujourd'hui. En effet, quand Toyota a voulu l'exporter, elle se rendit compte que Jeep, Range Rover et consorts s'étaient déjà bien implantés sur la plupart des marchés. Toyota décida de se concentrer sur les marchés émergents du Moyen-Orient, de l'Asie orientale et de l'Amérique du Sud, où le Land Cruiser jouit encore d'une immense popularité.

Il eut également d'excellentes ventes en Australie. Toyota réalise d'ailleurs le développement de ses nouveaux modèles dans la brousse australienne. Il fut élu « 4 x 4 de l'année » quatre fois de suite par le magazine local *4WD Monthly* de 1998 à 2001. **RY**

Comète | Ford ⓕ

1951 • 2 158 cm³, V8 • 73 ch
0-97 km/h en 24 s • 130 km/h

La genèse de la Ford Comète est une histoire hors du commun. Il s'agissait d'un projet de François Lehideux, le président de Ford, qui avait déclaré que la nouvelle voiture de luxe de la société devrait être développée en dehors de la structure de Ford. Lehideux noua une alliance avec le carrossier français Facel-Metallon afin de produire la Comète, qui fut conçue en Italie dans le plus grand secret. Comme un magicien sort un lapin de son chapeau, Lehideux dévoila la voiture en grande pompe à Biarritz au cours de l'été 1951.

Le design de cette sportive 4 x 4 rendait hommage au style futuriste des voitures plus imposantes qui commençaient à s'imposer aux États-Unis. Cependant, le battage médiatique autour du secret de sa production ne parvint pas à faire oublier la faiblesse de son moteur, largement insuffisant par rapport à sa taille. Son look suscita l'admiration, mais ses performances étaient tout sauf impressionnantes et son moteur, soumis à rude épreuve, avait tendance à tomber en panne.

Le modèle suivant, lancé au Salon de l'automobile de Paris en 1952, embarquait un moteur légèrement plus puissant, mais sa réputation fut à nouveau compromise par la sortie de la Ford Comète Monte-Carlo en 1953. Cette dernière était dotée un V8 de 3 923 cm³, généralement destiné aux camions Ford. Malgré le bénéfice en termes de performances, les gens n'appréciaient guère l'idée de conduire une voiture propulsée par un moteur de camion. En conséquence, la Comète poursuivit sa course céleste et disparut en 1954 sans laisser de traces. Elle fut même rebaptisée à titre posthume Simca Comète, après le rachat de la filiale française de Ford par Simca en 1954. **MG**

Frégate | Renault ⓕ

1951 • 1 997 cm³, S4 • 56 ch
0-97 km/h en 29 s • 124 km/h

En 1949, Renault travaillait à la création d'une voiture qui serait à la fois moderne et luxueuse, un modèle haut de gamme conçu pour prouver que l'austérité française de l'après-guerre appartenait au passé. Renault avait été nationalisée en 1945 par l'État français, qui avait placé Pierre Lefaucheux à sa tête. Lefaucheux n'avait aucun intérêt particulier pour l'automobile et se rendait d'ailleurs au travail en vélo, mais il s'était illustré en tant que héros de la Résistance, avait été interné à Buchenwald et avait dirigé une usine de chaudières au début de la Seconde Guerre mondiale.

Ce héros improbable fut chargé de produire une voiture à même de changer l'image et le destin de Renault, et son équipe choisit la Frégate parmi plusieurs propositions. Comme les autres Renault, son moteur devait être installé à l'arrière, mais il fut finalement placé à l'avant. Elle fut lancée lors du Salon de l'automobile de Paris de 1950, mais les premiers exemplaires ne furent mis en vente qu'en novembre 1951.

En 1953, Renault vendit environ 25 000 exemplaires de ce véhicule robuste et majestueux, une quantité honorable, mais pas exceptionnelle. Les performances des modèles ultérieurs furent améliorées, mais Citroën, le grand rival de Renault, resta leader du marché français des berlines haut de gamme.

Quand la production fut interrompue en 1960, 163 383 Frégate avaient vu le jour. En février 1955, Pierre Lefaucheux prit la route au volant de l'une d'entre elles. La voiture dérapa sur du verglas et se retourna. La carrosserie joua son rôle protecteur, mais Lefaucheux mourut, heurté à la nuque par sa valise qu'il avait posée sur la banquette arrière. **MG**

us en rêviez à l'automne
us y avez songé tout l'hiver
us allez l'essayer au printemps
us en serez heureux cet été
t pendant de longues années encore.

Frégate

RENAULT

RÉGIE NATIONALE

Z-102 | Pegaso

E

1951 • 2 800 cm³, V8 • 360 ch • 0-100 km/h en 10,5 s • 250 km/h

Le constructeur espagnol Pegaso était avant tout connu pour ses camions, ses tracteurs, ses bus et ses véhicules militaires. Il produisit cependant la remarquable gamme de voitures Pegaso Z-102 au cours des années 1950. Cette entreprise se distingua également en 1953 quand une version suralimentée de la Z-102 devint la voiture de série la plus rapide au monde (voir chiffres ci-dessus). Il s'agissait d'une machine brutale à la conduite peu subtile, une petite voiture légère propulsée par une série de V8 en aluminium à cames en tête, à conduire de préférence en ligne droite.

Son concepteur n'était autre que Wilfredo Ricart, qui avait dû fuir l'Espagne durant la guerre civile espagnole. Il avait ensuite intégré Alfa Romeo pendant huit ans, dessiné l'Alfa 512 et travaillé aux côtés d'Enzo Ferrari. En 1945, alors qu'il s'apprêtait à partir aux États-Unis afin de travailler pour Studebaker, il se laissa convaincre de prendre la tête d'une équipe chargée de produire une voiture capable de rivaliser avec Ferrari dans l'ancienne usine d'Hispano Suiza en Espagne. Le nom de la Z-102, qui se posait en concurrente des nouvelles Ferrari à l'insigne en forme de « cheval cabré », faisait référence à Pégase, le cheval ailé de la mythologie grecque.

Lors de son lancement pendant l'édition 1951 du Salon de l'automobile de Paris, elle reçut un accueil enthousiaste. Il s'agissait de la première voiture espagnole d'après-guerre et toutes les pièces étaient produites à Barcelone. Sa conception avait nécessité beaucoup de temps (six ans), d'argent et d'ingéniosité.

Hélas, ses coûts de production restaient trop élevés. La production dura jusqu'en 1958, mais seuls 88 exemplaires virent le jour. **MG**

Hornet | Hudson USA

1951 • 5 000 cm³, S6 • 146 ch • 0-100 km/h en 12,1 s • 172 km/h

Le film d'animation *Cars* (2006) du studio Pixar met en scène Doc Hudson, champion incontesté des années 1950, enseignant l'art de la conduite à Lightning McQueen, la star du film. Petit clin d'œil, en effet, la Hudson Hornet de 1951 était une reine des circuits qui, pendant quelques années, a dominé toutes ses rivales.

La Hornet était un modèle de type « *step down* », un style inauguré par la Hudson Commodore de 1948. Elle devait à son plancher, plus bas que ses essieux et son châssis, sa conduite plus souple, son look surbaissé très chic et son centre de gravité plus bas, d'où elle tirait une tenue de route supérieure. La nouvelle Hornet embarquait également le plus puissant moteur 6 cylindres de toutes les voitures américaines de l'époque, un moteur de 5 litres également décrit comme le plus volumineux 6 cylindres au monde. Dans l'Amérique des années 1950, la Hornet avait la cote. Considérée comme rapide, agréable et sympa, elle se déclinait en coupé 2 portes, berline 4 portes, décapotable et coupé hardtop. Chose peu surprenante, la Hornet mena une brillante carrière sportive et remporta des championnats de stock-cars sur les circuits du NASCAR et du championnat de l'American Automobile Association. Les Hornet se distinguèrent partout où il y avait des pistes de course.

En 1953, les ventes de la grosse Hudson commençaient pourtant à battre de l'aile. Les modes changeaient vite et chaque modèle devait être régulièrement revu et corrigé pour espérer survivre. Cependant, la refonte de ce modèle « *step down* » était trop coûteuse et les gros moteurs V8 des concurrents d'Hudson commençaient à prendre le dessus. La Hornet disparut aussi vite qu'elle était arrivée. Sa production cessa en 1954. **BK**

Traveler | Kaiser (USA)

1951 • 3 707 cm³, S6 • 101 ch
0-100 km/h en 16 s • 145 km/h

La version la plus communément admise des origines de la Kaiser Traveler se présente ainsi : un jour de juillet 1948, Henry Kaiser, le père d'Edgar, le directeur général de la Kaiser-Frazer Corporation, téléphona à son fils et lui dit : « Tu dois venir ici, j'ai une idée. »

Edgar écouta son père détailler les défauts du break qu'il avait conduit au retour d'une partie de pêche sur le lac Tahoe. La voiture couinait et grinçait, disait-il, avec une conduite aussi souple qu'un char d'assaut. Il avait dû dévisser le siège arrière pour libérer de la place pour son matériel. Il fallait faire quelque chose. Il entraîna donc son fils auprès d'une de ses Kaiser et esquissa son idée dans la poussière d'une des vitres latérales. Edgar fut impressionné par la démonstration, et le plus gros constructeur indépendant américain – le 4ᵉ en termes d'importance derrière les « Big Three » qu'étaient Ford, GM et Chrysler – s'attela à la création d'une voiture surnommée en interne « la voiture de pêche d'Henry ».

La Traveler se distinguait par sa portière arrière divisée en deux : la vitre arrière était intégrée au toit et la partie basse se rabattait à plat, comme le hayon d'un pick-up. La banquette arrière se rabattait pour libérer de la place… afin de transporter, par exemple, des cannes à pêche. Présentée comme une berline familiale de luxe qui pouvait se transformer en 10 secondes en un véhicule de transport de marchandises (« Deux voiture pour le prix d'une ! » proclamait le slogan), la Traveler était la première véritable voiture à hayon. Son designer, le célèbre Howard Darrin, avait entrepris de créer une gagnante et il avait toutes les raisons de le faire. Henry avait, après tout, accepté de lui payer 75 cents de royalties pour chaque « berline de pêche » vendue. **BS**

C-Type | Jaguar (GB)

1951 • 3 442 cm³, S6 • 203 ch
0-97 km/h en 6,5 s • 231 km/h

L'histoire de la Jaguar C-Type est aussi simple que réjouissante. Conçue et produite dans l'intention de remporter les 24 Heures du Mans, ce qu'elle fit à deux reprises, elle était dérivée du modèle Jaguar XK120C, qui avait réalisé des performances honorables sur le circuit du Mans sans pour autant l'emporter. Jaguar, ou plus précisément Sir William Lyons, le fondateur de la société, voulait une victoire à tout prix. Il avait donc commandé une voiture capable de réaliser son souhait. Ses ingénieurs avaient réussi à combiner un moteur très puissant à une carrosserie légère en aluminium de conception aérodynamique. Tout ce qui avait été jugé superflu pour remporter la course avait été éliminé dès le départ, la délestant de plus de 454 kilos. Ainsi naquit la C-Type, avec un C comme « Compétition », qui triompha sur le circuit du Mans en 1951, puis en 1953.

Durant l'édition 1951, un pilote plutôt inexpérimenté de 22 ans du nom de Stirling Moss conduisait également une C-Type, mais des problèmes mécaniques le forcèrent à abandonner, laissant à Peter Walker et à Peter Whitehead de l'équipe Jaguar le soin de remporter la victoire. Une C-Type améliorée, encore plus rapide et plus légère, remporta une nouvelle fois la course en 1953 et fit la joie de Jaguar en devenant la première voiture à remporter la course à une vitesse moyenne supérieure à 160 km/h, soit en l'occurrence 169,36 km/h sur une durée de 24 heures.

La C-Type fut seulement produite entre 1951 et 1953, au nombre de 55 exemplaires. Malgré son palmarès et sa rareté, il arrive qu'elle parte aux enchères pour un prix raisonnable. Cependant, un modèle en parfait état fut vendu 1 512 500 dollars en 2006. **MG**

8V | Fiat

1952 • 1 996 cm³, V8 • 107 ch • Inconnue • 190 km/h (estimée)

Au début des années 1950, les concepteurs de Fiat, qui œuvraient à la création d'un nouveau coupé sport, croyaient à tort que Ford avait déposé le terme «V8» pour désigner ce type de moteur. Afin d'éviter un procès coûteux, ils se contentèrent d'inverser les caractères et baptisèrent leur nouveau bébé «8V» ou Otto Vu. Cette voiture, composée d'un châssis en acier tubulaire avec une carrosserie à double peau, était indéniablement somptueuse. La couche externe lui donnait sa forme et la couche interne était soudée au châssis.

Quant à son moteur V8 en alliage, il était initialement destiné à une berline Fiat, mais ce projet avait été annulé et il avait été utilisé pour une série limitée de voitures de sport. Développé dans le but de rehausser l'image de Fiat sur la scène sportive, ce moteur reste à ce jour le seul V8 jamais conçu par la marque.

Avec sa puissance et ses suspensions totalement indépendantes, la 8V fit merveille sur les circuits. En 1859, soit cinq ans après l'arrêt de la production, la Otto Vu remporta le championnat italien des 2 litres.

Il existe en réalité plusieurs 8V, qui diffèrent par leur apparence. Après son lancement en 1952 avec une carrosserie maison, Fiat sous-traita la carrosserie auprès de plusieurs studios de design différents, dont Carozzeria Zagato, l'un des plus prestigieux du lot. Zagato dessina l'une des plus belles Fiat de tous les temps, un modèle qui a tout d'une sportive des années 1960, mais qui fut conçu une décennie plus tôt.

Le studio Ghia signa également un modèle très en avance sur son temps, la Fiat 8V Supersonic. Une version non restaurée fut vendue 1,55 million de dollars en 2011, aux États-Unis. **JI**

C-3 | Cunningham

1952 • 5 425 cm^3, V8 • 225 ch • 0-100 km/h en 10 s • 208 km/h

La C-3 était une création de Briggs Swift Cunningham II, un célèbre pilote et constructeur automobile américain. Au cours de sa carrière, il avait remporté la coupe de l'America en 1958, inventé le Cunningham (treuil destiné aux yachts de course) et fait la couverture du magazine *Time* en 1956. Au cours des années 1940, Cunningham avait fabriqué des voitures pour son propre usage, tant pour la course que pour la conduite sur route, ou pour d'autres pilotes de course. En 1952, il décida de fabriquer une voiture pour la proposer à la vente, mais à un nombre limité de clients… Seules 27 Cunningham Continental C-3 virent le jour. On pensait qu'il n'en existait que 25 jusqu'à ce que Briggs Cunningham se décide à publier un registre complet en 2011. Cette faible quantité s'explique par le fait que Cunningham souhaitait inscrire sa voiture aux

24 Heures du Mans, dont le règlement exigeait qu'elle soit produite à 25 exemplaires. Cunningham décida de mettre en vente les voitures qu'il avait achevées.

Leur fabrication débuta dans son usine de Floride. De là, elles étaient expédiées en Italie, où les attendaient des carrosseries en acier au look très européen. Elles étaient ensuite réexpédiées en Floride pour les finitions. Rien d'étonnant à ce que chaque exemplaire coûte presque 12 000 dollars, soit l'équivalent de trois Cadillac, et que Nelson Rockefeller fasse partie des clients.

En son temps, la Cunningham C-3 était aussi prestigieuse qu'une Ferrari. Sur les 27 exemplaires produits, 24 ont officiellement survécu et 11 d'entre eux sont apparus lors d'une réunion de propriétaires de Cunningham organisée près de la vieille usine de West Palm Beach en janvier 2011. **MG**

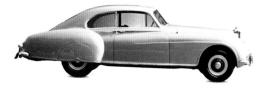

R-Type Continental | Bentley GB

1952 • 4 564 cm³, S6 • 152
0-97 km/h en 9,4 s • 188 km/h

Seuls 2 323 exemplaires de la Bentley R-Type furent produits entre son lancement en 1952 et son remplacement par la Bentley S1 en 1955. Parmi eux se trouvaient 165 versions Continental destinées surtout au marché intérieur britannique. La principale différence entre la Continental et la R-Type de base résidait dans une préparation plus pointue du moteur. À partir de 1954, les modèles Continental accueillirent un moteur plus imposant de 4,9 litres.

Les qualités de la R-Type étaient sa vitesse et la souplesse de sa conduite. Elle était assemblée à la main au sein des usines Rolls-Royce de Crewe. Les clients pouvaient faire réaliser la carrosserie par un tiers, mais la plupart d'entre eux choisissaient de laisser Bentley finir le travail avec la carrosserie standard. Sa concurrente directe était la Rolls-Royce Silver Dawn et l'avant de la R-Type partageait sa majesté, mais contrairement à la Dawn, la carrosserie plus fuselée et moins carrée de la R-Type lui donnait l'allure d'une voiture de sport géante.

Le constructeur n'avait reculé devant aucune dépense, comme le prouvait son intérieur cuir, son plancher tapissé et son tableau de bord en bois. Neuve, elle coûtait 7 608 livres. En raison de sa durabilité, elle est toujours très demandée et affiche un prix d'enchères légèrement supérieur à 33 700 livres. **MG**

Capri | Lincoln USA

1952 • 5 203 cm³, V8 • 207 ch
0-97 km/h en 14,1 s • 160 km/h

Rares sont les voitures qui ont remporté à la fois des courses sur route, des récompenses pour leurs équipements de sécurité et un succès commercial. C'est pourtant le cas de la gamme Capri de Lincoln, produite en 1952 et 1959. Elle devait en partie sa popularité à ses performances dans la Carrera Panamericana, une célèbre course organisée au Mexique entre 1950 et 1954. Le parcours d'environ 3 200 kilomètres se déroulait sur un terrain très difficile et, dès sa première année de participation, en 1952, la Capri s'empara des cinq premières places dans la catégorie « voiture standard internationale ». Elle battit la gagnante de l'édition 1951, une Ferrari, de plus d'une heure. En 1953, elle s'empara des quatre premières places et termina, en 1954, première et seconde de sa catégorie.

Sur le plan de la sécurité, la Capri n'était pas en reste et fut nommée « voiture la plus sûre de l'année » par le magazine *Life* en 1955. Elle affichait alors déjà des ventes remarquables pour un véhicule de luxe : 29 552 en 1954 et 23 673 l'année suivante. Cependant, les ventes déclinèrent quand Ford la repositionna sur le marché de masse au lieu du marché haut de gamme des origines et la production fut interrompue en 1959. Les premiers modèles sont cependant toujours recherchés dans les ventes aux enchères. **MG**

Mark VI | Lotus (GB)

1952 • 1 172 cm³, S4 • 51 ch
0-97 km/h en 15 s • 150 km/h

La Lotus Mark VI fut la première voiture de sport de série créée par l'équipe du fondateur de la marque, Colin Chapman. La Mark VI était vendue sous forme de kit sur un châssis fourni par Lotus et les clients pouvaient choisir les pièces qu'ils désiraient.

Son châssis en treillis d'acier ne pesait que 24 kilos. Sa carrosserie en aluminium était pour le moins minimaliste. La partie mécanique était essentiellement dérivée de la Ford Prefect qui, à défaut de faire rêver, était facilement accessible. Le moteur de base était un Ford à valve latérale de 1 172 cm³ qui, du haut de ses 51 chevaux, était tout de même capable de propulser cette petite voiture à plus de 145 km/h. Grâce à son profil très bas et à l'absence de toit, la conduite était une expérience exaltante. Le châssis comportait également des points de montage adaptés à d'autres moteurs, dont le modèle Ford 1 500 cm³ de la Consul.

Lotus proposait de plus une large gamme de pièces spéciales permettant d'améliorer ses performances et sa tenue de route et offrait même de modifier des composants fournis par le propriétaire afin de les adapter à sa nouvelle voiture. La petite Mark VI jeta les bases de l'image de marque de Lotus, un constructeur de machines légères, rapides et à la tenue de route impeccable. **JI**

RMF 2.5 Litre | Riley (GB)

1952 • 2 443 cm³, S4 • 101 ch
0-97 km/h en 16,4 s • 153km/h

La gamme RM de Riley, qui empruntait à la Traction avant de Citroën des années 1930 son système de suspensions et de direction avant indépendant, affichait un design classique et fluide à capot long.

La RMC était un roadster 3 places qui tenta sans succès de percer sur le marché américain. La RMD, une élégante décapotable 2 portes. Enfin, la RME 1.5 Litre était une berline dont la production se poursuivit jusqu'au milieu des années 1950.

La RMF, dernière-née de la série, comportait des éléments modernes comme des phares carénés et des freins hydrauliques à chaque roue, tout en conservant un pare-brise divisé ainsi qu'un toit en bois (recouvert de vinyle). L'intérieur était revêtu de bois et de cuir. Son moteur de type «Big Four» remontait aux années 1930, mais il s'agissait d'un modèle sophistiqué avec double arbre à cames et chambres de combustion hémisphériques. Doté de deux carburateurs SU, il pouvait atteindre 160 km/h et consommait 14 litres aux 100 kilomètres.

Plus de 1 000 RMF furent produites dans l'espace de 20 mois dans les ateliers de MG à Abingdon, mais après le rachat de Riley par BMC, la RMF fut remplacée par la Riley Pathfinder. Dotée d'un moteur identique, mais d'une carrosserie plus moderne, la Pathfinder fut produite jusqu'en 1957. **SH**

◁ Une Bristol 404 devant un avion Britannia de la Bristol Aeroplane Company, lancé un an avant la voiture, en 1952.

404 | Bristol GB

1953 • 2 443 cm³, S6 • 105 ch
0-97 km/h en 12,3 s • 182 km/h

La Bristol 404 s'inspirait du look des avions de l'époque, peut-être parce qu'elle était produite par la division automobile de la Bristol Aeroplane Company, société spécialisée dans l'aéronautique. Sa calandre de radiateur évoquait l'arrivée d'air d'un moteur à réaction. Sa carrosserie de type « *fastback* » comportait des panneaux en acier et en alliage léger sur une armature en bois.

En optimisant son moteur 6 soupapes en ligne dérivé d'un modèle BMW, les ingénieurs étaient parvenus à lui faire produire 106 chevaux. Une version 127 chevaux était proposée en option pour la compétition. En 1955, les Bristol 404 s'emparèrent des trois premières places de leur catégorie aux 24 Heures du Mans.

Cette compacte 2 places ciblait le marché du luxe. Son intérieur abritait des sièges en cuir ainsi qu'un tableau de bord en bois, émaillé de cadrans Smiths. Les deux ailes contenaient des compartiments (à ouverture de style « papillon ») abritant la batterie, une roue de rechange et un cric. Au centre des deux phares avant se trouvait un projecteur central et elle était équipée de freins à tambour en alliage sophistiqués.

La marque ne disposant pas d'un réseau de concessionnaires, les ventes restèrent modestes. Seuls 52 exemplaires furent produits en trois ans. Les coupés Jaguar XK, plus rapides, coûtaient deux fois moins cher. La 405, un modèle 4 portes plus long, fut lancée en 1955. Proposée en version berline ou décapotable, elle fut mieux accueillie et il s'en vendit 308 exemplaires avant qu'elle ne soit retirée de la vente en 1958.

Une 405 rutilante de couleur marron figure en bonne place dans le film britannique *Une éducation* (2009), qui reçut trois nominations aux Oscars. **SH**

F-100 | Ford USA

1953 • 4 785 cm³, V8 • 100 ch
0-97 km/h en 18,5 s • 113 km/h

En 1948, la Ford Motor Company proposait le F-1, son premier pick-up. Son successeur, le F-100, fut lancé en 1953 à l'occasion du 50ᵉ anniversaire de la société. Il s'agissait du premier représentant de la seconde génération de pick-up de série F.

La cabine du F-100 était plus haute et faisait 17,5 centimètres de plus en largeur que celle du F-1. Qui dit plus d'espace dit sièges plus longs et, avec leurs appui-dos ajustables et leurs ressorts de qualité supérieure, ces derniers étaient très confortables. La surface de son nouveau pare-brise incurvé était de 55 % supérieure à celle du F-1. Les acheteurs avaient le choix entre un moteur 6 cylindres et un V8 à plat. S'ils parvenaient à surmonter leurs doutes sur la pertinence d'une telle option, ils pouvaient également opter pour la Ford-O-Matic, une boîte de vitesses automatique disponible pour la première fois sur une camionnette Ford.

Le F-100 comportait une calandre stylisée, un plateau arrière plus volumineux de 1,27 m³ et un tableau de bord optimisé avec des commandes et des cadrans plus facilement accessibles. Son intérieur quasi similaire à celui d'une berline s'expliquait par le fait que Ford considérait de plus en plus les pick-up comme une alternative crédible à la voiture familiale. La société était si fière de son F-100 qu'elle invita les acheteurs potentiels à se rendre chez le concessionnaire le plus proche afin de « s'asseoir pendant 15 secondes » à son volant, une durée suffisante pour goûter tout son confort.

Très attrayant, Le F-100 était proposé en plusieurs versions bicolores, comme bleu glacier, noir corbeau et vermillon. Sans doute l'une des meilleures idées de Ford, il resta en production durant plus de six décennies. **SH**

Skylark | Buick

USA

1953 • 5 276 cm³, V8 • 190 ch • 0-97 km/h en 12 s • 169 km/h

La Skylark a été conçue pour séduire, avec sa carrosserie surbaissée et ses passages de roue grands ouverts mettant en valeur ses roues à rayons chromées de 38 centimètres et ses pneus blancs. C'est le designer Harley Earl qui dessina la première Skylark – sans doute la plus belle Buick de tous les temps et la première à embarquer un V8.

Ce modèle haut de gamme, produit à l'occasion du 50ᵉ anniversaire de Buick, comportait un intérieur tout en cuir, un toit motorisé en tissu, la direction assistée, un circuit électrique de 12 volts et une radio munie d'une antenne à commande électrique actionnée au moyen d'une pédale. Pour l'époque, la Skylark jouissait d'une excellente conduite et d'une bonne tenue de route grâce aux ressorts hélicoïdaux et aux amortisseurs à leviers qui équipaient chaque roue. Elle était équipée d'une transmission automatique et de freins à tambour assistés. Cependant, un conducteur contemporain trouverait probablement sa direction très molle ; son rayon de braquage était de 13 mètres.

Parmi les propriétaires de la très coûteuse Skylark, on trouvait les acteurs Milton Berle et Jackie Gleason et le comique Bob Hope, qui possédait une Skylark avec son nom gravé en lettres argentées au centre du volant. Sa voiture est aujourd'hui exposée au musée de l'Automobile de Gatlinburg, dans le Tennessee.

General Motors dut abandonner la production de ce véhicule, qui ne fut produit qu'à 1 690 exemplaires. Sa rareté contribua à faire de la Skylark l'une des voitures anciennes les plus prisées des collectionneurs et les modèles en très bon état se vendent aujourd'hui plus 500 000 dollars. **SH**

Corvette C1 | Chevrolet   (USA)

1953 • 3 859 cm³, S6 • 151 ch • 0-97 km/h en 11 s • 160 km/h

La Corvette fut la première sportive américaine de série et la première voiture de série dotée d'une carrosserie légère en fibre de verre. Produite à seulement 300 exemplaires en 1953, l'année de son lancement, elle était aussi recherchée qu'aujourd'hui. En 1954, Chevrolet fabriqua 3 640 Corvette équipées d'un moteur plus puissant. La version 1955 était encore plus légère et rapide. En 1956, sa vitesse maximale atteignait désormais 206 km/h, une performance bien plus impressionnante que les 160 km/h des origines. Il lui fallait désormais moins de 9 secondes pour passer de 0 à 97 km/h. Quant à l'édition 1962, le modèle ultime, son temps d'accélération était désormais inférieur à 6 secondes et Chevrolet en vendit 14 531 exemplaires.

Le nom Corvette, une marque typiquement américaine devenue synonyme de voitures de sport rapides, désignait à l'origine un type de frégate du XVIIe siècle. Ces navires étaient petits et manœuvrables, deux qualités que Chevrolet tentait d'émuler.

Alan Shepard, le premier Américain envoyé dans l'espace, était un grand fan de Corvette et possédait un modèle original de 1953, ainsi que des Corvette de 1957 et 1962. Le rockeur Bon Jovi possède également une Corvette de 1958 et Tico Torres, son batteur, possède un modèle de 1960, tout comme Burt Reynolds. Bruce Springsteen et George Clooney possèdent tous deux des Corvette de 1959 de type roadster.

La Corvette remporta un grand succès et la production du premier modèle ne fut interrompue que pour lancer la seconde génération : la C2, baptisée Sting Ray. Cette voiture, qui reste l'une des sportives les plus recherchées, en est à sa 6e génération, la C6. **MG**

Popular | Ford

GB

1953 • 1 172 cm³, S4 • 30 ch • 0-97 km/h en 80 s • 100 km/h

Lors de son lancement en 1953, la société Ford présenta la Popular comme la voiture la plus abordable d'Angleterre. Son prix était de 390 livres et pour une telle somme, il ne fallait pas s'attendre à des performances extraordinaires (voir chiffres ci-dessus). Un magazine automobile de l'époque estima qu'il lui fallait environ 24 secondes pour atteindre 80 km/h.

Ce modèle portait cependant bien son nom. Au cours des années 1950 et 1960, elle devint l'une des voitures les plus populaires et les plus aisément identifiables sur les routes britanniques. Bien que la production ait cessé en 1962, cette petite voiture robuste se tailla une renommée d'un tout autre ordre par la bonne grâce des cinéastes en quête d'une astuce à bas prix pour restituer une ambiance d'époque dans des films ou des séries TV comme *Heartbeat* (1992-2010) et *Regan*

(1975-1978). Elle joua même un rôle de premier plan dans un sketch des Monty Python intitulé «La Ford Popular de M. et Mme Brian Norris».

Ford dut faire quelques sacrifices pour maintenir le prix de la Popular à un niveau abordable. Elle coûtait l'équivalent de 40 semaines d'un salaire moyen, à une époque où une voiture de base valait environ deux ans de salaire. Le chauffage avait notamment fait les frais de cette politique de réduction des coûts. Comme il n'y avait qu'un seul essuie-glace, côté conducteur, elle était loin d'être parfaitement adaptée aux hivers anglais.

La Ford Popular 103E, le modèle original, fut produite jusqu'en 1959, date de son remplacement par la 100E, dotée d'un moteur plus performant, d'une vitesse de pointe supérieure et, à la bonne heure, d'un chauffage et d'un essuie-glace supplémentaire. **MG**

Minor Traveller | Morris GB

1953 • 803 cm³, S4 • 30 ch • 0-97 km/h en 52 s • 100 km/h

La Minor Traveller vit le jour quelques années après la mise sur le marché de la Morris Minor (qui eut une carrière de 23 ans), dont elle était la version break. Avec ses boiseries vernies, ses portes arrière à charnières latérales et son cadre en frêne, elle semble sortie d'un catalogue d'antiquités. Pourtant, cette voiture quelque peu insolite ne manquait pas d'innovations, ce qui n'a d'ailleurs rien d'étonnant quand on sait qu'elle naquit sous la plume de Sir Alec Issigonis, le futur créateur de la première Mini.

La Minor Traveller était une voiture monocoque (sa carrosserie et son châssis ne faisaient qu'un) équipée de suspensions avant indépendantes.

Son moteur, cependant, était tout sauf exclusif à ce modèle. Produit en série par la BMC (British Motor Corporation), il ne développait initialement que 27 chevaux. Il fut cependant gonflé à 30 chevaux juste à temps pour le lancement de la Traveller, qu'il était capable de propulser jusqu'à 100 km/h. Son accélération peut sembler archaïque, mais les fans de cette voiture se soucient fort peu des performances brutes. Ils se souviennent que la Traveller remplissait parfaitement son rôle de véhicule familial durant la période de l'après-guerre. Pour beaucoup, il s'agit de la plus emblématique des Morris Minor.

Quarante ans se sont écoulés depuis que le dernier exemplaire a quitté la chaîne de production de l'usine Cowley, à Oxford (où l'on produit aujourd'hui la nouvelle BMW Mini), et pourtant, la Traveller est toujours très recherchée. Certains revendeurs anglais spécialisés vendent des exemplaires impeccables pour des sommes pouvant atteindre 20 000 livres. **JI**

FJ | Holden (AUS)

1953 • 2 160 cm³, S6 • 61 ch • 0-97 km/h en 19 s • 116 km/h

La FJ vit le jour en octobre 1953, cinq ans après la sortie de la FX, la première voiture produite en Australie. Sur le plan de la forme, la FJ était semblable à la FX, mais, au lieu d'une calandre verticale un rien guindée, elle possédait une calandre ouverte assortie d'un pare-chocs chromé surdimensionné. Elle affichait sans complexes ses chromes étincelants : sur les enjoliveurs, les ailettes arrière et autour de son feu de freinage, situé au centre de la face arrière.

La berline familiale 4 places, qui ressemblait davantage à une américaine qu'à une européenne, était suffisamment spacieuse pour accueillir confortablement six personnes. Elle affichait une excellente garde au sol, parfaitement adaptée à la conduite sur les mauvaises routes de l'arrière-pays, et ses joints de porte tenaient en respect la poussière australienne. Elle se déclinait également en version fourgonnette et utilitaire. Au début des années 1960, les trois incarnations de la FJ représentaient 50 % du marché automobile national, un exploit sans précédent.

Quand les Australiens produisent quelque chose de vraiment nouveau, ils s'empressent aussitôt de lui trouver un diminutif. Sir Donald Bradman fut surnommé « the Don » ; Rod Laver, « the Rocket ». Ce procédé permet de s'approprier des légendes, qu'il s'agisse de personnes ou de choses inaccessibles. La Holden FJ, pour sa part, a toujours été surnommée « FJ ». Nul besoin de mentionner Holden, les Australiens sachant parfaitement à qui ils la devaient. Ses louanges ont été chantées dans un film baptisé The FJ Holden (1977) et elle a pris une valeur tout aussi symbolique pour l'Australie que l'hymne national et la dégustation de tourtes à la viande devant une partie de football australien. **BS**

Dyna Z | Panhard (F)

1953 • 851 cm³, F2 • 43 ch • Inconnue • 126 km/h

La Panhard Dyna Z fut dévoilée à la presse française le 17 juin 1953 devant le restaurant Les Ambassadeurs, à Paris. Elle s'inscrivait dans la droite lignée d'une série de modèles économiques et légers, notamment grâce à ses nombreux panneaux d'aluminium recouvrant un châssis en acier. La Z, l'héritière de la Dyna X, jouissait d'un intérieur bien plus spacieux, d'un pare-chocs incurvé vers le bas et de phares encastrés dans le capot, qui lui conféraient un coefficient aérodynamique exceptionnellement bas et une apparence évoquant un visage loufoque. Autre surprise, son tableau de bord matelassé et dépourvu de cadrans, une mesure de sécurité très en avance sur son temps.

La société Panhard et Levassor avait été fondée en 1887 par les ingénieurs René Panhard et Émile Levassor, deux pionniers de l'automobile qui avaient produit leur première voiture en 1890 sous licence Daimler. En 1895, ils avaient créé la première transmission moderne et remportaient régulièrement au début des années 1900 des courses comme Paris-Bordeaux-Paris. En 1925, une Panhard/Levassor avait réalisé le record du monde de vitesse à l'heure (185 kilomètres en une heure).

Juste après la Seconde Guerre mondiale, la marque jouissait en France d'un grand prestige. À cette période, les designers et les ingénieurs de la marque étaient galvanisés par le succès de la Dyna, leur berline sortie en 1946, qui avait relancé la société. Ils se considéraient comme les égaux de Citroën en termes d'innovation et d'influence dans le domaine du design automobile. Si les voitures avaient des sentiments, une Panhard Dyna des années 1950 n'aurait pas eu à rougir de la comparaison avec les plus grandes voitures européennes de l'époque. **BS**

ROBLÈME SIMPLE

6 personnes

+ 6 litres d'essence

+ 130 km.-heure

DYNA PANHARD

19, AVENUE D'IVRY - PARIS XIIIE - GOB. & POR. 65-60

Starlight | Studebaker (USA)

1953 • 2 779 cm³, S6 • 120 ch
0-97 km/h en 17 s • 149 km/h

Le coupé Studebaker Starlight a vu le jour en 1947, mais ce n'est qu'en 1953, quand une version totalement revue et corrigée quitta l'usine Studebaker de South Bend, dans l'Indiana, qu'il fit enfin parler de lui.

La Starlight avait un look plus européen que les autres voitures américaines de son époque. Elle était plus basse et affichait une pente plus prononcée à l'avant comme à l'arrière. Les plaisantins affirmaient qu'il était impossible de dire si elle s'approchait ou s'éloignait.

Sa plastique était principalement l'œuvre du designer Robert E. Bourke, qui avait débuté sa carrière chez Sears Roebuck & Co avant de rejoindre Studebaker en 1944. Son travail sur la Studebaker 1950 fut salué, mais la voiture se vendit mal. Le nouveau design audacieux de la version 1953, toujours signé Bourke, ne changea rien au déclin que traversait Studebaker au début des années 1950. Elle reçut une fois de plus un accueil dithyrambique, mais les ventes ne décollèrent pas, à tel point que la société fut au bord de la faillite en 1956.

Qui plus est, Studebaker opta pour des noms ambigus qui semèrent la confusion dans l'esprit du public, ce dont pâtirent ces voitures qui auraient pu et auraient dû remporter un succès commercial autant que critique. En 1953, Studebaker produisit à la fois des Starlight et des Starliner, disponibles en version Champion et Commander, soit au total quatre options pour un véhicule essentiellement identique. La situation empira l'année suivante. En 1956, tous les modèles furent rebaptisés Studebaker Hawk, jusqu'à ce que le nom Starlight soit ressuscité en 1958, puis abandonné un an plus tard. L'usine Studebaker de South Bend ferma finalement ses portes juste avant Noël 1963. **MG**

550 Spyder | Porsche (D)

1953 • 1 498 cm³, F4 • 110 ch
0-97 km/h en 8,2 s • 220 km/h

La Porsche 550 Spyder était si basse que le coureur allemand Hans Herrman parvint à passer sous les barrières abaissées d'un passage à niveau durant l'édition 1954 des Mille Miglia, échappant ainsi de justesse au passage d'un train. La Spyder remporta sa première course à Nürburgring, arriva première de sa catégorie au Mans et éleva Porsche au rang de valeur sûre du sport automobile.

Son moteur refroidi à l'air était un 4 cylindres à plat, à la cylindrée relativement modeste de 1 498 cm³, mais il développait 111 chevaux à 7 800 tours par minute grâce à une configuration complexe et fougueuse comportant un double carburateur, un double distributeur d'allumage et 4 arbres à cames. La Spyder, une voiture de course légère à moteur central, ne faisait guère de concessions à la conduite sur route. Son châssis à longerons en acier supportait une carrosserie en aluminium faite main, avec un pare-brise minuscule. L'idée était de permettre aux clients de courir les week-ends et de se déplacer sur route en semaine.

La Spyder défraya la chronique, car c'est à son volant que se trouvait l'acteur James Dean quand ses paroles tristement célèbres («Vivre vite, mourir jeune») devinrent réalité le 30 septembre 1955. La jeune star hollywoodienne avait importé d'Allemagne une Silver Spyder 550 et l'avait baptisée «Little Bastard», un surnom qu'il avait fait peindre sur le panneau arrière. Elle n'était en sa possession que depuis neuf jours quand il eut un accident à pleine vitesse et mourut sur le coup.

Seules 135 Spyder furent produites par Porsche. Vu la rareté de ces modèles, leur valeur aux enchères devrait s'élever aujourd'hui à environ un million de dollars. **SH**

1900 | Alfa Romeo ⓘ

1954 • 1 884 cm³, S4 • 116 ch
0-97 km/h en 11 s • 180 km/h

La série 1900 d'Alfa Romeo, lancée en 1950, représentait la première incursion de la société dans le domaine de la production à grande échelle. Il s'agissait aussi de la première Alfa avec conduite à gauche ; elle embarquait un moteur 4 cylindres à double arbre à cames qui allait devenir un classique de la marque. La 1900 est souvent décrite comme la doyenne des berlines sportives.

Cette gamme de véhicules simples, spacieux et rapides évolua très rapidement. En l'espace de deux ans, elle s'enrichit de coupés, de décapotables et d'une version à empattement court. Plusieurs carrossiers italiens créèrent des modèles destinés au châssis de l'Alfa 1900. La version 1954 jouissait d'un moteur plus rapide, d'une boîte 5 vitesses (au lieu de 4) et d'une apparence encore plus luxueuse.

Alfa fit ses premiers pas sur le marché américain. Une version unique du coupé 1900 développée par Ghia fut exposée en 1954 lors du Salon de l'automobile de Los Angeles et fut élue plus belle voiture du salon.

Le carrossier milanais Zagato réalisa ce qui constitue probablement la meilleure version : la 1900 Super Sprint. Les chiffres cités plus haut correspondent au modèle Zagato, aujourd'hui très recherché par les collectionneurs et qui possédait une carrosserie encore plus enchanteresse et un moteur plus puissant. **SH**

Century | Buick ⓤⓢⓐ

1954 • 5 277 cm³, V8 • 195 ch
0-97 km/h en 13,3 s • 149 km/h

La version originale de la Buick Century fut lancée en 1936, puis retirée en 1942 pour cause de ventes décevantes. La Century fit son grand retour quand la brigade autoroutière californienne commanda une flotte de voitures conçues sur mesure en 1954. La série télévisée *Highway Patrol* lancée en 1955 avec Broderick Crawford dans le rôle d'un patrouilleur bourru, lui fit une publicité d'une valeur inestimable.

La série remporta un succès immédiat et dura jusqu'en 1959. Elle fut diffusée dans le monde entier. L'endroit où se déroulaient les événements ne fut jamais précisé, mais la série fut tournée en Californie et mettait en scène des Buick Century comme celles de la véritable brigade autoroutière.

La nouvelle Century combinait un gros moteur et une carrosserie de petite taille, un mélange de puissance et d'agilité aussi attrayant pour les automobilistes lambda que pour la police. La puissance du moteur fut rapidement revue à la hausse, en 1955 puis en 1956, afin de dépasser la limite symbolique des 160 km/h. Quand cette version fut retirée en 1958, elle embarquait un moteur de 6 litres. Le modèle suivant, baptisé Invicta et lancé en 1959, était essentiellement identique, à l'exception de la carrosserie. Une troisième génération de Century sortit par la suite en 1973. **MG**

Isabella TS | Borgward $\quad$ (D)

1954 • 1 493 cm³, S4 • 59 ch
0-97 km/h en 18 s • 130 km/h

Isabella, version espagnole d'« Isabelle », est un nom étrange pour un véhicule de Borgward, société à consonance germanique. Basée à Brême, elle produisait depuis les années 1930 une petite gamme de véhicules et son fondateur, Carl Borgward, était connu pour ses véhicules insolites et originaux. Au début, l'Isabella se voulait une évolution de la Borgward Hansa 1500, dont le look très moderne avait été salué dès sa sortie en 1949. Cependant, le design évolua en cours de production et la voiture devint plus spacieuse et gracieuse. Le nom Isabella faisait allusion à son look et à son caractère typiquement méditerranéens. En réalité, aucune autre voiture allemande de l'époque ne pouvait rivaliser avec l'Isabella en termes d'espace, de look, de tenue de route et de prix. Elle devint donc le best-seller de la marque.

La version la plus luxueuse de la gamme était l'Isabella TS, un cabriolet 2 portes. Elle embarquait un moteur amélioré de 75 chevaux, qui propulsait également la version coupé, un modèle racé lancé en 1957. L'épouse de Borgward aimait tant ce coupé qu'elle le conduisit durant les 25 années suivantes.

Quand la production cessa en 1962, plus de 200 000 Isabella avaient vu le jour. Cela ne suffit cependant pas à régler les problèmes financiers de la société, qui fut mise en liquidation. **MG**

2300S | Salmson $\quad$ (F)

1954 • 2 320 cm³, S4 • 106 ch
0-97 km/h en 13 s • 169 km/h

Après la Seconde Guerre mondiale, les ventes de la marque Salmson étaient médiocres. Le gouvernement français avait imposé une taxe sur les grosses cylindrées, réduisant d'autant la demande et les marges des constructeurs. Il devint donc nécessaire de s'orienter vers de nouvelles voitures plus petites avec des moteurs plus modestes, proposées à un prix plus raisonnable.

La 2300S, un coupé 2 places de style italien (et la décapotable qui lui succéda en 1955) arriva trop tard pour sauver la société. Dessinée par Eugène Martin et parée d'une carrosserie signée Chapron, la 2300S avait tout pour séduire. Elle compensait les faiblesses de son châssis et de son couple à basse vitesse par une tenue de route exceptionnelle, qui permit aux deux versions de participer à divers rallyes nationaux et internationaux, ainsi qu'aux 24 Heures du Mans de 1955 à 1957. Pourtant, malgré sa boîte 4 vitesses, sa direction à crémaillère, sa réputation de fiabilité et de robustesse et son puissant moteur de 106 chevaux, la 2300S ne se montra jamais vraiment à la hauteur de ses promesses.

Les versions coupé et décapotable de la 2300S ont été les deux derniers véhicules produits par la société avant qu'elle soit mise sous séquestre et rachetée par Renault en 1957. Sur les 236 coupés produits, moins de 80 exemplaires ont survécu à ce jour. **BS**

Giulietta Sprint | Alfa Romeo

1954 • 1 290 cm³, S4 • 80 ch • Inconnue • 142 km/h

(I)

Le coupé Sprint, lancé fin 1954, fut la première voiture de la gamme originale Giulietta d'Alfa Romeo. Elle se déclina par la suite en plusieurs autres versions, dont une superbe Spider décapotable.

Moins d'une décennie après la fin de la Seconde Guerre mondiale, le constructeur italien donna naissance à la Giulietta Sprint, voiture à moteur frontal et à traction arrière. Elle était propulsée par un moteur assez petit, mais sophistiqué pour son temps, avec un double arbre à cames en tête ainsi qu'un bloc et une culasse en alliage léger. Par rapport aux normes actuelles, sa puissance de 81 chevaux pourrait sembler modeste, mais la Giulietta Sprint n'en atteignait pas moins une vitesse avoisinant les 145 km/h. Sa carrosserie signée Bertone n'avait certes rien de tapageur, mais il était impossible de rater la légendaire calandre Alfa à l'avant.

Des versions plus puissantes, dont un modèle dessiné par Zagato, ne tardèrent pas à voir le jour. La légende raconte qu'après avoir été endommagée durant une course, une Sprint fut confiée pour réparation au carrossier Zagato, qui l'équipa d'une toute nouvelle carrosserie en aluminium.

Après avoir produit plusieurs véhicules similaires pour la compétition, Alfa Romeo fournit directement à Zagato des châssis motorisés de Giulietta Sprint. Ainsi fut conçue la Giulietta Sprint Zagato, ou SZ. Ce modèle de 118 chevaux pouvait atteindre une vitesse de 193 km/h, une performance plus qu'honorable pour une voiture équipée d'un moteur de 1,3 litre.

La Giulietta Sprint est toujours très recherchée. Un exemplaire original fut vendu en Europe de l'Est en 2011 pour plus de 40 000 dollars. **JI**

220 | Mercedes (D)

1954 • 2 195 cm³, S6 • 85 ch • 0-97 km/h en 18,1 s • 145 km/h

La gamme 220 de Mercedes fut dévoilée au Salon de l'automobile de Francfort en 1951. La 220 ressemblait beaucoup à la 170S et possédait un châssis presque identique à celui de la 180, bien qu'allongé de 17 centimètres afin d'offrir 7 centimètres d'espace en plus pour les jambes des passagers arrière et 10 centimètres de plus à l'avant pour le nouveau moteur 6 cylindres.

Les phares étaient désormais intégrés au pare-chocs avant et les clignotants, plus proéminents et recouverts de chrome, changeaient totalement le visage de la gamme. Les feux de brouillard étaient fournis en standard. Les quatre roues étaient dotées de freins à tambour nervurés avec refroidissement turbo, les jantes comportaient des entailles de ventilation et le moteur possédait un compensateur d'octane qui le rendait compatible avec différents types de carburants. Ce type

de carrosserie était surnommé «ponton», en référence à la forme des ailes qui protégeaient ses roues.

La 220 se déclinait en version berline, cabriolet A (une 2 portes de 2 places avec un strapontin à l'arrière), cabriolet B (4 portes) et coupé, sans doute la version la plus luxueuse, produite à seulement 85 exemplaires avec, en option, un toit ouvrant. La version coupé et le cabriolet A étaient tous deux équipés d'un nouveau moteur amélioré de 85 chevaux. Elles possédaient un tableau de bord en frêne massif regorgeant de lumières colorées : bleu pour le faisceau de route, rouge pour le générateur, blanc pour l'étrangleur et vert pour les clignotants. La berline fut abandonnée en mai 1954, mais le coupé et le cabriolet A (auquel correspondent les chiffres ci-dessus), fabriqués à seulement 1 278 exemplaires, furent produits jusqu'en août 1955. **BS**

Vega FVS | Facel (F)

1954 • 4 524 cm³, V8 • 180 ch
0-97 km/h en 10,7 s • 181 km/h

Le nom de Facel n'évoque peut-être plus grand-chose de nos jours, mais les voitures de la marque ont suscité l'intérêt de nombreuses célébrités au fil des années, dont Albert Camus, Tony Curtis, Pablo Picasso, Dean Martin, Fred Astaire et Ringo Starr.

Fondée en 1939 par l'ingénieur français Jean Daninos, la société Facel avait fourni des pièces pour de nombreuses automobiles, dont la Ford Comète et la Panhard Dyna. Daninos rêvait depuis toujours de fabriquer une voiture bien à lui. Son rêve se réalisa en 1954 avec la Facel Vega.

La Vega FVS était l'une des premières voitures européennes équipées d'un moteur V8 américain, ce qui, allié au talent avéré de Daninos pour créer d'élégantes carrosseries, donnait un véhicule assez spécial. Moins de 3 000 exemplaires de la Vega FVS furent produits sur une période de huit ans. Chers et résolument élitistes, ces modèles, dessinés par Daninos, rendaient un hommage appuyé aux plus belles américaines de l'époque.

Parmi tous les modèles de Daninos, la FVS était l'une des plus insolites, avec un pare-brise enveloppant unique en son genre. Bien que le constructeur revendique une vitesse maximale d'environ 181 km/h, certains parvinrent à la pousser jusqu'à 208 km/h. On ne s'étonnera donc pas que des pilotes de course, comme Stirling Moss et Maurice Trintignant, en aient acheté une.

La société Facel dut mettre la clé sous la porte en 1964 après une tentative avortée pour produire une voiture de course, la Facellia, dont le développement coûta une fortune, mais qui souffrit de problèmes mécaniques et se vendit fort mal. Après avoir atteint le firmament, l'étoile de Daninos avait fini par s'éteindre. **MG**

D-Type | Jaguar (GB)

1954 • 3 442 cm³, S6 • 253 ch
0-97 km/h en 5,7 s • 257 km/h

La C-Type, construite spécialement pour remporter les 24 Heures du Mans, y était parvenue à deux reprises. Jaguar, qui se trouvait en position de réitérer son exploit, décida de produire un véhicule encore plus épatant : la D-Type. En réalité, la société en produisit six exemplaires en 1954, en augmentant la puissance du moteur, en réduisant son encombrement et en ajoutant un aileron derrière le pilote afin d'optimiser la stabilité du véhicule à la vitesse maximale. Le résultat fut un engin d'une beauté stupéfiante, dont les lignes simples exprimaient la puissance tout en retenue d'un animal sauvage s'apprêtant à bondir sur sa proie.

Hélas, le fauve ne parvint pas à bondir sur le circuit du Mans, et bien que Jaguar ait inscrit quatre des six D-Type. qu'elle avait produites, c'est Ferrari qui franchit en premier le drapeau à damier. Les ingénieurs de Jaguar ne se laissèrent pas décourager et poursuivirent leur travail sur la D-Type., faisant tout leur possible pour lui donner un maximum de puissance. Ils retournèrent au Mans en 1955 et, cette fois, leur détermination s'avéra payante. L'une des D-Type. s'empara de la première place, mais cette victoire fut cependant éclipsée par un effroyable accident. Une Mercedes-Benz heurta l'arrière d'une Austin-Healey et percuta une barrière avant d'exploser dans un déluge de flammes, tuant son pilote et 80 spectateurs.

Mercedes se retira de la course, provoquant l'abandon de la voiture de tête, qui avait deux tours d'avance sur la Jaguar. La D-Type. remporta ainsi une victoire au goût amer. Mercedes abandonna la compétition, suivie de près par Jaguar, et les D-Type restantes furent vendues comme voitures de route. **MG**

Metropolitan | Nash

USA

1954 • 1 489 cm³, S4 • 53 ch • 0-97 km/h en 22,4 s • 122 km/h

Le développement de la «voiture la plus compacte au monde» débuta en 1964 à l'initiative de George W. Mason, le patron de Nash-Kelvinator. Son designer, William Flajole, s'inspira des travaux de la société italienne Pininfarina, qui avait aussi travaillé pour Nash.

N'ayant jamais conçu de petite voiture, Nash fit appel pour la construction aux Anglais d'Austin, qui fournirent la plupart des roulements. Entre-temps, Nash fusionna avec Hudson et devint l'American Motors Corporation (AMC) juste avant le lancement de la Metropolitan, en 1954. La voiture fut donc commercialisée par Nash et Hudson aux États-Unis. Austin produisit une version avec conduite à droite dès 1957.

La Metropolitan trouva sa voie en 1956, en adoptant un sympathique moteur de modèle 1500 B (utilisé par la MGA) et son célèbre design bicolore en «zigzag».

L'intérieur se distinguait par un tableau de bord en Bakélite, avec radio intégrée. Son levier 3 rapports intégré à la colonne de direction, conforme au goût américain, libérait de l'espace. Derrière la banquette avant se trouvaient deux places recouvertes d'une luxueuse étoffe au motif pied-de-poule, un rabat permettant d'accéder au coffre.

AMC proposait la version hard-top à 1 527 dollars et la version décapotable à 1 551 dollars. Les ventes sur le sol américain restèrent correctes jusqu'au début des années 1960, mais les acheteurs préféraient la Rambler, plus imposante. La Metropolitan était jugée difficile à manœuvrer pour le marché anglais et AMC la retira en 1962. Les amateurs américains payent aujourd'hui jusqu'à 12 000 dollars pour une décapotable ; les Anglais, pour leur part, sont prêts à payer davantage. **LT**

Monterey | Mercury

1954 • 4 195 cm³, V8 • 164 ch • 0-97 km/h en 14 s • 161 km/h

La première Mercury Monterey sortit en 1950. Mercury était une filiale de Ford et la Monterey était le modèle le plus cher et le plus luxueux de la gamme Mercury. L'appellation Monterey survécut jusqu'en 1974, mais ce furent les modèles des années 1952 à 1954, en particulier la Monterey '54, qui tirèrent leur épingle du jeu. Ces modèles étaient équipés d'un nouveau moteur Ford V8 d'une puissance de 164 chevaux, au lieu des 126 chevaux du modèle d'origine. Ses nouveaux phares arrière enveloppants et sa calandre revue et corrigée représentaient les changements les plus notables.

La Monterey se déclinait en quatre types de carrosserie, dont une version coupé hard-top, qui devint le best-seller de Ford pour l'année 1954 et se vendit à près de 80 000 unités. Ford vendit également 66 000 exemplaires de la version berline 4 portes. N'oublions pas non plus le break 4 portes, surnommé « *woodie wagon* », très apprécié des surfeurs, dont certains superbes exemplaires ont survécu et font parfois leur apparition dans des ventes aux enchères. Aujourd'hui, une Mercury Monterey de 1954 de base est susceptible de se vendre environ 45 000 dollars.

Un modèle de pré-production unique fut produit à Detroit en 1953. Bien qu'il ait fait l'objet d'un large battage médiatique avant d'être présenté lors du Salon de l'automobile de Detroit de 1954, il ne vit jamais le jour. La Monterey finale n'avait rien à voir avec le prototype. Ce dernier, n'ayant pas de moteur, dut être remorqué jusqu'à l'emplacement de l'exposition. Il fut vendu, puis découvert dans la grange légendaire où l'on finit toujours par retrouver les voitures anciennes et vendu sur Internet. **MG**

Thunderbird | Ford

USA

1954 • 5 114 cm³, V8 • 228 ch • 0-80 km/h en 7,5 s • 187 km/h

L'« Oiseau Tonnerre » (traduction de Thunderbird) de Ford méritait sans nul doute son nom – qui fut adopté à la dernière minute alors que Ford s'apprêtait à sortir une nouvelle voiture pour concurrencer la Corvette de 1953 de Chevrolet. Elle dura 50 ans, sur 11 générations et se vendit à 4,4 millions d'exemplaires.

La première Thunderbird de Ford fut exposée au Detroit Motor Show en janvier 1954 et mise en vente en octobre. Son moteur V8 était capable d'atteindre une vitesse de 187 km/h et elle était présentée comme une voiture de tourisme personnelle plutôt que comme une sportive. La Thunderbird ne tarda pas à faire la une des journaux : Frank Sinatra s'acheta un modèle de 1955 tandis que Marilyn Monroe et Arthur Miller conduisaient chacun un modèle de 1956, lui à New York, elle en Californie. Elvis Presley, Bing Crosby, Oprah Winfrey

et John Travolta faisaient également partie des heureux propriétaires de Thunderbird.

Bien qu'il s'en soit vendu 53 000 durant les trois premières années, Ford pressentait tout le potentiel du marché familial, encore inexploité. Un modèle 4 places de seconde génération fut introduit en 1958. Les ventes doublèrent une première fois, puis une seconde fois en 1959 quand Ford se mit à cibler le public féminin. Ford relança par la suite une nouvelle génération de Thunderbird tous les trois ans.

Le film *Thelma et Louise* (1991) mettait en scène une Thunderbird décapotable édition 1966 et Halle Berry conduisait une Thunderbird de 2003 dans le film *Meurs un autre jour* (2002) de la saga James Bond. Cependant, les ventes finirent par baisser et la production fut interrompue en 2005. C'était la fin d'une époque. **MG**

300SL | Mercedes

1954 • 2 995 cm³, S6 • 214 ch • 0-97 km/h en 10 s • 257 km/h

Outre sa caractéristique la plus évidente (ses portes papillon), la Mercedes 300SL est dotée d'équipements qui font peut-être d'elle la première supercar au monde. Elle est dotée d'un châssis tubulaire en treillis, sorte de squelette métallique sur lequel repose la carrosserie, lequel la rend extrêmement rigide et résistante sans pour autant l'alourdir.

Son moteur était le premier modèle à injection directe (du carburant dans chaque cylindre) au monde. Bien que la conception de base du moteur 6 cylindres soit directement héritée de la Mercedes 300 4 portes, l'injection directe doublait quasiment sa puissance. Lors de son lancement au Salon de l'automobile en 1954, la 300SL était la voiture de série la plus rapide au monde.

Quant aux portes papillon, il ne s'agissait pas d'un caprice de designer, mais d'une nécessité technique.

Son châssis en treillis très sophistiqué imposait le passage d'une portion vitale de l'armature à l'endroit précis où se trouvait la partie basse d'une porte normale. La solution de positionner les charnières au sommet des portes semblait couler de source.

Max Hoffman, un Américain d'origine autrichienne, encouragea Mercedes à produire la 300SL. En tant que principal importateur de plusieurs marques européennes aux États-Unis, il éclairait souvent les fabricants quant aux goûts du public américain. Il avait vu juste avec la 300SL : plus des trois quarts des exemplaires produits furent vendus sur le marché américain et ce modèle contribua à consolider la réputation de Mercedes aux États-Unis.

En 2009, deux 300SL furent proposées à la vente aux États-Unis pour plus de 1,3 million de dollars. **JI**

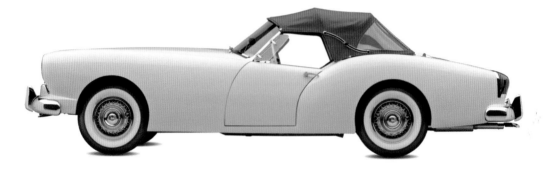

Darrin | Kaiser

1954 • 2 621 cm³, S6 • 127 ch • Inconnue • 154 km/h

Certaines voitures, comme la Kaiser Darrin dans le cas de l'Amérique du début des années 1950, incarnent à la perfection leur époque. Après les sacrifices des années de guerre, l'Amérique mourait d'envie de s'amuser. L'époque était aux designs audacieux et peu de designs étaient plus audacieux que celui-ci.

Cette voiture était l'œuvre de Howard A. « Dutch » Darrin, un designer qui entretenait une relation d'amour-haine avec la société Kaiser. Il était tellement déterminé à concevoir une voiture de sport, contre l'avis de sa hiérarchie, qu'il le fit sur son temps libre. Il alla même jusqu'à produire un prototype en 1952.

Cette décapotable 2 places était dotée d'une carrosserie en fibre de verre sur un châssis en acier et de portes coulissantes basées sur un design breveté par Darrin en 1946. On disait de sa calandre avant qu'elle évoquait une bouche « s'apprêtant à faire un baiser ». Quand il présenta son travail au patron de la société, Henry J. Kaiser, il ne reçut pas un accueil enthousiaste. « Nous ne produisons pas de voitures de sport ! » pesta ce dernier. Cependant, il changea d'avis quand sa femme lui confia : « C'est la plus belle chose que j'aie jamais vue. »

Convaincu, Henry donna le feu vert à la Kaiser Darrin, qui ne fut cependant commercialisée qu'en 1954. Hélas, cette voiture proposée à un prix relativement élevé ne trouva jamais son public et les ventes ne décollèrent pas.

Seuls 435 exemplaires virent le jour avant que Kaiser en arrête la production. Darrin en personne en vendit une centaine de plus, équipés d'un moteur Cadillac V8. Malgré sa durée de vie des plus courtes, la Kaiser Darrin reste l'une des voitures les plus belles et les plus audacieuses jamais produites aux États-Unis. **JI**

Magnette ZA | MG

Magnette ZA | MG

〔**GB**〕

1954 • 1 489 cm³, S4 • 62 ch • 0-97 km/h en 22,6 s • 132 km/h

En 1952, la British Motor Corporation, qui possédait des marques comme Austin, Wolseley, Morris et MG, était à l'origine de quasiment 40 % des voitures produites sur le sol anglais. En s'inspirant des stylistes italiens, le designer Gerald Palmer dessina une voiture qui allait devenir, jusqu'à l'avènement de la MGA, le best-seller absolu de la marque : la Magnette ZA.

La ZA reçut un accueil très mitigé quand elle fut présentée durant l'édition 1953 du Salon de l'automobile londonien. Cependant, les fans de la marque furent peu à peu séduits par son nouveau look et son excellente tenue de route obtenue grâce à une nouvelle suspension à double triangle avec ressorts hélicoïdaux ainsi qu'une direction à crémaillère dissimulée sous ses courbes élégantes. La ZA était aussi la première MG dotée d'une carrosserie monocoque en acier embouti, qui lui

conférait plus de légèreté tout en préservant sa résistance structurelle. L'intérieur, avec sièges avant en cuir, sol intégralement tapissé, tableau de bord en bois poli et accoudoir rabattable à l'arrière, était des plus luxueux.

La ZA se vendit à quasiment 4 000 exemplaires durant sa première année, malgré un lancement retardé pour permettre l'installation d'un nouveau moteur BMC série B de 61 chevaux, décrit par H. N. Charles, l'ancien designer de MG, comme «horrible… mais exempt de défauts sérieux». Naturellement, un tel moteur n'était pas assez puissant pour propulser convenablement une voiture de 1 136 kilos. L'article publié en 1954 dans le magazine *Autocar*, qui affirmait que «ses performances restaient essentiellement identiques sur sol sec ou mouillé», devait-il être pris comme une critique ou comme un compliment ? **BS**

XK140 | Jaguar

1954 • 3 442 cm³, S6 • 193 ch • 0-97 km/h en 8,4 s • 193 km/h

La Jaguar XK140, qui ne fut produite que durant une période de trois ans après son lancement en 1954, était sans doute la 2 places la plus séduisante et tape-à-l'œil de son époque. Elle resta la voiture rêvée des automobilistes en voie d'embourgeoisement, jusqu'à l'arrivée de la XK150, un modèle encore plus puissant, en 1957.

La XK140 fut lancée juste un an avant le couronnement de la reine Élisabeth II. L'arrivée au pouvoir de la jeune reine renforça le prestige de l'Angleterre tant sur le plan intérieur qu'à l'étranger. Cette Jaguar 2 places était parfaitement positionnée pour capitaliser sur l'humeur du moment.

Elle illustrait le célèbre slogan « Grâce, espace et vitesse » de Sir William Lyons, le fondateur de la marque, tout en honorant sa promesse d'offrir un excellent rapport qualité-prix. Propulsée par un moteur Jaguar 6 cylindres à double carburateur et double arbre à cames, la XK140, produite à Coventry, joua un rôle central dans la réussite de la société au cours des années 1950. Elle était encore plus spacieuse que son illustre devancière et bénéficiait d'un surplus de puissance de 10 chevaux, de freins améliorés et d'une suspension souple améliorant sa conduite et sa tenue de route. Les acheteurs se virent proposer deux styles de carrosserie : coupé avec toit en acier ou roadster décapotable.

Cette voiture était portée par les exploits sportifs réalisés par la marque plus tôt durant la décennie et arborait sur son coffre un emblème proclamant « Vainqueur au Mans de 1951 à 1953 ». En 1956, la XK140 devint la première sportive de Jaguar à être proposée avec boîte de vitesses automatique, une option qui magnifia son potentiel sur le marché américain. **SB**

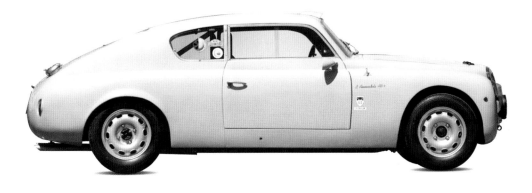

Aurelia B20 GT | Lancia

1955 • 2 451 cm³, V6 • 112 ch • 0-97 km/h en 12,3 s • 180 km/h

Quand Vincenzo Lancia, le fondateur de la marque, décéda d'une crise cardiaque en février 1937 à l'âge de 56 ans, son fils Gianni et sa veuve Adèle continuèrent de suivre son exemple. Ils débauchèrent le talentueux Vittorio Jano, un ingénieur de Ferrari, afin de l'atteler à la construction de l'impressionnante gamme de poids lourds de la marque. Durant la Seconde Guerre mondiale, la production des Lancia fut perturbée par l'Occupation, mais Jano poursuivit son travail de concepteur dans un endroit tenu secret à Padoue.

La gamme de berlines et de coupés Aurelia, dessinée par Jano, fut inaugurée en 1951 par la B10 et déclinée en six variations jusqu'en 1958. Chaque nouvelle version conservait une forme classique et bénéficiait d'améliorations en termes de performances et de finitions. La B20 GT, par exemple, bénéficia de six améliorations successives. Toutes ces voitures furent les premières à embarquer le premier moteur V6 de série et parmi les premières à être équipées de pneus à carcasse radiale. Mais parmi toutes les variantes produites, seul le coupé B20 GT 2 portes allait décrocher le titre de première Gran Turismo (GT) au monde. La B20 GT était considérée comme une « voiture de connaisseur », en raison de la participation du légendaire Sergio « Pinin » Farina, à qui elle devait sa superbe carrosserie, qui donnait au public un avant-goût des voitures du futur.

L'austérité de son intérieur, qui comportait un levier de vitesses monté sur colonne (un reliquat des berlines Lancia qui pouvait être remplacé par un levier fixé au plancher), n'empêcha pas le grand Juan Manuel Fangio (pilote professionnel de Ferrari et de Maserati) de décrire la B20 GT comme une voiture « exaltante ». **BS**

403 Décapotable | Peugeot

(F)

1955 • 1 468 cm³, S4 • 66 ch • 0-97 km/h en 20,8 s • 135 km/h

La Peugeot 403 est une vedette de cinéma des plus improbables, mais on peut en dire autant de Peter Falk, le lieutenant Columbo de la série homonyme des années 1970. La 403 incarnait la voiture de Columbo, mais elle apparut aussi dans d'innombrables films et séries TV, surtout en France, son pays d'origine, comme dans *À bout de souffle* (1960), *Bonjour tristesse* (1958), *Les Quatre Cents Coups* (1959), divers films et épisodes télévisés de Maigret, ainsi que dans la série animée *Les Aventures de Tintin* (1991-1992). Elle fit même une apparition dans *Bullitt* (1968), mais seulement en arrière-plan, derrière Steve McQueen, car la pauvre 403 aurait eu bien du mal à gérer les célèbres montées de San Francisco, sans parler de participer aux courses-poursuites du film.

La 403 de base, une berline rondelette, était disponible en plusieurs versions : berline 4 portes de base, break 5 portes et pick-up 2 portes. Cependant, la voiture de Columbo était probablement une 403 décapotable version 1959, choisie car elle n'avait rien à envier au célèbre imperméable de Columbo en termes d'audace et d'élégance. Selon certaines sources, Columbo aurait également conduit une version 1960 du même modèle, au titre de véhicule de rechange, mais il est quasiment impossible de différencier les deux versions.

Quand Columbo décrit sa voiture comme «très rare», il souligne par là le fait que seuls 504 exemplaires de cette décapotable furent produits en 1959. Cependant, 1,2 million de Peugeot 403 furent vendues au total. Peugeot se servit de l'image de Columbo dans ses campagnes publicitaires, bien que la production de la 403 ait cessé en 1966, soit deux ans avant le début de la diffusion de la série aux États-Unis. **MG**

507 | BMW

1955 • 3 168 cm³, V8 • 152 ch • 0-97 km/h en 8,8 s • 200 km/h

Max Hoffman, un homme d'affaires d'origine autrichienne vivant aux États-Unis, fit fortune alors qu'il était l'unique importateur de ce qu'on appelait à l'époque des véhicules «étrangers». Il voyait les États-Unis comme une échappatoire pour les constructeurs européens qui souffraient encore des effets de la dépression de l'après-guerre et son intuition sur ce qui était susceptible de plaire aux Américains était réputée. La Mercedes 300SL et la Porsche 356 Speedster avaient été inspirées par Hoffman et, en 1954, il persuada BMW de produire un roadster à prix modéré afin de concurrencer la 300SL. Hoffman souhaitait que sa création soit confiée au célèbre ingénieur et designer Albrecht Von Goertz.

Dévoilée en 1955 à New York, la BMW 507 de Von Goertz devint une nouvelle référence en matière de design automobile grâce à ses lignes classiques et à son large capot. La 507 joua un rôle important pour le constructeur allemand, qui tentait de s'extirper des ruines de l'après-guerre pour reconquérir sa place au sein des grandes marques européennes.

Bien que la 507 soit montée sur un châssis de 503, elle tranchait radicalement avec les modèles du passé. Son moteur était un nouveau V8 léger capable de développer 150 chevaux et chaque 507 était unique, car profilée à la main à partir d'une base en aluminium, avec des carrosseries si singulières que leurs toits ouvrants en tissu devaient être découpés sur mesure. Hélas, l'absence de chaîne d'assemblage rendait la 507 très coûteuse (deux fois le prix d'une Jaguar XK140) et on raconte que BMW perdit de l'argent sur chacun des 252 modèles produits. Elle n'en reste pas moins pour beaucoup la voiture la plus légendaire de la marque. **BS**

502 | BMW ⓓ

1955 • 2 580 cm³, V8 • 102 ch
0-97 km/h en 14,5 s • 160 km/h

Quand BMW dévoila sa nouvelle berline 501 lors du premier Salon de l'automobile de Francfort, en 1951, le premier modèle de luxe de la société impressionna tellement les visiteurs assoiffés de beauté qu'elle fut surnommée l'« ange baroque ». Cependant, il y avait un hic : son moteur 6 cylindres n'était pas assez puissant pour propulser convenablement une voiture de 1 440 kilos. En passe de perdre des parts de marché, BMW se mit en tête de créer un modèle dérivé de la 501 : la 502.

La 502 se déclinait en version berline 2 portes, 4 portes et cabriolet. Son moteur, conçu par Fritz Fiedler, ingénieur de longue date chez BMW, était le premier V8 en alliage léger produit en série et le premier V8 fabriqué en Allemagne depuis 1945. Un certain nombre de Super V8 avec compression augmentée et double carburateur, développant 162 chevaux, virent également le jour.

La BMW 502 bénéficiait d'équipements de luxe absents de la 501, comme des sièges avant individuels, des feux de brouillard et des décorations chromées supplémentaires. La 502, ce nouvel « ange baroque », était fort plaisante à regarder, mais elle n'était pas donnée – certains de ses superbes panneaux nécessitaient trois pressages pour être ajustés correctement – et seules 3 840 unités furent vendues, soit à peine un sixième des ventes escomptées par les dirigeants de BMW. **BS**

1955 | Chevrolet ⓤⓢⓐ

1955 • 4 343 cm³, V8 • 164 ch
0-97 km/h en 9,9 s • 176 km/h

Au tournant des années 1950, les constructeurs américains étaient en quête d'un véhicule combinant design, puissance et prix abordable. Chevrolet réalisa cet exploit avec sa Chevy 1955, aujourd'hui considérée comme l'une des voitures américaines les plus emblématiques. La 1955 se déclinait en trois versions : la 150, la 210 et la Bel Air. Au total, les trois modèles, tous équipés du même puissant V8, étaient disponibles en neuf configurations, de la berline 2 portes au break 6 places.

La Chevy 1955 est née sous la plume d'Edward Nicholas Cole et elle contribua à changer l'image et le destin de Chevrolet. Bien qu'elle soit moins longue et moins large que les Chevrolet précédentes, son design lui conférait une présence plus imposante.

La Chevy 1955 fit une carrière honorable au cinéma. Trois exemplaires furent produits spécialement pour le film *Macadam à deux voies* (1971) et l'un d'entre eux fut renforcé afin de pouvoir supporter des caméras filmant les acteurs en train de conduire. Ensuite, deux des trois voitures furent peintes en noir pour les besoins du film *American Graffiti* (1973) et l'une d'entre elles fit une apparition dans une scène d'accident. La carcasse fumante que l'on aperçoit à la fin du film n'était cependant qu'une épave prélevée dans une casse. **MG**

Super 88 | Oldsmobile (USA)

1955 • 5 309 cm³, V8 • 243 ch
0-97 km/h en 8 s • 176 km/h

Le nom Oldsmobile 88 existait depuis 1949, mais c'est le modèle de 1955 qui marqua le plus les esprits. La Chevrolet 1955, la Chrysler C-300, La Chrysler Imperial et la Studebaker Speedster, toutes des classiques, apparurent toutes la même année.

L'Oldsmobile 88 de 1949 embarquait un moteur V8 surnommé la «fusée». Ces voitures inspirèrent le tube *Rocket 88*. La première Oldsmobile Super 88, une version plus puissante et plus chère, fut lancée en 1951.

L'édition 1955 de la Super 88, qui embarquait un moteur encore plus imposant, égalait en élégance et en puissance les modèles rivaux, pour un prix inférieur. Elle arborait également un nouveau type de calandre, un pare-brise monopièce, des clignotants, des moulures en acier inoxydable, des écussons en forme de fusée, un rétroviseur moins réfléchissant (pour la nuit), un klaxon double trompe, un allume-cigare, des tapis de sol à l'avant et à l'arrière, et l'air conditionné en option. La même année, la société Oldsmobile fêta son cinq millionième véhicule vendu depuis sa fondation, en 1896.

Aujourd'hui, une Super 88 édition 1955 se vend environ 20 000 dollars. Non contente d'avoir inspiré une chanson, l'Oldsmobile 88 est apparue dans des films comme *Goldfinger* (1964), *Walk the Line* (2005) et *Pulp Fiction* (1994). **MG**

C-300 | Chrysler (USA)

1955 • 5 426 cm³, V8 • 228 ch
Inconnue • 206 km/h

Il y a de quoi se perdre dans la nomenclature de la série 300 de Chrysler. Le premier modèle s'appelait C-300. Il fut suivi de la 300B, puis la 300C et ainsi de suite jusqu'à la 300L en 1965. Il n'y eut cependant pas de 300I et la 300M ne vit le jour que 34 ans après la 300L.

La réussite de la C-300, composée de la partie avant d'une Imperial, du milieu d'une New Yorker et de l'arrière d'une Windsor, tenait du miracle. Son style était moderne grâce au designer Bob Rodger et elle en avait sous le capot. Elle embarquait un moteur plus imposant et offrait donc de meilleures performances que sa principale concurrente, la Chevy 1955.

La C-300 brilla plus sur les circuits que sur la route et elle permit à Chrysler de remporter le titre national du circuit NASCAR et le championnat de l'American Automobile Association. Les gens faisaient la queue dans les salles d'exposition pour apercevoir cette voiture novatrice, dont l'indicateur de vitesse atteignait le chiffre magique de 240 km/h. La C-300 était gourmande en carburant et son prix de 4 110 dollars la destinait tout naturellement à une clientèle aisée. Elle coûtait deux fois plus cher que la Chevy 1955. Seuls 1 725 exemplaires de C-300 furent produits la première année. En raison de sa rareté, elle est aujourd'hui très recherchée et tout aussi peu abordable qu'à ses débuts. **MG**

Sur cette photo, Cary Grant pose à bord d'une Isetta de 1955 lors d'une visite à Munich.

Isetta 250 | BMW (D)

1955 • 247 cm³, monocylindre • 13 ch
0-48 km/h en 30 s • 85 km/h

L'Isetta était une voiture des plus insolites : vitres bombées, toit en toile pour la ventilation et une porte unique qui s'ouvrait vers l'avant en emportant le volant avec elle. BMW fit de cette 2 places un succès lors de son lancement en avril 1955. Elle était déjà commercialisée en Italie depuis deux ans par la firme italienne Iso SpA.

Le géant allemand avait acheté une licence et des outils afin de pouvoir produire ce véhicule et l'avait modifié pour l'adapter à son propre moteur de moto 6 cylindres de 247 cm³. Baptisée Isetta 250, la voiture ainsi obtenue pouvait être conduite avec un simple permis moto. Dix mille exemplaires furent produits en moins de dix mois pour le marché allemand. Quand la production fut interrompue en mai 1962, plus de 160 000 exemplaires avaient été vendus.

Une version équipée d'un plus gros moteur et baptisée Isetta 300 fut lancée durant l'automne 1956, suivie un an plus tard d'une version 4 places baptisée 600 ; cette dernière conserva la porte à ouverture avant. La 600 souffrit de la concurrence de la Coccinelle de Volkswagen et ses ventes ne décollèrent pas.

L'Isetta remporta un grand succès dans le monde entier et fut produite en Espagne, en France, au Brésil et au Royaume-Uni, où des exemplaires furent fabriqués pour le National Health Service (l'institution britannique de la santé publique) et offerts aux handicapés en fauteuil roulant afin d'améliorer leur mobilité.

L'attrait de l'Isetta lui a valu une popularité durable auprès des collectionneurs. L'approche simple et économique de la BMW, tant en termes de prix que de consommation, a poussé de nombreux constructeurs actuels à envisager la production de modèles équivalents. **RY**

Karmann Ghia | Volkswagen (D)

1955 • 1 192 cm³, F4 • 31 ch
0-97 km/h en 25 s • 115 km/h

La Karmann Ghia intégrait le génie mécanique de Volkswagen, le talent du carrossier Karmann et des lignes signées Ghia, célèbre société italienne.

Au début des années 1950, la légendaire Coccinelle de Volkswagen se vendait bien, mais les dirigeants de la société voulaient créer une nouvelle version pour incarner le fleuron de la gamme. Ils embauchèrent Karmann qui impliqua à son tour Ghia et, ensemble, ils créèrent la Type 14, qui fit ses débuts sous la forme d'une concept car sur le stand Ghia durant l'édition 1953 du Salon de l'automobile de Paris. Son concepteur était Luigi Segre, qui participa l'année suivante au développement de la Renault Dauphine.

L'idée d'une configuration « 2 + 2 » (2 sièges à l'avant et 2 sièges à l'arrière) pour les coupés comme pour les décapotables fut bien accueillie par Volkswagen et, en août 1955, le premier coupé de série franchit les portes de l'usine. Son style élégant séduisit le public et 10 000 exemplaires furent vendus durant la première année. Les clients, qui étaient disposés à ignorer qu'il s'agissait pour l'essentiel d'une Coccinelle avec une nouvelle carrosserie, l'appréciaient davantage pour son design intemporel que pour sa tenue de route.

La version cabriolet, sortie en 1957, connut la gloire une décennie plus tard aux États-Unis quand son nom s'afficha au générique de la très populaire comédie d'espionnage *Max la Menace*.

Plus de 445 000 Karmann Ghia furent produites en Allemagne avant son remplacement par la Scirocco, en 1974. De 1962 à 1974, la filiale brésilienne de Karmann en produisit 41 000 exemplaires supplémentaires pour le marché sud-américain. **RY**

1945–1959 217

Série 3100 | Chevrolet

(USA)

1955 • 4 343 cm^3, V8 • 125 ch • Inconnue • 192 km/h

Quand Chevrolet dévoila sa nouvelle gamme de pick-up en 1947, la société utilisa l'expression « *Advance Design* » (« à la pointe du design »). Leur cabine était plus haute et plus large et leur banquette pouvait pour la première fois accueillir trois personnes. Ces pick-up étaient équipés d'un chauffage et d'un dégivreur, considérés à l'époque comme un équipement de luxe pour une voiture et *a fortiori* pour un pick-up. Les Américains ont toujours adoré les pick-up et, avec les modèles Advance Design de 1947, Chevrolet s'était affirmé comme le leader américain de ces véhicules.

La série Chevrolet 3100 Task Force, lancée en 1955, comportait des équipements inédits pour un pick-up de la marque comme la direction et le freinage assistés, un pare-brise enveloppant (inédit pour ce type de véhicule) et surtout un puissant nouveau moteur V8. Une étoile était née. Loin de se satisfaire de leur statut d'utilitaire très coriace, ces monstres étaient capables d'atteindre des vitesses à faire pâlir bien des voitures. Les ventes explosèrent et de nombreux Américains les adoptèrent tant pour leur travail que comme principal véhicule familial.

Les nouveaux 3100 avaient un look aussi sympathique qu'élégant, avec leur calandre alvéolée et leurs phares s'apparentant pour la première fois à des phares de voiture. Vendus 1 619 dollars, ils étaient plus qu'abordables, tout particulièrement pour des familles vivant en milieu rural, qui avaient jusqu'ici l'habitude d'utiliser un pick-up en plus d'une voiture familiale. Ils étaient également très durables et il n'est pas rare de trouver aujourd'hui des pick-up Chevy 3100 Task Force restaurés avec amour. **MG**

Bel Air Nomad | Chevrolet (USA)

1955 • 3 859 cm³, S6 • 142 ch • 0-97 km/h en 16,8 s • 138 km/h

La sortie de la Chevrolet Bel Air, en 1950, avait défrayé la chronique. Vendue à un prix compétitif, elle était présentée comme idéale pour la conduite en toute saison : son toit pouvait être rabattu en été, mais ses occupants pouvaient profiter de tous les avantages d'un toit rigide durant l'hiver. La Bel Air rencontra un succès relatif, suffisant en tout cas pour que la production se poursuive durant les années suivantes.

Le grand changement se déroula en 1955 quand elle hérita d'un tout nouveau design qui la plaça résolument dans le camp des décapotables. Un nouveau modèle révolutionnaire, qui représentait une nouvelle tentative de Chevrolet de fusionner deux types de voitures, vit aussi le jour. La Bel Air Nomad était une combinaison de hard-top et de break. Personne n'avait jamais rien vu de tel et il s'agissait pour Chevrolet d'un pari très risqué.

Pour un prix modeste de 2 571 dollars, ce break offrait aux automobilistes américains un véhicule plus ou moins conventionnel, avec cependant de l'espace supplémentaire pour les enfants, les bagages, les provisions et d'autres objets plus encombrants à l'arrière. Mais il y avait un hic : la chaleur étouffante qui régnait dans sa cabine, transformée en une véritable serre par ses larges vitres dès que le soleil se montrait.

Seuls 8 386 exemplaires furent vendus durant la première année et les ventes ne cessèrent de baisser année après année. Cependant, la carrière de la Bel Air Nomad se poursuivit jusqu'en 1965.

La marque Nomad, très appréciée, était néanmoins devenue synonyme de qualité et Chevrolet la ressuscita durant les années 1990 pour sa gamme de fourgonnettes Nomad. **MG**

Fireflite | DeSoto

USA

1955 • 4 769 cm³, V8 • 203 ch • 0-97 km/h en 11 s • 175 km/h

Lancée en 1955, la Fireflite fut l'une des voitures qui fit connaître DeSoto dans le monde de l'automobile. L'autre fut l'Adventurer, lancée en 1956. La marque DeSoto avait été fondée par Walter Chrysler en 1928 et ces deux modèles s'inscrivaient dans le cadre d'un projet baptisé «Forward Look» («vision prospective»), conçu par Virgil Exner, un designer de Chrysler, pour moderniser la gamme de la société. Jusqu'à l'arrivée de la Fireflite, DeSoto était l'une des marques les plus sages de Chrysler.

Exner mit notamment l'accent sur les ailettes arrière de la nouvelle Fireflite, qui la distinguaient de ses concurrentes. Exner opta également pour des carrosseries bicolores, avec des combinaisons saisissantes, ornant souvent ses voitures d'une bande latérale noire, blanche ou rouge comme pour souligner leur vitesse.

Dans le cas de la Fireflite, l'artifice visuel des bandes «de vitesse» était amplement justifié par la puissance du véhicule. Cette année-là, DeSoto augmenta la puissance

de ses voitures en remplaçant ses moteurs 6 cylindres par des 8 cylindres. Elles bénéficièrent aussi d'une exposition médiatique considérable, car Chrysler sponsorisait depuis 1950 l'émission radiophonique de Groucho Marx, *You Bet Your Life*. Quand l'émission fut transposée à la télévision, il était prévu que Groucho déclare : « Mes amis… allez donc rendre visite à votre concessionnaire DeSoto-Plymouth demain. Et n'oubliez pas de lui dire que c'est Groucho qui vous envoie. »

Cette réplique ne fit sans doute pas honneur à ce maître de la comédie, mais elle dynamisa les ventes de DeSoto. La Fireflite de 1955 se vendit à plus de 37 000 exemplaires et la version 1956, qui embarquait un moteur plus puissant, à 31 000 exemplaires. Toujours en 1956, une magnifique décapotable blanc et or servit de voiture de tête durant l'Indianapolis 500. Hélas, la Fireflite fut progressivement abandonnée en 1957 et remplacée par une refonte de l'Adventurer. **MG**

Crown Victoria | Ford

USA

1955 • 3 654 cm³, S6 • 122 ch • Inconnue • Inconnue

En lançant sa gamme de voitures pour l'année 1955, Ford se répandit en louanges sur leurs carrosseries dynamiques. Leurs lignes fluides et leurs phares proéminents produisaient, semble-t-il, une impression de vitesse.

Ce genre d'artifice donne une idée de la compétition qui faisait rage entre les constructeurs américains durant les années 1950. Pour prendre l'avantage sur ses rivaux, Ford était prêt à tous les stratagèmes. Ce fut l'année des carrosseries bicolores, des pare-brise enveloppants et des enjoliveurs en forme de soucoupe volante.

La Crown Victoria, plus basse que la Ford Victoria de base, mesurait moins de 1,5 mètre du toit au plancher et son pare-brise panoramique provenait d'une décapotable. Son moteur de base était un 6 cylindres en ligne de 3,6 litres, mais il y avait d'autres options, comme le puissant V8 de 4,8 litres qu'elle partageait

avec la légendaire Thunderbird. Cependant, la Crown Victoria se distinguait avant tout par le « diadème » qui ornait son toit. Cette moulure chromée, également surnommée « anse de panier », traversait le toit de part en part, comme pour marquer une séparation entre le compartiment du conducteur et les passagers à l'arrière.

Le toit rabaissé de la Crown Victoria donnait également l'impression que la voiture était plus longue qu'elle ne l'était vraiment. En réalité, tous les modèles mis sur le marché par Ford en 1955 faisaient la même longueur.

Une des versions de la Crown Victoria, la Skyline, comportait une portion de toit en acrylique transparent. Ses ventes furent décevantes, particulièrement sous le climat chaud des États du sud des États-Unis. Cependant, un nombre conséquent de modèles se vendit en Suède, où le soleil n'était pas un problème. **JI**

410 Superamerica | Ferrari

(I)

1955 • 4 963 cm³, V12 • 406 ch • 0-97 km/h en 6,6 s • 265 km/h

Comment vendre davantage de voitures de sport italiennes de l'autre côté de l'Atlantique ? En les faisant plus imposantes, plus luxueuses et, surtout, en les baptisant « America », bien sûr ! Tel était en tout cas le but de Ferrari, en lançant une série de voitures de tourisme sportives durant les années 1950 et 1960. Leur nom était américain, mais le style visuel et la qualité de construction de ces véhicules tout comme les luxueux équipements étaient typiquement européens.

Elle fut adoptée notamment par Sandra West, héritière d'une fortune pétrolière du Texas, qui précisa dans son testament qu'elle voulait être enterrée à l'intérieur de sa voiture. Sa famille respecta son vœu, mais fit recouvrir la voiture de béton pour décourager les voleurs.

Le véhicule le plus emblématique de la série était la 410 Superamerica, encore plus puissante que les modèles America, déjà très rapides. Son prix était à la hauteur de ses performances. La 410 coûtait 16 800 dollars, soit presque le double du prix d'une Mercedes 300SL et trois fois celui d'une Corvette. La liste des propriétaires de la 410 était à la hauteur de son prix : le shah d'Iran, l'Aga Khan, Gianni Agnelli, Enzo Ferrari, Nelson Rockefeller, etc.

La 410 était une voiture très rapide. Son moteur V12 de 5 litres, équipé d'un triple carburateur Weber, développait jusqu'à 406 chevaux et pouvait passer de 0 à 97 km/h en 6,6 secondes. Elle affichait une vitesse de pointe de 265 km/h, une performance ahurissante pour la fin des années 1950. Comme le disait l'un de ses propriétaires : « Quand on appuie sur la pédale, il ne reste plus qu'à espérer que la route suive le même chemin que la voiture. » **SH**

Silver Cloud | Rolls-Royce (GB)

1955 · 4 900 cm³, S6 · 157 ch
0-97 km/h en 13,5 s · 165 km/h

La Silver Cloud de Rolls-Royce resta pendant onze ans le véhicule le plus prestigieux produit dans l'usine de la société, à Crewe. Environ 737 exemplaires furent fabriqués entre avril 1955 et mars 1966.

Sa carrosserie, dessinée par J. P. Blatchley, représentait une évolution majeure par rapport à celle du modèle précédent, la Silver Dawn, et à toutes les Rolls-Royce qui l'avaient précédée. La Silver Cloud fut la dernière Rolls-Royce produite de manière traditionnelle, avec un châssis en acier à section en caisson dont les différents éléments étaient soudés pour plus de rigidité, sous une carrosserie en acier et en aluminium. Les Rolls-Royce suivantes comportaient une carrosserie monocoque plus moderne. La Silver Cloud embarquait à l'origine un moteur 6 cylindres en ligne, mais l'arrivée de la Mark II en 1959, avec son V8 de 6,2 litres, changea la donne.

Traditionnellement, les Rolls-Royce étaient l'apanage des têtes couronnées, des aristocrates et des riches industriels. Après la Seconde Guerre mondiale, elles devinrent accessibles à une plus large clientèle. Le plus célèbre propriétaire d'une Silver Cloud fut sans doute Elvis Presley, qui avait un penchant pour les véhicules d'occasion. Ainsi, la Silver Cloud achetée par le King avait déjà eu trois propriétaires : un acteur et deux musiciens de country. **SB**

MGA | MG (GB)

1955 · 1 498 cm³, S4 · 69 ch
0-97 km/h en 16 s · 157 km/h

La MGA, lancée en 1955, tranchait radicalement avec les MG précédentes. Ses lignes élégantes remportèrent un succès immédiat, particulièrement à l'étranger. Pour ne pas rompre l'harmonie de ses flancs profilés, elle ne comportait pas de poignées de porte extérieures. La 2 portes existait en version coupé, mais c'est la MGA décapotable, avec ses roues à rayons et son toit en tissu, qui ouvrit la voie aux nouveaux roadsters britanniques.

Sous cette apparence raffinée se trouvait un moteur emprunté à la berline MG Magnette, qui entraînait les roues arrière par l'entremise d'une boîte 4 vitesses manuelle. Son plancher surbaissé lui conférait un centre de gravité plus bas. La version 1958 embarquait un moteur à double arbre à cames plus puissant (108 chevaux) et des freins à disque au lieu de freins à tambour. Son temps d'accélération était quasiment divisé par deux. La MGA fut produite jusqu'en 1962, date à laquelle elle fut remplacée par la MGB.

La MGA remporta un succès considérable et fut adoptée par de nombreux Américains. Le petit roadster devint l'une des voitures britanniques les plus massivement exportées outre-Atlantique. En 1962, Elvis Presley poussa la chansonnette à l'arrière d'une MGA rouge dans le film *Sous le ciel bleu de Hawaï* et elle est aujourd'hui exposée à Graceland, son ancienne propriété. **BK**

TR3 | Triumph GB

1955 • 1 991 cm³, S4 • 97 ch
0-97 km/h en 10,8 s • 169 km/h

Au début des années 1950, la société Standard-Triumph, basée à Coventry, produisit des berlines sous la marque Standard et des voitures de sport estampillées Triumph. La Triumph TR3 était conçue pour concurrencer une voiture du constructeur MG, la MGA 1500. Une version mise à jour et produite à partir de 1957 fut surnommée TR3A, un nom qu'elle ne porta cependant jamais officiellement.

La TR3 de base était une décapotable 2 places, à laquelle on pouvait ajouter un siège arrière d'appoint et un toit rigide en acier. La TR3 se distinguait par sa calandre alvéolée de style «petite bouche», qui fut ensuite agrandie afin d'améliorer l'arrivée d'air dans le moteur. La TR3A est donc reconnaissable à sa calandre «grande bouche». Elle fut également équipée de freins à disque à l'avant, devenant ainsi la première voiture britannique de série à les proposer en standard. Elle hérita également de poignées extérieures et d'un coffre à serrure qui faisaient tous deux défaut à la TR3 de 1955.

La TR3 devint célèbre dans le monde entier. Elle était considérée comme un modèle relativement simple, fiable et abordable, qui affichait une touchante insouciance. Produite à Coventry, elle était également assemblée en Belgique, en Afrique du Sud et en Australie. Elle se vendit particulièrement bien aux États-Unis. **SB**

Speedster | Studebaker USA

1955 • 4 244 cm³, V8 • 188 ch
0-97 km/h en 10 s • 176 km/h

Seuls 2 215 exemplaires de la Studebaker Speedster furent produits en 1955. À défaut d'enflammer la planète, elle marqua cependant les esprits. Son nom complet était Studebaker President Speedster, car elle appartenait à la gamme President de la société qui, comme son nom l'indiquait, rassemblait des véhicules haut de gamme robustes et fiables. (Le nom President fut finalement abandonné par Studebaker en 1958.) Studebaker, qui voulait préserver son caractère haut de gamme tout lui donnant un look beaucoup plus sportif, l'équipa de calandre et de pare-chocs plus imposants, comme le faisaient les autres constructeurs de l'époque.

La Studebaker Speedster coûtait 3 252 dollars, bien plus que le modèle President de série, car elle intégrait en standard de nombreux équipements «de luxe» qui n'étaient proposés qu'en option pour le modèle de base, comme une radio, un allume-cigare, une horloge, un essuie-glace deux vitesses et des garnitures en cuir.

Ces voitures étaient proposées en version bicolore ou tricolore. À l'époque, la combinaison citron/citron vert fut tournée en dérision et les assemblages gris/blanc et bleu clair/bleu sombre ont surpris. Mais qu'on les juge inspirés ou non, ils contribuent à donner à ces voitures un look rétro aujourd'hui très recherché. **MG**

DS Safari | Citroën (F)

1955 • 2 175 cm³, S4 • 100 ch • Inconnue • 163 km/h

La Citroën DS (un jeu de mots sur le terme «déesse») est considérée comme l'une des plus belles voitures jamais créées par le constructeur français. Cette voiture innovante fut lancée en 1955, à une époque où le terme «aérodynamique» ne faisait pas partie du vocabulaire courant des designers. Son design, qui en séduirait aujourd'hui plus d'un, était carrément révolutionnaire pour un véhicule sorti une décennie à peine après la fin de la Seconde Guerre mondiale.

Les entrailles de la DS, tout aussi futuristes que son apparence, eurent une influence majeure sur l'évolution technologique de l'automobile. Elle était dotée de suspensions hydropneumatiques (qui allaient devenir l'une des caractéristiques de la marque), d'une boîte de vitesses semi-automatique avec commandes situées autour du volant et de freins à disque assistés.

La version break, baptisée DS Safari, était un véritable monstre mesurant près de cinq mètres de long. Malgré sa taille gigantesque, elle jouissait d'une excellente tenue de route grâce à ses suspensions sophistiquées qui la maintenaient à une hauteur constante, même avec une famille complète à bord. Son énorme coffre abritait deux sièges pliants supplémentaires tournés vers l'arrière, qu'il suffisait de relever pour disposer de 7 places. Les rideaux des vitres arrière permettaient de transformer le compartiment arrière en une spacieuse chambre à coucher et certaines Safari furent même converties en ambulances.

La Citroën DS apparut dans de nombreux films et de nombreuses séries télévisées des années 1960 et 1970. Aujourd'hui encore, le personnage principal de la série *Mentalist* utilise comme véhicule personnel l'un des tout derniers modèles de DS. **JI**

600 | Fiat (I)

1955 • 633 cm³, S4 • 21 ch • Inconnue • 95 km/h

Conçue au début des années 1950, la Fiat 600 était une «voiture populaire» à l'italienne. Fiat, à qui les succès de la Coccinelle en Allemagne et de la 2CV en France n'avaient pas échappé, souhaitait produire à son tour un modèle bon marché accessible à la majorité des Italiens. Les ouvriers qui fabriquaient la «Seicento», comme on l'appelait en Italie, devaient pouvoir se l'offrir.

La 600 fut donc la voiture qui permit aux Italiens d'accéder à l'automobile. Il fallut quatre ans au célèbre ingénieur Dante Giacosa pour développer cette petite 4 places légère, qui devint la première Fiat dotée d'un moteur arrière. Lancée lors du Salon de l'automobile de Genève en 1955, elle suscita un vif émoi. Au même moment, Fiat créa l'événement en garant des centaines d'exemplaires dans les rues de toutes les villes italiennes.

L'Italie, qui se remettait tout juste de la Seconde Guerre mondiale, entrait dans une nouvelle phase de son histoire sociale et politique. La Fiat 600 symbolisait l'espoir en l'avenir et elle s'imposa rapidement comme une marque de prestige au sein de la société italienne. Une célèbre affiche de l'époque, signée Felice Casorati et représentant la voiture avec à l'arrière-plan une vue nocturne de Turin, le fief de Fiat, contribua à renforcer son image de marque.

Petite et légère, la Fiat 600 devait son nom à son moteur de 0,6 litre. Elle ne mesurait que 3,2 mètres de long et ne pesait que 585 kilos. Son moteur était refroidi à l'eau et elle était dotée d'une boîte de vitesses à 4 rapports. Une version légèrement plus puissante de 767 cm³ fut également produite. Bien qu'elle ait depuis été détrônée par la Fiat 500, son héritière, la 600 fut un immense succès pour Fiat, qui produisit un million d'exemplaires en l'espace de six ans. **SB**

DS | Citroën

(F)

1955 • 1 911 cm³, S4 • 76 ch • 0-97 km/h en 23,3 s • 139 km/h

Le 22 août 1962, le général Charles de Gaulle traversait la ville de Clamart quand des terroristes ouvrirent le feu sur sa voiture à l'aide de fusils mitrailleurs. La grosse Citroën, dont la carrosserie et les pneus avaient pourtant été criblés de balles, parvint à quitter rapidement les lieux sans que quiconque soit sérieusement blessé.

Dévoilée lors du Salon de l'automobile de Paris en 1955 et présentée comme l'héritière de la Traction avant, la DS fit sensation. Près de 750 commandes furent prises durant les 45 premières minutes, pour un total de 12 000 commandes à la fin de la journée.

Aujourd'hui, ses flancs lisses et ses lignes de fuite semblent d'un absolu classicisme, mais à l'époque, ce look futuriste représentait une sérieuse prise de risques. Elle remporta pourtant un succès colossal auprès du public. Sa production fut interrompue au bout de 20 ans

et après un million et demi d'exemplaires fabriqués, pour céder la place à la CX. Elle fut commercialisée aux États-Unis de 1956 à 1972, sans grand succès, car il lui manquait des fonctionnalités prisées des automobilistes américains, comme une boîte de vitesses automatique.

Tout au long des années 1950, elle repoussa les limites de la technologie et du confort automobile, en particulier grâce à son unité d'alimentation hydraulique haute pression qui fournissait l'énergie indispensable à plusieurs fonctions essentielles, comme les suspensions hydropneumatiques, capables de maintenir une garde au sol constante quelle que soit la charge – une véritable révolution. Ce système garantissait ainsi plus de confort grâce à la direction assistée et une sécurité accrue grâce au freinage à disque assisté à l'avant, une autre première pour une voiture produite à grande échelle. **RY**

190SL | Mercedes-Benz   (D)

1955 • 1 897 cm³, S4 • 104 ch • 0-97 km/h en 12,4 s • 180 km/h

Si Max Hoffman ne s'en était pas mêlé, la Mercedes 190SL n'aurait peut-être jamais vu le jour. Hoffman avait quitté son Autriche natale pour s'installer aux États-Unis, où il était devenu un des plus grands importateurs de voitures européennes.

Quand Mercedes annonça la 300SL, Hoffman accepta de la vendre, mais il demanda à la société si elle pouvait également lui fournir une voiture moins chère avec un moteur plus modeste que le 3 litres de la 300SL. Mercedes produisit donc la 190SL pour le réseau de distribution américain de Hoffman. La 190 tirait son nom de son moteur de 1,9 litre et le SL des deux modèles signifiait *Sports Lightweight* (« sportive légère »).

L'excellent accueil réservé à un prototype dévoilé lors du Salon de l'automobile de New York de 1954 avait encouragé Mercedes à lancer la production. Le modèle de série était prêt pour le Salon de Genève en 1955. Le fait qu'elle ait continué à se vendre jusqu'en 1963, avec un total de 26 000 exemplaires écoulés sur huit ans, permet de comprendre pourquoi Hoffman avait la confiance de constructeurs comme Mercedes-Benz.

La 300SL resta également en production jusqu'en 1963 et Mercedes en vendit 3 258 durant la même période, en perdant apparemment de l'argent sur chacune d'entre elles. La 300SL était sans doute plus rapide (il s'agissait en fait de la voiture de série la plus rapide de l'époque), mais de peu. La 190SL était tout sauf molle et possédait une bonne accélération. Quant au look des deux véhicules, il était très similaire. La 190SL consommait moins de carburant, et son atout majeur résidait dans son prix de seulement 3 998 dollars, contre 7 460 dollars pour la 300SL. Hoffman avait vu juste. **MG**

Imperial | Chrysler

USA

1955 • 5 426 cm³, V8 • 227 ch • 0-97 km/h en 12 s • 205 km/h

Les Chrysler Imperial existaient depuis 1926, mais en 1955, la société décida de repositionner ce modèle en le rebaptisant tout simplement Imperial. Chrysler doubla ainsi les ventes par rapport à la version 1954.

L'Imperial était une voiture puissante et robuste, au point d'être interdite de compétition dans nombre de «derbys de démolition», très populaires à l'époque, car elle était quasi indestructible. La version 1957 se distinguait également comme la voiture américaine la plus large jamais produite (2,07 mètres).

L'Imperial apparut dans de nombreux films, en particulier ceux d'Elvis Presley, comme *Le Rock du bagne* (1957), *Blondes, brunes, rousses* (1963) et *Bagarres au King Creole* (1958). On l'aperçoit également dans *Blade Runner* (1982), *Le Parrain II* (1974), *Diamants sur canapé* (1961) et *Indiana Jones et le royaume du crâne de cristal* (2008).

L'Imperial 1958 fut la première voiture équipée d'un régulateur de vitesse, alors baptisé Auto-Pilot, inventé par Ralph Teetor, un ingénieur en mécanique aveugle. À partir de 1959, l'Imperial commença enfin à surclasser la Lincoln en termes de ventes, un exploit qu'elle répéta l'année suivante. Cependant, la refonte un brin excentrique de l'édition 1960 ne remporta pas l'adhésion du public et les ventes chutèrent à nouveau, laissant la Lincoln reprendre le dessus.

Deux limousines Imperial de 1972 furent achetées par le *Secret Service* américain (le service de protection rapprochée de la présidence) et utilisées lors des cérémonies d'investiture des présidents Ford, Nixon, Carter et Reagan. L'Imperial resta en production jusqu'en 1982, mais son prestige n'égala jamais celui de certaines voitures de l'époque. **MG**

Adventurer | DeSoto

USA

1956 • 5 595 cm³, V8 • 323 ch • 0-97 km/h en 8,7 s • 230 km/h

Lancée en 1956, la puissante Adventurer de DeSoto pouvait passer de 0 à 97 km/h en moins de 9 secondes et son nouveau chauffage était capable de passer de −18 à 38 °C en 15 secondes. Elle accueillait sous son tableau de bord une platine capable de lire des disques 33 tours. Cette option ne tarda pas à disparaître, car il suffisait d'une bosse sur la route pour faire sauter la lecture. Cela n'empêcha pas l'édition 1960 de l'Adventurer de proposer une platine dédiée aux 45 tours légèrement moins vulnérable aux aléas de la route.

DeSoto, une filiale de Chrysler, existait depuis 1929, mais la marque n'avait jamais vraiment été au goût du jour, pas plus que ses voitures n'avaient tiré leur épingle du jeu. Cela changea en 1955 et en 1956, avec les modèles Fireflite et Adventurer. L'Adventurer fut initialement proposée en édition limitée hard-top

2 portes. Chacun des 996 exemplaires produits durant la première année se vendit. Pour 3 678 dollars, la voiture proposait une calandre et des enjoliveurs plaqués or ainsi qu'un moteur plein de fougue. Elle atteignit une vitesse de 219 km/h sur le circuit de Daytona Beach et de 230 km/h sur l'une des pistes d'essai que possédait Chrysler aux États-Unis.

L'Adventurer proposait aussi des fonctionnalités comme la direction et le freinage assistés ainsi que des sièges et vitres électriques. Elle subit une refonte en 1957 avec l'ajout d'ailerons à l'arrière. Elle se vendit à 1 950 exemplaires au cours de cette seconde année, mais DeSoto souffrit des effets de la récession et d'une concurrence de plus en plus acharnée et les ventes plongèrent à nouveau. DeSoto décida de mettre un terme à l'aventure de l'Adventurer en 1960. **MG**

M-72 Pobeda | GAZ ⬭SU

1956 • 2 120 cm³, S4 • 52 ch • Inconnue • 90 km/h

La GAZ M-20 Podeba («victoire» en russe), une berline 4 portes de type *fastback*, fut produite entre 1946 et 1958. C'était la première voiture soviétique équipée de clignotants, d'un chauffage électrique, d'essuie-glaces et d'un allume-cigare. Selon GAZ, ses nouvelles M-20 étaient «aussi résistantes qu'un coffre-fort et aussi simples qu'une bicyclette».

Au milieu des années 1950, un petit nombre de carrosseries monocoques de M-20 furent prélevées, reconstruites puis greffées sur le 4 x 4 GAZ M-69, un camion tout-terrain conçu pour l'armée soviétique. Le résultat, baptisé M-72, fusion triomphale d'une carrosserie de M-20 avec les capacités tout terrain d'un GAZ-M69, était un exemple typique du génie soviétique des années 1950. Il fallut seulement trois jours aux ingénieurs soviétiques pour comprendre comment renforcer la carrosserie pour l'adapter à son nouveau rôle, mais ils ne parvinrent pas à corriger son physique disgracieux. Le M-72 était doté de jantes surdimensionnées qui lui conféraient une garde au sol exceptionnelle, mais sa carrosserie de berline 2 portes était si surélevée qu'il fallait presque un escabeau pour y accéder. Néanmoins, cette carrosserie fermée et compartimentée était plutôt confortable, avec une visibilité exceptionnelle vers l'avant et sur les côtés. Son étroite vitre arrière était cependant tellement haute qu'elle offrait une meilleure vue sur le ciel que sur la route.

Ce véhicule hybride remporta l'adhésion du public et fit date dans l'histoire de l'automobile. Si l'on en croit la propagande soviétique typique de la guerre froide, l'URSS venait juste d'inventer le premier véhicule utilitaire sportif tout-terrain, ou SUV, digne de ce nom. **BS**

Zodiac Mark II | Ford ⬭GB

1956 • 2 553 cm³, S6 • 87 ch
0-97 km/h en 17,1 s • 142 km/h

Il fut un temps, durant les années 1950 et 1960, où les modèles britanniques et européens de Ford ressemblaient à des versions miniatures de leurs cousins américains. La Ford Zodiac en offre un bel exemple. Avec sa partie avant pentue et ses ailes arrière, son pare-brise arrière enveloppant et sa carrosserie bicolore, elle avait tout d'une mini-américaine.

La Zodiac fut lancée au Salon de l'automobile de Londres, à Earl's Court, en 1953. Elle se distinguait de ses homologues britanniques et européennes par sa peinture bicolore, ses nombreux chromes décoratifs et ses phares, mais il fallut attendre la version Mark II de 1956 pour qu'elle adopte des traits résolument américains.

Elle était propulsée par un moteur 6 cylindres en ligne de 2,5 litres qui lui permettait d'atteindre une vitesse maximale de 142 km/h. La carrosserie de la Mark II était plus anguleuse, avec une partie arrière plus stylisée, un écusson doré et des enjoliveurs chromés. Les feux de brouillard chromés de l'original furent abandonnés, mais on conserva la peinture bicolore.

La Zodiac fut pour la première fois proposée dans une version décapotable – avec un toit amovible trois positions motorisé. Entre autres équipements de luxe, elle comportait des garnitures en cuir, des pneus à flancs blancs et même une radio.

La pratique consistant à couper le toit d'une berline pour la transformer en décapotable provoquait souvent des problèmes structurels, ce qui explique que si peu de décapotables Zodiac ont survécu. Cela n'empêcha pas une version légèrement endommagée, appartenant à un dessinateur de la série de BD *Dan Dare*, d'être vendue aux enchères pour environ 7 000 livres. **JI**

The Autocar
31 MAY 1957

BRITISH CARS AND ACCESSORIES

1/-

The Autocar

FOUNDED 1895

LARGEST CIRCULATION

rain or shine

BY APPOINTMENT
TO HER MAJESTY THE QUEEN
MOTOR VEHICLE MANUFACTURERS
FORD MOTOR COMPANY LTD

Zodiac Convertible

Zephyr and Consul also available

NOW, more than ever it's FORD

'5-STAR' MOTORING · THE BEST AT LOWEST COST

TC 108G │ Alvis (USA)

1956 • 2 993 cm^3, S6 • 106 ch
Inconnue • 161 km/h

Dès 1926, Alvis se mit à fabriquer des voitures de course à traction avant destinées aux Grands Prix ; elle fut la première société à mettre sur le marché une voiture sportive à traction avant. À la fin des années 1920, elle mit au point un système de suspension intégrale et indépendante, 30 ans avant son «introduction» vers la fin des années 1950 dans la Mini.

En 1956, Alvis décida de se réinventer et de se débarrasser de son image de constructeur aux carrosseries pataudes et dépassées. Dans l'Europe d'après-guerre, l'art de la carrosserie personnalisée était en voie de disparition, mais il lui restait tout de même plusieurs designers hors du commun, dont le carrossier suisse Graber, à qui l'on devait la Bentley Mark VI. Graber créa pour Alvis un coupé 2 portes aux superbes lignes modernes. Les carrosseries, montées sur des châssis d'Alvis TC 21, une voiture de tourisme sportive, furent produites par Willowbrook à Loughborough.

La TC 108G offrait une conduite très souple et silencieuse grâce à son plancher en contreplaqué avec liant résineux et aux couches de mousse de caoutchouc qui recouvraient ses sièges Connolly en cuir strié. Cependant, bien qu'il s'agisse d'une 2 portes sportive capable d'atteindre 161 km/h, seuls seize exemplaires furent produits, à la main. **BS**

503 │ BMW (D)

1956 • 3 168 cm^3, V8 • 140 ch
0-97 km/h en 10,4 s • 190 km/h

La BMW 503 représentait le haut de gamme de BMW durant les années 1950. Elle fut lancée en 1956 et produite à un peu plus de 400 exemplaires, 273 coupés et 129 décapotables, en près de trois ans.

La 503 a été dessinée par Albrecht Goertz, qui avait débuté sa carrière de designer automobile après avoir émigré aux États-Unis. Sur place, Goertz avait fait la connaissance de Max Hoffman, un importateur autrichien de voitures, qui le mit en contact avec BMW. Goertz a dessiné la 503 ainsi que la 507 en 1955.

La BMW 503 était conçue pour concurrencer la Mercedes 300SL, qui était cependant bien plus rapide. Elle ne pouvait pas non plus rivaliser en termes de prix et se trouvait, par ailleurs, partiellement éclipsée par sa grande sœur, la 507.

L'élégant design de la 503, qui comportait un toit amovible à commande électronique – une première –, fit l'objet de nombreuses louanges. Elle se vendit mieux que la 507, mais l'existence même de cette dernière empêcha sans nul doute la 503 de prendre sa place légitime dans le domaine de l'histoire automobile. Cependant, le fait qu'elle ait été produite en si petite quantité la rend particulièrement désirable aux yeux des collectionneurs actuels et les modèles en bon état se vendent pour environ 165 000 dollars aux enchères. **MG**

D-500 | Dual-Ghia (USA)

1956 • 5 155 cm³, V8 • 243 ch
0-97 km/h en 9,2 s • 184 km/h

Seuls 117 exemplaires de la Dual-Ghia furent produits, entre 1956 et 1958, et tous furent vendus à perte. Dual Motors avait été fondée à Detroit par Eugene Casaroll, avec l'intention expresse de produire une voiture d'exception à un prix abordable. La société atteignit ses deux objectifs et il y eut bientôt une liste d'attente de gens prêts à tout pour se la procurer. Son prix était très raisonnable pour une voiture aussi puissante, même si son tarif très modeste profitait davantage au public qu'à la santé financière de l'entreprise.

Casaroll voulait acheter les plans d'une voiture dont Chrysler avait construit des prototypes sans jamais toutefois la produire à grande échelle : la Dodge Firearrow. Le talentueux designer de Chrysler Virgil Exner prit pour base un châssis Dodge et chargea la société turinoise Ghia de construire la carrosserie. L'opération était coûteuse, car les voitures devaient faire un aller-retour entre Italie et État-Unis, et seuls quatre Firearrow furent produites.

La D-500 ne manqua pas d'illustres promoteurs. Franck Sinatra et ses comparses du Rat Pack en possédaient chacun une et Dean Martin conduisit la sienne dans le film *Embrasse-moi, idiot !* de Billy Wilder (1964). Par la suite, trois présidents américains (Richard Nixon, Ronald Reagan et Lyndon B. Johnson) se retrouvèrent un jour au volant d'une D-500. **MG**

Ace | AC (GB)

1956 • 1 991 cm³, S6 • 91 ch
0-97 km/h en 10,5 s • 165 km/h

AC a produit sa première voiture en 1903 ; au cours des décennies suivantes, la société avait produit un flux constant de véhicules de qualité, sans parvenir pourtant à s'imposer. Cette situation changea en 1953 avec l'arrivée de l'AC Ace, une création de l'ingénieur et designer John Tojeiro, grand innovateur, en partie inspirée par les Ferrari de l'époque et en particulier la Barchetta.

Tojeiro mit au point une sportive surbaissée à toit ouvert en alliage léger et parvint à arracher une vitesse maximale plus qu'honorable à un moteur pourtant modeste de 2 litres. L'Ace fut dévoilée au Salon de l'automobile de Londres de 1953 et la production fut lancée l'année suivante. Seuls 60 exemplaires virent le jour.

L'Ace originale fut suivie d'un modèle baptisé Aceca, mais AC atteignit vraiment son objectif en 1956 avec une nouvelle Ace aux performances encore plus impressionnantes et avec l'Ace Bristol. Cette dernière embarquait un moteur Bristol de 2 litres qui portait sa vitesse maximale à 186 km/h et réalisait des performances encore plus remarquables. Tojeiro avait toujours excellé dans l'art de répartir le poids de ses voitures en plaçant ses moteurs, montés à l'avant, le plus près possible du centre.

Cette technique inspira l'une des plus remarquables voitures de sport de tous les temps, l'AC Cobra, construite pour la société de l'ex-pilote Caroll Shelby. **MG**

Troll | Troll Plastik & Bilindustri   (N)

1956 • 700 cm³, S2 • 31 ch • Inconnue • 130 km/h

Troll Plastik & Bilindustri était un constructeur norvégien de la région de Telemark, dans le sud de la Norvège. Malgré sa taille modeste, l'entreprise voulait s'imposer avec sa Troll en guise d'avant-garde. La Troll était l'œuvre de Hans Trippel, un ancien pilote de course qui était à l'origine des portes papillon de la Mercedes 300SL. Il avait aussi inventé l'Amphicar, le premier véhicule amphibie jamais proposé au public, qui devint l'un des véhicules les plus populaires de cette catégorie hybride.

Développée à partir d'une série de moules importés d'Allemagne par l'ingénieur norvégien Per Kohl-Larsen, la Troll de Trippel devint la première voiture produite en Norvège. Elle était dotée d'une carrosserie en fibre de verre – à l'époque le matériau le plus coûteux disponible pour une carrosserie. La Troll était de fait inoxydable et pesait 130 kilos de moins qu'un modèle équivalent doté d'une carrosserie en métal. Sa carrosserie était montée sur un châssis développé par le constructeur allemand Gutbrod et propulsée par un moteur 2 temps à injection d'essence de 700 cm³ qui consommait à peine plus de 5 litres aux 100 kilomètres.

Cependant, l'ambition norvégienne de développer un secteur automobile, à la manière de la Suède avec Volvo, allait tourner court, en raison d'un accord de troc complexe entre la Norvège et l'Union soviétique, qui exigeait que la Norvège achète des voitures aux Soviétiques en échange d'un marché protégé pour ses produits issus de la pêche. Le gouvernement norvégien n'autorisa Troll à produire que quinze véhicules et la société ferma ses portes en 1958. Aujourd'hui encore, les Norvégiens peuvent se sentir fiers quand ils voient passer une Troll, ce qui, de toute évidence, n'arrive pas très souvent. **BS**

Dauphine | Renault   (F)

1956 • 845 cm³, S4 • 32 ch • 0-97 km/h en 32 s • 80 km/h

Quand, en mars 1956, la Renault Dauphine fut dévoilée au palais de Chaillot à Paris, plus de 20 000 personnes se déplacèrent pour assister à l'événement. La Dauphine était un véhicule de type « ponton », un style né durant la période d'après-guerre et caractérisé par l'abandon des marchepieds et des pare-chocs au profit d'une carrosserie plus bombée et enveloppante préfigurant le style moderne.

Cependant, sa conception interne n'était pas dépourvue de problèmes. Plus de 60 % de son poids, dont son moteur et sa boîte de vitesses montés à l'arrière, reposait sur son essieu arrière. Ce déséquilibre dans la répartition du poids, combiné à un coffre avant quasi vide, était à l'origine d'une tenue de route médiocre qui rendait son maniement délicat. Son essieu arrière à ressort, inadapté, combiné à une section avant trop légère, n'arrangeait rien à l'affaire. Les passagers qui avaient survécu au déport latéral et à la dérive dans les virages devaient encore surmonter les problèmes de tenue de route en ligne droite à grande vitesse, susceptibles de provoquer des collisions mortelles.

Le critique automobile Dan Neil du *Los Angeles Times* inscrivit la Dauphine dans sa liste des 50 pires voitures de tous les temps. Celle qu'il décrivit comme « le plus inefficace rejeton de l'ingénierie française depuis la ligne Maginot », avait une accélération si ridiculement faible qu'elle devait, selon lui, être « mesurée à l'aide d'un calendrier ».

Cependant, outre son indéniable élégance, son chauffage et son étrangleur automatique, elle était bon marché et affichait une consommation très raisonnable. Cette berline 4 portes s'accommodait également fort bien des pires embouteillages new-yorkais. **BS**

make a
a
DATE
with
the
DAUPHINE

your
ENAULT
ealer
OW!

Continental | Lincoln

USA

1956 • 6 000 cm³, V8 • 289 • 0-97 km/h en 10 s • 186 km/h

La genèse de la Lincoln Continental remonte aux années 1930. Fabriquée à l'origine à un seul exemplaire pour Edsel Ford en 1938, cette voiture devint un modèle de série produit jusqu'en 1949. Mais la version la plus connue fut lancée en 1956, quand Lincoln réutilisa ce nom pour un modèle censé concurrencer Rolls-Royce.

La Lincoln Continental du milieu des années 1950, construite à Detroit, était une hard-top 2 portes dotée d'une bosse caractéristique (correspondant à l'emplacement de la roue de rechange) sur le couvercle du coffre arrière. Cette voiture était l'une des plus chères au monde et coûtait cinq fois le prix d'un modèle standard de Ford.

Vu son prix astronomique, rien d'étonnant à ce que la Continental se soit vendue en quantités relativement modeste. Seules 2 996 unités sortirent d'usine durant les deux années que dura sa production. L'opération ne fut pas très rentable et on raconte même que Ford perdit de l'argent sur chaque exemplaire. Ceci explique que certains la considèrent comme l'un des flops les plus coûteux de l'histoire automobile. En fait, elle devait essentiellement rehausser l'image de Ford. Elle fut directement proposée aux plus grandes fortunes et célébrités mondiales. On raconte que des concessionnaires refusèrent de vendre la Continental à certains clients, au motif qu'ils n'incarnaient pas « le bon type de personne ».

Elle doit à quelques propriétaires célèbres un certain cachet et un statut à part, pour ne pas dire quasi légendaire, dans l'histoire automobile. Frank Sinatra, Elvis Presley et le shah d'Iran en faisaient partie. En 1957, elle apparut dans le film hollywoodien *Le Grand Chantage*, avec Burt Lancaster dans le rôle de J. J. Hunsecker, un éditorialiste sans scrupule de Broadway. **SB**

Holiday 88 Coupé | Oldsmobile

1956 • 5 310 cm³, V8 • 243 ch • Inconnue • 179 km/h

Oldsmobile produisait la 88 depuis 1949, mais il arrivait parfois qu'un modèle sorte du lot. Ce fut le cas en 1955 avec la Super 88 et, en 1956, Oldsmobile s'appuya sur cette réussite pour créer le coupé Holiday 88, qui fut décrit comme l'une des plus belles voitures jamais produites par General Motors. La plupart des évolutions étaient discrètes, comme la calandre divisée en deux, la refonte du design des feux arrière et un compteur de vitesse ovale plutôt que rond. Cependant, ces évolutions cosmétiques combinées à une augmentation de sa puissance contribuèrent à faire de la Holiday 88 une véritable icône de la culture américaine.

La Holiday 88 se déclinait en plusieurs versions, notamment berline 2 portes et 4 portes, hard-top 2 portes et 4 portes, versions qui se vendirent fort bien. Cependant, ce fut le coupé hard-top, produit à

75 000 exemplaires, qui se vendit le mieux, réalisant à lui seul 15 % des ventes d'Oldsmobile pour l'année.

Certains des coupés Holiday 88 étaient proposés en version bicolore, y compris les pneus. Le look bicolore s'appliquait également à l'intérieur de la voiture, et notamment à l'intérieur des portières, au tableau de bord et aux sièges. Certains des modèles arboraient une combinaison blanc-turquoise particulièrement spectaculaire qui incarne à merveille l'ambiance du milieu des années 1950, à une époque où le design automobile s'inscrivait dans une vague de changements radicaux affectant la société américaine.

Grâce au succès du coupé Holiday 88 de 1956, Oldsmobile passa de la 5ᵉ place, au début de l'année 1956, à la 4ᵉ place au début de l'année 1957 dans le classement des constructeurs de voitures américaines. **MG**

Multipla | Fiat　　　（ I ）

1956 • 633 cm³, S4 • 21 ch • 0-48 km/h en 43 s • 92 km/h

La Fiat Multipla édition 1956 mérite sans nul doute le respect des fans d'automobile. Fiat excelle dans l'art de créer de charmantes petites voitures mais n'a jamais eu peur de pousser les choses un peu plus loin.

Oubliez la Renault Espace ou la Mitsubishi Space Wagon, seule la Multipla mérite le titre de premier monospace. Et contrairement à son homonyme sorti en 2000, la Multipla originale était basée sur une micro-voiture. Fiat transforma sa 600 de 1955 à moteur arrière en une voiture 6 places. Le moteur n'étant pas situé à l'avant, les sièges purent être avancés et placés directement entre les roues. La Multipla hérita ainsi d'un nez carré évoquant une fourgonnette, en exploitant au maximum sa surface de plancher : elle ne mesurait que 50 centimètres de plus que la BMC Mini originale.

Derrière les sièges avant, les clients pouvaient opter soit pour un plateau, soit pour une ou deux banquettes. Les passagers pouvaient voyager dans un confort relatif, car le moteur refroidi à l'eau (une amélioration par rapport au moteur refroidi à l'air de la Fiat 500, pourtant plus à la mode) fournissait un chauffage adapté à sa cabine carrée. Cette familiale de poche bénéficiait également d'amortisseurs frontaux sophistiqués. Contrairement aux suspensions à lames de la Fiat 600 de base, la Multipla comportait un triangle de suspension compact et efficace.

Plusieurs versions furent produites, dont une variante taxi équipée d'un luxueux support à bagages situé à côté du conducteur. Il existait également une Multipla totalement ouverte dessinée par Pininfarina, comportant des sièges en osier et une banquette enveloppante semblable à celle que l'on trouve dans certains bateaux à moteur, pour les passagers arrière. **JI**

Fury | Plymouth　　　（USA）

1956 • 4 965 cm³, V8 • 243 ch • 0-97 km/h en 9,5 s • 230 km/h

Durant les années 1950, la Fury était synonyme de puissance et de qualité. Plymouth comptait en faire le véhicule phare de la marque, une voiture capable de faire rêver les gens rien que par son évocation, même s'ils ne pouvaient s'offrir qu'une Plymouth de catégorie inférieure. Cette tactique s'avéra payante et la Fury resta en production de 1956 à 1978, avant l'arrivée du modèle Gran Fury, commercialisé entre 1980 et 1989.

La vitesse maximale de la Fury ne faisait pas l'objet d'un consensus, loin s'en faut. Elle fut mesurée à 198 km/h sur la Flying Mile de Daytona, le jour même de son lancement au Salon de l'automobile de Chicago en février 1956. Heureuse coïncidence ? Quelques semaines plus tard, elle atteignit quasiment 230 km/h durant les Speed Weeks de Daytona. Cependant, la version Daytona était un modèle spécial de pré-production optimisé et on raconte que les versions « communes » atteignaient des vitesses de pointe comprises entre 182 et 192 km/h, ce qui reste un exploit pour une voiture de route de l'époque.

Le look de la Fury était tout aussi impressionnant. Initialement, elle était seulement disponible en blanc et or. L'essentiel de la carrosserie était blanc cassé, couleur utilisée exclusivement pour ce modèle, et doté d'une bande d'aluminium doré en forme d'éclair située dans la partie basse de chaque côté. Cette voiture vendue 2 866 dollars était la plus chère jamais produite par Plymouth. Bien qu'elle soit destinée à un marché très restreint, la Fury se vendit tout de même à 4 485 exemplaires. La voiture possédée par une entité surnaturelle dans *Christine* (1983), le roman d'horreur de Stephen King ainsi que son adaptation cinématographique, était une Plymouth Fury de 1958. **MG**

603 | Tatra   CS

1956 • 2 545 cm³, V8 • 95 ch
0-97 km/h en 16 s • 169 km/h

Durant les huit années qui s'étaient écoulées entre 1948, année de création de la superbe Tatra 600, et la sortie de la 603, la société avait abandonné tout ce qui faisait le charme de la 600 : sa carrosserie elliptique en forme de goutte, son coefficient aérodynamique très bas et son châssis fermé.

La production de la Tatra 603, une berline 6 places, se poursuivit malgré tout sans interruption et elle fut déclinée en trois versions – la T603-1, T603-2 et T603-3 – jusqu'en 1975. Présentée comme une « voiture de luxe à moteur arrière », elle se caractérisait par sa rangée de trois phares montés à l'intérieur d'un cadre chromé de forme ovale. Elle était également dotée d'arrivées d'air à l'arrière, destinées à refroidir son moteur en l'absence de radiateur, mais ces dernières, bien que conçues pour s'intégrer à la carrosserie, lui donnaient une drôle d'allure. Les deux tiers de toutes les 603 produites furent exportées en Chine, à Cuba et dans divers pays du bloc soviétique. Aujourd'hui, l'ancien président cubain Fidel Castro possède toujours une 603 à air conditionné, sans doute davantage en raison du strict embargo imposé par les États-Unis que d'une authentique histoire d'amour automobile.

Cependant, la 603 avait quelques bons côtés, comme un capot en forme de dôme, des leviers et un volant blancs et un pare-chocs chromé surdimensionné d'inspiration américaine. Ce modèle, presque entièrement produit à la main, était agréable à conduire, mais il finit par succomber à la militarisation galopante de l'économie soviétique, le gouvernement donnant la priorité à la production de camions et de véhicules militaires légers au détriment des automobiles. **BS**

Amazon | Volvo   S

1956 • 1 583 cm³, S4 • 60 ch
0-97 km/h en 17 s • 143 km/h

Depuis longtemps, Volvo est synonyme de sécurité et la voiture qui a le plus contribué à cette réputation n'est autre que la Volvo Amazon. Lancée en 1956, elle fut en 1959 la première voiture au monde équipée de ceintures de sécurité avant classiques de type sangle abdominale et devint par la suite la première voiture dotée de ceintures « trois points ». L'Amazon était remarquable pour d'autres dispositifs de sécurité innovants, comme un tableau de bord matelassé et un pare-brise laminé.

Elle avait été baptisée en référence aux Amazones, guerrières de la mythologie grecque. Cependant, elle fut tout d'abord estampillée « Amason », car l'orthographe désirée par Volvo avait été déposée par un constructeur de motos. La production débuta à Gothenburg avant d'être relocalisée sur Torlanda, une île située juste au nord-ouest de la ville natale de Volvo. La voiture eut une longue durée de vie et resta en production jusqu'en 1970. Elle fut également assemblée en Belgique, en Afrique du Sud, au Canada et au Chili. Les dernières appellations utilisées pour l'exportation furent 121 ou 122S.

Le look de l'Amazon puisait son inspiration dans les voitures américaines du début des années 1950. Le designer Jan Wilsgaard déclara qu'il avait été inspiré par une Kaiser qu'il avait aperçue dans la baie de Gothenburg. Dotée d'« épaules » impressionnantes et d'ailerons arrière à peine visibles, elle rappelait certains modèles construits à Detroit à cette époque. Elle était plutôt haute et possédait un long capot ainsi qu'une saillie assez volumineuse à l'arrière. La version berline se déclinait en version 2 portes (la plus connue) et 4 portes. Une superbe version break fut lancée en 1962. Au total, 667 791 exemplaires toutes versions confondues furent produits. **SB**

Sports SE492 | Berkeley (GB)

1957 • 492 cm³, S3 • 30 ch
0-97 km/h en 21,8 s • 130 km/h

Charles Panter fit fortune en devenant le premier constructeur de caravanes d'Angleterre. En 1956, avec l'aide de son nouveau partenaire Laurie Bond, Panter se mit à produire des petites cylindrées commercialisées sous la marque Berkeley. Panter voulait fabriquer «un véhicule assez performant pour remporter des courses de 750 cm³ au niveau mondial», qui resterait attrayant pour la plupart des automobilistes.

Construite presque entièrement en fibre de verre, la première voiture de Berkeley était une traction avant avec transmission par chaîne, propulsée par un petit moteur de moto. Beaucoup plus légère qu'une voiture dotée d'un châssis traditionnel en acier, elle ne pesait que 329 kilos. Berkeley parvint à s'imposer durant les années 1950 dans les catégories petits moteurs des courses, rallyes et autres courses d'essai. Durant une course sur le circuit de Goodwood en juin 1957, la BBC filma l'exploit d'une petite Berkeley Sports 2 cylindres de 328 cm³ qui talonna de près une Jaguar Mark VII de 3 442 cm³ avant de décrocher un record dans sa catégorie.

En 1957, la Berkeley Sports, qui mesurait 3 mètres de longueur, fut dotée d'un nouveau moteur 3 cylindres de 492 cm³. Baptisée SE492, elle fut vite surnommée «mini-Ferrari». En 1958, le pilote italien de formule 1 Lorenzo Bandini mena une SE492 préparée pour la course à la victoire dans la catégorie 750 cm³ GT des 12 Heures de Monza, la tenue de route exceptionnelle du véhicule ayant compensé sa puissance limitée. Environ 2 100 Berkeley Sports furent produites au total, dont 900 furent exportées aux États-Unis. Les ventes de la SE492 se mirent à péricliter quand la Sprite d'Austin-Healey, mieux conçue et d'un prix équivalent, fut lancée en 1958. **DS**

Flaminia Berlina | Lancia (I)

1957 • 2 458 cm³, V6 • 100 ch
0-97 km/h en 14,5 s • 159 km/h

Quand la presse automobile posa pour la première fois les yeux sur la Flaminia (nommée d'après une ancienne route reliant Rome à Rimini), ce fut le coup de foudre. *Autocar* déclara qu'elle représentait le «plus bel exemple de confection italienne» et *Road & Track* écrivit : «Si tous les propriétaires d'une berline américaine hors de prix pouvaient conduire une Flaminia ne serait-ce qu'une journée, il y aurait du changement.»

Enzo Ferrari en personne déclara qu'il s'agissait de l'une des voitures les plus agréables qu'il ait conduites. Sophia Loren, Audrey Hepburn et Juan Manuel Fangio figuraient parmi ses heureux propriétaires. Avec son design signé Pininfarina et Zagato, ses suspensions Dio, son moteur V6 flambant neuf de 121 chevaux et la classe innée d'une Lancia, la Flaminia Berlina allait rester dans les annales.

Bien qu'un prototype ait été produit en 1956, la version de série fut dévoilée lors du Salon de l'automobile de Genève en 1957. La berline Flaminia Berlina 4 portes, basée sur la Florida 1956, rompait à bien des égards avec la tradition de la marque. Elle possédait une forme plus anguleuse que le modèle précédent, un tout nouveau triangle de suspension universel et des freins arrière Dunlop qui lui conféraient une agilité supérieure dans les virages. Ses quatre portes étaient dépourvues de montant central, bien que chaque vitre possède son propre cadre, de telle sorte que ses flancs n'étaient pas totalement ouverts quand les vitres étaient baissées. Par la suite, des versions limousine, cabriolet et coupé furent produites en petite quantité avec des éléments personnalisés. Malgré des ventes assez modestes, la production de la Flaminia ne s'arrêta qu'en 1970. **BS**

Bel Air | Chevrolet

USA

1957 • 4 640 cm³, V8 • 242 ch • 0-97 km/h en 8,9 s • 193 km/h

« *Tramps like us, baby, we were born to run* » (« les paumés comme nous, baby, sont nés pour la route »), chantait Bruce Springsteen, et la voiture dans laquelle le protagoniste invitait sa dulcinée à prendre la route était une Bel Air. Le premier tube de Springsteen lui fut inspiré par la voiture qu'il s'était payée après avoir signé son premier contrat : la Chevy Bel Air de 1957.

La Bel Air était une version décapotable de la berline Chevy de 1957, équipée d'un toit électrique offrant « une protection douillette sur simple pression d'un bouton ». Elle n'était en réalité qu'une version relookée du modèle de 1955. Elle semblait pourtant plus longue, plus basse et plus large, grâce à des roues réduites de 38 à 36 centimètres et des ailettes arrière revues et corrigées. Quoi qu'il en soit, cette Chevy avait le look idéal pour son époque. Sa boîte de vitesses, baptisée « Powerglide »,

était un modèle automatique à deux ou trois rapports. Une transmission « Turboglide » plus sophistiquée – qui ajustait continuellement les rapports sans changement perceptible – était proposée en option.

Le modèle le plus prestigieux était la Bel Air Super Turbo Fire V8, dont le moteur réalésé développait 287 chevaux et pouvait atteindre une vitesse maximale de 193 km/h grâce à un système d'injection mécanique de type « Ramjet ».

La Bel Air se vendit bien et la plupart des exemplaires survécurent bien plus longtemps que les modèles concurrents de l'époque. Elle est toujours très populaire de nos jours, tout particulièrement auprès des restaurateurs et des *customizers*. Springsteen vendit la Bel Air qui l'avait inspiré en 1976, laquelle a depuis été achetée par un collectionneur pour 400 000 dollars. **SH**

Galaxie Skyliner | Ford

1957 • 4 785 cm³, V8 • 210 ch • 0-97 km/h en 11,6 s • 163 km/h

La Galaxie Skyliner n'était pas la première voiture dotée d'un toit rigide électrique escamotable. Cet honneur revient à la Peugeot 402 Éclipse décapotable de 1934. Mais il s'agissait probablement de la plus grosse voiture de ce type. Ce fleuron, long et surbaissé, de la gamme des grandes voitures de Ford fut agrémenté d'un nouveau gadget : le toit pouvait être réplié dans le coffre ou déroulé à nouveau en 60 secondes à peine.

Le fonctionnement du toit nécessitait des vérins hydrauliques et des vis sans fin, ainsi que 18 mètres de câblage, dix relais de puissance, huit fusibles, dix interrupteurs de fin de course, trois moteurs d'entraînement et un verrou de sécurité qui ne permettait le mouvement du toit que quand la voiture était à l'arrêt. Le système était en réalité plutôt simple, car chaque moteur n'accomplissait qu'une tâche unique avant d'actionner un interrupteur qui activait le suivant. Il comportait aussi une manivelle fort utile en cas de panne des vérins. Tout cela alourdissait la voiture et, quand le toit était rangé, il laissait un petit emplacement de 90 cm pour entreposer les bagages. La Sunliner de 1960 l'abandonna au profit d'un toit électrique ordinaire.

Le prix d'une Galaxie Skyliner de base en sortie d'usine était d'environ 3 346 dollars, mais la plupart étaient équipées de nombreuses options, dont deux moteurs plus puissants de 229 et 304 chevaux. Aujourd'hui, une de ces voitures coûterait environ 40 000 dollars.

Au total, 20 000 exemplaires furent produits en 1957, 14 173 en 1958 et 12 915 en 1959, l'année durant laquelle la Galaxie Skyliner remporta la médaille d'or de l'Exposition universelle de Bruxelles pour son design exceptionnel. **LT**

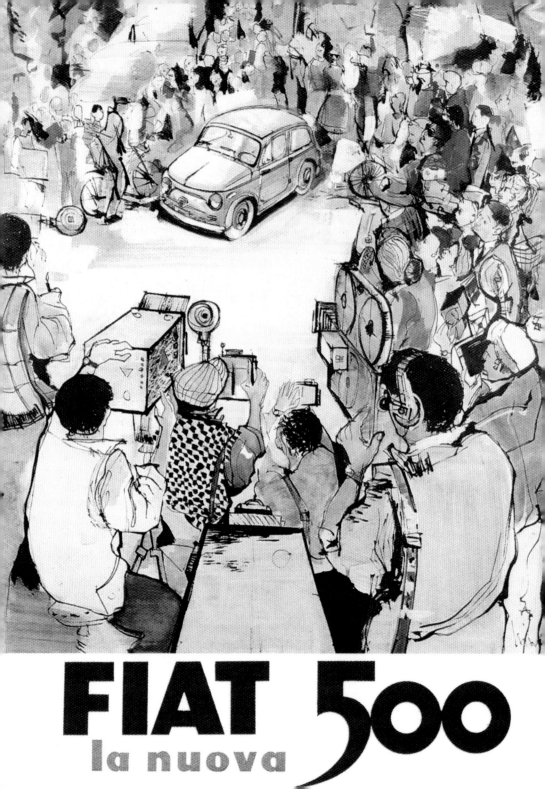

500 | Fiat ⟨I⟩

1957 • 479 cm³, S2 • 13 ch
Inconnue • 82 km/h

Après la Fiat 600 de 1955, la 500 était la seconde tentative italienne pour reproduire le succès de la Coccinelle de Volkswagen. Ce véhicule bon marché inaugura un nouveau genre : la citadine, une voiture compacte et manœuvrable, facile à piloter, à entretenir et à garer.

Ce n'était pas la première fois que Fiat utilisait l'appellation «500» («Cinquecento» pour le marché domestique). La 500 Topolino («petite souris»), qui fut proposée à la vente entre 1936 et 1955, était à peine plus volumineuse que la première des nouvelles 500.

Imaginée par le designer Dante Giacosa, la 500 édition 1957 était inspirée de la Coccinelle, avec un moteur monté à l'arrière. Elle ne mesurait que 3 mètres de long et les premières versions possédaient un toit en toile semblable à celui de la Citroën 2CV, avec à l'arrière des portes munies de charnières.

La 500 fut largement déclinée. La plus longue d'entre elles était la Giardiniera (ou modèle K), lancée en 1960 et vendue jusqu'en 1977, deux ans après le remplacement de toutes les autres 500 par la 126, un modèle plus carré. La K, qui était une sorte de 500 en version break, était identique pour la partie avant, mais avait abandonné sa ligne de toit de type coupé au profit d'une porte arrière plus carrée et verticale à charnière latérale.

Plus de quatre millions de 500 furent produites au fil des 20 années que dura sa production. En 2007, exactement 50 ans après le lancement de la 500, Fiat dévoila une version moderne qui rencontra un énorme succès dans le monde entier. La version originale est cependant toujours très appréciée et une édition 1959, baptisée Luigi, fut immortalisée par Pixar en 2006 dans le film d'animation *Cars*. **RY**

3500GT | Maserati ⟨I⟩

1957 • 3 485 cm³, S6 • 224 ch
0-97 km/h en 7,6 s • 220 km/h

Vers la fin de l'année 1957, après une série de tests désastreux qui envoyèrent un grand nombre de Maserati à la casse, la société abandonna la course automobile pour se consacrer aux voitures avec passagers. Ce changement de politique coïncidait avec le développement du réseau autoroutier européen, ouvrant ainsi la voie aux modèles de «grand tourisme», des voitures de série puissantes, rapides et confortables, à l'aise en ville, mais également capables d'atteindre des vitesses élevées.

Maserati avait déjà produit quelques voitures de route par le passé, mais il s'agissait essentiellement de voitures de course à peine modifiées. Adolfo Orsi, le propriétaire de Maserati, et Giulio Alfieri, l'ingénieur en chef de la société, voulaient créer une voiture qui représenterait une véritable transition entre les voitures de course du passé et une nouvelle ère de véhicules de série optimisés pour le transport de passagers. Pour la première fois dans l'histoire de la société, la création de cette nouvelle voiture fut intégralement confiée aux ingénieurs de Maserati, qui mirent au point l'éblouissante Maserati 3500GT.

La 3500GT était propulsée par un moteur de course Maserati V6 «dégonflé», capable de développer plus de 224 chevaux. L'intérieur regorgeait de chromes, de cuir, de voyants divers, de leviers et d'interrupteurs. Elle agita profondément le monde de l'automobile sportive, ce qui n'était pas un mince exploit si l'on considère qu'il s'agissait de la première tentative de Maserati pour contrer la domination de Ferrari, sa vieille rivale. Cependant, l'assurance presque insolente dont fit preuve Maserati en dévoilant sa nouvelle voiture, lancée sans tambour ni trompette, suffit à convaincre le public, sinon Ferrari, qu'il n'existait entre eux nulle rivalité. **BS**

XKSS | Jaguar

1957 • 3 442 cm³, S6 • 254 ch • 0-97 km/h en 7,3 s • 241 km/h

Cette voiture de sport est basée sur un modèle de course embarquant un moteur 6 cylindres en ligne avec double arbre à cames, développant 250 chevaux. Elle est capable de passer de 0 à 97 km/h en 7 secondes, et de dépasser 241 km/h en vitesse de pointe. Cette voiture de sport britannique fut lancée devant un public en transe lors du Salon de l'automobile de New York en 1957.

Quand Jaguar décida d'abandonner la production de modèles de course à la fin des années 1950, la société avait toujours un stock de 25 D-Type sans acheteurs potentiels. Comme cela arrivait parfois pour ce type de véhicule, ils décidèrent de les transformer en roadsters. Pour commencer, Jaguar supprima l'aileron arrière typique de la D-Type, destiné à améliorer sa stabilité sur circuit, avant d'ajouter un siège passager et une porte à l'avant. Un toit en toile fut ajouté (les modèles de course

étant ouverts), ainsi qu'un pare-brise et des pare-chocs rudimentaires. Malgré ces modifications, elle restait une voiture de course adaptée à la route.

Ses 4 roues étaient équipées de freins à disque (fait plutôt rare en 1957), pour une puissance de freinage à la hauteur de sa vitesse phénoménale. Sa carrosserie fluide faisait partie intégrante d'un châssis monocoque vissé à une armature rigide. Le moteur ayant dû être légèrement incliné pour tenir dans l'emplacement prévu, le capot comportait une bosse décentrée, mais bien visible.

Seize clients achetèrent une XKSS et la plupart furent expédiées aux États-Unis. Son plus célèbre propriétaire fut probablement l'acteur Steve McQueen, passionné d'automobile. Il en posséda une de 1959 à 1969, puis en racheta une en 1977 et la conserva jusqu'à sa mort en 1980. **JI**

300SL Roadster | Mercedes-Benz

1957 • 2 996 cm^3, S6 • 215 ch • 0-97 km/h en 8,1 s • 249 km/h

Le roadster Mercedes 300SL, l'une des voitures les plus prestigieuses jamais créées, doit son existence à Max Hoffman. Cet importateur très influent aux États-Unis se rendit à Stuttgart pour convaincre les dirigeants de Mercedes de développer un nouveau roadster basé sur leur coupé 300SL à portes papillon. Hoffman sut se montrer convaincant et le roadster 300SL fit une très forte impression lors de son dévoilement au Salon de l'automobile de Genève en 1957.

Le roadster conserva le même moteur que la 300SL, mais ce dernier dut être incliné pour tenir sous son capot surbaissé. L'extérieur nécessita une refonte poussée afin de transformer le coupé en décapotable. Des tubes furent ajoutés dans la partie basse du châssis afin de préserver sa rigidité et de permettre l'installation de portes conventionnelles au lieu des célèbres portes papillon, peu adaptées aux parkings et aux garages étroits. Même sans toit, le nouveau roadster décapotable pesait 35 kilos de plus que son prédécesseur. L'excès de poids fut compensé par un moteur modifié développant 20 chevaux de plus, avec une tenue de route améliorée par axe de pivot situé plus bas. Sur le plan de l'apparence, elle avait également subi des modifications. Les pare-chocs avaient été agrandis, tout comme les phares. La calandre avant avait rétréci et le pare-brise était davantage incurvé.

Les 300 SL, versions « papillon » et roadster, étaient les voitures les plus sophistiquées de leur époque et les premiers modèles à injection directe au point d'admission. Plus qu'aucune Mercedes avant elles, elles incarnent la mythologie de la marque. Aucune autre « Merco » n'arbora plus fièrement l'étoile à trois branches. **BS**

Aronde Plein Ciel | Simca   (F)

1957 • 1 290 cm³, S4 • 58 ch • Inconnue • 132 km/h

La société française Simca fut fondée par un Italien, Henri Pigozzi, qui était né à Turin en 1898. En 1924, après s'être lancé dans l'importation de motos anglaises et américaines, il commença à importer de la ferraille de France, qu'il vendait à Fiat. En 1926, le fondateur de Fiat, Giovanni Agnelli, fit de Pigozzi le représentant officiel de Fiat en France. La même année, Pigozzi fonda une société de production et de distribution de véhicules Fiat près de Paris. Il vendit ainsi plus de 30 000 véhicules avant 1934. Cependant, Pigozzi ne voulait plus se contenter de vendre des voitures… Il voulait en fabriquer à son tour. Le 2 novembre 1934, il acheta une usine à Nanterre, au nord-ouest de Paris, et créa la Société industrielle de mécanique et de carrosserie automobile, ou SIMCA. Pigozzi venait de réaliser son rêve.

Cependant, Simca resta improductive, principalement à cause de la Seconde Guerre mondiale, jusqu'en 1951, quand sortit sa première automobile : la 9 Aronde, un terme signifiant « hirondelle » en ancien français, le symbole de la société. La marque Aronde fut perpétuée jusqu'en 1964. Le second modèle, la 90A Aronde, produite entre 1955 et 1958, existait en deux variantes lancées toutes deux en octobre 1957 : l'Océane, une décapotable 2 portes, et la Plein Ciel, un coupé hard-top.

Le terme « Plein Ciel » faisait référence à son pare-brise surdimensionné. Sa forme évoquait celle de la Ford Thunderbird, mais il s'agissait pour l'essentiel d'une Simca comme les autres. Plutôt que de tenter d'innover, elle représentait une évolution mesurée basée sur des formules éprouvées, une approche prudente et pertinente pour une société qui, partie de rien, allait devenir à la fin des années 1950 le deuxième constructeur français de voitures familiales. **BS**

Trabant | VEB Sachsenring   (DDR)

1957 • 600 cm³, S2 • 26 ch • 0-97 km/h en 21 s • 113 km/h

Nombreux étaient ceux qui n'avaient jamais entendu parler de la modeste « Trabbi » avant la chute du mur de Berlin en 1989 et la déferlante de Trabant accompagnant le flot des Allemands venus de l'Est. Produite en RDA par la VEB Sachsenring Automobilwerke dans la ville de Zwickau, la Trabant était devenue un symbole de la vie dans l'ex-bloc soviétique. Cette voiture 4 places avait été conçue durant la guerre froide. Plus de trois millions d'exemplaires quittèrent l'usine de la VEB Sachsenring entre 1957 et 1991, la dernière année de production.

Elle avait été baptisée Trabant (« satellite » en allemand) en référence au satellite russe Spoutnik, qui était devenu le premier objet artificiel placé en orbite terrestre. Proposée en quatre versions, distinguées essentiellement par leur moteur, elle possédait une armature en métal sur laquelle étaient vissés des panneaux en résine. La rumeur selon laquelle les panneaux de la Trabant étaient en carton n'était qu'une légende urbaine.

Son moteur 2 temps à 2 cylindres était facile à entretenir et à réparer et elle affichait une durée de vie moyenne de 28 ans. Cependant, les considérations écologiques ne faisant pas partie des priorités politiques du bloc de l'Est, il fallait ajouter de l'huile 2 temps à chaque arrêt à la station essence. Elle n'avait pas de jauge d'essence et la seule manière d'évaluer la quantité de carburant restant consistait à plonger une jauge dans son réservoir.

Le groupe de rock irlandais U2 lui rendit hommage sur la couverture de l'album *Achtung Baby* (1991), deux ans après la chute du Mur, et l'utilisa comme élément de décor sur scène durant la tournée correspondante. Aujourd'hui, deux Trabant sont exposées près du Rock and Roll Hall of Fame de Cleveland, dans l'Ohio. **RY**

TS-250 | Goggomobil

(D)

1957 • 247 cm³, S2 • 13 ch • Inconnue • 84 km/h

Il est tentant de considérer les Goggomobil, de minuscules voitures embarquant des moteurs de 13 à 20 chevaux avec des pare-chocs vissés, et leur concepteur, l'ingénieur Hans Glas, comme de simples curiosités. Cependant, Glas créa une voiture qui remporta un énorme succès populaire et fut produite en très grande quantité pendant de nombreuses années.

Glas, qui s'était installé dans une petite usine située dans la ville bavaroise de Dingolfing, lança sa première « Goggo » durant le salon international IFMA du cycle et du motocycle. Entre autres détails insolites, elle était équipée d'un essuie-glace unique (seulement pour les modèles antérieurs à 1957) et de vitres coulissantes. Glas enrichit plus tard sa gamme d'une version décapotable (la Dart), puis d'un coupé, d'une camionnette et d'un pick-up.

La TS-250, équipée d'un moteur arrière de 247 cm³ développant 13 chevaux et ventilé par deux petites arrivées d'air situées sur le pare-chocs arrière, fut lancée en 1957. Un moteur de 300 cm³ développant 15 chevaux était proposé en option. L'intérieur était des plus spartiates, avec des sièges avant carrés. Propre et dépouillée, la cabine n'était cependant pas dépourvue de détails, tels un volant blanc et des leviers rehaussés de blanc, que l'on trouvait en général dans des berlines plus coûteuses.

La Goggomobil de Glas se tailla rapidement une réputation de fiabilité et s'imposa, sous diverses variantes, comme la microvoiture la plus vendue d'Allemagne. Chaque modèle était équipé de freins hydrauliques et de transmissions électriques. Il ne s'agissait en aucun cas d'un jouet, mais bel et bien d'une voiture miniature économique, fiable et sérieuse. **BS**

Elite | Lotus GB

1957 • 1 216 cm³, S4 • 75 ch • 0-97 km/h en 9,7 s • 187 km/h

Est-il possible pour une voiture de 75 chevaux seulement d'atteindre une vitesse de 187 km/h ? La réponse est oui. La Lotus Elite remporta un grand succès sur les circuits comme sur la route grâce à son design inspiré et à son poids réduit de 505 kilos.

L'Elite comportait un châssis monocoque révolutionnaire en fibre de verre. Elle n'était pas la première voiture dont la carrosserie comportait des éléments en fibre de verre, mais dans le cas de la petite Lotus, il s'agissait d'un élément structurel essentiel, la carrosserie faisant office de châssis. Elle comportait également des éléments en acier, principalement dédiés à la fixation du moteur, mais grâce à l'utilisation de plastique à renfort de verre, l'Elite était un vrai poids plume. Elle tirait ainsi des performances dignes d'une voiture de sport de son moteur 4 cylindres. Ce n'était pas la première fois qu'une Lotus embarquait un moteur Conventry Climax FWE, qui était également proposé en option pour la Lotus Six.

L'Elite était dotée d'amortisseurs indépendants pour chaque roue, avec un système baptisé «Chapman Strut» pour les roues arrière, en référence à Colin Chapman, le fondateur de Lotus. Elle était aérodynamique, une partie de la carrosserie finale ayant été conçue par Mike Costin, le principal ingénieur en charge de l'aérodynamisme de la société aéronautique De Havilland.

La Lotus, dont chaque roue était équipée d'un frein à disque (une rareté pour 1957), jouissait d'une tenue de route fabuleuse et d'un freinage quasi instantané. Rapide, légère et maniable, elle remporta six fois les 24 Heures du Mans dans sa catégorie et décrocha d'innombrables autres victoires. Sur les 1 000 Elite produites, environ 700 exemplaires ont survécu, preuve de sa résistance ! **JI**

Vespa 400 | ACMA

1957 • 400 cm³, S2 • 18 ch
0-64 km/h en 23 s • 90 km/h

Comparable à la Goggomobil allemande, la Vespa était une mini-voiture à moteur arrière produite par la société française ACMA (Ateliers de construction de motocycles et d'automobiles), également à l'origine du scooter Vespa. Il s'agissait officiellement d'une 2 places, mais il était possible de loger deux enfants à l'arrière. L'espace réservé aux bagages, un simple plateau situé au-dessus du compartiment arrière, était minimal.

L'espace étant limité, les portes de la Vespa comportaient des panneaux internes en plastique afin de libérer de la place pour les coudes des passagers et les premiers modèles comportaient des vitres latérales fixes. Les acheteurs potentiels souffrant de claustrophobie ou de mal des transports avaient tout intérêt à acheter une voiture plus spacieuse, ou au moins la version cabriolet. Cette dernière comportait un toit en tissu qui s'enroulait et suffisait à qualifier l'ACMA de décapotable. Un panneau coulissant situé sous le capot avant abritait la batterie de 12 volts de la Vespa. Chaque roue était dotée de freins hydrauliques et d'un arceau de sécurité situé à l'avant.

Le tableau de bord était minimaliste et ne comportait que les témoins lumineux les plus essentiels, un compteur de vitesse et une boîte à gants ouverte. Le starter et l'étrangleur étaient installés entre les deux sièges avant, assez confortables, car constitués d'une armature en acier tubulaire avec des ressorts de type matelas protégés par une couche de tissu. Avant la sortie de la Vespa Monaco, le 26 septembre 1957, le pilote de course Juan Manuel Fangio traversa les Alpes au volant de l'une d'entre elles et déclara : « Elle est si confortable que j'avais l'impression de conduire une voiture bien plus imposante. » **BS**

Cresta PA | Vauxhall (GB)

1957 • 2 262 cm³, S6 • 84 ch
0-97 km/h en 18 s • 139 km/h

Les constructeurs automobiles sont toujours à l'affût d'un client célèbre prêt à se faire l'ambassadeur d'une de leurs voitures. Dans le cas du Royaume-Uni, difficile d'imaginer meilleur faire-valoir que la reine d'Angleterre, Élisabeth II. C'est ce qui arriva à Vauxhall, lui permettant d'élever la PA au rang de voiture phare de la famille Cresta.

La Cresta PA, une berline 4 portes qui partageait sa carrosserie avec la Vauxhall Velox, un modèle moins bien équipé, était la réponse de Vauxhall à la Ford Zodiac. Cet élégant véhicule, qui n'avait rien à voir avec la Cresta E de 1954, avait cédé à l'engouement des années 1950 pour la mode américaine. Elle comportait des ailettes à l'arrière, ainsi que des vitres enveloppantes. Mais si ses pneus blancs soulignaient ses influences transatlantiques, elle restait cependant plus sobre et « britannique » que de nombreux modèles américains de l'époque.

La version choisie par la reine Élisabeth était la PA Estate (version break), un modèle officiel de Vauxhall qui était en réalité une conversion ayant réussi à préserver ses ailettes, car la partie rallongée avait été calée entre ces dernières.

La PA fut l'un des premiers véhicules à s'inscrire dans un mouvement culturel. Son inspiration américaine, bien qu'atténuée, lui valut de remporter un franc succès parmi les adeptes des mouvements « Teddy boy » et rock'n'roll au Royaume-Uni. Le moteur original de 2 262 cm³ fut remplacé en 1961 par un modèle de 2 600 cm³ avec une puissance de 97 au lieu de 84 chevaux. Plus de 80 000 PA furent produites avant qu'elle ne soit remplacée en 1962 par la PB. Cette dernière affichait un look plus classique et son moteur de 2,6 litres fut rapidement remplacé par un modèle plus puissant de 3 300 cm³. **RY**

M-21 Volga | GAZ (SU)

1957 • 2 400 cm³, S4 • 72 ch • Inconnue • 130 km/h

Quand le président George W. Bush visita la demeure de Vladimir Poutine en 2005, le président russe ne put s'empêcher d'exhiber la voiture ancienne qui constitue le clou de sa collection.

Pour les Russes, la GAZ M-21 est aussi emblématique des années 1950 que la Chevy Bel Air pour les Américains. Les premiers modèles participèrent à des voyages promotionnels à travers toute l'URSS, parcourant près de 29 000 kilomètres. Rares étaient les citoyens qui pouvaient se l'offrir. La GAZ M-21 fut utilisée comme voiture de police, taxi et, pour la version break, comme ambulance. Une version hautes performances, la GAZ M-23, fut produite pour les services spéciaux soviétiques et dotée d'une apparence identique à celle de la GAZ M-21 de base. La GAZ M-23 embarquait un moteur V8 de 198 chevaux et pouvait atteindre 170 km/h.

Les chromes et les courbes de la Volga trahissaient une influence évidente des modèles américains, mais elle possédait une garde au sol plus haute, des amortisseurs indestructibles, une carrosserie en acier de un millimètre d'épaisseur et un traitement antirouille capable de résister au climat de l'URSS. Son moteur était un modèle souple et puissant à soupapes en tête et son levier de vitesses manuel à trois rapports était monté sur la colonne de direction. Elle était dotée, entre autres équipements de luxe, d'un siège avant inclinable, d'un allume-cigare, d'un système de chauffage et d'une radio à trois bandes.

La GAZ M-21 est apparue dans des dizaines de films, de *Casino Royale* (2006) à *Segment 76* (2003). Elle fut produite à environ 30 000 exemplaires et reste une voiture très recherchée par les collectionneurs comme M. Poutine. **SH**

Caravelle | Renault ⓕ

1958 • 845 cm³, S4 • 40 ch • 0-97 km/h en 18 s • 143 km/h

Dévoilée lors du Salon de l'automobile de Paris en 1958, la Caravelle représentait une tentative de Renault pour prendre d'assaut le marché nord-américain, où elle fut lancée en décembre 1959. L'appellation Caravelle était réservée aux États-Unis et au Canada. En Europe, elle fut lancée sous le nom de Renault Floride.

Elle suscita l'intérêt des clients américains, tout du moins au début. Encore aurait-il fallu qu'ils puissent se la procurer. Renault accepta des commandes pour 13 000 Caravelle durant le Salon de l'automobile de New York, mais les acheteurs durent attendre plusieurs mois pour obtenir leurs voitures, et quand ces dernières arrivèrent, leurs performances s'avérèrent décevantes. Elle était sans nul doute agréable à regarder, avec son design dernier cri, mais son moteur arrière était minuscule par rapport aux normes américaines.

Aux États-Unis, le simple fait que le moteur soit situé à l'arrière jouait contre elle. Ce type de configuration était courant dans de nombreux pays européens, mais les conducteurs américains n'y étaient pas habitués et avaient bien du mal à les contrôler. De plus, le levier de vitesses monté sur le plancher ne leur plaisait guère.

Trois versions furent produites : coupé 2 portes, cabriolet 2 portes et décapotable 2 portes (un cabriolet dont le hard-top rétractable pouvait être totalement détaché). En 1962, la cylindrée du moteur fut portée à 956 cm³, le nom Floride fut abandonné et tous les modèles, quel que soit le marché de destination, furent rebaptisés Caravelle. Elle continua à se vendre avec une certaine régularité, à défaut de mieux : 117 000 unités furent produites entre son lancement en 1958 et sa disparition en 1968. **MG**

Des dizaines de taxis Amby se garent en file indienne à l'extérieur d'une gare à Calcutta, le fief d'Hindustan Motors, en 2009. ▸

Grantura | TVR

1958 • 1 216 cm³, S4 • 84 ch
0-97 km/h en 10,8 s • 163 km/h

La Grantura fut la première voiture de série produite par le constructeur britannique TVR dans son usine de Blackpool. La société fut fondée par l'ingénieur Trevor Wilkinson, le sigle «TVR» étant dérivé de son prénom. Wilkinson construisit sa première voiture en 1949 en s'appuyant sur un châssis tubulaire, des parties mécaniques empruntées à diverses autres voitures et une carrosserie en acier faite main. Cependant, il ne tarda pas à réaliser qu'il pourrait produire une carrosserie plus légère et moins coûteuse en utilisant de la fibre de verre. Le design des futures TVR était né : moteur avant, traction arrière et châssis en acier recouvert d'une carrosserie en plastique à renfort de verre.

Pour échapper à une taxe portant sur les véhicules finis, la Grantura était proposée en kit. Sur le plan mécanique, elle combinait les amortisseurs d'une Coccinelle ou d'une Triumph, les freins d'une Austin-Healey et un essieu arrière BMC. Les moteurs provenaient également de plusieurs sources. Au début, elles embarquaient des moteurs 4 cylindres Coventry Climax. Les autres modèles étaient des moteurs Ford et MGA Série B. Les clients pouvaient choisir les spécifications finales de leur voiture.

La carrosserie de la GRP était fabriquée sur site dans l'usine de TVR à Blackpool. La charnière du capot était située à l'avant et le coffre ne comportait pas de porte. Pour y accéder, il fallait se faufiler à l'arrière de la voiture et en extraire la roue de rechange.

La Grantura fut modifiée en permanence et resta en production jusqu'à son remplacement par la TVR Mark IV en 1965. Cette dernière possédait un châssis plus long, plus rigide et embarquait un puissant moteur MG de 1 800 cm³. **JI**

Ambassador | Hindustan (IND)

1958 • 1 489 cm³, S4 • 56 ch
0-97 km/h en 30,5 s • 118 km/h

Les vieilles anglaises ne meurent jamais. Les outils servant à leur construction sont simplement expédiés aux confins de l'ancien Empire britannique, où leur production se poursuit jusqu'à la fin du monde. L'Ambassador est produite en Inde depuis 1958. Peu de choses ont changé depuis ses origines. Elle s'appelait alors Morris Oxford Série III. Assemblée dans l'usine de Cowley, où la Mini est fabriquée de nos jours, elle fut commercialisée au Royaume-Uni entre 1956 et 1959.

L'« Amby », comme on l'appelle en Inde, est aujourd'hui produite par Hindustan Motors dans une usine située près de Calcutta. La première voiture d'Hindustan était la Landmaster de 1942, basée sur un autre classique britannique, la Morris Ten.

Peu après la mise en vente de l'Amby, le gouvernement indien modifia la réglementation sur les voitures importées, provoquant une augmentation de prix qui les plaça hors de portée de la plupart des bourses. Ces règles, qui sont toujours en vigueur aujourd'hui, firent de l'Amby la voiture favorite des Indiens pendant des décennies : durant les 23 années qui suivirent son lancement, elle fut l'unique véhicule d'Hindustan Motors.

Aujourd'hui, l'Amby est proposée en version essence avec un moteur de 72 chevaux et de 1 800 cm³, et en version diesel de 36 chevaux et 1 500 cm³.

La carrière internationale de l'Oxford/Amby comprend un épisode cocasse : sa réapparition au Royaume-Uni. Au cours des années 1990, elle fut brièvement rebaptisée Fullbore Mark 10 et, au début des années 2000, une société du pays de Galles profita d'une loi de validation spéciale permettant d'éviter une homologation complète pour en importer. **RY**

Series 62 Décapotable Coupé | Cadillac

USA

1958 • 5 972 cm³ , V8 • 310 ch • 0-97 km/h en 10,9 s • 182 km/h

Aux États-Unis durant les années 1950, posséder une voiture familiale était devenu une obsession nationale. Les Américains avaient l'habitude des longs trajets, et avec le développement des réseaux autoroutiers inter-États, inaugurés en 1956, ils voyageaient en voiture… d'une côte à l'autre.

Même dans ce contexte, 1958 fut une mauvaise année pour le lancement de nouveaux modèles. Le pays traversait une récession et les ventes de la dernière

Cadillac – le coupé décapotable Series 62 – s'étaient avérées décevantes. La décennie 1950 n'en était pas moins l'«époque de tous les possibles» et les constructeurs n'étaient pas encore prêts à faire des concessions malgré les circonstances difficiles. Les ventes n'avaient jamais été aussi mauvaises depuis 1954, mais cela n'empêcha pas la Series 62 d'inaugurer (en 1958) plusieurs nouvelles fonctionnalités, dont une radio à signal automatique et des serrures à verrouillage électrique. Elle se

distinguait également par ses ailettes chromées situées sur le pare-chocs avant, sa calandre originale très large et décorée, ses quatre phares regroupés par deux et, naturellement, ses deux ailettes arrière, un peu moins prononcées cependant que celles des modèles précédents. L'unique touche de sobriété se trouvait sous le capot : un moteur V8 à compression élevée qui avait été « dégonflé » afin de réduire, sans grand succès, sa consommation d'essence.

La Series 62 n'était pas exempte de défauts : ses freins à disque, qui devaient maîtriser ses deux tonnes propulsées par un V8, s'usaient rapidement, son rayon de braquage de 7,3 mètres nécessitait une manœuvre complexe du chauffeur et les vérins de son nouveau système de suspension pneumatique souffraient de fuites constantes. Cependant, cela n'avait guère d'importance, la plupart des gens étaient prêts à acheter n'importe quelle Cadillac. **BS**

TG500 | Messerschmitt ⓓ

1958 • 492 cm³, S2 • 19,5 ch • 0-97 km/h en 27,8 s • 126 km/h

Il suffit de comparer une Messerschmitt TG500 avec l'une de ses ancêtres pour remarquer une différence de taille. Les précédentes «bubble cars» produites par la société Messerschmitt étaient des 3 roues, tandis que la TG500 disposait de 4 roues, ce qui la rendait bien plus stable. Elle était toujours propulsée par un petit moteur 2 temps situé à l'arrière du véhicule, au-dessus des roues qu'il entraînait au moyen d'une chaîne. Sa roue supplémentaire la rapprochait d'un modèle conventionnel, une donnée cependant toute relative.

Le passager prenait toujours place à l'arrière du conducteur plutôt qu'à ses côtés. Le conducteur et le passager pénétraient dans la TG500 en soulevant son dôme en forme de bulle doté d'une charnière à l'avant, comme dans un avion Messerschmitt. Il existait également une version sportster totalement découverte.

Les 20 chevaux de son moteur 2 temps suffisaient à propulser la TG500, très légère, à près de 126 km/h, une vitesse supérieure à celle de voitures «pleine taille» de l'époque comme la Morris Minor.

Elle jouissait également d'une excellente tenue de route grâce à son profil bas et à ses 4 roues. Les suspensions arrière entièrement réglables jouaient également leur rôle.

Au final, moins de 500 exemplaires furent écoulés en raison de son prix relativement élevé. Au Royaume-Uni, une TG500 coûtait aussi cher qu'une Mini, qui disposait en plus de deux sièges supplémentaires et d'un toit en métal. De plus en plus de gens pouvaient désormais se payer une «vraie» voiture, ce qui ne faisait pas l'affaire de ces modèles. Comme la Mini, la TG500 de nos jours fait l'objet d'un véritable culte. **JI**

Sprite | Austin-Healey

1958 • 948 cm^3, S4 • 44 ch • 0-97 km/h en 20,5 s • 136 km/h

L'une des caractéristiques les plus notables de cette petite sportive britannique naît d'une tentative de réduction des coûts. En dessinant la Sprite pour le compte de la British Motor Corporation (BMC), Donald Healey avait prévu des phares rétractables qui, en position «repos», ne dépasseraient pas de la carrosserie. Cependant, BMC décida que le mécanisme nécessaire était trop coûteux. Les phares se retrouvèrent donc «bloqués» en position droite. La Sprite fut rapidement surnommée «yeux de grenouille» ou «yeux de mouche».

Vus avec un regard contemporain, ses phares proéminents ne font qu'ajouter au charme cocasse de cette voiture, qui fut lancée par BMC juste avant le rallye de Monte-Carlo en 1958. Cette voiture de sport abordable, que l'on pouvait «garer dans le hangar à vélos», compensait ses performances modestes par un surplus de personnalité. Pour ouvrir ses portes, il fallait actionner un levier et le seul moyen d'accéder au coffre consistait à incliner les sièges vers l'avant puis à farfouiller derrière.

Cette petite sportive embarquait le même moteur modeste que la Morris Minor, avec cependant des carburateurs plus puissants. Malgré cela, sa puissance ne dépassait pas 44 chevaux.

La Sprite était la petite sportive britannique par excellence, sa faible puissance étant compensée par une admirable tenue de route. L'une d'entre elles remporta même le Rallye alpin en 1958. La même année, une équipe de trois Sprite fut envoyée aux États-Unis pour participer à une course d'endurance de douze heures sur le circuit de Sebring en Floride. Elles s'emparèrent des trois premières places dans leur catégorie, ce qui permit à la Sprite de séduire de nombreux Américains. **JI**

PV544 | Volvo ⟨ S ⟩

1958 • 1 584 cm^3, S4 • 67 ch • 0-97 km/h en 14,3 s • 155 km/h

Les Volvo ont une réputation de robustesse et de fiabilité, comme en témoigne la PV444, au nom fort peu original, lancée en 1943 et qui resta en production pendant quinze ans. Quand la société lança son héritière, la PV544, en 1958, les évolutions étaient modestes, pour ne pas dire insignifiantes. Cependant, Volvo ne craignait pas grand-chose : si la 544 se vendait aussi bien et avec la même régularité que la 444, il s'agirait dans tous les cas d'une très bonne affaire pour le constructeur.

La PV544 fut produite sur une durée de huit années, soit presque deux fois moins longtemps que son modèle. Elle fut cependant la première Volvo à avoir un impact notable sur le marché américain, notamment grâce aux différences entre la 544 et la 444 : son pare-brise incurvé en un bloc, une vitre arrière bien plus large pour une meilleure visibilité, une boîte de vitesses manuelle à 4 rapports au lieu de 3, un siège arrière plus spacieux capable d'accueillir confortablement trois personnes, un tableau de bord matelassé et un compteur de vitesse de style « réglette ».

Pour le marché américain, l'un des attraits essentiels du nouveau modèle résidait dans son changement de design qui lui donnait l'air d'une Ford de 1946, une voiture qui avait remporté un immense succès, à échelle réduite. La consommation de carburant restant une question secondaire pour les Américains, Volvo exporta principalement son modèle « S », plus puissant, mais également plus gourmand en essence. Malgré l'image guindée de Volvo et le look de la PV544, qui semblait aussi fiable qu'inoffensive, la version importée remporta plusieurs succès sur les circuits américains. **MG**

360 | Subaru

1958 • 356 cm³, S2 • 16 ch • 0-80 km/h en 37 s • 96 km/h

La 360, lancée en 1958, fut la toute première voiture produite par Subaru. Son nom faisait référence à la taille modeste de son moteur, un bicylindre 2 temps de 356 cm³. Pour Subaru, le choix d'un tel moteur permettait de classer la 360 dans la catégorie «Keijidōsha» (automobile légère), un statut avantageux en termes de taxes et d'assurance. Les propriétaires n'étaient même pas obligés de prouver qu'ils disposaient d'une place de parking. La production de petites automobiles légères comme celle-ci était une manière d'encourager l'adoption de l'automobile par les masses après la guerre.

La 360, ou «Ladybug» pour ses fans japonais, fut la première Keijidōsha dotée de 4 roues et capable de transporter quatre passagers. Son moteur arrière était certes petit, mais d'une puissance étonnante pour un 2 temps. Les propriétaires devaient cependant mélanger de l'huile 2 temps et de l'essence et ajouter cette mixture à intervalles réguliers. Sa conception était plutôt sophistiquée pour l'époque, avec un châssis monocoque, la carrosserie jouant également le rôle d'une armature porteuse de charge.

La Subaru 360 fut produite de 1958 à 1971, mais elle ne fut, hélas, jamais exportée en Europe, un continent célèbre pour sa passion pour les petites automobiles. Fait étrange, elle fut vendue en petite quantité aux États-Unis, où des tests de collision défavorables ternirent sa réputation. Durant l'un deux, le pare-chocs d'une voiture américaine termina sa course à l'intérieur du compartiment passager d'une 360.

La catégorie Keijidōsha existe toujours au Japon, mais il y a peu de chances pour qu'elle accueille un modèle aussi novateur que la première-née de Subaru. **JI**

A40 | Austin (GB)

1958 • 948 cm³, S4 • 34 ch
0-97 km/h en 35,6 s • 123 km/h

BMC, la British Motor Corporation, naquit en 1952 d'une fusion entre l'Austin Motor Company et la Nuffield Corporation, la maison mère de Morris, MG, Riley et Wolseley. En 1956, BMC lança l'Austin A40, un nouveau modèle embarquant le même moteur de série A et la même boîte de vitesses que l'Austin A35, avec cependant un look radicalement nouveau. Le suffixe Farina, que l'on retrouve souvent accolé au nom de l'A40, signalait qu'il s'agissait d'une création du célèbre designer automobile italien Pininfarina.

L'A40 apparut pour la première fois au Salon de l'automobile de Londres de 1958, à Earl's Court, sous les traits d'une berline. Elle comportait un panneau s'ouvrant vers le bas en guise de couvercle de coffre, la vitre arrière étant fixe. La version Countryman fut lancée fin 1959. La vitre arrière de cette version était amovible et disposait de son propre support. Le panneau du bas était équipé de charnières plus longues et plus résistantes qui permettaient de l'aligner avec le plancher du coffre. Le changement de la partie arrière lui valut d'être désignée comme la première voiture à hayon. Sa porte arrière qui s'ouvrait vers le haut, une innovation notable, s'est depuis imposée comme l'un des types de carrosserie les plus appréciés.

En janvier 1969, à quelques mois du lancement de la voiture, une A40 fut brillamment pilotée par Pat Moss et Ann Wisdom lors du rallye de Monte-Carlo, qui était alors le plus célèbre événement du sport automobile au monde. Elle remporta plusieurs récompenses prestigieuses, dont la coupe des Dames, arrivant seconde dans la catégorie réservée aux voitures de série de moins de 1 000 cm³ et 10e au classement général. Cette performance valut à l'A40 une célébrité immédiate. **SB**

Anglia 105E | Ford (GB)

1959 • 997 cm³, S4 • 39 ch
0-97 km/h en 26,9 s • 112 km/h

Quatre Anglia différentes furent commercialisées au Royaume-Uni entre 1939 et 1967. La dernière d'entre elles, la 105E, est aujourd'hui la plus connue grâce à ses apparitions de haut vol dans *Harry Potter et la chambre des secrets*. Avant cela, l'Anglia s'était distinguée en jouant les figurantes dans la série policière britannique *Z-Cars* durant les années 1960 et 1970.

La première Ford Anglia, l'E04A, lancée juste après le début de la Seconde Guerre mondiale, était une version relookée de la Ford 7Y. Ralentie par la guerre, la production reprit à pleine vitesse dès la fin du conflit, en 1945. La Mark II, une autre version relookée, fut commercialisée entre 1949 et 1953, date à laquelle elle devint l'ultrabasique Ford Popular et resta en production pendant six années supplémentaires.

La première Anglia totalement originale, la 100E, arriva peu de temps après, avec un design totalement différent inspiré du style de la Consul, un véhicule plus imposant. Elle devint le best-seller incontesté de la gamme Anglia avec près de 350 000 exemplaires vendus au cours des six années suivantes. Deux versions break de la 100E apparurent en 1955 et l'une d'entre elles devint la première Escort de la marque Ford.

La 4e Anglia, au style plus américain – sa vitre arrière inclinée vers l'intérieur évoquait une Lincoln – fit son apparition chez les concessionnaires en 1959. Elle s'était fort heureusement débarrassée de l'un des équipements les moins appréciés de la gamme : ses essuie-glaces avant à vide. L'Anglia 105E réalisa la plus belle performance commerciale de la gamme, avec plus d'un million d'exemplaires écoulés en l'espace de huit ans. L'Anglia disparut en 1968 avec l'arrivée de l'Escort. **RY**

GT | Gilbern

GB

1959 • 1 799 cm³, S4 • 98 ch • 0-97 km/h en 9,7 s • 163 km/h

La société Gilbern, spécialisée dans les voitures de sport, fut fondée dans le village gallois de Llantwit Fardre après une rencontre fortuite entre Giles Smith et Bernhard Friese. Plus tôt durant les années 1950, Friese avait travaillé sur des voitures en fibre de verre et Smith lui avait demandé son opinion sur les différents modèles disponibles, avec l'idée de s'en fabriquer un lui-même.

La GT était un joli coupé sport de type *fastback*, 4 places aux faux airs d'Aston Martin. Avec sa carrosserie en fibre de verre et ses éléments mécaniques empruntés à une Austin A35, la toute première GT fut testée par le magazine *Autosport*, qui se répandit en louanges sur sa tenue de route, ses performances et sa qualité de construction. Voyant un marché potentiel pour sa nouvelle voiture, le duo se mit à produire des Gilbern GT partiellement préassemblées et vendues en kit, au prix de

748 livres. Il ne restait plus qu'à monter le moteur, la boîte de vitesses, l'essieu arrière et les roues, ce qui représentait un week-end de travail pour la plupart des clients.

Pour répondre à un accroissement de la demande, Gilbern étendit ses effectifs à cinq employés. Au début des années 1960, leurs voitures étaient proposées avec des roulements de MGA et produites au rythme d'une par mois. En 1965, elles utilisaient un moteur MGB de 1 799 cm³ et il fallait 20 personnes pour fabriquer une Gilbern GT 1800 en une semaine.

Au total, 277 Gilbern GT furent produites ; aujourd'hui, elles sont très recherchées, particulièrement au pays de Galles, leur contrée natale. Nombre d'entre elles participent toujours à des courses de véhicules historiques grâce à leur construction légère et à leur mécanique robuste. **GT**

Sport Prinz | NSU (D)

1959 • 583 cm³, S2 • 30 ch • 0-97 km/h en 27,8 s • 126 km/h

Véritable touche-à-tout, la société allemande NSU (anciennement NSU Motorenwerke AG) produisait à l'origine des machines à coudre, puis des bicyclettes, des scooters et des motos. Au milieu des années 1950, NSU était devenu le premier producteur de motos au monde et avait réalisé plusieurs records de vitesse terrestre.

De 1905 à 1932, l'année de la cession de sa division automobile à Fiat, elle produisit également des voitures. Les dirigeants de la société décidèrent de relancer leur activité automobile au cours des années 1950 et contactèrent Franco Scaglioni de Bertone afin de lui commander une voiture de sport pour leur écurie, encore modeste, mais prometteuse. Scaglioni, le créateur de l'Aston Martin DB2 et de la Maserati 3500GT, qui travaillait alors pour Alfa Romeo, accepta leur offre. En 1959, NSU lança la Sport Prinz de Scaglioni.

Sans nul doute, le clou du Salon de l'automobile de Francfort de 1958 fut la Sport Prinz. Les 250 premiers exemplaires furent produits dans l'usine turinoise de Bertone, mais les modèles ultérieurs furent fabriqués en Allemagne à l'usine NSU de Neckarsulm. Plus de 20 000 exemplaires furent fabriqués entre 1959 et 1967.

La Sport Prinz était élégante, avec des lignes effilées, des phares arrière capuchonnés et des équipements typiques pour une microvoiture, comme des roues à deux rayons. Son intérieur spartiate comportait une colonne de direction peu pratique, qui s'enfonçait dans le plancher au milieu de l'accélérateur et du frein, c'est-à-dire entre les jambes du conducteur.

Cependant, avec la montée en puissance du Deutsche Mark, les Allemands délaissèrent les petites voitures au profit de véhicules plus imposants. **BS**

3000 | Austin-Healey

GB

1959 • 2 912 cm³, S6 • 126 ch • 0-97 km/h en 11,4 s • 182 km/h

La 3000, une Austin-Healey dotée d'un moteur de 2 912 cm³, est une voiture de sport légendaire des années 1950. Il s'agissait de la dernière et de la plus célèbre parmi celles qui seraient désignées sous l'appellation « Big Healeys », un terme désignant les 100, 100-6 et 300 par opposition à la Sprite d'Austin-Healey, plus petite.

La 3000 est restée dans les mémoires pour ses performances en compétition. Elle se distingua sur des circuits dans le monde entier, dont celui de Sebring et du Mans, mais également durant des étapes de rallye. On raconte que la British Motor Corporation, qui assemblait la 3000 dans son usine d'Abingdon, ne cessa de développer des versions de course qu'après le succès de la Mini Cooper S.

Lancée en 1959 en version décapotable, avec un toit en toile et une carrosserie dessinée par Jensen Motors, l'Austin-Healey 3000 se déclinait en version 2 ou 4 places.

Cette dernière, de loin la plus populaire, représentait plus de 10 000 des 13 000 exemplaires vendus. La Mark I, qui ne commença à être désignée sous ce nom que quand la Mark II fit son apparition, fut abandonnée en mars 1961. Malgré l'introduction d'une option Mark II de 4 places, la banquette arrière était minuscule et rarement utilisée par les passagers. Une version Mark III, lancée en 1963, resta en vente pendant cinq ans.

La production de la 3000 fut interrompue, car l'introduction de nouvelles normes de sécurité en Amérique du Nord, son principal débouché, imposait une refonte jugée trop coûteuse. Quarante mille exemplaires avaient déjà été vendus. L'imitation étant la plus sincère des flatteries, la 3000 connut une seconde vie durant les années 1980 et 1990 par le biais de nombreuses répliques. **RY**

356B | Porsche

(D)

1959 • 1 966 cm³, F4 • 133 ch • 0-97 km/h en 9,7 s • 201 km/h

Quand Porsche entama sa première année complète de production en 1950, la 356 n'était guère qu'une Coccinelle Volkswagen modifiée, dissimulée sous une carrosserie sportive faite main. Mais Porsche ne cessa de revoir sa copie au fil des quinze années suivantes.

Jusqu'en 1956, Porsche avait vendu une version ouverte très dépouillée de la 356, baptisée Speedster. Vers la fin des années 1950, cependant, le lucratif marché américain était en quête de confort et de raffinement. La nouvelle Porsche 356B fut lancée lors du Salon de l'automobile de Francfort de 1959 avec une partie avant relookée, une direction et des freins améliorés et quelques équipements de confort supplémentaires pour les passagers. La version Speedster fut rayée de la gamme au profit d'un cabriolet mieux garni avec une carrosserie conçue sur mesure.

La « Damen », la nouvelle version d'entrée de gamme de 60 chevaux, aurait pu faire l'affaire, mais l'envie qu'avait Porsche de briller sur les circuits lui inspira des versions bien plus puissantes de la 356B. La plus impressionnante était la fabuleuse Carrera 2 (ainsi nommée à cause de son moteur 2 litres), qui allait devenir la 356 la plus rapide jamais produite. Décrite dans les brochures de Porsche comme « un cheval de course dompté d'une main de maître », la Carrera 2 était capable d'atteindre 201 km/h. Comme elle n'était équipée que de freins à tambour, elle était naturellement réservée aux conducteurs les plus sérieux. La légende britannique du sport automobile John Surtees, le seul coureur à avoir remporté des championnats du monde sur 2 roues comme sur 4 roues, conduisit sa Carrera 2ᵉ édition 1963 couleur ivoire pendant près de 20 ans. **DS**

The incredible **AUSTIN SEVEN & MORRIS MINI-MINOR**

Cette affiche de 1959 donne une idée du nombre de passagers et de la quantité de bagages que la nouvelle Mini pouvait embarquer.

Mini | Austin (GB)

1959 • 848 cm³, S4 • 34 ch • 0-97 km/h en 25 s • 116 km/h

L'histoire a décrété que cette petite voiture au moteur transversal, dont les 4 roues occupent les angles d'une carrosserie longue d'à peine 3 mètres, sera toujours désignée sous le sobriquet de « Mini ». Elle fit cependant son apparition en 1959 sous les traits de deux « clones » baptisés Austin Seven et Morris Mini Minor, qui donnèrent l'Austin Mini, puis la Mini.

La Mini comprenait une brillante idée du designer Alec Issigonis : un moteur transversal, installé le long de l'essieu avant et non orienté dans le sens de la marche, qui entraînait les roues avant et non les roues arrière. Issigonis put ainsi raccourcir le capot et se débarrasser de la ligne d'arbre qui transmettait la rotation du moteur à l'essieu arrière.

L'espace ainsi gagné permettait de réduire considérablement la longueur du véhicule. À présent, 80 % de la surface du châssis était disponible pour les passagers et les bagages. Du même coup, cette petite voiture aux lignes carrées fit paraître ses contemporaines encombrantes et démodées. Sa prise en main très directe et instinctive changea également l'image des petites voitures et de ce qu'on pouvait en attendre en termes de conduite.

La Mini apparut en Angleterre quelques mois à peine avant le début des « Swinging Sixties », période marquée par l'avènement des Beatles, le strass de Carnaby Street et l'engouement du public pour l'exploration spatiale. Cependant, on oublie souvent que le succès de la Mini ne fut pas immédiat. Mais quand des personnalités donnant le ton, comme la princesse Margaret et Lord Snowden, se mirent à sillonner Londres au volant d'une Mini, les ventes décollèrent et la petite voiture entama une ascension vertigineuse. **SB**

M-13 | Chaika (SU)

1959 • 5 526 cm³, V8 • 197 ch • 0-97 km/h en 15 s • 160 km/h

Dans le contexte de l'économie soviétique planifiée des années 1950, l'idée même de produire des voitures pour les masses était sans précédent. Quiconque souhaitait une voiture devait s'inscrire sur une liste d'attente et patienter souvent jusqu'à dix ans. Ceux qui échappaient à cette règle (membres de base du parti, scientifiques, délégués syndicaux ou autres VIP) obtenaient généralement une Chaika.

La Chaika M-13, avec un moteur V8 de 5 526 cm³, pesait plus de 2 500 kilos et il fallait bien ses 197 chevaux pour la faire avancer. Elle était réservée aux membres du Politburo et aux bureaucrates de haut rang. À peine plus de 3 000 Chaika furent produites sur une période de 20 ans, un cycle de production plutôt long pour les normes occidentales, mais courant dans une économie planifiée où les changements de style et la compétition pour se démarquer des autres n'avaient pas leur place.

Officiellement, la Chaika avait été développée directement par Chaika, mais elle ressemblait étrangement à une Packard, avec son pare-chocs chromé surdimensionné typique des années 1950, plus quelques éléments rappelant vaguement une Cadillac Série 62. Ces similitudes n'ont rien d'étonnant : une Packard Patrician de 1955 avait été importée pour nourrir l'inspiration des designers de Chaika.

Le Premier ministre soviétique, Nikita Khrouchtchev, préférait la Chaika à la ZiL, pourtant plus sophistiquée, et en avait une dans le garage de sa datcha d'été. La plupart des modèles étaient des berlines, mais un petit nombre de décapotables 4 portes furent produites. Comme la Model T de Ford, elles étaient disponibles dans de nombreux coloris… à condition qu'il s'agisse du noir. **BS**

SP250 | Daimler GB

1959 • 2 548 cm³, V8 • 144 ch • 0-97 km/h en 8,9 s • 200 km/h

Daimler of England, une filiale du constructeur allemand Daimler-Benz, ne produisit qu'un petit nombre de voitures de sport, lesquelles n'eurent guère de succès. Avec le roadster Conquest de 1953, ils avaient tenté de lancer un modèle plus abordable, mais la production avait cessé au vu des ventes médiocres.

Le 22 mai 1958, le nouveau président de Daimler, Jack Sangster, jugea le moment opportun pour développer une voiture de sport pour le marché américain. La demande de voitures de sport britanniques, stimulée par les nouveaux modèles de MG, Jaguar, Triumph et Austin-Healey, avait progressé de 82 % aux États-Unis en 1957. L'ingénieur Edward Turner avait reçu des instructions fort simples : créer une voiture de sport fiable, facile à entretenir, et agréable à conduire. La Daimler SP250 exauça quasiment tous les souhaits de Jack Sangster.

Le seul problème était sa forme. Les coûts d'outillage pour produire de l'acier embouti étaient prohibitifs, et sa curieuse carrosserie en fibre de verre semblait avoir été conçue à la hâte, avec des phares étrangement proéminents et des ailettes arrière très prononcées. Hormis ce problème de look, son châssis rigide et ses amortisseurs surdimensionnés lui assuraient un confort et une tenue de route exemplaires. Son nouveau moteur V8 à commandes de soupapes brevetées pouvait atteindre 6 000 tours par minute. Chose encore rare à l'époque, chacune de ses roues était équipée de frein à disque. Enfin, sa banquette arrière pouvait accueillir confortablement deux enfants.

En 1960, Daimler fut rachetée par Jaguar. Malgré ses améliorations, la SP250 Model B ne déchaîna toujours pas les passions et dut être abandonnée en 1964. **BS**

Eldorado | Cadillac

1959 • 6 391 cm³, V8 • 349 ch • 0-97 km/h en 9,6 s • 199 km/h

Cadillac lança un modèle baptisé Eldorado en 1953, mais c'est la refonte apparue à la fin des années 1950 qui représente la référence ultime de cette décennie en termes d'extravagance dans le design automobile.

La nouvelle Eldorado se distinguait en particulier par le jusqu'au-boutisme de ses ailettes. Ces dernières étaient les plus hautes jamais conçues : 114 centimètres. Leur face arrière formait une sorte de V, avec une paire de phares rouges à leur pointe. Avec ces énormes ailettes, l'Eldorado de 1959 ressemblait davantage à une fusée qu'à une voiture.

Ses ailettes étaient apparues en 1956, et leur taille avait augmenté en 1957, puis en 1958. La version de 1959 avait poussé l'expérience à son paroxysme. Certains critiques, comme Walter McCall, un spécialiste de l'histoire de Cadillac, les qualifièrent de « ridicules » et « d'un goût douteux », mais les clients semblaient apprécier cette allure conquête de l'espace. En 1959, les ventes de l'Eldorado, mais également de toutes les autres Cadillac, augmentèrent en conséquence.

Cette voiture était vraiment spéciale, et pour 7 401 dollars, les clients s'attendaient à quelque chose d'extraordinaire. Son capot abritait un énorme moteur de 6 391 cm³, délivrant plus de puissance que la plupart des Cadillac précédentes.

Résolument ambitieuse, l'Eldorado de 1959 était la Cadillac la plus puissante des années 1950. Un siège électrique 6 positions était proposé en option, ainsi que des portes à verrouillage électrique. Ses flancs étaient ornés de garnitures chromées. De nos jours, il faut débourser bien plus de 200 000 dollars pour s'en procurer une en bon état. **MG**

Impala | Chevrolet

1959 • 3 859 cm³, S6 • 137 ch • inconnue • 145 km/h

L'arrière de la Chevrolet Impala 1959 était des plus remarquables. Bien que le modèle ait été introduit l'année précédente, la version de 1959 avait été revue et corrigée au point de devenir un véritable classique du design. L'un des changements consistait en l'introduction de deux imposants feux arrière en forme de goutte de chaque côté, placés sous des ailettes incurvées rappelant des sourcils.

À son lancement en 1958, l'Impala (nommée en référence à une antilope africaine) arborait de chaque côté trois petits feux arrière alignés au lieu d'un gros. Son look était spectaculaire, mais pas autant que la version de l'année suivante. Étrangement, Chevrolet revint en 1960 à un style plus classique pour ses feux arrière. Bien lui en prit, car en l'espace de cinq ans l'Impala devint la voiture la plus vendue aux États-Unis.

L'Impala de 1959 avait été dessinée par Harley Earl, qui conçut plusieurs superbes voitures américaines. Ce fut sa dernière création pour la société. Sur le point de prendre sa retraite, il fit une fin de carrière retentissante avec cette voiture, surnommée « la sauvage » par ses admirateurs et affublée d'innombrables noms d'oiseaux par ses détracteurs.

Selon Ed Cole, l'ingénieur en chef de Chevrolet, l'Impala représentait une tentative de produire « une voiture de prestige à la portée de l'Américain moyen ». L'apparence l'emportait donc sur la puissance. Le modèle de base avait une vitesse de pointe assez modeste, mais Earl avait conçu la voiture de manière à permettre aux clients de commander des moteurs plus puissants s'ils le désiraient. De nos jours, l'Impala reste une valeur sûre. **MG**

5000 GT | Maserati

1959 • 4 940 cm³, V8 • 343 ch • 0-97 km/h en 6,5 s • 274 km/h

Ses origines sportives, sa puissance, sa tenue de route irréprochable et son élitisme confèrent à la Maserati 5000 GT un statut d'exception.

En 1958, le shah d'Iran rendit visite à Maserati afin de trouver une nouvelle voiture pour enrichir sa collection de supercars. Reza Pahlavi fut impressionné par la nouvelle 3500 GT, mais il désirait quelque chose de nettement plus puissant. Après de longues discussions avec les principaux ingénieurs, le shah commanda une voiture de grand tourisme unique au monde, la 5000 GT. Dessinée par le carrossier italien Touring et propulsée par un V8 dérivé de la 450S, une voiture de course au destin funeste, la 5000 GT était un chef-d'œuvre.

Quand les détails de la 5000 GT du shah se mirent à transpirer, Maserati reçut un déluge de requêtes émanant des collectionneurs d'automobiles les plus riches du monde. Au cours des six années suivantes, 32 autres exemplaires furent produits, chacun doté d'une carrosserie unique conçue par huit sociétés italiennes, dont Ghia, Bertone et Michelotti. Ces modèles, désormais équipés d'un V8 de 5 000 cm³, étaient surnommés les « supercars des superstars ». Les clients allaient de l'acteur Stewart Granger au sportif Briggs Cunningham en passant par des chefs d'État, dont le roi Saoud d'Arabie saoudite et le président mexicain Adolfo López Mateos.

En août 1962, Karim Aga Khan fit livrer une Maserati 5000 GT à son adresse parisienne. Équipée à sa demande de 4 freins à disque et d'une carrosserie sur mesure fabriquée par Frua, elle comportait également une platine à 45 tours intégrée au tableau de bord. Vendue aux enchères en 2007 en Californie, elle fut adjugée pour 1,1 million de dollars. **DS**

Dart | Goggomobil   (AUS)

1959 • 300 cm³ ou 400 cm³, S2
15 ch • inconnue • 100 km/h

Quoi de plus australien que de prendre une voiture de série et de remplacer son moteur par un modèle plus rapide ? C'est ce que fit la société Buckle Motors de Punchbowl, près de Sydney, avec la 700 Darts, une refonte sportive australienne de la très populaire Goggomobil TS, produite par Buckle entre 1959 et 1961.

Bill Buckle jugeait le moteur de 50 cm³ de la TS bien trop modeste. Il acheta donc châssis et roulements à l'inventeur de la Goggomobil, Hans Glas de Dingolfing, en Allemagne, et équipa, dans la plus pure tradition australienne, sa Dart nouvelle génération d'un moteur plus puissant, de 300 cm³ ou de 400 cm³.

La Goggomobil allemande possédait des panneaux d'acier, mais Buckle réduisit son poids à seulement 380 kilos en l'équipant d'une carrosserie en fibre de verre. Bill Buckle avait déjà fait concourir avec succès des voitures de sport 6 cylindres en fibre de verre en Australie, et il demanda à un ingénieur de Sydney, Stan Brown, de concevoir une décapotable.

Les Australiens étaient habitués aux véhicules à l'apparence hétérogène, et la Dart appartenait à cette catégorie. Elle ne possédait certes ni toit ni portes, et son moteur était à peine plus gros que celui d'un kart, mais elle se rattrapait aisément avec sa mine adorable. Elle n'était pas rapide, mais son rapport puissance/poids lui permettait tout de même de tirer son épingle du jeu.

Cette «Type E au nez retroussé», dotée de «pneus de brouette», était vraiment charmante, bien que difficilement accessible aux conducteurs massifs. Cependant, son pare-brise incurvé (inspiré de la Renault Dauphine), ses lignes simples et fluides et ses phares intégrés suscitaient, partout où elle allait, un intérêt bien mérité. **BS**

Miller-Meteor | Cadillac   (USA)

1959 • 6 390 cm³, V8 • 329 cm³
0-97 km/h en 11,5 s • 193 km/h

En 1957, les deux marques les plus respectées dans le domaine des ambulances et des véhicules funéraires furent achetées par Wayne Works, un géant industriel de l'Indiana, et fusionnées en une seule entité : Miller-Meteor. La société A. J. Miller s'était lancée dans la production de buggies, de corbillards et de calèches dès 1853. La Meteor Car Company, fondée dans l'Ohio en 1913, était devenue le premier producteur de véhicules funéraires et d'ambulances au monde. L'usine Miller de Bellafontaine, dans l'Ohio, fut vendue, et la totalité de ses activités fut transférée dans l'usine de Meteor à Piqua, dans l'Ohio.

Les premiers autocars de Miller-Meteor étaient bâtis sur des châssis Cadillac. Cadillac était le leader des ambulances et des corbillards depuis la fin des années 1940, grâce à son châssis «professionnel» série 75 extra-long de 414 centimètres. En 1962, la société s'était emparée de 50 % de ce marché grâce à la débâcle, en 1954, de ses meilleures concurrentes, les Packard à carrosserie Henney, après plusieurs années de ventes décevantes.

Le modèle le plus populaire jamais produit par Miller-Meteor fut la Cadillac Futura de 1959. Ses ailettes arrière exagérément volumineuses font d'elle l'une des ambulances et corbillards les plus recherchés de tous les temps. Naturellement, des véhicules si outrageusement décorés pouvaient sembler indignes d'un usage aussi solennel, mais Cadillac et Miller-Meteor avaient fait en sorte de leur donner de la prestance.

Une Cadillac Miller-Meteor 1959 connut la gloire en 1984 avec la sortie du film *S.O.S. Fantômes*, dans lequel elle incarnait «Ecto-1», la voiture avec laquelle Bill Murray et son équipe aspiraient diverses substances ectoplasmiques. **BS**

S211 Fairlady | Datsun

J

1959 • 988 cm³, S4 • 34 ch • inconnue • 113 km/h

La Fairlady se positionna dès le départ comme une concurrente pour les sportives britanniques MG et TR. Conformément à l'habitude japonaise, ses débuts furent plutôt lents, mais le constructeur finit par atteindre une vitesse et une efficacité que les constructeurs occidentaux ne pouvaient égaler. Cette série de roadsters est à l'origine de la 240Z et de la série Z des années 1970, qui achevèrent leurs concurrentes britanniques.

La Datsun S211 Fairlady de 1959 possédait une carrosserie en fibre de verre et un moteur de 988 cm³. Seuls 20 exemplaires furent produits. Datsun baptisa sa voiture de sport en référence à l'une des comédies musicales de Broadway les plus populaires de l'époque, *My Fair Lady*.

En l'espace d'un an, la Fairlady se dota d'une carrosserie en acier et d'un moteur de camion de 1 200 cm³. Près de 300 exemplaires furent produits avant que la puissance du moteur ne soit augmentée de 25 % l'année suivante. En 1963, la Fairlady, désormais disponible en version conduite à droite ou à gauche, hérita d'un moteur de 1 500 cm³ et d'une radio sur mesure. Le moteur fut rapidement revu et équipé d'un double carburateur, lui permettant ainsi de développer 86 chevaux. Les premiers modèles de cette version comportaient un étrange siège transversal derrière les deux sièges avant, mais il fut rapidement supprimé.

En 1965, sa puissance fut portée à 96 chevaux et elle fut dotée d'une suspension indépendante. En 1967, la Fairlady reçut un moteur de 2 000 cm³ et, pour la première fois, une boîte 5 vitesses. Un kit optionnel de « compétition » lui permit d'atteindre une puissance exceptionnelle de 152 chevaux, là où une MGB n'offrait que 97 chevaux. **SH**

Mark II | Jaguar

1959 • 2 483 cm³, S6 • 122 ch • 0-97 km/h en 14,4 s • 163 km/h

La Jaguar Mark II était une berline de taille moyenne qui s'est imposée comme l'un des modèles emblématiques de la marque. Elle fut la première Jaguar dotée d'une construction monocoque. La Mark II fut produite pendant huit ans, de 1959 à 1967. La version qui se vendit le mieux embarquait un moteur de 2 483 cm³, mais il existait des variantes plus puissantes. Les acheteurs pouvaient également faire installer un moteur de 3 400 ou 3 800 cm³ sous son long capot finissant en pointe. Le puissant moteur tapi entre ses ailes avant tout en courbes voluptueuses ne faisait que renforcer l'impression d'un félin « prêt à bondir ».

La Mark II la plus rapide, mue par un moteur de 3 800 cm³, était capable d'atteindre 200 km/h et pouvait passer de 0 à 97 km/h en 8,5 secondes. Avec son excellente tenue de route et ses 5 sièges, elle était rapide et polyvalente. La réputation de vitesse et d'agilité du modèle l'ayant rendu très populaire comme « voiture de fuite » pour les braqueurs et autres criminels, la police adopta également des Jaguar Mark II 3,8 pour les courses-poursuites et les patrouilles autoroutières.

Plus récemment, la série télévisée *Inspecteur Morse* (1987-2000), avec John Thaw, la rappela au bon souvenir du public. On y voyait l'inspecteur conduire une Mark II standard de 2 483 cm³ avec un toit en vinyle et des roues en acier (le modèle qui est aujourd'hui le moins recherché) dans les rues d'Oxford. La série s'appuyait sur une série de romans de Colin Dexter dans lesquels le très cérébral détective conduisait une Lancia. Thaw parvint à convaincre les producteurs que Morse devait avoir une voiture anglaise, et la Mark II était la candidate idéale pour le rôle. **SB**

400 GT Superamerica | Ferrari

(I)

1959 • 3 967 cm³, V12 • 335 ch • inconnue • 265 km/h

Présentée comme l'héritière des modèles 410 Superamerica, la 2 places 400 GT Superamerica fut proposée à la vente de 1959 à 1964. La version coupé standard « Aerodynamica » était la plus courante, mais un coupé « Berlinetta » ainsi que neuf décapotables sortirent également de l'usine. À l'exception de deux d'entre elles, elles avaient été dessinées par Pininfarina et chacune embarquait un moteur V12 de 3 967 cm³.

Le nom de cette voiture intrigua, car c'était la première fois qu'une Ferrari de série ne respectait pas la tradition, qui consistait à utiliser un numéro de trois chiffres représentant le volume balayé par un seul piston. Au lieu de 330, elle fut baptisée 400, en référence à sa cylindrée de 4 litres. Et pourquoi « Superamerica » ? Pour satisfaire aux exigences du marché américain, le préfixe « super » signalant souvent chez Ferrari une version améliorée.

Ces voitures étaient conçues et construites selon les mêmes principes que la Série 250 GT de Ferrari, également produite à l'époque. Les clients pouvaient choisir le type de carrosserie qu'ils voulaient et la faire personnaliser. Chaque voiture était unique.

Le premier exemplaire, destiné à Giovanni Agnelli, lui fut présenté lors du Salon de l'automobile de Turin en 1959. Très impressionné, il finit par devenir actionnaire majoritaire de Ferrari une décennie plus tard.

Seules quarante-sept 400 GT furent produites, et on en trouve rarement à vendre. L'une d'entre elles, un cabriolet de 1962, fut vendu aux enchères en mai 2010 à Monaco pour 2,8 millions d'euros. Il s'agissait d'un record absolu de prix pour une 400 Superamerica et, cela va sans dire, son nouveau propriétaire se garda bien de sillonner la Côte d'Azur pour fêter son acquisition. **RY**

250 GT SWB | Ferrari ⓘ

1959 • 2 953 cm³, V12 • 283 ch • 0-97 km/h en 6,2 s • 245 km/h

La gamme de voitures de sport Ferrari 250 débuta avec le modèle Europa de 1953. La popularité de cette supercar V12 était telle qu'au cours des onze années suivantes, la production annuelle de Ferrari passa de 35 à 670 unités.

Avec son moteur Columbo léger de 2 953 cm³ et son châssis savamment équilibré, la Ferrari 250 restait une voiture de course dans l'âme. La 250 GT SWB était la voiture de sport la plus rapide de son temps. Sur la piste, elle était quasiment imbattable ; en 1960, Ferrari s'empara des quatre premières places aux 24 Heures du Mans dans la catégorie GT. L'année suivante, les légendes du sport automobile Stirling Moss et Graham Hill battirent le record de rapidité du tour. Moss a affirmé, et bien d'autres également, que la 250 GT SWB était « la meilleure GT de tous les temps. »

Pour financer ses ambitions sportives, Ferrari se devait de vendre des voitures de route. Ferrari capitalisa sur les récentes victoires de la 250 sur circuit pour lancer la Lusso (« luxe » en italien) et la superbe California.

En 1961, l'acteur hollywoodien James Coburn acheta une 250 GT California noire, qu'il conserva pendant 24 ans. Durant le tournage de *La Grande Évasion* (1963), il persuada son ami Steve McQueen, un autre passionné d'automobiles, de l'essayer. En 1963, McQueen acheta sa première Ferrari : une GT Lusso 250 marron, qui fut vendue 2 310 000 dollars lors d'une vente aux enchères à Monterey. L'année suivante, l'animateur de radio britannique Chris Evans proposa 5 089 280 livres sterling pour la California de Coburn, établissant ainsi un nouveau record du prix le plus élevé payé pour une voiture dans une vente aux enchères. **DS**

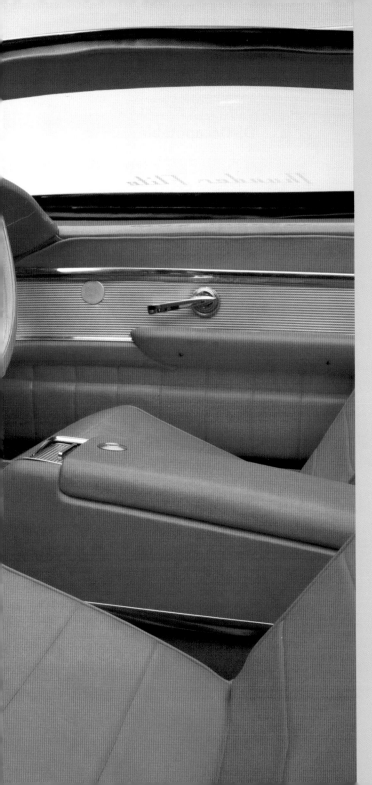

1960–1969

Le somptueux intérieur rouge
d'une Ford Thunderbird 1961.

Sabra | Autocars (IL)

1960 • 1 703 cm³, S4 • 74 ch
0-97 km/h en 15 s • 150 km/h

L'État d'Israël, fondé en 1948, n'avait pas eu l'occasion de s'affirmer comme un grand centre de l'industrie automobile. Au cours des années 1950, Yitzhak Shubinsky fonda une toute nouvelle société, baptisée Autocars, à Haïfa, à 40 kilomètres à l'ouest de Nazareth.

Shubinsky se lia avec la société britannique Reliant, qui lui fournit les connaissances nécessaires et l'aida à produire plusieurs modèles. Il s'agissait dans tous les cas de véhicules très basiques et de forme carrée. Shubinsky était conscient qu'il lui fallait faire plus.

Lors d'un salon consacré aux voitures de course organisé à Londres en 1960, Shubinsky remarqua une carrosserie en fibre de verre vendue par une société du nom d'Ashley Laminates. Ashley proposait des carrosseries aux amateurs suffisamment bricoleurs pour transformer une vieille Ford Popular ou une Austin Ten en un modèle bien plus sportif. Il s'agissait de carrosseries en kit.

Avec l'aide technique de Reliant, un châssis Bellamy et un moteur de Ford Consul préparé, Shubinsky importa des carrosseries Ashley et, avec elles, produisit la Sabra (« cactus » en hébreu ; le logo d'Autocars représentait un cactus). La Sabra fut dévoilée lors du Salon de l'automobile de New York de 1961. Mais l'usine de Haïfa n'était pas prête à assurer la production, et les premières voitures furent fabriquées dans l'usine de Reliant à Tamworth.

Cependant, même après le début de la production en Israël, la demande de voitures de sport israéliennes restait limitée. Le fait que Reliant en poursuive la production (sous le nom de Sabre) n'arrangea rien. Au final, environ 380 Sabra furent fabriquées avant qu'Autocars signe un contrat avec Standard Triumph et se mette à produire des voitures sous licence. **SH**

DS Décapotable | Citroën (F)

1960 • 1 911 cm³, S4 • 84 ch
0-97 km/h en 18,3 s • 159 km/h

La sortie d'une Citroën DS Décapotable semblait inévitable, car son ancêtre, la berline DS, s'était affirmée comme l'une des voitures les plus populaires et les plus influentes de son époque. Équipée de suspensions hydropneumatiques à nivellement automatique, elle avait été la première voiture de série équipée de freins à disque assistés à l'avant. Certains la considéraient d'une beauté exceptionnelle – le magazine *Classic & Sports Car* la décrivit comme la plus belle voiture de tous les temps – et, pressé par les fans de lui enlever son toit, le grand constructeur français finit par obtempérer.

La Décapotable fut dessinée puis fabriquée par Henri Chapron, un carrossier traditionnel qui avait continué à faire et à modifier des carrosseries bien après que l'« ère de la monocoque » eut relégué la plupart de ses contemporains à l'histoire. Il ne s'était inspiré d'aucun véhicule antérieur. Sa carrosserie légèrement effilée, ses nouveaux panneaux à l'arrière du pare-chocs avant et sa toute nouvelle aile arrière monobloc, avec des découpes en guise de passages de roue, lui donnaient un air à la fois futuriste et intemporel. Elle comportait désormais 4 places et plusieurs innovations séduisantes, comme des phares avant qui s'orientaient en fonction de la direction du volant. La séparation entre sièges avant et sièges arrière intégrait des commandes de chauffage et de ventilation destinées aux passagers arrière. La DS Décapotable était une véritable limousine.

Sur plus de 1,5 million de berlines DS produites, seuls 1 365 exemplaires (les plus recherchés aujourd'hui) étaient signés Chapron. Ces modèles rappelaient les grandes routières d'antan, tout en offrant un aperçu sur un avenir potentiel de l'automobile. **BS**

404 | Peugeot   (F)

1960 • 1 618 cm³, S4 • 72 ch
0-97 km/h en 22 s • 135 km/h

L'élégante 404 a été dessinée par Pininfarina. Conçue pour remplacer la 403 bien que toutes deux aient cohabité chez les concessionnaires pendant un moment, c'était une familiale 4 portes. Plus de 1,8 million d'exemplaires furent assemblés en France entre 1960 et 1975. Les versions berline et break étaient toutes deux très populaires et nombre d'entre elles furent utilisées comme taxis. Des versions décapotable et coupé virent respectivement le jour en 1962 et 1963, et la version pick-up remporta un tel succès dans les communautés agricoles françaises qu'elle resta en vente pendant treize ans après l'arrêt de la production des versions voiture.

Pourtant, le plus haut fait de la Peugeot 404 reste sans doute sa conquête de l'Afrique. Sur un continent quasi dépourvu de routes goudronnées, sa robustesse et sa durabilité en faisaient un modèle extrêmement prisé des autochtones. La demande était telle que Peugeot autorisa sa production sous licence en Afrique, et plusieurs usines y ouvrirent. La dernière d'entre elles, au Kenya, ferma en 1988.

La 404 devait une grande part de sa réputation en Afrique à ses performances dans le cadre du Rallye Safari, une redoutable course d'endurance dans le désert, qui fait depuis partie du championnat du monde de rallye (WRC). C'est une 404, pilotée par les Kényans Nick Nowicki et Paddy Cliff en 1963, qui fut la première Peugeot à remporter cette épreuve. La 404 remporta ensuite une autre série de titres et de victoires en 1966, 1967 et 1968.

Elle était également très populaire en Amérique du Sud, où elle fut fabriquée sous licence pour le marché argentin par Sevel, un constructeur local. **RY**

New Yorker | Chrysler   (USA)

1960 • 6 771 cm³, V8 • 354 ch
0-97 km/h en 7 s • 199 km/h

La New Yorker de 1960 se déclinait en plusieurs versions : hard-top et décapotable 2 portes, berline et hard-top 4 portes, et break hard-top 4 portes. Seuls 556 exemplaires de la décapotable furent produits. Un nouveau procédé consistant à souder les panneaux au lieu de les visser fut adopté pour tous les modèles. La carrosserie ainsi obtenue était plus sûre et bien plus rigide, mais également plus sensible à la corrosion. Sur le plan stylistique, elle arborait une calandre plus large en trapèze inversé, et la version break affichait pour la première fois des ailettes allongées s'étendant sur la moitié de la longueur de la voiture. L'une des options les plus populaires était des sièges avant pivotant vers l'extérieur quand on ouvrait les portières avant.

La New Yorker de Chrysler avait été dévoilée pour la première fois en 1938 sous l'appellation « New Yorker Special ». La production des New Yorker se poursuivit sans interruption jusqu'en 1996, et elles continuèrent d'incarner le fleuron de la marque pendant de nombreuses années. Pour les automobilistes américains, les Chrysler, et la New Yorker en particulier, n'étaient pas aussi luxueuses que les Cadillac, mais elles étaient supérieures aux Ford et aux Chevrolet. Comme le clamait la publicité : « Quand vous prendrez le volant, vous vous sentirez comme un enfant dans une fête foraine. »

La New Yorker permit aux Américains de se faire une nouvelle idée du standing de Chrysler. Sa mise à la retraite – alors qu'elle venait d'être supplantée par la LH de Chrysler, une nouvelle berline de prestige hautes performances – marqua la fin d'une époque, la fin d'une institution, la disparition du modèle le plus pérenne de l'histoire automobile américaine. **BS**

300F | Chrysler

USA

1960 • 6 768 cm³, V8 • 378 ch • 0-97 km/h en 7,1 s • 205 km/h

La C-300 de 1955, première représentante de la série 300 de Chrysler, avait remporté un succès immédiat, et les nouveaux modèles avaient continué à se succéder, année après année. La 300B, sortie en 1956, fut suivie d'autres modèles dans l'ordre alphabétique jusqu'à la 300E de 1959, qui ne se vendit qu'à 647 exemplaires. Il fallait faire quelque chose pour rajeunir la marque. Ce quelque chose fut la 300F, sortie en 1960. Ce monstre ne manquait vraiment pas d'énergie. Il devint même l'une des premières muscle cars de Chrysler.

La 300F embarquait le même moteur que le précédent modèle, en plus puissant cependant, mais comportait aussi une carrosserie plus légère, qui lui permettait une vitesse de pointe supérieure et une meilleure accélération. La partie arrière fut redessinée et rehaussée d'ailettes à la mode Chrysler. Les ailettes s'étaient imposées comme un élément clé du design automobile américain durant la seconde moitié des années 1950, et le concept avait été poussé à son paroxysme, au point de frôler le ridicule au tournant des années 1960. Les ailettes de la 300F étaient inclinées vers le haut et vers l'extérieur, et chacune se terminait par un énorme feu arrière en V, évoquant une gueule de serpent ouverte. La roue de secours était logée dans un renfoncement du dessus du coffre. Ayant été surnommé « siège de toilette », celui-ci fut éliminé dès l'année suivante.

L'air conditionné était proposé en option, et le prix de base de la voiture était de 5 411 dollars. Il n'existait que deux versions : un coupé et une décapotable 2 portes. La refonte et le surplus de puissance furent une bonne chose pour Chrysler, qui put ainsi quasiment doubler la production, avec 1 217 exemplaires fabriqués. **MG**

Ghia L6.4 | Chrysler

1960 • 6 279 cm³, V8 • 338 ch • inconnue • 224 km/h

En matière d'automobiles rares et de collection, peu de voitures égalent le prestige de la Chrysler Ghia L6.4. Elle possédait toutes les qualités requises : faite main, dessinée en Italie, produite à un nombre ridiculement faible d'exemplaires (26) et adoptée par des célébrités de premier plan. Six exemplaires furent réservés et équipés de phares très spéciaux dessinés par la Barris Kustom Company d'Hollywood avant d'être livrés à leurs propriétaires : Frank Sinatra, Dean Martin, Sammy Davis Jr., et les autres membres du Rat Pack. Au début des années 1960, les membres du Rat Pack étaient probablement les meilleurs ambassadeurs possibles pour un constructeur.

Cet hybride italo-américain (basé en partie sur une concept car de Dodge, la Firearrow), était presque entièrement fabriqué en Italie, mais il embarquait un moteur V8 classique de Chrysler. Il lui fallait faire un aller-retour Detroit-Turin, soit « la plus longue chaîne de production au monde », comme disait la blague. La rareté et le prix de ce modèle (le double de celui de sa devancière, la Dual Ghia) le destinaient exclusivement à une élite fortunée. Le fait que les carrosseries italiennes aient tendance à rouiller, en plus des énormes dépassements de budget, ne rebuta personne. Au contraire, l'augmentation des coûts ne fit que galvaniser le public. Cependant, l'augmentation constante des coûts de production finit par causer sa perte.

Tout le monde semblait en vouloir une, et aucune autre Chysler ne fut aussi convoitée. Selon un éditorialiste hollywoodien : « La Rolls-Royce est devenue un second choix pour ceux qui ne peuvent pas s'offrir de Dual Ghia. » Il s'agissait d'une merveille sur roues à nulle autre pareille, les membres du Rat Pack vous le diraient. **BS**

◁ La robuste Citroën 2CV Sahara embarquait 2 moteurs qui lui permettaient d'affronter tout type de terrain.

2CV Sahara | Citroën   (F)

1960 • 478 cm³, S4 • 12 ch
inconnue • 105 km/h (les 2 moteurs)

La première Citroën 2CV convertie en 4 x 4 avait été réalisée par un particulier en 1954. Un ingénieur landais du nom de Bonnafous avait placé un second moteur de 375 cm³ dans le coffre arrière de la voiture, transformant cette routière en un véhicule bimoteur et tout-terrain. Sur les routes normales, seul le moteur avant, d'origine, était utilisé. Le second moteur ne se déclenchait que quand la nature du terrain exigeait davantage de traction. Un prototype, complété avec l'aide de Panhard en 1958, avait parcouru plus de 96 000 kilomètres avant d'être porté à l'attention de l'un des directeurs de Peugeot.

La communauté des expatriés français d'Afrique du Nord réclamait de plus en plus un tel véhicule. Qui plus est, les compagnies pétrolières françaises avaient étendu leurs opérations en Algérie et elles avaient besoin de véhicules tout-terrain. La 2CV convertie était la candidate idéale. Outre sa fonctionnalité 4 x 4, ses suspensions à ressorts hélicoïdaux à l'avant comme à l'arrière avaient été largement renforcées pour pouvoir faire face aux difficiles conditions qui les attendaient. Elle était équipée de carburateurs conçus spécialement, capables d'alimenter les moteurs quelle que soit l'inclinaison de la voiture. Elle comportait deux interrupteurs d'allumage et les deux réservoirs, situés sous les sièges du conducteur et du passager, étaient accessibles par des trappes dans les portières avant.

Les critiques avaient beau s'extasier devant son design, la Sahara était tout de même très chère : elle coûtait deux fois le prix d'une 2CV de série, qui avait toujours été « la voiture que même les paysans peuvent s'offrir ». Au final, ce fut un échec financier. Seuls 964 exemplaires virent le jour et la production cessa en 1967. **BS**

112 Sports | ZiL   (SU)

1960 • 5 980 cm³, V8 • 234 ch
0-97 km/h en 9 s • 260 km/h

Pour un coup d'essai, la ZiL 112S (Sports), première voiture de sport russe, était un coup de maître. La puissance et la tenue de route de cette 2 places étaient à la hauteur de ses ambitions. Équipée de 4 freins à disque, de différentiels autobloquants et de pneus à rayons, elle représentait un pas de géant pour l'industrie automobile soviétique.

Il s'agissait d'un ingénieux assemblage de pièces russes disponibles à l'époque : un V8 imposant et puissant, une boîte de vitesses issue de la limousine ZiL 111, une colonne de direction et la suspension avant de la GAZ-21 Volga. La suspension arrière était une pièce originale, et des éléments en aluminium permettaient de réduire le poids de la voiture.

Cette 2 places à traction arrière, avec son énorme prise d'air sur le capot et sa calandre de forme moderne, ressemblait à s'y méprendre à une voiture de sport occidentale de l'époque. Vue de côté, elle semblait cependant plus dépouillée, plus utilitaire, et ses passages de roue ne recouvraient pas l'arrière des roues avant.

La ZiL 112S ne tarda pas à battre le record national de vitesse et remporta aussi le championnat soviétique de course. Hélas, seuls deux exemplaires furent produits, car ZiL décida que de tels véhicules de sport constituaient un gâchis de précieuses ressources. Pendant des années, les deux voitures furent remisées dans un coin de l'usine ZiL de Moscou. Elles se frayèrent cependant un chemin jusqu'à un musée automobile situé à Riga, en Lettonie, où elles se trouvent encore. Les amateurs de voitures anciennes les appellent parfois « Testa Russas » – tels des équivalents russes de la Ferrari Testarossa –, car elles ont été repeintes en rouge et blanc. **SH**

96 | Saab

1960 • 841 cm³, S3 • 40 ch • 0-97 km/h en 25,6 s • 121 km/h

Jusqu'à la sortie de son modèle 96 en 1960, Saab n'était qu'un obscur petit constructeur suédois. La 96, première Saab à être exportée, valut une reconnaissance mondiale à la marque de Trollhättan.

Son look, conçu par le designer Sixten Sason, était légendaire. Sa ligne arrondie donnait une impression de vitesse même quand elle était à l'arrêt. Elle embarquait à l'origine un moteur 2 temps de 750 cm³, lequel fut rapidement remplacé par un modèle de 841 cm³, qui lui valut sa notoriété. Elle se distinguait par le bruit caractéristique de son deux-temps et par son levier de vitesses monté sur la colonne de direction, qui ne bougea pas d'un poil durant les 20 années que dura sa production.

Le passage de vitesses depuis la colonne de direction était courant sur les voitures des années 1950 et antérieures. Entre-temps, les leviers de vitesses montés

sur le plancher s'étaient imposés, cependant Saab préférait l'ancien système car il permettait de passer plus rapidement les rapports, ce qui lui avait valu une certaine popularité auprès des pilotes de rallye.

Erik Carlsson, le plus célèbre d'entre eux, remporta trois rallyes RAC et deux rallyes de Monte-Carlo entre 1960 et 1963 au volant d'une Saab 96. Il participa également au Rallye Safari d'Afrique de l'Est. Poussée jusque dans ses derniers retranchements et au-delà par Carlsson, la Saab 96 devint presque aussi célèbre à l'envers qu'à l'endroit, d'où son surnom de « Carlsson sur le Toit ».

Son épouse, Pat Moss-Carlsson, sœur de Stirling Moss et elle aussi pilote de rallye, courut au volant de la Saab 96, de même que Per Eklund, Simo Lampinen et Stig Blomqvist. **SB**

DB4 GT Zagato | Aston Martin   (GB)

1961 • 3 760 cm³, S6 • 317 ch • 0-97 km/h en 6,1 s • 247 km/h

Les collaborations entre designers automobiles de différents pays ont souvent produit des résultats specta-culaires, comme l'illustre la DB4 GT Zagato d'Aston Martin.

Aston envoya son premier châssis de coupé DB4 GT à la société milanaise de design Zagato, dont le styliste principal était Ercole Spada. Ce dernier créa une carros-serie plus légère, moins encombrante et plus aérody-namique que celle du véhicule original en utilisant une technique dite Superleggera (« super-léger » en italien), qui consistait à tendre une feuille en aluminium sur une armature en acier. L'utilisation de Perspex à la place du verre lui permit de gagner encore en légèreté.

La DB4 GT Zagato est considérée comme l'une des plus belles voitures de son époque. On la compare souvent à la 250 GT Berlinetta de Ferrari, considérée comme sa rivale et source d'inspiration de la Zagato.

Son moteur (un bloc d'aluminium de 6 cylindres pour 229 cm³ avec deux bougies par cylindre) développait 318 chevaux, soit un peu plus que les 306 chevaux du moteur de la DB4 GT originale. La Zagato était dépourvue de pare-chocs – mais certains propriétaires en rajou-tèrent. L'intérieur était d'un style plutôt minimaliste.

Sur un total de seulement 19 Zagato produites, quatre furent construites selon les spécifications spor-tives. Elles participèrent à de nombreuses compétitions, dont les 24 Heures du Mans.

En 1991, 30 ans après son lancement, Aston Martin adapta quatre châssis de DB4 en conformité avec les spécifications GT. Ils furent ensuite expédiés à Zagato et dotés d'une nouvelle carrosserie utilisant les mêmes techniques que les carrossiers originaux. Chaque véhi-cule se vendit plus de 1 million de dollars. **JI**

E-Type Serie 1 | Jaguar

1961 • 3 781 cm³, S6 • 268 ch • 0-97 km/h en 6,7 s • 275 km/h

Quand la Jaguar E-Type apparut pour la première fois, en 1954, Enzo Ferrari la décrivit comme « la plus belle voiture jamais produite ». Le designer Malcolm Sayer s'inspira de la forme du modèle de course D-Type Le Mans, qu'il adapta pour la route. La E-Type, l'une des voitures les plus légendaires de l'histoire automobile, fut classée première des 100 plus belles voitures de tous les temps par le *Daily Telegraph* en 2008.

La Jaguar E-Type fit ses débuts en mars 1961. À l'origine, elle était destinée à l'exportation, et ne fut commercialisée en Angleterre, sa patrie d'origine, que quatre mois plus tard. Les premières E-Type étaient propulsées par un moteur de 3,8 litres à triple carburateur hérité du modèle précédent, la XK150S (la E-Type était au départ désignée en interne sous l'appellation XK-E). Le succès fut immédiat. La E-Type débarqua en

Angleterre au début des années 1960, une période aussi folle qu'extravagante et un contexte idéal pour cette voiture de sport britannique qui semblait annoncer ce qu'on appellerait plus tard les « Swinging Sixties ».

Malgré son look superbe, la E-Type était tout sauf parfaite. Sa cabine était trop étroite et manquait de place pour les jambes, son coffre était minuscule et le passage de vitesses problématique. Cependant, elle subit au long de ses quatorze années de carrière plusieurs améliorations successives, dont une version 2 + 2 dotée d'un empattement plus long. Les modèles de la Série 1 sont généralement considérés comme les plus élégants. Ceux de la Série 2 étaient les plus agréables à conduire, et ceux de la Série 3 comprenaient le plus puissant modèle de route, la E-Type à V12 de 5 300 cm³. La production de la E-Type cessa en 1975. **SB**

Imperial | Chrysler

USA

1961 • 6 767 cm³, V8 • 344 ch • inconnue • inconnue

Lors du lancement, en 1961, Chrysler présenta l'Imperial comme «la plus remarquable voiture jamais produite en Amérique». Elle mesurait 5,77 mètres de long, ce qui en fait la voiture américaine la plus imposante, si l'on excepte les limousines. Son design était des plus extravagants: outre sa taille imposante, elle affichait d'énormes ailettes à l'arrière. Certaines variantes arboraient des phares montés sur des tiges fixées sur la calandre. À certains égards, l'Imperial était la première voiture rétro, construite durant les années 1960 mais évoquant le style plus chargé des voitures américaines des décennies précédentes. À moins que Chrysler se soit simplement accroché à un style déjà démodé.

Sur le plan mécanique, l'Imperial était à la pointe du progrès. Elle était équipée d'un sélecteur de vitesses à boutons poussoirs, de l'air conditionné, de sièges pivotants et d'un moteur V8 de 6 767 cm³. Les deux rangées de cadrans de chaque côté du tableau de bord principal lui donnaient un air vaguement futuriste. Son volant était plus carré que rond.

L'Imperial était une création du légendaire designer Virgil Exner, qui avait travaillé pour Pontiac et Studebaker avant de rejoindre Chrysler. Cette voiture fut hélas la dernière création de ce «grand artiste américain», avant qu'il ne quitte Chrysler pour raisons de santé. Les modèles suivants furent beaucoup moins flamboyants, et ces ailettes si envahissantes disparurent à tout jamais.

La valeur actuelle d'une Imperial en parfait état se situe autour de 20 000 dollars. Une aubaine pour les collectionneurs, qui peuvent ainsi se procurer un véhicule exceptionnel pour une somme relativement modeste. **JI**

Ce cliché publicitaire de 1962 pour l'Innocenti 950 Spider restitue
parfaitement le charme de ce luxueux sportster italien. ▷

967 | LuAZ （SU）

1961 • 887 cm³, V4 • 30 ch
inconnue • 75 km/h sur terre ; 3 km/h sur l'eau

La LuAZ 967, une Jeep soviétique légère et amphibie,
fut produite sans interruption pendant quatorze ans
derrière le rideau de fer.

À l'origine, cet engin mi-voiture, mi-bateau avait été
conçu par le constructeur russe Moskvitch à des fins
militaires, principalement pour évacuer les blessés du
front. Il fut finalement produit par l'usine LuAZ, dans le
nord de l'Ukraine. On ignore combien d'exemplaires de
la 967 virent le jour, mais sa production dura jusqu'en
1975. Au cours des années 1980, la LuAZ 969, une
version non amphibie propulsée par un moteur de Ford
Fiesta de 1 100 cm³, fut exportée vers l'Italie.

Sa carrosserie/châssis contient une pompe de cale
en plus d'un petit moteur refroidi à l'air. Cependant,
étant dépourvue d'hélice, la voiture ne progresse dans
l'eau que grâce au mouvement de ses roues. La direction
est encore moins efficace : c'est l'orientation des roues
avant qui fait office de gouvernail. Sur la terre ferme, le
système 4x4 est activé en permanence, et fait alterner
rapport haut et bas. Chaque roue dispose de suspension
indépendante pour négocier les terrains difficiles. Grâce
à son moteur léger mais fort en couple, la LuAZ 967 est
un véhicule tout-terrain efficace.

La 967 possède un toit ouvert, mais il est possible
d'installer un auvent sur ses barres de toit détachables.
Derrière les passagers se trouve un plateau équipé d'un
hayon rabattable, de panneaux latéraux amovibles et
d'un puissant treuil. Le chauffeur s'assied sur la place
centrale, entre les deux passagers, assis en retrait et
en contrebas. Cette configuration s'explique par le fait
qu'à l'origine la 967 était destinée à transporter des
brancards. **SH**

950 Spider | Innocenti （I）

1961 • 948 cm³, S4 • 51 ch
0-97 km/h en 17 s • 140 km/h

Les premiers véhicules du constructeur italien
Innocenti étaient des scooters, commercialisés sous
la marque Lambretta. Au début des années 1960, il se
lança dans la production de voitures sous licence BMC,
en commençant par l'Austin A40 et la Mini.

La Spider d'Innocenti était pour l'essentiel une
Sprite d'Austin-Healey, recarrossée par la société Ghia
et produite dans son usine de Turin.

Il s'agissait d'un véhicule haut de gamme, doté
notamment de vitres coulissantes, et ce des années
avant que ses cousines britanniques, la Sprite et la MG,
n'adoptent un équipement aussi flamboyant. La Spider
possédait également une boîte à gants, un chauffage,
un éclairage intérieur, des portières plus larges et un
coffre qui fermait à clé.

L'italienne se distinguait également par son châssis
monocoque et sa boîte 4 vitesses. Son moteur n'était
pas particulièrement puissant, les premiers modèles
n'embarquaient qu'un BMC Série 1 de 948 cm³. Elle était
également plus lourde que la Sprite, ce qui diminuait
d'autant ses performances.

Cependant, le facteur charme était plus important,
et la Spider en avait à revendre. Sa tenue de route était
bonne, comme on pouvait s'y attendre de la part d'un
sportster européen à moteur avant et propulsion arrière.
Vers le milieu des années 1960, elle accueillit un moteur
BMC plus imposant et un châssis amélioré. Sa production dura jusqu'en 1970.

Innocenti fut finalement racheté par British Leyland
en 1972. Quand Leyland fut nationalisé en 1975,
Innocenti fut racheté par la société italienne De Tomaso,
avant de mettre la clé sous la porte en 1996. **JI**

2300S Coupé | Fiat

1961 • 2 279 cm³, S6 • 139 ch • 0-97 km/h en 10,5 s • 193 km/h

Vers la fin des années 1950, Fiat conçut un break visant à séduire le marché américain, la Fiat 2100. Hélas, elle n'enthousiasma ni les automobilistes américains, ni leurs homologues européens. Mais sa sortie ne fut pas vaine : le carrossier italien Ghia utilisa la 2100 comme base pour créer un élégant coupé aux flancs droits et à la vitre arrière enveloppante. Il fut dévoilé lors du Salon de l'automobile de Turin de 1960.

Fiat, qui voulait depuis longtemps produire une voiture hautes performances, fut impressionné et accepta de fournir à Ghia des châssis sur lesquels monter sa superbe carrosserie. Ainsi naquit la Fiat 2300S Coupé qui fut assemblée dans l'usine OSI de Ghia, à Turin.

Elle était d'une conception plutôt simple, avec des suspensions à barre de torsion à l'avant et un essieu rigide avec ressorts à lames à l'arrière. À l'origine, le moteur 6 cylindres de Fiat était l'œuvre d'Aurelio Lampredi, un ancien ingénieur de Ferrari spécialisé dans les moteurs. Il fut légèrement revu pour la 2300S. Le préparateur Abarth ajouta un carburateur supplémentaire ainsi qu'une came différente permettant de porter sa puissance maximale à 139 chevaux. Une boîte 4 vitesses fut installée, ainsi que des freins à disque à chaque roue, une combinaison plutôt rare en 1961.

L'intérieur était aussi soigné que l'extérieur. Les sièges étaient en vinyle, mais elle regorgeait de garnitures chromées et son tableau de bord en bois était parsemé de luxueux cadrans Veglia. La grande force de la Fiat 2300S ne résidait pas dans ses performances formelles, mais dans sa capacité à maintenir confortablement et sur de longues périodes une vitesse de 160 km/h. C'était la marque d'un authentique coupé grand tourisme. **JI**

Continental | Lincoln

USA

1961 • 7 045 cm³, V8 • 349 ch • 0-97 km/h en 12,4 s • 210 km/h

Lincoln rejoignit l'empire Ford en 1922. La société utilisa pour la première fois l'appellation Continental en 1939, mais c'est la quatrième génération, produite entre 1961 et 1969, qui fit de la Continental un modèle culte.

En 1961, la plus prestigieuse marque de Ford rivalisait avec Cadillac pour produire la meilleure voiture américaine. La Continental de Lincoln était quasi identique à la Ford Thunderbird de 1961, à la différence de son écusson. Les deux modèles étaient fabriqués sur la même chaîne d'assemblage, dans le Michigan.

Le style très sobre et carré de la Continental était considéré comme très élégant. Elle se distinguait notamment par ses portières arrière qui s'ouvraient dans le sens opposé au sens habituel. La Continental Mark IV comprenait aussi un système ABS, un toit en vinyle et une petite « opera window » dans la custode. Le Ford V8,

un moteur qui avait fait ses preuves à bord de la Mark III, était couplé à une boîte automatique à 3 vitesses. Une version décapotable munie d'un toit électrique apparut peu après le lancement en 1961.

L'agence chargée de la protection de la présidence américaine acheta une Continental à toit ouvert, celle-là même dans laquelle John F. Kennedy prendrait place le jour de son assassinat en 1963. Cette voiture fut ensuite équipée d'un blindage pare-balles et d'un toit fixe et continua à être utilisée par la présidence. Elle se trouve aujourd'hui au musée Ford à Dearborn, dans le Michigan.

Contrairement à la plupart des voitures américaines de l'époque, qui avaient un cycle de vie plutôt court, cette Lincoln Continental de quatrième génération fut produite jusqu'en 1969 et se vendit à 267 266 exemplaires. **JB**

Consul Capri | Ford

1958 • 5 972 cm³, V8 • 314 ch • 0-97 km/h en 10,9 s • 182 km/h

La carrière de la Ford Consul Capri ne dura que trois ans, de 1961 à 1964. Moins célèbre que son homonyme ultérieur (sans le «Consul»), ce sympathique petit coupé 2 portes n'en est pas moins spécial.

La Consul Capri était basée sur la Ford Classic, une berline fabriquée en Angleterre, avec une carrosserie revue et corrigée. Elle conservait cependant ses 4 phares avant ronds et son capot enveloppant. Son design, un mélange de zones planes et de courbes ondulant, était influencé par les Ford Thunderbird et Galaxie Sunliner, avec cependant une touche très européenne.

Bien que produite à l'usine Ford de Dagenham dans l'Essex, la Consul Capri était à l'origine uniquement destinée à l'exportation. Les Anglais purent enfin se la procurer en 1962, avec plusieurs équipements de luxe supplémentaires : freins à disque, essuie-glaces à vitesse variable et même un allume-cigare.

Sur le plan technique, la Consul Capri était plutôt impressionnante : carrosserie/châssis monocoque, suspension avant indépendante et boîte 4 vitesses. Son moteur monté à l'avant entraînait les roues arrière. Les premiers modèles furent réputés pour manquer de puissance, et la cylindrée fut portée à 1 498 cm³. En 1963, Ford franchit une nouvelle étape en lançant une version GT, propulsée par un moteur Cosworth qui porta sa puissance à 80 chevaux à 5 200 tours par minute.

Hélas, la superbe carrosserie de la Consul Capri était très difficile et coûteuse à produire. Elle se retrouva en concurrence non seulement avec ses rivales, mais également avec d'autres Ford, dont la désormais légendaire Cortina à partir de 1963.

Pour toutes ces raisons, la Consul Capri connut une fin prématurée, mais elle est aujourd'hui considérée comme un classique de la marque. Les exemplaires qui ont survécu sont très recherchés. **JI**

Starfire | Oldsmobile (USA)

1961 • 6 457 cm³, V8 • 334 ch
0-97 km/h en 9 s • 192 km/h

Durant les années 1950, Oldsmobile avait utilisé le nom Starfire en association avec sa série « 98 ». Cependant, la Starfire devint un véhicule à part entière en 1961. Elle tenait son nom d'un avion de chasse de Lockheed, et force est d'admettre que la version de 1961, avec son moteur imposant, sa vitesse et son accélération impressionnante, invitait à la comparaison.

Au début, la Starfire n'existait qu'en version décapotable, avec un look plus épuré et élancé que certains des designs plus osés prisés par de nombreux constructeurs de l'époque. L'arrière effilé changeait des ailettes de style fusée qui n'avaient cessé de croître tout au long des années 1950, et elle fut saluée dès sa sortie comme une voiture puissante et élégante.

La Starfire était proposée dans des coloris de bon ton pour l'époque, avec des pneus à flanc blanc. Seuls 7 600 exemplaires furent produits la première année, mais elle fut proposée dès 1962 en version décapotable et en hard-top 2 portes. La décapotable se vendit moins bien que la première année (7 149 exemplaires), mais la version hard-top remporta un grand succès et Oldsmobile en produisit 34 839 au total.

Malgré sa popularité et l'excellent accueil qu'elle avait reçu à ses débuts, ses ventes ne dépassèrent jamais celles de l'année 1962 et la production diminua au cours des années suivantes. En 1966, seule la version hard-top était encore commercialisée, et 13 019 exemplaires furent produits. N'étant plus le plus puissant modèle d'Oldsmobile, elle ne réapparut pas en 1967.

La Starfire originale de 1961 était vendue au prix de 3 564 dollars. Aujourd'hui, les amateurs sont prêts à payer dix fois ce prix pour un modèle en bon état. **MG**

4 | Renault (F)

1961 • 747 cm³, S4 • 24 ch
inconnue • 110 km/h

Les mercaticiens évoquent souvent le concept d'une voiture conçue pour « compléter le mode de vie du client ». Dans n'importe quelle brochure publicitaire présentant un monospace moderne, on voit des enfants souriants sur la banquette arrière, et parfois même un chien dans un emplacement dédié. Cependant, cette idée remonte peut-être à la sortie de la Renault 4, la fameuse « voiture à vivre », en 1961.

Renault voulait produire un véhicule capable d'endurer les aléas de la vie de famille, une voiture que les parents utiliseraient pour aller au travail en semaine et partir en excursion avec les enfants le week-end.

L'habitacle carré de la Renault 4 était spacieux, et son intérieur simple et dépouillé. Il s'agissait d'un modèle 5 portes, celle du fond se comportant comme un hayon. La banquette arrière pouvait être rabattue pour agrandir l'espace du coffre, et le toit comportait même un rabat pour faciliter le transport d'objets longs.

Elle était également résistante et facile à entretenir. Son petit moteur était couplé à une boîte à 3 vitesses, alors que la 2CV, pourtant plus ancienne, en possédait 4. Le circuit de refroidissement étant scellé, il n'était pas nécessaire de le recharger de toute la durée de vie de la voiture. La Renault 4 et ses variantes remportèrent un succès immédiat. Un million d'exemplaires furent produits en à peine quatre ans et demi. Sa popularité dépassant largement les frontières françaises, elle finit par être produite dans une vingtaine de pays.

De nombreuses voitures ont été qualifiées de « légendaires » ou d'« emblématiques », mais peu méritent davantage cet adjectif que la première « voiture à vivre ». **JI**

P1800 | Volvo ⟨ S ⟩

1961 • 1 778 cm³, S4 • 99 ch • 0-97 km/h en 13,8 s • 169 km/h

Lors du Salon de l'automobile de Genève de 1961, les nouveautés les plus populaires étaient la Jaguar Type E et la Volvo P1800. Jaguar se vit proposer de faire figurer une Type E dans une nouvelle série télévisée qui devait débuter l'année suivante. Jaguar refusa, et Volvo se saisit de l'opportunité. C'est ainsi que la Volvo P1800 devint l'une des vedettes de la série des années 1960 *Le Saint*, dans laquelle le détective Simon Templar, campé par Roger Moore, pilotait une P1800 de couleur blanche. Moore fut à ce point séduit par la voiture qu'il en acheta une pour son usage personnel.

La P1800 naquit en 1957, quand Volvo chargea son consultant technique Helmer Pettersen d'enrichir sa gamme d'une voiture de sport. Son fils, Pelle, en signa le design, dessinant la carrosserie qui allait recouvrir la partie mécanique conçue par son père. On attribua d'abord le design au styliste italien Pietro Frua, pour qui travaillait Pelle Pettersen, mais la paternité de ce dernier finit par être reconnue.

La P1800 fut assemblée à l'origine dans le Royaume-Uni par la compagnie anglaise Jensen, basée à West Bromwich, avec une carrosserie fabriquée à Linwood, en Écosse. Deux ans plus tard, la production fut déplacée en Suède. Entre 1961 et 1973, près de 40 000 exemplaires furent produits, ainsi que 8 000 autres d'une version break 3 portes. **SB**

Felicia Super | Skoda ⟨ CS ⟩

1961 • 1 221 cm³, S4 • 57 ch • inconnue • 130 km/h

Il est loin, le temps où Skoda était tourné en dérision. Depuis le début des années 2000 et le lancement des modèles Fabia, Superb et Yeti, la société tchèque s'est définitivement imposée comme un constructeur respecté. Pourtant, la Felicia montre que Skoda en connaissait déjà un rayon en matière de création automobile. Cette décapotable 2 portes, baptisée « 450 », fut retravaillée et rebaptisée Felicia (terme dérivé de « bonheur » en latin) en 1959. Elle se déclinait en deux versions : la Felicia standard, dotée d'un moteur de 1 089 cm³, et une version plus puissante embarquant un moteur de 1 221 cm³, et qui fut lancée en 1961 sous l'appellation Felicia Super.

Cette dernière pouvait accueillir cinq personnes (trois à l'avant et deux à l'arrière) sous son toit pliant en toile et plastique, tendu sur une armature en acier tubulaire. Son apparence extérieure était similaire à celle de l'Octavia, un modèle plus spacieux lancé en 1959.

Quand la production cessa en 1964, près de 15 000 Felicia étaient sorties de l'usine située dans la ville tchèque de Mladá Boleslav. Hélas, aucun modèle ne vint jamais remplacer la Felicia, qui reste le dernier cabriolet produit par Skoda. Une petite familiale à hayon baptisée Felicia fut lancée en 1994, suivie d'un break l'année suivante, mais aucune des deux ne possédait le charme de l'original. **RY**

Tempest LeMans | Pontiac (USA)

1962 • 3 523 cm³, V8 • 193 ch • 0-97 km/h en 9,9 s • 184 km/h

La Pontiac Tempest, créée par John DeLorean, fut lancée en 1960. Cette voiture petite mais élégante était si puissante qu'elle fut nommée « voiture de l'année » par le magazine *Motor Trend*. Très légère et dotée d'un nouveau design saisissant, avec une calandre fractionnée à l'avant, elle possédait des suspensions indépendantes pour plus de souplesse, et sa consommation en carburant était raisonnable.

En 1962, Pontiac lança la variante LeMans, qui devint le modèle le plus prestigieux de la société. Ce fut une excellente initiative car elle resta, toutes versions confondues, en vente pendant près de 20 ans. La LeMans était encore plus petite et sportive que la Tempest standard, et disposait d'un intérieur entièrement revu et corrigé.

Cependant, Pontiac souhaitait également un modèle capable de concourir au plus haut niveau dans les courses de stock-cars, et en particulier le circuit NASCAR, où elle avait du mal à s'imposer. La société fabriqua donc la Super Duty Tempest LeMans, une version plus coriace.

Cependant, nul ne saura jamais si elle aurait été à la hauteur car, peu après, General Motors, la maison mère, décida de se retirer totalement du sport automobile. Cette décision n'infléchit en rien le succès du modèle LeMans, qui continua de réaliser la moitié des ventes de toute la gamme Tempest et ne fut abandonné qu'en 1982 pour céder la place à la Bonneville. **MG**

Cedric | Nissan (J)

1962 • 1 488 cm³, S4 • 89 ch • inconnue • inconnue

Nissan, qui venait tout juste d'arrêter de produire des A40 et A50 sous licence Austin, avait décidé de créer sa propre berline de luxe. La Cedric, un étrange mélange de vieilles Austin et de designs américains contemporains, n'était cependant pas exempt d'influences japonaises. Ses phares avant étaient inspirés d'un train de banlieue japonais, et son pare-brise enveloppant de style américain était sans équivalent chez Austin.

Elle embarquait un moteur de 1 488 cm³ ou 1 900 cm³. Il existait également une version à empattement long, qui était la plus imposante voiture japonaise. Des versions break et fourgonnette, dotées d'une vitre arrière électrique, ne tardèrent pas à voir le jour. Les vitres arrière des modèles les plus luxueux étaient parées de voilages. La radio, alimentée par des batteries indépendantes, pouvait être retirée du véhicule et utilisée seule.

La Cedric fut produite jusqu'en 2004 et sans cesse mise à jour, avec un nouveau style de calandre chaque année. En 1964, elle hérita d'un tableau de bord en placage de bois et d'une boîte automatique en option.

À l'étranger, la Cedric bénéficia de campagnes promotionnelles d'une naïveté charmante. Une publicité pour le moins cocasse destinée au marché australien montrait un mannequin japonais avec des lunettes de soleil, allongé dans le coffre ouvert, à côté de la roue de secours. **SH**

250 GTO | Ferrari

(I)

1962 • 2 953 cm³, V12 • 306 ch • 0-97 km/h en 4,9 s • 283 km/h

La Ferrari 250 GTO prenait la relève de la 250 GT SWB, mais il s'agissait d'une vraie bête de course, avec un châssis léger plus rigide et des vitres en Plexiglas.

Le nouveau règlement de la Fédération internationale de l'automobile (FIA) imposait désormais à chaque constructeur de produire au moins 100 exemplaires de ses voitures de course pour qu'elles soient autorisées à participer au championnat du monde des fabricants de GT. Cependant, seules 31 GTO furent fabriquées ; Ferrari parvint à abuser les commissaires de la FIA en sautant des numéros sur les châssis des véhicules.

Une fois de plus, Ferrari domina le championnat GT et remporta la Coupe du monde en 1962, 1963 et 1964. Sa 250 GTO participa également à des courses d'endurance longue distance. Pilotée par le champion du monde de formule 1 Phil Hill, elle fit ses débuts en 1962 dans les 12 Heures de Sebring, où elle remporta la seconde place au classement général devant de pures voitures de course de la catégorie supérieure.

Ses statistiques de performances étaient éblouissantes, mais c'est son aérodynamisme qui lui donnait l'avantage. Le déflecteur intégré de la GTO (le premier à apparaître sur une voiture de route) augmentait sa vitesse et sa stabilité à haute vitesse.

Elle coûtait 18 000 dollars lors de son lancement. Cependant, tous les acheteurs devaient recevoir l'approbation d'Enzo Ferrari en personne avant d'en obtenir les clés. Aujourd'hui, la GTO est la plus recherchée de toutes les Ferrari anciennes en raison de sa rareté. En février 2012, un exemplaire en parfait état se vendit 31,7 millions de dollars. Elle devint ainsi la voiture la plus chère jamais vendue au Royaume-Uni. **DS**

Vega II | Facel

1962 • 6 277 cm^3, V8 • 359 ch • 0-97 km/h en 6,7 s • 240 km/h

Malgré l'excellent accueil que reçurent ses automobiles, et l'enthousiasme de ses riches clients, la société Facel était au bord de la faillite en 1962. Ce n'était donc pas le meilleur moment pour lancer une nouvelle voiture de luxe, et encore moins une voiture comme la Facel Vega II, qui se voulait plus imposante, plus rapide et plus coûteuse que toutes les anciennes voitures de la société. Facel jouait quitte ou double : son destin dépendait du succès ou de l'échec de cette entreprise.

Il s'agissait certes de la plus belle voiture jamais produite par la société, ce qui n'était pas peu dire, et son style simple, gracieux et angulaire n'a pas pris une ride. La partie avant était la plus ornementée, avec sa calandre en 5 segments encadrée de phares étirés en hauteur. Elle semblait de fait plus grande que son parent, la Facel Vega HK500, alors qu'elle était plus petite.

Elle était également plus rapide de 20 km/h par rapport au précédent modèle. Sur le papier tout du moins, elle avait tout pour elle.

Hélas, les voitures de Facel étaient toujours incroyablement coûteuses à produire, et le nombre de personnes en mesure de se les offrir était toujours aussi limité. Au fil des années, la liste des propriétaires de Vega se remplit de noms légendaires, de la crème de la crème des magnats et des célébrités, de gens comme le shah d'Iran, la princesse Grace de Monaco, Christian Dior, Frank Sinatra et le roi Hassan II du Maroc. Mais les shahs, les rois, les princesses et les stars de la chanson ne courent pas les rues, et seuls 182 exemplaires furent produits et vendus.

La production de la Vega II cessa en 1964 et Facel mit la clé sous la porte la même année. **MG**

407 | Bristol （GB）

1962 • 5 130 cm³, V8 • 254 ch
0-97 km/h en 8,3 s • 200 km/h

L'élément le plus remarquable de la Bristol 407 était son moteur. Persuadé qu'il n'était pas assez puissant pour concurrencer les autres sportives de luxe, Bristol abandonna le moteur 6 cylindres de 2 216 cm³ de la Bristol 406. Bristol avait toujours produit ses propres moteurs, cependant la société choisit cette fois de se procurer un modèle existant. Elle opta pour le V8 de Chrysler, mais le constructeur américain ne les fabriquait plus ; sa division canadienne, si. Par chance, les moteurs canadiens pouvaient être réalisés conformément aux besoins spécifiques de Bristol.

Outre son moteur plus puissant, la 407 jouissait de suspensions avant et d'un mécanisme de direction amélioré. Sur le plan esthétique, la 407 ressemblait beaucoup à la 406, si l'on excepte son second pot d'échappement et sa calandre de radiateur légèrement révisée, deux évolutions qu'on imagine difficilement susciter l'enthousiasme des acheteurs lambda. Son moteur, en revanche, changea la donne et permit à Bristol de retrouver une place de premier plan parmi les constructeurs de voitures de sport britanniques. La carrière de la 407 fut de courte durée : elle fut remplacée par la 408 en 1963. Seuls 88 exemplaires furent produits, ce qui n'empêcha pas la 407 de jouer un rôle crucial dans l'évolution de la marque. **MG**

Vitesse | Triumph （GB）

1962 • 1 596 cm³, S6 • 71 ch
0-97 km/h en 17 s • 145 km/h

La Triumph Vitesse était l'une des berlines sportives les plus appréciées des années 1960. Ce modèle hautes performances à 6 cylindres venait s'ajouter à la 4 cylindres Triumph Herald, le principal produit de la société. Les deux modèles avaient été dessinés par le styliste automobile italien Giovanni Michelotti.

Les panneaux de carrosserie de la Vitesse étaient quasi identiques à ceux de la Herald, mais sa face avant était bien plus audacieuse et tape-à-l'œil. Ce modèle se déclinait en deux versions : berline et décapotable. Leurs doubles phares et leur style racé les différencièrent immédiatement de leur cadette, plus commune.

La cabine de la Vitesse rappelait celle de l'Herald, en plus luxueux et plus cossu. Les cadres des portières, en placage de bois, répondaient au tableau de bord en bois poli. Les sièges étaient de meilleure qualité, et un toit ouvrant était proposé en option.

Une nouvelle version, sortie en 1966, porta la taille du moteur à 2 000 cm³, et éleva la vitesse maximale à 154 km/h. La Mark II, lancée en 1968, reçut un moteur plus puissant qui lui permit de dépasser 170 km/h en vitesse de pointe, une calandre avant revue et corrigée, et des suspensions arrière améliorées.

Plus de 51 000 exemplaires furent produits sur neuf ans avant la fin de la production en 1971. **SB**

Avanti | Studebaker (D)

1962 • 4 734 cm³, V8 • 243 ch
0-97 km/h en 9,5 s • 224 km/h

Sherwood Egbert devint président de la Studebaker Corporation en février 1961, alors qu'elle se trouvait en grande difficulté. On raconte qu'il avait dessiné quelques croquis correspondant au type de voiture de sport qu'il souhaitait produire et qu'il les remit à l'équipe de conception de Studebaker, dirigée par Raymond Loewy, qui les transforma en plans définitifs en l'espace de 40 jours.

En avril 1962, la voiture qu'avait rêvée Egbert fut dévoilée lors du Salon international de l'automobile de New York. Sur le plan esthétique, l'Avanti était saisissante avec son design carré et sa carrosserie légère en fibre de verre. Elle fut déclinée en une version de course plus puissante qui atteignit la vitesse stupéfiante de 272 km/h sur la plaine salée de Bonneville et fut ainsi couronnée voiture de série la plus rapide au monde.

Studebaker offrit une Avanti à Roger Ward, le vainqueur de l'Indianapolis 500 en 1962, qui devint ainsi le premier propriétaire de l'une de ces remarquables voitures. Studebaker espérait vendre 20 000 Avanti la première année, mais il ne parvint à en construire que 1 200, en raison notamment de problèmes d'approvisionnement. De nombreuses commandes furent annulées. Les déboires financiers de la société ne s'arrêtèrent pas là. En décembre 1963, l'usine de South Bend, où l'Avanti était produite, dut fermer ses portes. **MG**

S3 Continental | Bentley (GB)

1962 • 6 227 cm³, V8 • 209 ch
inconnue • 185 km/h

Soucieux de perpétuer le succès de ses modèles S1 et S2, Bentley dévoila leur héritière, la S3, lors du Salon de l'automobile de Paris en octobre 1962. La S3 remporta un vif succès, mais le véritable clou du spectacle fut la version Continental, également produite par Bentley.

La S3 standard, une voiture imposante à l'allure somptueuse, semblait avoir été pensée pour l'aristocratie britannique. Elle était équipée de doubles phares dotés de faisceaux plus puissants qu'auparavant et d'un tableau de bord matelassé pour plus de sécurité. Le siège arrière avait été légèrement reculé pour offrir plus de place aux jambes des passagers, et son capot un peu plus bas lui conférait une allure plus racée. Le moteur de la S3 était également plus volumineux que celui de la S2.

La Continental, et en particulier la version coupé décapotable, était encore plus élégante. Elle possédait la classe et la majesté d'une Bentley avec en plus, une fois son toit abaissé, la fougue sportive d'une européenne. Sa vitesse maximale de 185 km/h était plus grisante à bord de la Continental qu'à bord de la S3 standard, plus sage.

Cependant, cette sensation avait un prix : la Continental coûtait une fois et demie le prix du modèle standard. Elle est toujours très recherchée, comme le montre sa valeur actuelle : une Continental se vendit plus de 130 000 dollars en 2011. **MG**

La Mercedes 300SEC était aussi volumineuse et gourmande en carburant que de nombreux modèles de luxe américains.

300SEC | Mercedes-Benz (D)

1962 • 3 000 cm^3, S6 • 162 ch • 0-97 km/h en 13 s • 180 km/h

Le nouveau fleuron de la gamme Mercedes pour le début des années 1960 mêlait tradition et équipement dernier cri. Sa forme était allongée et sa carrosserie chromée dépassait largement les essieux avant et arrière. Son radiateur, ses phares et son pare-brise étaient d'une taille généreuse et d'une verticalité assumée.

Mécaniquement, la Série 300 était on ne peut plus différente de la Série 200, le modèle inférieur. En effet, Mercedes devait justifier son prix, qui représentait près du double de celui de la 200 même si les deux véhicules partageaient le même châssis. La suspension pneumatique, la direction assistée, les freins à disque pour chaque roue et la boîte de vitesses automatique étaient fournis en standard. Les roues étaient plus grandes, avec des pneus à flanc blanc. Plus important encore, la 300 embarquait un moteur 6 cylindres en ligne sous son long capot.

Les versions coupé et cabriolet 2 portes sortirent en 1962, un an après la berline. Rétrospectivement, la 300SEC (coupé) était une voiture merveilleusement racée, avec des portières latérales sans montants et de subtiles ailettes à l'arrière. L'intérieur était garni de cuir et de ronce de noyer, avec un volant volumineux, un levier de vitesses monté sur la colonne de direction, et un tableau de bord avec radio et horloge. Elle comportait quatre énormes sièges matelassés séparés par d'épais accoudoirs rabattables. Le dispositif qui maintenait la lumière allumée un court instant après la fermeture des portes était considéré comme une touche de luxe.

La 300SEC était une voiture confortable et agréable à piloter, et non un bolide extravagant. Cependant, elle pesait 1 590 kilos et consommait en moyenne 17 litres aux 100 kilomètres, une performance qui semblerait aujourd'hui consternante. **SH**

Djet | Matra (F)

1962 • 1 108 cm^3, S4 • 69 ch • inconnue • 165 km/h

Vous l'aurez deviné, cette voiture aurait dû s'appeler « Jet », mais son concepteur, René Bonnet, pensait que les Français seraient incapables de prononcer correctement son nom sans un petit coup de pouce phonétique.

Aujourd'hui, cette voiture est plus souvent désignée sous le nom de Matra, le nom de la compagnie française qui prit le contrôle de la société de René Bonnet quand elle se trouva confrontée à des difficultés financières. Tout au long des cinq ans que dura la carrière de la Djet, les noms des modèles suivants ajoutèrent à la confusion : à la Djet de René Bonnet succédèrent la Djet de Matra Bonnet, puis la Matra Sports Djet, la Djet 5, la Djet 5S, et enfin la Matra Sports Jet.

Quelle que soit son appellation, il s'agissait d'un véhicule assez spécial. Son moteur était modeste, mais Bonnet était parvenu à en tirer des performances impressionnantes et sa carrosserie légère en fibre de verre ajoutait à sa nervosité. Elle comportait des barres antiroulis à l'avant et à l'arrière pour plus de sécurité, des suspensions indépendantes, des freins à disque, et le design de la carrosserie affichait une ligne fluide. Son capot profilé cachait le fait que son moteur occupait en réalité une position très centrale, pour plus de contrôle et d'équilibre.

La Djet de 1962, une voiture très sophistiquée pour son temps, fut probablement la première sportive routière à moteur central produite à grande échelle, avant que Porsche et Lamborghini se lancent à leur tour. Au total, seules 1 500 Djet furent produites, ce qui explique qu'elles soient aujourd'hui très recherchées.

La Djet fut mise à la retraite en 1967 et remplacée par la première création intégrale de Matra, la M530, baptisée en référence à l'un des missiles que Matra avait produits. La Djet n'était pas de taille à lutter. **MG**

Elan Sprint | Lotus

GB

1962 • 1 559 cm³, S4 • 128 ch • 0-97 km/h en 5,9 s • 209 km/h

Au début des années 1960, Lotus, en butte à des problèmes financiers, se trouva contraint de remplacer l'Elite par une voiture moins coûteuse à produire. Le résultat fut la Lotus Elan, dotée d'un châssis à poutres en acier, de moteurs guillerets à double arbre à cames et de suspensions indépendantes. L'Elan ne pesait que 680 kilos grâce à sa carrosserie légère en fibre de verre.

Initialement lancée en version roadster, l'Elan fut ensuite proposée en version coupé 2 + 2. Presque 90 % des Elan produites pour le marché britannique étaient vendues en kit, afin de permettre aux clients anglais d'économiser les taxes sur les véhicules neufs finis. Lors de son lancement en Angleterre, une voiture assemblée en usine coûtait 1 499 livres sterling, contre 1 095 en kit.

Cette petite 2 places au fort caractère devint rapidement un symbole des « Swinging Sixties ». Quand les producteurs de la série télé culte des années 1960 *Chapeau melon et bottes de cuir* engagèrent Diana Riggs pour jouer le rôle d'Emma Peel, l'Elan sembla le véhicule idéal pour cette super-espionne aristocrate au style inimitable.

Il est de notoriété publique que l'Elan fut une source d'inspiration majeure pour la Mazda MX-5. On raconte même que les ingénieurs de Mazda en disséquèrent deux exemplaires durant le processus de développement.

Gordon Murray, le pape du design de F1, présenta plusieurs fois l'Elan comme sa voiture préférée de tous les temps. L'animateur de talk-show américain Jay Leno, un passionné d'automobiles, en acheta sur ses conseils deux pour sa collection. Les spécifications de l'Elan Sprint Série 4 sont fournies ci-dessus. **DS**

MGB | MG

1962 • 1 798 cm³, S4 • 95 ch • 0-97 km/h en 12,5 s • 170 km/h

La MGB est la plus célèbre des voitures de sport produites par la société MG, basée à Abingdon. Produite entre 1962 et 1980, elle fut lancée avant le rachat de MG par la British Motor Company (BMC).

La MGB remplaça la MGA en mai 1962. Cette voiture monocoque, la première du genre pour MG, rompait avec la tradition de la MGA et avec sa construction classique de type «carrosserie sur châssis». Cette structure monocoque tout en un, relativement légère mais résistante, permettait de réduire les coûts de production.

La MGB, avec des performances sympathiques, fut l'une des premières voitures dotées de «zones déformables» anti-collision. Le modèle original était un roadster à toit flexible muni de pare-chocs en acier. Les modèles ultérieurs, dotés de pare-chocs en caoutchouc, sont moins attrayants et ne sont pas aussi recherchés.

Au total, plus de 386 000 roadsters MGB furent produits sur une période de 18 ans, dont 90 % furent exportés aux États-Unis. 125 000 exemplaires supplémentaires du break MGB GT furent fabriqués, portant la production totale de MGB à plus de 1 million de véhicules. Au Royaume-Uni, la GT se vendit encore mieux que le roadster, peut-être à cause des caprices de la météo anglaise.

Au milieu des années 1960, la MGB se fit remarquer en remportant des victoires sur les circuits de Nürburgring et Brands Hatch, ainsi que des victoires de catégorie à Sebring, Spa et dans la Targa Florio. Entre autres propriétaires célèbres durant les années 1960, on notera le chanteur américain Roy Orbison, qui possédait un roadster vert, et le prince Charles, qui pilotait une MGB GT. **SB**

Cobra | Shelby (USA)

1962 • 4 261 cm³, V8 • 267 ch
0-97 km/h en 5,5 s • 230 km/h

La Shelby Cobra (AC Cobra en Angleterre) était née du relooking total d'un roadster britannique légendaire, l'AC Ace, par un éleveur de poulets texan qui avait remporté les 24 Heures du Mans. Carroll Shelby parvint à transformer l'Ace en l'une des muscle cars les plus emblématiques de sa génération.

Il avait remplacé le moteur de l'Ace par un Ford V8 de 4 261 cm³, rigidifié le châssis et installé des freins à disque à chaque roue. Environ 75 exemplaires furent produits ainsi, mais une version de 4 700 cm³ ne tarda pas à voir le jour. Avec sa puissance de 303 chevaux, celle-ci était capable de pointes de 250 km/h.

De nombreuses Cobra s'illustrèrent sur les circuits, au point de marcher sur les plates-bandes d'Enzo Ferrari. En 1964, elle participa aux 24 Heures du Mans sous sa forme ultime, pourvue d'un moteur V8 « big block » de 7 000 cm³. Des versions routières, basées sur un nouveau châssis avec des suspensions à ressort hélicoïdal plutôt que des ressorts à lames, furent commercialisées dès 1965. Plusieurs versions coupé furent produites spécialement pour la course, dont les plus célèbres sont les sept coupés Shelby Daytona.

Le rythme de production commença à s'essouffler, et il fallut attendre 1982 pour que la compagnie écossaise Autokraft rachète les droits et se mette à proposer des répliques. Quelques années plus tard, Carroll Shelby se lança à son tour dans la production de nouvelles Cobra.

Il existe aujourd'hui autant de copies de Cobra (surnommées « Fake Snakes ») que d'originales. Les 427 originales figurent parmi les voitures les plus recherchées des États-Unis. La Cobra de Shelby fut vendue aux enchères en 2007 pour 5 millions de dollars. **JB**

Flamingo | GSM (ZA)

1962 • 1 758 cm³, S4 • 81 ch
0-97 km/h en 11 s • 80 km/h

Bob Van Niekerk et Willie Meissner fondèrent GSM (Glass Sport Motor Company) au Cap en 1958. Durant un séjour au Royaume-Uni, Van Niekerk et Meissner avaient été inspirés par l'émergence de nombreuses sociétés spécialisées dans les voitures de sport. Le duo s'était associé avec Verster de Wit, un ancien styliste de Rootes, pour créer une carrosserie en fibre de verre, le nouveau « matériau miracle » de l'époque, qui avait inspiré le nom de la société (*glass* signifiant « verre »).

Le trio réalisa ses premiers modèles réduits à l'échelle 1/4 dans un deux-pièces de location situé dans le quartier d'Earls Court, à Londres. De retour en Afrique, ils rapportaient le concept d'une voiture de sport 2 places avec un châssis à longerons et un moteur de Ford Anglia. Daimler ayant déposé la marque Dart, qu'ils prévoyaient d'adopter, ils baptisèrent leur nouvelle voiture Delta. Elle fut produite à la fois en Afrique du Sud et au Royaume-Uni, jusqu'à l'arrêt de la production en 1961.

La GSM Flamingo de 1962, produite exclusivement en Afrique du Sud, était un coupé 2 + 2, toujours construit en fibre de verre. Elle affichait un look hors norme, avec une partie arrière très pentue divisée par un aileron central, et embarquait un moteur de Ford Taunus de 1 758 cm³, fabriqué en Allemagne, qui propulsait ses roues arrière. Un moteur de Cortina GT de 1 500 cm³ fut également proposé en option. La Flamingo était plus lourde que le roadster de GSM, mais sa suspension était plus sophistiquée : les lames transversales de la Delta y étaient remplacés par des ressorts hélicoïdaux.

GSM produisit 144 Flamingo entre 1962 et 1965. Gordon Murray, le designer de formule 1 et créateur de la MacLaren F1, possède une Flamingo originale. **JB**

SX1000 | Ogle (GB)

1962 • 997 cm³, S4 • 69 ch
0-97 km/h en 13,5 s • 159 km/h

David Ogle fit ses premiers pas dans l'industrie auto-mobile en 1960. La première réalisation de sa société fut le coupé Ogle 1.5, basé sur la Riley 1,5 litre. Elle ne remporta qu'un succès modeste et fut produite en huit exemplaires, mais le vent tourna avec sa voiture suivante.

La SX1000, basée sur la Mini, créa la surprise lors de son lancement en 1961. L'essentiel de la Mini (châssis, ailes intérieures et une partie du moteur, cloison, boîte de vitesses et berceau, colonne de direction et suspension) était conservé, avec cette fois une carrosserie de coupé en fibre de verre. La voiture fut commercialisée en 1962 et, grâce à son design soigné, à ses excellentes finitions et à son prix de 550 livres sterling, elle ne manqua pas de clients. Ce n'est que plus tard que l'on découvrit qu'elle coûtait bien plus cher à produire, comme le révéla John Ogier, qui était à l'époque le directeur d'Ogle.

BMC commença par refuser de leur fournir de nouvelles pièces, puis accepta à condition que le mot «Mini» ne soit jamais utilisé sur les supports publicitaires. Ogle se mit à produire des voitures totalement originales dotées de moteurs Cooper de 997 cm³, pour 1 190 livres. Une version de course fut produite, et c'est au volant de ce modèle que David Ogle trouva la mort en 1962 dans un accident de la route. La production de la SX1000 cessa après sa mort, et seuls 69 exemplaires virent le jour. **JB**

Wagoneer | Jeep (USA)

1963 • 3 780 cm³, S6 • 142 ch
0-97 km/h en 15,5 s • 147 km/h

La Wagoneer fut le premier 4x4 de luxe au monde. Elle fut commercialisée à partir de 1963 sous la forme d'un break. On devait son design à Brook Stevens, l'homme à l'origine de l'expression «obsolescence programmée». On admirera l'ironie de la situation, puisque Jeep était renommé pour la longévité de ses véhicules.

La Wagoneer, dotée d'équipements tels qu'une boîte de vitesses automatique et la direction assistée, ne ressemblait à aucun autre 4x4. Les deux versions (une 2 roues motrices et un 4x4 2 portes) furent abandonnées en 1967, bien que les 2 portes aient été réintroduites dans la Jeep Cherokee.

La Wagoneer était très appréciée pour ses puissants moteurs et sa capacité de remorquage. Elle poursuivit son chemin avec de légères modifications sous la direction d'AMC (1970-1987), puis quand Jeep passa dans le giron du groupe Chrysler. Le dernier exemplaire, produit en juin 1991, était toujours basé sur le même châssis. Ce modèle fut remplacé par la Grand Cherokee, mais son nom fut repris par une édition Grand Wagoneer lancée en 1993, qui se vendit mal et ne fut produite que durant un an.

Lors du Salon de l'automobile de Detroit en 2011, le patron de Chrysler, Sergio Marchionne, déclara que la Wagoneer renaîtrait sous la forme d'un SUV 7 places, attendu pour 2013. **RY**

Mistral Spyder | Maserati ⓘ

1963 • 2 500 cm³, S6 • 258 ch
0-97 km/h en 6,8 s • 236 km/h

La Maserati Mistral Spyder, qui devait initialement s'intituler Due Posti («2 places»), fut dévoilée en novembre 1963 à Turin, en Italie. Le nom Mistral faisait référence au vent du même nom, et le terme «Spyder», écrit avec un y, suggérait une décapotable.

Fait historique, il s'agit de la dernière Maserati de série à utiliser son célèbre moteur 6 cylindres à deux bougies par cylindre et à double came en tête. Ce moteur avait propulsé l'une des plus célèbres voitures de formule 1 au monde, la Maserati 250F, au volant de laquelle Juan Manuel Fangio avait remporté huit courses et le championnat de F1 en 1957. Il existait trois variantes du moteur : 3 500 cm³, 3 700 cm³ et 4 000 cm³.

Sa carrosserie gracieuse était en acier, avec un capot, un couvercle de coffre et des portes en alliage. Les délicates roues à rayon des premiers modèles étaient fournies par Borrani. L'intérieur était superbe mais résolument fragile. Le levier de clignotant, par exemple, se brisait facilement dans la main du conducteur.

En 1968, une Mistral Spyder devint la voiture la plus récente à remporter le trophée principal du concours d'élégance de Pebble Beach. Seuls 125 exemplaires furent produits et vendus au prix initial de 13 600 dollars. De nos jours, un exemplaire coûterait environ 20 fois cette somme aux enchères. **RD**

Corvette C2 | Chevrolet ⓊⓈⒶ

1963 • 5 360 cm³, V8 • 363 ch
0-97 km/h en 6,2 s • 235 km/h

Durant les années 1960, GM, la maison mère de Chevrolet, décida d'utiliser des astronautes pour promouvoir sa nouvelle voiture de sport américaine. En échange de leur image, ces anciens pilotes de chasse se virent offrir deux voitures chacun. La plupart choisirent un véhicule «raisonnable» pour leur femme et une Corvette pour eux-mêmes.

La production de la Corvette C1 avait pris fin en 1962. Sa remplaçante, la C2, est citée dans des listes des plus belles voitures de tous les temps. Surnommée Sting Ray, elle constituait le premier coupé Corvette. On raconte qu'elle devait son look à un requin mako que le chef designer Bill Mitchell avait attrapé lors d'une partie de pêche.

Sa puissance fut portée à 378 chevaux en 1964. L'année suivante, un moteur V8 de 6 490 cm³ fut proposé en option, puis «gonflé» pour atteindre 7 000 cm³ en 1966. En 1967, les clients découvrirent un ensemble de 4 feux arrière rouges, aujourd'hui considéré comme un élément du style Corvette.

En 1968, la C2 fut remplacée par la C3, librement inspirée de la concept car Mako Shark II. La C3, la première à comporter des découpes dans le toit, fut très appréciée du public. Elle fut commercialisée jusqu'en 1982, date de son remplacement, fort prévisible, par la Corvette C4. **RY**

Imp | Hillman ⟨GB⟩

1963 • 874 cm³, S4 • 39 ch
0-97 km/h en 25,4 s • 129 km/h

La célèbre Mini n'était pas la seule petite voiture anglaise des années 1960. Elle avait une rivale tout aussi menue, sportive et innovante : l'Imp, produite par Hillman. Bien qu'elle soit tout aussi agréable à conduire, l'Imp n'était cependant pas aussi « tendance » que la Mini.

Il s'agissait d'une 4 places 2 portes à moteur arrière dotée de suspensions indépendantes très sophistiquées, avec un moteur tout en aluminium à arbre à cames en tête, livré avec des réglages « sportifs ». L'Imp était *de facto* promise à une brillante carrière sur les circuits et dans des rallyes. Elle remporta le championnat d'Angleterre des berlines pendant trois années consécutives.

Entre 1963 et 1976, plus de 400 000 exemplaires quittèrent la chaîne de production informatisée de son usine dédiée située près de Glasgow, en Écosse. Elle était de fait plus populaire en Écosse qu'en Angleterre. Outre la version berline standard, elle se déclinait en coupé (Californian), en break (Husky), et même en fourgonnette. La gamme accueillit rapidement une version plus luxueuse, la Singer Chamois, et une Sunbeam Sport à double carburateur.

L'Imp, qui pesait tout juste 725 kilos, était très légère pour une voiture produite à grande échelle, et ne mesurait que 3,58 mètres de longueur. La vitre arrière permettait d'accéder au petit compartiment à bagages situé derrière les sièges arrière rabattables, et faisait de l'Imp un modèle précoce de voiture à hayon.

Apparue après la petite voiture d'Austin, l'Imp resta toujours dans l'ombre de la Mini. Les ventes ne furent pas aussi bonnes que prévu, ce qui contraignit Rootes, la maison mère de Hillman, à se jeter dans les bras de Chrysler, avant de disparaître pour de bon. **SH**

DB5 | Aston Martin ⟨GB⟩

1963 • 4 000 cm³, S4 • 285 ch
0-97 km/h en 7,1 s • 229 km/h

La DB5 était une machine très coûteuse, cultivée et désirable. Elle devint à tout jamais une voiture culte quand elle fut choisie comme contrepoint à la brutalité raffinée de James Bond dans les premiers films de la saga. Sean Connery conduisit une DB5 dans *Goldfinger* (1964), et elle apparut aux côtés de 007 dans *Opération Tonnerre* (1965), *GoldenEye* (1995), *Demain ne meurt jamais* (1997), *Casino Royale* (2006) et *Skyfall* (2012). Vendue 4 175 livres sterling, soit deux fois le prix d'une Type E, elle consommait 19 litres aux 100 kilomètres, ce qui n'empêcha pas ses ventes d'exploser après *Goldfinger*, qui fit d'Aston Marin un symbole planétaire de l'Angleterre des années 1960.

Elle embarquait un nouveau moteur de 4 000 cm³ – imposant par rapport aux normes européennes – et des équipements dernier cri comme des freins à disque, une boîte 5 vitesses, des vitres électriques, des sièges inclinables et un extincteur. L'air conditionné, un équipement rare pour une voiture européenne, était proposé en option.

La série « DB » d'Aston Martin devait son nom à David Brown, un riche fabricant de tracteurs qui avait racheté la société en 1947. Seules 886 DB5 furent produites en version berline, et 123 en version décapotable. La version break, baptisée DB5 Shooting Brake, ne fut produite qu'à 12 exemplaires.

Parmi les modifications apportées à la DB5 pour les besoins de James Bond, on trouve un siège éjectable, un générateur d'écran de fumée ou de flaques d'huile, des mitrailleuses et un bélier à l'avant, des crève-pneus montés sur les roues, un scanner-radar et un bouclier pare-balles. **SH**

P6 2000 | Rover

GB

1963 • 1 978 cm³, S4 • 91 ch • 0-97 km/h en 14,6 s • 167 km/h

Cette berline haut de gamme est tristement célèbre pour avoir été celle dans laquelle la princesse Grace de Monaco trouva la mort après une sortie de route.

Rover la baptisa P6 pour la distinguer de la génération précédente, la P5, mais son appellation officielle était Rover 2000, en référence à son moteur de 1 978 cm³. Son design était frais et moderne comparé à celui de la P5, beaucoup plus classique et policé, et elle était dotée d'équipements dernier cri.

Sa boîte de vitesses synchrone, ses freins à disque sur chaque roue et sa carrosserie monocoque comptaient parmi les éléments les plus sophistiqués. Grâce à ses suspensions avant et arrière hors norme, la conduire était un vrai plaisir. Ce modèle fut rebaptisé Rover 3500 à partir de 1968, avec l'adoption d'une version modifiée d'un moteur Buick V8 de 3 528 cm³. La puissance de ce bolide était très appréciée par la police anglaise, et la simple vue de sa calandre suffisait à faire déguerpir les malfrats.

Pendant les années 1960 et au début des années 1970, l'écusson Rover était un symbole de standing. Une P6 surnommée « La Rover » devint presque un personnage à part entière du *soap opera* britannique *Coronation Street* (diffusé de 1960 à nos jours). À son volant, le barman Fred Gee jouait les taxis pour Annie Walker, la propriétaire du pub de la série.

Les Rover anciennes n'ont jamais coûté très cher. La rouille en a envoyé un grand nombre à la casse, et la 3500 est sujette à la surchauffe. La 2200 TC, avec son double carburateur SU, jouit d'une meilleure tenue de route et consomme moins de carburant. Ce modèle est peu connu, ce qui fait que son prix est resté abordable (environ 2 500 livres sterling). **LT**

Quattroporte | Maserati

⓵

1963 • 4 136 cm³, V8 • 259 ch • 0-97 km/h en 8,3 s • 209 km/h

La première Quattroporte (« 4 portes ») de Maserati fut dévoilée en 1963. Dessinée par le Turinois Pietro Frua, l'un des plus prestigieux designers automobiles italiens de son temps, elle était basée sur les plans d'un véhicule produit en un seul exemplaire pour l'Aga Khan.

La Quattroporte était propulsée par un V8, avec une boîte manuelle 5 vitesses ou une boîte automatique 3 vitesses. Son moteur, basé sur le modèle de course de Maserati, avait été « dégonflé » et dompté pour la route. Sa grande puissance et sa démultiplication lui permettaient de maintenir une vitesse de croisière élevée sur de longues distances.

Son châssis mêlait acier tubulaire et structures en caisson. De plus, chaque roue était équipée d'un frein à disque. Les premiers modèles étaient dotés d'un système de suspensions arrière complexe de type De Dion, basé sur un essieu rigide avec des articulations au niveau de chaque roue, qui fut ensuite abandonné au profit d'un essieu plus simple avec des ressorts à lames. Par la même occasion, la cylindrée fut portée à 4 700 cm³.

La Quattroporte se distinguait non seulement par sa puissance, mais également par le fait qu'elle pouvait confortablement transporter cinq passagers et leurs bagages. L'air conditionné était offert en standard sur les derniers modèles, tout comme les sièges en cuir et les vitres électriques.

La Quattroporte était très recherchée par les personnalités de tous horizons. Des leaders communistes, des stars hollywoodiennes et des têtes couronnées d'Europe découvrirent ainsi les joies de la conduite à haute vitesse sans pour autant renoncer au confort moderne. **JI**

Lotus Cortina Mark 1 | Ford

GB

1963 • 1 558 cm³, S4 • 107 ch • 0-97 km/h en 9,2 s • 174 km/h

La Lotus Cortina, une voiture qui créa l'événement quand elle débarqua sur la scène automobile en 1963, était l'œuvre de trois hommes. Le premier était Colin Chapman, le patron de Lotus. Le second était son ami proche Harry Mundy, ingénieur de génie et rédacteur technique pour la presse. Chapman chargea Mundy de mettre au point un nouveau moteur. Sa création, un moteur à double arbre à cames de 1 558 cm³, s'avéra excellente. Le troisième larron, considéré comme le cerveau de l'opération, était Walter Hayes, l'un des dirigeants de Ford. Ce professionnel avisé, alors directeur des relations publiques au quartier général de Ford à Warley, dans l'Essex, comprit le potentiel qu'aurait une version hautes performances de la Cortina standard.

Hayes demanda à Chapman de lui fournir quelque 1 000 exemplaires du nouveau moteur Lotus de Mundy afin d'en équiper une petite série de voitures. Ce modèle pourrait ainsi être homologué, car produit en quantité suffisante pour satisfaire aux règlements des compétitions, qui imposaient qu'une voiture soit produite en version routière pour pouvoir concourir dans certaines catégories.

La première version du nouveau moteur Lotus fut installée à bord d'une voiture de course Lotus 23 que Jim Clark pilota sur le Nürburgring en 1962. Il servit également à propulser des Lotus Elan, un modèle de route. La brillante idée d'utiliser ce moteur de course à bord d'une Cortina donna naissance à un véhicule légendaire. La Lotus Cortina, produite de 1963 à 1966, fut rapidement reconnue comme une voiture de connaisseur. Elle s'est taillé une place dans l'histoire automobile en tant que première voiture rapide de Ford. **SB**

SL «Pagoda» | Mercedes-Benz   (D)

1963 • 2 300 cm³, S6 • 152 ch • 0-97 km/h en 11 s • 150 km/h

La SL «pagode», l'une des voitures les plus originales des années 1960, ne passe jamais inaperçue. Paul Bracq, le designer de ce roadster 2 portes, dessina aussi plusieurs véhicules pour la présidence française, une papamobile et un TGV. Cependant, le hard-top amovible qui fait la particularité de cette Mercedes sportive était l'œuvre de l'excentrique Béla Barényi, un ingénieur hongro-autrichien, qui avait eu l'idée de cette forme de «pagode» permettant de rendre ce toit léger plus résistant.

Barényi fit également breveter plus de 2 500 inventions, dont des équipements de sécurité inaugurés par Mercedes comme les zones de déformation et les colonnes de direction télescopiques. Certains le présentent comme le véritable créateur de la Coccinelle originale, des années avant que Ferdinand Porsche n'en esquisse la forme.

Avec son châssis court et large et ses suspensions indépendantes, la SL jouissait d'une excellente tenue de route. Elle remporta même plusieurs victoires en rallye. Son moteur 6 cylindres en ligne à injection d'essence était souple et subtil, mais elle ne courait pas dans la même catégorie que sa rivale et contemporaine, la Jaguar Type E. Elle était plutôt destinée aux gens en quête d'un véhicule rapide, raffiné, luxueux et confortable.

La liste de ses propriétaires célèbres est une histoire à part entière. Malgré son toit rigide, c'est à une vitesse modérée, le toit rabattu sous un soleil éclatant, qu'elle s'exprimait pleinement. Et ce ne sont pas Charlton Heston, Tony Curtis, Peter Ustinov, Sophia Loren, Stirling Moss ou John Lennon qui auraient dit le contraire. Aujourd'hui encore, elle continue de séduire des célébrités tels John Travolta ou David Coulthard… **SH**

Une Porsche 904 sur le circuit du Mans en 1964. La 904 resta peu de temps sur les circuits mais y remporta de nombreuses victoires.

904 | Porsche (D)

1963 • 1 966 cm³, F4 • 200 ch
0-97 km/h en 5,3 s • 260 km/h

La 904, la dernière Porsche homologuée pour la route, avait été conçue pour permettre à Porsche, qui avait quitté la formule 1 en 1962, de faire son grand retour dans le milieu de la compétition. Le modèle final était extrêmement fidèle aux croquis originaux de « Butzi » Porsche. Pour la première fois, le moteur 4 cylindres à plat de 1 966 cm³ de la 904 avait été installé en position centrale afin d'améliorer la répartition du poids et la tenue de route. La construction de sa carrosserie légère en fibre de verre avait été sous-traitée à Heinkel.

Les règles d'homologation de la FIA exigeaient qu'au moins 100 exemplaires routiers de la 904 soient commercialisés. La variante homologuée fut renommée Carrera GTS. Malgré son prix élevé, les 106 exemplaires furent rapidement achetés dans le monde entier.

La 904 entama sa carrière sportive, courte mais brillante, en 1964. Cette machine extrêmement polyvalente remporta rapidement des dizaines de victoires dans sa catégorie sur des circuits comme Le Mans et Sebring, ainsi que plusieurs redoutables épreuves d'endurance comme le Rallye des Tulipes et le Rallye alpin.

Piloter une 904 était une expérience exaltante très appréciée des coureurs, mais la version routière était exiguë, bruyante et mal ventilée. Au cours d'un épisode tristement célèbre, Eugen Böhringer et Rudolf Wütherich, à moitié gelés, durent se réchauffer en buvant du brandy tout en négociant les épingles alpines enneigées de l'édition 1965 du rallye de Monte-Carlo, car le chauffage du cockpit était quasi sans effet. Malgré cela, ils parvinrent à s'emparer de la seconde place au classement général dans ce rallye impitoyable que seules 27 équipes sur un total de 237 parvinrent à terminer. **DS**

Bellett GT-R | Isuzu (J)

1963 • 1 584 cm³, S4 • 122 ch
0-97 km/h en 12,8 s • 190 km/h

L'Isuzu Bellett GT-R était l'une des premières voitures japonaises à porter l'écusson GT-R (R pour « racing »), aujourd'hui l'apanage des spécialistes du drift et des voitures japonaises « hyper préparées » pour les courses de rue. Remarquable pour son capot, la GT-R était une évolution du coupé 2 portes Bellett GT, lui-même inspiré de la berline Bellett standard de la firme japonaise.

La Bellett était la première Isuzu créée en interne, car la société avait jusqu'ici produit des Minx rebadgées sous licence Hillman, un constructeur britannique. Isuzu avait fait ses armes et souhaitait produire ses propres voitures.

La GT-R, voiture de course haut de gamme, arborait des motifs caractéristiques et des phares qui lui donnaient l'allure d'une voiture de rallye européenne. Son moteur de 1 600 cm³ à double carburateur, hérité du coupé 117 d'Isuzu, développait 120 chevaux. Cette puissance, alliée à son poids réduit de 670 kilos, lui permettait d'atteindre des performances remarquables en ligne droite.

Le grondement guttural très agréable émis par la GT-R était très apprécié de ses propriétaires. Grâce à sa propulsion arrière et à sa boîte 4 vitesses, cette petite japonaise se comportait comme un sportster européen. La GT-R était en effet résolument européenne de caractère, avec un tableau de bord et des cadrans que n'aurait pas reniés une voiture en provenance d'Angleterre ou d'Europe continentale. Dès son lancement en 1963 et contrairement à nombre de ses rivales occidentales, elle était équipée de suspensions totalement indépendantes et de freins à disque à l'avant. Aujourd'hui encore, elle fait l'objet d'un culte tout particulier, et reste considérée au pays du Soleil-Levant comme l'une des meilleures voitures de tous les temps. **JI**

600 | Mercedes-Benz

(D)

1963 • 6 329 cm³, V8 • 304 ch • 0-97 km/h en 9,7 s • 200 km/h

Quand Elvis Presley accueillit les Beatles dans sa propriété de Graceland au cours de l'été 1965, ils auraient fort bien pu parler automobiles. Tant Elvis que John Lennon comptaient parmi les propriétaires célèbres de Mercedes-Benz 600, une voiture qui représentait le summum du confort et du luxe pour les nantis. Le « Club des 600 » comprenait des personnes qui auraient pu s'offrir n'importe quelle voiture au monde, comme Hugh Hefner, Elizabeth Taylor et Aristote Onassis.

Lors de son lancement en septembre 1963 (mois de la sortie aux États-Unis du single *She Loves You* des Beatles, qui venait de s'emparer de la première place dans les *charts* britanniques), la 600 se déclinait en deux versions de base. La 600 SWB (*Short Wheel Base*, « empattement court ») était conçue pour ceux qui n'étaient pas assez fortunés pour s'offrir un chauffeur, tandis que la version LWB (*Long Wheel Base*, « empattement long ») comportait une cloison de séparation

avec une vitre électrique pour permettre aux passagers de donner leurs instructions à leur chauffeur. L'intérieur était luxueux, avec des sièges ergonomiques, des garnitures en cuir et des commandes à bouton poussoir.

Il existait une version limousine 6 portes (sorte de précurseur de la limousine allongée), offrant encore plus d'espace aux passagers, et Mercedes produisit également plusieurs versions spéciales landaulet. Ces dernières, équipées d'un toit repliable, étaient conçues pour les VIP devant se montrer lors des visites officielles, comme la reine Élisabeth II d'Angleterre ou le pape.

Pour des célébrités comme les Beatles ou Elvis, la 600 n'était pas simplement un luxe. Sa carrosserie était assez résistante pour supporter les assauts des fans, et son accélération assez puissante pour dégager les stars des situations dangereuses. La 600, qui remplissait parfaitement sa mission, fut produite jusqu'en 1981. Mercedes en avait fabriqué 2 677 au total. **MG**

Turbine | Chrysler (D)

1963 • moteur à turbine • 132 ch
0-97 km/h en 12 s • 174 km/h

Quand le président mexicain mit la main sur l'une des premières voitures à turbine de Chrysler, il vérifia l'affirmation selon laquelle elle fonctionnait avec tout type de carburant en remplissant son réservoir de tequila. Il ne fut pas déçu. Ce coupé hard-top 2 portes pouvait également fonctionner avec du pétrole, du diesel, du kérosène, du carburant pour avion, de l'huile végétale, et même du Chanel N° 5. Son moteur était inspiré de celui de la Rover Jet 1, un prototype expérimental britannique. Comme Rover, Chrysler fut séduit par la puissance et la souplesse de la turbine, mais se heurta à des problèmes techniques et à son insatiable soif de carburant. Le moteur pouvait atteindre un régime hallucinant de 48 000 tours par minute, mais il était hélas aussi bruyant qu'un aspirateur géant.

Dessinée par le carrossier italien Ghia, elle n'était disponible qu'en couleur « bronze Turbine », avec un toit en vinyle noir. Son look était unique, avec des feux arrière tout chromés et de superbes phares avant, qui arboraient tous un motif de turbine avec des pales. L'intérieur couleur bronze garni de cuir comprenait 4 sièges baquets et une boîte de vitesses automatique.

Seuls 55 exemplaires furent produits. Pendant une période de trois mois, ils furent confiés à 200 Américains choisis au hasard pour être testés. L'un d'entre eux fit le tour du monde, passant par 21 pays (dont le Mexique). Ces modèles ne furent jamais commercialisés.

Encouragé par le potentiel du moteur à turbine, Chrysler persévéra dans ses efforts de développement. La Chrysler Le Baron, autre voiture à turbine, sortit en 1977. L'année suivante, la société se lança dans la production des chars d'assaut M1 pour l'armée. **SH**

Mini Cooper S | BMC (GB)

1963 • 1 071 cm^3, S4 • 71 ch
0-97 km/h en 13,5 s • 145 km/h

La Mini Cooper S débarqua sur la scène automobile en 1963 sous les acclamations de la foule. La Mini était déjà au sommet de sa popularité, et la Cooper S jouissait de fait d'un prestige immédiat. Elle portait le nom de famille de John Cooper, un ingénieur de talent qui était également un ami proche d'Alec Issigonis, le brillant designer de la Mini.

Pour la Cooper S, le moteur standard Série A de BMC vit sa cylindrée étendue à 1 071 cm^3, et il fut préparé pour des performances optimales. Menue, légère, agile et rapide, elle était vraiment très agréable à conduire. Forte de son charme détaché de toute logique de classe, elle était la voiture à posséder en cette période folle, dominée par les minijupes et des célébrités comme Twiggy et Mary Quant.

En janvier 1964, un Irlandais effronté créa la surprise en remportant le rallye de Monte-Carlo au volant d'une Cooper S. Depuis cette époque, la renommée de la Cooper S est indissociable du nom de Patrick « Paddy » Hopkirk. Au volant de sa Cooper S rouge vif, copilotée par Henry Liddon, Hopkirk décrocha la victoire au nez et à la barbe de compétiteurs plus puissants. Cette éblouissante victoire rehaussa la réputation de la petite voiture.

L'année suivante, une autre Mini Cooper S, pilotée par Rauno Aaltonen, un coéquipier de Hopkirk, remporta le rallye de Monte-Carlo. Puis, en 1996, l'équipe BMC Works tenta un triplé en engageant quatre voitures et en imposant une allure effrénée. Trois Mini décrochèrent les première, deuxième et troisième places. Les commissaires du rallye prirent cependant une décision très discutable en les disqualifiant à cause d'une infraction supposée portant sur leurs phares. **SB**

911 | Porsche (D)

1963 • 1 991 cm³, F6 • 130 ch
0-97 km/h en 8,5 s • 211 km/h

La Porsche 911 est l'une des voitures de sport les plus célèbres au monde. Comme son ancêtre, la 356, elle embarquait un moteur monté à l'arrière, avec cependant un design totalement novateur qui tranchait avec les origines modestes de la marque.

Le design original avait été esquissé en 1959 par Ferdinand «Butzi» Porsche, le petit-fils du fondateur de la société, afin de concurrencer les 4 places sportives de Mercedes et d'Alfa Romeo. Le tout nouveau moteur 6 cylindres à plat, refroidi à l'air et suspendu derrière l'essieu arrière, libérait assez d'espace dans l'habitacle pour y installer deux petits sièges arrière.

Après l'avoir lancée lors du Salon de l'automobile de Francfort sous l'appellation 901, Porsche la rebaptisa 911 à l'issue d'une querelle avec Peugeot, qui avait déposé les numéros à zéro central. Chose étonnante, les fans de Porsche mirent du temps à l'adopter, déplorant ouvertement que ce modèle plus lourd et plus luxueux ne soit pas aussi simple à conduire que la petite 356. Elle était également presque deux fois plus chère. Cependant, l'opinion ne tarda pas à changer : au début de l'année 1965, le magazine *Car and Driver* proclama : «Le nouveau modèle 911 est sans aucun doute la meilleure Porsche jamais produite. Mieux encore, il s'agit de l'une des meilleures voitures de grand tourisme au monde.»

Malgré sa tendance à dériver de l'arrière, sa tenue de route fut saluée pour ses suspensions indépendantes. Sa vivacité et sa robustesse mécanique lui permirent de faire rapidement ses débuts sur le circuit international des rallyes. À la fin des années 1960, la 911 dominait totalement le célèbre rallye de Monte-Carlo, au point de s'emparer des deux premières places trois années d'affilée. **JI**

P50 | Peel (GB)

1963 • 49 cm³, monocylindre • 4,5 ch
inconnue • 61 km/h

Le Livre Guinness des records reconnaît à la Peel P50 le titre de plus petite voiture de série jamais produite. Elle ne mesure que 1,37 mètre de long et 1,04 mètre de large.

Lancée en 1963 par Peel Engineering sur l'île anglaise de Man, cette voiture des plus insolites pouvait transporter un adulte (et un sac de courses, comme le proclamait une publicité de l'époque). Elle ne comportait qu'une porte à charnière du côté gauche, un phare, un essuie-glace et un moteur 2 temps monocylindre de mobylette fourni par DKW. Elle était tout de même dotée de 3 roues.

La P50 était l'une des nombreuses «bubble cars» produites à cette époque en Europe en veillant à ne pas outrepasser les normes appliquées aux deux-roues motorisés, afin d'éviter de payer la taxe routière. Le véhicule ne devait notamment pas comporter de marche arrière. Le conducteur de la Peel devait donc descendre et utiliser une poignée à l'arrière pour retourner la voiture.

En 2010, les entrepreneurs Gary Hillman et Faizal Khan achetèrent la marque Peel et les droits correspondants. Ils remportèrent un investissement de 80 000 livres sterling de la part de James Caan dans l'émission *Dragon's Den* et relancèrent la production de la P50 et de sa sœur, la Trident, aux allures de Spoutnik.

À peine 47 exemplaires de P50 furent vendus entre 1963 et 1964, pour la modique somme de 198 livres. Aujourd'hui, les modèles originaux valent le prix d'une Mercedes Classe S. La société Peel Engineering, ressuscitée, vendit ses premiers modèles à la chaîne des musées des curiosités Ripley, et commença à accepter des commandes de particuliers en 2012. **LT**

Wankel Spider | NSU

（D）

1964 • 498 cm³, rotatif • 51 ch • 0-97 km/h en 14,5 s • 148 km/h

En 1964, NSU, qui fut absorbé par Audi/Volkswagen durant les années 1970, décida de produire une version «spider» de sa berline Prinz, propulsée par un moteur 2 cylindres de 600 cm³ refroidi à l'air. Pour la Spider, en revanche, il opta pour un moteur à piston rotatif de marque Wankel. En évitant tout mouvement alternatif, ce type de moteur économisait de l'énergie.

À l'époque, le moteur Wankel était considéré comme un progrès majeur, mais, comme les événements l'ont démontré, il en faudrait bien plus pour détrôner le moteur à piston classique. Les ingénieurs de NSU croyaient cependant en son potentiel, et placèrent donc un moteur Wankel à l'arrière de leur nouvelle Spider. Ce moteur à refroidissement liquide nécessitait un radiateur, qui ne pouvait être placé qu'à l'avant, dans le compartiment à bagages.

Le moteur Wankel était agréable et puissant. Sur le papier, il ne développait que 51 chevaux, mais il suffisait de pousser son régime au-delà des 7 000 tours par minute pour en obtenir davantage. Sa puissance officielle fut finalement révisée à 56 chevaux par NSU.

La voiture en elle-même était un joli petit roadster, dessiné par Bertone. Son moteur monté à l'arrière (perché juste au-dessus des roues) lui conférait une excellente tenue de route.

Hélas, les moteurs à piston rotatif étaient par nature fragiles, et la Spider se tailla une réputation de véhicule peu fiable. Il fallait régulièrement changer des pièces du moteur, chose qu'aucun constructeur n'est prêt à assumer. Le rêve de NSU d'imposer ce type de moteur retomba. Le moteur à piston rotatif devint une curiosité, qui ne fut reprise que par la série RX de Mazda. **JI**

GT40 | Ford

(USA)

1964 • 6 997 cm³, V8 • 492 ch • 0-97 km/h en 4,2 s • 343 km/h (version Le Mans)

La Ford GT40 est inextricablement liée aux 24 Heures du Mans, la plus célèbre course automobile au monde. Expressément conçue pour briller sur ce circuit, cette voiture de course très performante, en forme de missile, collant à la route, remporta cette légendaire course d'endurance quatre fois d'affilée, de 1966 à 1969.

Les créateurs de la GT40 comptaient ainsi contrer Ferrari, vainqueur des 24 Heures du Mans six fois d'affilée entre 1960 et 1965, dans le domaine des courses longue distance. Henry Ford II nourrissait l'ambition de gagner les 24 Heures du Mans depuis le début de la série d'éclatantes victoires remportées par Ferrari au début des années 1960.

Il suffit de se pencher sur le palmarès de la GT40 pour constater que cet objectif fut largement atteint. La GT40 était le fruit d'une collaboration entre Ford et la société de voitures de course Lola, dirigée par Eric Broadley, le propriétaire et principal designer de Lola. John Wyer, l'ancien directeur de l'équipe Aston Martin, fut engagé pour travailler sur ce projet, avec l'aide de Roy Lunn et Harley Copp, deux ingénieurs émérites de Ford. Le nom de la voiture était explicite. GT signifiait « Grand Touring » et le chiffre 40 représentait sa hauteur totale en pouces (soit 102 centimètres) mesurée en haut de son pare-brise. Cette hauteur était imposée par les règles de sa catégorie.

Les quatre victoires de la GT40 au Mans élevèrent la voiture et ses pilotes au rang de héros. Les pilotes gagnants étaient Chris Amon et Bruce McLaren en 1966, Dan Gurney et A. J. Foyt en 1967, Pedro Rodrigues et Lucien Bianchi en 1968 et Jacky Icky et Jackie Oliver en 1969. **SB**

Steve Carrell, dans la peau de l'espion Maxwell Smart, dévale un escalier au volant d'une Sunbeam Tiger dans le film *Max la Menace* (2008).

Tiger | Sunbeam (GB)

1964 • 4 260 cm³, V8 • 164 ch
0-97 km/h en 9 s • 193 km/h

La Sunbeam Tiger marquait le grand retour du designer automobile Carroll Shelby et de son équipe. Après avoir modifié l'AC Ace en la dotant d'un V8 de 4 260 cm³ pour créer la Cobra, ils parvinrent à insérer le même moteur dans la Sunbeam Alpine pour le compte du groupe anglais Rootes. L'ingénieur en chef Ken Miles s'occupa de la majorité des modifications. Une Mark II embarquant un V8 de 4 727 cm³ vit le jour en 1967, mais le rachat de Rootes par Chrysler mit un terme à son accord avec Ford.

Le châssis de l'Alpine avait grandement besoin d'être rigidifié et un système de direction à crémaillère fut commandé à MG. La Tiger cachait bien son jeu sous les traits d'une Alpine et seuls certains éléments comme son double échappement, ses écussons et ses bandes latérales chromées trahissaient son identité… jusqu'à l'allumage de son tonitruant moteur.

De 1964 à 1967, la Tiger se retrouva en concurrence avec l'Austin-Healey 3000 dans les rallyes européens. Elle devint aussi une star grâce à la série télé des années 1960 et au film de 2008 *Max la Menace*, où elle incarnait le bolide truffé de gadgets de l'espion Maxwell Smart.

La Tiger est très agréable à conduire, mais ses freins sont loin d'être parfaits et mieux vaut avoir de la poigne pour manipuler son volant et ses pédales. De plus, son V8 se trouve très à l'étroit et risque la surchauffe si la voiture est bloquée dans les bouchons.

La Tiger coûtait à l'origine 3 499 dollars aux États-Unis et 1 445 au Royaume-Uni. Les prix n'évoluèrent guère pendant une longue période, mais commencèrent à grimper en 2010. Aujourd'hui, une bonne Mark I peut coûter jusqu'à 40 000 dollars. **LT**

Malibu SS | Chevrolet (USA)

1964 • 5 354 cm³, V8 • 304 ch
0-97 km/h en 8 s • 203 km/h

En 1964 aux États-Unis, la Chevrolet Malibu représentait le summum de la voiture à la mode. La version SS (Super Sports) était pour sa part dotée d'un intérieur 100 % vinyle, de sièges baquets et d'une console centrale, un luxe pour l'époque. Les clients avaient le choix entre une boîte 4 vitesses manuelle ou une boîte automatique 2 vitesses Powerglide. Entre autres équipements de luxe, on trouvait des cadrans spéciaux sur le tableau de bord, une moquette épaisse et des jantes stylées. La version la plus musclée embarquait un V8 de 5 354 cm³ développant 304 chevaux. Les chiffres fournis ci-dessus correspondent à la version automatique.

Les clients appréciaient le fait que cette Malibu soit un peu plus menue que ses ancêtres des années 1950. Sa consommation de 20 litres aux 100 kilomètres n'était pas considérée comme excessive. La Malibu marquait une transition entre l'exubérance et le déluge de chromes d'antan et un style plus sobre. La carrosserie de la SS était moins chargée que celle des modèles de base, mais ses lignes épurées et ses proportions agréables lui valurent des légions de fans. Les publicités la décrivaient comme «sensiblement moins longue et moins large que les plus grosses voitures.» La SS coûtait environ 2 600 dollars et près de 77 000 exemplaires furent vendus avant qu'un tout nouveau modèle ne prenne le relais en 1977.

La Malibu a fait ses débuts sous la forme d'un modèle de luxe de la gamme Chevelle, mais elle remporta un succès tel qu'elle devint rapidement un modèle à part entière, donnant ainsi naissance à la dynastie des Chevrolet Malibu, qui se perpétue encore de nos jours. La Malibu 8ᵉ génération (une berline 4 portes) fut lancée en 2012. **SH**

Grifo | Iso ⓘ

1964 • 5 359 cm³, V8 • 410 ch • 0-97 km/h en 7 s • 304 km/h

Lors de son lancement, le prix d'une Iso Grifo était de 9 500 dollars, mais un exemplaire en bon état coûte dix fois plus cher aujourd'hui. Forte de son énorme moteur et de son accélération fulgurante, la Grifo était capable d'atteindre une vitesse maximale qui représentait le double de la limite de vitesse dans la plupart des pays où elle était vendue. Elle pouvait même dépasser la plupart des limites de vitesse sans même quitter la première vitesse, qui pouvait la porter jusqu'à 109 km/h.

Son concepteur était Giotto Bizzarrini, qui avait travaillé pour Alfa Romeo puis s'était fait un nom en tant qu'ingénieur en chef de Ferrari pendant de nombreuses années. Il avait quitté la société en 1961 avant de fonder sa propre entreprise, Bizzarrini, dans le but de produire les voitures de route et de course les plus séduisantes et les plus sophistiquées. Il travailla ensuite avec des sociétés comme Lamborghini et Iso Rivolta, qui était célèbre pour sa «bubble car» des années 1950. Pourtant, la puissante Iso Grifo se situe aux antipodes d'une «bubble car».

La partie technique était l'œuvre de Bizzarrini, mais le design de sa superbe carrosserie était dû à Giorgetto Giugiaro, l'un des meilleurs designer automobile au monde. Élu designer automobile du siècle par un panel international en 1999, Giugiaro a travaillé pour des noms comme Ferrari et Maserati, mais l'Iso Grifo est sans nul doute l'un des plus grands moments de sa carrière.

Malgré son image, la Grifo n'avait rien d'un poids plume conçu pour la vitesse et l'apparat. Elle courut sur le circuit du Mans et bien qu'elle n'ait pas dépassé la 4ᵉ place, elle prouva, en arrivant première de sa catégorie, qu'elle était capable de faire face aux exigences des terribles 24 Heures du Mans. **MG**

Gordon-Keeble | Gordon-Keeble

1964 • 5 395 cm³, V8 • 304 ch • 0-97 km/h en 7,7 s • 217 km/h

La Gordon-Keeble, synthèse du design italien, de la puissance américaine et de l'ingénierie britannique, fut présentée comme une alternative intéressante et séduisante aux véhicules de Grand Tourisme de luxe d'Alvis, d'Aston Martin et de Jaguar.

La société était née d'une alliance entre John Gordon, un ancien de Peerless Cars, et l'ingénieur de voitures de course Jim Keeble. Sur les conseils d'un pilote de l'US Air Force, ils expérimentèrent un moteur de Buick de 3 500 cm³ sur un châssis à treillis de Peerless GT. Le véhicule ainsi obtenu fut envoyé en Italie où le designer automobile Giorgetto Giugiaro dessina son élégante carrosserie en aluminium léger.

Le prototype fut achevé juste à temps pour le Salon de l'automobile de Genève, puis expédié à la hâte à Detroit pour convaincre les patrons de Chevrolet de fournir le moteur 5 395 cm³ de Corvette. Chevy fut si impressionné qu'il accepta de lui en vendre un millier.

Construites à Southampton, en Angleterre, les voitures de série étaient dotées d'une carrosserie légère en fibre de verre. Leur cockpit était superbement garni et leur tonitruant V8 offrait d'incroyables performances pour une berline haut de gamme 2 + 2. La société Gordon-Keeble avait choisi pour emblème une tortue, en référence (crypté) à un animal de compagnie qui s'était immiscé au cours d'une séance photo dans l'usine.

Gordon-Keeble aurait dû connaître la prospérité, mais le prix de sa voiture (2 798 livres) était trop bas pour un produit de ce calibre. Suite à un retard d'approvisionnement de pièces cruciales, seize voitures restèrent inachevées et des problèmes de liquidité acculèrent la société à la faillite, après seulement 99 voitures produites. **DS**

SH760 | Shanghai (CN)

1964 • 2 200 cm³, S6 • 92 ch
0-97 km/h en 21 s • 130 km/h

La société Shanghai Automobile, basée à Shanghai, avait produit son premier véhicule, un camion, en 1956. Sa première voiture avait été la limousine Hongqui, un clone de la ZiL soviétique pesant 2,5 tonnes, produite en petite quantité à partir de 1958 pour les leaders du parti, dont Mao Tsé-toung.

À partir de 1958, Shanghai lança sa première voiture produite localement à grande échelle. Initialement destinée aux fonctionnaires de base du parti, elle se situait un cran au-dessous de la Hongqui en termes de qualité. Elle fut tout d'abord produite en toute petite quantité et atteignit progressivement un rythme de production de 6 000 voitures par an en 1984.

Le premier modèle, la Fenghuang, comportait de grosses ailettes à l'arrière et une partie avant d'inspiration américaine. Cependant, cette berline 4 portes de forme carrée n'avait vraiment rien de novateur. Son design mêlait des influences dépassées et mal digérées de vieilles Mercedes et de véhicules soviétiques et américains. Selon la rumeur, son moteur était copié sur le moteur 6 cylindres en ligne de Mercedes. Il s'agissait d'une traction arrière avec une boîte manuelle 4 vitesses.

La Shanghai Fenghuang fut renommée SH760 en 1964 et, fait incroyable, elle resta en production avec seulement quelques retouches cosmétiques jusqu'en 1991, date où Shanghai Automobile l'abandonna pour produire des Volkswagen sous licence.

Environ 80 000 exemplaires de la SH760 furent produits au total. Quelques-uns d'entre eux furent transformés en camionnettes à cabine double ou, plus rare encore, en décapotables. Un grand nombre fut transformé en taxis. **SH**

Excalibur | Excalibur (USA)

1964 • 5 354 cm³, V8 • 304 ch
0-97 km/h en 5,2 s • 194 km/h

L'Excalibur, conçue en 1964 par Brook Stevens, un designer américain qui avait dessiné des meubles, des appareils électriques, des voitures et des motos, représente un cas unique dans l'histoire du design automobile : une tentative de concilier carrosserie classique et puissance moderne. Stevens travaillait comme consultant pour Studebaker, qui lui avait demandé de créer un nouveau modèle destiné à rajeunir l'image de la société lors du Salon de l'automobile de New York de 1964.

Stevens s'inspira de la carrosserie d'une Mercedes-Benz SSK de 1928 et décida de la propulser à l'aide du puissant moteur Avanti de Studebaker. Ce dernier avait eu un impact considérable sur le marché automobile et sur le grand public jusqu'à ce que, en 1963, Studebaker ferme l'usine où il était produit afin de réduire ses coûts. La grande idée de Stevens fut de s'emparer de la puissance de l'Avanti et de l'emballer dans une carrosserie élégante inspirée par la SSK.

Un prototype fut achevé trois jours avant le salon de New York, juste à temps pour que Stevens apprenne que Studebaker avait décidé d'abandonner le projet. Stevens décida de l'exposer malgré tout et elle reçut un accueil si enthousiaste qu'il envisagea de la produire lui-même. Encouragé par les premières commandes, il passa à l'action. Depuis 1964, sa société a vendu plus de 3 500 voitures, dont certaines à des célébrités comme Steve McQueen, Bill Cosby, Frank Sinatra, Tony Curtis, Sonny Bono, Cher et Dean Martin. La comédienne Phyllis Diller en posséda quatre en tout. Stevens dessina ensuite des motos pour Harley-Davidson, toujours produites de nos jours. Studebaker fut rachetée par Wagner Electric en 1967 et disparut en 1979. **MG**

442 | Oldsmobile

USA

1964 • 5 400 cm³, V8 • 314 ch • 0-97 km/h en 7,5 s • 186 km/h

La série 88 d'Oldsmobile, introduite en 1949, dominait tellement le marché des muscle cars d'après-guerre que son constructeur, General Motors (GM), finit par se désintéresser du secteur. Le constructeur fut tiré de son indolente rêverie en 1964 par l'immense succès remporté par la GTO de son rival Pontiac.

GM réagit rapidement en lançant l'Oldsmobile 442. Le numéro 442 faisait référence à son carburateur 4 corps, à sa boîte 4 vitesses et à son double échappement. Elle embarquait un moteur haut de gamme de 5 400 cm³, celui-là même qui équipait les voitures de patrouille autoroutière du fabricant. La 442 « type police » présentait alors un attrait considérable.

Initialement, elle fut lancée en deux versions seulement (un coupé et une décapotable 2 portes), mais le même équipement fut bientôt proposé pour toutes

les Oldsmobile de taille moyenne, y compris toutes les versions 4 portes à l'exception du break. Déboussolés, les acheteurs potentiels se demandaient si la 442 cachait bien son jeu, ou si elle affichait au contraire des prétentions excessives. Quand les tests routiers révélèrent qu'elle n'était pas la plus rapide du lot – il lui fallait presque une seconde de plus que la GTO pour atteindre une vitesse de 97 km/h –, son destin fut scellé. Elle devint une voiture de niche pour les aficionados de la marque, plutôt que le nouveau leader du marché que GM espérait créer. Les ventes, inférieures à 3 000 exemplaires durant la première année de production, se révélèrent vite décevantes.

Malgré tous ses défauts, la 442 redora le blason d'Oldsmobile dans le domaine du sport automobile, à un moment où les commentateurs commençaient à se demander si le constructeur n'avait pas jeté l'éponge. **GL**

Barracuda V8 | Plymouth

1964 • 4 474 cm³, V8 • 183 ch • 0-97 km/h en 12,9 s • 171 km/h

Malgré les deux semaines d'avance dont elle disposait à sa sortie sur la Ford Mustang, la Plymouth Barracuda fut sévèrement mise à mal par la pionnière de la catégorie pony car. Rien qu'en 1964, il se vendit huit fois plus de Mustang que de Barracuda. Le succès exceptionnel de la Mustang ne signifiait pas pour autant l'échec de la Barracuda, qui, au fil du temps, a su se tailler une place dans l'histoire automobile.

La Barracuda était une compacte sportive de taille modeste par rapport aux normes américaines, un style très apprécié au milieu des années 1960. Plymouth avait réutilisé un grand nombre de pièces de sa berline Valiant, dont des panneaux de carrosserie et des éléments mécaniques, ce qui permit d'économiser beaucoup de temps et d'argent pour développer ce nouveau modèle.

La Barracuda était proposée avec tous les moteurs de la gamme Valiant, à commencer par un 6 cylindres en ligne de 3 700 cm³. Le plus puissant modèle proposé était un V8 Chrysler de 4 500 cm³. Sa puissance de 182 chevaux conférait à la Barracuda le tonus et l'accélération nécessaires pour égaler ses rivales.

La plupart des modèles étaient vendus avec une boîte de vitesses automatique, proposée sur le modèle de 1964 avec un sélecteur à bouton poussoir. Une société spécialisée fut engagée afin de concevoir son immense vitre arrière, un modèle unique.

La Barracuda connut de nombreuses mises à jour et refontes, mais n'égala jamais le prestige de la Mustang. Cependant, elle aurait pu connaître un sort encore moins enviable : les patrons de Chrysler comptaient initialement la baptiser Panda. **JI**

8 Gordini | Renault

1964 • 1 108 cm³, S4 • 90 ch
0-97 km/h en 12,3 s • 171 km/h

La plupart des constructeurs possèdent une division spécialisée dans la préparation de véhicules. Dans le cas de Renault, cette division s'appelle Gordini, baptisée en référence à Amédée Gordini, un ingénieur italien de génie surnommé « le sorcier ».

Gordini a commencé à travailler pour Renault en 1956 en œuvrant sur la Dauphine, une petite voiture bon marché. Étant parvenu à en améliorer les performances pour un coût très modeste, il fut chargé de faire de même avec son héritière, la Renault 8. Cette petite voiture familiale possédait un moteur monté à l'arrière et des freins à disque pour chaque roue (une première pour une voiture de cette taille).

Gordini modifia son moteur de 1 108 cm³ à refroidissement liquide et parvint à élever sa puissance de pointe de 50 chevaux à un niveau bien plus impressionnant de 90 chevaux. Pour ce faire, il ajouta un double carburateur Weber, modifia la culasse et les conduits d'échappement, ainsi que les collecteurs d'admission et d'échappement. Il équipa la voiture d'une boîte de vitesses à 5 rapports courts, abaissa et rigidifia ses suspensions.

La Renault 8 Gordini n'était disponible qu'en une couleur, bleu vif, avec deux bandes blanches sur toute la longueur du véhicule. Ce look sportif n'avait rien d'une coïncidence : la Gordini remporta de nombreux succès sur les pistes de course et en rallye.

La petite Renault bleue inaugura une pratique consistant à prendre une petite voiture européenne et à améliorer sa puissance et sa tenue de route. Le fait que tant de constructeurs aient depuis imité cette démarche sonne comme un hommage aux qualités de la Renault 8 Gordini. **JI**

GTO | Pontiac   (USA)

1964 • 6 375 cm³, V8 • 329 ch
0-97 km/h en 7,5 s • 201 km/h

La Pontiac GTO, lancée en 1964, résultat de la décision prise par la maison mère General Motors d'interdire à ses différentes divisions de participer à des compétitions automobiles. Ce fut un coup terrible pour Pontiac en particulier, qui dépendait lourdement du monde de la course pour son image et ses stratégies promotionnelles. Plusieurs hauts dirigeants de Pontiac, dont John DeLorean, décidèrent donc de produire de puissantes muscle cars tout en mettant l'accent sur les performances sur route.

Ils créèrent ainsi la GTO, qui s'imposa comme l'une des meilleures muscle cars jamais produites. Certains la considèrent même comme la première véritable muscle car, même si le terme existait déjà depuis un moment. DeLorean inventa le terme GTO, acronyme de l'italien *Gran Turismo Omologato*, qui signifiait « voiture de grand tourisme homologuée pour la course ». Naturellement, cela n'était pas le cas de la Pontiac, mais il ne s'agissait après tout que d'initiales.

General Motors avait également interdit à ses sociétés d'installer des moteurs de plus de 5 400 cm³ sur des châssis de taille moyenne. Pontiac contourna ces limitations en proposant son moteur, bien plus généreux, en option plutôt qu'en standard, mais comme l'option ne coûtait que 300 dollars, tout le monde la voulait.

La GTO remporta un succès fulgurant. Malgré son prix raisonnable de 4 500 dollars, elle était tout de même considérée comme une voiture d'élite. Pontiac s'attendait à en écouler environ 5 000 exemplaires, mais les ventes (plus de 32 900 au total) dépassèrent largement ses attentes et rendirent toute contestation impossible pour General Motors. **MG**

350GT | Lamborghini

1964 • 3 464 cm³, V12 • 283 ch • 0-97 km/h en 6,7 s • 250 km/h

Ferruccio Lamborghini était un ingénieur de talent et un riche entrepreneur passionné de voitures de sport : il possédait trois Ferrari. Cependant, il se lassa peu à peu du style sportif de ses Ferrari, sans parler des problèmes d'embrayage à répétition de la 250.

Il décida un jour de faire part de ses reproches à Enzo Ferrari en personne. Ce dernier refusa de le prendre au sérieux, partant du principe que le problème venait du style de conduite de ce «marchand de tracteurs», et non de la conception de la 250. La légende veut que Lamborghini, furieux, ait juré de battre Ferrari à son propre jeu et se soit ainsi lancé sans compter dans le développement de la Lamborghini 350GT.

Cette nouvelle voiture de Grand Tourisme de luxe était équipée d'un V12 de 3 464 cm³ à quadruple arbre à cames. Ses sièges baquets profonds faisaient face à

un tableau de bord en aluminium garni de cuir, émaillé de cadrans Jaeger et d'interrupteurs à bascule en acier. Plusieurs des premiers modèles affichaient également une configuration insolite, avec 2 places à l'avant et un petit siège à l'arrière. Ce *fastback* insouciant avait des airs de supercar, sans pour autant égaler la prestance des Ferrari équivalentes. Pourtant, il leur était supérieur sur le plan technique, avec sa boîte 5 vitesses, sa carrosserie légère en aluminium, ses suspensions indépendantes et ses freins à disque à chaque roue.

La plupart des observateurs reconnurent la supériorité de la Lamborghini, mais les clients fortunés mirent un certain temps à changer d'allégeance. Seules 120 voitures furent produites sur une période de trois ans, soit une quantité bien moindre que l'objectif original de 500 par an. **DS**

Imperial | Humber

1964 • 2 965 cm³, S6 • 137 ch • 0-97 km/h en 13,7 s • 163 km/h

La Humber Imperial était une berline de luxe qui ne fut proposée à la vente que pendant trois ans au milieu des années 1960. La marque Imperial avait déjà été utilisée par le constructeur britannique durant les années 1930 et 1940. L'accent était mis sur le confort et la qualité, avec de nombreuses boiseries et des tapis.

L'Imperial était la version de luxe de la Super Snipe, un autre modèle de Humber. Ses origines étaient antérieures à la Seconde Guerre mondiale. Son design, modifié vers la fin des années 1950, se rapprochait désormais du style américain. Cela n'avait rien d'étonnant, étant donné que Humber était sous le contrôle de Chrysler.

L'Imperial, comme la Super Snipe, était propulsée par un moteur 6 cylindres de 2 965 cm³ alimenté par un double carburateur. Elle était équipée d'une boîte de vitesses automatique en standard (la version manuelle étant en option), avec la direction assistée, un chauffage pour les passagers arrière et des amortisseurs Selectaride à commande électrique. Son toit recouvert de cuir noir était un signe de prestige supplémentaire. L'intérieur ne manquait pas de touches luxueuses, comme des tablettes rabattables pour les passagers arrière et des liseuses individuelles. On trouvait même des tapis au sol. L'Imperial était proposée dans une version encore plus haut de gamme, sous la forme d'une limousine avec vitre coulissante séparant le chauffeur et le compartiment passagers.

Contrairement à la plupart des constructeurs des années 1960, qui s'efforçaient de produire des voitures pour monsieur Tout-le-monde, Humber affichait sans complexe son élitisme et vantait sa voiture comme un signe de réussite sociale. **JI**

◁ La Ford Mustang de 1964 remporta un succès immédiat et fait aujourd'hui l'objet d'un véritable culte, après avoir été immortalisée au cinéma et dans les chansons.

Mustang Mark I | Ford

1964 • 4 942 cm³, V8 • 243 ch
0-97 km/h en 7,5 s • 187 km/h

La Ford Mustang était la pionnière de la catégorie des pony cars américaines, des coupés sportifs dotés de longs capots et de coffres courts. Elle engendra toute une génération d'imitateurs, comme la Chevrolet Camaro de General Motors, la Plymouth Barracuda de Chrysler et la Javelin d'AMC. Mais la Mustang restait la meilleure d'entre toutes. Elle fut immortalisée dans une chanson populaire, *Mustang Sally*, enregistrée pour la première fois par Mark Rice en 1965 puis reprise par Wilson Pickett l'année suivante.

La production de la Ford Mustang débuta à Dearborn, dans le Michigan, au début du mois de mars 1964. Elle fut dévoilée la même année lors de l'Exposition universelle de New York. Elle devait son nom à John Najjar, l'un des principaux designers de Ford, un admirateur de l'avion de chasse P-51 Mustang de la Seconde Guerre mondiale. Son principal designer était Joe Oros.

La Mustang était largement basée sur la technologie Ford existante et son châssis, ses suspensions et sa transmission provenaient pour l'essentiel des modèles Falcon et Fairlane de Ford. Cependant, c'est à son style que la Mustang devait son succès ; 22 000 exemplaires furent vendus le premier jour. Ford avait prévu d'en vendre 100 000 durant la première année, un chiffre qui fut atteint en trois mois ; 418 000 exemplaires furent vendus la première année et un million en l'espace de deux ans.

La Mustang Mark I fut l'une des premières d'une longue lignée de voitures à porter ce nom et ses héritières sont toujours produites de nos jours. La Mustang a été immortalisée au cinéma, en particulier dans *Bullitt* (1968), où Steve McQueen la pilote dans l'une des meilleures scènes de poursuite de l'histoire du cinéma. **SB**

1800 | Marcos (GB)

1964 • 1 786 cm³, S4 • 115 ch
0-97 km/h en 9,1 s • 185 km/h

La société Marcos fut fondée par Jem Marsh et Frank Costin. Le nom de la société est d'ailleurs constitué de la première syllabe de leurs deux noms de famille. Costin avait travaillé sur le chasseur-bombardier De Havilland Mosquito durant la Seconde Guerre mondiale et c'est à lui que l'on devait l'idée d'utiliser du contreplaqué pour les voitures de sport.

La 1800 n'était pas la première voiture de Marcos, qui avait déjà créé la GT. C'est cependant la 1800 qui permit à la société de se faire un nom parmi les constructeurs automobiles. Son châssis, constitué d'une armature en acier avec de nombreux éléments en bois, accueillait une carrosserie en fibre de verre tout en courbes. Sa suspension arrière sophistiquée utilisait le système De Dion, basé sur un essieu rigide avec des articulations flottantes au niveau de chaque moyeu de roue. Ce système permettait d'obtenir une conduite plus souple, mais sa fabrication était complexe.

Lors de son lancement, elle embarquait un moteur Volvo 4 cylindres de 1 786 cm³, auquel Marcos avait ajouté une boîte de vitesses surmultipliée. En 1966, il fut remplacé par un moteur Ford et la suspension arrière fut abandonnée au profit d'un modèle plus conventionnel à essieu rigide. En 1969, le châssis en bois de la 1800 fut remplacé par une version en acier. Cela permit à Marcos d'utiliser des moteurs plus puissants comme le V6 de la Ford Essex de 142 chevaux, qui pouvait propulser la 1800, très légère, à 190 km/h.

Marcos souhaitait vendre sa voiture aux États-Unis, mais les délais nécessaires pour réaliser les tests d'émission eurent raison de la société. L'augmentation des coûts força la société à fermer ses portes. **JI**

DB6 | Aston Martin

1965 • 3 995 cm³, S6 • 286 ch • 0-97 km/h en 8,4 s • 241 km/h

Rien de tel pour un constructeur qu'une célébrité conduisant l'une de ses voitures sous les yeux de la foule. Au Royaume-Uni, après le mariage du prince William et de Catherine Middleton en avril 2011, les jeunes mariés rompirent avec la tradition et décidèrent de se rendre eux-mêmes du palais de Buckingham jusqu'au lieu de la réception au volant d'une décapotable sportive, une Aston Martin DB6 Volante, offerte au prince Charles par sa mère le jour de son 21ᵉ anniversaire en 1969. Quelques millions de personnes virent William au volant de cette voiture et la notoriété de la DB6 explosa littéralement.

Ce coupé, mis en vente en 1965, avait fait ses débuts au Salon de l'automobile de Londres la même année. La Volante (appellation des décapotables Aston Martin) était apparue exactement une année plus tard.

La DB6, une voiture de Grand Tourisme, était l'héritière de la DB5, pilotée par James Bond sur le grand écran. Par rapport à la DB5, les passagers arrière disposaient d'une hauteur supplémentaire de cinq centimètres et de davantage d'espace pour leurs jambes. Il s'agissait donc d'une 4 places en bonne et due forme. On notait également des évolutions sur le plan aérodynamique et bien qu'elle soit plus lourde, sa stabilité améliorée à grande vitesse justifiait largement une légère perte de performance. La direction assistée et l'air conditionné étaient proposés en option.

Un peu plus de 2 000 exemplaires, dont une petite poignée de breaks, virent le jour avant l'arrêt de la production en janvier 1971. Elle fut finalement remplacée par la DBS, à l'issue d'une période de coexistence entamée en 1967. **RY**

MGB GT | MG

1965 • 1 798 cm³, S4 • 96 ch • 0-97 km/h en 13,5 s • 169 km/h

Pour beaucoup, la MGB GT, une voiture de course dessinée par la société italienne Pininfarina, était plus attrayante que le modèle à toit ouvert. Outre son intérêt évident dans le cas des climats humides, le cockpit de la GT jouait un rôle d'isolant phonique très appréciable et sa configuration 2 + 2 permettait d'accueillir des enfants sur la banquette arrière. Son grand hayon incliné, qui permettait d'accéder à un généreux compartiment bagages, lança la mode des voitures de sport à hayon.

Elle pesait 73 kilos de plus que le roadster, mais sa tenue de route restait bonne. Son toit permettait de réduire la flexibilité de la carrosserie et d'améliorer son aérodynamisme. En 1966, deux jeunes préposées à la circulation de la police du Sussex se virent confier une MGB GT légèrement préparée en guise de véhicule de patrouille. L'attribution de cette voiture sportive de police

à un duo de charmantes jeunes femmes en uniforme fut considérée par beaucoup comme un coup publicitaire. La voiture se comporta remarquablement bien et s'avéra être l'un des véhicules les plus fiables de la police.

Bien que le moteur de 1 798 cm³ proposé en standard soit très correct, MG écouta ses clients, toujours en quête de plus de puissance et, en 1967, le remplaça par un moteur Austin-Healey 6 cylindres en ligne de 3 000 cm³, rebaptisant sa voiture MGC. Peu après son lancement, le jeune prince Charles acheta une GT bleu cobalt qu'il utilisa ensuite quotidiennement pour se rendre à l'université.

Cependant, il fallut attendre 1973 pour que la GT obtienne le moteur qu'elle méritait : le fabuleux Rover V8 de 3 500 cm³, qui lui permit d'atteindre une vitesse de pointe de 201 km/h. **DS**

Calais | Cadillac

1965 • 7 025 cm³, V8 • 311 ch • 0-97 km/h en 8,8 s • 189 km/h

En 1965, Cadillac remplaça sa Série 62 par la Série 682, qui fut baptisée Cadillac Calais. Ce nom aurait pu faire référence à Calais, ville du nord de la France, mais il s'agissait avant tout d'un clin d'œil à Calaïs, l'un des dieux de la mythologie grecque, capable de se déplacer aussi vite que le vent. L'énorme moteur de la Cadillac Calais (7 025 cm³) semblait justifier cette comparaison.

Dès sa première année d'existence, la Calais se déclinait en trois styles : coupé hard-top 2 portes, berline 4 portes et berline hard-top 4 portes. Chaque version réalisa des ventes honorables pour une nouvelle voiture de luxe et environ 35 000 unités furent produites au total.

La Calais devait notamment sa popularité au grand nombre d'options proposées pour permettre aux clients de personnaliser leur modèle : air conditionné pour 495 dollars, régulateur de vitesse pour 97 dollars, radio avec haut-parleur à l'arrière et télécommande pour 246 dollars. Pour ceux qui se souciaient de leur sécurité, les ceintures pour les sièges arrière coûtaient 18 dollars. Une telle option aurait pu intéresser June Carter, la femme de Johnny Cash, qui fut l'une des premières à avoir acheté une Cadillac Calais, car elle avait envoyé leur Cadillac de 1964 à la casse suite à une collision.

Dans le film *Miss Daisy et son chauffeur* (1989), l'acteur Morgan Freeman conduisait une Cadillac Calais de 1965, qui fut ensuite remplacée par une Cadillac de 1970. On aperçoit la Calais dans des films comme *L'Inspecteur Harry* (1971), *Presque célèbre* (2000) et des séries policières des années 1970 comme *Columbo* et *Kojak*. Elle fut produite jusqu'en 1976. **MG**

TR4A | Triumph

GB

1965 • 2 138 cm^3, S4 • 106 ch • 0-97 km/h en 11,4 s • 175 km/h

Aujourd'hui, les férus de mécanique partent du principe qu'une voiture à essence ne comportera pas moins de quatre soupapes par cylindre et que les carburateurs sont un vestige du passé. Cependant, quand Triumph révisa en 1965 sa TR4, un sportster très apprécié, le constructeur ajouta une nouveauté intéressante : des suspensions arrière indépendantes.

Plutôt qu'un essieu rigide, rattaché à des ressorts à lames, la TR4A était équipée de ressorts hélicoïdaux et de liaisons transversales, corrigeant ainsi le comportement chaotique de la première TR4 et sa tendance à rebondir et à sortir de la route sur les chaussées irrégulières.

Triumph était si fière de ses suspensions qu'elle ajouta à l'arrière du véhicule un écusson proclamant « IRS », comme des voitures plus récentes l'ont fait pour les termes « 16V » ou « Turbocharged ». Ce nouveau type de suspensions fut initialement proposé en option et il se trouva, malgré tout, des clients pour réclamer spécifiquement le précédent type d'essieu. Cependant, rien ne pouvait arrêter le progrès et cette innovation devint bientôt un équipement standard.

Sa carrosserie était très virile et carrée, par rapport au look plus effronté des Triumph précédentes et de certaines contemporaines. Autre option intéressante : un toit rigide amovible comportant une section en toile, véritable précurseur du toit Targa qui fut officiellement introduit un an plus tard sur la Porsche 911.

Certaines innovations de la TR4A, comme ses vitres avec stores déroulants à l'avant et ses bouches d'aération sur le tableau de bord (une première pour une voiture britannique) étant moins exaltantes, aucun écusson ne fut apposé pour signaler leur présence. **JI**

GT | Broadspeed GB

1965 • 1 275 cm³, S4 • 102 ch
0-97 km/h en 9 s • 193 km/h

La Broadspeed GT des années 1960 était rapide et agile sur la route et fatale sur les circuits, allant même jusqu'à l'emporter sur la puissante AC Cobra. Une performance d'autant plus remarquable qu'elle était basée sur la Mini Cooper de 1965 du constructeur BMC.

La société Broadspeed Engineering de Birmingham s'empara du bébé de BMC et supprima toute la partie arrière de la carrosserie, qu'elle remplaça par un nouveau toit et une section arrière moulés en une pièce unique en fibre de verre. Même les jointures de la partie avant de la carrosserie furent supprimées pour conférer à la Broadspeed GT un contour plus lisse. La GT était également plus basse que les voitures classiques et sa tenue de route était irréprochable.

La société de préparation automobile Broadspeed parvint même à battre les équipes de BMC dans leurs propres courses de Mini. La GT était proposée avec diverses configurations de moteur. Le modèle de route haut de gamme était basé sur le moteur Mini Cooper S1275, dont la puissance avait été portée à 102 chevaux. Elle comportait aussi quelques équipements de luxe, dont un nouveau pare-brise enveloppant, un compteur de vitesse affichant jusqu'à 240 km/h, un compte-tours atteignant 10 000 tours par minute, des tapisseries douillettes et un isolant phonique supplémentaire pour la cabine.

Cependant, c'était par ses performances qu'elle brillait le plus. Il existait même une version encore plus puissante (la GTS) embarquant un moteur de 1 366 cm³, pour une vitesse de pointe mesurée à 233 km/h.

Seules 21 Broadspeed GT furent produites. Hélas, très peu d'entre elles ont survécu. **JI**

HD | Holden AUS

1965 • 2 933 cm³, S6 • 142 ch
0-97 km/h en 15,8 s • 141 km/h

Quand la berline Holden HD fut lancée en 1965, son fabricant déclara aux Australiens que cette nouvelle voiture allait leur changer la vie. La HD était proposée avec trois moteurs différents : 101 chevaux, 116 chevaux, et pour la X2, version haut de gamme, 142 chevaux grâce à son double carburateur et à son arbre à cames modifié.

Holden était le leader australien de l'automobile depuis presque 20 ans, avec Ford pour seul adversaire. Mais quand la HD fut lancée, l'impensable arriva. La presse déchaîna ses critiques contre la voiture, allant jusqu'à réinterpréter ses initiales en « Horrible Désastre » ou « Horrible Design ».

Après le très populaire modèle EH, produit entre 1963 et 1965, personne ne s'attendait à un tel acharnement. La HD était équipée d'une nouvelle transmission automatique 2 vitesses Powerglide, de suspensions améliorées et de feux arrière enveloppants. Elle était plus longue et plus large que les précédentes Holden et sa longue liste d'options (comprenant, pour la première fois, des freins à disque à chaque roue) offrait aux acheteurs un degré de choix sans précédent. La X2 était même livrée avec un tableau de bord amélioré sur lequel des données comme la pression de l'huile et la température de l'eau étaient enfin présentées sous la forme de cadrans et non plus simplement de voyants de couleur. Pourtant, le public resta insensible à ses charmes.

La HD rappela ainsi à ses designers, qui résidaient tous à Detroit, dans le Michigan, qu'il aurait sans doute mieux valu laisser aux autochtones le soin de créer leur nouveau modèle. **BS**

Luxury and elegance wherever you turn

Sitting in the new luxury Holden Premier reminds you of cars costing at least £2,000.

The extra spaciousness, for example, that goes with Premier's new curved doors and windows. Or Premier's sumptuous new front bucket seats, with spongy bolster edges for extra comfort.

And much more besides . . . a centre console with driver's glove-box and heater-demister . . .

deep pile carpet, and more. Wherever you turn, there's luxury and elegance.

Savour this, and the performance you get from your choice of engines up to the fiery 140-hp X2, and you'll appreciate that this car at its price is unmatched for sheer driving pleasure.

HOLDEN PREMIER

AUSTRALIA'S TOP VALUE LUXURY CAR — FROM £1,100 PLUS TAX

GENERAL MOTORS-HOLDEN'S

Silver Shadow | Rolls-Royce ⟨GB⟩

1965 • 6 227 cm³, V8 • 203 ch
0-97 km/h en 10,9 s • 184 km/h

La Rolls-Royce Silver Shadow fut décrite lors de son lancement, en 1965, comme une « voiture pour les masses ». Cette notion était plus que discutable, car son prix initial de 6 557 livres était loin d'être abordable.

Néanmoins, la Silver Shadow symbolisait un changement d'objectif et d'image pour le vénérable constructeur britannique. Il s'agissait de la première Rolls-Royce ciblant ceux qui souhaitaient conduire une Rolls-Royce, plutôt que ceux qui voulaient voyager sur la banquette arrière. Ce plan fut couronné de succès. Malgré le prestige dont avait toujours joui Rolls-Royce, on raconte que la Silver Shadow était la première voiture à rapporter de l'argent depuis l'arrêt de la Silver Ghost en 1925.

Un léger changement de design contribua à son succès. Sans renoncer au charme classique d'une Rolls, l'équipe de designers opta pour un look plus moderne et élégant. Freddie Mercury, du groupe Queen, faisait partie des nombreux propriétaires de Silver Shadow.

Rolls-Royce produisit 20 604 exemplaires de cette voiture (en différentes versions) sur une période de quinze ans, soit plus qu'aucune autre voiture de la marque. Le modèle qui lui succéda fut baptisé Silver Spirit, mais l'ombre de la Silver Shadow et de son design simple et novateur continua de planer sur ses héritières pendant de nombreuses années. **MG**

Fairlady SP311 | Datsun ⟨J⟩

1965 • 1 595 cm³, S4 • 97 ch
Inconnue • 169 km/h

Les faux airs de sportive anglaise ou italienne de la Fairlady SP311 n'ont rien d'une coïncidence. Datsun souhaitait contrecarrer l'emprise des constructeurs européens sur les compactes sportives, particulièrement sur le lucratif marché américain.

La SP311 se vendit mieux que les précédentes variantes de la Fairlady. Elle embarquait le nouveau moteur Série R de Datsun, et était équipée de roues plus volumineuses. Son toit en tissu recouvrait un intérieur sportif doté d'équipements dernier cri : sièges en vinyle, moquette et véritable radio à transistor.

Elle comportait aussi quelques éléments moins modernes, comme son châssis à longerons indépendant de sa carrosserie. Cependant, la SP311 s'était fendue d'une première pour une voiture japonaise : une boîte 4 vitesses manuelle totalement synchronisée.

Son look était résolument européen, avec des lignes fluides et une bande chromée sur chaque flanc. Les similitudes stylistiques n'épargnaient pas l'intérieur, avec des séries de cadrans et d'interrupteurs à bascule que n'auraient pas reniés une MG ou une Triumph.

Si on ajoute à cela la qualité de construction japonaise, il n'y a rien d'étonnant à ce que la Fairlady SP311 ait contribué à forger la future réputation de Datsun/Nissan comme constructeur de véhicules performants. **JI**

President | Nissan (J)

1965 • 3 988 cm³, V8 • 200 ch
Inconnue • 185 km/h

La Nissan President, un modèle de luxe produit de 1965 à 2010, était destinée aux hommes d'affaires et aux politiciens japonais. Le premier ministre japonais Eisaku Satō fut l'un de ses plus célèbres usagers.

Jusqu'à l'arrivée de la President, le Japon avait importé la plupart de ses voitures de luxe. Plusieurs constructeurs japonais décidèrent en même temps de corriger eux-mêmes cette lacune. Toyota, par exemple, lança la Crown Eight en 1964, mais la Nissan President, avec ses 5 mètres de long, était la plus grosse et la plus puissante voiture jamais produite au Japon.

Son design extérieur était résolument américain, avec des flancs plats et une calandre avant anguleuse. Les clients pouvaient opter pour un tout nouveau V8 de 3 988 cm³ ou pour le moteur 6 cylindres de 3 000 cm³ de Nissan, plus ancien et moins puissant. La President, équipée d'une boîte automatique 3 vitesses à traction arrière, fut la première voiture japonaise équipée d'un système antiblocage des roues (ABS), dès 1971.

La dernière génération, propulsée par un V8 de 4 500 cm³, fut lancée en 2001. Cependant, Nissan réalisa que ce modèle n'était plus viable face à la perspective de nouvelles normes de sécurité plus strictes et la production fut interrompue en 2010. Depuis 1965, environ 56 000 President ont été vendues. **JI**

Fulvia Coupé | Lancia (I)

1965 • 1 216 cm³, V4 • 81 ch
0-97 km/h en 15,8 s • 167 km/h

La Fulvia de 1963 se distinguait par son moteur V4 de 1 098 cm³, ses quatre freins à disque et ses suspensions à lames transversales. L'élégant coupé Fulvia, lancé deux ans plus tard, resta en production jusqu'en 1976 et devint une légende du rallye. Son empattement mesurait quinze centimètres de moins que celui de la berline et son moteur de 1 216 cm³ préparé pouvait développer 81 chevaux à 6 000 tours par minute. La HF, le modèle haut de gamme, bénéficiait d'une carrosserie en aluminium et de vitres en Plexiglas.

Dès 1967, le moteur de la Fulvia fut révisé et doté d'une plus longue course de déplacement, soit d'une cylindrée de 1 231 cm³ développant 88 chevaux, ou 102 chevaux pour la HF. Les clients pouvaient également opter pour la version Sport, plus nerveuse et dotée d'une carrosserie Zagato. Toutes les variantes de la Fulvia affichaient une précision exceptionnelle sur des routes en lacet. La conduite était exceptionnelle, la direction réactive et la tenue de route irréprochable.

Lancia avait toujours brillé dans le domaine du sport automobile et le coupé Fulvia Rally HG, avec son moteur de 1 584 cm³ développant 116 chevaux, se comportait bien en rallye. L'équipe Lancia remporta le championnat international des constructeurs en 1972, laissant à Fiat la seconde place et à Ford la troisième. **LT**

Miura | Lamborghini

⟨ I ⟩

1966 • 3 929 cm³, V12 • 375 ch • 0-97 km/h en 6,7 s • 273 km/h

La séquence d'ouverture du film *L'or se barre*, un classique du film de braquage sorti en 1969, est considérée comme l'une des meilleures de l'histoire du cinéma par de nombreux fans d'automobile. On y voit une Lamborghini Miura négocier les épingles du col du Grand-Saint-Bernard avec en musique de fond le morceau *On Days Like These* de Matt Munroe.

La Miura figure en bonne place sur toutes les listes des plus belles voitures du monde. Il s'agissait du premier projet de Marcello Gardini pour le carrossier Bertone, avant qu'il ne se fasse un nom en créant la Lamborghini Countach, la Lancia Stratos et la première génération de la BMW Série 5. À côté de sa carrosserie féline et sinueuse, toutes les autres voitures de l'édition 1966 du Salon de l'automobile de Genève ressemblaient à une rangée de patates. Son moteur V12 à la voix caverneuse était monté transversalement devant l'essieu arrière, avec deux carburateurs Weber triple corps logés entre les boîtes à cames. Le bloc de cylindres, la boîte de vitesses et le carter d'entraînement étaient coulés en une seule pièce en alliage léger.

Les premiers exemplaires étant trop légers à l'avant et présentant un sérieux problème de survirage, la plupart des clients lui préférèrent la version SV de 1971, qui disposait de suspensions bien supérieures.

Le conducteur devait adopter une position inconfortable, bras tendus et genoux repliés. L'embrayage était lourd et le levier de vitesses très dur. Son tableau de bord était trop réfléchissant. Mais ces défauts ne pesaient pas lourd à côté du plaisir qu'éprouvaient les conducteurs en entendant ce merveilleux grondement derrière leur tête et en sentant la puissance du véhicule. **LT**

400GT | Lamborghini

1966 • 3 929 cm³, V12 • 324 ch • 0-97 km/h en 7,5 s • 251 km/h

À défaut de remporter un succès commercial, la première voiture de série de Ferruccio Lamborghini, la 350GT, a été un véritable triomphe technologique. Son histoire ne s'arrêta pas en si bon chemin. Au début de l'année 1966, la 350GT fut équipée d'une version spéciale (3 929 cm³) de son V12 à quadruple arbre à cames. Valentino Balboni, un pilote d'essai expérimenté, a déclaré que ce moteur produisait le meilleur son de tous les modèles de Lamborghini. Cette version, baptisée 400GT Interim, reprenait l'élégante carrosserie de la 350GT, mais l'absence de sièges arrière l'empêchait d'exprimer tout son potentiel en tant que GT.

Lors du Salon de l'automobile de Genève de 1966, Lamborghini dévoila la 400GT 2 + 2, qui comprenait désormais une carrosserie plus volumineuse en acier ainsi qu'un empattement allongé permettant d'accueillir des sièges arrière confortables. Elle ressemblait comme deux gouttes d'eau au modèle précédent à quelques détails près, comme ses doubles phares avant adoptés en réponse à de nouvelles normes de sécurité américaines. Sur le plan mécanique, la transmission de la 400GT a bénéficié de l'ajout d'un synchroniseur de style Porsche à sa nouvelle boîte 5 vitesses Lamborghini.

Très impressionnés, les journalistes automobiles du magazine *The Autocar* proclamèrent que la 400GT était « supérieure à toutes ses concurrentes, étrangères ou non, dans le secteur prestigieux des autos rapides ».

Au final, 247 exemplaires de la 400GT 2 + 2 furent produits. Paul McCartney, l'un de ses célèbres propriétaires, a importé sa Lamborghini orange en 1967 alors que les Beatles étaient déjà célèbres. En 2011, sa voiture se vendit 197 000 dollars aux enchères. **DS**

Sonett II | Saab (S)

1966 • 1 500 cm³, V4 • 66 ch
0-97 km/h en 12,5 s • 160 km/h

Au cours des années 1950, Rolf Mellde, l'un des cerveaux de Saab, se vit confier un petit budget pour créer une 2 places sportive dans le plus grand secret.

Mellde mit au point un prototype en fibre de verre qu'il baptisa Sonett, un terme dérivé d'une expression suédoise signifiant : « Qu'elle est belle ! » La première Sonett (ou Saab 94) embarquait un petit moteur 2 temps à 3 cylindres. Ce petit roadster à traction avant était capable d'atteindre 160 km/h, mais seuls six exemplaires furent produits pour cause de non-conformité aux normes sportives.

Il fallut attendre dix ans avant que la séduisante Sonett II voie le jour, en 1966. Le petit moteur 2 temps de ce coupé à traction avant avait cédé la place à un moteur Ford V4 de 1 500 cm³, son capot arborant une bosse pour accueillir un moteur plus volumineux. Cette voiture disposait désormais de dispositifs de sécurité avancés, comme un arceau de sécurité, des sièges baquets à dossier haut et des ceintures à trois points.

La Sonett II fut saluée pour sa tenue de route et ses performances sur circuit. Pourtant, seuls 1 868 exemplaires de cette génération furent produits et quasiment tous furent exportés vers les États-Unis. La qualité de son levier de vitesses, monté sur la colonne de direction, et son étrange système de roue libre qui désactivait l'embrayage quand le conducteur levait le pied de l'accélérateur, rebutèrent nombre de clients.

Une Sonett III plus conventionnelle d'inspiration italienne prit la relève au cours des années 1970. La cylindrée de son moteur fut augmentée (jusqu'à 1 700 cm³), mais elle était moins rapide et moins attrayante qu'avant et la production prit fin en 1974. **SH**

GTO | Pontiac (USA)

1966 • 6 375 cm³, V8 • 339 ch
0-97 km/h en 7,9 s • 193 km/h

Le succès remporté par la GTO surprit jusqu'à Pontiac. Elle s'est écoulée à plus de 32 000 exemplaires. Cependant, la société ne se reposa pas sur ses lauriers et fit subir, en 1966, à la GTO une transformation qui lui permit de faire grimper les ventes à 96 946 exemplaires. Il s'agissait non seulement des meilleures ventes annuelles réalisées par la GTO, mais également par n'importe quelle muscle car.

À partir de 1966, la GTO devint un modèle à part entière, sans que Pontiac ne soit obligé de la proposer sous forme d'amélioration optionnelle pour contourner les règles imposées par General Motors sur les tailles de moteurs.

Son nouveau design fut surnommé le style « bouteille de Coca-Cola », qui consistait à affiner (ou à donner l'impression d'affiner) la partie centrale de la carrosserie tout en mettant l'accent sur des ailettes arrière qui lui conféraient un look plus juvénile et exubérant.

Les jeunes Américains s'étaient déjà amusés à trouver des jeux de mots sur les initiales de la GTO, un acronyme de l'expression italienne « Gran Turismo Omologato ». Les enfants, pour leur part, la surnommaient « Goat » (« chèvre »), sobriquet affectueux qui n'était pas du goût de General Motors. Ils préférèrent se concentrer sur la GTO de 1966, un peu plus longue et large que sa devancière et munie de sièges baquets et d'appuie-tête ajustables, avec une nouvelle ligne de toit gracieuse et élégante, des garnitures en bois, des feux arrière cannelés et une calandre inédite avec grillage en plastique. La GTO de 1967, qui comptait parmi ses propriétaires des célébrités comme Vin Diesel et Snoop Dogg, ne tarderait pas à accueillir de nouveaux changements. **MG**

Toronado | Oldsmobile

1966 • 6 965 cm³, V8 • 390 ch • 0-97 km/h en 7,5 s • 216 km/h

Le terme «Toronado», un nom évoquant la puissance des éléments, a été inventé en 1963 pour désigner une concept car. Sur le plan mécanique, le modèle de série de cette 2 portes restait très proche de ses cousines la Buick Riviera et la Cadillac Eldorado. La luxueuse Toro, qui se trouvait en concurrence frontale avec la Ford Thunderbird, était également remarquable pour sa traction avant, encore peu répandue à l'époque. Le dernier modèle de série à l'avoir adopté était une Cord, lancée trois décennies auparavant.

Les ingénieurs d'Oldsmobile ont passé plus de sept ans à concevoir la Toronado, réalisant des milliers de kilomètres d'essais afin de rassurer la clientèle sur la durabilité de leur traction avant. Leurs efforts ne furent pas vains. Forte de son excellente tenue de route, la Toro fut très bien accueillie par la critique. Elle fut élue «voiture de l'année» en 1966 par le très influent magazine *Motor Trend*.

La version Mark II de ce coupé de luxe, disponible à la vente entre 1971 et 1978, se posa en pionnière des équipements de sécurité. Elle fut la première à adopter des feux de freinage surélevés et, dès 1974, un airbag qui se logeait dans le volant. La société mère General Motors baptisa l'airbag «Air Cushion Restraint System» («système de retenue à coussin d'air») et en installa également un du côté passager. Après une carrière de 25 ans sur quatre générations, la dernière Toronado quitta la chaîne d'assemblage le 28 mai 1992. Au cours des années suivantes, les différences entre les marques détenues par General Motors devinrent de plus en plus ténues. En 2004, la maison mère décida de sacrifier la marque Oldsmobile pour raisons économiques. **RY**

Charger | Dodge

1966 • 5 210 cm³, V8 • 234 ch • 0-97 km/h en 9 s • 187 km/h

La Dodge Charger première génération était un puissant coupé de taille moyenne, dévoilé durant une coupure publicitaire au milieu d'un match de football de Rose Bowl College le 1ᵉʳ janvier 1966. Elle fut surnommée le « nouveau leader de la rébellion Dodge ».

Plus tard dans l'année, Dodge inscrivit une Charger dans les courses de la NASCAR. Au cours des tests, elle s'était comportée comme une aile d'avion et sa partie arrière avait tendance à se soulever. Un déflecteur fut donc ajouté à son capot afin de renforcer l'appui aérodynamique. Les règles de la NASCAR spécifiant que les versions de série devaient posséder le même équipement, la Charger devint la première voiture américaine de route à comporter un déflecteur. Le pilote de NASCAR David Pearson remporta le grand championnat national en 1966 avec quatorze victoires.

La version de route apporta également plusieurs innovations. Elle possédait l'une des premières lignes de toit de style *fastback* ainsi qu'une nouvelle calandre dont la forme évoquait un rasoir électrique.

Les phares, entre autres détails novateurs, pouvaient être orientés latéralement à 180°. Ainsi positionnés, ils étaient totalement dissimulés par une portion de calandre amovible. Des versions plus sportives, dont un monstre propulsé par un moteur HEMI V8 de 7 000 cm³, ne tardèrent pas à voir le jour.

La plus célèbre Charger, un modèle de 1969, n'est autre que la General Lee, que l'on retrouve dans presque chaque épisode de la série télé américaine des années 1980 *Shérif, fais-moi peur*. Une Dodge Charger de première génération joua également les vedettes dans le film culte *Bullitt* (1968) avec Steve McQueen. **RY**

◁ La Batmobile de 1966, qui pesait presque trois tonnes, avait besoin de toute la puissance de son moteur à turbine pour se déplacer.

Batmobile | George Barris

1966 • 6 390 cm³, V8 • 507 ch
Inconnue • Inconnue

Au fil des adaptations cinématographiques, la Batmobile s'est muée en un impressionnant véhicule d'aspect militaire, mais la version qui s'étalait sur les écrans de télé américains tous les samedis matin s'apparentait davantage à une concept car des années 1950.

En 1955, l'équipe de designers de Lincoln (une division de Ford) avait conçu une voiture baptisée Futura, véritable clin d'œil à la conquête spatiale. Cette concept car avait été construite à la main dans les ateliers de Ghia à Turin et coûtait l'équivalent de deux millions de dollars. Ses ailettes caractéristiques et sa carrosserie anguleuse étaient inspirées du requin mako et de la raie manta. Cependant, elle ne fut jamais produite à grande échelle et le prototype fut vendu à George Barris, un designer de véhicules personnalisés, pour un dollar symbolique.

Barris travaillait notamment pour les studios hollywoodiens et on lui demanda en 1965 de produire une Batmobile en moins de trois semaines. Il décida d'utiliser la Futura. La Batmobile finale embarquait réellement une grande partie des équipements de la série télé, comme la turbine à gaz située à l'arrière, qui ne pouvait cependant fonctionner que pendant 15 secondes. La liste d'options comprenait aussi deux parachutes permettant de faire des demi-tours en urgence, un coupe-câbles, un écran de fumée et un bat-phone.

Sa carcasse en acier et fibre de verre abritait un V8 de 6 390 cm³ capable de développer environ 500 chevaux. Son moteur, peu fiable (la Futura avait dix ans au début du tournage), avait été remplacé par un Ford V8 et une boîte de vitesses. La vitesse maximale de la voiture ne fut jamais mesurée, mais elle n'avait pas trop de toute cette puissance pour espérer attraper le Joker. **JI**

124 | Fiat

1966 • 1 592 cm³, S4 • 95 ch
0-97 km/h en 10,3 s • 168 km/h

La Fiat 124 succédait aux berlines 1300 et 1500. La voiture fut dévoilée d'une manière très spectaculaire, parachutée d'un avion-cargo devant un parterre de journalistes incrédules.

Si son look était plutôt banal, la partie mécanique du véhicule était des plus intéressantes. Avec ses freins à disque à chaque roue, ses suspensions à ressorts hélicoïdaux et sa barre antiroulis, cette berline légère était très agréable à conduire. En 1967, elle devint la première voiture italienne à remporter la prestigieuse récompense de « voiture européenne de l'année ».

Les modèles de base embarquaient un moteur de 1 200 cm³ capable d'atteindre 145 km/h ; la Fiat 124 Special T était la plus réjouissante de toutes, avec son puissant moteur à double arbre à cames de 1 592 cm³ (voir chiffres ci-dessus).

Cependant, elle n'était pas sans défauts. Son petit réservoir et son moteur très gourmand limitaient son rayon d'action. Son intérieur spartiate et la forme carrée de sa carrosserie lui valurent également de nombreuses critiques. Cependant, son principal défaut résidait dans sa sensibilité à la corrosion. L'utilisation d'un acier russe de piètre qualité, obtenu en compensation pour l'aide accordée par Fiat à la création de la Lada, valut aux Fiat de cette époque une très mauvaise réputation.

La production de la Fiat 124 prit fin en 1974, mais elle survécut comme modèle de la Lada, une voiture russe. Des clones furent assemblés en Turquie, en Espagne, en Inde, en Bulgarie, en Corée et en Égypte. Les ventes totales sont estimées à plus de seize millions d'exemplaires, ce qui fait de la Fiat 124 la seconde voiture la plus vendue au monde après la Coccinelle de Volkswagen. **DS**

Interceptor | Jensen

GB

1966 • 6 276 cm³, V8 • 288 ch • 0-97 km/h en 7,3 s • 220 km/h

La société Jensen fut fondée par les frères Alan et Richard Jensen dans leur atelier des West Midlands, en Angleterre. Ils avaient auparavant créé un exemplaire unique pour l'acteur américain Clark Gable en 1934.

L'Interceptor, une voiture de sport performante et racée, était équipée de 4 routes motrices bien avant la création de la Quattro d'Audi. Elle comportait une colonne de direction télescopique, un système de commande de traction et des zones déformables. Une version spéciale, la Jensen FF, était équipée d'un système ABS et ce, des années avant que Mercedes Benz en revendique la paternité. Cependant, elle était aussi très complexe, chère et très gourmande en carburant.

Les lignes de l'Interceptor et sa large vitre arrière panoramique étaient une création du designer italien Vignale. Le V8 de 6 276 cm³, pour sa part, était fourni par

Chrysler. On pouvait également se procurer une version de 7 200 cm³ développant 334 chevaux.

Les initiales « FF » de cette version étaient l'abréviation de « Formula Ferguson », en référence au fabricant de tracteurs qui avait conçu son système à 4 roues motrices. La FF était reconnaissable à son entrée d'air sur le capot et à ses doubles sorties d'air situées derrière les roues avant. Une version décapotable fut lancée plus tard à l'intention du marché américain. Mais le premier choc pétrolier de 1974 provoqua une chute de la demande et les ventes furent décevantes.

Jensen fit faillite en 1976, après avoir produit 7 408 Interceptor. Plusieurs sociétés tentèrent de sortir des mises à jour de ce modèle. Au moment où nous écrivons, une société de Coventry espère lancer une nouvelle Interceptor dotée d'un châssis en aluminium. **JB**

Camaro | Chevrolet

1966 • 5 359 cm³, V8 • 214 ch • Inconnue • 192 km/h

La Camaro représentait la première incursion de Chevrolet dans le domaine des power cars, face à des voitures comme la Ford Mustang, qui avait été lancée avec succès en 1964. Cette confrontation, avec la Mustang en particulier, donna lieu à un débat sur la signification réelle du terme «Camaro». À l'époque, Chevrolet déclara que ce nom évoquait un ami. Pourtant, à l'origine, la Camaro devait s'appeler Panther et on raconte que certains employés de Chevrolet plaisantaient en affirmant que leur voiture était un animal se nourrissant de mustangs. En fait, Chevrolet souhaitait un nom commençant par un C et les chercheurs de General Motors finirent par découvrir dans un dictionnaire français le terme *camaro* qui signifiait «ami» ou «camarade».

La voiture fut lancée en beauté en 1966 par le biais d'une conférence de presse organisée simultanément dans quatorze villes différentes, toutes reliées par téléphone. C'était la première fois qu'on tentait une audioconférence de cette ampleur. Malgré toute cette publicité et la puissance de la Camaro, Chevrolet parvint à la vendre au prix très raisonnable de 2 466 dollars. Aujourd'hui, une de ces Camaro originales se vendrait probablement aux enchères pour environ 150 000 dollars.

Cette Camaro de première génération fut commercialisée de 1966 (l'année du modèle 1967) à 1969. Elle se déclinait en plusieurs configurations, dont le séduisant modèle SS, qui comportait deux épaisses bandes de couleur contrastée sur le capot. En 1967, la Camaro se vendit à environ 221 000 exemplaires toutes versions confondues, un chiffre plutôt respectable, qui ne représentait cependant que la moitié des ventes de sa rivale, la Mustang. **MG**

Dans la peau de leurs personnages, Susan Sarandon et Geena Davis posent dans la célèbre Ford Thunderbird de *Thelma et Louise* (1991).

Spider | Alfa Romeo (I)

1966 • 1 570 cm³, S4 • 109 ch
0-97 km/h en 9,9 s • 183 km/h

Le film *Le Lauréat* (1967), avec Dustin Hoffman, propulsa la carrière du jeune acteur dans la stratosphère. Il fit également une star de la petite voiture de sport que conduisait Ben, son personnage : l'Alfa Romeo Spider.

Elle avait été conçue en Italie par le célèbre designer et carrossier Pininfarina. Après son dévoilement sous forme de prototype lors du Salon de l'automobile de Turin de 1961, une longue période s'écoula avant que sa production ne soit lancée fin 1965. Elle fut mise en vente au début de l'année suivante.

Après une compétition invitant les fans d'Alfa Romeo à proposer un nom, elle fut tout d'abord baptisée Duetto (« duo » en italien), en référence à ses 2 places. Une version légèrement revue fut baptisée Spider, un terme couramment utilisé pour désigner des voitures ouvertes, et ce sobriquet plus international finit par éclipser l'appellation originale. Dans son Italie natale, la voiture disposait également d'un surnom populaire, « di Seppia » (« la seiche »), en référence à sa longue section arrière dont la forme évoquait la coquille interne de ce mollusque que l'on trouve souvent sur les plages.

Basée sur une construction monocoque, elle incorporait à l'avant et à l'arrière des zones de déformation anticollision, un dispositif encore rare à l'époque. Elle embarquait un moteur à double arbre à cames de 1 570 cm³ et disposait de freins à disque et de suspensions indépendantes. La cabine était spacieuse, mais dépouillée, avec des sièges baquets. La Spider avait été dessinée par Franco Martinengo, directeur du design chez Pininfarina, lequel l'avait dotée d'une silhouette unique, qui la distinguait de toutes les autres voitures de sport 2 places jamais conçues. **SB**

Thunderbird | Ford (USA)

1966 • 7 013 cm³, V8 • 349 ch
0-97 km/h en 8,4 s • 185 km/h

À la fin du film *Thelma et Louise* (1991), les deux personnages principaux choisissent de se donner la mort plutôt que d'être capturées ; elles le font d'une manière on ne peut plus spectaculaire, en se précipitant du haut d'une falaise à bord d'une Ford Thunderbird de 1966.

Il ne s'agissait ni de la première Thunderbird (lancée en 1955) ni de la dernière (une version rétro réapparut en 2001). La dernière décapotable T'Bird, une version monocoque, était sortie en 1966.

Cette Thunderbird de 4e génération se présentait de fort belle manière, avec une calandre des plus originales, des garnitures de meilleure qualité, plus d'équipements en standard (dont des ceintures de sécurité à l'arrière) et plus de puissance. La puissance du V8 de base avait été portée à 318 chevaux, tandis que le nouveau V8 développait 349 chevaux.

La version la plus populaire de 1966 ne fut cependant pas la décapotable, qui avait jusqu'ici toujours été la grande favorite. Il s'agissait de la Thunderbird Town Landau, une version hard-top dotée d'une extension légèrement disgracieuse à l'arrière de sa ligne de toit. Plus de 35 000 exemplaires furent produits durant l'année 1966. Le revêtement du toit, en vinyle, était disponible en quatre couleurs différentes.

Le modèle de 5e génération lancé en 1967 marquait une nette évolution pour la Thunderbird, qui se dota de lignes plus dures et de certains éléments dignes d'une muscle car. À partir de 1967, toutes les versions successives s'éloignèrent un peu plus du concept initial de la T'Bird comme « voiture individuelle ». Pour beaucoup, la Ford Tunderbird de 1966 symbolisait une fin tout aussi tragique que celle de Thelma et Louise. **JI**

S800 | Honda

(J)

1966 • 791 cm³, S4 • 71 ch • 0-97 km/h en 13,4 s • 160 km/h

Tous les constructeurs automobiles rêvent de créer une voiture qui attire l'attention du public. Dans le cas de Honda, cette voiture fut le roadster S800.

La S800 n'était pas la première voiture de Honda ; la société japonaise avait déjà produit de nombreuses *keijidōsha*, des voitures ultracompactes équipées de petits moteurs et bénéficiant d'une fiscalité allégée. Juste avant elle, Honda avait produit la S600, disponible en version roadster ou en coupé de 606 cm³. Cependant, la S800 plaça la barre beaucoup plus haut et contribua à faire de Honda une marque d'envergure mondiale.

Cette voiture était propulsée par un moteur en aluminium plus imposant de 791 cm³, alimenté par quatre carburateurs. Elle développait une puissance de 71 chevaux à un régime élevé de 8 000 tours par minute, par l'intermédiaire d'une boîte 4 vitesses synchronisée.

À son lancement, la S800 était équipée d'une transmission par chaîne, qui entraînait les roues arrière, et de suspensions indépendantes à l'arrière. La S600 était équipée des mêmes suspensions, qui produisaient de bonnes performances ainsi qu'une excellente tenue de route. Cependant, elle était plus compliquée et plus coûteuse à produire qu'un système plus conventionnel avec un arbre de transmission et un essieu rigide. Ce système fut finalement abandonné pour les modèles ultérieurs, en particulier ceux destinés à l'exportation.

En 1967, la S800 devint la première Honda commercialisée au Royaume-Uni et se retrouva en concurrence avec des voitures comme la Triumph Spitfire et la Mini Cooper, avec l'avantage d'un prix plus modeste. La S800 permit au constructeur japonais de prouver au monde entier ce dont il était capable. **JI**

GT6 | Triumph

1966 • 1 998 cm³, S6 • 96 ch • 0-97 km/h en 10,4 s • 171 km/h

La Triumph GT6, dotée d'une élégante carrosserie signée Giovanni Michelotti (designer de la très chic BMW 2002), d'un moteur 6 cylindres en ligne très souple et d'une cabine garnie de cuir et de bois, fut surnommée la «Type E du pauvre».

La GT6 bénéficiait d'un équipement plus luxueux que sa sœur à toit ouvert, la Spitfire. Elle était livrée avec une boîte de vitesses totalement synchronisée, des sièges baquets confortables et un accoudoir central capitonné. Son volant à rayons en alliage garni de cuir et son chauffage deux positions, initialement proposés en option, devinrent des équipements standards.

Quand on appuyait sur l'accélérateur, son moteur 6 cylindres en ligne produisait un rugissement formidable et sa large bande de couple donnait l'impression qu'elle était bien plus rapide qu'en réalité. Quel que soit le rapport choisi, elle ne cessait de rugir. Sa conduite était vraiment très agréable. Il suffisait d'un coup d'accélérateur ou de volant pour faire chasser l'arrière.

On ne s'étonnera donc pas que de nombreux propriétaires aient choisi la GT6 pour disputer des épreuves historiques tant en Europe qu'aux États-Unis. La GT6 n'était cependant pas une reine des circuits. On lui préférait les Spitfire avec carrosserie en fibre de verre, qui remportèrent des médailles d'argent au Mans.

Lors de son lancement, son châssis semblait basique et archaïque, mais il simplifie aujourd'hui la vie des restaurateurs. La corrosion est un problème majeur. Le châssis et la carrosserie doivent être inspectés avec une loupe et un aimant. Heureusement, les pièces de rechange ne manquent pas et la GT6 attire autant les regards que la Type E, qui coûte deux fois plus cher. **LT**

Dino Spider | Fiat

1966 • 1 987 cm³, V6 • 162 ch • 0-97 km/h en 8,1 s • 204 km/h

La Fiat Dino Spider marque le début du partenariat entre Enzo Ferrari et le géant de Turin. Ferrari avait toujours su que, afin de poursuivre le sport automobile au plus haut niveau, il lui faudrait augmenter les ventes de ses voitures de route. Il lui fallait également développer de nouveaux talents pour la Scuderia Ferrari en encourageant de jeunes pilotes à courir en formule 2. Poussés par Alfredo, le fils du fondateur (surnommé «Dino»), les ingénieurs de Ferrari avaient commencé à développer un V6 à quadruple arbre à cames de 1 500 cm³ destiné à la saison de F2 de 1956. Hélas, Dino mourut en juin 1956 et ne vit jamais le projet se concrétiser.

Les nouvelles règles adoptées pour la saison 1966 de F2 imposaient la production d'un minimum de 500 moteurs, ce qui représentait à l'époque deux fois la production annuelle de Ferrari. Le constructeur rusa

donc en s'alliant à Fiat pour produire 500 décapotables 2 + 2, propulsées par une version révisée du V6 de course de Dino. Fiat était tellement ravie de s'associer à un partenaire si prestigieux qu'en 1969 elle acheta 50 % des parts de la société Ferrari.

Les lignes fluides et élégantes de la Dino Spider sont l'œuvre de Pininfarina. Ses arches voûtées et ses quadruples feux avant lui confèrent un look décidé. Les premiers exemplaires embarquaient un V6 de 1 987 cm³ à quadruple arbre à cames, ensuite utilisé pour la Dino 206, la première voiture de sport de Ferrari à moteur central. Bien qu'une Dino Spider en bon état ne coûte aujourd'hui que 25 000 dollars, on aurait tort de la considérer comme une «Ferrari du pauvre». Neuve, elle coûtait à peu près le même prix qu'une Mercedes 280ZL et ses frais d'entretien étaient comparables à ceux d'une Dino de Ferrari. **DS**

Midget Mark III | MG

1966 • 1 275 cm³, S4 • 66 ch • 0-97 km/h en 14,6 s • 154 km/h

La Sprite d'Austin-Healey, une petite voiture lancée en 1958, avait parfaitement rempli sa mission : faire profiter les masses des joies de l'automobile. Elle s'était d'ailleurs fort bien vendue sur le marché américain. En 1961, cette petite décapotable fut refondue et produite sous la double appellation Austin-Healey Sprite et MG Midget. En Angleterre, celles que l'on surnommait déjà « Spridgets » ne coûtaient que 680 livres.

Au cours des années suivantes, elles furent progressivement modifiées : la cylindrée fut portée à 1 275 cm³ en 1966, avec l'arrivée d'un moteur Série A « dégonflé », provenant de la Mini Cooper S. Cependant, il était facile de se procurer les pièces nécessaires pour améliorer leurs performances et les petites 2 places se taillèrent peu à peu une place de choix dans le milieu du sport automobile populaire grâce à leur construction légère

et à leur conduite agile. Le modèle le plus recherché n'est autre que la Midget Mark III / Sprite Mark IV 1966.

La MG Midget Mark III, qui était plus étroite qu'une Mini et ne mesurait que 3,5 mètres de long, semblerait minuscule comparée aux voitures actuelles. Cependant, le design de la voiture finit par paraître vieillot.

En 1975, en l'absence d'alternative chez le même constructeur, la Midget poursuivit tant bien que mal sa route avec une garde au sol modifiée et d'horribles pare-chocs en plastique, installés pour respecter de nouvelles normes de sécurité américaines. Comme si cela ne suffisait pas, le vénérable moteur Série A fut remplacé par un moteur de 1 500 cm³ moins fiable provenant de son ennemie jurée, la Triumph Spiftire. Quoi qu'il en soit, on estime que, quand la production cessa en 1979, plus de 350 000 exemplaires avaient été vendus. **SH**

Prince Royal | Nissan   (J)

1966 • 6 400 cm³, V8 • 259 ch
Inconnue • Inconnue

Durant les années 1960, l'empereur du Japon avait la chance de posséder une Nissan Prince Royal, une limousine de luxe construite spécialement pour lui. Son énorme moteur de 6 400 cm³, usiné dans un bloc d'acier massif, n'était pas de trop pour déplacer cette berline énorme de 6,1 mètres pesant 3 800 kilos.

Quant à la transmission, il avait fallu l'importer des États-Unis. Les ingénieurs japonais n'ayant pas encore mis au point de système capable de supporter l'énorme couple de la Prince Royal, ils optèrent pour un modèle trois vitesses Turbo-Hydramatic de GM monté sur la colonne de direction, souvent utilisé dans les Cadillac.

La majestueuse Nissan, avec ses quatre portes et ses trois rangées de sièges, pouvait transporter huit passagers. Les agents de sécurité qui accompagnaient l'empereur s'asseyaient sur des sièges en cuir. Celui de l'empereur se distinguait par sa couverture en laine. Les vitres arrière étaient en double vitrage et l'empereur communiquait avec le chauffeur grâce à un téléphone.

La Prince Royal était la première voiture impériale officielle produite au Japon. Sa carrière s'étala de 1967 à 2008, date de son remplacement par une Toyota Century Royal blindée spécialement préparée. Avant l'établissement de l'industrie automobile japonaise, l'empereur fut obligé de voyager successivement dans des limousines de marque Rolls-Royce, Cadillac et Mercedes-Benz.

La Prince Royal prouva que l'industrie automobile japonaise était désormais de taille à concurrencer les meilleurs constructeurs mondiaux. La technologie mise au point pour sa construction ne fut pas perdue, mais fut au contraire mise à profit pour la gamme de voitures de luxe Nissan President. **SH**

144 | Volvo   (S)

1966 • 1 778 cm³, S4 • 117 ch
0-97 km/h en 14,1 s • 148 km/h

Au milieu des années 1960, Volvo lança l'opération la plus audacieuse de son histoire en substituant aux courbes de la Volvo Amazon un design très différent : une voiture apathique et carrée qui mettait l'accent sur la sécurité. La Série 140 bouleversa le marché automobile.

La Volvo 144 était une élégante berline dotée d'un large compartiment bagages. Une version 2 portes et un break caverneux, baptisé Volvo 145, la suivirent de près. Spacieuse et simple, la forme de cette grosse Volvo ne vieillit pas comme celle de la plupart de ses rivales. Plus d'un million de voitures de la Série 140 furent écoulées dans le monde entier durant les huit années que dura sa production et leur design de base fut repris par la Série 240 et perpétué jusqu'au milieu des années 1990.

Les acheteurs ne se laissèrent pas dissuader par ses performances et sa tenue de route moyennes pour l'époque. Toutes les voitures de la Série 140 débordaient d'idées nouvelles en matière de sécurité : zones d'absorption d'énergie à l'avant et à l'arrière, cage de protection pour les passagers, freins novateurs à double circuit et ceintures de sécurité trois points pour le conducteur et le passager. Pour la première fois, l'intérieur de la voiture était tapissé d'une mousse de protection et dépourvu des saillies et autres protubérances. Elle était équipée de freins à disque pour chaque roue, avec un nouveau système antiblocage des roues. La partie centrale de son volant télescopique était nettement en retrait et les conducteurs disposaient d'une excellente visibilité dans toutes les directions. Confrontés à ce succès, les constructeurs du monde entier commencèrent à réaliser que sécurité et fonctionnalité pouvaient être d'aussi bons arguments de vente que des performances élevées. **SH**

Corolla | Toyota (J)

1966 • 1 068 cm³, S4 • 60 ch
Inconnue • Inconnue

La Toyota Corolla est le modèle le plus vendu au monde, devant la Ford Model T et la Coccinelle de Volkswagen. La Corolla prouve qu'une voiture n'a pas besoin d'être surpuissante ou résolument passionnante pour être populaire. Des millions d'automobilistes dans le monde recherchent avant tout un moyen de voyager confortablement avec leur famille.

La Corolla fut lancée en 1966 via le réseau de vente directe de Toyota, un système de revendeurs spécialisés dans certains modèles précis. Toyota installa un nouveau moteur plus puissant et équipa également sa voiture d'une boîte 4 vitesses, à une époque où de nombreuses personnes y voyaient le signe d'un moteur peu puissant. Ses suspensions frontales constituées de jambes de suspensions McPherson et d'un ressort à lames transversal, situés sous le moteur, s'inspiraient des modèles britanniques et européens. À l'arrière, on trouvait un essieu rigide et un ressort à lames plus conventionnel.

Ces décisions s'avérèrent payantes et la Corolla s'affirma comme une voiture familiale de qualité. Ses huit générations successives se vendirent (et furent produites) dans le monde entier.

Le succès de la Corolla reflète celui de l'automobile comme instrument d'épanouissement de l'individu par la liberté de déplacement. **JI**

Cortina Mark II | Ford (GB)

1966 • 1 298 cm³, S4 • 63 ch
0-97 km/h en 18 s • 132 km/h

Quatre ans après ses débuts, la Ford Cortina originale fut remplacée par la Mark II, une version dessinée par Roy Hanes, dont l'idée était d'agrandir son espace intérieur et d'améliorer son confort de conduite.

Vu son slogan («Nouvelle Cortina, plus généreuse en Cortina»), le fait qu'elle soit en réalité légèrement plus courte, avec 4,27 mètres, était un peu ironique. L'espace entre les roues était plus large, tout comme sa carrosserie. Grâce à des panneaux latéraux incurvés, la cabine disposait de six centimètres d'espace supplémentaire.

Entre autres améliorations notables, on trouvait un rayon de braquage plus faible, des suspensions plus souples et des freins ainsi qu'un embrayage auto-ajustables. L'ajout d'un nouveau moteur de 1 300 cm³ eut un impact très positif sur les ventes et la Cortina Mark II fut la voiture la plus vendue en Angleterre l'année suivante.

Entre 1966 et 1970, l'année de la sortie du modèle suivant, la Mark II s'écoula à plus d'un million d'exemplaires. Les moteurs allaient du modèle «Kent» (1 200 cm³) au modèle «Essex» (3 000 cm³) et les carrosseries se déclinaient en berline 2 et 4 portes et break 5 portes, avec quatre niveaux de finition : basique, Deluxe, Super et GT. La version 1600E, avec un moteur préparé, des suspensions abaissées et un intérieur en noyer, fut ajoutée à la gamme à partir de 1967. **SB**

Europa | Lotus GB

1966 • 1 558 cm^3, S4 • 128 ch
0-97 km/h en 6,6 s • 204 km/h

En 1958, Ron Hickman fut chargé par Lotus de créer une GT propulsée par un moteur Ford et capable de battre Ferrari sur le circuit du Mans. Il esquissa également les plans d'une voiture de course légère à moteur central. Lotus ne remporta pas le contrat, mais le patron de Lotus, Colin Chapman, fut séduit par les croquis de Hickman et décida que Lotus en produirait une version de route à plus petite échelle. Ainsi naquit l'Europa.

L'Europa était la première voiture de sport britannique à moteur central. Il s'agissait également du premier modèle de Lotus proposé en kit. Les hauts contreforts qui entouraient le compartiment moteur arrière permirent de réduire son coefficient aérodynamique à seulement 0,29. Ses sièges et vitres fixes ainsi que sa mauvaise visibilité furent vivement critiqués.

Les premières Europa étaient propulsées par un moteur 4 cylindres préparé de 1 558 cm^3, emprunté à la Renault 16. Sa puissance ne dépassant pas les 79 chevaux, ses performances en ligne droite étaient modestes. Ce n'est qu'à partir du moment où elle fut équipée d'un moteur Lotus-Ford plus puissant à double arbre à cames que l'Europa Special obtint enfin la puissance qu'elle méritait. Cette Special, disponible en édition limitée, commémorait les victoires de la Team Lotus durant les championnats du monde de F1 en 1972 et 1973. **DS**

GT | Unipower GB

1966 • 1 275 cm^3, S4 • 68 cm^3
0-97 km/h en 8 s • 190 km/h

La GT était une création de l'ingénieur et directeur sportif Ernie Unger et du designer Val Dare-Bryan. Une fois leur prototype achevé en 1965, ils se retrouvèrent à court d'argent. La société Universal Power Drivers, qui produisait des chariots élévateurs et des treuils, leur accorda son soutien. La voiture fut rebaptisée Unipower GT et lancée en 1966. La version qui embarquait un moteur de Cooper de 998 cm^3 coûtait 950 livres. La version GT, propulsée par un moteur de Cooper S de 1 275 cm^3, coûtait 1 150 livres.

Les livraisons furent retardées en raison de problèmes techniques et seuls 60 exemplaires furent produits avant la fin de l'année 1968. Universal Power Drivers se désengagea du projet, mais le pilote de course Piers Weld-Forester prit la relève et présenta l'Unipower GT Mark 2 en 1969. Weld-Forester inscrivit trois de ces voitures dans la Targa Florio, les 24 Heures du Mans et les 1 000 kilomètres du Nürburgring. On rapporte qu'il atteignit une vitesse de 225 km/h sur le circuit du Mans, mais le moteur explosa peu après le début de la course.

Confronté à de nouveaux problèmes pour produire des versions de route, Weld-Forester abandonna le projet à son tour. En conséquence, la petite GT ne fut produite qu'à 75 exemplaires. **JB**

124 Sport Spider | Fiat　(I)

1966 • 1 756 cm³, S4 • 130 ch
0-97 km/h en 8,2 s • 190 km/h

Le design de la berline Fiat 124 n'a pas déchaîné les passions. Pourtant, ses freins à disque équipant chaque roue, ses suspensions modernes à ressort hélicoïdal et ses différents moteurs étaient devenus une nouvelle référence en termes de voitures familiales. Fiat s'appuya sur ce modèle pour produire la berline 125, le coupé 124 et, la plus belle d'entre toutes, la 124 Sport Spider.

Cette élégante décapotable sportive de configuration 2 + 2, dessinée et construite par Pininfarina, fut dévoilée lors du Salon de l'automobile de Turin en 1966. Il fallut attendre deux années supplémentaires pour qu'elle arrive en Amérique du Nord, où elle rencontra un succès immédiat. Près de 75 % des 200 000 exemplaires produits furent envoyés de l'autre côté de l'Atlantique.

En 1971, Fiat fit l'acquisition d'Abarth, une société italienne spécialisée dans la préparation automobile, et se servit de cette synergie pour lancer la première équipe de rallye Fiat. Une voiture de compétition basée sur la Spider, l'Abarth 124 Rally, fut lancée en 1972, suivie de 400 versions Stradale de route (voir données ci-dessus), nécessaires pour qualifier la voiture pour la compétition. L'Abarth Rally, une voiture au look très fonctionnel propulsée par un moteur de 1 756 cm³, était équipée de sièges Recaro et d'un arceau de sécurité à l'arrière ; son toit rigide en fibre de verre, son capot et son coffre étaient peints en noir mat.

Tout au long des 19 années que dura sa production, elle accueillit divers moteurs à double arbre à cames, du premier modèle de 1 400 cm³ au dernier de 2 000 cm³, qui lui valut d'être rebaptisée Fiat 2000 Spider. Une Fiat 124 Sport Spider en bon état vaut environ 8 500 dollars de nos jours. **DS**

375S | Monteverdi　(CH)

1967 • 7 210 cm³, V8 • 379 ch
0-97 km/h en 6,3 seconds • 259 km/h

Peter Monteverdi fabriqua sa première voiture à l'âge de 17 ans. En 1961, dix ans plus tard, il fabriqua la première formule 1 suisse et fonda sa propre écurie. Il était lui-même pilote, mais se retira du circuit après un accident au volant d'une de ses Monteverdi Binningen Motors. Il fonda ensuite une société de distribution suisse très prospère, important des marques prestigieuses comme Ferrari, Bentley, Lancia, BMW et Rolls-Royce. En 1967, il fonda une nouvelle société baptisée Monteverdi, afin de produire des voitures de luxe hautes performances pour la route et la compétition.

La première voiture de sa société fut la 375S. Monteverdi opta pour un V8 Chrysler afin d'obtenir la puissance désirée. Avec sa cylindrée de 7 210 cm³, ce moteur ne manquait pas d'air. Basé à Bâle, Monteverdi sous-traita la carrosserie en Italie, de l'autre côté de la frontière. Il chargea l'un des meilleurs designers italiens, Pietro Frua, de produire une carrosserie à la ligne extrêmement fluide. À partir de 1969, Monteverdi fit fabriquer ses voitures en Italie par le carrossier Fissore, qui avait produit des Porsche.

La 375S fut lancée au Salon de l'automobile de Francfort en 1967 et reçut un très bon accueil. Cette belle 2 places sportive abritait un puissant moteur sous son élégante carrosserie. Elle embarquait une direction et un système de freinage assisté, sans oublier une radio intégrée, un équipement encore réservé aux voitures de luxe. Malgré son look superbe, elle ne se vendit hélas pas assez bien pour assurer sa pérennité et fut rayée du catalogue de la société en 1970. Monteverdi lança cependant des versions refondues en 1972, puis en 1975. Son usine de Bâle ferma définitivement ses portes en 1984. **MG**

Dino | Fiat

(I)

1967 • 2 398 cm³, V6 • 183 ch • 0-97 km/h en 8,1 s • 209 km/h

Lancée lors du Salon de l'automobile de Genève en 1967, un an après la Dino Spider de Fiat, la Dino n'était disponible que sur commande. La version roadster avait été produite par Pininfarina, mais la carrosserie du coupé fut sous-traitée à Bertone.

Ceci explique les différences de style entre les deux versions, mais la plupart des critiques s'accordent à reconnaître que les lignes épurées du coupé l'emportent en termes d'élégance. La Dino était également plus confortable : grâce à son empattement plus long, elle contenait quatre vraies places, au lieu de la configuration 2 + 2 étriquée de la Spider.

À partir de 1969, les deux modèles héritèrent de la version 2 400 cm³ du V6 Ferrari à quadruple arbre à cames, dérivé d'un moteur de formule 2 attribué à Alfredo « Dino » Ferrari. Le même moteur, dans une version plus finement préparée, fut monté transversalement dans la Dino 246. Tout au long de son cycle de production, les critiques de la presse automobile furent positives. Nombreux furent ceux qui notèrent qu'entre les mains d'un conducteur expérimenté, cette voiture de Grand Tourisme de luxe était capable de clouer les passagers sur leur siège.

Quelques journalistes critiquèrent son moteur bruyant, mais la plupart d'entre eux considéraient son gémissement, typique de Ferrari, comme l'une de ses plus grandes qualités.

Aujourd'hui, les rares coupés Fiat Dino à n'avoir pas succombé à la rouille sont de plus en plus recherchés. Les prix des exemplaires les mieux conservés commencent aujourd'hui à 25 000 dollars et ne cessent d'augmenter. **DS**

Ro80 | NSU ⓓ

1967 • 990 cm³ • 118 ch • 0-97 km/h en 13 s • 182 km/h

Avec son double moteur Wankel à piston rotatif, sa boîte de vitesses semi-automatique à vide, sa transmission à traction avant et ses suspensions indépendantes sophistiquées, la Ro80 était l'une des rares voitures à avoir réellement des décennies d'avance sur les autres.

NSU, un constructeur inexpérimenté, avait bravement créé un véritable concentré de technologie. Par rapport à ses contemporaines, la forme aérodynamique de la Ro80 semble toujours vaguement moderne aujourd'hui. Elle innovait sur tous les plans. Sa boîte de vitesses était équipée d'un synchroniseur et d'un embrayage automatique unique en son genre : toute manipulation du levier de vitesses désactivait l'embrayage grâce à un système à vide, supprimant de fait la nécessité d'une pédale d'embrayage. Quant au moteur à piston rotatif, un système très rare, il était extrêmement souple, puissant et silencieux. On disait même que plus l'allure augmentait, plus il se faisait discret. La cabine 4 portes était spacieuse, avec de vastes surfaces vitrées. En outre, la Ro80 était équipée de freins à disque assistés à double circuit, d'une direction assistée à crémaillère et pouvait se targuer d'une tenue de route à même de ridiculiser de nombreuses voitures de sport.

Elle fut élue « voiture européenne de l'année » en 1968, mais ses ventes pâtirent de son prix et de sa consommation élevés. Au début, le piston rotatif du moteur s'avéra fragile, lui valant une réputation de voiture peu fiable. La production de la Ro80 fut interrompue en 1977. Elle ne s'était vendue qu'à 37 000 exemplaires. Ces faibles ventes contraignirent NSU à chercher refuge dans le giron d'Audi. À titre posthume, la Ro80 inspira la conception de la première Audi 100 en 1982. **SH**

Firebird Trans Am | Pontiac

1967 • 6 561 cm³, V8 • 370 ch • 0-97 km/h en 6,5 s • 325 km/h

Lancé en 1967, la même année que la Chevrolet Camaro et produit sur la même plate-forme, le coupé 2 portes Firebird Trans Am reflétait la volonté de Pontiac de s'imposer sur le marché des pony cars.

Inspirés par la Ford Mustang en 1964, ces nouveaux types de modèles, qui ciblaient principalement un public de jeunes conducteurs, se devaient d'être compacts et abordables. Le nom « Trans Am » désignait à l'origine un ensemble d'options mécaniques synonyme

de puissance supérieure, avec quelques éléments de design supplémentaires, comme un déflecteur à l'arrière, qui le distinguait de ses concurrentes.

Cet ensemble d'options coûtant au total 725 dollars et officiellement désigné comme « options de performance et d'apparence Trans Am », devait son nom aux voitures de sport de la gamme Trans Am qui avait fait ses débuts en 1966. Comme il s'agissait d'une marque déposée par le Club de voitures sportives américaines

(SCCA), l'organisation menaça d'intenter une action en justice. General Motors accepta de payer à la SCCA une licence de cinq dollars par voiture vendue. Ce modèle finit par concourir dans la série des Trans Am, bien que ces dernières lui aient initialement été inaccessibles, car son moteur de 6 600 cm³ n'était pas réglementaire.

Le kit Trans Am fut initialement proposé pour la Firebird Mark I et, au début, s'avéra impopulaire en raison de primes à l'assurance plus élevées. La seconde génération,

disponible entre 1970 et 1980, remporta davantage de succès, particulièrement après le lancement du célèbre écusson de capot en forme de phénix. Elle fit également une apparition dans le film *Cours après moi shérif* (1977) et dans sa suite. Le rôle de KITT, la voiture intelligente de la célèbre série des années 1980 *K-2000*, fut interprété par une version modifiée de la Mark III. La dernière version fut commercialisée jusqu'en 2002, date à laquelle Pontiac abandonna l'appellation Firebird. **RY**

2000GT | Toyota

$\boxed{J}$

1967 • 1 988 cm³, S6 • 152 ch • 0-97 km/h en 8,4 s • 217 km/h

Vers la fin des années 1960, les Japonais avaient la réputation de produire des voitures simples et fiables, mais les hautes performances restaient le domaine réservé des Européens. Toyota se mit en tête de changer la donne en créant la 2000GT, un modèle qui se voulait l'égal des meilleurs modèles sportifs britanniques, italiens ou français, et remporta son pari.

Cette voiture était née d'une collaboration avec Yahama, qui prêtait main-forte à plusieurs constructeurs automobiles, notamment Datsun/Nissan. Il s'agissait d'un coupé 2 places à traction arrière et à moteur avant, une configuration plutôt basique. Cependant, la carrosserie en alliage de la Toyota, avec ses lignes fluides et ses phares escamotables, avait un cachet particulier. Ses feux de jour, situés dans la partie basse de sa face avant, conféraient à la GT une allure singulière.

L'influence de la Type E de Jaguar était manifeste, mais les ingénieurs avaient également étudié la Lotus Elan, dont ils avaient imité la structure : une carrosserie légère montée sur un châssis séparé. Son moteur était un modèle Toyota 6 cylindres standard qui bénéficiait d'un ensemble d'améliorations signées Yamaha : culasse en aluminium, double arbre à cames en tête et triple carburateur. Cette voiture modifia la perception qu'avaient les Européens des constructeurs japonais et de Toyota en particulier. Les critiques la décrivirent comme la « première supercar japonaise ».

Une version roadster spéciale fit son apparition dans le film de James Bond *On ne vit que deux fois* (1967), qui se déroulait au Japon. On raconte qu'elle avait perdu son toit car Sean Connery était trop grand pour tenir confortablement dans la version coupé. **JI**

33 Stradale | Alfa Romeo ⓘ

1967 • 1 995 cm³, V8 • 234 ch • 0-97 km/h en 5,5 s • 278 km/h

Seuls 18 exemplaires de ce véhicule furent produits, ce qui rend la version roadster encore plus rare que l'Alfa Romeo Tipo 33, la voiture de course sur laquelle elle était basée. Non pas que les possesseurs de cette Stradale («version de route» en italien), capable de passer de 0 à 97 km/h en moins de 6 secondes, aient eu des raisons de se plaindre. Le moteur n'était que légèrement dégonflé par rapport à la version de course et la Stradale disposait d'un empattement plus long pour améliorer la conduite sur les routes publiques. Les rares personnes qui pouvaient se l'offrir obtenaient donc *de facto* une voiture de course capable d'atteindre 278 km/h.

La Stradale était une voiture au look superbe, la première voiture de série au monde dotée de portes papillon. Sa carrosserie était l'œuvre de Franco Scaglione, designer talentueux et expérimenté qui avait déjà conçu

plusieurs voitures d'exception pour Ferrari, Porsche, Maserati, Jaguar et Alfa Romeo. La Stradale, décrite par beaucoup comme l'une des plus belles voitures au monde, était l'une de ses plus belles créations.

Naturellement, sa vitesse et sa beauté avaient un prix. Elle coûtait 17 000 dollars lors de son lancement, ce qui faisait d'elle la voiture la plus chère disponible à la vente pour le grand public à l'époque. Naturellement, la version de course aurait été encore bien plus coûteuse. En 1969, elle finit par succomber à son propre élitisme et sa production fut interrompue. Chacun des 18 exemplaires existants était unique et avait été assemblé à la main. On ne s'étonnera guère de la retrouver à la 15e place de la liste des 100 voitures les plus sexy, liste compilée pour l'émission télévisée *Top Gear*, diffusée en Angleterre par la BBC. **MG**

1750 GTV | Alfa Romeo

1967 • 1 779 cm³, S4 • 122 ch
0-97 km/h en 9,3 s • 190 km/h

Cette voiture faisait partie d'un trio. La Spider, le modèle décapotable qui apparaît dans le film *Le Lauréat* (1967), devint une véritable icône des années 1960. Le modèle Berlina, une berline plus carrée, fut adopté par la brigade autoroutière italienne. Pourtant, c'est bel et bien la version GTV qui offrait la conduite la plus agréable et qui devint un classique intemporel.

La 1750 GTV faisait partie d'une série de petites voitures de sport 2 portes produites par Alfa entre 1963 et 1977. Leur nom officiel était Giulia Sprint, mais elles sont aujourd'hui désignées comme « coupés Bertone », en référence au carrossier italien. C'est Giorgetto Giugiaro, alors tout jeune designer chez Bertone, qui dessina les premiers coupés Alfa. Les designs qu'il réalisa étaient très novateurs, notamment pour leur utilisation des surfaces vitrées, la forme de la cabine et la nature de la calandre avant, et ils inspirèrent de nombreux designers ultérieurs.

Le design du coupé était très réussi, mais son moteur, un modèle en alliage léger à double arbre à cames avec une cylindrée allant de 1 290 à 1 962 cm³, était encore plus remarquable. La 1750 présentait l'équilibre idéal en matière de poids, de performances et de consommation. Les moteurs, tous des 4 cylindres à 8 soupapes avec double carburateur, sauf aux États-Unis où les règles imposaient l'utilisation d'un système à injection d'essence, étaient bien plus fougueux que les chiffres officiels le laissent supposer. Nombreux furent les automobilistes de l'époque qui purent vérifier, au cours d'un long trajet sur des routes désertes et à une époque où les radars n'existaient pas, que la GTV méritait amplement son titre de « Grand Turismo Veloce », ou voiture de Grand Tourisme rapide. **SH**

P5 Coupé | Rover (GB)

1967 • 3 528 cm³, V8 • 162 ch
0-97 km/h en 12 s • 185 km/h

Tous les constructeurs rêvent qu'une célébrité s'éprenne de l'une de leurs voitures. Imaginez donc la joie de Rover quand la reine Élisabeth II eut la bonne idée d'apprécier la P5. Pendant des années, la P5 fut également la voiture favorite des Premiers ministres britanniques, de Margaret Thatcher à Harold Wilson. Il faut avouer que son style, à la fois sobre et aristocratique, était des plus seyants. Surnommée la « Rolls-Royce du pauvre » (un sobriquet ironique si l'on considère qu'elle comptait la reine parmi ses propriétaires), elle était moins rutilante qu'une Rolls-Royce. Elle fut adoptée par des aristocrates et des politiciens, mais également par des chefs d'entreprise, des banquiers et même par les forces de police.

La version Mark I fit son apparition en 1958 sous la forme d'une berline baptisée Rover 3 Litre et propulsée par un moteur 6 cylindres en ligne. La version coupé, avec une ligne de toit plus basse, débarqua à l'automne 1962, avec l'arrivée de la Mark II.

Il fallut attendre 1967 pour que la version V8 (surnommée « trois litres et demi »), tant appréciée par les dirigeants du pays, voie enfin le jour. Son nom officiel était P5B, avec un B comme Buick. Plutôt que de se risquer à créer son propre V8, Rover avait préféré se procurer un moteur en aluminium conçu par Buick. Ce dernier développait une puissance nettement supérieure, pour un poids inférieur, au modèle 6 cylindres et faisait de la 5B une voiture à part. Sur le plan esthétique, elle ressemblait aux versions précédentes, avec cependant l'ajout de feux de brouillard sous les phares avant, qui conféraient à la 5B son profil singulier. La force brute de son V8 offrait un contrepoint idéal au statut un tantinet solennel de ce symbole d'autorité. **JI**

3 Litre | Austin — GB

1967 • 2 912 cm³, S6 • 125 ch
0-97 km/h en 15,7 s • 161 km/h

Cougar | Mercury — USA

1967 • 4 736 cm³, V8 • 200 ch
0-97 km/h en 8,1 s • 177 km/h

L'Austin 3 Litre représente, dans l'histoire automobile, l'un des plus grands désastres commerciaux de la British Motor Corporation. Au départ c'était un projet commun de BMC et de Rolls-Royce qui s'est finalement retirée, de peur que sa réputation ne souffre de cette association.

Les financiers de BMC incitant les concepteurs de la firme à réduire les coûts d'autant, il a été décidé de réutiliser l'habitacle de l'Austin 1800 sur lequel on grefferait un coffre plus grand, tout en allongeant la partie avant pour y loger le bloc moteur. La voiture qui a résulté a gagné le surnom moqueur de « langouste de terre ». Son apparence de « monstre de Frankenstein » lui a tout de même permis de devenir culte plusieurs années plus tard. Elle jouissait pourtant d'un confort luxueux. Du bois poli ornait son intérieur et, grâce à sa suspension hydrolastique à correcteur d'assiette, elle progressait sans heurts sur les routes de mauvaise qualité. Son moteur C Series, emprunté à la MGC, une voiture de sport, était puissant et régulier, mais son poids n'améliorait en rien le maniement de la 3 Litre.

Les ventes de cette automobile ont été désastreuses, car elle coûtait cher en essence et ne pouvait rivaliser avec d'autres modèles britanniques ou européens. Finalement, seuls 9 992 exemplaires ont été produits lors de sa courte existence. **DS**

Ford avait rencontré un tel succès avec sa Mustang, née en 1964, que le constructeur désirait naturellement que ses filiales, telles que Mercury, l'imitent. La Cougar, dévoilée en 1967, était inspirée de la Mustang, mais en différait assez pour posséder sa propre identité. Le surnom de « grille de rasoir électrique » que s'est vu attribuer son étonnante nouvelle calandre est certes beaucoup moins impressionnant. Elle évoquait certes cette image, mais elle comprenait aussi une innovation notable : des phares rétractables.

L'accueil favorable des médias s'est avéré problématique pour Mercury, qui savait qu'il serait impossible de construire suffisamment de Cougar pour que chaque concessionnaire puisse en recevoir une. Le constructeur a alors choisi de proposer un nombre limité d'automobiles à un seul concessionnaire pour tester la Cougar sur le marché. Trente Cougar ont été expédiées à Principal Motors, situé à Monterey, en Californie, à mi-chemin entre San Francisco et Los Angeles. Le concessionnaire en a vendu 29 dès le premier mois. Mercury a alors consacré à la Cougar une importante campagne publicitaire qui la présentait comme la « voiture des vrais hommes ». De fait, elle a été aussi appréciée des femmes que des hommes jusqu'à ce que sa production cesse, en 2002. **MG**

Cosmo | Mazda ⓙ

1967 • 982 cm³ • 110 ch
0-97 km/h en 16 s • 185 km/h

Dans les années 1960, Mazda, qui construisait des motos et des camions depuis les années 1930, a décidé d'élargir sa gamme avec une voiture de sport. La Cosmo 110S ne ressemblait à aucune autre : sa silhouette était extraordinaire, ses lignes fines, son porte-à-faux arrière très long et, sous le capot, on trouvait pour l'une des premières fois un moteur rotatif Wankel. Ce nouveau genre de groupe moteur offrait régularité et puissance, avantages contrecarrés toutefois par une consommation en essence accrue et une prise en main inhabituelle.

Après avoir présenté pour la première fois son modèle au salon automobile de Tokyo de 1964, Mazda a rencontré des difficultés lors de sa mise en production. Plus de 80 prototypes ont été détruits au fur et à mesure que les concepteurs et ingénieurs amélioraient la Cosmo. En 1967, la Cosmo 110S qui était finalement disponible chez les concessionnaires présentait une caractéristique mécanique originale : 2 bougies par cylindre, alimentées par 2 Delco. Pour prouver la fiabilité de son moteur, le constructeur a fait courir le marathon de la Route à deux de ses Cosmo en 1968, l'une d'entre elles arrivant à la quatrième place. Au total, 1 176 Cosmo ont été construites. Jusqu'à 1995, trois autres séries ont suivi, à l'apparence plus conventionnelle, mais toujours équipées d'un moteur rotatif. **JB**

Gamine | Vignale ⓘ

1967 • 499 cm³, S2 • 22 ch
Inconnue • 100 km/h

La Gamine semble sortir tout droit d'un magasin de jouets et semble être alimentée par une pile. Malgré ses proportions réduites (l'empattement ne mesure que 184 centimètres de long), c'est une voiture pour adultes.

Vignale était un carrossier italien qui collaborait avec des constructeurs automobiles de divers pays, depuis l'Américain Cunningham jusqu'au Tchèque Tatra. Il concevait aussi les carrosseries de divers fabricants européens. La Gamine de 1967, projet du fondateur de la société, Alfredo Vignale, a été construite dans son usine. Elle reprenait le style de la Fiat Balilla Spyder de 1933.

Les caractéristiques techniques de la Gamine étaient fondées sur celles de la Fiat 500 Nuovo Sport. Le moteur, toujours placé à l'arrière, était le même que celui de la Fiat, d'une capacité de 499 cm³, à double cylindre et à refroidissement par air. Vignale a aussi conservé le châssis tubulaire en acier de la 500, auquel a été soudée une carrosserie décapotable. Derrière les deux sièges se trouvait un cadre métallique qui soutenait le toit en toile et servait d'arceau de sécurité. Le réservoir à essence et une roue de secours avaient été glissés derrière la calandre. Les ventes réduites de la Gamine ont poussé Vignale à déposer le bilan. Il a dû vendre sa société à De Tomaso (filiale de Ford) et sa marque a disparu en 1974. **JI**

Mustang GT500 | Ford

1967 • 7 000 cm³, V8 • 355 ch • 0-97 km/h en 4,8 s • 216 km/h

La Mustang GT500 est une voiture extraordinaire ; elle aurait indubitablement trouvé le succès même si Steve McQueen n'en avait pas malmené un modèle dans les rues de San Francisco dans *Bullitt*, film sorti en 1968.

Carroll Shelby, un préparateur de voitures de course, avait demandé à Chevrolet de lui fournir plusieurs moteurs. Le constructeur automobile ayant refusé, Shelby s'est tourné vers Ford, nouant une relation qui a perduré jusqu'à son récent décès.

Quand Ford désirait donner un petit plus à ses voitures, le constructeur faisait appel à Shelby. Ayant travaillé sur les Mustang dès le début des années 1960, ce dernier a légèrement changé de stratégie pour le modèle de 1967. Avant cela, il avait transformé la Mustang en voiture de course explosive, mais inadaptée à la conduite sur route. Dans le cas de la GT500,

ironiquement, il a rendu la voiture plus civilisée en l'équipant d'un moteur plus puissant. Comme le modèle courant venait d'être redessiné pour pouvoir abriter de gros moteurs, Shelby est parvenu à y insérer un V8 « Police Interceptor » 428, qu'il a accompagné de deux carburateurs à quatre corps et d'un collecteur d'admission qui lui permettait de développer 355 chevaux. La 500 bénéficiait d'un vrai habitacle avec climatisation et direction assistée.

En 2008, pour les 40 ans du film, Ford a mis en vente une édition spéciale de sa Mustang actuelle, baptisée Bullitt Special Edition. Elle offre plusieurs hautes performances et son pot d'échappement a été calibré afin de produire le même son que la voiture de McQueen. Ford ne pouvait évidemment pas promettre que celui qui la conduirait deviendrait aussi séduisant que l'acteur. **JI**

Ghibli | Maserati

(I)

1967 • 4 691 cm³, V8 • 340 ch • 0-97 km/h en 6,8 s • 248 km/h

Première Maserati émergeant des planches du légendaire concepteur Giorgetto Giugiaro, la Ghibli représentait probablement la quintessence de la marque italienne. Elle offrait une immense puissance et débordait de style. De lignes racées, elle ne mesurait que 1,16 mètre de haut et 5,50 mètres de long, mais pesait pourtant 1 600 kilos. Ce poids était en partie dû à son moteur V8, à son essieu arrière rigide et à sa suspension à lames démodée. L'habitacle était somptueux et la silhouette magnifique. Sous la carrosserie de la Ghibli, on trouvait toutefois une technologie ancienne.

Le V8 de 4 700 cm³ était inspiré d'un moteur de course datant des années 1950, mais développait 340 chevaux. La voiture était néanmoins extraordinairement gourmande en carburant et donc équipée de deux réservoirs. À l'époque, les limites de vitesse étaient floues et peu surveillées en Italie et il n'était pas rare de voir les propriétaires de Ghibli tester les limites de leur voiture sur les *autostrade* (« autoroutes ») italiennes. Une Ghibli préparée pour la course a atteint la vitesse phénoménale de 308 km/h sur la ligne droite de Mulsanne aux 24 Heures du Mans mais elle n'a jamais achevé la compétition.

Les acheteurs pouvaient choisir une transmission manuelle ou automatique et quelques décapotables comptaient parmi les 1 274 modèles produits tout au long des sept ans d'existence de la voiture. Sammy Davis Junior et Peter Sellers ont fait partie de ses plus célèbres conducteurs. Henry Ford II était tellement impressionné par la Ghibli qu'il aurait proposé d'acquérir Maserati, mais il est difficile d'imaginer une automobile aussi glamour ornée d'un ovale bleu. **RD**

Lotus Cortina Mk II | Ford (GB)

1967 • 1 558 cm³, S4 • 109 ch
0-97 km/h en 11,1 s • 174 km/h

La Lotus Cortina originale, lancée en 1963, avait bénéficié d'assez de modifications pour se différencier de façon significative du modèle courant de la Cortina sur lequel elle était basée. Bien que très excitante à conduire, elle pouvait donner du fil à retordre. La Lotus Cortina Mark II, présentée en 1967, était un peu moins élitiste et, bien que très rapide, se maniait plus facilement. Montée sur un châssis de deuxième génération qui équipait, depuis l'année précédente déjà, le modèle courant, elle tenait mieux la route et, selon les passionnés d'automobiles, c'était la meilleure des Lotus Cortina.

Au lieu d'être produit sur une chaîne différente, ce modèle sortait de l'usine de Dagenham dans l'Essex, où étaient construites les Cortina courantes. La carrosserie du modèle précédent de la Lotus abritait des panneaux légers, mais pour la Lotus Cortina Mark II, on était retourné aux panneaux normaux, en acier. Le double arbre à cames en tête était réglé pour fournir un peu moins de puissance qu'auparavant. Les rapports de la boîte de vitesses n'étaient plus aussi rapprochés, la voiture rappelant désormais davantage un cheval de course rapide qu'un pur-sang nerveux.

Elle était aussi plus discrète bien que ses propriétaires aient la possibilité de lui donner un aspect plus extravagant. La première Lotus Cortina était blanche avec des rayures vertes latérales. Pour les générations suivantes, les acheteurs ont eu accès à toute la gamme chromatique offerte par Ford. Les formes de la carrosserie s'étant arrondies, les rayures latérales contrastant avec la couleur principale s'avéraient moins appropriées et ont dès lors été moins présentes sur les nouvelles commandes. **SB**

Chitty Chitty Bang Bang (GB)

1968 • 3 000 cm³, V6 • Inconnue
Inconnue • Inconnue

Le titre de voiture la plus célèbre de toute l'histoire du cinéma ne peut être décerné qu'à l'une de ces deux candidates : l'Aston Martin DB5 du super-espion britannique James Bond et Chitty Chitty Bang Bang. Baptisée ainsi à l'écran par Caractacus Potts, ingénieur fou, pour évoquer les bruits du moteur, elle vole et flotte dans le film d'aventure homonyme sorti en 1968.

La voiture avait été imaginée par le directeur artistique Ken Adams et le sculpteur Frederick Rowland Emett. Six modèles ont été construits pour le film, dont un qui fonctionnait parfaitement et une version autorisée sur route et immatriculée GEN 11. Lu à voix haute cela donne *genii*, pluriel de « génie », en référence aux personnages féeriques des contes arabes. La voiture avait été assemblée par la société Alan Mann Racing, basée dans le Hertfordshire, près des studios Pinewood où a été filmé *Chitty Chitty Bang Bang*. Elle était équipée d'un moteur Ford V6 de 3 000 cm³ et d'une transmission automatique. Dick Van Dyke, qui jouait le rôle de Potts, a déclaré qu'elle prenait les virages « aussi facilement qu'un navire de guerre ».

Elle a appartenu à un Britannique jusqu'en 2011, date de sa mise aux enchères aux États-Unis, où Peter Jackson, réalisateur du *Seigneur des anneaux*, l'a acquise pour environ 805 000 dollars. Un deuxième modèle autorisé sur route, qui apparaît brièvement dans le film, a été racheté par le musée automobile de Keswick où il a été exposé pendant plusieurs années. Après la fermeture de ce musée britannique en 2011, le sort de la voiture demeure incertain. Un autre des modèles originaux est exposé au musée national de l'Automobile (National Motor Museum) au Royaume-Uni. **RY**

Fairlady Sports 2000 | Datsun Ⓙ

1968 • 1 982 cm³, S4 • 135 ch
0-97 km/h en 8,4 s • 193 km/h

Avec la Fairlady, Datsun interprétait un concept britannique classique. Le modèle 2000 est apparu à la fin des années 1960, alors que la Fairlady avait été améliorée par rapport à la machine de faible puissance (37 chevaux) des premiers temps.

La Fairlady Sports 2000, mise en vente en 1968, était plus aboutie, sa carrosserie différente des modèles précédents, son pare-brise plus haut et accompagné d'un rétroviseur intégré. Un tableau de bord rembourré et équipé de commandes renfoncées remplaçait l'ancien, plat et en métal. Toutefois, cela demeurait une voiture de sport au coût réduit, qui rivalisait clairement avec les modèles similaires de Triumph et de MG.

Esthétiquement, elle rappelait la Triumph TR5. La carrosserie, en acier, reposait sur un châssis à caissons avec une suspension avant indépendante et un pont-moteur à l'arrière. Au cœur de cette Datsun se trouvait un moteur 4 cylindres accompagné d'une boîte 5 vitesses (les boîtes 3 vitesses étaient encore courantes en 1968). On pouvait même commander un réglage spécial compétition, avec un double carburateur Mikuni/Solex qui poussait sa puissance à 135 chevaux. Cela suffisait pour atteindre une vitesse de 225 km/h.

La Fairlady Sports 2000 a rencontré un certain succès sur les circuits de course comme sur la route. L'acteur Paul Newman comptait parmi ses conducteurs, ce qui a contribué à ouvrir le marché américain à Datsun. Toutefois, la conception globale de la voiture vieillit rapidement, comme les marques britanniques qu'elle copiait. La Fairlady Sports 2000 sera remplacée par la légendaire Série Z de Datsun qui transformera de façon significative l'univers automobile. **JI**

2002 | BMW Ⓓ

1968 • 1 990 cm³, S4 • 110 ch
0-97 km/h en 12,8 s • 177 km/h

On doit à la BMW 2002 l'apparition d'un nouveau type automobile, la petite voiture à hautes performances. Sans la 2002, il n'y aurait ni hayons ni berlines rapides telles que la Série 3, toujours chez BMW. C'est aussi ce modèle qui a permis à ce constructeur de devenir le géant commercial qu'il est aujourd'hui. Avant le lancement de la 2002, BMW avait du mal à trouver sa place.

La situation a commencé à changer avec la création de la gamme « Nouvelle Classe », constituée de petites berlines et de coupés. Si ces voitures ont rencontré du succès, aucune n'a retenu l'attention du public autant que la 2002. Celle-ci n'aurait jamais vu le jour sans Max Hoffman, importateur américain de BMW qui a persuadé le constructeur d'équiper la 1600-2, une petite berline à 2 portes, d'un moteur de 2 000 cm³, habituellement destiné aux voitures de plus grande taille. Cela permettait d'augmenter la puissance de la berline tout en respectant la régulation américaine en matière d'émissions. Le résultat relevait du génie : une petite voiture très puissante que l'on maniait aisément. Elle a simplement été baptisée 2002, ou 02 pour les connaisseurs.

Succès immédiat en Europe et aux États-Unis, elle a remporté le championnat européen des voitures de tourisme. Sur route, elle était capable de battre de nombreuses voitures de sport. Au début des années 1970, un modèle équipé d'un moteur à injection fut disponible, mais la voiture n'a finalement que peu changé au cours de ses neuf ans d'existence. Bien que l'on considère souvent que le coupé Série 1 de BMW soit le digne héritier de la 2002, on retrouve l'ADN de cette dernière dans toutes les petites berlines ou voitures à hayon puissantes. **JI**

504 | Peugeot

1968 • 1 796 cm³, S4 • 83 ch • 0-100 km/h en 14,9 s • 170 km/h

Cette Peugeot familiale a été lancée au cours d'une année marquée par les manifestations, les grèves et les troubles politiques. Pourtant, un an plus tard, elle avait séduit les consommateurs et était désignée voiture européenne de l'année. À l'époque, cette conduite intérieure à 4 portes et traction arrière marquait un progrès en termes de qualité, de confort, de visibilité et de raffinement. Son levier de changement de vitesse manuel, à 4 vitesses et monté sur colonne, était jugé relativement sophistiqué, de même que son toit ouvrant.

Le moteur et les caractéristiques de la 504 se sont améliorés au fil de son existence, notamment grâce à l'introduction des premiers modèles diesel, d'un V6 puissant et d'un 4 roues motrices. La production de la 504 a cessé en 1983 en Europe. Le modèle continue pourtant à exister dans le reste du monde.

Des versions de la 504 ont été assemblées en France, en Chine, au Chili, en Nouvelle-Zélande, en Égypte, au Kenya, en Argentine, au Nigeria, en Australie et en Tunisie. La plate-forme de base a été déclinée sous forme de berline, de break, de coupé, de décapotable et de pick-up.

Sa robuste suspension pouvait résister à d'immenses ondulations de terrain et, en Afrique, on voit encore souvent la 504 servir de taxi de brousse. Sa force et sa fiabilité en ont fait un véhicule utilitaire très apprécié en Asie où elle apparaît souvent sous forme de pick-up avec cabine double. En 2010, le président iranien, Ahmadinejad, a proposé aux enchères sa propre 504 blanche sur une chaîne télévisée nationale dans le cadre d'une action caritative. Elle s'est vendue à deux millions et demi de dollars. **SH**

HK Monaro GTS | Holden

AUS

1968 • 5 360 cm³, V8 • 253 ch • 0-97 km/h en 7,6 s • 185 km/h

La Monaro occupe une place à part dans l'histoire automobile australienne, car c'était l'une des premières vraies muscle cars du pays, une voiture au moteur surdimensionné. Baptisé en l'honneur de la région de Monaro en Nouvelle-Galles du Sud, le premier modèle, présenté en juillet 1968, était un coupé à 2 portes, sans montants. Il avait été conçu et construit au cours d'une période de changement social sans précédent.

Particulièrement destinée aux jeunes hommes, la Monaro a séduit la jeunesse australienne comme peu de voitures avant elle, notamment en remportant quelques mois après sa mise en vente la plus importante course automobile du pays sur route, le Hardie-Ferodo 500. De fait, elle a tellement dominé cette compétition qu'elle s'est classée aux première, deuxième et troisième places. Son statut mythique ne faisait que commencer.

Elle avait indubitablement la tête de l'emploi, avec son toit effilé et ses passages de roue évasés. Elle était déclinée sous trois formes – modèle courant, GTS et GTS 327. Toutes les GT de Holden étaient équipées de moteurs Chevrolet V6 ou V8 de 5 000 cm³ qui leur permettaient de laisser sur place à peu près toutes les autres voitures australiennes.

Bien que la production de la série initiale ait cessé en 1971, cette même année a été lancée la GTS 350. En 1979, le nom Monaro a cessé d'être utilisé avant d'être repris en 2001, puis accolé à de nouvelles séries en 2003 et 2004. En 2005, 1 100 éditions spéciales ont été mises en vente, mais ont aussi marqué la fin des Monaro. Ce nom, qui signifie « haut plateau » en langue aborigène, était on ne peut plus approprié. Cette voiture constitue, encore aujourd'hui, l'apogée de l'automobile australienne. **BS**

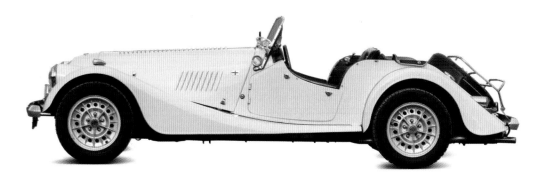

Plus 8 | Morgan

1968 • 3 528 cm³, V8 • 163 ch • 0-97 km/h en 6,7 s • 198 km/h

La dernière Morgan Plus 8 a quitté l'usine du Worcestershire en avril 2004, après 36 ans de production continue. Afin de marquer la fin d'une époque et de rendre hommage à ce symbole de l'automobile britannique, plus de 1 000 propriétaires de Morgan ont participé à une prestigieuse course de côte, la Prescott Hill Climb, dans le Gloucestershire. La disparition de cette voiture à 2 places n'est pas due à une baisse de la demande, mais à son moteur V8 qui ne respectait plus les normes européennes en matière de pollution.

La Plus 8 a été remplacée par la Roadster, qui semblait assez similaire. Morgan n'allait pas abandonner aisément une formule couronnée de succès et a choisi d'adapter son ancien modèle à un nouveau moteur. Le constructeur a choisi celui qui équipait déjà la Jaguar S-Type, un 3 000 cm³ plus léger et plus puissant.

Ironiquement, c'est la disparition d'un moteur qui avait incité la production de la Plus 8. En 1966, les stocks du 4 cylindres Triumph de 2 100 cm³, que l'on trouvait sous le capot de la Plus 4 de Morgan, visuellement très similaire à la Plus 8, étaient épuisés. Ce modèle a été remplacé par le V8 de 3 500 cm³ de Rover, expédié en Grande-Bretagne par General Motors sous le nom de Buick 215. En est résulté un nouveau modèle automobile puissant qui a redonné vie à la marque britannique et l'a sauvée de la disparition.

La Plus 8 a été présentée pour la première fois en 1968 au salon automobile d'Earls Court à Londres, et détient encore aujourd'hui chez Morgan, constructeur centenaire, le record de la plus longue utilisation du même groupe moteur. Ce record ne sera probablement jamais battu. **RY**

Daytona | Ferrari

1968 • 4 390 cm³, V12 • 350 ch • 0-97 km/h en 5,4 s • 278 km/h

Née en 1968, cette super car italienne a connu le succès dix ans plus tard sur la scène internationale. À des milliers de kilomètres de son lieu de naissance, de l'autre côté de l'Atlantique, une Daytona noire datant de 1972 avait été choisie pat le détective Sonny Crockett, joué par Don Johnson, dans les deux premières saisons de la série télévisée américaine *Deux flics à Miami*.

Toutefois, le modèle utilisé lors du tournage n'était qu'une copie construite sur un châssis de Corvette et Ferrari n'aurait pas apprécié, dit-on, le manque d'attention aux détails dont avait fait preuve le créateur de la série. Les gros plans de Crockett et de son partenaire, Ricardo Tubbs, révélaient que les sièges étaient ceux d'une Chevrolet. La voiture a finalement été détruite pour les besoins d'un scénario et remplacée par une authentique Testarossa blanche.

Le nom « Daytona » commémorait la victoire de la marque italienne en 1967 dans cette légendaire course de Floride où elle s'était classée aux trois premières places. Officiellement baptisée Ferrari 365 GTB/4, elle a été dévoilée au public lors du Salon de l'automobile de Paris en 1968. Conçue par Pininfarina avec un moteur avant, elle devait concurrencer la Miura de Lamborghini, à moteur central. Disponible pendant cinq ans, elle a été remplacée par la 365 Berlinetta Boxer. La Daytona doit aussi sa célébrité à sa participation au Cannonball Run, compétition automobile organisée en 1971. Pilotée par Dan Gurney, vainqueur des 24 Heures du Mans, et par le journaliste Brock Yates, la voiture a effectué en moins de 36 heures le trajet reliant New York à Los Angeles. Sa vitesse moyenne était de 128 km/h et, selon Gurney, les pilotes n'ont « jamais dépassé les 280 km/h ». **RY**

XJ6 | Jaguar

1968 • 4 236 cm³, S6 • 249 ch • 0-97 km/h en 8,7 s • 204 km/h

Quand Jaguar a dévoilé en 1968 son XJ, une nouvelle conduite intérieure de luxe à 6 cylindres, le cofondateur de la firme, Sir William Lyons, a déclaré que c'était « à ce jour la plus belle Jaguar ».

Ce nouveau modèle remplaçait chez Jaguar la majorité des berlines précédentes. Lors de son lancement, on pouvait choisir entre deux 6 cylindres en ligne (d'où le 6 de la XJ6), un 2 800 cm³ et un 4 200 cm³. En 1972, un V12 de 5 300 cm³ a aussi été proposé. Le 4 200 cm³ avait été mis au point à partir du XK, un moteur de course, et permettait d'atteindre 204 km/h. Outre sa puissance, cette Jaguar offrait également un confort luxueux. Pour tous les modèles de la première série, on pouvait opter pour la direction assistée, des sièges en cuir et la climatisation (qui était rare dans les automobiles britanniques en 1968).

La suspension, souple, procurait un mélange de douceur et de caractère sportif et, même selon les critères actuels, les moteurs offraient d'excellentes performances. Cela dit, une grande partie des éléments de l'habitacle, particulièrement les compteurs et instruments, étaient déjà un peu dépassés en 1968. Dans l'ensemble, la XJ6 était une magnifique voiture, mais les premiers modèles ayant placé la barre très haut, il était presque impossible de faire mieux par la suite. C'est probablement pour cela que ses améliorations se sont avérées relativement limitées au fil de ses 20 ans d'existence.

La XJ6 est le dernier modèle à la conception duquel ait participé William Lyons. L'influence de ce dernier persiste, car la gamme XJ a toujours autant de succès aujourd'hui. **JI**

Phantom VI | Rolls-Royce

1968 • 6 750 cm³, V8 • 200 ch • 0-97 km/h en 13,2 s • 180 km/h

C'est en 1925 que la première Phantom a quitté l'usine Rolls-Royce. La Phantom VI différait cependant légèrement des générations précédentes. Ce n'était plus une voiture de luxe, mais d'ultra-luxe. Construire des voitures puis tenter de convaincre les consommateurs de les acheter a toujours été une démarche trop vulgaire pour Rolls-Royce. Dans le cas de la Phantom VI, un modèle n'était assemblé que s'il avait été spécifiquement commandé. Heureusement pour le constructeur, 374 commandes ont été placées au cours des 23 ans de production de cette automobile. Pour en obtenir une, il fallait débourser environ 14 100 dollars.

La clientèle à qui elle était destinée était principalement constituée de chefs d'État et de familles royales. Celle du Royaume-Uni, en particulier, est associée dans les esprits à ce modèle. À l'occasion du 25ᵉ anniversaire du couronnement de la reine Élisabeth II, en 1977, Rolls-Royce lui a offert une Phantom VI, toujours utilisée par la famille royale. C'est dans cette voiture que se trouvaient le prince de Galles et la duchesse de Cornouailles quand ils ont été attaqués à Londres en décembre 2010, lors de manifestations contre l'augmentation des droits universitaires. La voiture a été couverte de peinture, une vitre latérale brisée. Lors d'une occasion plus heureuse, la même automobile (peinture mise à part) a transporté Catherine Middleton jusqu'à l'église le jour de son mariage avec le prince William, le 29 avril 2011.

La production de la Phantom VI a cessé en 1991 et il a fallu attendre jusqu'en 2003 pour que Rolls-Royce lance la nouvelle génération de cette série. Des tôles de carrosserie supplémentaires ont été construites et stockées, au cas où elles deviendraient nécessaires. **MG**

Continental III | Lincoln

1968 • 7 538 cm³, V8 • 370 ch • 0-97 km/h en 6,5 s • 220 km/h

La Lincoln Continental III était, selon les mots de son constructeur, une « voiture personnelle de luxe ». C'était un concept très américain : une 2 portes, longue de presque 5,5 mètres. Elle devait concurrencer la Cadillac Eldorado, la « voiture de l'avenir », caractérisée par ses roues motrices avant, et suivit, après un intervalle de plusieurs années, la Continental II, construite en 1956 et 1957.

La Continental III a permis à Lincoln de retrouver le succès. C'était une machine imposante pesant plus de 2,5 tonnes, mais qui, heureusement, abritait un moteur monstrueux, le nouveau V8 de Lincoln, de 7 500 cm³, qui développait 370 chevaux et pouvait théoriquement propulser la voiture jusqu'à 220 km/h. Ce nouveau moteur était aussi plus propre et répondait aux nouvelles normes antipollution aux États-Unis.

Bien que la Continental III ait été construite sur le même châssis que la Thunderbird de Ford, sa silhouette était beaucoup plus carrée. L'intérieur abondait en détails luxueux : la direction et les freins étaient assistés, les vitres et les sièges à commande électrique. Les acheteurs se réjouissaient de la présence de faux bois, de cuir, d'un lecteur de cassettes et d'une horloge Cartier encastrée dans le tableau de bord. Le toit en vinyle constituait une option si populaire que Lincoln a finalement décidé d'en équiper le modèle de série. Cela s'avérait très pratique car, le toit étant constitué de deux segments, on pouvait mieux en masquer le joint en le recouvrant de vinyle qu'en le peignant. Le renflement du coffre arrière, qu'on imaginait abriter une roue de secours, était en réalité un clin d'œil à la Continental II des années 1950, ladite roue étant rangée ailleurs. **JI**

Espada | Lamborghini

1968 • 3 929 cm³, V12 • 355 ch • 0-97 km/h en 6,6 s • 250 km/h

L'Espada, dont le nom évoquait l'épée d'un matador, était très basse et large. Avec ses quatre sièges baquets et son habitacle élégant, elle se plaçait, dans la gamme Lamborghini, entre l'Islero et la Miura. Grâce à son moteur V12 musclé (4 000 cm³) à quadruple arbre à cames, l'Espada S1, mise en vente en 1968, était la berline la plus rapide au monde. Basée en grande partie sur la plate-forme 2 + 2 de la 400GT, elle était pourvue d'une suspension indépendante, de freins à disque et d'une boîte de vitesses manuelle à 5 rapports.

Malgré la crise pétrolière des années 1970, l'Espada s'est bien vendue : 1 217 modèles construits en dix ans d'existence. Quand la troisième génération (S3) est arrivée sur le marché en 1972, elle pouvait être équipée de la direction assistée, de la climatisation et d'une transmission automatique à 3 vitesses.

L'Espada, comme la majorité des supercars à 4 places de sa génération, n'est pas aussi prisée par les collectionneurs contemporains que les voitures de sport classiques à 2 places. Lamborghini ne lui a jamais consacré un manuel de réparation et ne s'est pas demandé si sa construction complexe pouvait gêner les réparations futures. Comme de nombreuses voitures italiennes des années 1970, l'Espada est facilement sujette à la rouille et les coûts de restauration peuvent s'avérer très élevés.

Une rumeur affirme que Bono, le chanteur de U2, aurait dépensé 40 000 dollars pour la restauration de son Espada S2 bleu clair, réparation qui a duré deux ans. En 2008, cette voiture a été vendue aux enchères pour 33 000 dollars. Le shah d'Iran, l'auteur Alistair McLean et Paul McCartney ont compté parmi les propriétaires célèbres de l'Espada. **DS**

Islero | Lamborghini

1968 • 3 929 cm³, V12 • 350 ch • 0-97 km/h en 6,1 s • 260 km/h

Contrairement à Maserati et Ferrari, ses concurrents italiens, Ferruccio Lamborghini ne s'était jamais investi dans les courses automobiles. Dans sa jeunesse, il a piloté une Fiat Topolino lors des Mille Miglia de 1948. Après avoir couru les 1 100 premiers kilomètres, il a perdu le contrôle de son véhicule et s'est écrasé contre un restaurant de bord de route ; il semble qu'il ait perdu son appétit pour la course automobile le même jour.

En 1968, le constructeur a dévoilé sa première voiture de Grand Tourisme carénée, l'Islero. Elle était aussi adaptée à d'épiques périples transcontinentaux qu'à des trajets quotidiens. Largement basée sur la 400GT 2 + 2, la carrosserie avait été redessinée par la firme italienne Marazzi afin d'offrir aux passagers arrière un peu plus de hauteur de plafond. L'Islero était aussi dotée d'arches de roue plus larges pour installer de plus gros pneus, et sa

partie avant, très inclinée, qui abritait des phares rétractables, n'était pas sans rappeler la Daytona 365 GTB/4 de Ferrari, mise en vente l'année précédente. En 1969, l'Islero GTS était proposée avec des freins plus puissants, une suspension améliorée et un moteur où l'on retrouvait certains éléments de la Miura S.

Seules 225 Islero ont été construites, dont cinq avec volant à droite, destinées au Royaume-Uni. L'une d'entre elles, une GTS argentée, apparaît dans *La Seconde Mort de Harold Pelham*, un film où joue Roger Moore. En 2010, cette voiture, signée par l'acteur sur le pare-soleil, a atteint aux enchères le prix de 156 616 dollars.

L'Islero a été baptisée en référence au taureau qui a tué le matador espagnol Manolete en 1947. À ce jour, Lamborghini continue d'attribuer à ses modèles un nom s'inspirant de la tauromachie. **SH**

300 SEL | Mercedes　　　　　　　　　　　　　(D)

1968 • 6 300 cm³, V8 • 250 ch • 0-97 km/h en 2,2 s • 220 km/h

La frénésie ambiante de la fin des années 1960 a affecté jusqu'aux plus pondérés. Le plus conservateur et le plus ancien des constructeurs automobiles, Mercedes, a décidé d'insérer un V8 de 6 300 cm³ dans une berline courante. Cette familiale de 4 portes qui pesait deux tonnes en a été transformée. En termes de performances, la 300 SEL pouvait rivaliser avec n'importe quelle voiture de sport de son époque. Elle pouvait transporter confortablement cinq personnes à 200 km/h toute une journée, accélérait plus vite qu'une Lamborghini et dépassait la vitesse maximale d'une Ford Mustang.

Pourtant, ce bolide n'était pas une voiture de course dépouillée de tout accessoire : elle abondait en cuir, bois et autres détails luxueux tels que suspension pneumatique, climatisation, toit ouvrant et vitres à commande électrique, direction assistée et verrouillage centralisé.

Les passagers arrière disposaient de tablettes avec liseuse et d'un espace confortable. Bien entendu, le système audio était du dernier cri : une radio AM/FM avec lecteur de cassettes et antenne électrique.

Le capot abritait une multitude de tuyaux et câbles, les ingénieurs ayant dû réaliser des exploits pour y glisser le moteur à injection sans modifier la carrosserie. À cause du manque d'espace, les mécaniciens ont par la suite eu du mal à travailler sur ce moteur. De fait, seule la petite plaque marquée d'un 6,3 sur la droite du couvercle du coffre indiquait qu'il s'agissait d'une bête de course dissimulée. De nombreux automobilistes ont d'ailleurs décidé de retirer cette plaque pour éviter d'attirer l'attention de la police de la route. Cette voiture a rappelé au monde entier que les pointes de vitesse n'étaient pas l'apanage des sportives à 2 portes. **SH**

Scimitar GTE | Reliant

1968 • 2 994 cm³, V6 • 137 ch • 0-97 km/h en 8,9 s • 195 km/h

Reliant produisait des camionnettes de livraison à 3 roues avant de se lancer à l'assaut du marché des voitures de sport avec ses coupés à hayon Sabre, en 1960. La Scimitar GT, dévoilée en 1964, était une version réactualisée de la Sabre, mais s'est mal vendue. Quatre ans plus tard, la Scimitar GTE est apparue chez les concessionnaires déclinée en break. Grâce à sa configuration, elle pouvait accueillir confortablement quatre adultes et leurs bagages.

La carrosserie légère, en fibre de verre, de la GTE et son puissant moteur Ford V6 lui permettaient de répondre aux attentes des passionnés de conduite automobile qui recherchaient aussi l'aspect pratique des breaks. Cette voiture était particulièrement appréciée des musiciens des années 1970, dont Roger Glover, bassiste de Deep Purple. Respectée pour son maniement fiable tout autant que pour ses performances, la Scimitar GTE a aussi été conduite par Barry Sheene, champion du monde de moto.

Malgré les humbles origines de Reliant, la GTE était une automobile haut de gamme. Elle coûtait 2 787 dollars lors de son lancement alors que la MGC GT et la Rover 3500, deux produits comparables, atteignaient respectivement 2 119 dollars et 1 129 dollars.

Ce break a même reçu l'approbation de la famille royale d'Angleterre, la reine et le duc d'Édimbourg offrant un modèle bleu gris à la princesse Anne pour son vingtième anniversaire en 1970. À ce jour, cette dernière en a possédé au moins huit modèles, car elle apprécie le coffre facile d'accès où elle range son matériel d'équitation, sans oublier les impressionnantes capacités d'accélération de la voiture. **DS**

Hilux | Toyota　　　　　　　　　　　　　　　　　　　　　(J)

1968 • 1 490 cm³, F4 • 77 ch • Inconnue • 130 km/h

Tout autant qu'une radio éclaboussée de peinture ou qu'une paire de jeans taille basse, ce pick-up japonais symbolise l'industrie du bâtiment. Le Hilux que nous connaissons aujourd'hui est une machine musclée et rustique, tout aussi capable de transporter de vastes quantités de bois que d'atteindre le pôle Nord piloté par les présentateurs de *Top Gear*, programme automobile de la BBC qui a aussi placé l'un de ces pick-up sur le toit d'un immeuble qui a été détruit. Le Hilux a survécu.

Il n'en a pas toujours été ainsi. Lorsque le premier Hilux est apparu en 1968, il était un peu chétif comparé à ses concurrents. C'était une camionnette basique, à traction arrière, équipée d'un petit moteur de 1 500 cm³, qui ne pouvait atteindre que 130 km/h. Au fil des ans, le Hilux a évolué pour se montrer toujours plus rustique à l'extérieur et plus sophistiqué et confortable à l'intérieur.

Ses moteurs ont augmenté en capacité, l'avant a été simplifié et le véhicule s'est généralement paré d'une image de dur à la tâche.

L'apparition d'un modèle 4 roues motrices, en 1979, a été une étape marquante. C'est à partir de là que le Hilux a acquis sa renommée. Sa technologie était relativement élémentaire : le 4 roues motrices, aussi désigné sous le nom de 4Runner ou Surf dans certains pays, était équipé d'un solide essieu avant et d'une suspension à lames.

Aujourd'hui, les options disponibles ne manquent pas : cabine à 2 ou 4 portes, intérieur luxueux et systèmes multimédias. Pourtant, certaines choses ne changent pas et le Hilux demeure le meilleur ami des ouvriers du bâtiment. C'est aussi celui des agriculteurs, chasseurs, explorateurs et passionnés de sports nautiques. **JI**

Charger | Dodge (USA)

1969 • 5 210 cm³, V8 • 233 ch
0-97 km/h en 9 s • 187 km/h

Outre son rôle dans la série télévisée américaine des années 1980 *Shérif, fais-moi peur*, la Charger doit aussi une partie de sa célébrité au film *Bullitt*, avec Steve McQueen, où elle participait à l'une des scènes de poursuite les plus importantes de l'histoire du cinéma.

Dans ces deux cas, il s'agissait de l'un des premiers modèles, un coupé de taille moyenne vendu entre 1966 et 1978, bien que la Charger soit apparue dès 1964. Le modèle que l'on trouvait chez les concessionnaires a été révélé au public dans une publicité télévisée diffusée le 1er janvier 1966 lors du Rose Bowl, match de football américain universitaire. Plus tard cette même année, Dodge a fait courir la Charger sur les circuits de la NASCAR. Au cours des tests, celle-ci s'est comportée comme l'aile d'un avion et l'arrière s'est avéré trop léger ; on a donc ajouté un becquet sur son coffre pour accroître la portance. Selon le règlement de la NASCAR, le modèle de série devait être doté de ce même élément, et la Charger est donc devenue la première voiture de tourisme à en être équipée. Le pilote David Pearson a finalement remporté le grand championnat national de la NASCAR à son volant en 1966, avec quatorze victoires.

La Charger a été remplacée par la Dodge Magnum en 1978, mais est réapparue dans les années 1980 sous la forme d'un break plutôt laid qui n'a en rien amélioré son image. La seule tentative sérieuse de lui redonner vie a été la Shelby Charger, de Carroll Shelby, ancien pilote de course devenu concepteur.

Ce même nom a été donné à une concept car en 1999, puis à une berline 4 portes en 2006. Il a aussi été utilisé chez les concessionnaires brésiliens pour une variante de la Dodge Dart dans les années 1970. **RY**

411 | Bristol (GB)

1969 • 6 277 cm³, V8 • 340 ch
0-97 km/h en 7 s • 230 km/h

Assemblée à la main et abritant sous son capot un V8 Chrysler, la Bristol 411 était un pur-sang rare, l'équivalent britannique d'une muscle car. Assez rapide pour rivaliser avec les Ferrari de son époque, la 411 ne s'est vendue qu'à 600 exemplaires au long de ses sept années de production.

Sa technologie était toutefois ancienne : son châssis à caisson, qui provenait de la Bristol 400, était inspiré d'un modèle conçu par BMW dans les années 1930. L'intérieur dégageait aussi une certaine atmosphère surannée avec son tableau de bord en bois rappelant celui d'un beau meuble, ses sièges en cuir cousus main et son volant à trois branches enveloppé de cuir. La 411 était équipée de la boîte automatique Chrysler à 3 rapports.

Les riches gentlemen britanniques acquéraient leur Bristol auprès du concessionnaire de Kensington High Street, une rue chic de Londres, mais ce côté glamour manquait complètement à l'usine de Filton, où les voitures étaient assemblées aux côtés de pièces d'aéronautique. On a compté cinq générations de 411, dont certaines ont été exportées aux États-Unis. Les modèles les plus tardifs jouissaient d'une suspension à correcteur d'assiette et même de ceintures de sécurité. Certaines versions étaient pourvues d'une double paire de phares à l'avant.

La Bristol 411 était l'une des 4 places les plus rapides de son époque et demeure la plus véloce des Bristol à ce jour. C'est un modèle d'époque, issu d'une ère où certains acheteurs acceptaient une consommation d'essence exécrable en échange d'une voiture de sport luxueuse dotée du charme macho britannique qui a presque complètement disparu aujourd'hui. **JI**

Indy | Maserati

1969 • 4 163 cm³, V8 • 262 ch • 0-100 km/h en 7,2 s • 246 km/h

L'Indy, conçue pour remplacer la Sebring et la Mexico, était un coupé 2 + 2 ultra-rapide produit entre 1969 et 1975. Parmi les quelque 1 000 exemplaires vendus, les premiers étaient équipés d'un V8 de 4 200 cm³ qui abritait 2 soupapes par cylindre et 2 arbres à cames en tête (entraînés par chaîne) par rangée de cylindre.

L'élégante carrosserie de ce coupé avait été dessinée par Giovanni Michelotti, de la firme Carrozzeria Vignale dont on apercevait le logo sur les ailes avant. Sa

silhouette conférait un excellent aérodynamisme à l'Indy, qui pouvait atteindre une vitesse impressionnante pour son époque. Son nom avait été inspiré par le circuit de course d'Indianapolis, où Maserati avait remporté la victoire en 1939 et en 1940.

Affichant un prix de 18 870 dollars aux États-Unis, l'Indy bénéficiait d'un intérieur luxueux, caractéristique des Maserati, avec deux petits sièges arrière et un volant Nardi à trois branches. Les sièges en cuir s'inclinaient et

les vitres étaient à commande électrique. Les phares étaient rétractables. Les modèles ultérieurs disposaient de la direction assistée et de la climatisation cependant que les tout derniers bénéficiaient du nouveau système de freinage hydraulique Citroën.

De 1970 à 1972, Maserati a offert en option un moteur de 4 700 cm^3 et 290 chevaux avec allumage électronique de Bosch (le moteur de série était un 4 263 cm^3). Ce modèle a parfois été appelé le Maserati Indy America.

Puis, en 1971, le constructeur a remplacé ces deux moteurs par le V8 de 4 900 cm^3 qui équipait aussi la Ghibli SS et qui, une fois installé dans l'Indy, développait 320 chevaux. Ce modèle-là permettait d'atteindre une vitesse optimale de 265 km/h. Ces chiffres sont impressionnants même selon les normes actuelles, et encore plus lorsqu'on pense qu'à l'époque les pneus de 36 centimètres et des freins beaucoup moins puissants qu'aujourd'hui avaient du mal à gérer cette puissance. **RD**

Mustang Boss 429 | Ford

1969 • 7 033 cm³, V8 • 380 ch • 0-100 km/h en 5,1 s • 185 km/h

En 1968, Ford a persuadé Larry Shinoda, l'un des meilleurs concepteurs automobiles de l'époque, de rejoindre ses rangs. Lorsque l'on demandait à Shinoda à quoi il consacrait son temps, il répondait toujours de façon énigmatique : « À la voiture du boss. » Le *boss* en question était Semon Knudsen, P-DG de Ford qui, en l'engageant, lui avait demandé de construire un véhicule qui remporterait le prestigieux trophée Trans-Am : le constructeur y parviendrait avec la Boss 302.

Pour respecter le règlement de la Trans-Am, le moteur de la Boss 302 ne pouvait dépasser 5 000 cm³, mais Ford désirait pouvoir aussi la présenter à la Sprint Cup de la NASCAR. Or, cette organisation exigeait que le moteur des voitures participant à ses courses équipe au moins 500 modèles de série. Ford était si déterminé à remporter ces compétitions qu'il a commencé à produire une Boss, la 429, qui pourrait à la fois être vendue au grand public et apparaître sur les circuits de la NASCAR.

Ford a produit 859 voitures de ce modèle-là en 1969 et 499 autres en 1970. Malheureusement, cette voiture n'a pas gagné les courses de la NASCAR et a finalement été abandonnée. La Boss 302 a eu légèrement plus de chance en remportant la Trans-Am au cours de sa deuxième année, mais sa production a elle aussi cessé. Toutes deux étaient des automobiles exceptionnelles et, à cause de la durée réduite de leur production, elles atteignent désormais des prix élevés aux enchères. Bien que le moteur de la 429 n'ait officiellement développé que 380 chevaux, il montait facilement à 500. Une puissance plus faible avait été affichée simplement pour réduire le montant de la police d'assurance. **MG**

240Z | Datsun (J)

1969 • 2 393 cm³, S6 • 163 ch • 0-97 km/h en 8,3 s • 201 km/h

Les Japonais baptisent leurs voitures selon des méthodes relativement différentes de celles des autres pays. En 1969, Datsun, ancêtre de Nissan, a lancé une automobile sur le marché japonais sous le nom de Fairlady Z. N'étant pas assez «viril» pour cette voiture sportive et musclée, le nom original a été transformé en 240Z pour les voitures à l'exportation. C'était le premier modèle de la gamme Z qui a connu une longue existence chez Datsun/Nissan.

Le moteur de la 240 Z était dérivé du Datsun 1600, lui-même une copie du 6 cylindres qui équipait dans les années 1960 la Mercedes 220, mais avec deux cylindres en moins. Ils ont toutefois été rajoutés plus tard pour transformer le moteur de 1600 cm³ en 2,4 litres.

La technologie de la 240Z était moderne pour son époque, avec une suspension intégrale indépendante et une direction à crémaillère. La voiture était mécaniquement bien conçue, dotée d'une silhouette attrayante et très agréable à conduire. Elle s'est très bien vendue aux États-Unis, où son coût très compétitif lui permettait de rivaliser avec les autres sportives étrangères de même catégorie, tant les Jaguar que les Porsche ou les BMW. Grâce à cette politique de prix, la 240Z s'est rapidement avérée un succès commercial relevant la réputation de «modèles bas de gamme inélégants» dont souffraient les voitures japonaises.

Dans les années 1970, une version préparée est devenue populaire sur les circuits où elle a été notamment pilotée par Paul Newman. Yutaka Katayama, surnommé le «père de la Z», était à l'origine à la fois de sa conception et de ses performances sur route, ce qui lui a valu d'entrer au panthéon automobile. **SH**

GT | Manic (CDN)

1969 • 1 289 cm³, S4 • 107 ch
Inconnue • 217 km/h

Le Canada n'est pas particulièrement connu pour ses voitures de sport, mais la Manic GT constitue probablement sa meilleure tentative en ce domaine. C'est aussi l'une des dernières automobiles véritablement conçues dans ce pays. On la doit à Jacques About, qui travaillait au service relations publiques de Renault Canada à la fin des années 1960. On lui avait commandé un sondage auprès des conducteurs canadiens pour déterminer quel accueil ils feraient à l'Alpine. About a découvert qu'elle leur plaisait, mais malheureusement Renault a abandonné toute idée d'exporter ce modèle au Canada.

About a alors décidé de quitter le constructeur pour concevoir une voiture inspirée de l'Alpine. C'est ainsi que la Manic GT a vu le jour, baptisée ainsi en hommage à la Manicouagan, une rivière québécoise. La voiture était basse, à peine un peu moins qu'une Lotus Europa. Comme cette dernière, la Manic reprenait le châssis et la transmission de la Renault 10. À ce châssis tubulaire en acier était fixée une carrosserie en fibre de verre, non pas avec des vis et écrous, mais directement collée. Cela lui conférait de la rigidité, mais compliquait aussi les réparations (et restaurations).

Le moteur Renault de 1 289 cm³ était proposé en trois puissances : 65, 80 et 105 chevaux, cette dernière version permettant à la voiture d'atteindre une vitesse de pointe de 217 km/h, un chiffre élevé pour l'époque. Malheureusement, le climat canadien n'était pas tendre avec les creux et recoins du châssis de la Manic et peu de modèles sont parvenus à résister plus de six ou sept ans avant de succomber à la rouille. Cet inconvénient, allié à des problèmes de trésorerie, a provoqué la disparition de l'entreprise de Jacques About. **JI**

Capri | Ford (GB)

1969 • 1 600 cm³, S4 • 75 ch
0-97 km/h en 14,1 s • 149 km/h

Les voitures anglaises des années 1970 et 1980 dont on se souvient principalement pour leurs défauts ne manquent pas, de l'Austin Allegro à la Princess. D'autres ont davantage marqué les esprits par leur élégance décontractée. C'est le cas de la Ford Capri, conçue par la branche européenne du constructeur. Ces petites voitures bien conçues, aux prétentions sportives, affichaient un prix abordable.

Afin de séduire une vaste gamme d'acheteurs, Ford proposait diverses options de moteur. Le premier choix, un 4 cylindres de 1 300 cm³, développait 60 chevaux cependant que le plus puissant était un Cologne V6 de 2 000 cm³ et 85 chevaux, fabriqué en Allemagne. Le modèle intermédiaire, le 1,6 de 4 cylindres, développait 75 chevaux et permettait à la Capri d'atteindre 149 km/h. Celle-ci présentait de nombreux éléments en commun avec la Cortina, dont sa suspension à lames, de type MacPherson à l'avant, accompagnée d'un pont-moteur à l'arrière. Le maniement n'était pas exactement celui d'une voiture de sport, mais Ford ciblait de toute façon un autre marché. Le constructeur souhaitait atteindre la juste mesure entre une silhouette séduisante, de bonnes performances et un aspect pratique.

La Capri, vendue à 400 000 exemplaires dès les deux premières années, a rencontré un immense succès. Son apparence y était certainement pour beaucoup. On devinait l'influence américaine à la présence de certains éléments de la Mustang à l'avant et sur les côtés, aux ailes sculptées et aux prises d'air latérales devant les roues arrière. La Capri était belle sous tous les angles. Pas étonnant que, selon Ford, elle ait été « la voiture que vous vous êtes toujours promis d'avoir ». **JI**

Ford Capri.
Pour ceux qui aiment la vie.

vie est faite de rêves... et la Ford Capri est la
e de vos rêves les plus fous. C'est un coupé
lhouette racée, basse, profilée. Avec sa voie
elle colle à la route. Son moteur est nerveux,
ection souple et précise : même dans les
mbrements, passer les vitesses devient un
r : Et lorsque la route est libre, vous pouvez
: c'est aussi une voiture familiale.

Luxueusement confortable. Avec quatre places
spacieuses.
    Pour la puissance, vous avez le choix entre six
moteurs : du 1 300 cm³ (7 CV) jusqu'au tout
nouveau moteur V6 à injection de la nouvelle
Capri 2600 RS : 150 ch réels, + de 200 km/h,
des accélérations à vous couper le souffle.
    Ford Capri, la voiture de ceux qui aiment la vie.
    Crédit COFICA - Crédit FORD S.A.

Ford Capri:
à partir de **12940 F** *

Ford reste le plus

917 | Porsche

(D)

1969 • 5 374 cm³, F12 • 1605 ch • 0-97 km/h en 1,9 s • 418 km/h

À la fin des années 1960, les autorités contrôlant les compétitions automobiles ont modifié les règles de la catégorie sport. Porsche a saisi la possibilité de remporter le plus prestigieux des prix, les 24 Heures du Mans. En dix mois seulement, 25 Porsche 917 ont été construites pour recevoir leur homologation. Le moteur F12 de 4 500 cm³, refroidi à l'air, était placé au centre d'un châssis en treillis sous un immense ventilateur. On avait cherché à réduire le poids au minimum.

Développant 580 chevaux, les 917 ont remporté la première et la seconde place des 24 Heures du Mans de 1970, dans une course qu'on a qualifiée par la suite de bataille des titans. De nombreuses scènes tournées au cours de cette compétition apparaissaient dans un film sorti en 1971 et intitulé *Le Mans*, avec Steve McQueen. Cette même année, la 917 a de nouveau remporté

l'épreuve, établissant simultanément un record de distance de 5 335 kilomètres inégalé jusqu'en 2010.

En 1973, Porsche a concentré son attention sur la Can-Am, autre course renommée. Faisant appel à un moteur F12 gonflé de 5 400 cm³ et accompagné de deux turbos, le constructeur a obtenu des résultats époustouflants. Capable de développer 1 605 chevaux pendant de courts instants en mode qualificateur, cette dernière incarnation de la 917 pouvait atteindre 322 km/h en 10,9 secondes. Surnommée Panzer Turbo, elle a dominé les épreuves de la Can-Am et demeure la voiture de course la plus puissante jamais construite.

En 1974, le comte Gregorio Rossi, excentrique propriétaire d'écurie automobile, a adapté sa 917 pour la conduire sur route en toute légalité, même si elle n'est pas devenue son véhicule quotidien. **DS**

Skyline GT-R | Nissan ⓙ

1969 • 2 000 cm³, S6 • 160 ch • Inconnue • 195 km/h

Skyline est synonyme dans les esprits de voitures japonaises hyperpuissantes. Son nom provient de la marque automobile Skyline du constructeur Prince qui avait fusionné avec Datsun/Nissan en 1966. La transaction avait été encouragée par le gouvernement japonais, qui désirait voir apparaître des entreprises nippones de taille plus importante, capables de rivaliser avec les géants automobiles américains.

La Skyline GT-R a été présentée au Salon de l'automobile de Tokyo où elle était exposée à côté de la Nissan R380, une voiture de course. Cette juxtaposition devait souligner les antécédents sportifs de la GT-R qui abritait un moteur dérivé de celui de la R380. De fait, la GT-R a rencontré le succès sur les circuits de course, remportant 23 épreuves en 18 mois. Son moteur, un DOHC de 6 cylindres de 2 000 cm³, s'est avéré essentiel.

Il était alimenté par des carburateurs Weber triples (avant de passer à un système à injection Lucas) et comprenait 4 soupapes par cylindre, une configuration révolutionnaire en 1969. La puissance maximale était délivrée à 7 000 tours par minute et transmise par une boîte à 5 rapports jusqu'aux roues arrière. La suspension était aussi du dernier cri avec un système de leviers diagonaux à l'avant comme à l'arrière. À l'époque, des voitures bien plus puissantes étaient encore équipées de suspension à lames et d'essieux moteur. Le maniement de la Skyline GT-R était lui aussi à la hauteur.

L'habitacle, dépourvu de chauffage et de radio, n'avait rien de particulier et, de l'extérieur, elle ressemblait à une berline 4 portes très ordinaire. Quoi qu'il en soit, une dynastie était née et les autres constructeurs devraient bientôt combler leur retard. **JI**

280SE 3,5 | Mercedes (D)

1969 • 3 500 cm³, V8 • 200 ch • 0-100 km/h en 8,4 s • 185 km/h

Avec sa carrosserie au modernisme subtil et son moteur dernier cri, la 280SE, déclinée en coupé et en cabriolet, possédait tous les atouts pour séduire les riches amateurs.

Le premier V8 du constructeur alliait régularité et performance sportive. D'une puissance accrue de 25 %, il était présenté comme « le moteur de l'avenir » grâce à son injection électronique et à son allumage transistorisé. La 280SE était également équipée d'une suspension indépendante (mais pas pneumatique), d'une transmission automatique à 4 vitesses et de freins à disque sur les 4 roues, éléments qui permettaient une conduite raffinée et équilibrée.

La silhouette simple de la 280SE a bien vieilli. L'ancienne calandre verticale de Mercedes avait ici été remplacée par une forme plus basse et horizontale, permettant d'abaisser le capot et d'affiner la silhouette. C'était la première Mercedes dotée de lames de caoutchouc le long des pare-chocs. Les ailerons arrière des premiers modèles avaient été remplacés par de simples courbes cependant qu'on avait conservé les doubles phares à l'avant. La silhouette du coupé était classique : une longue carrosserie à 2 portes rehaussée de chrome, avec des fenêtres latérales sans montant et une vitre arrière panoramique. L'intérieur était un chef-d'œuvre de cuir, de chrome et de bois. Comme la décapotable, le coupé offrait un agencement pratique avec quatre sièges complets et un grand coffre.

Les coupés et les décapotables sont recherchés par les collectionneurs, mais moins de 5 000 modèles ayant été produits pendant deux ans seulement, le prix de ces voitures d'occasion demeure astronomique. **SH**

TR6 | Triumph

GB

1969 • 2 498 cm³, S6 • 150 ch • 0-97 km/h en 8,2 s • 190 km/h

La TR6 est l'une des petites sportives les plus populaires de l'histoire automobile britannique. Presque 100 000 modèles ont été produits, et le plus souvent exportés. Son apparence n'est pas très différente des séries précédentes, la TR5 et la TR4. De fait, on pourrait affirmer qu'elle est datée comparée aux voitures lancées la même année telles que la Lotus Elan. Ce n'est qu'avec sa remplaçante, la TR7, que Triumph a décidé de lancer une toute nouvelle silhouette.

Une partie de la conception de la TR6 était dépassée, notamment sur le plan mécanique. La carrosserie était boulonnée au châssis tubulaire au lieu d'être monocoque. Pour autant, la voiture s'est avérée très satisfaisante. Son moteur de 2 498 cm³, à 6 cylindres et à injection, développait 150 chevaux et permettait une vitesse maximale de 190 km/h, sauf sur le marché américain à cause des règles antipollution. Dans les modèles ultérieurs, la puissance a été réduite pour répondre à la généralisation de ces règles.

La boîte de vitesses de série, à 4 rapports, était aussi disponible avec un overdrive qui facilitait la conduite sur les longs parcours et, grâce à la proximité des rapports, offrait davantage de flexibilité sur les routes en lacet. On trouvait des freins à disque à l'avant et une suspension indépendante à l'arrière. Le maniement était léger et précis. Le tableau de bord était en bois verni et équipé de toute une série de cadrans classiques.

De nombreuses manières, la TR6 annonçait la fin d'une époque : c'était la dernière voiture de sport hypermasculine. La TR7 qui a suivi avait peut-être l'air plus moderne, mais la puissance et la précision de la TR6 lui manquaient. **JI**

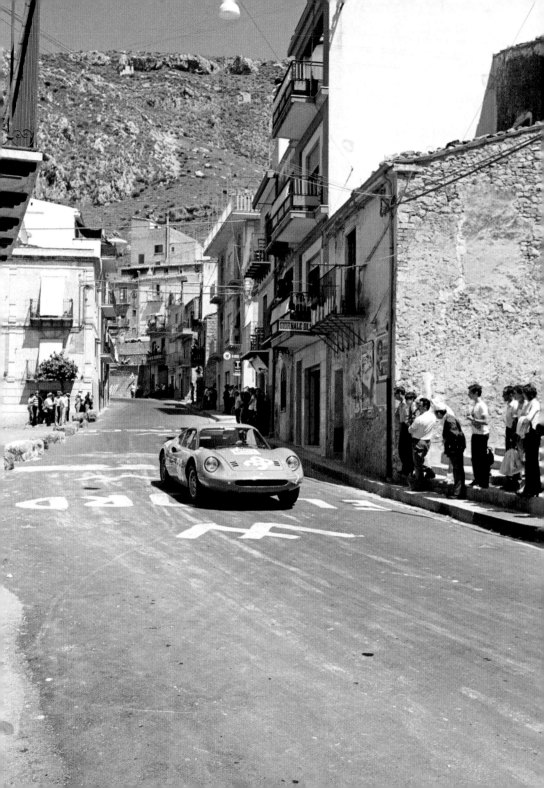

Une Dino 246GT traverse un village sicilien lors de la course Targa Florio le 16 mai 1971.

Dino 246GT | Ferrari ⓘ

1969 • 2 419 cm³, S6 • 197 ch
0-97 km/h en 7,1 s • 235 km/h

La Dino, qu'Enzo Ferrari a baptisée en hommage à son fils, était non seulement la première voiture à moteur central du constructeur, mais aussi la première à être produite en grand nombre. À cause de l'emplacement de son moteur, à l'arrière des sièges, elle était considérée comme très audacieuse lors de son lancement. Ce modèle devait être plus abordable que les Ferrari sportives habituelles, au moteur V12 et au prix astronomique. Dans l'esprit de son constructeur, la Dino devait rivaliser avec la Porsche 911.

Comme son nom l'indique, la Dino 246 GT était un modèle à 6 cylindres, de 2 400 cm³ ; elle a été produite à l'usine Ferrari de Modène entre 1969 et 1974. Sa conception d'avant-garde et son maniement ont été largement salués, mais c'était aussi l'une des plus belles voitures de son époque. Elle avait une telle réputation qu'elle comptait parmi ses propriétaires des pilotes de formule 1 tels que Peter Gethin, qui a remporté le Grand Prix d'Italie en 1971 pour Ferrari.

Selon sa brochure publicitaire originale, la Dino était « presque une Ferrari ». Enzo voulait préserver le caractère luxueux de sa marque et, de peur que la Dino ne lui porte tort, ne l'avait pourvue d'aucune plaque Ferrari. Inévitablement, on a commencé à accoler les deux noms.

Dino Ferrari, qui souffrait de dystrophie musculaire, était hospitalisé durant la conception de la voiture, mais a pu discuter des détails techniques avec l'ingénieur Vittorio Dano. Dino s'est malheureusement éteint à l'âge de 24 ans, avant que l'automobile portant son nom ne soit produite. **SB**

Rapier H120 | Sunbeam ⒼⒷ

1969 • 1 725 cm³, S4 • 110 ch
0-97 km/h en 11,1 s • 171 km/h

On doit l'un des chapitres les plus douloureux de l'histoire automobile britannique au groupe Rootes, depuis longtemps disparu et dont seuls les passionnés auront entendu parler. Toutefois, on reconnaît encore certaines de ses marques, telles que Humber, Talbot, Hillman ou Sunbeam. C'est à cette dernière qu'on doit la Rapier H120, un élégant coupé à hayon dont la silhouette rappelait un peu les américaines. La partie avant de la voiture était carrée et sa vitre arrière dessinait une longue pente jusqu'au coffre surmonté d'un aileron.

La H120 était la version haut de gamme de la Fastback Rapier, coupé à 4 places construit sur le châssis de la Hillman Hunter break. Pour augmenter la puissance du moteur de série, de 1 725 cm³, Sunbeam avait fait appel à Holbay Engineering, petite société familiale aujourd'hui disparue. Celle-ci l'a largement modifié, notamment en lui ajoutant une culasse, une tubulure d'échappement, un arbre à cames hypersustentateur et un double carburateur Weber. La H120 était aussi équipée d'une boîte à rapports rapprochés avec overdrive et d'un nouvel essieu arrière pour permettre une vitesse de pointe accrue.

L'apparence de la voiture a été transformée par l'apport de roues Rostyle plus larges, de bas de marche polis, d'une bande latérale et d'une calandre noire. Ironiquement, la version suivante produite par Sunbeam était l'Alpine Fastack, moins puissante et beaucoup moins onéreuse, car destinée à des acheteurs moins fortunés.

En 1976, quand la production s'est achevée, 46 000 Alpine et Rapier avaient été construites, mais les jours de Rootes étaient comptés. **JI**

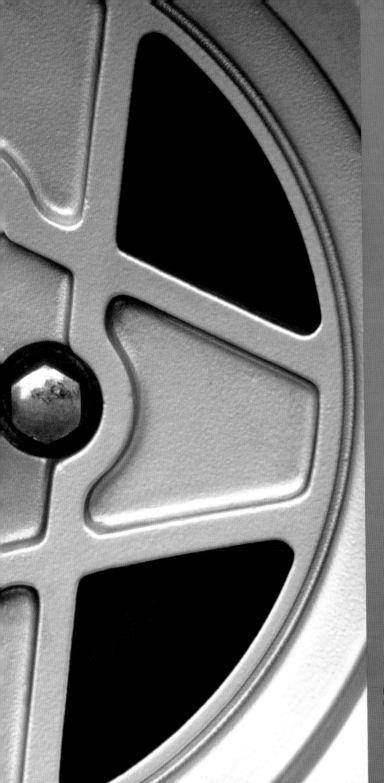

1970–1979

Détail d'une roue du coupé 2 + 2
Ferrari Dino 308 GT4, lancé en 1973.

Hai | Monteverdi

CH

1970 • 6 974 cm³, V8 • 450 ch • 0-97 km/h en 4,9 s • 290 km/h

Seuls deux prototypes de cette voiture ont été produits par l'ingénieux Peter Monteverdi. Ce dernier avait construit sa première voiture, la Monterverdi Special, à l'âge de 17 ans, en transformant l'épave d'une Fiat qu'il avait trouvée dans l'atelier de réparation automobile de son père. Il n'a jamais manqué de confiance en lui et, bien plus tard, une fois à la tête de sa propre société, a décidé de se consacrer à la construction de voitures de luxe à hautes performances. Le premier modèle, la 375S, s'est peu vendu malgré un accueil positif de la critique.

Le second était la Hai 450 SS, encore plus rapide et offrant une meilleure accélération comme le montre sa fiche technique. Monteverdi visait le marché haut de gamme où il comptait rivaliser avec Ferrari, Lamborghini et Maserati. Malheureusement, il ne

disposait pas du capital nécessaire pour jouer dans la cour des grands.

La Hai, automobile d'une superbe élégance, a été dessinée par Fissore, carrossier italien qui travaillait aussi pour Porsche. Sa silhouette était à la fois contemporaine et légèrement surnaturelle. Elle a été dévoilée lors du Salon de l'automobile de Genève, en 1970, où elle a été très admirée, mais n'a entraîné aucune commande. Elle était simplement trop chère.

La voiture a été exposée à divers endroits, en étant légèrement transformée chaque fois pour masquer le fait que seul un unique prototype existait. Le seul autre qui ait été produit n'a pas survécu. Lorsque la Monterverdi Hai 450 SS, au numéro de châssis TNT 101, a été mise aux enchères en 2010, elle a rapporté 520 000 dollars. **MG**

Junior Zagato | Alfa Romeo

1970 • 1 290 cm³, S4 • 87 ch • 0-97 km/h en 11,3 s • 175 km/h

Quand Alfa Romeo a dévoilé sa Junior Zagato au Salon de l'automobile de Turin en novembre 1969, elle constituait une nouvelle option attrayante dans la gamme de coupés 105/115 de ce constructeur. Cette série était en production depuis 1963 et, de temps à autre, Alfa Romeo en transformait légèrement le modèle de base pour que les amateurs continuent de s'y intéresser et que ses ventes ne faiblissent pas. La GT 1300 Junior, qui a vu le jour en 1969, offrait ainsi une vitesse de pointe de plus de 160 km/h, et la Junior Zagato, qui a rejoint la gamme en 1970, a toujours été destinée à demeurer une édition limitée et haut de gamme.

Son nom rendait hommage à la firme milanaise Zagato, spécialiste de design et d'ingénierie, qui avait dessiné sa carrosserie. Zagato, célèbre pour ses conceptions automobiles élégantes, aérodynamiques et ultralégères, collaborait non seulement avec Alfa Romeo, mais également avec d'autres constructeurs légendaires tels que Maserati, Lancia, Ferrari, Rolls-Royce et Aston Martin. Pour ce coupé à 2 places arborant la classe et le cachet habituels d'Alfa Romeo, le constructeur avait emprunté le châssis de sa célèbre Spyder.

La vitesse maximale de la Junior Zagato dépassait celle qu'indiquait officiellement le constructeur, aidée en cela par son élégante partie avant inclinée et par son arrière tronqué, inventé par l'ingénieur Wunibald Kamm afin de réduire la turbulence et la traînée. De plus, le conducteur jouissait d'une grande visibilité et la voiture n'était pas trop gourmande en essence. Bien que seuls 1 115 modèles aient été produits jusqu'en 1972, la Junior Zagato influença la conception automobile jusque dans les années 1990. **MG**

Montréal | Alfa Romeo

1970 • 2 593 cm³, V8 • 200 ch • 0-97 km/h en 7,1 s • 220 km/h

La concept car qu'Alfa Romeo a présentée lors de l'Expo 67 de Montréal a fait sensation et, bien que ce coupé racé 2 + 2 doté d'un moteur de 1 600 cm³ et d'une carrosserie dessinée par Marcello Gandini de l'entreprise Bertone, n'ait pas encore été baptisé, les visiteurs du salon l'ont vite surnommée Montréal. Quand Alfa Romeo a lancé la production de ce modèle deux ans plus tard, il était équipé d'un moteur plus puissant et lorsqu'il a été exposé au Salon de l'automobile de Genève en 1970, il avait été une nouvelle fois amélioré à l'aide d'un V8 de 2 600 cm³, d'une suspension à double fourchette et d'un différentiel autobloquant.

Grâce aux lignes que lui avait conférées Bertone, la Montréal jouissait d'une beauté époustouflante. Elle était caractérisée par sa partie avant où quatre phares étaient recouverts de grilles inhabituelles. Lorsqu'on

les allumait, les grilles se rétractaient pour un éclairage optimal. On remarquait aussi une conduite d'air sur son capot et des lames évidées derrière les portes, éléments plus esthétiques que pratiques. En fait, la conduite d'air était bloquée et cachait simplement un élément électrique au-dessus du moteur, cependant que les lames masquaient l'endroit où l'air s'échappait de l'habitacle.

La Montréal a été produite pendant sept ans et, fait inhabituel, dans trois usines différentes. Le châssis était construit à l'usine Alfa Romeo d'Arese, puis transporté jusqu'à celle de Bertone, près de Turin, où la carrosserie était installée. La peinture et l'équipement de l'habitacle se déroulaient sur un autre site avant que la voiture retourne à Arese pour que le moteur y soit inséré. Une Alfa Montréal conduite par Michael Caine apparaît dans *Marseille Contrat*, film de 1974. **SB**

SM | Citroën

F

1970 • 2 700 cm³, V6 • 170 ch • 0-97 km/h en 8,4 s • 220 km/h

La SM est aussi parfois baptisée Citroën Maserati. L'abréviation SM correspondait à Sports Maserati, car ce modèle était la version sportive, équipée d'un moteur Maserati, de la DS. À une époque où le Concorde venait d'effectuer son premier vol, aucune autre voiture n'était plus spectaculaire que ce modèle dont la silhouette rappelait un avion sans ailes.

Sa carrosserie futuriste accompagnée d'une lunette arrière très inclinée et d'un arrière tronqué était l'œuvre de Robert Opron, responsable du style chez Citroën, qui avait travaillé dans le secteur aéronautique aux États-Unis. La SM était étonnamment aérodynamique pour son époque, avec un coefficient de traînée de 0,26 seulement alors que la norme s'approchait des 0,35. Vue du dessus, sa forme rappelait une larme grâce à sa large partie avant qui se rétrécissait vers l'arrière.

Lors de son lancement en 1970, la SM était la traction avant la plus rapide du marché. Comme la DS, dont elle était inspirée, elle jouissait d'une suspension hydropneumatique et de phares autocorrecteurs qui tournaient en même temps que la direction. Fait inhabituel, elle était équipée de six projecteurs carrés, trois de chaque côté, disposés derrière des panneaux transparents. Cet agencement était interdit aux États-Unis, de sorte que la SM américaine avait été dotée de six phares ronds.

Leonid Brejnev et Graham Greene ont compté parmi les propriétaires de SM. Sa production n'a duré que quatre ans, car lorsque Peugeot a racheté Citroën en 1974, la branche Maserati, propriété de la marque aux chevrons, a été vendue et la SM abandonnée. La crise pétrolière de 1973 était passée par là et la demande pour ce type de voiture était au plus bas. **SB**

Gremlin | AMC USA

1970 • 3 258 cm³, S6 • 130 ch
0-97 km/h en 15,3 s • 152 km/h

La Gremlin était la première compacte d'AMC et elle s'est vendue à 670 000 exemplaires. Les petites européennes rencontraient en effet un certain succès dans ce pays depuis quelque temps, prouvant que tous les Américains ne désiraient pas d'immenses monstres voraces en essence.

Chevrolet était en train de mettre au point la Vega et Ford la Pinto, mais AMC les a devancés avec la Gremlin, un modèle idéalement adapté à la demande comme l'ont montré les ventes. C'était le plus gros succès commercial du constructeur depuis la Rambler Classic, produite presque dix ans auparavant.

Cependant, AMC disposait de moyens réduits en matière de développement de nouveaux véhicules, car c'était l'une des plus petites firmes automobiles américaines. Son concepteur, Richard Teague, a expliqué avoir dessiné la Gremlin au dos d'un sac vomitoire, 18 mois environ avant son lancement. AMC a produit deux modèles, à 2 et 4 places respectivement, le plus petit affichant le modeste prix de 1 879 dollars. Si l'on ajoute à cela une puissance motrice produisant une voiture beaucoup plus rapide que celles de même catégorie qui allaient bientôt la rejoindre sur le marché, il n'est pas étonnant que la Gremlin ait continué à bien se vendre, en versions améliorées, pendant huit ans encore. **MG**

Celica | Toyota J

1970 • 1 588 cm³, S4 • 106 ch
0-97 km/h en 11,5 s • 168 km/h

La Celica, qui a été produite pendant 36 ans au fil de sept générations de modèles, constituait le plus abordable des coupés sportifs de Toyota et s'exportait dans le monde entier. Toujours animée par un moteur 4 cylindres, elle doit son nom au mot latin *coelicus* («ciel»). Sa descendante, la Celica Supra (ou simplement Supra), est devenue l'une des voitures japonaises à hautes performances les plus appréciées de tous les temps.

Toyota a mis fin à la production de la Celica en 2006. Le premier modèle avait été présenté lors du Salon de l'automobile de Tokyo en 1970 et mis en vente au Japon et aux États-Unis dès le début de l'année suivante. Il a été remplacé en 1977 par la Celica II, célèbre pour avoir été dessinée par l'Américain David Stollery, acteur dans son enfance. La troisième génération est apparue en 1981 et, l'année suivante, le premier modèle turbo était lancé au Japon. Baptisé GT-T et muni d'un moteur de 1 800 cm³, il formait la base des voitures de rallye de Groupe B de Toyota. La quatrième série, née en 1985, a marqué le changement le plus important, les roues motrices étant désormais à l'avant et non plus à l'arrière. L'acteur américain Eddie Murphy a fait la publicité de la Celica V. La VI, aux doubles phares ronds, a vu le jour en 1993. Six ans plus tard, le dernier modèle était dévoilé ; la production a cessé le 21 avril 2006. **RY**

Manta GT/E | Opel (D)

1970 • 1 897 cm³, S4 • 103 ch
0-97 km/h en 11,2 s • 163 km/h

L'Opel Manta, née en 1970, était destinée à concurrencer la Ford Capri, lancée un an plus tôt. Comme cette dernière, la Manta était un coupé sportif à 2 portes et traction arrière. Toutes deux étaient le résultat d'enquêtes de marché qui indiquaient que certains consommateurs désiraient désormais des modèles moins grand public et plus sportifs.

La Manta a été dévoilée au cours du Salon de l'automobile de Paris en 1970. Opel avait déjà exploré le domaine des modèles spécialisés avec sa GT, coupé sportif à 2 places. La Manta, une 4 places plus pratique, lui succédait. Elle devait sa silhouette fluide à Chuck Jordan, responsable du style chez Opel, qui allait ensuite occuper le même poste chez General Motors.

La Manta était équipée de quatre petits phares ronds à l'avant et à l'arrière, légèrement relevé. Les flancs étaient dépouillés, les ornements rares et les fenêtres à déflecteur, si courantes à l'époque, absentes ici.

Opel avait pour objectif de créer une voiture élégante qui offrirait un siège arrière confortable et un coffre de bonne taille. Le modèle pourvu d'un moteur de 1 884 cm³ était le plus courant bien que des moteurs d'autres cylindrées aient été offerts. Au cours des cinq ans d'existence de l'Opel Manta, presque un demi-million de modèles ont été produits. **SB**

Camaro SS 396 | Chevrolet (USA)

1970 • 6 587 cm³, V8 • 380 ch
0-97 km/h en 6,2 s • 205 km/h

La première Camaro a été conçue et construite pour battre la Mustang. Pour dessiner ses lignes, l'équipe de Bill Mitchell s'était inspirée des coupés européens exotiques.

Chevrolet avait positionné la nouvelle Camaro dans la catégorie des voitures sportives ou de grand tourisme. Presque toutes ses composantes étaient nouvelles et elle était plus grande et plus lourde que la première génération. La version décapotable s'étant mal vendue, la deuxième génération était strictement constituée de coupés. Elle continuait à partager les caractéristiques mécaniques de la Nova. La suspension était à bras triangulaires à l'avant et à lames à l'arrière.

On pouvait choisir parmi huit moteurs, le nec plus ultra des Camaro étant équipé d'un 396 de 380 chevaux, offert en option avec un carburateur Holley et des poussoirs de soupape qui permettaient d'augmenter le nombre de tours par minute. Un modèle classique coûtait au moins 30 000 dollars. Le modèle phare de la gamme, la Z/28, était équipé du moteur 350, de 365 chevaux.

La crise pétrolière des années 1970 a entraîné une augmentation du prix de l'essence et des règles antipollution plus strictes. Les Camaro de 1972 ont été les dernières équipées de moteurs surpuissants et seuls 930 modèles ont été produits cette année-là. La production de la SS s'arrête alors pour reprendre en 1996. **LT**

Nagari VIII | Bolwell

1970 • 4 958 cm³, V8 • 223 ch
0-97 km/h en moins de 5 s • 209 km/h

Le calcul du ratio puissance/poids peut s'avérer complexe. Pour simplifier, on prend la puissance émise par un véhicule et on la divise par sa masse. Plus le chiffre obtenu est bas, plus rapide sera la voiture. La Nagari VIII, dont le capot abritait un Ford V8, ne pesait que 980 kilos grâce à sa carrosserie entièrement en fibre de verre (issue d'un seul moulage contrairement aux modèles précédents où elle était constituée de plusieurs tôles). Quand on a demandé au magazine *Unique Cars* d'indiquer sa vitesse de pointe, après essais, il n'a pas donné de chiffre mais s'est contenté d'un simple adjectif : « effrayante ».

Graham et Campbell Bolwell, qui construisaient des voitures en kit depuis 1963, ont réalisé la première Nagari en 1970 avant de produire un modèle de série qui, à ce jour, demeure le plus recherché par les collectionneurs d'automobiles australiennes. L'espace manquait dans l'habitacle de la Nagari VIII à cause de la taille du moteur et les pédales étaient si rapprochées que le conducteur courait toujours le risque d'appuyer sur les trois en même temps, mais qu'importaient ces concessions en matière de confort au vu de la puissance extraordinaire de la machine…

Les Bolwell ont abandonné la construction automobile dans les années 1980 afin de poursuivre d'autres intérêts, mais en 2008, ils ont relancé leur marque avec une nouvelle Nagari. « Je fabriquais des éoliennes au Canada, a déclaré Campbell, et quand je suis rentré [en Australie] je me suis dit qu'il était temps de construire une autre voiture. » Le dernier modèle, en fibre de carbone et doté d'un V6 surcomprimé, pèse moins que la Nagari VIII et passe de 0 à 97 km/h en moins de cinq secondes. On est là dans le domaine des supercars. **BS**

Flame | Blue (USA)

1970 • Moteur de fusée • 57 977 ch
0-97 km/h en 1 s • 1 046 km/h

Le premier record de vitesse terrestre a été enregistré en France en décembre 1898, quand la Jeantaud Duc électrique que pilotait Gaston de Chasseloup-Laubat a atteint l'enivrante pointe de 63,15 km/h. En 1904 ce record a été battu pour la première fois aux États-Unis par la 99 Racer d'Henry Ford, à 147,05 km/h. De 1929 jusqu'au début des années 1960, le record est demeuré aux mains des Anglais bien que la majorité des essais ait eu lieu aux États-Unis, plus précisément dans les salants de Bonneville, dans l'Utah.

C'est là que Craig Breedlove a battu à plusieurs reprises son propre record au volant de la Spirit of America, parvenant jusqu'à 955,95 km/h. Pour piloter la Blue Flame, son constructeur, Reaction Dynamics, a fait appel à Gary Gabelich, ancien livreur devenu pilote de course. Gabelich s'est lancé à l'assaut du record le 23 octobre 1970 (certains documents citent le 28 octobre, mais la Fédération internationale de l'automobile, qui contrôle ce genre d'initiatives, confirme qu'il s'agissait du 23).

Pour remplir les conditions requises, le véhicule devait être chronométré sur un mile (un peu plus d'un kilomètre et demi) puis revenir en sens contraire pour contrecarrer toute influence du vent ; on établissait ensuite la moyenne des deux chronométrages. La Blue Flame, propulsée par un moteur de fusée, a été enregistrée à 1 010 km/h au cours d'une occasion différente, mais lorsque Gabelich a établi le record, il a réalisé en moyenne 1001,667 km/h sur un mile et s'est avéré encore plus rapide, à 1014,656 km/h, sur un kilomètre. Le record devait tenir jusqu'en octobre 1984. Gaby Gabelich s'est tué à moto en janvier 1985. **MG**

Bug | Bond

1970 • 3 950 cm³, V8 • 30 ch • 0-97 km/h en 23,2 s • 126 km/h

Les années 1970 ont constitué une décennie colorée au Royaume-Uni : l'une des teintes les plus en vogue dans les salles de bains était l'avocat et le modèle courant de la mini-voiture à 3 roues qui a débarqué sur la scène automobile en 1970 était orange foncé. La Bond Bug avait été dessinée par Tom Karen d'Ogle Design. Ce dernier en a plus tard repris le châssis pour le Landspeeder de Luke Skywalker dans *La Guerre des étoiles*, les roues de la voiture étant cachées par des miroirs inclinés à 45 degrés jusqu'au sol.

La Bond Bug a été produite par Reliant, constructeur de Tamworth qui avait racheté Bond Cars et qui voulait concevoir une voiture qui séduirait la génération des années 1960. John Crosthwaite, ingénieur en chef, avait conçu le châssis en utilisant une partie de l'équipement d'un modèle peu onéreux de Reliant, la Regal.

La Bug était une minuscule voiture à 2 places, dépassant à peine 2,75 mètres de long, dotée d'une unique roue avant et de deux autres à l'arrière. Les phares étaient disposés dans de profondes rainures agencées dans le capot. Le moteur de 700 cm³ entrait à peine sous ce dernier et envahissait la partie réservée aux passagers. Les modèles courants, la 700 et la 700E, étaient basiques, mais la 700ES offrait une meilleure garniture de siège, un habitacle plus rembourré, des garde-boue, un pare-chocs avant en caoutchouc, une roue de secours et un cendrier.

Au cours des quatre ans de production de la Bug 2 270 modèles ont été construits. Ils n'étaient pas particulièrement abordables puisque leur prix dépassait légèrement celui de la Mini 850, voiture à 4 places et 4 roues. **SB**

Jimny LJ10 | Suzuki

Ⓙ

1970 • 359 cm³, S2 • 21 ch • Inconnue • 76 km/h

Quand un magazine automobile britannique a testé, il y a quelques années, la Porsche Cayenne, un nouveau véhicule tout-terrain, il a fait subir les mêmes épreuves à une voiture similaire, en tout terrain. Cette rivale qui a écrasé la Porsche n'était autre que la Suzuki Jimny.

La Jimny est née en 1970. Suzuki avait acquis l'année précédente l'un de ses premiers rivaux japonais, le constructeur Hope Motor, dont il avait amélioré le tout-terrain à 2 places en lui offrant une nouvelle carrosserie et en l'équipant de son propre moteur. En conservant ce dernier, à 2 temps, en dessous des 360 cm³ et en s'assurant que la longueur totale de la voiture ne dépasse pas 3 mètres (en plaçant la roue de secours à côté de l'unique siège arrière), Suzuki a permis à la Jimny de demeurer dans la catégorie des véhicules légers, exempts de certaines taxes japonaises.

Sa construction était simple, avec un châssis à longerons et une boîte de vitesses centrale depuis laquelle des arbres rejoignaient les essieux avant et arrière. Elle rappelait toutefois une Jeep miniature, car elle se comportait remarquablement bien en tout terrain.

Deux ans plus tard seulement, Suzuki l'avait déjà améliorée en lui offrant un moteur refroidi par liquide et en changeant légèrement son apparence. Un peu plus tard, quand elle a commencé à être vendue à l'étranger, c'est devenu une voiture culte.

La Jimny demeure présente chez les concessionnaires. Son châssis est toujours à longerons, son moteur de puissance réduite à 1 300 cm³, mais elle est désormais pourvue d'équipements modernes. C'est fondamentalement un petit tout-terrain capable de faire rougir des rivales beaucoup plus onéreuses. **JI**

El Camino LS6 | Chevrolet

USA

1970 • 6 600 cm³, V8 • 450 ch • 0-97 km/h en 6,6 s • 169 km/h

À la fin des années 1950, les agriculteurs australiens et américains réclamaient des automobiles qui pourraient «transporter leur famille à l'église le dimanche et leur bétail au marché en semaine». Ford a répondu avec la Ranchero, tandis que Chevrolet proposait El Camino.

L'El Camino rappelait au départ un wagon de marchandises qui, une fois bien nettoyé, pouvait faire double emploi le dimanche, mais au fil de la décennie suivante c'est devenu un véhicule puissant, qui a abandonné, dès 1970, toute prétention d'être une voiture familiale. Bien que l'El Camino ait conservé sa banquette et son épaisse moquette bouclée à l'avant, ainsi que son plateau de camionnette à l'arrière, tout cela ne servait que de camouflage. C'était en réalité un pick-up qui se ruait avec plaisir dans les compétitions tout terrain, officielles ou non.

Ses épais pneus RWL de 17,7 centimètres dévoilaient cette nouvelle identité et le doute s'évanouissait lorsqu'on soulevait le capot pour découvrir l'un des quatre V8 que Chevrolet proposait sur ce modèle. Une fois au volant, on comprenait rapidement que si les 4 rapports de la transmission manuelle étaient si rapprochés, ce n'était pas pour de simples trajets jusqu'au supermarché.

Presque dès le lancement de son El Camino, General Motors a décidé que tous ses nouveaux modèles fonctionneraient à l'essence sans plomb afin de répondre aux nouvelles règles antipollution. Chevrolet a déréglé tous ses moteurs et n'en a jamais plus produit d'aussi puissant, garantissant ainsi une place unique dans l'histoire automobile à l'El Camino, dernier modèle d'une longue dynastie de muscle cars américaines. **GL**

Chevelle SS | Chevrolet

1970 • 6 489 cm³, V8 • 330 ch • 0-97 km/h en 6,8 s • 195 km/h

Génération rebelle, film de 1993, est l'un des meilleurs films automobiles de tous les temps. Il rend hommage aux Dodge, aux Ford, aux Pontiac et aux Chevrolet de temps révolus, notamment, dans le cas de ce dernier constructeur, à la Chevelle SS. Le personnage joué par Matthew McConaughey, David Wooderson, conduit un modèle de 1970 qu'il a surnommé Biscotte. La Chevelle SS était l'une des muscle cars de série les plus puissantes jamais construites et il n'est pas étonnant que l'un des personnages du film en ait conduit une.

Elle a été présentée au public pour la première fois en 1964. Ce devait être une voiture déclinée en différents modèles, depuis la familiale et le break jusqu'à la muscle car : la SS. Cette gamme a constitué l'un des plus grands succès commerciaux de Chevrolet, plus de 76 800 exemplaires de la Chevelle SS étant produits en 1964.

En 1968, les diverses versions ont été redessinées et pourvues d'un arrière plus court et d'une partie avant plus longue pour leur donner l'aspect de voitures à hayon, mais les ventes ont tout de même chuté à 57 600 exemplaires. Elles ont encore baissé de quelques milliers en 1970 bien que les modèles construits cette année-là aient compté parmi les meilleurs et les plus puissants de tous les temps.

C'était aussi le chant du cygne des muscle cars. Après l'exaltation de la liberté de la décennie précédente, les années 1970 annonçaient la naissance de mouvements soucieux de sécurité et de santé. On a alors réduit la puissance des moteurs des muscle cars, et les ventes de ces dernières ont décliné. En 1972, seuls 5 333 modèles de Chevelle SS ont été construits. David Wooderson avait acheté l'un des derniers. **MG**

◁ Tournage d'une publicité pour la Stag, en 1975. Cette voiture au style élégant avait une mécanique peu performante.

Stag | Triumph   ⟨GB⟩

1970 • 2 997 cm³, V8 • 147 ch
0-97 km/h en 9,5 s • 185 km/h

Fin des années 1960, Harry Webster, directeur de l'in-génierie chez Triumph, avait pour ami proche Giovanni Michelotti, concepteur italien ayant déjà collaboré avec le constructeur britannique. Webster a demandé à son ami d'adapter une Triumph 2000 pour en faire une concept car stylée qui devait être exposée au Salon de l'automobile de Turin. Si Triumph aimait le résultat, s'ac-cordèrent les deux hommes, Michelotti aurait comme priorité de le transformer en modèle de série.

L'adaptation de Michelotti n'a jamais été exposée à Turin, car Triumph l'a immédiatement adoptée pour un coupé sportif qui devait rivaliser en vitesse, style et luxe avec la Mercedes-Benz 280SL, mais à un coût moindre pour l'acheteur. Alors que cette voiture en était encore au stade de la conception, Triumph a fusionné avec Austin-Rover au sein de British Leyland. Webster a changé de poste et le projet a été repris par Spen King qui venait de chez Rover.

La Stag a été lancée en 1970 et accueillie par une critique dithyrambique qui admirait son style. Toutefois sa réputation a rapidement décliné à cause d'un manque de fiabilité mécanique, attribué à une mauvaise qualité de production entraînant des problèmes de moteur. Le magazine *Time* est allé jusqu'à déclarer que c'était l'une des pires voitures jamais construites. La plupart des modèles qui ont survécu jusqu'à aujourd'hui ont par conséquent été équipés d'autres moteurs par leur propriétaire, mais ceux qui ont conservé leur V8 Triumph original sont les plus recherchés.

Environ 26 000 modèles ont été construits en sept ans de production, dont celui qui apparaît dans *Les diamants sont éternels*, film de James Bond de 1971. **SB**

Deauville | De Tomaso   ⟨I⟩

1970 • 5 763 cm³, V8 • 335 ch
Inconnue • 228 km/h

Alejandro de Tomaso, homme d'affaires argentin, avait émigré en Italie, où il avait construit deux premières voitures, la Vallelunga et la Mangusta. C'est toutefois avec la Pantera, lancée en 1970, qu'il s'est fait connaître. Coupé aux allures de muscle car américaine classique, elle était vendue par les concessionnaires Ford aux États-Unis. En échange, De Tomaso avait cédé à Ford ses parts du carrossier italien Ghia.

La Deauville était vendue aux côtés de la Pantera. Berline 4 portes, elle ressemblait étonnamment à la Jaguar XJ6 et avait été dévoilée au Salon de l'automo-bile de Turin en 1970. Sa sellerie était en cuir et suède italiens de premier choix. Construite sur le même châssis que la Maserati Quatroporte III, elle était équipée d'un moteur V8 de Ford Mustang.

Trois générations ont vu le jour avant que la produc-tion de la Deauville ne cesse à la fin des années 1980. Toutefois, au long de ces 18 ans d'existence, moins de 250 modèles ont été construits, toujours déclinés en berlines à l'exception d'un break qui aurait été construit pour l'épouse de De Tomaso.

Après avoir été oubliés plusieurs années, les droits de la voiture ont été acquis en 2009 par Gian Maria Rossignolo, homme d'affaires italien qui, en 2011, a présenté une nouvelle Deauville au Salon de l'automo-bile de Genève. C'est désormais un break tout terrain 5 portes qui devrait bientôt entrer en production.

Rossignolo espère éviter les problèmes de fiabilité pour lesquels la marque était connue. L'anecdote selon laquelle Elvis aurait tiré au fusil sur sa voiture qui refu-sait de démarrer est entrée dans l'histoire du rock'n'roll. C'était une De Tomaso Pantera. **RY**

Escort RS1600 | Ford

1970 • 1 558 cm³, S4 • 120 ch • 0-97 km/h en 8 s • 190 km/h

Adaptation de l'Escort avec laquelle Hannu Mikkola avait remporté en 1970 le marathon automobile Londres-Mexico, cette voiture autorisée sur route était destinée au grand public. Première Ford dotée du sigle RS (« sportive de rallye »), c'était aussi le premier modèle véritablement sportif du constructeur spécialiste des petites familiales.

Sous le capot se trouvaient un bloc moteur Kent (conçu par Ford et Lotus) et un double arbre à cames en tête, à 16 soupapes, produit par Cosworth, firme britannique d'ingénierie à hautes performances. Toutes ces améliorations avaient exigé d'altérer de façon significative la carcasse de base à 2 portes ; ce sont les concepteurs italiens de Ghia qui s'en sont chargés. Les déflecteurs arrière de la RS 1600, légèrement plus longs que ceux du modèle de série, constituaient la différence la plus visible entre les deux voitures. Cette modification permettait de fixer plus aisément la carcasse au sol du véhicule. Sous la carrosserie, spécialement renforcée, la suspension avait été accrue pour offrir un maniement plus sportif.

Parmi toute une série d'éléments novateurs, on peut citer un pot catalytique, un toit ouvrant inclinable monté en usine, un pare-brise en verre teinté et le verrouillage centralisé. La RS 1600 était aussi l'une des premières voitures de série à fonctionner à l'essence sans plomb.

En rallye tout terrain, elle a tout récolté, du Safari d'Afrique orientale en 1972 au British RAC trois années d'affilée (1972-1974) en passant par de nombreuses autres épreuves. Ce modèle sportif a contribué au succès général de la gamme Escort et s'est vite avéré l'un des plus populaires en Grande-Bretagne. **GL**

Escort Mexico | Ford

(GB)

1970 • 1 600 cm³, S4 • 88 ch • 0-97 km/h en 10,7 s • 159 km/h

La Ford Anglia a été remplacée par l'Escort, modèle entièrement nouveau et au style plus moderne. Cette voiture à la calandre avant en forme d'os a connu un vrai succès dans toute l'Europe dès son lancement en 1967.

Cette même réussite l'attendait dans les rallyes où l'équipe Ford est demeurée pratiquement imbattable au cours des cinq ans suivants, la victoire la plus mémorable étant celle du rallye Londres-Mexico en 1970. Ce marathon de six semaines reliant deux capitales de la coupe mondiale de football (1966 pour Londres et 1970 pour Mexico) parcourait 25 749 kilomètres à travers l'Europe de l'Ouest, l'Amérique centrale et l'Amérique du Sud. Le pilote finlandais Hannu Mikkola et son copilote Gunnar Palm sont arrivés en première position, d'autres Escort raflant les troisième, cinquième et sixième places. Enchantée, la direction de Ford a lancé l'Escort Mexico,

une édition spéciale qui célébrait cette victoire. Elle coûtait 1 800 dollars, taxes et frais de livraison inclus. La version customisée, avec sièges baquets Recaro, moquette et tableau de bord en noyer avec horloge intégrée, était très populaire.

Située dans la gamme Escort entre la GT et la Twin Cam, la Mexico occupait un créneau jusqu'alors vacant et est devenue l'une des préférées des pilotes de rallyes amateurs du monde entier grâce à son moteur simple de 1 600 cm³ et à sa carrosserie solide.

Plus de 9 000 Escort Mexico ont été construites avant que la production ne cesse en 1974. Sa place est assurée dans l'histoire, car elle a marqué la naissance de la fascination du public britannique pour les « Ford rapides ». De fait, un mensuel britannique intitulé *Fast Fords* paraît depuis le milieu des années 1980. **RY**

Challenger R/T | Dodge

USA

1970 • 7 206 cm³, V8 • 380 ch • 0-97 km/h en 5,5 s • 165 km/h

Dodge avait lancé en 1959 la Silver Challenger, une édition limitée disponible en couleur argent seulement. Quand dix ans plus tard le constructeur a souhaité revenir à ce nom, il savait qu'il devait le réserver à un modèle spécial, plus précisément à la plus puissante des pony cars jamais vue. Le terme *pony car*, ou « voiture poney », a été créé à la suite du succès phénoménal de la Ford Mustang en 1964, et décrit une voiture compacte mais puissante, stylée mais pas trop onéreuse. Bref, c'était une sorte de voiture de rêve.

Avec un moteur de 7 200 cm³ sous le capot, la nouvelle Challenger serait indubitablement puissante. La vitesse de pointe était relativement impressionnante pour une voiture destinée à la conduite sur route et la Challenger jouissait d'une importante capacité d'accélération : elle exigeait moins de 20 secondes pour atteindre sa vitesse maximale. Ces caractéristiques concernent le modèle haut de gamme, la R/T. On ne comptait pas moins de sept autres moteurs en option, moins puissants, et l'acheteur faisait face à une série déconcertante de choix : décapotable ou modèle hardtop 2 portes, à boîte 3 vitesses manuelle ou automatique, ou encore transmission à 4 rapports. La voiture avait été conçue par Carl Cameron, à qui l'on devait aussi la Charger, autre Dodge de 1966 et modèle clé pour ce constructeur.

Sous ses différentes versions, la Challenger de la première génération, produite pendant quatre ans, s'est vendue à 165 437 exemplaires (quand le nom a été ressuscité en 1978, il s'agissait d'une voiture très différente). Parmi ces ventes, seules 44 R/T auraient survécu, très recherchées aujourd'hui par les collectionneurs. **MG**

Road Runner Superbird | Plymouth USA

1970 • 7 210 cm^3 • 375 ch • 0-97 km/h en 6,7 s • 257 km/h

Les écuries de courses automobiles disposent aujourd'hui d'experts en aérodynamique pour concevoir les automobiles les plus rapides. Tel n'était pas le cas à la fin des années 1960 et deux des voitures les plus folles jamais inventées sont le produit des premières expériences de Chrysler. La Dodge Daytona et la Plymouth Road Runner Superbird étaient à l'origine des berlines rectangulaires mais, afin de battre Ford dans les courses de la NASCAR, elles se sont parées d'immenses ailerons arrière et d'un capot s'achevant par un bec pointu. Chrysler a fait appel à des experts en aéronautique pour tester la Dodge dans le tunnel aérodynamique construit pour les missions spatiales du programme Apollo.

La Superbird a suivi la Daytona, mais était différente. Elle avait été créée pour le pilote Richard Petty, surnommé le King grâce à ses 200 victoires sur piste.

Pour pouvoir présenter un modèle aux épreuves de la NASCAR, Plymouth devait en construire 1 920 autres en série. Ceux-ci étaient proposés avec un V8 de 7 210 cm^3 ou un Hemi de 6 980 cm^3, et décorés de l'image du légendaire Bip Bip qu'un coyote poursuivait inlassablement dans les dessins animés de la Warner Bros. Un klaxon imitant le cri de cet oiseau était d'ailleurs disponible en option.

Malgré le succès de la voiture sur les circuits, les acheteurs ne se sont pas précipités et de nombreux concessionnaires ont choisi de retirer les ailerons et le bec avant de leurs modèles. Alors que neuves, elles coûtaient 4 298 dollars, ces classiques peuvent désormais atteindre 200 000 dollars. Une Superbird bleue baptisée Le King apparaît dans le dessin animé *Cars*, sorti en 2006 ; celui qui lui prête sa voix n'est autre que Richard Petty. **SH**

114 | Zil   (SU)

1970 • 6 900 cm³, V8 • 302 ch
0-97 km/h en 13,5 s • 200 km/h

Summum du luxe sous le régime soviétique, la Zil 114 était dotée de la climatisation, du verrouillage central, de portières électriques et de vitres spécialement teintées.

Produite en petite quantité, elle était presque exclusivement réservée aux membres du Comité central et à leurs distingués invités que l'on voyait parfois sur les files réservées aux VIP, roulant en Zil.

Ce constructeur automobile a vu le jour en 1916, mais à cause de la révolution de 1917 et des troubles qu'elle a engendrés, ce n'est qu'en 1924 qu'il a produit son premier véhicule, un camion de 1,5 tonne basé sur le Fiat F-15, fait qui n'a jamais été officiellement reconnu. Le nom de la firme, abréviation de Zavod Imeni Likhachova (ou «usine baptisée en l'honneur de Likhachova», son premier directeur), lui a été imposé en 1956 par Nikita Khrouchtchev.

La 114, une limousine aux dimensions démesurées, a remplacé la Zil 111 en 1970. Elle était presque identique au modèle précédent, mais dotée d'un moteur plus puissant et d'une silhouette plus moderne avec sa calandre à mailles et ses quatre phares au lieu de deux. La majorité des Zil 114 pouvait abriter sept passagers, mais au moins une, la 114 EA, avait été spécialement adaptée aux besoins de l'équipe médicale du premier secrétaire du Parti, avec seulement cinq sièges et l'espace nécessaire à un brancard, cependant qu'un autre modèle, la 114 K, était équipé d'un toit rétractable pour que les passagers puissent s'y tenir debout et saluer la foule.

La plus étonnante caractéristique de ce dinosaure de voiture est son poids à sec, qui, à 3 085 kilos, dépasse de 771 kilos la plus lourde des Maybach. **GL**

Range Rover | Rover   (GB)

1970 • 3 528 cm³, V8 • 137 ch
0-97 km/h en 13,9 s • 146 km/h

La Range Rover, présentée au public en juin 1970, a été la vedette du Salon de l'automobile de Londres cette même année. Elle alliait deux atouts de poids : son confort et sa capacité à s'aventurer sur tous types de terrain.

Ce n'était toutefois pas encore le véhicule de luxe que c'est devenu. L'habitacle de la Range Rover originale était relativement simple, avec ses sièges en vinyle, son tableau de bord en plastique et son sol en caoutchouc que l'on pouvait nettoyer au jet d'eau.

Spen King et Gordon Bashford dirigeaient l'équipe d'ingénieurs qui, durant six ans, avait perfectionné la mécanique du véhicule. On leur devait aussi sa silhouette de base bien que ses lignes ciselées si reconnaissables aient été dessinées par David Bache. La Range Rover a été bien accueillie non seulement au Royaume-Uni, mais aussi à l'étranger, notamment en France où elle a été exposée au Louvre à la fin de l'année 1970 comme «exemple exceptionnel de sculpture moderne».

Elle est entrée dans l'histoire en 1972, quand deux modèles spécialement modifiés ont participé à la Trans-Americas, la première expédition motorisée qui ait traversé le continent américain du nord au sud, y compris le bouchon de Darién, une zone de marécages et de bois dépourvue de route.

La Range Rover est toujours construite à l'usine Land Rover de Solihull, dans les Midlands occidentaux. La génération actuelle représente le summum du tout-terrain de luxe, ou du «tracteur des beaux quartiers» pour reprendre l'appellation sarcastique que lui confèrent les écologistes du XXIe siècle. **SB**

Hemi Cuda | Plymouth

USA

1970 • 7 000 cm³, V8 • 425 ch • 0-97 km/h en 5,8 s • 188 km/h

Le moteur Hemi dont les chambres de combustion étaient de forme hémisphérique avait fait la célébrité de Chrysler. En 1968, Plymouth a monté ce moteur sur la Barracuda et le résultat était magnifique. Toutefois, à cause de ses vitres latérales en plastique, de ses pare-chocs et son capot en fibre de verre, et de son système d'échappement inexistant, ce modèle n'était pas autorisé à emprunter les autoroutes américaines. Plymouth a décidé d'apporter les modifications nécessaires pour y remédier.

Deux ans plus tard, la production de l'Hemi Cuda était lancée. C'était une pony car à hautes performances, très élégante, qui contredisait la notion d'économie d'énergie. Même le plus prudent des conducteurs ne pouvait obtenir d'elle une consommation inférieure à 39 litres/100 km.

Toute une gamme d'options était proposée, dont des décors de carrosserie, des modifications du capot et des couleurs psychédéliques telles que l'orange, le violet, le vert pré ou le rouge vif (baptisé en l'occurrence Moulin Rouge). L'Hemi Cuda était même déclinée en décapotable, bien que seuls quatorze des 652 modèles construits aient été des cabriolets. La plus difficile des décisions concernait la transmission : manuelle à 4 vitesses ou automatique ? La deuxième solution offrait davantage de puissance et était généralement choisie par les passionnés de conduite.

La production s'est achevée quatre ans plus tard. Depuis, et contre toute attente, la voiture a pris de la valeur. Aux États-Unis, les Hemi Cuda en bon état affichent des prix plus élevés que les Bugatti ou les Ferrari de la même époque. **GL**

Monte Carlo | Chevrolet

USA

1970 • 5 733 cm³, V8 • 254 ch • 0-97 km/h en 8,6 s • 202 km/h

En 1970, les muscle cars américaines étaient à leur apogée. Pontiac, qui avait lancé sa Grand Prix en 1962, voyait ses chiffres de vente progresser. Chevrolet s'est lancé sur le marché avec la Monte-Carlo. L'idée de ce nouveau modèle venait du P-DG, Elliot M. Estes, qui avait auparavant dirigé Pontiac et spectaculairement augmenté ses ventes. Estes a collaboré avec le principal concepteur de Chevrolet, Dave Holls, pour produire un coupé musclé de 4 places et 2 portes.

La Monte Carlo, qui ne manquait certainement pas de puissance, s'est bien comportée dans les courses de stock-cars de la NASCAR. Sa construction était hybride, car elle empruntait une partie de sa silhouette à l'El Dorado, classique de longue date de Cadillac, et une partie de sa carrosserie à la Chevelle, autre modèle de Chevrolet lancé la même année. C'était raisonnable d'un

point de vue économique, car le constructeur présentait plusieurs nouveaux modèles en 1970, et s'ils avaient certains éléments en commun leur production s'avérerait moins onéreuse. Chevrolet devait simplement s'assurer qu'ils soient suffisamment différents les uns des autres et y est parvenu.

Lorsque la Monte Carlo a été dévoilée à l'automne 1969, Estes avait déjà quitté Chevrolet. Le nouveau P-DG, John DeLorean, avait lui aussi dirigé Pontiac, où l'un de ses projets était la Grand Prix, l'inspiration de la Monte Carlo. Malgré la grève qui a frappé l'usine où était construite cette dernière, Chevrolet est parvenu à produire plus de 159 000 modèles. Peu après, le marché des muscle cars a commencé à s'effondrer, mais la Monte Carlo a joui de plusieurs modifications et d'une longue et heureuse vie, jusqu'en 1988. **MG**

Spyder GTS | Puma (BR)

1970 • 1 584 cm³, S4 • Inconnue
Inconnue • 150 km/h

Rino Malzoni, originaire de São Paulo et passionné de course automobile, avait commencé à construire des voitures de course en 1964 en plaçant un moteur 3 cylindres dans une carrosserie légère en fibre de verre. Ses voitures étaient belles, ont remporté quelques courses et se comportaient bien sur route. Après de grandes modifications, la Malzoni est devenue la Puma GT en 1966. Elle s'est si bien vendue qu'une usine Puma a été établie, produisant bientôt plus de 100 modèles par an. Au cours des années suivantes, la Puma s'est transformée en coupé 2 portes basé sur la Kharmann Ghia, modèle de Volkswagen à traction et moteur arrière.

En 1970, une version décapotable encore plus intéressante, la Spyder GTS, a été lancée. Le moteur était toujours un Volkswagen de 1 584 cm³ auquel deux carburateurs avaient été ajoutés pour plus de puissance. La Spyder a remporté un tel succès que Puma a commencé à l'exporter aux États-Unis et en Europe. Un coupé puissant, la Puma GTB, a été lancé en 1973. Ce modèle 2 portes à traction arrière faisait appel à un 6 cylindres Chevrolet de 4 100 cm³, placé à l'avant.

Puma a ouvert une usine en Afrique du Sud et, étrangement, alors que l'entreprise brésilienne a fermé ses portes dans les années 1990, la branche sud-africaine est toujours en activité aujourd'hui. **SH**

Falcon GT-HO | Ford (AUS)

1971 • 5 752 cm³, V8 • 380 ch
0-97 km/h en 6,4 s • 229 km/h

La Falcon GT-HO a permis à Ford de réaliser l'une de ses plus grandes ambitions : faire approuver par les autorités australiennes la circulation d'une voiture à hautes performances sur les routes du pays. Certaines versions de la Falcon australienne arboraient l'étiquette GT depuis 1967, année à partir de laquelle le nouveau modèle était plus puissant que le précédent. La troisième génération remportait la palme : c'était la berline de série la plus rapide au monde, titre conservé jusqu'en 1990 quand elle a été détrônée par la Lotus Carlton.

Ce modèle est entré dans l'histoire de la course automobile en s'emparant, en 1971, des trois places du podium du Bathurst 1000, rallye de Nouvelle-Galles du Sud. Les nombreux fans de la voiture la surnommaient Shaker, inspirés par la vibration de la prise d'air sur le capot, visible à l'œil nu quand le moteur était en marche. Mais certains, relayés par les médias, étaient révoltés que la Falcon puisse rouler sur les autoroutes. Leurs protestations ont entraîné un changement des règles de compétition : à partir de 1973, les modèles participant aux courses de voitures de tourisme n'ont plus été obligés de présenter les mêmes caractéristiques techniques que ceux de série. Libres d'apporter les modifications qu'ils désiraient à leurs modèles de course, les constructeurs ont cessé de produire des fusées sur roues. **GL**

Nova SS | Chevrolet (USA)

1971 • 5 733 cm^3, V8 • 213 ch
0-97 km/h en 7 s • 195 km/h

La série Nova de Chevrolet a vu le jour dès 1962 sous le nom de Chevy II Nova. La Nova SS (Super Sportive), lancée en 1966, était la voiture haut de gamme de l'année. Ses lignes étaient nettement plus épurées que son nom à rallonge (Chevrolet Chevy II Nova Super Sport) ne le laissait supposer.

En 1968, la Nova SS a retrouvé une nouvelle vie quand Chevrolet l'a transformée en l'une des muscle cars les plus compactes de l'histoire automobile. C'était une réinvention audacieuse. Le moteur de série était un 5 733 cm^3, mais un puissant 6 500 cm^3 était aussi disponible en option. La voiture est de plus apparue sur le grand écran, conduite par Axel Foley dans le premier *Flic de Beverly Hills*, en 1984.

Les modèles de 1969 et 1970 étaient tout aussi réussis, ne différant que légèrement en apparence et en performances, mais on se souvient avec tendresse de celui de 1971 comme de la dernière grande Nova SS. Après cela, son moteur a perdu en puissance pour respecter une réglementation de plus en plus stricte et cette voiture, autrefois haut de gamme, est devenue de plus en plus courante. Après 1971, d'autres branches de General Motors ont commencé à adopter ce modèle et à le vendre sous leur marque comme produit premier prix. Axel Foley n'en aurait jamais conduit un seul. **MG**

Alfasud | Alfa Romeo (I)

1971 • 3 950 cm^3, V8 • 64 ch
0-97 km/h en 15 s • 150 km/h

L'Alfasud fait référence à l'usine d'Alfa Romeo au sud de l'Italie, ouverte dans le cadre d'un programme d'aide aux régions pauvres. Ce projet a permis à 15 000 ouvriers de participer à la construction de cette nouvelle voiture.

L'Alfasud est généralement considérée comme l'un des modèles les plus réussis du constructeur italien. Elle était jolie grâce à la carrosserie que lui avait dessinée Giorgetto Giugiaro de la firme turinoise Italdesign. Le maniement de la voiture était lui aussi excellent, et on prenait plaisir à la conduire. Les premières Alfasud étaient des 4 portes, un modèle à 2 portes puis un break à 3 ou 5 portes apparaissant par la suite.

L'Alfasud a été conçue par l'équipe de l'ingénieur autrichien Rudolf Hruska, qui avait travaillé auparavant pour Porsche et Volkswagen. Seuls quatre ans se sont écoulés entre la première esquisse et le produit fini, soit deux de moins qu'habituellement dans l'industrie automobile. Les concepteurs avaient conféré à leur voiture un moteur de 4 cylindres plats, de 1 200 cm^3, influencé par l'expérience allemande de Hruska.

La production de l'Alfasud a pris fin en 1989, la voiture ayant été modernisée en 1977 et 1980. Presque 900 000 modèles ont été construits, auxquels s'ajoutent 121 500 Alfasud Sprint, une version break produite entre 1976 et 1989. **SB**

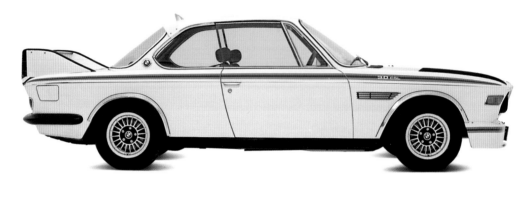

3.0 CSL | BMW

1971 • 3 033 cm³, S6 • 210 ch • 0-97 km/h en 6,8 s • 218 km/h

Conçue pour la compétition, la BMW 3.0 CSL était aussi destinée à concurrencer la Ford Capri. Développée à partir des modèles CS et CSI, la CSL était un coupé sportif et léger grâce à sa carrosserie en acier fin, à ses vitres latérales en Plexiglas (et non en verre), et à son insonorisation. Ses portières, son capot et son coffre étaient en aluminium. La CSL était dépourvue d'accessoires superflus telles la direction assistée ou les vitres à commande électrique. Pour qu'elle soit homologuée comme voiture de course, BMW a dû en construire 1 000 modèles qui n'étaient tout d'abord disponibles qu'en blanc Chamonix et en gris argenté Polaris.

La 3.0 CSL avait été mise au point par un département spécial qui serait finalement baptisé BMW Motosport GmbH. Bien que le nom de ce modèle ne soit pas accompagné d'un M, on considère souvent que

c'était le premier de la série sportive mythique dont il arbore d'ailleurs les bandes tricolores.

La voiture a été construite en collaboration avec Karmann à Osnabrück, en Allemagne. Les versions finales, dotées d'éléments aérodynamiques produisant une immense portance, lui ont valu son surnom de « batmobile ». Elles comprenaient un becquet et des ailerons arrière qui étaient fournis mais non installés à l'usine car ces accessoires étaient alors interdits sur les routes allemandes.

Hans Stuck et Dieter Quester ont compté parmi les nombreux pilotes célèbres à concourir au volant de la 3.0 CSL, avec beaucoup de succès puisque celle-ci a remporté le championnat européen des voitures de tourisme tous les ans entre 1973 et 1979, à l'exception de 1974, année qui a vu Ford s'emparer du titre. **RD**

Bora | Maserati

1971 • 4 930 cm³, V8 • 330 ch • 0-97 km/h en 6,1 s • 285 km/h

Dans la tradition des Maserati, la Bora a été baptisée en référence à un vent puissant du nord-est qui souffle sur l'Adriatique italienne. C'était le premier modèle lancé par Maserati après son rachat par Citroën en 1968.

Première voiture de série de Maserati à 2 places et moteur central, la Bora devait concurrencer la Miura de Lamborghini, la Mangusta de De Tomaso et la 365 GT4 BB de Ferrari. Toutefois, grâce à son élégance discrète, elle était destinée à une clientèle plus raffinée. D'immenses efforts ont été réalisés pour améliorer son insonorisation et réduire les vibrations de son moteur V8. C'était aussi la première Maserati équipée d'une suspension à corps filetés qui améliorait son comportement sur route.

Dessinée par Giugiaro d'Italdesign, la silhouette effilée aux angles acérés a époustouflé les visiteurs du Salon de l'automobile de Genève en 1971. Giugiaro, qui n'avait pas eu recours aux essais en tunnel aérodynamique pour concevoir la Bora, expliquait qu'elle était « étonnamment sportive, mais pas excessivement agressive… novatrice, mais pas révolutionnaire ». Certaines caractéristiques, telles que le toit et les montants du pare-brise en acier brossé ou encore la verrière à double vitrage du compartiment moteur, la différenciaient de sa petite sœur, la Maserati Merak, équipée d'un V6.

À partir de 1974, le V8 de la Bora a été poussé à 4 900 cm³, ce qui la plaçait parmi les supercars les plus rapides de sa génération. Au cours des huit ans de production, 571 modèles ont été construits. Les rares chanceux qui ont pu tester la Bora sur route ont adoré sa double personnalité alliant un haut degré de raffinement aux extraordinaires performances d'une supercar à moteur central. **DS**

Valiant Charger | Chrysler (AUS)

1971 • 2 670 cm³, S6 • 302 ch
0-97 km/h en 14,1 s • 201 km/h

Au début des années 1970, la police australienne a acquis douze Valiant Charger qu'elle a adaptées en voitures banalisées. Cette décision était pleine d'ironie, car à l'époque aucun autre modèle n'attirait plus l'attention sur les routes australiennes. Selon le magazine *Australian Motoring News*, c'était « probablement la plus belle voiture jamais produite par un constructeur australien ». Comme pour effacer tout espoir de passer inaperçue, la police a décoré ses nouvelles acquisitions de bandes roses et bleues. À la vérité, pour n'importe quel Australien de sexe masculin, rien n'était pire que de ne pas être remarqué au volant d'une Charger.

Contrairement à la Holden Morano, qui avait déboulé sur la scène automobile en se proclamant « la meilleure », la Charger est apparue discrètement en 1971 avant d'être rapidement désignée voiture de l'année par le magazine *Wheels*.

Produit de la révolution sexuelle et désormais partie intégrante du mode de vie australien, elle avait la réputation d'« attirer les filles » et est apparue dans *Alvin Purple* (1973), l'un des premiers films d'avant-garde australiens à être découverts sur la scène internationale. La voiture était, de plus, puissante et peu onéreuse. Avec l'aide d'un moteur Hemi 6 débridé, elle a remporté, en 14,4 secondes, le record du quart de mile australien, qu'elle a conservé pendant 30 ans.

La Valiant Charger a aussi bénéficié d'une excellente campagne publicitaire télévisée où l'on voyait des Australiens moyens faire le V de la victoire et s'écrier « Hé, Charger ! » quand une de ces voitures passait en trombe devant eux dans la rue. Ce slogan, comme le modèle, est passé dans la culture et l'identité nationales. **BS**

Mustang Mach 1 | Ford (USA)

1971 • 4 942 cm³, V8 • 143 ch
0-97 km/h en 10 s • 178 km/h

Bien que la Ford Mustang ait lancé la mode des pony cars, sous sa version Mach 1 elle relevait davantage de la muscle car.

Ford avait besoin de ce caractère musclé, car bien que la Mustang ait immédiatement eu du succès lors de son lancement, quelques années plus tard elle avait été copiée, rattrapée puis dépassée par d'autres constructeurs. En 1969, Ford a riposté en produisant pas moins de sept modèles à hautes performances, dont la Boss 302, la Boss 429 et la Mach 1. Les amateurs de muscle cars avaient l'embarras du choix.

Grâce à ses suspensions, la Mach 1 alliait confort et vitesse. La prise d'air de son capot, ornée de minuscules clignotants des deux côtés, était mémorable, mais d'importance relativement mineure comparée à la puissance de la voiture. La Mach 1 a démontré qu'elle méritait son nom lorsque le magazine *Performance Buyer's Digest* lui a fait faire des essais à Bonneville Salt Flats, dans l'Utah. Elle aurait alors battu pas moins de 295 records.

Le super-espion James Bond n'a probablement pas protesté contre la présence de clignotants supplémentaires quand les producteurs des *Diamants sont éternels*, film de 1971, lui ont alloué l'une des premières versions de la Mustang Mach 1. Dans *La Grande Casse*, sorti en 1974, une Mach 1 de 1973 compte parmi les 48 voitures qu'une bande de voleurs est chargée de dérober. Baptisée Éléonore, c'est la seule Ford Mustang qui n'ait jamais été mentionnée spécifiquement au générique d'un film. Le fait que 93 modèles aient été détruits au cours de la longue scène de poursuite semble criminel, mais c'était probablement une bonne nouvelle pour les sociétés de ventes aux enchères. **MG**

MUSTANG **Ford**

Mustang. It's a personal thing.

Like anything that lets you be yourself.

It happens every time. Get into a Mustang and something gets into you.

Is it because Mustang has more rooflines than all its competitors? A choice of six different engines?

Or is it because Mustang offers so many options to select from—so many ways to make it uniquely, totally personal?

Is it something simple, like an instrument panel that gives you

organized information for a change?

Is it the proud new profile of this Mach I? Is it the NASA-type hood scoops and competition suspension you get at no extra cost?

No. Mustang is more. It's greater than the sum of its parts. It's something you have to discover. Like yourself.

Your Ford Dealer will help you make Mustang an original creation.

Ford gives you better ideas. (A better idea for safety: Buckle up.)

Pantera | De Tomaso

USA

1971 • 5 763 cm³, V8 • 0-97 km/h en 5,2 s • 273 km/h

La Pantera, l'une des premières supercars des années 1970, était aussi l'une des plus abordables. L'Argentin Alejandro De Tomaso avait vendu à Ford une partie de sa firme automobile ainsi que les carrossiers Ghia et Vignale, qu'il possédait. En échange, le constructeur américain devait l'aider à produire la Pantera. Son logo était constitué d'un drapeau argentin, sur lequel se détachait le symbole dont la famille de Tomaso marquait au fer rouge les bêtes de son élevage.

Ce coupé à 2 portes, moteur central et traction arrière, faisait appel au nouveau Cleveland V8 de Ford, de 5 700 cm³, relié à une boîte de vitesses ZF à 5 rapports et à différentiel autobloquant. Le premier modèle développait 330 chevaux, cependant que la version GTS, lancée en 1973, montait à 350, assez pour accéder aisément à la catégorie des supercars.

Certains éléments de la Pantera («panthère» en italien) ont été inspirés par les voitures de course, notamment sa suspension indépendante, ses freins à disque assistés et ses roues en magnésium moulé. Pour accéder au moteur, on pouvait aisément retirer le coffre arrière, très spacieux (caractéristique qui, comme la climatisation de série, faisait de la Pantera un choix pratique). Aux États-Unis, elle était jugée peu fiable, réputation qu'a renforcée l'image d'Elvis Presley tirant à la carabine sur son modèle qui refusait de démarrer.

Sur la route, la voiture se montrait difficile. Le moteur poussait des grondements assourdissants, l'habitacle était exigu et le conducteur devait faire preuve d'une concentration totale pour maîtriser cette bête ombrageuse. Elle a toutefois été disponible jusqu'en 1993, s'écoulant finalement à plus de 7 000 exemplaires. **LT**

Riviera Gran Sport | Buick

USA

1971 • 7 468 cm³, V8 • 335 ch • 0-97 km/h en 7,4 s • 192 km/h

Quand ils ne baptisent pas leurs voitures Mustang ou Thunderbird, les constructeurs automobiles américains aiment recourir aux noms européens, en particulier français, synonymes d'exotisme, comme dans le cas de la Pontiac Grand Prix ou de la Chevrolet Monte Carlo. Buick avait lancé la tendance avec la Riviera en 1949. Jusqu'en 1963, ce nom décrivait simplement un style de voiture sans montants centraux comme la Buick Roadmaster Riviera, mais à partir de 1963, il a été attribué à un modèle à part entière.

L'année 1971 a vu naître la troisième génération de Buick Riviera, déclinée à son habitude en plusieurs modèles, mais aussi complètement transformée esthétiquement. Le changement le plus frappant était l'introduction d'une silhouette en « pointe de bateau » à l'arrière. Les vitres arrière étaient aplaties et se terminaient en pointe au milieu du coffre, rappelant la partie arrière d'un canot à moteur ou l'avant d'un avion de combat moderne.

La version Gran Sport était impressionnante, car son énorme moteur lui offrait une immense capacité d'accélération et, bien que les ventes de la GS aient augmenté de 20 000 exemplaires par rapport à l'année précédente, celles de la Riviera en général ont chuté malgré ses excitantes modifications. C'était le début du déclin des muscle cars et, comme les autres constructeurs, Buick a commencé à brider ses puissants moteurs pour répondre à une demande accrue en véhicules plus économiques et pour respecter des règles de sécurité plus strictes. En 1972, seules 9 000 Gran Sport ont été vendues. Bien que le nom Riviera ait survécu, les voitures de la gamme ont changé à tout jamais. **MG**

Miura P400 SV | Lamborghini

1971 • 3 939 cm^3, V12 • 390 ch • 0-97 km/h en 6,7 s • 280 km/h

Au début des années 1970, Lamborghini a lancé une nouvelle version de sa Miura, la P400 SV (abréviation de *Spinto Veloce* ou « réglage rapide » en français), une supercar améliorée que les riches amateurs du monde entier ont pu acquérir dès 1971. Dotée d'immenses roues arrière de 230 millimètres de large, d'un différentiel à glissement limité et d'une puissance accrue en option, c'est devenu la Miura la plus recherchée des collectionneurs contemporains.

En 2011, un prototype de la SV, exposé à l'origine au Salon de l'automobile de Genève, s'est vendu à près de 1,7 million de dollars aux enchères.

Lamborghini avait construit simultanément un prototype de SV Spyder, mais celui-ci n'a jamais été produit. C'est inévitablement devenu un classique, désormais aux mains d'un riche collectionneur parisien.

Le shah d'Iran avait acheté une version spéciale de la nouvelle Miura SV, préparée pour la course et protégée

en permanence par des gardes armés dans son palais de Téhéran. La voiture a eu un parcours inhabituel. Saisie lors de la chute du régime du shah, puis mise aux enchères, elle a par la suite été acquise par l'acteur Nicolas Cage pour environ 500 000 dollars.

Quand Lamborghini a dévoilé au cours du Salon de l'automobile de Turin, en 1965, le châssis nu de sa nouvelle voiture de sport équipée d'un V12 central, rares sont ceux qui ont compris qu'elle allait constituer le modèle des supercars à venir, et plus rares encore ceux qui auraient cru que son concepteur, Marcello Gandini, alors âgé de seulement 27 ans, dessinerait une aussi belle carrosserie pour la première Miura P400, de 354 chevaux, lancée l'année suivante.

Dès la fin des années 1960, la Miura était la voiture par excellence dont rêvaient les très riches et les célébrités. Frank Sinatra et Miles Davis, entre autres, en ont possédé une. **DS**

Merak | Maserati

1972 • 3 000 cm³, V8 • 193 ch • 0-97 km/h en 8,2 s • 217 km/h

Le nom que Maserati a choisi au début des années 1970 pour sa nouvelle voiture de sport était celui d'un vent soufflant sur l'Adriatique, le merak. Il s'agissait d'une version moins luxueuse de la Bora qui devait concurrencer d'autres supercars de l'époque comme la Dino 246 de Ferrari et l'Urraco de Lamborghini.

L'élégant coupé conçu par Giorgetto Giugiaro était équipé d'un nouveau V6 à deux doubles arbres à cames en tête et disposait ainsi de plus d'espace intérieur que la Bora, mue par un V8. L'habitacle était assez grand pour abriter deux petits sièges arrière et la voiture généralement plus légère et mieux équilibrée. Grâce à son centre de gravité plus bas, la Merak se maniait mieux.

Maserati appartenait alors à Citroën et les deux constructeurs avaient un certain nombre de pièces essentielles en commun. Le tableau de bord des premières Merak était aussi celui de la SM, tout comme les freins, l'embrayage, les phares et certains éléments de la suspension. Quand Citroën a vendu Maserati à De Tomaso en 1975, les pièces du constructeur français ont été abandonnées dans la Merak.

En 1976, la version SS de cette dernière a été lancée : elle affichait 220 chevaux et son poids avait été réduit pour améliorer ses performances. Pour éviter les taxes que le gouvernement italien prélevait sur les plus puissantes cylindrées, Maserati proposait aussi un modèle de 2 000 cm³ et 170 chevaux, la Merak 2000GT. Bien qu'inférieure aux Lamborghini et Ferrari, la Merak a été produite jusqu'en 1982.

Top Gear, programme télévisé de la BBC, a acquis pour seulement 11 000 dollars une Merak dans le cadre de son « challenge de supercars italiennes ». **RD**

X1/9 │ Fiat

1972 • 1 300 cm³, S4 • 73 ch • 0-97 km/h en 12,2 s • 161 km/h

Cette attrayante petite 2 places a eu un impact immédiat. Le moteur était situé au centre, conférant à la X1/9 un superbe maniement, même si ses performances étaient ordinaires. Presque 200 000 exemplaires de la « Baby Ferrari » de Fiat ont été produits jusqu'en 1987. Ce chiffre montre le degré d'excellence de ce véhicule dont peu d'exemplaires ont survécu ; son acier était de si faible qualité qu'il rouillait absolument partout.

En 1969, Bertone, carrossier italien, avait conçu une sportive délicate, anguleuse et dotée d'un toit ouvrant, qui devait être baptisée Autobianchi A112 Runabout. Fiat a choisi d'en lancer la production sous le nom de X1/9, mais en lui conférant un toit de type Targa pour respecter les règles de sécurité américaines. La rigidité structurelle de ce nouvel agencement rendait la conduite encore plus précise.

Le moteur d'origine, un 1 300 cm³, était peu puissant et accompagné de 4 vitesses seulement, mais à partir de 1978 un énergique 1 500 cm³ et une boîte à 5 rapports ont amélioré ses performances. De plus, à partir de 1980, les Américains ont pu acquérir en option un moteur à injection de 76 chevaux. Certains des modèles qu'on voit encore sur les routes dissimulent sous leur capot un nouveau moteur, par exemple celui d'une Fiat Uno Turbo.

Toutes les X1/9 étaient équipées de vitres teintées et de roues en alliage avec pneus taille mi-basse, et bénéficiaient d'un habillage caractéristique. Les premiers modèles étaient accompagnés de deux sacs, pour les bagages, réalisés dans le même tissu que celui qui recouvrait les sièges. À partir de 1982, la voiture a porté une plaque indiquant « Bertone X1/9 ». **LT**

Renault 5

5 | Renault (F)

1972 • 5 782 cm³, S4 • 42 ch
0-97 km/h en 18,9 s • 137 km/h

Si, en étudiant la Renault 5 selon les critères du XXIᵉ siècle, on se contente d'y voir un terne break carré à 3 portes, on sera passé à côté de tous les atouts qui ont séduit les Français en 1972. Construite pour séduire les jeunes femmes urbaines, l'agile Renault 5 aux roues avant motrices faisait preuve d'un style élégant. Son intérieur était particulièrement «dans le vent» avec ses couleurs éclatantes et son tableau de bord en plastique moulé aux compteurs carrés encastrés. Son hayon, très incliné, s'ouvrait jusqu'au pare-chocs arrière. C'était l'une des premières voitures à hayon modernes.

Un nouveau type de carrosserie renforcée, absorbant mieux les chocs, devait lui permettre de mieux résister aux accidents. Ses boucliers en polyester armé étaient enchâssés dans la carrosserie au lieu de faire saillie. Deux modèles ont été mis en vente en 1972, la L et la TL, toutes deux pourvues de sièges arrière rabattables, la TL disposant de sièges avant inclinables et d'une lunette arrière chauffante.

Le talentueux concepteur de la voiture, Michel Boué, qui s'est malheureusement éteint avant son lancement, a défini les éléments primordiaux d'une tendance alors novatrice, mais qui existe toujours aujourd'hui. La Renault 5 allait en effet devenir le chef de file des *super-minis*, terme britannique désignant des automobiles plus grandes que les minis mais pas assez pour entrer dans la catégorie des familiales.

Deux ans après son lancement et grâce à sa consommation réduite en essence, la Renault 5 devenait la voiture la plus vendue en France. La crise pétrolière de 1973 accentua les choses et Renault en produisit plus de 5,3 millions. **BS**

Falcon XA | Ford (AUS)

1972 • 4 100 cm³, S6 • 132 ch
0-97 km/h en 9,7 s • 174 km/h

L'une des voitures les plus attendues de l'histoire automobile australienne, la Falcon XA, «née du vent», a constitué une étape essentielle pour Ford Australie. C'était la première Ford entièrement pensée et réalisée dans ce pays. Disponible en berline, et plus tard en hard-top à 2 portes, elle devait aider Ford Australie à rivaliser avec Holden dont la Monaro était de plus en plus populaire. Mais les passagers arrière se sont plaints du manque d'espace et de l'inconfort des sièges.

Pour le conducteur et le passager avant cependant, la XA était nettement plus spacieuse que le modèle précédent, la XY. On pouvait choisir parmi une impressionnante liste d'options, depuis les ceintures de sécurité et la climatisation à l'arrière jusqu'à la direction assistée. Bien que la voiture se soit avérée difficile à guider, les acheteurs ont longtemps hésité à commander la direction assistée offerte en option.

Ils pouvaient aussi choisir un modèle GT qui ne déparait pas sur les circuits de course, car ses ailes arrière bombées pouvaient accueillir des pneus extra-larges. La GT avait été conçue pour la course, mais aussi dotée de caractéristiques qui devaient séduire les conducteurs moyens, telles qu'une ergonomie améliorée, des sièges plus confortables et un tableau de bord panoramique qui lui donnait l'allure d'un cockpit. Elle paraissait moins agressive grâce à sa carrosserie arrondie abritant une calandre chromée et six feux arrière.

La taille réduite de la lunette et les sièges arrière très rehaussés de la XA pouvaient compliquer la tâche du conducteur en marche arrière, mais les atouts de la voiture dépassaient largement ses défauts et elle symbolisait l'indépendance de Ford Australie. **BS**

Jensen-Healey | Jensen   (GB)

1972 • 1 974 cm³, S4 • 141 ch
0-97 km/h en 7,8 s • 192 km/h

La sportive Jensen-Healey a été dévoilée lors du Salon de l'automobile de Genève en mars 1972. Jensen construisait des véhicules depuis 1935, mais celui-ci était différent, car créé en collaboration avec Donald Healey, pilote et ingénieur automobile de longue date à qui l'on devait aussi l'Austin-Healey 3000. Quand le P-DG de British Leyland a informé ce pilote qu'il s'apprêtait à mettre fin à la marque Austin-Healey, il a immédiatement songé à contacter d'autres constructeurs.

Il s'est tout d'abord tourné vers Kjell Qvale, entrepreneur norvégien basé à San Francisco qui vendait plus d'Austin-Healey aux États-Unis que n'importe quel autre concessionnaire. Jensen Motors, qui avait construit les carrosseries des « grosses Healey » pour BMC dans les années 1950 et 1960, était en vente et Qvale et Healey se sont associés pour l'acheter.

La Jensen-Healey, au moteur Twin Cam de 1 974 cm³, devait sa mécanique à Barry Bilbie et sa silhouette à William Towns, qui deviendrait célèbre pour son travail sur l'Aston Martin Lagonda. L'intérieur était originellement assez austère, tout en noir et marron foncé, et l'habillage en plastique, mais des versions ultérieures ont bénéficié d'un tableau de bord en bois et de rembourrage. La production a cessé quand Jensen Motors a dû déposer le bilan au milieu des années 1970. **SB**

J72 | Panther   (GB)

1972 • 3 781 cm³, S6 • 193 ch
0-97 km/h en 6,4 s • 183 km/h

La firme Panther Westwinds, située à Weybridge en Angleterre, a produit un grand nombre de classiques automobiles, mais elle devait son essor à la J72. C'était Robert Jankel, ancien styliste de mode passionné de voitures anciennes, qui en avait eu l'idée. Après avoir restauré une Rolls-Royce de 1930, Jankel, alors âgé d'une trentaine d'années, a décidé de se lancer dans la construction automobile.

Moins de deux ans après, il dévoilait la Panther J72 ; le prototype abritait un Jaguar V12. Lors de son lancement au Salon de l'automobile de Londres, elle s'est classée deuxième dans la catégorie « carrosserie ». De construction luxueuse, la J72 était habillée de moquette Wilton et de peaux Connolly. Elle coûtait deux fois plus qu'une Jaguar de la même année, mais Jankel est parvenu à vendre plus de modèles qu'on ne le croyait possible. Sa société en a construit bientôt un par semaine. Contrairement au prototype, la majorité des J72 étaient équipées du moteur Jaguar à 6 cylindres en ligne, pour une vitesse plus que respectable.

En 1981, alors que 361 modèles avaient été vendus, un consortium coréen a racheté Panther. La demande avait déjà baissé et peu de modèles supplémentaires ont été commandés avant que la production cesse en 1986. **JB**

911 Targa | Porsche   (D)

1972 • 2,3 litres, F6 • 132 ch
0-97 km/h en 6,8 s • 206 km/h

Porsche a baptisé Targa cette version de la 911 en hommage à la Targa Florio, course sicilienne abandonnée en 1977 quand la sécurité des routes entourant Palerme est devenue trop préoccupante. Le constructeur allemand y avait remporté sept victoires entre 1956 et 1967, année du lancement de la Targa. Ce nom, qui signifie « plaque minéralogique » en italien, lui convenait bien. Elle se situait à mi-chemin entre la version cabriolet et la version coupé hard-top de la 911, voiture de sport à moteur arrière produite depuis 1963. On était immédiatement saisi par le toit manuellement amovible de la Targa et par son arceau de sécurité en acier inoxydable. Ce dernier avait été ajouté pour répondre à de futures règles de sécurité aux États-Unis, règles qui n'ont jamais été adoptées. Le concept du toit amovible avait été utilisé auparavant bien entendu, par exemple sur la Triumph TR4, en 1964, où il était baptisé toit Surrey.

En 1972, la Targa représentait 10 % des ventes de 911. On pouvait alors toujours commander une lunette amovible, en plastique, mais sur les nouveaux modèles de série elle était désormais fixe et en verre.

Le concept du toit Targa est aujourd'hui rare, les constructeurs lui préférant des toits en acier rétractables. Toutefois, on le retrouve encore sur la Bugatti Veyron Grand Sport. **GL**

Nova | ADD   (GB)

1972 • Divers, S4 • Divers
Divers • Divers

La folie des voitures en kit était à son apogée dans les années 1970 : les passionnés s'emparaient du châssis et du moteur d'une voiture économique et leur ajoutaient une carrosserie habituellement en fibre de verre.

La Nova, une supercar en kit, a constitué l'un des grands moments de ce mouvement. Construite par Automotive Design and Development (ADD), la Nova était basée sur l'humble Coccinelle de Volkswagen, mais pourvue d'une silhouette qui devait lui permettre de rivaliser avec la Miura de Lamborghini et la Ford GT40. Le toit, les vitres et les montants s'élevaient dans les airs.

Richard Oakes et Phil Sayers, deux passionnés de voitures en kit, avaient construit le prototype de la Nova en moins d'un an dans un chantier naval de Southampton. ADD vendait à 750 dollars seulement des carrosseries complètes de Nova, prêtes à être installées sur un châssis de Coccinelle à moteur arrière. Les roues en alliage équipées de pneus Dunlop étaient incluses.

En 1975, ADD a vendu ses droits de production et les Nova ont alors été commercialisées sous le nom de Sterling, Eagle, Purvis, Eureka, Totum, Ledl, Défi, Scorpion, Gryff, Sovran et Tarantula, sans compter diverses copies non autorisées. La silhouette saisissante de la Nova a séduit de nombreux réalisateurs, notamment ceux de Cannonball 2 (1984) et des Seigneurs de la route (1975). **JB**

115 | Zil (SU)

1972 • 7 695 cm³, V8 • 315 ch
0-97 km/h en 13 s • 192 km/h

Dans l'Union soviétique des années 1970, le seul moyen de transport qui pouvait convenir aux responsables du Parti ou aux dignitaires du gouvernement lors de leurs visites à l'étranger était une gigantesque limousine blindée. La monstrueuse Zil 115 était protégée d'une épaisseur de 2,5 centimètres d'acier à certains endroits, de façon à pouvoir résister à l'explosion d'une bombe.

Étonnamment, d'autres chefs d'État n'ont pas été gênés par la laideur et le caractère démodé de la voiture. Plusieurs d'entre eux, à la tête de pays africains ou arabes, en ont commandé une. Erich Honecker, dirigeant de l'Allemagne de l'Est, a lui aussi beaucoup voyagé en Zil de même que Michael Gorbatchev.

Pour mouvoir les quatre tonnes de cette berline 4 portes, une immense puissance était nécessaire. Elle provenait d'un V8 de 7 695 cm³ et personne ne se préoccupait de la consommation d'essence, pantagruélique (24 litres aux 100 km).

La 115 étant toujours conduite par un chauffeur, un bouton rouge placé sur le tableau de bord permettait de relever la vitre qui séparait les sièges avant et arrière, pour plus d'intimité. Le chauffeur s'appuyait sur une boîte automatique à 3 rapports, sur la direction assistée et sur de gros freins à disque hydrauliques pour offrir à ses passagers une conduite aussi douce que possible.

Le caractère spacieux du coffre de la Zil a admirablement été démontré dans le film *Casino Royale* (2006), où deux cadavres y sont entreposés.

Les jours de la grosse Zil étaient comptés quand Boris Eltsine a pris la tête de la république fédérative de Russie. Il s'est promptement défait de la 115 pour la remplacer par une Mercedes 600SEL. **SH**

Falcon XB GT | Ford (AUS)

1973 • 5 700 cm³, V8 • 600 ch
Inconnue • Inconnue

Quand la famille du policier Max Rockatansky est tuée par une bande de motards, ce dernier revêt son uniforme de cuir noir et, résolu à se venger, s'élance à la poursuite des assassins dans un bolide au moteur surcomprimé. C'est ainsi que débute la série des *Mad Max* (1979 et années 1980), série qui a lancé la carrière de Mel Gibson et fait de la Falcon XB GT une célébrité.

Le modèle noir de Mad Max était une GT531 d'occasion, une hard-top à traction arrière qui avait fait l'objet d'une édition limitée dans les années 1970, disponible uniquement en Australie. L'équipe de tournage a considérablement modifié cette XB en ajoutant des ailerons sur le toit et sur le coffre ainsi qu'un nez de Concorde. Les arches ont été renflées pour pouvoir abriter des roues de van, plus larges et peintes en noir. Le système d'échappement d'un van a été fixé à la XB et la carrosserie a été peinte en noir brillant sur la moitié supérieure et en mat sur l'autre.

La Falcon était aussi dotée d'un compresseur qui dépassait du centre de son capot, mais n'avait qu'une fonction esthétique. On estime qu'un vrai compresseur aurait permis à la Falcon de développer 600 chevaux. Quoi qu'il en soit, les motards ne font pas le poids face à l'Interceptor de Mad Max.

Après le tournage, la voiture a participé à la promotion du film avant d'être mise en vente. Étonnamment, personne n'ayant fait d'offre, c'est le mécanicien du film qui l'a gardée. Quand *Mad Max* est devenu le succès qu'on connaît, la même voiture a été utilisée pour le tournage de *Mad Max 2*. On l'a alors équipée d'immenses réservoirs à essence à l'arrière, car dans le film, la civilisation s'était effondrée et l'essence était devenue rare. **SH**

MFP

INTERCEPTOR

MAD MAX

Produced by
BYRON KENNEDY
With
MEL GIBSON

Directed by
GEORGE MILLER
Music by
BRIAN MAY

Written by
JAMES McCAUSLAND and **GEORGE MILLER**

Seven | Caterham

1973 • 1 558 cm³, S4 • 125 ch • 0-97 km/h en 7,1 s • 166 km/h

Quand la Caterham a été lancée en 1973, elle jouissait déjà d'une longue histoire. Ce petit cabriolet léger, sommaire et bas, était en réalité une nouvelle incarnation de la Lotus Seven, voiture conçue par Colin Chapman et dévoilée en 1957. Cette dernière avait été immortalisée dans la série télévisée culte des années 1960 *Le Prisonnier*, filmée dans le village gallois de Portmeirion avec Patrick McGoohan en vedette.

Lotus a en produit trois séries, tout d'abord équipées de moteurs Ford puis d'un Lotus de 1 558 cm³. Tout au long des années 1950 et 1960, le constructeur a vendu la Seven en kit parce que, selon le système fiscal britannique en vigueur à l'époque, elle était beaucoup moins taxée ainsi que si elle avait été entièrement assemblée. Mais cela a changé en janvier 1973 quand le Royaume-Uni a rejoint la Communauté économique européenne, ancêtre de l'Union européenne, et que cet avantage fiscal a disparu.

Lotus avait déjà cessé de produire la Seven pour se concentrer sur des voitures de sport plus luxueuses et rentables. Les droits de conception et de production des kits ont été rachetés par Graham Nearn de Caterham Cars, l'un des principaux distributeurs de ce modèle, et la production a repris sous le nom de sa firme.

La Caterham Seven est un cabriolet 2 places où l'espace réservé aux bagages est minime. La carrosserie est en aluminium et le poids du véhicule ne dépasse pas 515 kilos. Les premiers modèles étaient équipés d'un moteur Lotus, mais ce dernier fut ensuite remplacé par une série d'autres, dont des Ford, Vauxhall et Rover.

Grâce à sa légèreté et à sa rapidité, la Caterham Seven a toujours été populaire sur les circuits. **SB**

Boxer | Ferrari

1973 • 4 390 cm³, V12 • 350 ch • 0-97 km/h en 5,2 s • 298 km/h

Comment un constructeur tel que Ferrari évite-t-il de perdre sa position dominante ? Tout simplement en concevant un véhicule aussi puissant et époustouflant que la Boxer, capable d'atteindre les 100 km/h en moins de temps qu'il n'en faut pour lire ce paragraphe.

Ferrari était quelque peu sur le déclin avant d'investir dans la Boxer. La méfiance qu'éprouvait Enzo Ferrari envers les voitures à moteur central avait fait perdre à la marque son caractère compétitif. Il est vrai que placer le moteur plus près du centre compliquait la tâche des conducteurs, qui devaient s'habituer à une nouvelle répartition de la masse, mais Enzo a finalement accepté de tenter l'expérience sur la Boxer.

Le premier modèle était la 365 GT4/BB, exposée au Salon de l'automobile de Turin dès 1971. Toutefois, deux ans se sont écoulés avant qu'elle ne soit proposée au public lors du salon de Paris en 1973. Seuls 387 modèles ont été construits, un assortiment de conduites à droite et à gauche entièrement destiné au marché européen. Ce n'est que récemment que certains de ces modèles ont rejoint les États-Unis.

Ferrari n'était pas habituée à construire des modèles à moteur central et elle a tenté d'innover en installant la boîte de vitesses sous le moteur, ce dernier étant placé longitudinalement plutôt que transversalement. Malheureusement, la Boxer était difficile à manier et a été un échec sur les circuits de course, ce qui n'a pas aidé à la vendre.

Améliorée en 1976 et baptisée 512 BB, la Boxer a été produite jusqu'en 1984, mais n'a jamais eu le succès que méritaient sa silhouette et ses caractéristiques techniques. **MG**

260Z | Datsun　　　　　　　　　　　　　　　　　　　　　(J)

1973 • 2 600 cm³, S6 • 167 ch • 0-97 km/h en 8 s • 204 km/h

Nissan vendait à l'étranger ses produits sous le nom de Datsun. De même, sa gamme de coupés sportifs, baptisée Fairlady au Japon, était dénommée série Z ailleurs. En 1969, le premier modèle de cette série, la 240Z, était équipée d'un moteur de pointe, à 6 cylindres, et d'une longue carrosserie inspirée des sportives britanniques telles que la Jaguar E-Type et la MGB. On y découvrait de plus un hayon relevé et une suspension arrière indépendante. Cette voiture a connu un succès mondial et a accru la réputation de Nissan/Datsun.

Pourtant, au cours des années 1950, le constructeur assemblait encore sous licence des Austin britanniques. Cela lui permit d'examiner la technologie industrielle occidentale, alors plus avancée. Les Japonais apprirent vite. Vingt ans après seulement, Nissan avait devancé les Anglais et dévoilait sa série Z, avec une des voitures de sport les plus vendues de tous les temps. La remplaçante de la 240Z, la 260Z, une 2 places, était très similaire, mais dotée d'un moteur plus puissant, d'un châssis légèrement plus raide et d'un habitacle amélioré. Les 2 600 cm³ de son moteur offraient davantage de puissance, sauf aux États-Unis, où il avait été bridé à cause de normes plus strictes en matière de pollution. La 260Z américaine était ainsi plus faible que le modèle précédent. Une version 2 + 2, à l'empattement plus long, était également disponible.

En 1975 est apparue la 280Z, dont le moteur de 2 800 cm³ était à injection pour mieux respecter l'environnement aux États-Unis.

Tous les modèles de la série Z sont aujourd'hui très recherchés, mais rares. La plupart sont devenus la victime du plus gros défaut des Datsun : la rouille. **SH**

Khamsin | Maserati

1973 • 4 900 cm³, V8 • 325 ch • 0-97 km/h en 6,8 s • 248 km/h

En 1972, le carrossier italien Bertone a exposé un prototype intéressant au salon de Turin. La voiture avait été dessinée par Marcello Gandini, qui s'apprêtait à créer l'extraordinaire Lamborghini Countach. Lors du salon de Paris, l'année suivante, le concept de Gandini est réapparu, orné cette fois d'une plaque Maserati. Sa production a été lancée peu après : la voiture baptisée Khamsin en référence à un vent chaud et violent du Sahara égyptien.

Longue, effilée et élégante, la Khamsin était assez haute, dotée d'un toit qui s'inclinait spectaculairement à l'arrière. Le long capot abritait un moteur placé suffisamment en arrière pour qu'on puisse glisser la roue de secours à l'avant. On avait ainsi préservé assez d'espace pour offrir un coffre de taille raisonnable. Autre nouveauté en matière de conception automobile, un panneau de verre était situé en dessous de la lunette, entre les phares arrière, pour offrir une meilleure visibilité au conducteur lors des marches arrière.

La fiche technique du véhicule comprenait plusieurs éléments inhabituels, dont une direction à assistance variable qui intervenait davantage à vitesse réduite, n'ajoutant qu'un peu plus de puissance quand l'allure était plus poussée. Ce genre de direction à assistance variable est courant dans les voitures modernes, mais demeurait rare au début des années 1970. Ce même système équipait la Citroën SM (le constructeur français étant alors un des actionnaires principaux de Maserati).

La Khamsin était pourvue de sièges hydrauliques et d'une colonne de direction ajustable, deux éléments novateurs à l'époque. En neuf ans de production de la voiture, 430 exemplaires ont été construits. **SB**

Uracco | Lamborghini

1973 • 2 500 cm³, V8 • 223 ch • 0-97 km/h en 6,7 s • 241 km/h

La nouvelle mini-supercar de Lamborghini a été lancée en réponse à la popularité croissante des petits coupés sportifs de constructeurs tels que Lotus et Porsche. L'Uracco, ou «petit taureau», était un 2 + 2 à moteur central qui faisait appel à la première gamme entièrement nouvelle de V8 en aluminium de Lamborghini. Le plus grand de ces moteurs n'atteignait que 3 000 cm³. Les chiffres indiqués ci-dessus concernent le 2 500 cm³, plus populaire, et son réglage européen, plus rapide.

La voiture a été dessinée par Marcello Gandini chez Bertone en 1970. Le concepteur a créé une silhouette effilée et futuriste accompagnée de phares rétractables, d'un espace bagages derrière le moteur, d'un pare-brise très incliné et d'un auvent arrière en pente qui recouvrait le moteur. Lamborghini a mis trois ans à déterminer les sites de construction et les caractéristiques mécaniques de l'Uracco, lancée en 1973.

Le moteur a au final été placé latéralement, entre les sièges et les roues arrière, et la boîte de vitesses manuelle à 5 rapports, à côté de lui. Grâce à la suspension indépendante de type McPherson, la tenue de route était sensationnelle. Le freinage était puissant grâce aux grands disques ventilés installés sur chaque roue. La conduite relevait «du rêve de tout passionné d'automobile» selon le magazine *Autocar*, qui décrivait l'Uracco comme une voiture de tous les jours, spacieuse et fiable.

Toutefois, à 15 000 dollars, elle coûtait environ trois fois plus que La Lotus Elan Plus 2 et deux fois plus qu'une Porsche 911. L'objectif de Lamborghini était d'en construire 2 000 par an, mais en dix ans seules 780 voitures ont été vendues. **SH**

Gran Torino | Ford

USA

1973 • 5 766 cm³, V8 • 163 ch • 0-97 km/h en 10,8 s • 178 km/h

Il est très avantageux, pour un constructeur automobile, de voir l'un de ses modèles occuper une place importante dans une série télévisée ou un film à succès. Quand, au milieu de la décennie, Spelling-Goldberg Productions préparait le pilote d'une nouvelle série policière, cette société s'est tournée vers Ford pour lui demander quels modèles étaient disponibles. Les producteurs ont finalement choisi deux Gran Torino 351 à 2 portes. Le pilote a lancé une série dont l'influence s'étendrait bien au-delà des quatre ans de diffusion aux États-Unis : *Starsky et Hutch*.

La GT était la voiture de Starsky bien que l'acteur, Paul Michael Glaser, l'ait détestée au premier coup d'œil. Il la trouvait laide, la comparait à une « tomate rayée », et pensait, en partie à juste titre, qu'aucun policier en civil désireux de rester anonyme ne conduirait une voiture aussi voyante. On ne l'a pas autorisé à en changer. La célébrité de la Gran Torino a duré très longtemps, notamment parce qu'elle apparaît aussi dans l'un des films les plus cultes de tous les temps, *The Big Lebowski*. Dans cette comédie des frères Coen, à l'humour si caractéristique, Jeff Bridges joue le rôle de Dude et conduit une Gran Torino. Ce n'était pas prévu ainsi, le scénario mentionnant une Chrysler LeBaron, mais au moment du tournage, le partenaire de jeu de Bridges, l'imposant John Goodman, étant trop corpulent pour entrer dans la Chrysler, les frères Coen l'ont remplacée par une Gran Torino, plus spacieuse.

Dix ans plus tard, un modèle en parfait état apparaissait dans le film *Gran Torino*, conduit par Clint Eastwood dans le rôle d'un coriace ancien combattant de la guerre de Corée. **MG**

Bagheera | Matra

⬭ F

1973 • 1 294 cm³, S4 • 82 ch • 0-97 km/h en 12,2 s • 187 km/h

Matra a baptisé son coupé sportif en hommage à la panthère du *Livre de la jungle* (1894), et la voiture française était certainement un animal rapide et élégant.

C'était aussi l'un des premiers modèles où le moteur était placé entre les essieux pour obtenir un maniement plus équilibré. Le hayon arrière se relevait pour donner accès au groupe moteur situé derrière la banquette. La voiture utilisait des matériaux très légers, sa carrosserie aérodynamique constituée de polyester étant montée sur un châssis tubulaire. Plus surprenant, on n'y trouvait qu'une rangée de trois sièges, avec celui du conducteur d'un côté et ceux des passagers de l'autre.

Le moteur, emprunté à la Simca 1100, offrait une performance plus que décente bien qu'il ait été remplacé par un 1 500 cm³ en 1975. La traction arrière était équipée d'une suspension à barre de tension.

Hélas, Matra ne s'était pas inquiété de la rouille. La carrosserie en polyester n'y était évidemment pas sujette, mais elle semblait conduire l'eau jusqu'au châssis en acier, qui n'avait pas été traité contre ce problème. De nombreux modèles ont été attaqués et Matra a dû galvaniser la descendante de la Bagheera, la Murena.

Le constructeur a aussi mis au point une Bagheera spéciale, équipée d'un U8 unique au monde. Celui-ci était constitué de deux moteurs Simca de 1 300 cm³ accouplés et fonctionnant à l'unisson, leurs vilebrequins reliés par des engrenages et une chaîne. Ce moteur de 2 600 cm³ pouvait développer 168 chevaux et atteindre 230 km/h. Le prototype avait été pourvu de roues plus importantes et d'une carrosserie allongée, mais la maison mère de Matra, Chrysler, n'a pas soutenu ce projet et seuls trois modèles ont été construits. **SH**

Robin | Reliant

1973 • 750 cm³, S4 • 33 ch • 0-97 km/h en 22 s • 109 km/h

Produite par la Reliant Motor Company et dessinée par Ogle Design, la Robin, berline à 2 portes, était l'une des voitures les plus instables jamais construites, à cause de son unique roue avant. Elle devait remplacer la Regal, gros succès commercial ayant les mêmes problèmes d'équilibre, produite depuis 1962.

La Robin était constituée d'une carrosserie en fibre de verre montée sur un châssis en acier à caissons. Elle était populaire auprès des mineurs britanniques possesseurs du permis B1 qui les autorisait à conduire un 2-roues ainsi qu'une voiture à 3 roues pesant moins de 454 kilos. Cette automobile était toutefois handicapée par de sérieux défauts.

Même les fans de la Robin soulignaient la nécessité d'éviter les virages à son bord. Quand c'était possible, ils préféraient traverser un rond-point en ligne droite plutôt que de le contourner et, de fait, évitaient tout itinéraire qui ne soit pas rectiligne. Certains suggéraient de placer un sac de ciment sur le siège du passager, pour aider la voiture à conserver son équilibre quand seul le conducteur se trouvait à bord. Compte tenu de la réputation du véhicule, les passagers étaient peu nombreux et les sacs de ciment ont dû beaucoup servir.

Chaque fois que le propriétaire d'une Robin prenait le volant, il courait autant de risques que s'il avait pratiqué un sport extrême. Dans un épisode de *Top Gear*, le présentateur Jeremy Clarkson se demandait tout haut combien de personnes avaient payé de leur vie l'instabilité inhérente à la Robin. Il avait même lu sur une pierre tombale dans un cimetière de Sheffield : « Arthur William Hebblethwaite, 29 avril 1936 - 18 octobre 1981 : père, mari… passionné de Reliant ». **BS**

Dolomite Sprint | Triumph

GB

1973 • 1 998 cm³, S4 • 129 ch • 0-97 km/h en 8,4 s • 190 km/h

Quand la Dolomite Sprint a fait son apparition en 1973, elle était dotée d'une mission. Version hautes performances de la Triumph Dolomite, elle devait rivaliser avec les berlines sportives charismatiques telles que la BMW 2002 Turbo. La Dolomite Sprint était dotée d'un moteur plus puissant que celui de sa grande sœur et sa carrosserie avait été légèrement transformée.

Ce nouveau moteur, qui abritait un seul arbre à cames et une culasse à 16 soupapes, avait été élaboré sous la houlette de l'ingénieur Spen King. Il était remarquable en cela qu'il constituait le premier moteur à soupapes multiples véritablement fabriqué en série. Un an après le lancement de la voiture, la nouvelle culasse a été récompensée du prix de l'innovation du British Design Council.

La Dolomite Sprint était pourvue de la même carrosserie que la Dolomite, dessinée par Michelotti, quelques embellissements supplémentaires indiquant son statut de modèle à hautes performances. On retrouvait par exemple les quatre phares réservés aux plus luxueux des modèles de la gamme ainsi que des roues sportives, en alliage.

Lors de sa présentation, la Dolomite Sprint a fait beaucoup de bruit, notamment à cause des couleurs choisies pour le premier modèle : sa peinture jaune mimosa zébrée de rayures noires évoquait une guêpe sur roues.

Elle était on ne peut plus dans le vent à une époque où *Ziggie Stardust* de David Bowie arrivait en tête des hit-parades. La voiture ne manquait toutefois pas de défauts. Le moteur relevait d'un concept brillant, mais mal exécuté, et souffrait de problèmes de fiabilité qui exaspéraient les conducteurs. **SB**

2002 Turbo | BMW

1973 • 1 997 cm³, S4 • 170 ch • 0-97 km/h en 6,9 s • 211 km/h

La première BMW Turbo est née grâce à Paul Bracq ; exposé en 1972, ce modèle était époustouflant avec sa peinture rouge, ses portes papillon et son moteur turbo. Ce dernier était fondé sur le légendaire Tii de 130 chevaux auquel les ingénieurs de BMW avaient ajouté un turbocompresseur KKK (Kühnle, Kopp et Kausch) qui lui conférait 40 chevaux supplémentaires. Le modèle était aussi équipé de freins plus puissants, d'un différentiel autobloquant pour plus de traction et de plus gros pneus. Ce modèle a eu un certain succès en compétition, remportant notamment le championnat européen des voitures de tourisme, avec Dieter Quester au volant.

La 2002 Turbo a été dévoilée, prête à être produite en série, lors du Salon de l'automobile de Francfort en 1973 et sa notoriété s'est rapidement étendue. Sur le plan esthétique, la Turbo était sensationnelle avec ses extensions d'ailes rivetées sur la caisse et ses ailerons avant et arrière. Les véhicules de presse étaient ornés des termes « 2002 » et « Turbo » sur l'aileron avant, peints à l'envers afin que les conducteurs des voitures roulant devant puissent les lire correctement dans leur rétroviseur. Les médias allemands et les lobbys se préoccupant de sécurité considéraient que c'était un geste irresponsable et ont exercé de fortes pressions pour que ces inscriptions soient effacées. Les voitures de série en étaient dépourvues, aussi de nombreux propriétaires ont décidé de les ajouter et on ne peut nier aujourd'hui leur charme rétro.

Seuls 1 672 exemplaires de la BMW 2002 Turbo ont été construits au cours des deux ans de production et seul un tiers survit aujourd'hui. On ne sait combien des modèles manquants ont fini leur vie dans un fossé ! **RD**

La Bluesmobile, voiture de police aux pouvoirs hors du commun, accomplit des miracles dans le film *The Blues Brothers* (1980).

Capri RS 3100 | Ford (GB)

1973 • 3 093 cm³, V6 • 148 ch
0-97 km/h en 7,1 s • 200 km/h

Quand la branche britannique de Ford a présenté sa première Consul Capri en 1961, elle a immédiatement eu du succès. Construire une voiture aux États-Unis puis la vendre en Europe avait toujours été difficile, de même que l'inverse. Les deux marchés étaient différents et leurs conducteurs respectifs n'avaient pas les mêmes goûts.

La nouvelle Consul Capri, à l'allure très américaine (mais appréciée par certains consommateurs anglais), avait été adaptée aux routes britanniques et s'avérait beaucoup moins gourmande en essence que sa cousine transatlantique. C'était en réalité une Ford Mustang ajustée aux besoins des conducteurs britanniques.

La Ford Capri est devenue un modèle à part entière en 1969. Son constructeur en avait déjà vendu un million, chiffre remarquable pour une voiture anglaise, quand la RS 3100 a été dévoilée en 1973. Cette dernière remplaçait la RS 2600, modèle de course à hautes performances de la Capri. La RS 3100 possédait un moteur plus puissant, comme le suggère son nom, et devait participer au championnat européen des voitures de tourisme, car elle était, selon son constructeur, la plus rapide de cette catégorie.

Affirmer une chose et prouver sa véracité face à BMW, le plus grand rival de Ford sur circuit, sont deux choses différentes. Le constructeur allemand avait remporté le championnat en 1973 et Ford désirait reprendre le titre en 1974 avec sa Capri. Le constructeur a fait appel aux meilleurs pilotes, dont Nikki Lauda. Ford et BMW étaient au coude-à-coude jusqu'à ce que ce dernier abandonne. Cependant, Ford a gagné le championnat, mais pas avec la Capri. C'est la Zakspeed Escort qui a raflé le trophée. **MG**

Monaco | Dodge (USA)

1974 • 5 898 cm³, V8 • 182 ch
0-97 km/h en 10,8 s • 185 km/h

Dodge ne savait pas, en construisant sa première Monaco en 1965, qu'une légende était en train de naître : la Bluesmobile des *Blues Brothers*, film de 1980. C'est en effet une Monaco de 1974 qu'Elwood Blues achète, en expliquant à son frère «qu'elle a un moteur de police, un groupe de 7 210 cm³. Elle a des pneus de police, une suspension de police, des amortisseurs de police. C'est un modèle qui a été produit avant les convertisseurs catalytiques, donc il fonctionnera bien à l'essence normale.»

Dan Ackroyd, qui jouait Elwood et était coscénariste du film, dit avoir choisi la Dodge Monaco parce que c'était la plus belle des voitures qu'utilisait la police américaine dans les années 1970. En effet, la police de Chicago et celle de l'Illinois avaient fait appel à ce véhicule au milieu de la décennie. Dans la longue poursuite du film, qui s'achève à Chicago et au cours de laquelle la voiture file sous la voie du métro aérien, on voit brièvement le compteur monter à 192 km/h. Cela dépasse légèrement la vitesse maximale officielle du modèle, mais selon le réalisateur John Landis, aucun truc n'a été employé : la voiture roulait bien à cette folle allure dans les rues de la ville pendant le tournage.

Treize modèles ont été utilisés dans le film ainsi que 60 autres voitures conduites par les poursuivants des deux frères. Le record de véhicules détruits au cours d'un tournage a été battu à cette occasion.

Un modèle ultérieur de la Monaco est aussi apparu dans *Shérif, fais-moi peur*, où il a magnifiquement résisté aux accidents et cascades qu'on lui faisait subir. Le nom Monaco a été abandonné en 1978, quand la voiture a été remplacée par la St. Regis, elle aussi très appréciée par la police. **MG**

560 | Monica

1974 • 5 560 cm³, V8 • 280 ch • 0-97 km/h en 8 s • 238 km/h

Avant la Seconde Guerre mondiale, la France accueillait plusieurs constructeurs automobiles haut de gamme, de Talbot-Lago et Delahaye à Delage et Bugatti. Bon nombre de leurs modèles jouissaient de finitions dignes de la haute couture, réalisées par des carrossiers tels que Franay, Chapron, Saoutchik et Figoni & Falaschi. À la fin de la guerre, la majorité de ces entreprises avait sombré. La seule limousine française importante de cette période était la Facel Vega, qui disparut en 1964.

Il n'est pas étonnant que quelqu'un ait eu, à la fin des années 1960, l'idée d'un nouveau modèle ultra-luxueux, à 4 places. Ce fut Jean Tastevin, industriel qui baptisa sa société en l'honneur de sa femme, Monique. Dépourvu de toute expérience dans le domaine automobile, Tastevin avait décidé de s'allier avec Chris Lawrence, constructeur, préparateur et pilote de voitures.

Cela n'a pas été le plus heureux des partenariats et la mise au point du véhicule a tardé de longues années. Lawrence désirait que la voiture soit équipée d'un V8 de 3 400 cm³ conçu et construit par son ami Ted Martin, mais ce moteur n'en étant encore qu'à son premier stade, Tastevin lui a préféré le V8 de 5 560 cm³ de Chrysler. La carrosserie a été dessinée à plusieurs reprises, mais après 22 prototypes assemblés à la main, la 560 semblait finalement prête à être produite en 1974.

Le moment choisi n'aurait pas pu être pire : la crise pétrolière récemment survenue, frappait de plein fouet le marché des grosses voitures, rapides mais gourmandes en essence. Seules huit ou dix Monica auraient été construites. Les quelques dernières et tout l'équipement ont été vendus à un jeune concessionnaire, Bernie Ecclestone, à la fin des années 1970. **JB**

Cougar | Mercury

USA

1974 • 5 752 cm³, V8 • 168 ch • 0-97 km/h en 8 s • 200 km/h

Ford a lancé sa Mercury Cougar en 1967 et c'est devenu l'une de ses plus grandes réussites commerciales, notamment grâce à une campagne publicitaire où l'on voyait un puma (ou couguar) assis sur le capot. L'animal était synonyme de puissance, de rapidité et de beauté, caractéristiques qui s'appliquaient toutes à la voiture. Une vaste gamme de Cougar a été proposée au fil des années suivantes, toutes ces déclinaisons jouissant d'une certaine classe grâce à leur nom.

La première génération, dont certains modèles abritaient un immense 7 000 cm³, a été proposée jusqu'en 1970. Ce moteur était proposé en option sur les voitures de la deuxième génération, jusqu'en 1973, puis la Cougar est devenue plus puissante en 1974 avec un 7 500 cm³, toujours en option. Ce sera le moteur le plus puissant jamais installé sous le capot d'une Cougar, car la mode

des muscle cars a vite commencé à décliner face aux règles de sécurité toujours plus strictes du gouvernement américain et au prix croissant de l'essence.

Une Mercury Cougar décapotable de 1969 a eu son heure de gloire sur le grand écran. Dans *Au service secret de Sa Majesté*, film de James Bond, Diana Rigg conduisait un modèle rouge vif. Les spectateurs attentifs peuvent aussi en voir un dans *48 heures* (1982), *The Blues Brothers* (1980) et *Génération rebelle* (1993) – bien qu'il soit difficile de citer une voiture qui n'apparaisse pas dans ce dernier film. Sur le petit écran, on a aperçu la Mercury Cougar dans diverses séries, depuis *Les Règles de l'art* (1986-1994) jusqu'à *Hooker* (1982-1986) et *Seinfeld* (1989-1998).

Sous ses diverses incarnations, la voiture a été produite pendant 35 ans. En 2002, son image étant jugée éculée, la série a été abandonnée. **MG**

Countach | Lamborghini

1974 • 5 167 cm³, V12 • 469 ch • 0-97 km/h en 4,9 s • 289 km/h

Lorsque l'heure est venue de remplacer la Miura, désormais âgée, Ferrucio Lamborghini a laissé les rênes libres à ses jeunes concepteurs. Selon la légende, quand le responsable de l'équipe de dessinateurs, Nuccio Bertone, a découvert les plans de ce projet, il se serait exclamé « *Countach !* », qui signifie « fabuleux » en dialecte piémontais. Le nom est resté.

C'est en 1974 qu'a été livrée à un heureux client australien la première Countach LP400 (LP signifie « Longitudinal Posterieur », en référence à la position du moteur, un 4 000 cm³).

En 2010, le magazine télévisé *Top Gear* l'a classée en tête de son palmarès des « 100 supercars les plus sexy de tous les temps », grâce à sa silhouette acérée, ses portes papillon et son accélération ahurissante. Il était toutefois impossible que cette Lamborghini vieillisse bien.

Le modèle du milieu des années 1980, la 5000QV, était jugé vulgaire, un signe extérieur de richesse prisé des nantis dépourvus de goût. Désormais dotée de grandes conduites d'air, d'ailes renflées et d'affreuses jupes latérales à lames (similaires à celles de la Ferrari Testarossa), elle comportait aussi un immense aileron arrière et les pneus les plus larges au monde. Cependant, son V12 à 4 soupapes, de 5 200 cm³, en faisait, en 1985, la voiture de série la plus rapide au monde.

Malgré leur prix très élevé, proche de 100 000 dollars en 1989, 2 042 Countach ont été vendues au fil des seize ans de production. Les modèles ultérieurs sont souvent critiqués par la presse contemporaine qui les trouve encombrants, exigus et bruyants, mais les modèles antérieurs, plus rares, peuvent déclencher des guerres d'enchères et approcher un demi-million de dollars. **DS**

SV-1 | Bricklin

CDN

1974 • 5 766 cm³, V8 • 178 ch • 0-97 km/h en 8,5 s • 187 km/h

Malcolm Bricklin, qui a pourtant fondé la filiale américaine de Subaru, n'est pas l'un des noms les plus connus dans l'univers automobile. Pourtant, il importait non seulement cette marque japonaise, mais aussi des Fiat et d'autres voitures étrangères à une époque où il était difficile de les vendre aux États-Unis. Il était millionnaire quand il a débuté dans l'automobile, ayant fait fortune en gérant l'entreprise de matériaux de construction de son père. Malheureusement, il connaissait peu l'industrie automobile et allait y laisser sa chemise.

Le premier obstacle s'est présenté quand le magazine *Consumer Reports* a déclaré la Subaru 360 « la voiture la moins sûre d'Amérique ». Les ventes de la marque japonaise se sont effondrées. C'est après cela que Bricklin a fondé Subaru of America et a retrouvé sa fortune en établissant une franchise puis en vendant ses parts de la compagnie. Il rêvait de se lancer dans la construction automobile et a investi tout son argent dans la production de sa première voiture au Canada. C'était la Bricklin SV-1, qui ne serait jamais suivie d'une SV-2.

SV signifiait « véhicule sûr ». Convaincu que la sécurité était essentielle, Bricklin avait construit son modèle selon des critères qui dépassaient de loin les règles imposées aux États-Unis, où il prévoyait de le vendre. Malheureusement, des caractéristiques telles qu'une cage de sécurité intégrée s'avéraient onéreuses et la voiture coûtait le prix astronomique de 7 490 dollars.

Bricklin était plus doué pour la création et la vente de franchises que pour la gestion d'une compagnie automobile. Seules 2 854 voitures de ce modèle ont été construites avant que la société ne dépose le bilan, avec 23 millions de dettes. **MG**

CX | Citroën ⬦ F

1974 • 2 347 cm³, S4 • 166 ch
0-100 km/h en 8,2 s • 220 km/h

La CX a constitué la dernière aventure indépendante de Citroën avant que ce constructeur ne fusionne avec Peugeot. Ce devait être une voiture de fonction qui concurrencerait les élégantes 6 cylindres de BMW et Mercedes, mais sous sa carrosserie futuriste et aérodynamique, il n'y avait la place que pour un 4 cylindres.

La voiture jouissait d'une suspension hydropneumatique à correcteur d'assiette inventée par Citroën, d'un volant monobranche, d'un essuie-glace à un seul balai, d'une lunette arrière concave et de l'un des tableaux de bord les plus bizarres de l'histoire de l'automobile.

Quoi qu'il en soit, le confort de marche était tel que, selon certains journalistes de l'époque, on avait l'impression « de flotter au-dessus de la route plutôt que d'y rouler ». Rolls-Royce a d'ailleurs adopté sous licence la suspension de Citroën. Le maniement était lui aussi superbe et la direction à assistance variable extraordinairement sophistiquée pour l'époque. Les performances étaient excellentes tant que le conducteur commandait le bon moteur.

Le turbo-diesel, alors tout nouveau, était le moteur diesel le plus rapide au monde. Sa régularité et sa vitesse maximale (195 km/h) ont transformé à tout jamais la façon dont les Européens percevaient ce type de moteur. La CX la plus rapide de la série était toutefois la GTi Turbo, modèle de 1984 qui fonctionnait à l'essence et dont les performances sont indiquées ci-dessus.

La CX séduisait les excentriques. Manuel Noriega, dictateur panaméen, et Erich Honecker, dirigeant de l'Allemagne de l'Est, en avaient chacun une. Grace Jones a monté en 1985 son clip vidéo de *Slave to the rhythm* autour de cette voiture. **SH**

24-24 | GAZ ⬦ SU

1974 • 5 530 cm³, V8 • 197 ch
0-97 km/h en 9,8 s • 168 km/h

On était terrifié si l'on voyait s'approcher une GAZ 24-24. Édition limitée de la berline russe Gaz 24 équipée d'un V8 de taille gigantesque, c'était le véhicule du KGB, l'effrayante police secrète du régime soviétique. Cette voiture que le grand public n'a jamais pu acquérir servait principalement à intercepter d'autres véhicules ou à escorter les limousines des dignitaires du parti.

La GAZ 24-24 n'était ni moderne ni glamour. Son V8 en aluminium, une copie d'un concept américain des années 1950, équipait aussi les limousines gouvernementales russes, les Tchaïka. La voiture était dotée d'un châssis et d'une suspension renforcés, d'une boîte automatique à 3 rapports et de la direction assistée, mais sa silhouette et ses caractéristiques techniques primitives formaient un contraste marqué avec les modèles qui paraissaient simultanément à l'Ouest. Cette automobile massive et archaïque a été lancée la même année que la Golf de Volkswagen et la Trans Am de Pontiac.

Ce véhicule rare à l'allure furtive et aux grondements inhabituels semblait dépareillé sur les routes russes au milieu des voitures de style ancien. Dans les pays satellites opprimés par le régime soviétique tels que la Pologne, la Biélorussie, l'Ukraine et la Mongolie, la 24-24 a donné naissance au mythe de la Volga noire. La population était convaincue qu'un mystérieux véhicule noir apparaissait soudain pour enlever des citoyens innocents, particulièrement les enfants. On racontait parfois cette histoire pour dissuader ces derniers de se promener seuls dans les rues. Selon d'autres, la Volga noire était conduite par de maléfiques officiers du KGB qui enlevaient des enfants pour vendre leurs reins. **SH**

Steamer | Pelland (AUS)

1974 • 1 100 cm³, moteur compound à 3 cylindres
41 ch • inconnue • inconnue

Sans la découverte du pétrole et l'invention du
moteur à combustion interne, qui sait à quel point la
technologie à vapeur aurait progressé ? Mais jusqu'en
1973, le pétrole a toujours été abondant et peu cher.

Le premier véhicule autopropulsé, un charriot à trois
roues fonctionnant à la vapeur, a été inventé en 1769 par
Nicolas Joseph Cugnot, un Français. La crise pétrolière
de 1973 a incité ceux qui croyaient encore en la vision
originelle de ce dernier à redoubler d'efforts. C'était le
cas de Peter Pellandine, concepteur de voitures auparavant employé par Lotus, spécialiste des voitures en kit et
des moteurs à vapeur. Il est parti pour l'Australie en 1974
pour y concevoir et construire une voiture à vapeur pour
le gouvernement de l'Australie-Méridionale.

Le véhicule de Pellandine était un roadster à 2 places,
propulsé par un moteur compound, à 3 cylindres
et capable de supporter une température élevée.
La carrosserie monocoque en fibre de verre, dont
Pellandine avait maîtrisé la construction lors de son
passage chez Lotus, était boulonnée au châssis et au
moteur. Dotée de jantes de 30 centimètres à l'arrière et
de 25 à l'avant, la voiture s'avérait extraordinairement
légère (480 kilos) grâce à son minuscule moteur et à sa
carrosserie en fibre de verre. Les sièges étaient moulés
dans cette dernière et ne pouvaient donc être ajustés,
contrairement aux pédales. Une prise d'air latérale venti-
lait le condensateur arrière.

La Pelland Steamer, qui pourrait devenir plus
précieuse qu'une Ferrari Testarossa lorsque le pétrole
viendra à manquer dans un avenir pas si lointain, vit
des jours paisibles au musée national de l'Automobile
de Birdwood, en Australie-Méridionale. **BS**

Stratos | Lancia (I)

1974 • 2 418 cm³, V6 • 284 ch
0-97 km/h en 4,1 s • 232 km/h

La Lancia Stratos était dotée du moteur et de la
transmission d'une supercar, la Dino 246 GT, et sa magnifique carrosserie en forme de coin avait été dessinée
par Bertone. Pourvue de fenêtres panoramiques, elle
devait son nom à un concepteur qui aurait déclaré en
la découvrant qu'elle semblait provenir tout droit de la
stratosphère.

Dès son entrée dans le Championnat du monde des
rallyes en 1974, elle a remporté la première place pour la
conserver trois années d'affilée. Elle était si souple qu'en
1975, elle a conquis neige et glace pour gagner le rallye
de Suède, avant d'affronter la poussière et la chaleur
brûlante du Safari d'Afrique orientale, épreuve qu'elle a
aussi remportée.

Ses divers panneaux en fibre de verre pouvaient
s'ouvrir pour que les mécaniciens de rallye accèdent
aisément à son groupe moteur de 2 418 cm³, mais
l'habitacle était bruyant, mal ventilé et si exigu que les
casques et autres équipements de sécurité y tenaient à
peine. Le pilote devait aussi s'habituer au siège incliné
et décalé, mais les équipes de rallye adoraient la Stratos.

Afin de respecter le règlement des rallyes, Lancia a
dû construire 500 modèles de série de la Stratos. Ces
versions « Stradale » ou homologuées sur route ont
reçu le dernier lot de moteurs Dino de Ferrari, bridés
à 193 chevaux. Voitures aux finitions rudimentaires et à
l'empattement court, elles exigeaient une main ferme,
particulièrement par temps de pluie, et beaucoup, entre
les mains de conducteurs peu doués, ont été détruites.
Aujourd'hui, les Stratos sont très recherchées, pouvant
atteindre 300 000 dollars (224 530 euros) lors de ventes
aux enchères. **DS**

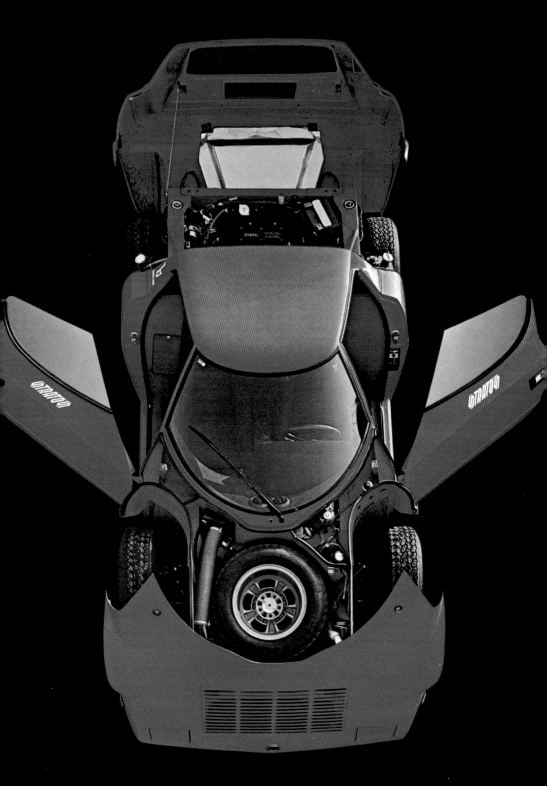

Lafer | MP

BR

1974 • 1 600 cm³, S4 • 65 ch • 0-97 km/h en 20,4 s • 140 km/h

L'ébéniste Percival Lafer adorait les voitures sportives britanniques des années 1940 et 1950, mais il habitait à Sao Paulo dans les années 1970, ce qui lui compliquait la tâche. Pas découragé pour autant, il a entrepris de construire sa propre version des premiers modèles Morgan et MG. Le châssis, le moteur, la transmission, la suspension et la direction provenaient d'une Coccinelle, et Lafer a conçu une attrayante carrosserie en fibre de verre, à 2 places et de style rétro, pour recouvrir le tout.

Équipée d'un 4 cylindres Volkswagen de 1 600 cm³, cette voiture n'a jamais prétendu à de hautes performances mais elle a attiré l'attention. Grand succès en Amérique du Nord et du Sud, elle a aussi été exportée en Europe (environ 1 000 modèles). La MP Lafer avait le charme des roadsters originaux mais s'avérait plus fiable et plus confortable grâce à sa mécanique moderne. La

calandre n'était évidemment là qu'à des fins esthétiques car le moteur, situé derrière les sièges, était refroidi par air.

Cette traction arrière a bénéficié d'une campagne publicitaire dont le slogan affirmait : « D'Abingdon à Sao Paulo, la tradition MG continue. » Les clients ont été séduits par certains éléments traditionnels tels que le volant et le tableau de bord en bois de rose, les sièges baquets inclinables et les roues à rayons.

La voiture était disponible en kit aux États-Unis où l'on trouvait aussi une version fonctionnant au méthanol, à moteur arrière, et une autre à moteur Ford avant, de 2 300 cm³. Au cours des seize ans de production, presque 5 000 Lafer ont été vendues. Dans *Moonraker*, film de James Bond sorti en 1979, Roger Moore est poursuivi au volant d'une Lafer blanche par un mystérieux espion dans les rues de Rio. **SH**

De Ville | Panther

1974 • 4 235 cm³, S6 • 192 ch • 0-97 km/h en 12 s • 203 km/h

Une De Ville pour Miss De Vil, ou Cruella d'Enfer sous son nom français. Cette voiture dont la silhouette était de toute évidence inspirée par la Bugatti Royale restera dans les esprits d'innombrables enfants comme celle de la très méchante Cruella, jouée par l'actrice Glenn Close dans la version filmée des *101 Dalmatiens* sortie en 1996.

D'allure néoclassique, la Panther De Ville, assemblée à la main, était destinée aux célébrités, vedettes de la chanson et princes arabes possédant plus de fortune personnelle que de goût. Le modèle de série était une berline à 4 portes mais la De Ville était aussi disponible en coupé à 2 portes ou en décapotable. Une unique limousine de 6 portes a aussi été construite. Malgré son allure rétro, la De Ville était très moderne à l'intérieur et habillée des tissus les plus luxueux. Souvent dotée d'options telles qu'un minibar, elle est aujourd'hui

recherchée pour les mariages et autres événements. Seuls 60 modèles ont été produits dans une usine de Weybridge, près de Londres, à deux pas du circuit de course de Brooklands. Le constructeur Panther Westwinds offrait toute une gamme de véhicules dont la Lima et la Kallista, deux roadsters. Tous avaient été conçus par Robert Jankel, ancien couturier de mode plus connu pour sa copie de la Jaguar SS100, la Panther J72. Plus tard, il devint très bien considéré comme créateur de véhicules particuliers, dont des voitures blindées.

La De Ville était équipée d'un 6 cylindres en ligne de 4 235 cm³, ou d'un V12 de 5 300 cm³, construits par Jaguar à qui elle devait aussi sa transmission et d'autres éléments mécaniques. Elle était donc maniable et fiable mais s'avérait difficile à contrôler à une vitesse élevée à cause d'un aérodynamisme discutable. **RY**

Mark I Golf | Volkswagen

D

1974 • 1 471 cm³, S4 • 70 ch • 0-97 km/h en 12,5 s • 160 km/h

La Coccinelle de Volkswagen avait été la voiture la plus vendue de tous les temps mais au début des années 1970, ses ventes déclinaient dans certains pays.

Le constructeur allemand savait qu'il devait s'éloigner de ses modèles traditionnels et, en mai 1974, il a lancé la Golf, une traction avant. Son moteur, refroidi à l'air, se trouvait à l'avant. Dessinée par l'Italien Giorgetto Giugiaro, cette voiture à hayon compacte présentait des lignes et une allure très différentes de la Coccinelle.

En 1978, Volkswagen a lancé la production de la Mark I Golf dans sa nouvelle usine de Westmoreland, en Pennsylvanie, devenant ainsi le premier Européen à construire une voiture aux États-Unis depuis Rolls-Royce dans les années 1920. L'automobile, qu'on a surnommée Rabbit, « lapin » en français, reprenait le châssis et la carrosserie de la Golf européenne, mais était pourvue de plus gros pare-chocs et d'une suspension plus souple. D'autres versions de la Mark I ont été construites dans les usines du constructeur au Mexique, en Australie et en Amérique du Sud, pour atteindre un chiffre de ventes total proche des sept millions.

Au cours des 40 années suivantes, Volkswagen a produit sept générations de Golf ; son nom en est venu à symboliser la fiabilité et l'excellente construction allemandes. Chacune de ces versions a été candidate au prestigieux prix de la voiture européenne de l'année que la troisième génération a remporté en 1992. En mai 2010, 27 millions de Golf avaient été vendues, dont des berlines, des décapotables, des pick-up et des breaks, la voiture se classant à la troisième place du palmarès des meilleures ventes de l'histoire automobile, juste derrière la Toyota Corolla et la série F de Ford. **DS**

504 Cabriolet | Peugeot

1974 • 2 664 cm³, V6 • 144 ch • 0-97 km/h en 9,9 s • 188 km/h

La 504 familiale de Peugeot, solide, pratique et fiable, était déjà un succès en Europe et le reste du monde la découvrait peu à peu, quand les concepteurs de la marque ont entrepris d'adapter sa construction et ses caractéristiques mécaniques en une gamme qui exploiterait au maximum ses possibilités. C'est devenu un pick-up populaire en Asie, un taxi de brousse omniprésent en Afrique et une élégante berline en Amérique du Sud. En Europe, elle était aussi déclinée en gracieux cabriolet et en coupé à 2 portes. Grâce à sa traction arrière, son empattement large et sa suspension solide et accommodante, ce cabriolet se comportait magnifiquement sur route. Ses lignes étaient particulièrement effilées et élégantes quand le toit était rabattu, opération que l'on pouvait effectuer manuellement. Dotée de sièges en cuir et de doubles phares rectangulaires, la 504 était désormais un roadster classique. Contrairement aux sportives décapotables plus petites, elle offrait toujours quatre vraies places et un grand coffre pratique.

Peu après son lancement, le cabriolet a été pourvu d'un moteur de 2 000 cm³ puis, en 1974, d'un puissant et régulier V6. Celui-ci a été réglé de façon à développer 144 chevaux – les chiffres de cette version sont indiqués ci-dessus. Ses performances étaient cependant difficilement qualifiées de sportives, même selon les critères des années 1970. La voiture attirait les regards en suivant sereinement les lacets d'une petite route de campagne ou en remontant élégamment une promenade de la Côte d'Azur. Elle représentait une tranche de glamour européen que l'on pouvait aisément se permettre. **SH**

Pacer | AMC (USA)

1975 • 3 800 cm³, S6 • 95 ch
0-97 km/h en 14,5 s • 156 km/h

La silhouette futuriste de la Pacer, très arrondie, était dotée d'une immense partie vitrée. Depuis l'arrière, elle avait l'air franchement bizarre. Son slogan publicitaire, « la première petite voiture large », ne mentait pas car, si sa longueur était celle d'une familiale courante (caractéristique qui, malheureusement pour AMC, n'a pas séduit les consommateurs), la Pacer était plus large qu'une Rolls-Royce Silver Shadow.

Richard Teague, responsable du stylisme chez AMC, avait commencé à la dessiner en 1971, persuadé que la demande pour les petites voitures spacieuses n'allait pas tarder à augmenter. Il désirait s'éloigner de la forme en caisse à savon omniprésente dans les années 1970. AMC a affirmé que la Pacer était la première voiture conçue de l'intérieur vers l'extérieur, avec un habitacle spacieux pour les passagers, mais c'est sur l'extérieur que se sont portés les regards, et la bulbeuse Pacer apparaît souvent en tête des palmarès des voitures les plus laides jamais conçues.

Elle se maniait pourtant bien, était confortable et agréable sur route, mais ses roues motrices étaient placées à l'arrière, configuration désormais ancienne, et après une décision soudaine de la direction d'AMC, ses ingénieurs ont dû redessiner l'avant à la hâte pour y glisser un vieux 6 cylindres gourmand en essence au lieu du moteur rotatif moderne prévu. Autre curiosité, la portière du passager était plus large que celle du conducteur pour faciliter l'accès aux sièges arrière.

Malgré tout, la Pacer peut se targuer d'un accomplissement majeur : c'est la voiture qu'on aperçoit dans *Wayne's World*, film à succès de 1992. Peinte en bleu layette et décorée de dessins de flammes, elle y arbore des roues désassorties. **BK**

308 GTB | Ferrari (I)

1975 • 2 926 cm³, V8 • 258 ch
0-97 km/h en 6,7 s • 246 km/h

La 308 est l'une des Ferrari les plus aimées aux États-Unis, en partie grâce à son rôle dans la série télévisée culte des années 1980, *Magnum*. La version GTS est apparue pour la première fois sur le petit écran en 1977, Tom Selleck à son volant. Première de gamme chez Ferrari, la 308 était la plus abordable.

Comme toutes les voitures de ce constructeur, elle était assemblée à l'usine de Maranello, en Italie, tout d'abord avec des tôles de carrosserie en fibre de verre, pour un poids à sec très bas : 1 050 kilos. Entre 1977 et 1985, on a utilisé de l'acier, décision étrange car la voiture est alors devenue nettement plus lourde et sujette à la rouille. Le moteur a toujours été placé au centre et elle était disponible avec un toit Targa semi-décapotable ou en coupé Berlinetta.

Cette dernière version, par la suite baptisée 308 GTB, avait été dessinée par Pininfarina, et dévoilée au Salon de l'automobile de Paris en 1975. Voiture à 2 places, elle remplaçait la Dino 426 et la Dino 308 GT4. La conception était de Leonardo Fioravanti, à qui l'on doit aussi certaines des Ferrari les plus admirées de l'époque, dont la Dino et la Daytona. La 308 GTB se distinguait par ses prises d'air, placées derrière les portières, qui refroidissaient le moteur. Les voitures destinées au marché européen développaient 258 chevaux tandis que les versions américaines se limitaient à 242 chevaux.

La 308 GTS Quattrovalvole, lancée en 1982, était aussi pourvue d'un toit Targa amovible. La gamme entière a été modernisée et rebaptisée 328 en 1985. Avec plus de 20 000 modèles vendus dans les années 1970 et 1980, la 308 a constitué l'un des plus gros succès commerciaux de Ferrari. **RY**

911 Turbo | Porsche

1975 • 2 993 cm³, F6 • 258 ch • 0-97 km/h en 6 s • 249 km/h

La 911 Turbo, aussi connue sous le nom de Type 930, constituait la première tentative sérieuse de Porsche de rivaliser avec Lamborghini et Ferrari. Vraie supercar, elle est née des expériences du constructeur en matière de voitures de course turbocompressées (dont la 917 qui avait remporté les 24 Heures du Mans). Aujourd'hui, les 282 exemplaires de la 911 Turbo assemblés à la main en 1975 comptent parmi les plus prisés des Porsche.

Conduite par un pilote talentueux, la 911 Turbo était aussi rapide que ses concurrentes italiennes. Toutefois, on l'a accusée de fabriquer des veuves en série à la suite de plusieurs accidents mortels. À cause de son empattement court, de l'emplacement du moteur, à l'arrière, et de la pression résiduelle extrême du turbo, plusieurs conducteurs trop confiants, prenant des virages très serrés, ont perdu le contrôle de leur voiture.

Ce véhicule est rapidement devenu le produit phare de Porsche. Des passages de roue renflés, d'énormes jantes arrière et un légendaire spoiler « en queue de baleine » lui ont été ajoutés pour accroître sa traction et sa stabilité, tandis qu'une suspension endurcie et une boîte à 4 rapports renforcée se sont avérées nécessaires pour maîtriser le couple de 343 mètres Newton.

Le prix exorbitant de la 911 Turbo, équivalent à 100 000 dollars actuels, en a fait un symbole des yuppies et de la richesse des années 1980. Ralph Lauren, magnat de la mode, utilisait deux 911 Turbo noires pour ses trajets quotidiens à New York, et expliquait qu'elles possédaient « une beauté, une silhouette et un caractère sexy ». On ne pouvait espérer plus beau compliment de la part d'un des collectionneurs de voitures les plus célèbres au monde. **DS**

Princess | Austin

GB

1975 • 2 226 cm³, S6 • 111 ch • 0-97 km/h en 13,5 s • 167 km/h

L'Angleterre de la fin des années 1970 et du début des années 1980 a été marquée par les coupures d'électricité, les conflits industriels, les émeutes urbaines, sans oublier une guerre dans l'Atlantique sud. C'est dans ce contexte qu'a vu le jour l'Austin Princess.

De nombreuses manières, elle symbolisait la situation du pays. Elle ramenait en partie à une ère révolue, notamment à travers son moteur, faible, vieillissant et à soupapes en tête. Elle tentait aussi désespérément d'accéder à la modernité et sa forme en coin, dessinée par le concepteur de la TR7, une voiture de sport, évoquait en partie les automobiles italiennes.

Le modèle équipé du plus petit des moteurs proposés, qui tardait énormément à accélérer, était en outre handicapé par une boîte à 4 rapports seulement. Une suspension Hydragas astucieuse remplaçait les ressorts et amortisseurs conventionnels par des unités emplies d'un mélange d'eau et d'alcool. Cette innovation conférait à la Princess le même confort de conduite que celui des Citroën, reines en la matière.

À l'intérieur, l'espace ne manquait ni pour le conducteur ni pour les passagers, mais sans hayon à l'arrière, la voiture était moins pratique et attrayante que d'autres. C'est à la même époque que les toits en vinyle sont devenus très populaires, et plus l'on montait dans la gamme, plus le toit de plastique devenait reluisant.

Cette voiture a souffert d'une construction de mauvaise qualité et a été remplacée par l'Ambassador de British Leyland, au nom ronflant mais à l'existence très courte. La Princess, comme d'autres modes du début des années 1980, est une automobile culte aujourd'hui, mais peut-être pour de mauvaises raisons. **JI**

Seville | Cadillac   (USA)

1975 • 5 700 cm³, V8 • 180 ch
0-97 km/h en 11 s • 177 km/h

Cette importante nouvelle Cadillac a démontré que la culture du « plus c'est gros, mieux c'est » était en train de perdre du terrain aux États-Unis. Lancer une Cadillac de taille réduite, pesant presque 450 kilos de moins que la Cadillac DeVille, aurait été impensable à peine dix ans plus tôt. Mais il était important pour General Motors que cette nouvelle voiture soit de taille similaire aux voitures européennes qui avaient commencé à grignoter les ventes de sa filiale.

La Seville avait été conçue pour améliorer l'image de la marque mais était aussi la première Cadillac réalisée à partir d'éléments déjà existants. Le châssis provenait d'une Chevrolet et le moteur d'une Oldsmobile ; il s'agissait d'un V8 de 5 700 cm³ équipé d'une injection à commande électronique Bendix/Bosch.

Même le nom du nouveau modèle était recyclé. La première Seville avait été une version à 2 portes et hard-top de l'Eldorado de 1956, mais Cadillac avait cessé d'utiliser ce nom en 1960.

La Seville était la plus petite de la gamme Cadillac mais elle était aussi la voiture la plus onéreuse. Pourtant, le prix n'a pas rebuté les consommateurs, qui avaient déjà compris qu'une petite voiture consommerait moins qu'une grande voiture – soit 10 litres aux 100 kilomètres dans le cas de celle-ci – et qu'ils pourraient réaliser d'importantes économies de carburant. Effectivement, les autres Cadillac, plus grosses, dépassaient largement ce chiffre.

La nouvelle Seville offrait une conduite régulière et confortable ainsi que de bonnes performances. Elle incarnait une contre-attaque réussie face aux importations de luxe de Mercedes-Benz et de BMW. **BK**

TR7 | Triumph   (GB)

1975 • 1 798 cm³, S4 • 95 ch
0-97 km/h en 12,5 s • 170 km/h

Selon les publicités de l'époque, la TR7 « annonçait les formes à venir ». C'était un slogan remarquablement ambitieux pour une voiture dont la silhouette évoquait une tranche de camembert. Elle avait été dessinée par Harris Mann à qui l'on devait aussi l'Austin Princess, toujours en forme de coin.

Alors qu'elle n'en était encore qu'au stade de projet, la TR7 avait reçu chez Triumph le nom de code de Bullet, « balle » en français. La production avait débuté en 1975 à l'usine de Speke, près de Liverpool, et le modèle fut lancé sur le marché américain en janvier suivant, mais pas avant mai 1976 dans son pays natal. En effet, la demande était telle aux États-Unis que Triumph ne pouvait la satisfaire simultanément au Royaume-Uni. Les conducteurs anglais impatients n'ont eu d'autre choix que d'attendre.

En 1978, la production a été déplacée au sud, à Canley, près de Coventry, avant de rejoindre une usine Rover à Solihull en 1980. La TR7 approchait alors de la fin de son existence, et la production a finalement cessé en 1981, après que 112 368 modèles à hard-top et 28 864 cabriolets ont été construits.

On a souvent vu la TR7 sur le petit écran au milieu des années 1970 car elle comptait parmi les divers modèles de British Leyland conduits par les deux principaux personnages de *Chapeau melon et bottes de cuir*. Patrick Macnee y jouait l'agent secret John Steed et Joanna Lumley sa collègue Purdey.

De plus, en 1978, Coca-Cola et Levi's se sont alliés pour une campagne promotionnelle qui permettait de gagner des TR7 peintes en rouge et blanc, et habillées en jean. **SB**

TR7...6...5...4....3....2...1...

XJS | Jaguar

1975 • 5 300 cm³, V12 • 285 ch • 0-97 km/h en 7,6 s • 230 km/h

La Jaguar XJS était très différente de l'emblème des années 1960 et les amateurs étaient consternés par son image tapageuse. Ce n'était pas la voiture qu'ils attendaient et son V12 vorace détonnait dans un monde frappé par la crise pétrolière. Les critiques déploraient le caractère exigu de l'habitacle de ce 2 + 2 à 2 portes, alors que le capot et le coffre étaient immenses. Les montants de la lunette étaient si larges que les autorités allemandes ont refusé de les homologuer, mettant en avant le danger d'une visibilité réduite.

C'était toutefois une voiture de grand tourisme qui abandonnait la tradition en faveur d'un caractère glamour immédiat. Comme l'a écrit le *Daily Telegraph*, « son rôle était d'attendre à l'extérieur d'une boîte de nuit son conducteur qui tanguait sous une boule scintillante dans un costume aux pattes d'éléphant. »

L'allure de la XJS a immédiatement séduit les producteurs de télévision. Elle apparaît dans les séries à succès de l'époque, que ce soit *Columbo*, *Dallas* ou *Côte Ouest*. C'était aussi la voiture de Simon Templar dans la série *Le Retour du Saint* dans les années 1970, et celle de Gambit (Gareth Hunt) dans *Chapeau melon et bottes de cuir*.

Lentement, au fil de sa longue vie (sa production a duré 21 ans), celle qu'on surnommait le « gros chat » a vu son allure et ses moteurs s'améliorer. La marque XJS a bénéficié du lancement d'un cabriolet plus effilé et d'une version sportive, la XJR-S.

Peu à peu, la voiture a été acceptée dans les parkings des country-clubs, et aujourd'hui elle est devenue une digne et classique représentante de son époque, très prisée des collectionneurs, prêts à payer pour elle un prix élevé lors de ventes aux enchères. **SH**

Beta Montecarlo | Lancia

1975 • 2 000 cm³, S4 • 120 ch • 0-97 km/h en 9 s • 180 km/h

La Beta Montecarlo était un véhicule assez humble sous une carrosserie glamour. Si cette grande sœur de la X-19, la petite sportive de Fiat pleine de vivacité, avait appartenu à l'une des grandes marques, elle aurait peut-être connu le succès dont la Toyota MR2, à moteur central, a bénéficié presque dix ans plus tard. Quoi qu'il en soit, la Beta Montecarlo, dessinée par Pininfarina mais qui n'a jamais été très connue, a été offerte à Lancia.

Le constructeur maîtrisait mal la mécanique de cette voiture. Le moteur Twin Cam était placé latéralement dans le châssis monocoque, juste devant les roues arrière. La voiture était disponible en versions hard-top et Targa.

La silhouette de la Beta Montecarlo, élégante et agressive, aurait dû impliquer une vitesse de pointe importante et une excellente tenue de route. Mais les apparences étaient trompeuses, et ses performances parfaitement moyennes. La Scorpion, nom du modèle construit selon la règlementation américaine, était encore plus passe-partout car, pour respecter les normes antipollution, elle était pourvue d'un moteur encore plus petit et plus lent, de 1 756 cm³.

Toutes les versions se maniaient bien grâce à l'emplacement du moteur au centre, aux pneus à carcasse radiale, aux jantes en alliage, à la suspension sportive et à l'empattement large. La tenue de route et la conduite étaient splendides pour l'époque.

Mais toutes les Lancia étaient alors sujettes à la rouille. La Beta Montecarlo se désintégrait rapidement, et l'on en voit peu sur les routes aujourd'hui. Le modèle a toutefois survécu sur grand écran : il prête ses traits à Giselle, la petite amie de Roméo, dans *La Coccinelle à Monte-Carlo*, film de Disney sorti en 1977. **BK**

Cosworth Vega 75 | Chevrolet (USA)

1975 • 1 994 cm³, S4 • 111 ch
0-97 km/h en 10,3 s • 187 km/h

Lancée en 1970, la Vega Chevrolet a été bien accueillie par la critique. Mais par la suite, elle a souffert de problèmes de moteur et de sécurité conduisant le constructeur à rappeler le véhicule malgré l'apport de plusieurs modifications.

La voiture n'étant jamais parvenue à faire oublier ce manque de fiabilité, en 1975, Chevrolet a tenté de la sauver en créant la Cosworth Vega 75. Le constructeur espérait offrir un genre de supercar à la fois dynamique et absolument fiable, un véhicule qui s'avérerait très désirable grâce à ses hautes performances et à sa production limitée.

Chevrolet a chargé la prestigieuse firme britannique Cosworth Engineering de mettre au point un moteur quasiment assemblé à la main, chaque exemplaire étant signé par l'ouvrier qui l'avait fabriqué. Cette collaboration permettait au nom Cosworth, toujours impressionnant, d'apparaître sur la voiture.

5 000 moteurs ont été construits mais seules 3 508 voitures produites. Elles attiraient indubitablement les regards ; les modèles de 1975 étaient dotés d'une carrosserie noir et doré, l'intérieur variant : parfois noir, parfois blanc, on y trouvait aussi des touches dorées. En 1976, plusieurs couleurs ont été ajoutées à la gamme, pour l'extérieur comme pour l'intérieur.

La Cosworth Vega était une voiture très décente qui n'a jamais souffert des problèmes mécaniques de la série principale, mais elle n'était pas assez spéciale pour enflammer les esprits et transformer l'image ternie de sa grande sœur. La production a cessé en 1976 et les moteurs signés restants n'ont jamais été utilisés. La gamme Vega a été abandonnée en 1977. **MG**

924 | Porsche (D)

1975 • 1 984 cm³, S4 • 126 ch
0-97 km/h en 9,5 s • 203 km/h

Les lignes fluides, les phares rétractables et le maniement fiable de la Porsche 924 annonçaient une nouvelle génération de coupés sportifs.

À l'origine, la 924 ne devait pas apparaître sous le nom de Porsche. Le constructeur avait été chargé par Volkswagen de concevoir un coupé sportif qui devait être le produit phare de sa gamme Audi, mais le projet avait été abandonné après la crise pétrolière de 1973. Porsche a exploré ce concept plus avant et, en 1975, a lancé la 924 qui remplaçait la 914, alors vieillissante.

C'était la première Porsche de série dont le moteur était placé à l'avant et refroidi par air, et elle empruntait une partie de sa silhouette à la 928. Bien que le moteur de 1 984 cm³ de la 924 ait été proche de celui qui équipait les vans LT de Volkswagen et la Gremlin d'AMC, ses performances étaient relativement vigoureuses. C'est toutefois le fabuleux maniement de la voiture qui a convaincu les sceptiques ; la répartition du poids, presque parfaite à 48/52, favorisait la traction des roues motrices arrière et le freinage.

Quand elle est arrivée pour la première fois sur le marché américain, elle coûtait plus que la Chevrolet Corvette de 218 chevaux. La 924 s'est tout de même avérée très profitable pour la marque allemande et représentait 65 % de ses ventes en Amérique du Nord à la fin des années 1970. Le désir de puissance supplémentaire exprimé par les consommateurs a finalement été satisfait par des versions turbo et par le groupe moteur Porsche de 2 500 cm³.

Le *nec plus ultra* de la gamme 924 était peut-être la Carrera GTR, voiture de course de 380 chevaux qui, en 1982, a remporté les 24 Heures du Mans. **DS**

450 SEL 6.9 | Mercedes-Benz (D)

1975 • 6 900 cm³, V8 • 290 ch
0-97 km/h en 7,5 s • 225 km/h

La Mercedes 450 SEL 6.9, vedette de la marque, débordait de technologie de pointe. On y trouvait des freins ABS, et c'était la première Mercedes à suspension hydropneumatique et à correcteur d'assiette qui avait recours à des tourelles remplies de liquide. Le maniement et le confort étaient superbes et l'on pouvait ajuster la hauteur du châssis jusqu'à cinq centimètres grâce à un contrôle sur le tableau de bord. Le moteur à injection était équipé de l'allumage électronique, d'un carter sec, de soupapes emplies de sodium comme celles des moteurs d'avion et de soupapes hydrauliques.

L'intérieur était d'une austérité luxueuse. Les modèles de série étaient habillés de velours mais le cuir était disponible en option. Ni les rétroviseurs, ni les sièges avant n'étaient ajustables électriquement, mais cette option était possible pour les sièges arrière où les passagers jouissaient aussi, pour la lecture, de veilleuses installées dans les montants du toit. Le prix du véhicule étant très élevé, les ventes, qui ont atteint 7 380 exemplaires en six ans d'existence, ont été jugées bonnes.

La voiture pouvait avoir une allure menaçante. Dans le film d'action *Ronin*, sorti en 1998, une 450 SEL 6.9 effectue une série de cascades spectaculaires lors d'une course poursuite dans les Alpes, Robert de Niro, l'un des passagers, brandissant un revolver à sa fenêtre. **SH**

Pony | Hyundai (ROK)

1975 • 1 597 cm³, S4 • 53 ch
0-97 km/h en 14,4 s • 154 km/h

Aujourd'hui, la Corée du Sud est le cinquième constructeur automobile au monde et exporte 70 % de sa production. Cette révolution a été déclenchée en 1975 par le lancement de la Hyundai Pony au Salon de l'automobile de Turin.

L'entreprise Hyundai Motors avait été fondée en 1967 pour produire des véhicules en partenariat avec Ford et General Motors. Quand le Coréen a finalement décidé de construire sa propre voiture, il a fait appel à Italdesign-Giugiaro pour en dessiner la silhouette et à Mitsubishi pour ses moteurs, une équipe d'ingénieurs britanniques supervisant l'ensemble du projet.

Quand la Pony est arrivée sur le marché européen en 1976, elle a commencé à dominer le secteur bas de gamme. En 1984, c'était l'automobile la plus vendue au Canada ; plus de 25 000 modèles ont été achetés cette même année, soit cinq fois plus que ce qu'avait prévu Hyundai. Au cours de ses quinze ans d'existence, la voiture a été déclinée en modèle à hayon à 5 portes, en berline, en break et en pick-up.

Cette voiture a permis aux Coréens de s'imposer sur de nouveaux marchés. Depuis 2008, une Pony bleue de la première génération est exposée au musée national des Arts populaires de Corée, en reconnaissance de son rôle dans l'histoire automobile du pays. **DS**

Chevette HS | Vauxhall (GB)

1976 • 2 279 cm³, S4 • 137 ch
0-97 km/h en 8,5 s • 188 km/h

La Vauxhall Chevette était une petite voiture à hayon surtout destinée au marché britannique. Elle a représenté les meilleures ventes de sa catégorie jusqu'à l'arrivée de concurrentes construites par Ford et British Leyland.

Pour accroître la notoriété de la Chevette, Vauxhall a décidé d'en présenter une version sportive dans les rallyes internationaux. La Chevette HS a ainsi été lancée au début de l'année 1976. Dotée d'un 4 cylindres de 2 279 cm³ à 16 soupapes associé à une boîte à 5 rapports rapprochés, elle s'est avérée extrêmement rapide, particulièrement sur goudron. Le constructeur l'a pourvue de freins plus puissants et d'une suspension renforcée, et a amélioré son aérodynamisme en lui offrant une prise d'air avant et un petit spoiler arrière. Les nouveaux passages de roue abritaient de larges jantes en alliage.

Pour être homologuée pour la compétition, 400 modèles de série devaient être construits. La plupart d'entre eux arboraient une peinture argentée et étaient habillés de tissus écossais éclatants. Cependant, le manque de raffinement et le prix élevé de la HS (deux fois plus qu'une Chevette ordinaire) ont limité ses ventes.

La HS était toutefois une superbe voiture de rallye. Conduite par trois pilotes respectés (Tony Pond, Pentti Airikkala et Jimmy McRae), elle a remporté le rallye de Grande-Bretagne en 1979 et 1981. **DS**

Esprit | Lotus (GB)

1976 • 1 973 cm³, S4 • 162 ch
0-97 km/h en 6,8 s • 221 km/h

De nombreux véhicules ont figuré dans les films de James Bond, mais peu étaient aussi mémorables que la Lotus Esprit que conduisait Roger Moore dans *L'Espion qui m'aimait* en 1977. Dans l'une des meilleures scènes, Bond parvient à s'échapper en faisant plonger son Esprit dans la mer où elle se transforme en sous-marin grâce à ses roues et ailerons rétractables.

D'abord aperçue au Salon de l'automobile de Turin en 1972 puis officiellement présentée à celui de Paris en 1975, l'Esprit a été produite dès l'année suivante.

Elle avait été conçue sous la direction de Mike Kimberley (qui prendrait ensuite la tête de Lotus) et de Tony Rudd pour remplacer la Lotus Europa. La voiture était propulsée par un Lotus Type 907 monté longitudinalement derrière les sièges arrière, et équipée de freins arrière intérieurs, comme dans une voiture de course.

On avait tout d'abord songé à la baptiser Kiwi mais traditionnellement, le nom des Lotus devait débuter par la lettre E, et l'on a ainsi préféré Esprit. La carrosserie avait été dessinée par Giorgetto Giugiaro. C'était la première de ses célèbres silhouettes polygones « en papier plié », et elle a été acclamée pour sa beauté.

Quatre générations d'Esprit ont vu le jour jusqu'à ce que la production ne cesse en 2004. Plus de 10 600 exemplaires étaient alors sortis des ateliers Lotus. **SB**

Mark II Escort RS2000 | Ford

1976 • 2 000 cm³, S4 • 110 ch • 0-97 km/h en 8,9 s • 177 km/h

Avant l'apparition des voitures à hayon à hautes performances, les jeunes Européens faisaient crisser les pneus de leurs petites sportives, notamment l'Escort RS de Ford. Le sigle RS indiquait que c'était une voiture de sport ou de rallye. La filiale européenne du constructeur américain y avait eu recours pour la première fois en 1970, sur une version de la Mark I Escort 1600, la première Ford dotée d'un moteur Twin Cam à 16 soupapes.

La Mark II Escort, née en 1975, a constitué le dernier chapitre des Escort à roues motrices arrière. Les versions sportives de cette génération plus moderne et angu-leuse ont continué à être étiquetées RS. La RS2000 a été lancée en 1976, animée du moteur Pinto de 2 000 cm³ que l'on trouvait aussi dans la gamme Cortina de Ford. La RS2000 était de plus pourvue d'un spoiler avant en polyuréthane, de forme affaissée, très caractéristique.

Mais cette Escort à 2 portes ne semblait pas très bien équipée. La suspension était indépendante à l'avant et accompagnée d'une barre stabilisatrice, mais à l'arrière on découvrait un système à lames dépassé. La boîte manuelle ne comptait que 4 vitesses, les freins arrière étaient à tambour, et la consommation assez élevée (9,4 litres aux 100 kilomètres).

Le luxe se limitait aux sièges avant en baquet, aux vitres teintées en vert et à la boîte à gants, éléments qui passaient à l'époque pour des accessoires facultatifs. Bien entendu, des jantes en alliage clinquantes et, plus important encore, une large bande qui courait le long des flancs, complétaient la silhouette de la RS2000.

Les passionnés d'Escort ont été récompensés en 1980 par le lancement d'une troisième génération, aux roues motrices avant et à hayon. **SH**

Golf GTI Mark I │ Volkswagen

1976 • 1 600 cm³, S4 • 109 ch • 0-97 km/h en 9 s • 177 km/h

Giorgetto Giugiaro, concepteur de voitures de renommée internationale, a dessiné la carrosserie de cette nouvelle automobile dont la silhouette nette et anguleuse, à hayon, s'est avérée moderne, chic et excitante. La Golf de 1974 a été un succès immédiat.

Une petite équipe d'ingénieurs de VW a commencé à travailler sur une version sportive de ce nouveau modèle. En 1975, un an seulement après le lancement du modèle de série, « la plus rapide des Volkswagen » a été dévoilée lors du Salon de l'automobile de Francfort.

Quelques voitures à hayon destinées aux rallyes avaient vu le jour avant cette GTI, mais celle-ci était différente. C'était le premier modèle grand public et populaire à l'attrait sportif aussi moderne. Les visiteurs du Salon de l'automobile de Francfort ont remarqué les détails qui la différenciaient clairement de la Golf

de série : un becquet sous la partie avant, des bandes noires latérales, des passages de roue en kit et une jolie rayure rouge fine autour de la calandre avant. À l'intérieur, une amusante balle de golf servait de pommeau au levier de vitesse et les sièges étaient recouverts d'un tissu écossais vif. La voiture n'était disponible qu'en 3 portes.

Le moteur avait bien entendu été amélioré : désormais à injection, il était pourvu de plus grandes soupapes pour une puissance accrue. À l'époque, ses performances étaient très excitantes et soudain, la Golf GTI était la voiture dont tout le monde parlait. Sa célébrité s'est étendue au monde entier. VW ne s'attendait pas à cet immense succès commercial, et la majorité des autres constructeurs ont rendu le plus grand des hommages à la GTI en tentant de la copier. **BK**

Lima | Panther (GB)

1976 • 2 279 cm³, S4 • 110 ch
0-97 km/h en 7,6 s • 180 km/h

Panther, firme britannique fondée en 1972, produisait des voitures inspirées de modèles anciens mais équipées de moteurs puissants. La Lima, lancée en 1976, était un cabriolet sportif à 2 portes. Son moteur Vauxhall Magnum lui conférait une capacité d'accélération et une vitesse qui n'auraient pas dépareillé sur les circuits de course. D'autres parties de la Magnum avaient été utilisées pour le reste de la voiture et Vauxhall avait aussi fourni la transmission. La silhouette de la carrosserie en fibre de verre rappelait une Bugatti.

Environ 600 modèles de cette première série ont été construits jusqu'à ce qu'une seconde soit dévoilée en 1978. Dotée d'un moteur de taille similaire, celle-ci avait bénéficié de diverses modifications esthétiques, dont un tableau de bord en noyer. Environ 300 de ces modèles ont été produits entre 1978 et 1982. La compagnie a déposé le bilan en 1980 mais a été rachetée par un homme d'affaires coréen. Bien que ce dernier ait construit une nouvelle usine, la marque Panther a finalement disparu en 1990, quand l'entreprise a fait faillite.

Moins de 900 Lima ont été produites en tout. On les voit peu dans les ventes aux enchères, mais lorsque c'est le cas, leur prix demeure modeste. En 2009, un roadster Panther Lima de 1979 présenté par Bonhams, a été acquis pour 8 050 euros seulement. **MG**

Accord | Honda (J)

1976 • 1 600 cm³, S4 • 69 ch
0-97 km/h en 13,8 s • 164 km/h

L'Accord a déclenché une révolution en 1976. Son moteur était placé latéralement à l'avant pour propulser les roues avant. Cela signifiait qu'aucun arbre de transmission ne rejoignait l'essieu arrière et que l'espace ainsi libéré par le moteur était consacré aux passagers. Par conséquent, malgré ses dimensions relativement réduites, cette Honda était la plus spacieuse de sa catégorie. De plus, grâce à ses sièges arrière rabattables, elle pouvait transporter une cargaison importante.

Cette petite Honda à consommation modérée a été lancée un an après la première crise pétrolière mondiale. Elle a débarqué en Amérique avec plus d'accessoires en série que n'importe quelle autre voiture de sa catégorie, certains inédits comme les essuie-glaces à balayage intermittent et la radio AM/FM. Les Américains ont commencé à abandonner leurs grandes Cutlass et Monte Carlo pour l'Accord, joyeuse et impertinente.

En 1979, elle a été déclinée en berline à 4 portes puis en 1982, c'est devenu la première Japonaise construite aux États-Unis quand Honda a inauguré son usine dans l'Ohio. La gamme s'est agrandie en tailles et types de carrosserie ; elle a bientôt compris un élégant coupé et un break. Quelques années plus tard, la majorité des voitures construites partout dans le monde serait à traction avant. **SH**

Alpina 2002Tii A4S │ BMW (D)

1976 • 1 997 cm³, S4 • 170 ch
0-97 km/h en 7,4 s • 201 km/h

En 1965, Burkard Bovensiepen a établi une nouvelle entreprise, Alpina, qui produisait des kits de préparation pour les BMW. Elle s'est tout d'abord dédiée aux carburateurs et aux culasses, puis a bientôt été reconnue comme constructeur à part entière. La BMW Alpina 2002Tii A4S était l'une de ses premières voitures.

En 1976, BMW offrait une version turbo de son nouveau modèle de la série 3. Alpina en a renforcé le moteur, déjà puissant. La 2002Tii A4S était caractérisée par les décorations bleues et vertes de ses flancs et par ses becquets. Le modèle était disponible en berline à 2 portes et en voiture de tourisme à 3 portes. Avec ses jantes de 33 centimètres, il offrait une allure saisissante.

Sous sa carrosserie, on découvrait une boîte manuelle à grille inversée et à 4 rapports (les Alpina modernes sont presque exclusivement des automatiques) et des roues motrices arrière. Le moteur développait 170 chevaux en série bien que certains modèles soient montés à 200 chevaux et plus. La voiture ne convenait qu'à des conducteurs expérimentés. De production déjà limitée, elle est ainsi devenue de plus en plus rare sur les routes. Elle se comportait magnifiquement dans les courses et Alpina a remporté les meilleurs résultats de son histoire au cours des quelques années qui ont suivi le lancement de ce modèle. **RD**

Kyalami │ Maserati (I)

1976 • 4 163 cm³, V8 • 269 ch
0-97 km/h en 6,4 s • 240 km/h

La Maserati Kyalami, baptisée en hommage au circuit éponyme d'Afrique du Sud, a bénéficié d'une longue et complexe évolution. De Tomaso avait présenté celle qui s'appelait encore Longchamp, dessinée par Tom Tjaarda, au Salon de l'automobile de Turin en 1972. Quand ce constructeur est devenu propriétaire de Maserati, la voiture a été rebaptisée Kyalami et exposée sous ce nom au Salon de l'automobile de Genève en 1976.

Après que Pietro Frua, de Maserati, a révisé sa conception originale, la nouvelle Kyalami, plus basse, large et longue que la Longchamp, possédait de nombreuses caractéristiques techniques de la Quattroporte. Équipée d'un V8 (de 4 163 cm³ initialement puis de 4 900 cm³) accompagné d'une transmission automatique à 3 vitesses ou manuelle à 5, la Kyalami offrait de hautes performances, d'excellentes caractéristiques de conduite et un grand confort pour son époque.

Elle coûtait 33 000 dollars (24 720 euros), un prix élevé comparé à celui de concurrentes déjà établies telles que la Mercedes-Benz SL. Ce coût, ainsi que les lignes anguleuses de la voiture, ont freiné ses ventes et, de fait, seuls 200 exemplaires ont été construits. Déjà rare à son époque, cette voiture l'est devenue plus encore à cause de la pénurie de pièces de rechange et du coût élevé de son entretien. **RD**

Niva | Lada

(SU)

1977 • 1 700 cm³, S4 • 80 ch • 0-100 km/h en 17 s • 145 km/h

L'adorable petit Niva était le premier modèle de Lada qui ne soit pas basé sur une ancienne Fiat. Sa carrosserie simple et carrée, son système de 4 roues motrices et sa suspension étonnamment efficace étaient tous de conception russe. La production de ce petit utilitaire a débuté en 1977 à l'usine de Togliatti, alors la plus importante au monde dans le domaine de l'automobile avec ses plus de 300 kilomètres de chaîne de montage. Le Niva a connu un tel succès international qu'il est encore produit aujourd'hui (en Ukraine et au Kazakhstan).

La recette est simple : le Niva est bon marché, élémentaire et rustique. Sur route, il n'est ni compétitif ni moderne, mais c'est l'un des meilleurs véhicules tout-terrain au monde grâce à son centre de gravité bas, à sa garde au sol élevée, à ses pneus épais et étroits, et à sa transmission 4 roues motrices permanente à différentiel central. Le Niva abrite même une boîte à outils complète pour les réparations de bord de route.

Grâce à sa simplicité, de nombreux modèles ont été convertis ou préparés, notamment une version de rallye, à moteur Ferrari central, et un Niva turbo qui s'est très bien comporté dans l'éreintant Paris-Dakar. Un autre a été modifié afin de rouler entièrement sous l'eau.

Les Niva devaient pouvoir affronter les pires conditions sibériennes. Plusieurs modèles ont rejoint le pôle Nord, et ont aussi été utilisés sur les bases russes en Antarctique. En 1999, trois Niva ont battu le record mondial du véhicule ayant atteint la plus haute altitude, en dépassant le camp de base de l'Everest, situé à 5 726 mètres. Ce record a résisté jusqu'en 2005 quand des Volkswagen Touareg spécialement préparés sont montés jusqu'à 6 080 mètres au Chili. **SH**

SC100 Coupé | Suzuki

(J)

1977 • 970 cm³, S4 • 47 ch • 0-97 km/h en 16,5 s • 143 km/h

Cette petite voiture mutine exportée par Suzuki était similaire à la Cervo SS20 (basée sur la Fronte Coupé de Giorgetto Giugiaro) qui avait permis au constructeur de percer sur le marché des minisportives au Japon en 1977. Suzuki avait modifié la Cervo en substituant un F10A de 970 cm³ à 4 cylindres, placé à l'arrière à son 3 cylindres original. Les ingénieurs avaient aussi alourdi la partie avant de la voiture pour une meilleure répartition de la masse, remplacé les phares ronds originaux par des projecteurs carrés, et déplacé les clignotants depuis le pare-chocs jusqu'à la calandre avant. Cette voiture a été officiellement baptisée SC 100 Coupé, à partir de 1978.

À la fin des années 1970, de nombreux Européens jugeaient les voitures japonaises inférieures. Suzuki a tenté de vaincre cette résistance en conférant plusieurs touches luxueuses à la Whizzkid, dont une lunette chauffée, une suspension entièrement indépendante, des sièges inclinables et une radio à commande automatique. Elle coûtait environ autant que la Mini pourtant beaucoup moins bien équipée.

Entre le lancement de la Whizzkid et la fin de sa production en 1982, les concessionnaires Heron, importateurs de Suzuki en Grande-Bretagne, en ont vendu 4 696 exemplaires. La petite voiture a trouvé un succès similaire aux Pays-Bas, à Hong Kong, en Afrique du Sud, en Nouvelle-Zélande et dans divers pays latino-américains.

Aujourd'hui, elle fait l'objet d'un certain culte comme première Suzuki importée dans les îles Britanniques. Son extrême frugalité (elle ne consommait que 4 litres aux 100 kilomètres sur les longs trajets et 5,6 litres sur trajets mixtes) explique aussi son attrait durable. **GL**

Gamma Coupé | Lancia

⬤ I

1977 • 2 500 cm³, F4 • 141 ch • 0-97 km/h en 9,4 s • 193 km/h

La luxueuse 2 portes de Lancia, bien que peu connue, était l'une des voitures les plus élégantes des années 1970. Pininfarina avait dessiné ses lignes subtiles qui rappelaient une version plus effilée de la Gamma Berlina de 1976. Fiat avait désormais pris le contrôle de Lancia, qui allait constituer la plus prestigieuse des marques du groupe. La Gamma, produit phare de l'empire Fiat, se devait d'être distinguée et dotée d'un intérieur bien aménagé.

Les formes de la carrosserie confondaient cependant les consommateurs. Cette voiture qualifiée de coupé était pourvue d'un long coffre sous la lunette arrière tandis que la soi-disant berline arborait un hayon incliné. Indubitablement, le coupé était le plus joli des deux bien que la berline se soit deux fois mieux vendue. Les deux versions étaient pourvues de roues motrices avant.

Avec son moteur de 2 500 cm³, le coupé atteignait la vitesse d'une voiture de grand tourisme plutôt que celle d'une voiture de sport, et sa suspension indépendante favorisait plus le confort qu'une conduite précise. Le moteur en alliage léger était un grand 4 cylindres à plat, configuration inhabituelle qui permettait un capot plus bas. Le nombre de chevaux développé était assez réduit mais accompagné d'un couple impressionnant.

Malheureusement, le coupé souffrait d'une consommation élevée et ne pouvait rivaliser avec ses concurrents allemands en l'absence de versions à 6 cylindres. Comme toutes les Lancia de cette époque, il était aussi sujet à la rouille. Sa réputation a souffert dès le début de problèmes de courroie de distribution. Le Gamma Coupé a survécu sept ans mais moins de 7 000 modèles ont été vendus au cours de cette période. **SH**

Lagonda | Aston Martin

GB

1977 • 5 341 cm³, V8 • 316 ch • 0-97 km/h en 7 s • 225 km/h

Quand Aston Martin a présenté la Lagonda en octobre 1976, c'était la première voiture de série au monde dotée d'un tableau de bord numérique et d'équipements gérés par ordinateur. D'autres accessoires habituellement en option étaient ici offerts en série : climatisation, direction et freins assistés, vitres et verrouillage électriques. Évidemment, compte tenu du prix de la voiture (51 600 dollars), les acheteurs s'attendaient à un certain faste. Ils acquéraient aussi une voiture à très hautes performances, dont l'accélération et la vitesse maximale s'avéraient impressionnantes.

La Lagonda avait été dessinée par William Towns, qui avait collaboré à la création de la Hillman Hunter. Il a ensuite travaillé pour Aston Martin où il était l'un des principaux responsables de la Lagonda. Ce fut son dernier succès chez ce constructeur qu'il a finalement quitté pour une carrière dans le design industriel, bien qu'il ait collaboré comme consultant à la conception de plusieurs autres voitures, dont la Jensen-Healey.

Le dessin de Towns était ici en lame de couteau, une silhouette qui ne laissait personne indifférent : on l'adorait ou on la détestait. En 2011, le magazine *Bloomberg Businessweek* a classé la Lagonda parmi les 50 voitures les plus laides du dernier demi-siècle. Elle était indubitablement originale, et assez de conducteurs l'ont aimée pour que les commandes s'accumulent. C'est exactement ce dont avait besoin Aston Martin qui, malgré sa notoriété, affrontait des problèmes de trésorerie dans les années 1970. Dévoilée en 1976 et lancée en 1977, la Lagonda n'a été livrée à ses premiers propriétaires qu'en 1979. Cela a toutefois été un succès, et la production a continué jusqu'en 1990. **MG**

99 Turbo | Saab ⓢ

1977 • 2 000 cm³, turbocompresseur S4
145 ch • 0-97 km/h en 8,9 s • 200 km/h

Grâce au succès d'Abba et de Björn Borg, tout ce qui était suédois était soudain à la mode : c'est le moment qu'a choisi Saab pour lancer sa 99 Turbo, l'une des premières voitures à turbocompresseur produites en série. La nouvelle Saab était une familiale à 4 cylindres qui pouvait rouler plus vite que la BMW 528 à 6 cylindres.

L'idée d'ajouter un turbo avait été adoptée en désespoir de cause. La gamme 99 avait déjà dix ans et était dépassée par ses concurrentes aux moteurs plus puissants. Saab ne disposait pas du budget nécessaire à la mise au point d'un nouveau modèle, mais ceux qu'il possédait déjà couraient le risque d'enfreindre les nouvelles règles antipollution en Californie.

Le constructeur suédois a donc eu recours à la technologie du turbocompresseur qu'il connaissait bien grâce à sa branche aéronautique. Les ingénieurs, qui avaient peur que le moteur n'y résiste pas, ont fait appel à un turbo plus petit et plus léger que ceux des autres constructeurs. Le résultat sur les performances a été époustouflant, avec une amélioration immédiate de près de 40 %. La puissance développée peut paraître modeste selon les normes actuelles, mais elle dépassait de 30 chevaux celle de la BMW 320, alors leader du marché. De plus, l'effet principal était ressenti au niveau du couple. **SH**

Rancho | Matra ⓕ

1977 • 1 442 cm³, S4 • 80 ch
0-97 km/h en 14,9 s • 145 km/h

Le lancement de la Range Rover en 1970 avait créé un marché pour les véhicules tout-terrain. Matra, qui voulait pénétrer sur ce marché, a utilisé ce qu'il avait déjà à portée de main : un pick-up Simca 1100, de la fibre de verre et un moteur Chrysler Alpine.

Grâce au talent d'Antoine Volanis, l'humble Simca a soudain semblé pouvoir participer à une expédition dans la jungle. En réalité, ce n'était qu'un caisson accolé à la partie arrière d'un châssis de supermini. Le châssis du pick-up avait été allongé et la garde au sol surélevée, mais sous la carrosserie, on trouvait un simple moteur de voiture à hayon, une boîte de vitesses manuelle à 4 rapports et une traction avant. Matra ne disposait pas du budget pour une version 4 roues motrices.

On pouvait demander en option un treuil électrique monté à l'avant, un pare-carter et une roue de secours sur le toit. Il existait une version décapotable et une autre de luxe, avec jantes en alliage et peinture métallique. Et grâce aux deux sièges supplémentaires agencés dans le coffre, la Rancho pouvait transporter six personnes – elle annonçait l'arrivée des monospaces.

Elle coûtait deux fois moins qu'une Range Rover, et bien qu'elle ait éprouvé des difficultés à escalader ne serait-ce qu'un dos d'âne, elle s'est vendue deux fois mieux que ne l'espérait Matra. **SH**

4104 | ZiL (SU)

1978 • 7 695 cm³, V8 • 313 ch
0-97 km/h en 12,1 s • 195 km/h

La Zil 4104 abritait un gros V8 de 7 695 cm³ assez puissant pour mouvoir cette voiture de 3,3 tonnes. Comme toutes les ZiL, celle-ci évoquait une caisse à savon, mais elle offrait quelques touches plus occidentales, comme les moulures latérales de sa carrosserie et les finitions en chrome au-dessus de ses passages de roue. On découvrait aussi une nouvelle calandre, entièrement chromée, et les phares et clignotants (qui ne faisaient qu'un dans les modèles précédents) étaient séparés. Ces changements esthétiques étaient marginaux et progressaient au même rythme que les réformes dans l'ex-URSS, mais il y avait au moins un certain progrès !

La construction des ZiL était aussi bonne que celle des meilleures automobiles assemblées sur commande à l'Ouest. Les tableaux de bord et les finitions intérieures étaient en bois de bouleau de Carélie, et les sièges recouverts de cuir. On faisait subir à chaque voiture de longs essais sur route pour éliminer tout problème potentiel, et elles étaient soigneusement entretenues pendant toute la durée de leur service.

Bien que la production de limousines ZiL ait cessé depuis longtemps, son retour a récemment été réclamé par certains officiers des forces armées russes qui déplorent de devoir rouler en Mercedes, une marque « étrangère ». **BS**

3000S | TVR (GB)

1978 • 2 994 cm³, V6 • 144 ch
0-97 km/h en 7,7 s • 201 km/h

En 1972, le PDG de TVR, Martin Lilley, lance la série M, une gamme de coupés sportifs équipés de divers moteurs, depuis un malingre 4 cylindres de 1 600 cm³, jusqu'au vigoureux V6 de 2 994 cm³ de la Ford Capri. En 1978, la 3000S a été déclinée en décapotable avec un toit en toile que l'on entreposait dans le coffre.

Grâce à l'extrême légèreté de sa carrosserie, à un couple important et à une suspension entièrement indépendante, la 3000S a rencontré le succès sur les circuits de course. Un modèle préparé a remporté en 1979 chacune des 22 épreuves du Championnat britannique des pilotes de course auxquelles il avait participé.

Seuls 258 modèles ont été construits au cours des deux ans de production de la 3000S. La conduite était à gauche sur 67 d'entre eux, destinés à l'exportation et plus particulièrement au marché américain. Cette voiture qui ne coûtait que 10 000 dollars était considérablement moins chère (et plus rapide) que la Porsche 924, récemment lancée. Ses ventes auraient donc dû être élevées aux États-Unis mais elle s'y est heurtée aux normes d'émissions et 25 de ses modèles ont été saisis puis renvoyés à Blackpool, en Angleterre.

Aujourd'hui, les 3000S constituent des classiques modernes très recherchées et, en bonne condition, elles peuvent atteindre 15 000 dollars. **DS**

M1 | BMW

1978 • 3 453 cm³, S6 • 277 ch • 0-97 km/h en 5,8 s • 260 km/h

BMW n'a construit qu'une voiture à moteur central, la M1. C'était une supercar exotique, longue, basse et à traction arrière, équipée d'un 6 cylindres en ligne de 3 453 cm³ placé derrière les sièges. Comme bon nombre des plus belles voitures des années 1970, elle avait été dessinée par l'Italien Giorgetto Giugiaro.

L'idée de BMW était de construire une « spéciale homologation ». Le règlement de certaines épreuves automobiles stipulait que toutes les voitures y participant devaient être manufacturées en nombre suffisant comme modèles de série. La M1 devait donc faire l'objet d'une production limitée pour être présente sur les circuits de course.

Elle était née d'une collaboration entre Lamborghini et BMW. Le constructeur allemand avait chargé l'italien d'en concevoir le châssis, de construire des prototypes et de produire le véhicule, mais la malchance a régné. Lamborghini a affronté des problèmes financiers alors que seuls sept prototypes avaient été construits, et BMW s'est vue obligé de prendre le contrôle du projet. Finalement, 455 modèles ont été fabriqués au cours des trois ans de production, et comptent encore aujourd'hui parmi les plus rares de BMW.

La M1 a fait sensation tant par son allure que ses performances. En série, elle jouissait d'une impressionnante puissance, à 277 chevaux. Préparée et dotée d'un turbo, sur les circuits de course elle pouvait en développer 862. Les M1 ont participé au BMW M1 Procar, une compétition automobile organisée en parallèle au championnat de formule 1, qui n'a duré que deux saisons. Elle a tout de même produit deux champions : Nikki Lauda en 1979 et Nelson Piquet en 1980. **SB**

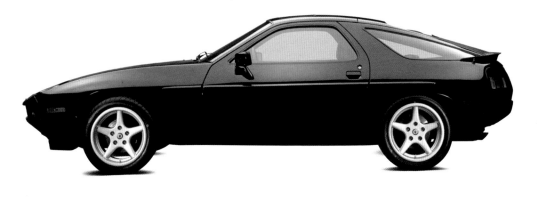

928 | Porsche

(D)

1978 • 5 397 cm³, V8 • 350 ch • 0-97 km/h en 5,4 s • 270 km/h

Surnommée le « requin terrestre » à cause de sa forme effilée, la 928 était la deuxième Porsche où un moteur refroidi par eau et placé à l'avant remplaçait le bloc traditionnel, refroidi par air et installé à l'arrière. Son moteur V8 de 4 500 cm³ a été constamment amélioré pour culminer avec l'épique GTS de 5 397 cm³ avant que la production ne s'achève en 1995.

Désignée voiture européenne de l'année en 1978, la 928 demeure à ce jour la seule voiture de sport à avoir remporté ce prix prestigieux. Ce modèle d'avant-garde, qui devait en partie son aérodynamisme à ses pare-chocs sculptés en polyuréthane, a été de plus le premier où l'habitacle des instruments était mobile, et où les passagers arrière jouissaient de leurs propres visière et climatisation. À cause de tout cela, la 928 était plus lourde que la 911 qu'elle devait remplacer, bien qu'elle ait offert les mêmes

performances sur circuit grâce à sa puissance accrue, à sa parfaite répartition de masse, de 50/50, et à son astucieuse suspension assistant la direction de l'arrière.

Toutefois, l'attrait de la vieille et excentrique 911 s'est avéré trop puissant pour la plupart des amateurs de Porsche. La 928 est tout de même parvenue à séduire un grand nombre d'acheteurs, qui ont apprécié son excellente tenue de route et le confort de son habitacle. Plus de 80 % des modèles étaient commandés avec boîte automatique et il suffisait d'ajouter quelques options pour atteindre un prix équivalent à trois Porsche 924.

La carrosserie de la 928 la place parmi les plus belles voitures jamais dessinées. On dit même que Steve Jobs, fondateur d'Apple et passionné de design, a été influencé par la forme de son propre « requin terrestre » quand il a conçu le premier Macintosh en 1981. **DS**

L'il Red Express | Dodge

1978 • 5 899 cm³, V8 • 227 ch • 0-160 km/h en 19,9 s • 192 km/h

Lancé en 1980, le Dodge Ram est l'un des pick-up les plus connus au monde. Avant cela, le constructeur américain offrait ses camionnettes au sein de la série D, née en 1961, et dont la troisième génération (1972-1980) arborait des lignes plus rondes. C'est à cette même époque que le constructeur a présenté diverses éditions limitées, dont le pick-up américain probablement le plus célèbre de tous les temps, le L'il Red Express (« P'tit Express Rouge » en français).

Il n'a été vendu qu'en 1978-1979, époque où les États-Unis promulguaient de nouvelles lois qui auraient d'importantes conséquences sur la puissance et les émissions des nouvelles voitures. Les pick-up n'étant pas affectés par ces normes, Dodge a créé un *hot rod* équipé d'un V8 modifié, plus rapide que la majorité des muscle cars de l'époque. Le magazine *Car and Driver* a fait courir le L'il Red Express contre une Chevrolet Corvette et une Pontiac Firebird Trans Am, et a découvert qu'il était le premier des trois à atteindre les 160 km/h.

Il était impossible à confondre avec un autre. Disponible en rouge seulement et arborant sur ses deux portes son nom en lettres dorées, il était pourvu sur le côté d'un tuyau d'échappement vertical, en acier perforé. Dodge revendiquait son caractère de jouet pour adultes destiné à tous ceux qui désiraient un véhicule pratique pour leur vie quotidienne. À l'intérieur du modèle de série, on trouvait une banquette rouge ou noire, et en option des sièges individuels.

Le L'il Red Express n'était pas la seule édition limitée de la série D : on comptait aussi le Warlock, l'Adventurer et le Macho Power Wagon, ou « wagon à la puissance macho » en français, nom dépourvu de subtilité. **RY**

RX-7 | Mazda (J)

1978 • 1 146 cm³, rotatif • 102 ch • 0-100 km/h en 11,4 s • 180 km/h

Presque toutes les voitures présentées dans cet ouvrage sont équipées d'un moteur qui fait appel à des cylindres et des pistons pour générer de la puissance. La RX-7, une voiture de sport, est l'une des rares à utiliser un moteur rotatif. Ce concept, inventé par l'ingénieur allemand Felix Wankel dès 1929, n'a été employé dans le domaine de l'automobile qu'à partir des années 1950. Le constructeur allemand NSU a été le premier à appliquer cette idée cédée ensuite sous licence au japonais Mazda.

Dans un moteur rotatif, la combustion a lieu à l'intérieur d'une chambre circulaire et entraîne un rotor triangulaire. Ce moteur compact et léger crée une puissance régulière très élevée mais consomme plus d'essence et produit un son strident désagréable. Mazda avait commencé à en équiper ses petites sportives, comme la Cosmo, ainsi qu'une série de RX et même ses pick-up.

La RX-7 était la première voiture dotée d'un moteur de ce type à obtenir un vrai succès international. Sa cylindrée était indiquée à 1 146 cm³ mais il est difficile de comparer celle des moteurs rotatifs aux autres. La longue et basse voiture de sport, une 2 + 2 à 2 portes, était assez rapide pour son époque car son moteur développait 102 chevaux. Sa carrosserie aérodynamique abritait des phares rétractables, et le moteur offrait une conduite équilibrée grâce à son emplacement derrière l'essieu avant. Mazda le qualifiait de moteur central avant, et déclarait que grâce à lui sa nouvelle voiture était en avance sur les autres coupés.

La RX-7 a été constamment améliorée au fil de générations de plus en plus puissantes jusqu'à ce qu'elle soit remplacée par la RX-8 en 2002. Cette dernière, bien entendu, était elle aussi dotée d'un moteur rotatif. **SH**

Rocket | Budweiser

USA

1979 • fusée fonctionnant au carburant liquide • inconnue • 0-800 km/h en 10 s • 1 190,27 km/h

Dans les années 1970, Hal Needham, réalisateur d'Hollywood, a entrepris de construire la voiture la plus rapide au monde, simplement «parce que ce serait bien d'entrer dans l'histoire.» Sponsorisée par Budweiser, le géant brassicole américain, et bénéficiant de l'aide de l'ingénieur William Frederick, l'équipe de Needham a construit un long véhicule à 3 roues, équipé d'un moteur de fusée alimenté par du carburant liquide.

Les premiers essais ont démontré que la Rocket ne respectait pas le règlement du record de vitesse sur terre. Celui-ci stipulait que les voitures devaient maintenir cette vitesse sur une certaine distance à l'aller comme au retour, et utiliser 4 roues. Fait plus préoccupant, ils indiquaient que la Rocket n'était pas assez rapide. L'équipe a alors changé d'objectif : elle tenterait désormais de franchir le mur du son, et a acheté pour cela six missiles Sidewinder à la marine américaine. À chaque essai, un Sidewinder était fixé à l'arrière du cockpit du pilote. Ce dernier pouvait allumer le missile quand il atteignait sa vitesse de pointe pour obtenir une dernière poussée et briser le mur du son.

En décembre 1979, sur un lac asséché de la base aérienne Edwards en Californie, la Rocket a été enregistrée à une vitesse de Mach 1,01 par le matériel de contrôle de l'aviation militaire américaine. Le pilote était un ami de Needham, le cascadeur Stan Barrett, qui, sous la force de l'accélération, s'est brisé un disque du cou. La Rocket roulait si vite que les deux roues arrière ont décollé, et Barrett a failli perdre le contrôle. Parce que ces essais ne respectaient pas les règles strictes de la FIA, le record n'a jamais été officiellement reconnu, fait depuis l'objet d'une ardente controverse. **SH**

Bulldog | Aston Martin

GB

1979 • 5 300 cm³, V8 • 710 ch • inconnue • 307 km/h

À une époque où surfaces planes et silhouettes anguleuses constituaient le summum de la mode automobile, la Bulldog est à l'opposé des lignes fluides et dynamiques qu'on associe aux Aston Martin modernes.

Concept-car qui devait donner naissance à une toute nouvelle supercar produite en plusieurs exemplaires, elle a été dévoilée en 1979. Sa silhouette avait été dessinée par William Towns, le concepteur de l'Aston Martin Lagonda de 1974 dont l'allure était gentiment qualifiée de « non conformiste » par les critiques. La Bulldog, elle, ne ressemblait à aucune autre.

Avec ses portes papillon et sa finition argentée à deux tons, on ne pouvait que la comparer à la DeLorean DMC-12, présentée à la même époque. D'autres détails étaient inhabituels, notamment les 5 phares placés au centre, depuis l'avant de la voiture et jusqu'au milieu du capot. La Bulldog était aussi extrêmement basse, son toit situé à 1,1 mètre du sol seulement. Les lignes anguleuses de l'extérieur se poursuivaient dans l'habitacle tout en cuir brun et moquette, équipé d'instruments numériques dernier cri et d'un moniteur permettant d'observer la vue arrière.

La Bulldog n'était pas une plaisanterie, et sa vitesse maximale a été enregistrée à 307 km/h. Certains ont affirmé qu'elle pouvait aller bien plus vite, mais cela n'a jamais été démontré. Construite en série, elle aurait pu s'attaquer aux records de vitesse, mais malheureusement elle n'a jamais été produite, et le seul prototype qui existe témoignait simplement des ambitions de son constructeur. On dit qu'il a été vendu à 200 000 dollars et a passé un certain temps en Amérique. On ne sait où il se trouve aujourd'hui. **RY**

3000ME | AC

1979 • 2 994 cm³, V6 • 139 ch • 0-97 km/h en 8,5 s • 203 km/h

En 1904, à Londres, un riche boucher nommé John Portwine a accepté d'être le bailleur de fonds des frères Weller, ingénieurs de talent. Cette collaboration a donné naissance à AC Cars, l'un des constructeurs automobiles les plus originaux. En 1929, l'entreprise a déposé le bilan et été rachetée par les Hurlock, transporteurs qu'intéressaient surtout les ateliers. Ils ont toutefois permis que l'entretien et la réparation des voitures AC continuent sur le site et, en 1930, William Hurlock s'est fait construire une voiture par ses employés. Elle lui a plu et il a autorisé la reprise d'une production limitée, principalement à partir de pièces provenant des anciens stocks.

Dans les années 1970, la famille Hurlock dirigeait encore AC Cars qui se concentrait désormais sur le secteur de luxe, bien qu'une partie de son chiffre d'affaires provienne de la construction de voitures pour handicapés. Celles-ci étaient achetées par le gouvernement britannique qui les revendait à prix réduit aux assurés sociaux. Les véhicules de luxe ne se vendant pas très bien au début des années 1970, Derek Hurlock, le PDG, a décidé de créer une voiture de sport pour donner un nouveau souffle à son entreprise. La 3000ME a été dévoilée au Salon de l'automobile de Londres en 1973 (sous le nom de ME3000). Elle a été bien accueillie mais sa production n'a été lancée qu'en 1976, année où le lucratif contrat des voitures pour handicapés est arrivé à sa fin.

À la même époque, le gouvernement britannique a imposé des règles de sécurité plus strictes, qui ont affecté tous les constructeurs et littéralement conduit AC Cars à redessiner la 3000ME. Cela s'est avéré trop ardu pour l'entreprise déclinante et, après la vente de 71 modèles seulement, elle a dû déposer le bilan. **MG**

Mustang III | Ford

1979 • 2 800 cm³, V8 • 133 ch • 0-97 km/h en 11,2 s • 290 km/h

Troisième incarnation de la Ford Mustang, ce modèle était cependant le premier à 4 places de l'emblématique gamme sportive. Plus haut et plus long, il suivait l'évolution naturelle de toute voiture. Selon une histoire célèbre, un actionnaire a demandé un jour à Henry Ford fils : «Pourquoi une petite voiture ne peut-elle pas le rester ? Vous les agrandissez avant de présenter une autre petite voiture que vous agrandirez à son tour. Pourquoi ne les laissez-vous pas telles quelles ?» Ford a fait une réponse ambiguë, mais l'actionnaire avait raison : les ingénieurs agrandissaient les modèles pour les vendre plus chers.

La Mustang était produite depuis quatorze ans quand Ford a décidé d'en faire une 4 places. Le constructeur a repris la grande plateforme Fox utilisée précédemment pour la Fairmont et les deux Mercury Zephyr lancées l'année précédente.

Cette nouvelle version accueillait non seulement davantage de passagers, mais son coffre était aussi plus spacieux, de même que le compartiment moteur, afin de permettre aux mécaniciens d'y accéder plus facilement. On avait le choix entre un coupé et une voiture à hayon, entre le premier de gamme et les finitions Ghia. Toutes ces versions semblaient plus européennes, le style traditionnel des Mustang moins présent.

La gamme de motorisation, issue de la deuxième génération, comprenait un 4 cylindres de 2 300 cm³, un V6 de 2 800 cm³ et un 6 cylindres en ligne de 3 300 cm³, mais le V8 était le plus demandé. Le modèle de choix était la King Cobra, disponible en n'importe quelle couleur, bien que la majorité des 5 000 modèles produits aient été rouges. Beaucoup étaient personnalisés à l'aide de décorations sur la carrosserie. **GL**

F50 | Daihatsu (J)

1979 • 2 500 cm³, S4 • 67 ch
inconnue • 105 km/h

Cette jeep simple, à 4 roues motrices et 2 places, était un mini-utilitaire en avance sur son époque. Elle descendait directement du Daihatsu Taft, lancé en 1974, inspiré de la Jeep Willys et arborant les mêmes phares ronds, capot surélevé et pare-brise pliant. Ces modèles originaux étaient légers, mais pas vraiment assez puissants pour l'utilisation qu'on voulait en faire, à cause d'un moteur de 1 000 cm³ seulement.

Le nouveau F50, lui, répondait aux exigences des usagers : abritant sous son capot un moteur diesel de 2 500 cm³ ainsi qu'une transmission améliorée, ce 4x4 était prêt à réaliser des exploits en off-road. La hauteur de sa carrosserie au-dessus des passages de roue et sa capacité à prendre les virages au plus serré comptaient parmi ses nombreux attraits. Malheureusement, sur route, ses performances n'étaient pas brillantes : il ne pouvait atteindre qu'une vitesse maximale de 105 km/h, et mettait pour cela une éternité. Proposé en hard-top ou à toit en toile, il était aussi décliné en pick-up et en camionnette à plateau.

Le F50 a rencontré un tel succès qu'un an seulement après son lancement, il a été amélioré et rebaptisé F60. Presque identique, ce dernier était toutefois pourvu d'un diesel de luxe de 2 800 cm³, avec cinquième vitesse en option. Finalement, les deux modèles ont été remplacés par la gamme Rocky/Rugger/Fourtrak, aux véhicules plus grands et plus robustes.

La majorité des F50 ont continué à rouler et, bien que certains aient eu des problèmes de rouille sous le châssis (ce qui n'est pas surprenant, compte tenu des terrains sur lesquels ils roulaient généralement), beaucoup sont encore régulièrement utilisés aujourd'hui. **GL**

Eagle | AMC (USA)

1979 • 4 200 cm³, S6 • 112 ch
0-97 km/h en 15,2 s • 140 km/h

Qu'obtient un constructeur en croisant la silhouette de la voiture compacte d'une de ses filiales avec le groupe motopropulseur et les capacités tout-terrain des véhicules d'une autre filiale ? La réponse, dans le cas d'AMC, était une série de modèles qui a accouché d'une nouvelle catégorie : le SUV (ou crossover).

Les «donneurs» étaient l'AMC Concord et Jeep. On devait cet assemblage automobile à Roy Lunn, ingénieur chez Jeep. Selon les livres d'histoire, Gerald C. Meyers, directeur d'AMC à l'époque, aurait réagi en s'écriant : «Qu'est-ce que c'est que ce truc ?» La réponse : la première voiture américaine à 4 roues motrices, système réservé jusque-là aux pick-up. Quand la crise pétrolière de 1979 a frappé, même Meyers a dû convenir des mérites de cet assemblage astucieux.

Disponible en berline, coupé ou break, l'Eagle s'est extrêmement bien vendue. Toutes les versions offraient un grand confort sur route et assez de traction pour un usage léger en tout-terrain. Ces caractéristiques définissent d'ailleurs les multisegments actuels que proposent presque toutes les marques grand public. AMC a testé au fil des ans divers styles de carrosserie, dont plusieurs à hayon. Au début des années 1980, il y avait même une décapotable, la Sundancer, construite par un sous-traitant en Floride.

Quand les dernières Eagle ont été vendues en 1988, presque 200 000 modèles avaient déjà quitté les chaînes de montage. AMC a été absorbé par Chrysler, qui a baptisé une série de ses véhicules Eagle, sans parvenir à reproduire le succès de l'original. Chrysler a finalement décidé d'abandonner ce nom en 1998 mais les voitures demeurent très prisées sur le marché d'occasion. **RY**

Cortina Mk V | Ford

GB

1979 • 1 993 cm³, S4 • 101 ch • 0-97 km/h en 10,5 s • 171 km/h

Reprenons la saga Cortina après nous être interrompus… La deuxième génération, de forme très carrée, avait été remplacée par la Mark III d'influence américaine, avant la IV, plus conventionnelle, premier modèle haut de gamme avec finitions Ghia. Toutes avaient été des succès. Certaines années, une nouvelle automobile britannique achetée sur sept était une Cortina. Chaque génération s'avérait plus réussie que la précédente et la dernière déclinaison continuait la tradition.

Officiellement baptisé Cortina 80, ce modèle arborait une silhouette classique aux lignes plus définies que le précédent. Elle semblait plus grande, plus large et plus moderne. Le verre y était plus présent, les montants plus étroits, la calandre plus large et le toit plus plat. La voiture correspondait à l'image que les familles anglaises se faisaient d'une automobile familiale des années 1980.

La Cortina était disponible en plusieurs versions : berline à 2 et 4 portes, break à 5 portes, pick-up et décapotable. La gamme des moteurs était tout aussi impressionnante : de 1 300 à 2 300 cm³ en Europe, et jusqu'à 4 100 cm³ en Australie. Elle était produite à Dagenham au Royaume-Uni mais aussi en Australie, en Corée du Sud et à Taiwan. Elle était très proche de la Taunus qui occupait le même créneau pour Ford dans le reste de l'Europe.

Finalement, après 20 ans et plus de 4,3 millions de modèles vendus, la Cortina a été abandonnée en douceur en 1982. La Sierra qui la remplaçait représentait un bond en avant technologiquement et esthétiquement, mais la vieille Cortina inspirait une telle loyauté que les consommateurs conservateurs se sont empressés d'acheter les derniers modèles encore disponibles chez les concessionnaires. **SH**

Sunbeam Lotus | Talbot   ⟨GB⟩

1979 • 2 172 cm³, S4 • 152 ch • 0-97 km/h en 6,6 s • 195 km/h

En 1978, Chrysler, qui affrontait d'immenses difficultés financières, a vendu ses filiales européennes à Peugeot. Après de longues délibérations, le constructeur français a décidé de baptiser l'ensemble Talbot, à commencer par la Sunbeam, une voiture à hayon à traction arrière et moteur avant que Chrysler avait produite en 1976 avec l'aide du gouvernement britannique. La Sunbeam avait laissé le monde automobile relativement indifférent mais sa nouvelle version, la TI, lancée en 1979 et dorénavant équipée d'un moteur Lotus de 2 172 cm³, à 16 soupapes et accompagné d'une nouvelle boîte de 5 rapports, a produit une tout autre impression. C'était l'une des premières voitures à hayon à hautes performances ayant préservé une allure discrète.

Peugeot avait toujours eu l'intention de présenter cette Sunbeam ressuscitée dans les rallyes et avait créé pour cela l'écurie Talbot. Le moteur de série de 152 chevaux a été préparé pour en développer jusqu'à 241, et les freins arrière n'étaient plus à tambour mais à disque. Grâce à ce nouveau moteur, la Talbot, véhicule léger qui n'affichait que 962 kilos, s'est transformée en pur-sang et, dès sa première saison (1979), s'est classée à la quatrième place du rallye Sanremo.

Elle a continué à progresser dans ce sport en gagnant au Portugal en 1980 et en raflant les première, troisième et quatrième places du Lombard-RAC, étape britannique du Championnat du monde des rallyes. En 1981, une Talbot a remporté ce championnat, à onze points devant Datsun et 37 devant les très performantes Escort de l'écurie Ford. Peugeot a cessé de présenter la Talbot dans les rallyes en 1981 pour lui préférer sa nouvelle Peugeot 205 4WD T16 du groupe B. **BS**

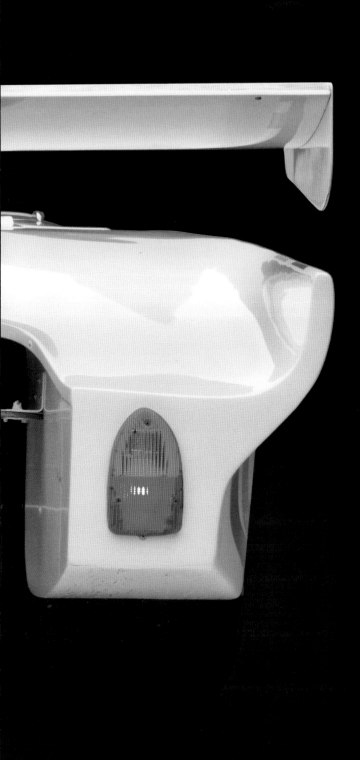

1980-1989

L'arrière de la Jaguar GTP XJR-5.

Piazza Turbo | Isuzu

1980 • 2 000 cm³, S4 • 150 ch • 0-97 km/h en 8,4 s • 209 km/h

La Piazza constituait une première tentative de General Motors de créer une voiture de sport internationale capable de rivaliser avec les japonaises à succès de l'époque telles que la Toyota Celica et la Mazda RX-7.

L'Italien Giorgetto Giugiaro avait été chargé de dessiner ce coupé à 3 portes. Selon lui, on y retrouvait les meilleures de ses idées mais, en réalité, c'était un assemblage de vieux croquis conservés dans ses tiroirs. La voiture a été construite par la filiale japonaise de GM, Isuzu, surtout connue pour ses camions. La direction de Isuzu, excitée à l'idée de construire un nouveau véhicule, a lancé la production dans la précipitation.

Dans la majorité des pays, cette Isuzu était baptisée Piazza, mais aux États-Unis, elle se nommait Impulse. Selon la rumeur, aux oreilles américaines, « piazza » rappelait trop « pizza ». En Australie, GM a eu recours à une autre filiale et a baptisé ce modèle Holden Piazza tandis qu'au Canada, c'était l'Asuna Sunfire.

La première Piazza utilisait des roues motrices arrière et abritait un moteur malingre de 2 000 cm³. Sous sa forme basique, elle était assez terne et ses ventes ont été décevantes. À partir de 1985, une version turbo lui a conféré un nouvel élan (les chiffres ci-dessus lui correspondent).

On a fait par la suite appel à Lotus pour améliorer la tenue de route de la voiture, très critiquée. Toutes les Piazza ont alors été révisées, mais ce sont celles qui étaient importées en Grande-Bretagne qui en ont le plus bénéficié. La deuxième génération, lancée en 1990, était une voiture à hayon et traction avant, mais le mal était fait. GM n'a même pas tenté de la vendre en Australie ou au Royaume-Uni. **SH**

M535i | BMW ⬤ D

1980 • 3 453 cm³, S6 • 218 ch • 0-100 km/h en 7,2 s • 219 km/h

La M535i est la première création grand public issue du département M ou Motorsport, département compétition de BMW. Véritable petit bijou, c'était aussi, lors de son lancement, la plus rapide des BMW.

Basée sur la série E12 Type 5 de BMW, elle était équipée d'un 6 cylindres en ligne de 3 453 cm³, à injection, plus souvent trouvé dans les voitures des séries 6 et 7, plus grandes et plus lourdes. La M535i abritait aussi une boîte de vitesses à grille inversée, rapports rapprochés et différentiel autobloquant, ainsi que des freins à puissance augmentée, qui peinaient pourtant à maîtriser cette voiture si rapide. On découvrait à l'intérieur des sièges Recaro en cuir et quelques touches pratiques telles que les serrures chauffées, tandis qu'à l'extérieur on apercevait les décorations caractéristiques du département Motorsport. Comme tous les

modèles ultérieurs de la série M, la M535i offrait une puissance subtile, mais elle s'avérait onéreuse et seuls 1 410 modèles ont été produits.

Avec sa mécanique de type M, c'était une vraie voiture de pilote. Ceux qui avaient le pied droit trop lourd découvraient vite qu'ils avaient du mal à compenser le braquage excessif de la voiture. Le magazine *Autocar*, qui a fait faire des essais à une M535i des années après son lancement, indiquait que « comparée aux berlines sportives modernes, elle donne une impression de légèreté et d'immédiateté, avec une direction assistée à peine présente et des amortisseurs fermes ».

Malgré ses origines intéressantes, la M535i est peu onéreuse pour un classique moderne. Certains modèles beiges Tunis aux sièges recouverts de velours incarnent magnifiquement les années 1980. **RD**

Panda | Fiat ⓘ

1980 • 750 cm³, S4 • 34 ch
0-100 km/h en 23 s • 125 km/h

La première Fiat Panda exhibait un rafraîchissant caractère pratique, simple et bon marché, à une époque où les constructeurs dotaient leurs produits de tous les gadgets technologiques possibles. Le dessin de Giorgetto Giugiaro rappelait une caisse sur roues et la gamme de motorisation allait d'un minuscule 2 cylindres de 652 cm³ jusqu'à un humble moteur de 1 000 cm³. Les chiffres indiqués ci-dessus correspondent à celui de 750 cm³, le choix alors le plus populaire.

Malgré son manque de puissance, la Panda a été un vrai succès grâce à des détails pratiques et simples tels que ses sièges arrière que l'on pouvait rabattre. On pouvait de plus enlever les housses et l'habillage des portières pour les laver, et un simple toit en toile, repliable, était disponible.

Les améliorations sont lentement apparues ainsi qu'un modèle 4 roues motrices rustique, un moteur diesel de 1 300 cm³, la Selecta à la transmission à variation continue, et une version électrique. La Panda originale, produite jusqu'en 2003, a représenté 4,3 millions de ventes. Elle a aussi aidé l'industrie automobile espagnole, qui produisait sous licence la Seat Panda. Quand cet accord est arrivé à sa fin, Seat a construit sa propre version, la Marbella, aussi déclinée en décapotable sous le nom de Pandita.

Fiat a lancé une nouvelle génération de Panda en 2003. C'était une petite voiture encore plus moderne, construite en Pologne, qui présentait le même charme insolent que l'originale, mais ni sa simplicité ni ses problèmes de fiabilité. La nouvelle Panda s'est, elle aussi, avérée un grand succès commercial, avec plus de deux millions d'exemplaires vendus en huit ans. **SH**

Golden Spirit | Zimmer (USA)

1980 • 4 183 cm³, V8 • 114 ch
0-97 km/h en 16 s • 149 km/h

On peut affirmer que personne n'avait jamais vu de voitures telles que les premiers modèles du constructeur Zimmer, des automobiles néoclassiques au style rétro presque outrancier. Selon la légende, Paul Zimmer, fondateur de l'entreprise, aurait dessiné son premier modèle sur une serviette en papier.

Ce personnage fascinant et plein d'énergie avait fondé, dans les années 1950, la Zimmer Manufacturing Company qui produisait des maisons préfabriquées. Dans les années 1970, Paul Zimmer a décidé de réinvestir une partie de ses bénéfices et d'établir plusieurs filiales. La conduite de son Excalibur, une sportive classique de style rétro, lui offrait tant de plaisir qu'il a décidé qu'il créerait des voitures similaires. De cette idée est né ce modèle, la Golden Spirit, dessiné sur une serviette puis dévoilé en 1980. Il coûtait 75 000 dollars.

Zimmer a trouvé le même succès dans le secteur automobile que dans ses autres entreprises. Son chiffre d'affaires annuel, de 13 millions de dollars, était énorme pour un constructeur indépendant qui n'offrait au départ qu'un modèle. En 1985, un deuxième, la Quicksilver, a été lancé. Zimmer a alors vendu environ 180 modèles par an.

La production a cessé en 1988 quand l'entrepreneur a subi une crise cardiaque, et toutes ses sociétés ont fermé dans l'année. Zimmer s'est finalement rétabli, mais il avait tout perdu ; il est mort plusieurs années après. En 1998, Art Zimmer (qui n'avait aucun lien de parenté avec Paul) a acheté une Zimmer datant de 1987 et a décidé de redonner vie à l'entreprise avec une version modernisée de la Golden Spirit qui respecte toutefois le dessin original. **MG**

Corvette C3 | Chevrolet

USA

1980 • 5 733 cm³, V8 • 193 ch • 0-97 cm³ en 7,8 s • 219 km/h

La Corvette, l'une des Chevrolet les plus appréciées de tous les temps, a continuellement été réinventée au fil de plusieurs générations. Dans le cas du modèle de 1980, l'un des changements majeurs concernait son poids. Grâce à des portières et un capot allégés ainsi qu'à un verre plus fin, cette version de la Corvette était inférieure de 113 kilos à la précédente. Sa silhouette était relativement similaire même si la minuscule calandre était ici renfoncée et abritait les feux de

position. Chevrolet a, de plus, séduit les acheteurs en instaurant sur le modèle de série plusieurs accessoires qui n'étaient disponibles qu'en option sur le modèle de 1979, comme les vitres à commande électrique, les rétroviseurs sportifs, l'élégant volant télescopique inclinable et la climatisation.

Chevrolet venait de battre son record annuel de ventes de Corvette en 1979 (59 807 modèles), record qui tient encore à ce jour. L'année suivante a été un

peu moins bonne avec seulement 40 506 ventes, et pourtant la nouvelle Corvette était nettement meilleure que la précédente. Sa vitesse de pointe dépassait de 24 km/h celle du modèle antérieur et son temps d'accélération (du 0 au 97 km/h) avait perdu presque 1 seconde. Ces résultats provenaient en partie des couvre pare-chocs, redessinés pour être intégrés aux déflecteurs aérodynamiques et réduire considérablement le coefficient de traînée.

Les améliorations ne se traduisent pas toujours par de meilleures ventes et la Corvette C3 a été abandonnée en 1982, alors que seuls 25 407 modèles étaient achetés annuellement. Chevrolet a marqué l'occasion avec une édition de collection, la première Corvette à hayon. Excellent modèle, la Corvette de 1980 n'atteint toutefois que des prix modestes sur le marché d'occasion, à peine plus de 12 000 dollars en moyenne en 2011. **MG**

Murena | Matra   (F)

1980 • 2 200 cm³, S4 • 141 ch
0-100 km/h en 8 s • 210 km/h

On se souvient de ce coupé français du début des années 1980 pour son agencement intérieur à 3 sièges, où le conducteur et les deux passagers étaient assis sur une même rangée. La Murena était la première voiture de série au châssis en acier galvanisé car Matra désirait éviter qu'elle ne rouille comme la Bagheera, sa grande sœur. La carrosserie était ainsi constituée de douze panneaux de polyester et fibre de verre.

Antoine Volanis avait dessiné une 2 portes à moteur central et roues motrices arrière, dotée d'un grand hayon de verre qui se soulevait pour donner accès au moteur de 1 600 ou 2 200 cm³. Grâce à sa carrosserie aérodynamique, jamais une voiture à moteur central n'avait jusqu'alors bénéficié d'un coefficient de traînée aussi bas. Son maniement était superbe, mais la plupart des critiques regrettaient son manque de puissance.

Matra a alors lancé une version S, plus rapide, du moteur de 2,2 litres (à laquelle correspondent les chiffres ci-dessus). Presque 11 000 Murena ont été construites, dont 480 modèles S. Quelques 4S spéciales, dont le moteur de 2 200 cm³ de 16 soupapes développait 180 chevaux et atteignait 225 km/h, ont aussi été produites. La Murena a été abandonnée quand Matra a lancé la production du nouveau Renault Espace, car son usine n'abritait qu'une chaîne de montage. **SH**

Beaufighter | Bristol   (GB)

1980 • 5 898 cm³, V8 • 173 ch
0-100 km/h en 7 s • 224 km/h

Le Beaufighter était un avion de chasse fabriqué par la Bristol Aeroplane Company entre 1939 et 1945, année qui a aussi vu la naissance de Bristol Cars, filiale automobile de l'entreprise aéronautique. La Bristol Beaufighter est apparue en 1980, issue de la série 400 produite entre 1947 et 1975.

La Beaufighter constituait en réalité la troisième génération de la gamme 412, à laquelle elle conférait une nouvelle variété et énergie. La silhouette était quasiment identique au modèle précédent, la seule différence notable provenant des doubles phares à l'avant. On s'attendrait, dans le cas d'une voiture baptisée en hommage à un avion, à trouver un moteur un rien spécial sous le capot, mais celui de la Beaufighter était légèrement plus petit et moins puissant que celui de la 412. Bristol est tout de même parvenu à en obtenir la même vitesse maximale, qui, officiellement, n'était que de 224 km/h bien que l'on ait souvent affirmé avoir vu rouler la voiture à 240 km/h.

Le bombardier Beaufighter était corpulent, et son nom constituait un choix étrange pour une jolie petite sportive pleine d'allant. Comme la 412, elle avait été dessinée par la firme italienne Zagato et dotée du même toit Targa. Cette silhouette n'a pas vieilli et la production a pu durer jusqu'en 1993. **MG**

Seville | Cadillac (USA)

1980 • 6 036 cm³, V8 • 147 ch
0-97 km/h en 12,7 s • 178 km/h

Avec le lancement de l'Eldorado Seville en 1956, version hard-top de la voiture haut de gamme de Cadillac, le nom Seville entra dans le vocabulaire du constructeur. Abandonné en 1960, il fut repris en 1975 pour le nouveau modèle de la Cadillac Seville. Présentée comme « la première petite voiture de Cadillac », elle s'était assez bien vendue mais pas extraordinairement. Le modèle de 1978 a pourtant été remarqué pour son nouvel ordinateur de bord, baptisé Tripmaster, où la vitesse et le niveau d'essence s'affichaient numériquement au lieu d'être représentés par une jauge.

En 1980, le temps était venu de lancer une nouvelle Cadillac Seville, et cette fois-ci, c'est l'arrière du véhicule qui a fait parler de lui. Très chic et incliné dans le style des Daimler britanniques, il abritait un coffre en pente lui aussi, suivant le même angle que la lunette arrière – parfois ce sont ces petits détails qui attirent les conducteurs. Le nouveau dessin de la Seville avait été réalisé par Bill Mitchell, de General Motors. Il avait alors largement dépassé la soixantaine et 42 ans s'étaient écoulés depuis l'une de ses premières voitures mémorables, la Cadillac Sixty Special de 1938. Mitchell n'avait rien perdu de son talent et la Seville devait être l'un de ses derniers succès, avec plus de 200 000 exemplaires vendus avant son abandon en 1985. **MG**

Fleetwood Brougham | Cadillac (USA)

1980 • 6 036 cm³, V8 • 152 ch
0-97 km/h en 13,2 s • 166 km/h

Les premières Cadillac Brougham faisaient appel à une carrosserie Fleetwood. La Cadillac Fleetwood est apparue ensuite, sa carrosserie identique à celle de la Brougham. Et en 1947 est née la Cadillac Fleetwood Brougham. Une nouvelle série de Fleetwood Brougham a été lancée en 1977. Ces voitures se sont bien vendues.

Quand la Fleetwood Brougham a été annoncée en 1976, elle constituait le modèle haut de gamme de Cadillac, même si elle était similaire à la Sedan de Ville, pourtant moins onéreuse. Il fallait longtemps étudier les enjoliveurs et les ornements du capot pour arriver à les distinguer l'une de l'autre, bien que les acheteurs de la Fleetwood Brougham aient bénéficié d'intérieurs plus luxueux qui justifiaient cette différence de prix..

La Brougham a été redessinée pour le lancement du modèle de 1980, qui représentait la onzième génération. D'allure plus carrée, elle était dotée d'une ligne de toit plus élégante et constituait l'une des versions les plus attrayantes. Ses performances avaient été améliorées. Cadillac a présenté une version à 2 portes la même année, agrandissant ainsi une gamme déjà importante. En 1987, le nom a été raccourci et « Fleetwood » abandonné, la voiture redevenant la Cadillac Brougham. Sa production a duré jusqu'en 1992. Les diverses Cadillac Brougham représentaient alors 66 ans d'existence. **MG**

Strada/Ritmo Cabrio | Fiat

1981 • 1 500 cm³, S4 • 83 ch
0-97 km/h en 11,2 s • 166 km/h

En Italie, on l'appelait Fiat Ritmo, en Grande-Bretagne et aux États-Unis c'était la Strada et en Espagne la Ronda. Dans tous ces pays, cette gamme de voitures, l'une des premières issues d'un assemblage entièrement automatisé, était aussi déclinée en un cabriolet très populaire.

Aujourd'hui, ces voitures semblent bizarrement anguleuses. Le cabriolet est particulièrement carré et inélégant. Pourtant la Strada était jugée très chic à la fin des années 1970 et au début des années 1980. La série avait été dessinée par l'un des carrossiers les plus célèbres d'Italie, Bertone, et, avec 1,8 million de ventes, elle a indubitablement constitué une réussite. Le modèle de base était une voiture à hayon de 3 ou 5 portes, à traction avant, dont la gamme de motorisation allait d'un 1 100 cm³ à un 1 300 et un 1 500 cm³, à essence, sans oublier un diesel de 1 700 cm³. Un modèle plus sportif, la 105TC, est apparu par la suite. Elle était équipée d'un moteur Twin Cam de 1 585 cm³. La plus excitante des versions était une préparation d'Abarth : la 130TC pouvait atteindre 195 km/h.

On trouvait aussi une berline moins réussie, la Regatta, un break, la Regatta Weekend et, en 1981, un intéressant cabriolet. Cette version à 2 portes et 4 places a été dessinée et construite par Bertone. C'était, à un prix plus abordable, la concurrente de la Golf Cabriolet à une époque où il était rare de décliner les modèles de série en décapotables. Ce cabriolet avait conservé les montants de fenêtre et comprenait un arceau de sécurité. Bertone avait de plus renforcé le plancher pour s'assurer de la rigidité de la carrosserie même en l'absence de toit. Les ventes du cabriolet ont surpassé les attentes, 4 000 exemplaires trouvant un heureux propriétaire. **SH**

DMC-12 | De Lorean ⬭ GB

1981 • 2 849 cm³, V6 • 158 ch
0-97 km/h en 10,5 s • 177 km/h

La DeLorean DMC-12 représentait le rêve d'un homme : né à Détroit et fils d'un employé de Ford, après avoir obtenu son diplôme d'ingénieur, John DeLorean avait travaillé pour General Motors. Il avait débuté sa carrière chez Pontiac, filiale de GM, puis dirigea Chevrolet et enfin tout le département voitures et camions de GM. Il a quitté l'entreprise en 1973 pour poursuivre son rêve et construire sa propre voiture.

DeLorean, qui s'intéressait aussi aux nouveaux matériaux automobiles, a établi une firme, la Composite Technology Corporation, pour les développer. Colin Chapman, de Lotus, a participé à la conception mécanique de la voiture et Giorgetto Giugiaro au dessin de sa silhouette. Le modèle serait construit dans une usine d'Irlande du Nord.

Le projet a présenté de multiples difficultés. L'inauguration de l'usine, en 1981, a été marquée par les manifestations de l'IRA. L'Irlande du Nord était alors en proie aux troubles politiques et l'usine a dû être fermée à plusieurs reprises pour des raisons de sécurité. Les premières voitures étaient si défectueuses que DeLorean a établi aux États-Unis des centres de réparation par lesquels elles transitaient avant d'être livrées aux clients.

La demande pour cette voiture était grande aux États-Unis mais l'entreprise rencontrait des difficultés de trésorerie et a été placée en redressement judiciaire en 1982, date à laquelle 8 500 modèles avaient été construits.

Malgré cette fin malheureuse, la DMC-12 était un chef-d'œuvre qui célébrait l'ambition d'un homme. D'allure sensationnelle avec ses portes papillon et sa carrosserie en acier inoxydable, elle a été immortalisée dans le film *Retour vers le futur*, avec Michael J. Fox. **SB**

VH Commodore | Holden (AUS)

1981 • 3 298 cm³, S6 • 136 ch
inconnue • inconnue

Les années 1980 ont été difficiles pour Holden. Elles ont débuté par la fermeture de son usine de Nouvelle-Galles du Sud. Le constructeur subissait les effets de la crise de 1979 et la Ford Falcon concurrente voyait ses chiffres de vente se rapprocher de ceux de la Commodore. Toutefois, la production a continué, le modèle VH suivant sur la lancée de la VB (1978-1980) et de la VC (1980-1981). Les changements apportés à la VH pouvaient paraître subtils mais, compte tenu de l'avenir sombre qui se profilait, il était presque miraculeux que la série V continue à être manufacturée.

La rivalité qui opposait la Commodore à la Falcon a poussé Holden à doter sa VH d'une nouvelle calandre aux lamelles horizontales. Elle était aussi plus basse et plus large grâce à de nouveaux phares avant. Les caractéristiques mécaniques de la VH étaient principalement les mêmes que celles de la VC, mais une transmission manuelle à 5 rapports était disponible en option, sur les modèles de 1 900 et 2 500 cm³. La VH annonçait aussi l'informatisation des voitures australiennes de série, avec son ordinateur de route, sa sélection électronique à l'allumage et son réglage de la hauteur des sièges.

Holden et Ford sont toujours concurrentes en Australie, la Falcon et la Commodore constituant encore aujourd'hui leurs armes de choix. **BS**

BiTurbo | Maserati (I)

1981 • 1 996 cm³, V6 biturbo • 182 ch
0-100 km/h en 6,5 s • 217 km/h

La BiTurbo de Maserati, qui présentait un mélange de lignes angulaires et de performances turbocompressées, a suscité un immense intérêt en 1981. Des centaines d'ouvriers ont été employés sur de nouvelles chaînes de montage destinées à produire 7 000 BiTurbo par an…

Maserati a eu recours à un V6 qui avait fait ses preuves et lui avait ajouté deux turbocompresseurs, pensant que l'induction forcée constituerait une manière économique de créer davantage de puissance. Les propriétaires de BiTurbo, qui n'avaient généralement pas pris la peine de lire son manuel d'utilisation, ne laissaient pas refroidir le moteur avant d'arrêter la voiture, entraînant la surchauffe et le grippage d'éléments essentiels. Maserati avait installé une boîte noire pour enregistrer son nombre de tours par minute – les données ont dû s'avérer utiles pour rejeter les réclamations sous garantie.

Quand les ouvriers italiens des ateliers Maserati se sont mis en grève, la qualité a encore décru. Les voitures prenaient feu quand les convertisseurs catalytiques surchauffaient, et les clients américains ont commencé à exiger de coûteuses indemnisations.

Les acheteurs pouvaient choisir un bi-turbo à injection ou à carburateur, de 1 996 ou 2 500 cm³. Malgré tous ses défauts, la voiture constituait une alternative intéressante à ses concurrentes allemandes. **RD**

Capri 2.8i | Ford (D)

1981 • 2 792 cm^3, V6 • 160 ch
0-97 km/h en 7,9 s • 209 km/h

La troisième génération de la Ford Capri, lancée en 1978, s'était mal vendue aux États-Unis, poursuivant le déclin entamé par la deuxième en 1974. Les ventes britanniques, toutefois, signalaient un intérêt persistant pour les Capri à hautes performances. Cela a incité le constructeur à poursuivre sa gamme en lançant le modèle 2.8 Injection ou 2.8i.

Bob Lutz, directeur des opérations européennes de Ford, avait défendu sa mise au point. Comprenant que la Capri était en train d'agoniser lentement, Lutz a chargé ses concepteurs de créer un ultime modèle, beaucoup plus musclé que les précédents. Il a été conçu en Allemagne, au centre de recherche et d'ingénierie de Dunton, et dévoilé lors du Salon de l'automobile de Genève en 1981. Première Capri dotée d'un moteur à injection depuis la RS2600 en 1970, la 2.8i a donné un nouveau souffle à la gamme. En Grande-Bretagne, les ventes de ce modèle à V6 Cologne de 2 792 cm^3 ont dépassé les 3 600 exemplaires au cours de la première année, largement au-delà des prévisions de Ford (500).

Après avoir décidé de conserver la gamme deux ans de plus que prévu, Ford a pu couvrir, grâce aux bénéfices de la 2.8i, certains frais de la mise au point de la Sierra, qui allait bientôt être lancée. De plus, la Capri terminait ainsi sa vie avec un succès bien mérité. **BS**

Fiesta XR2 | Ford (USA)

1981 • 1 598 cm^3, S4 • 86 ch
0-97 km/h en 9,6 s • 166 km/h

Jusqu'au début des années 1980, aucun des modèles européens de Ford ne pouvait vraiment rivaliser avec la Golf GTI de Volkswagen. Après avoir testé le marché avec sa Fiesta Supersport, Ford a finalement défié Volkswagen en décembre 1981 en dévoilant la XR2. Équipée du même moteur que la Ford Fiesta américaine, elle avait été légèrement préparée pour pouvoir dépasser les 160 km/h. Elle empruntait aussi quelques touches de style à sa cousine américaine, dont des phares et clignotants ronds montés sur le pare-chocs. Son allure sportive était complétée de jantes en alliage de 33 centimètres, « en poivrier », d'extensions de passages de roue et de grandes décorations sur les côtés.

Malgré cela, la XR2 mettait une seconde de plus que la Golf GTI à passer du 0 au 97 km/h, et sa vitesse maximale était aussi inférieure. Toutefois, elle se comportait bien sur route grâce à sa suspension abaissée, à ses larges pneus et à sa barre stabilisatrice arrière et elle coûtait 1 600 dollars de moins. La XR2 est devenue une voiture culte à travers le Royaume-Uni et l'Europe. En 1984, quand la deuxième génération a été lancée, plus de 20 000 XR2 avaient été vendues rien qu'en Grande-Bretagne.

Aujourd'hui, il est rare de trouver un modèle original ; les passionnés de Ford nostalgiques de ces modèles paieront cher ceux qu'ils dénicheront. **DS**

900 Turbo 16S | Saab (S)

1981 • 1 985 cm³, S4 • 170 ch
0-97 km/h en 9 s • 200 km/h

Saab, constructeur suédois, avait été pionnier avec sa 99 Turbo. Il était donc tout à fait logique, quand la 900 a remplacé la 99, qu'elle soit suivie d'une nouvelle version turbo.

La Saab 900 Turbo APC était le premier modèle où un turbo était associé à une culasse à 16 soupapes. Autre élément novateur, le système de contrôle électronique du rapport air/carburant permettait d'alimenter le moteur turbo avec n'importe quel type d'essence.

Malgré le long délai du turbo, ce modèle a rapidement eu du succès. Ses performances étaient impressionnantes pour l'époque et, en 1983, une 900 vendue sur trois était une Turbo. En 1988 est apparue la 900 S dont le turbo basse pression éliminait presque entièrement le fameux décalage. La 900 Turbo 16S, disponible dès 1989, était vendue avec un kit de carrosserie aérodynamique qui comprenait des spoilers et des enjoliveurs en aluminium à 3 rayons, caractéristiques des Saab.

La police suédoise a longtemps utilisé la 900 Turbo, mais le modèle qui a fait le plus rêver est apparu dans trois romans d'espionnage au début des années 1980 : c'était la voiture personnelle de James Bond. Après la publication de ces ouvrages, Saab a construit ce modèle tel qu'il avait été décrit, avec carrosserie et vitres blindées.

Ce véhicule publicitaire était équipé de gadgets tels que collimateur de pilotage numérique, système de guidage à distance, et filtre capable de neutraliser un gaz mortel pénétrant dans l'habitacle, complété de masques à oxygène sous les sièges. **JB**

Firebird Trans Am | Pontiac (USA)

1982 • 4 998 cm³, V8 • 145 ch
0-97 km/h en 7 s • 177 km/h

GM a dévoilé la première Pontiac Firebird en 1967 et, au cours des quinze ans suivants, une série de nouveaux modèles ont suivi, équipés de divers 4 cylindres, 6 cylindres et V8. En 1982, dans le cadre du lancement de la troisième génération, GM a emprunté le nom Trans Am au Club automobile sportif d'Amérique qui l'avait inventé en 1966, en échange d'une commission de 5 dollars par Trans Am vendue.

Le modèle de série de 1982 était équipé d'un 4 cylindres, et l'on pouvait commander en option un 6 cylindres S/E ou le V8 de Chevrolet, à hautes performances (Pontiac avait déjà cessé de produire son propre V8). Tous les modèles étaient légers et aérodynamiques. De fait, la réduction du coefficient de traînée avait primé dans la conception des nouvelles Firebird, depuis la nouvelle partie avant surbaissée et le boîtier conique des rétroviseurs, jusqu'aux roues en aluminium, à ailettes, et aux phares rétractables. Même le pare-brise était incliné à 60 degrés.

En résultait une voiture à l'allure menaçante, dont les clignotants avant, étirés, rappelaient sinistrement des yeux profondément enfoncés (jusqu'à ce que Pontiac ne les « maquille » d'étranges dessins de « poulets hurlants » et de lames qui n'avaient rien à y faire). Il n'était donc pas étonnant qu'une Trans Am noire de 1982, modifiée, ait été choisie pour incarner KITT, robot parlant et partenaire de David Hasselhoff dans *K 2000*, série télévisée des années 1980.

Selon le magazine *Road & Track*, la Firebird de série, à 4 cylindres, était l'une des « douze meilleures voitures au monde ». **BS**

Spider | Alfa Romeo ⓘ

1982 • 2 000 cm^3, S4 • 128 ch • 0-97 km/h en 9 s • 201 km/h

Voiture culte depuis les années 1960, la nouvelle Spider a donc évolué avec son temps, à l'instar de l'histoire automobile en général, et s'est modernisée au début des années 1980. Pininfarina dessinait encore cette voiture pour Alfa Romeo. Sa version «rafraîchie», aux roues motrices arrière, était représentative du style de l'époque avec ses pare-chocs en caoutchouc débordant sur les côtés et son spoiler arrière, toujours en caoutchouc. Les carburateurs du moteur avaient été remplacés par des systèmes à injection Bosch et la fiabilité s'était améliorée, contrairement aux performances.

Avec toutes ces nouveautés, la Spider demeurait un roadster élégant au moteur Twin Cam grondeur, au volant bordé de bois et à la boîte manuelle précise, à 5 rapports. Son maniement était agréable et sa silhouette fleurait bon la Côte d'Azur…

L'introduction d'un modèle Graduate (le «lauréat», en français) ne l'a pas aidée. Ce n'était qu'un coup publicitaire qui tentait d'exploiter la brève célébrité dont avait joui la voiture en apparaissant dans le film éponyme de 1967, avec Dustin Hoffman en vedette. La Graduate Spider était un modèle d'entrée de gamme aux sièges en vinyle, aux vitres manuelles et aux jantes en acier. De plus, les puristes se sont étranglés en voyant que l'on pouvait obtenir un kit comprenant jupes latérales et pare-chocs en plastique, pour conférer à la Spider une allure plus aérodynamique.

Dès le début des années 1990, cette voiture avait fait son temps et n'était que rarement aperçue ou évoquée. Alfa Romeo savait qu'il était temps de la réinventer de toutes pièces, et, fort heureusement, c'est ce qu'a fait le constructeur italien. **SH**

911 Cabriolet | Porsche

(D)

1982 • 2 994 cm³, F6 • 204 ch • 0-97 km/h en 6,4 s • 235 km/h

Quand la Porsche 911 Cabriolet a été présentée pour la première fois au Salon de l'automobile de Genève en 1982, on avait du mal à croire que 17 ans s'étaient écoulés depuis la fin de la Porsche 356. Le Cabriolet s'est avéré un succès immédiat pour Porsche, qui en a vendu plus de 4 200 exemplaires au cours de la première année, et l'a conservé depuis à son catalogue.

C'était le cabriolet de série le plus rapide de son époque, capable d'atteindre la même vitesse maximale qu'un coupé (cette affirmation est sujette à débat) grâce à son toit repliable novateur dont une moitié était renforcée par des supports en acier. Ceux-ci maintenaient la rigidité du toit et empêchaient le ballottage que peuvent entraîner des vents de 235 km/h. Cette construction limitait aussi les ronflements et claquements. Les vibrations de la carrosserie, autre conséquence de l'absence de toit, étaient presque inexistantes, et seul un renforcement minime avait été nécessaire pour maintenir son intégrité, plus proche de celle d'un coupé que d'un cabriolet.

La 911 Cabriolet incarnait la renaissance des décapotables. Une législation américaine exigeait la présence d'arceaux de sécurité et d'autres protections, ce qui devait conduire, selon certains, à la disparition des décapotables sur le plus important des marchés mondiaux. Ces craintes étaient infondées ; la 911 Cabriolet a continué à exister, elle a même bénéficié de nombreuses améliorations et d'un marketing agressif grâce à l'un de ses plus fervents admirateurs, Peter Schutz, PDG de Porsche. Ce dernier préférait ses ventes stables, de l'ordre de 9 000 modèles par an, à celles en dents de scie de la 928 et la 924. **BS**

BX | Citroën

1982 • 1 900 cm³, S4 • 160 ch
0-97 km/h en 7,4 s • 198 km/h

Peugeot et Citroën ont fusionné en 1976. Afin de limiter les coûts de production, le groupe PSA développa des projets sur des bases communes. Ainsi naquirent la 405 et la BX.

La carrosserie de la BX était en matériaux de synthèse, la suspension hydropneumatique à correcteur d'assiette. On pouvait augmenter la hauteur du châssis pour traverser une route inondée ou rouler en terrain accidenté. La voiture avait été dessinée par l'Italien Marcello Gandini, créateur de la Lamborghini Countach, de la Fiat X-19 et de la Lancia Stratos.

Dans certains pays, la BX était équipée d'un petit 1 100 cm³, dans d'autres, les nouveaux diesels de Citroën se sont avérés un succès commercial. Le break, spacieux et peu cher, était populaire partout et l'on trouvait même une version 4x4.

Les consommateurs ont apprécié le prix raisonnable, la consommation réduite et les nombreux équipements de la BX. La suspension, bien qu'inhabituelle, offrait tenue de route et confort de conduite. Elle a aussi permis à la voiture d'être reconnue dans le monde entier pour ses capacités de remorquage. En tout, presque 2,5 millions de BX ont été vendues entre 1982 et 1994. La dernière version était la BX GTi à 16 soupapes dont les performances étaient dignes d'une voiture de sport (les chiffres lui correspondant sont indiqués ci-dessus).

Citroën a présenté dans les rallyes de groupe B sa BX 4TC équipée d'un moteur turbo de 2 100 cm³ mais de la même suspension que les modèles de série. Le constructeur a produit 200 exemplaires pour homologuer sa voiture mais n'en a vendu que 62. Les autres ont été détruits, et la 4TC est devenue un objet de collection. **SH**

Sierra | Ford (UK/D)

1982 • 2 000 cm³, S4 • 126 ch
0-97 km/h en 10 s • 192 km/h

Familiale grand public aux caractéristiques techniques ordinaires, la Sierra a pourtant fait scandale lors de son lancement. Sa carrosserie aux courbes aérodynamiques était clairement en avance sur son temps. La presse et le public se sont moqués de sa silhouette en la surnommant le « vaisseau spatial » ou le « bol de gélatine ». Les plus traditionnels réclamaient le retour de son ancêtre, la Cortina, cependant que les concepteurs avant-gardistes se précipitaient au musée Victoria et Albert, à Londres, où étaient exposées les Sierra.

Quelques années plus tard, la silhouette de la Sierra semblait normale. Ses ventes avaient explosé pour en faire le dixième plus gros succès commercial de l'histoire automobile britannique. De fait, ses formes sont devenues si courantes et si copiées qu'à la fin de son existence, une dizaine d'années plus tard, « Sierra » était synonyme d'ennui et de banalité.

La gamme Sierra n'était constituée originellement que de voitures à hayon et de breaks car Ford était persuadée que la berline était dépassée. Le constructeur avait surestimé la capacité des consommateurs à adopter les grands changements ainsi que les formes futuristes.

La gamme a finalement compris non seulement des voitures à hayon à 3 et 5 portes et des breaks, mais aussi une berline, la Sapphire, des 4x4, des muscle cars telles que la Cosworth et la XR4i, et un pick-up, le P100. La gamme de motorisation allait du 1 300 cm³ au turbo de 204 chevaux de la RS Cosworth. Le moteur le plus typique de la Sierra était le Twin Cam de 2 000 cm³ de la 2000E de 1989, dont les performances sont indiquées ci-dessus. **SH**

SD1 Vitesse | Rover

GB

1982 • 3 528 cm³, V8 • 193 ch • 0-97 km/h en 7,6 s • 214 km/h

La Rover SD1 (SD pour division spéciale) était une svelte voiture à hayon et à 5 portes, bien équipée, et populaire malgré une qualité parfois douteuse. Conçue par David Bache et Spen King, elle a remporté le titre de voiture européenne de l'année en 1977. Elle se distinguait principalement par son V8 Buick de 3 528 cm³ à injection qui pouvait développer 193 chevaux, et a fait de la SD1 une voiture mémorable.

Selon les versions choisies, la SD1 pouvait être très bien équipée et offrir plus d'accessoires que les acheteurs de ce secteur de gamme n'y étaient habitués. Les rétroviseurs, vitres, toit ouvrant et serrures à commande électrique étaient de plus accompagnés d'un régulateur de vitesse, de sièges en cuir, d'essuie-phares, d'un ordinateur de bord et d'une stéréo à quatre haut-parleurs. Ces équipements aujourd'hui courants étaient encore

luxueux au début des années 1980. Astucieusement conçu, le tableau de bord était en grande partie symétrique pour permettre de placer le volant à droite ou à gauche sans coûts supplémentaires. Le concessionnaire Wood & Pickett offrait une SD1 encore plus équipée, notamment un clavier de sécurité installé sur le montant B et qui contrôlait les serrures. Aux États-Unis, la SD1 était décorée du drapeau britannique.

Destinée aux passionnés de conduite, elle a trouvé le succès dans les courses de berlines à travers l'Europe ainsi que dans les rallyes, malgré son caractère volumineux. Le pilote Raymond Mays a déclaré que son modèle (de série) constituait la meilleure voiture qu'il ait jamais possédée. Quand la police anglaise a appris que la SD1 Vitesse allait être remplacée par la déplaisante Rover 800, elle s'est empressée de constituer des stocks. **RD**

944 | Porsche

1982 • 2 479 cm³, S4 turbo • 253 ch • 0-97 km/h en 5,5 s • 261 km/h

Quand les ventes de Porsche ont commencé à décliner dans les années 1980, le constructeur allemand décida de redonner de l'éclat à son modèle d'entrée de gamme, la 924, désormais concurrencée par les nouvelles sportives à hayon de Volkswagen et de Ford.

Porsche a conservé le châssis de la 924 mais a abandonné le moteur peu performant, de 2 000 cm³, qui équipait aussi le LT Van de Volkswagen, pour le remplacer par son 4 cylindres de 2 479 cm³ refroidi par eau. Les concepteurs ont aussi conféré à la voiture une allure plus agressive. S'inspirant de la Carrera GTR qui avait couru au Mans, ils lui ont donné des passages de roue renflés et un écartement plus large.

La nouvelle 924 a été rebaptisée 944 et présentée comme un modèle entièrement nouveau. Cela a bien fonctionné, particulièrement aux États-Unis où 16 618 modèles ont été vendus durant la seule année 1984. La 944 a particulièrement séduit les yuppies des années 1980, avides du prestige que leur conférait le légendaire logo allemand. Les passionnés de conduite appréciaient aussi le splendide maniement que sa répartition de poids (49/51) conférait à la voiture. En 1984, le magazine *Car & Driver* déclarait qu'aucune autre voiture de série n'offrait de meilleure tenue de route en Amérique.

Au fil du temps, la 944 a gagné en cylindrée, jusqu'à 3 000 cm³, soit le moteur de série à 4 cylindres le plus puissant de son époque. Toutefois, beaucoup ont considéré que l'ultime 944 était la version turbo, dévoilée en 1985, aujourd'hui la plus prisée des collectionneurs de Porsche. Les chiffres indiqués ci-dessus correspondent à la Turbo S de 1988. **DS**

Santa Matilde 4.1 | Cia. Industrial Santa Matilde

BR

1982 • 4 100 cm³, S6 • 241 ch • 0-97 km/h en 7,7 s • 206 km/h

Humberto Duarte, directeur d'une usine brésilienne, a demandé à sa fille, Ana Lidia, de lui dessiner une nouvelle voiture de sport. Elle lui a proposé ce coupé révolutionnaire, aux roues motrices arrière et à toit amovible. Cette silhouette unique qui n'en rappelait aucune autre est demeurée en production pendant 20 ans.

La carrosserie était en fibre de verre, le moteur un 6 cylindres en ligne Chevrolet. Comme certaines des pièces du châssis, il provenait de l'Opala, voiture de taille moyenne de la filiale brésilienne de GM. Le système d'échappement et le carburateur étaient nouveaux. Quand la Santa Matilde ou SM a été dévoilée au Salon de l'automobile de Sao Paulo en 1976, c'était l'un des modèles les plus luxueux du pays. La réaction du public a été si positive que la production a été lancée près de Rio de Janeiro.

La SM existait également en version turbo 2 500 cm³. Les équipements de série comprenaient les vitres à commande électrique, un radiocassette, des sièges en cuir et la climatisation. Les freins étaient à disque, mais la boîte de vitesses manuelle ne comprenait que 4 vitesses et l'habitacle se révélait exigu pour les passagers les plus grands. L'étroitesse des sièges arrière les rendait presque inutiles. Toutefois, les dispositifs de sécurité s'avéraient très modernes : les pare-chocs en caoutchouc étaient montés sur des cadres en acier rétractables, et la structure à déformation progressive protégeait les passagers en cas d'accident.

En 1984, une version décapotable a été lancée et, en 1991, la SM a bénéficié de modifications mineures, dont des phares carrés. La voiture a été produite telle qu'elle avait été dessinée par Ana Lidia jusqu'en 1997. **SH**

Thunderbird | Ford USA

1983 • 4 942 cm³, V8 • 132 ch • 0-100 km/h en 9,6 s • 195 km/h

La Thunderbird avait fait ses débuts en 1955 comme coupé sportif classique, une magnifique petite voiture à 2 places équipée d'un V8. Elle s'était transformée en 4 places plus carrée en 1958, puis en 1964 en « Jet Bird » au capot allongé, avant de s'égarer dans les années 1970 avec une série de modèles paresseux, vulgaires et rappelant des tanks, qui avaient ruiné sa réputation. Il fallait y remédier, et c'est ce qui s'est produit en 1983.

Plus que tout autre modèle de l'histoire automobile américaine, la Thunderbird de 1983 représentait un changement radical de direction. Personne chez Ford ne s'y attendait. Le lourd volume et les formes carrées de ses « luxueuses » grandes sœurs des années 1970 avaient disparu, remplacés par un aérodynamisme effronté. La nouvelle Thunderbird offrait d'excitantes nouveautés telles qu'un pare-brise incliné à 60 degrés et un capot

pourvu de gouttières qui limitaient le bruit à l'intérieur de l'habitacle quand la voiture roulait à grande vitesse. En outre, celle-ci s'était amincie en perdant plusieurs centimètres de large. Presque plus rien ne demeurait des modèles des années 1970. C'était une transformation totale. Les Thunderbird de 1983 étaient magnifiquement définies et exécutées selon des normes de qualité que l'on n'avait plus vues depuis dix ans.

La Thunderbird était de retour et entièrement pardonnée. En une seule année, les concessionnaires américains ont vendu presque 122 000 modèles de 1983, soit une extraordinaire augmentation de 250 % par rapport à l'année précédente (qui, admettons-le, avait été marquée par la crise). La gamme devenait enfin adulte, élancée et agréable à conduire, et offrait à Ford une nouvelle ère de modèles encore plus réussis. **BS**

Escort XR3i | Ford

GB/D

1983 • 1 596 cm³, S4 • 106 ch • 0-97 km/h en 8,5 s • 193 km/h

L'Escort de la troisième génération concurrençait directement la populaire Golf de Volkswagen et la nouvelle Vauxhall Astra.

La XR3 a vite été un succès : 11 585 modèles ont été vendus au cours de la première année pour le seul Royaume-Uni. Avec ses jantes en alliage distinguées par leur configuration en « feuille de trèfle », son becquet sur le coffre et des décorations sportives, elle a attiré des milliers de jeunes fous du volant.

Toutefois, malgré son esthétique attrayante, la nouvelle Ford offrait des performances peu enthousiasmantes comparées à celles de la Golf GTI. Ce n'est que lorsque la XR3i, une version modifiée, a été dévoilée en janvier 1983, que Volkswagen a dû affronter une vraie rivale. Construite à Sarrelouis en Allemagne, la XR3i était équipée d'un système Bosch à injection,

d'une suspension améliorée et d'une meilleure boîte à 5 rapports pour faire de l'Escort une vraie voiture de passionnés de conduite (voir les chiffres ci-dessus).

Au fur et à mesure que l'Escort bénéficiait d'importantes modifications esthétiques en 1986, 1992 et 1995, la XR3i faisait de même pour ne pas perdre sa fraîcheur, notamment grâce à une trousse de carrosserie plus importante. Elle constituait toujours une alternative abordable aux GTI plus performantes de Peugeot et Volkswagen. Tandis que la Golf acquérait une réputation de solide voiture haut de gamme, la XR3i était l'héroïne des classes populaires à la recherche de frissons à budget réduit. Pour s'amuser à faire la course sur les petites routes régionales, on n'achetait pas toujours sa propre XR3i : à la fin des années 1980, cette petite sportive était la voiture la plus volée de Grande-Bretagne. **DS**

Sierra XR4i | Ford

1983 • 2 792 cm³, V6 • 150 ch • 0-97 km/h en 7,7 s • 208 km/h

La Sierra avait été mal accueillie par les Européens, qui désiraient le retour de la Ford Cortina, de forme carrée mais populaire. Un an plus tard seulement, Ford commençait à convaincre les sceptiques.

La XR4i, lancée en 1983, annonçait ce changement de cap. Cette nouvelle Sierra, dotée de 3 portes seulement, arborait un magnifique déflecteur arrière. Elle était équipée du gros V6 à injection de la Capri, autre succès de Ford. Ses performances étaient vigoureuses mais son maniement parfois délicat. Aujourd'hui, c'est une automobile classique prisée des collectionneurs.

La XR4i a été remplacée par la XR4x4 en 1985. Cette voiture à hayon à 5 portes et transmission intégrale permanente offrait une conduite plus sûre. La voiture abritait le même V6 de 2 792 cm³, et exigeait presque 1 seconde de plus pour atteindre le 97 km/h depuis l'arrêt. Ford a lancé simultanément en Afrique du Sud sa XR6 dotée d'un V6 de 3 000 cm³, et sa XR4 en Argentine, avec un V6 de 2 300 cm³.

Dans le cadre de son plan de développement mondial, Ford a ensuite exporté une version de la XR4i aux États-Unis, où elle était baptisée Merkur XR4Ti. Elle a été pourvue d'un moteur turbocompressé de 2 300 cm³, Ford espérant répéter son succès européen dans son pays natal. Mais la Merkur, dont la vitesse de pointe était de 210 km/h, ne s'est pas très bien vendue.

Ford a ensuite exporté une XR4Ti en Europe, au volant de laquelle Andy Rouse a remporté le Championnat britannique des berlines de tourisme en 1985. Le constructeur a utilisé les informations techniques fournies par les mécaniciens de Rouse pour mettre au point la génération suivante de Sierra, la Cosworth. **SH**

Quattro | Audi   (D)

1983 • 2 144 cm³, S5 • 200 ch
0-97 km/h en 7,1 s • 230 km/h

L'Audi Quattro a obtenu son statut légendaire en produisant sur route des performances dignes de rallye. Celle dont le nom signifiait « quatre » en italien était la première voiture à 4 roues motrices à hautes performances. Conduite par des pilotes de rallye de renommée internationale, tels que Hannu Mikkola, Stig Blomqvist et Michèle Mouton, elle a remporté huit rallyes mondiaux.

La Quattro est née d'une proposition de Jörg Bensinger, l'un des principaux ingénieurs responsables de la construction de châssis chez Audi. En effet, il a suggéré d'équiper un modèle à hautes performances de 4 roues motrices. Le directeur de la mise en chantier chez Audi, Walter Treser, a adopté son idée.

La première Quattro est apparue en 1980 mais c'est sa version A1 de 1981 qui lui a permis de percer en compétition internationale. Elle a fait ses débuts au rallye Monte-Carlo, pilotée par Mikkola qui a remporté l'épreuve, avant d'autres victoires en Suède et au Portugal.

La Quattro a bénéficié d'une résurgence de popularité en Grande-Bretagne quand un modèle rouge de 1983 a été attribué à l'inspecteur divisionnaire Gene Hunt dans la série télévisée *Ashes to Ashes*, diffusée par la BBC entre 2008 et 2010. La voiture apparaissait aussi sur l'une des affiches du Parti travailliste lors de la campagne électorale de 2010 au Royaume-Uni. **SB**

M635CSi | BMW   (D)

1984 • 3 453 cm³, S6 • 290 ch
0-100 km/h en 6,5 s • 255 km/h

La Série 6 de BMW offrait, comme la 3.0CS qui l'avait précédée, une silhouette gracieuse. Sa forme en coupé, aux lignes pures, avait été dessinée par Paul Bracq.

Révélée au Salon de l'automobile de Francfort de 1983, la M635CSi a finalement reçu le moteur qu'elle méritait, le 3 453 cm³ à 6 cylindres en ligne qui équipait aussi la M1. Il développait 290 chevaux et la voiture a bientôt été surnommée la « Ferrari bavaroise ». La CSi atteignait 160 km/h en à peine 15,6 s.

La suspension et les amortisseurs bénéficiaient eux aussi d'une technologie de pointe, et l'on pouvait commander en option une suspension arrière à correcteur d'assiette. De nombreux modèles ont été exportés aux États-Unis sous le nom de M6. Les conducteurs américains adoraient ce mélange de performances, de style et de fiabilité. Légèrement moins puissant que les versions européennes à cause de la présence d'un catalyseur réducteur d'émissions, le modèle américain arborait aussi de laids pare-chocs en caoutchouc. À l'intérieur, on découvrait du cuir nappa, et l'on pouvait commander en option un refroidisseur de boissons.

En tout, 5 855 modèles ont été construits, y compris un petit nombre dont on avait coupé le toit pour en faire des décapotables ! On aurait dû punir ceux qui ont ainsi saccagé l'une des plus belles BMW qui soient. **RD**

Espace | Renault (F)

1984 • 1 995 cm³ • 105 ch
0-100 km/h en 10,7 s • 181 km/h

Le Renault Espace, moderne et pratique, était le remplaçant de l'inconfortable Rancho. Le concept, imaginé par Chrysler, avait bénéficié de l'intervention de Simca, ces deux entreprises ayant fusionné avec Peugeot Citroën (PSA). Matra a été chargée de sa fabrication. Puis Peugeot a changé d'avis et offert ce modèle à Renault.

L'Espace, qui pouvait abriter sept passagers, était le premier monospace selon son constructeur. Sa forme en caisse offrait un vaste espace intérieur et, grâce à sa carrosserie en fibre de verre et à son châssis en acier galvanisé, il était beaucoup moins susceptible de rouiller que d'autres breaks. Après des débuts lents, l'Espace est devenu populaire et a incité d'autres constructeurs à produire des monospaces.

En 1995, pour célébrer dix ans de production, Matra a construit un Espace exceptionnel, simplement baptisé F1. Équipé en son centre d'un V10 de 800 chevaux plus communément trouvé dans les voitures de formule 1, et doté d'une carrosserie en fibre de carbone, il pouvait atteindre 200 km/h en 6,9 s.

En 2003, Renault a décidé de produire elle-même l'Espace IV. Matra a remplacé l'Espace sur ses chaînes par l'Avantime, bizarrerie futuriste qui s'est avérée un échec commercial. Finalement, Matra a dû se contenter de construire des vélos électriques. **MG**

288 GTO | Ferrari (I)

1984 • 2 855 cm³, V8 • 400 ch
0-97 km/h en 3,8 s • 304 km/h

Les chiffres qui précèdent montrent qu'il ne s'agit pas d'une voiture ordinaire. Comment obtient-on d'un moteur de 2 855 cm³ une vitesse de 304 km/h ? Et comment passer de 0 à 97 km/h en moins de 4 secondes ? Ce n'est possible que si l'on s'appelle Ferrari et que l'on peut produire une formule 1 autorisée sur route. Le sigle GTO signifie Gran Turismo Omologato, ou « grand tourisme homologué » en français.

Ferrari voulait participer aux épreuves du groupe B en 1982, et pour ce faire, devait construire et vendre au moins 200 modèles de série de la voiture présentée. Le constructeur italien a produit 272 modèles de ce nouveau produit en 1984-1985, mais seuls Ferrari et Porsche s'étant présentées aux épreuves du groupe B, celles-ci ont été annulées et les 272 exemplaires de la 288 GTO ont été proposés à la vente. C'était la première voiture ordinaire capable de dépasser 300 km/h.

Une partie de son époustouflante puissance provenait du placement longitudinal du moteur à l'arrière de la voiture. Celle-ci jouissait aussi de rétroviseurs surélevés, et de doubles phares assez puissants pour illuminer un circuit de course la nuit sous la pluie tout en roulant à la vitesse maximale. Avec peu de modèles produits, on aperçoit rarement la 288 GTO sur le marché. Mais en 2011 l'une d'entre elles s'est vendue à 750 000 dollars. **MG**

Mondial Cabriolet | Ferrari

1984 • 3 405 cm³, V8 • 300 ch • 0-97 km/h en 7,5 s • 254 km/h

Le Mondial, un coupé 2 + 2 à 2 portes dessiné par Pininfarina et lancé en 1980, avait été baptisé en hommage aux courses du Mondial 500 des années 1950. Ferrari a dévoilé en 1984 sa version cabriolet, principalement destinée au marché américain. C'est la seule décapotable à 4 places et moteur central jamais produite en grand nombre. Elle avait été obtenue simplement en éliminant le toit du coupé. Jolie, elle s'avérait idéale pour parcourir lentement les boulevards ensoleillés.

Comme le coupé, le cabriolet était doté d'un châssis en acier tubulaire et d'une suspension entièrement indépendante. Son moteur V8 était disponible en diverses cylindrées et développait jusqu'à 300 chevaux. Les deux sièges arrière du coupé avaient été conservés mais aussi rapprochés, et s'avéraient si étroits qu'ils ne convenaient qu'à des enfants.

La Mondial Cabriolet constituait la première Ferrari décapotable depuis la Daytona des années 1970. Bien qu'offrant un excellent maniement, ce n'était pas, de l'avis général, une voiture destinée aux vrais passionnés de conduite.

« Parmi les connaisseurs de Ferrari, a déclaré le magazine *Road & Track* à la suite d'essais sur route en 1990, certains considèrent que la Mondial Cabriolet est une concession à notre époque. Selon d'autres, c'est la voiture la plus utile qu'ait jamais produite Maranello. »

À cause de son manque de puissance et de fiabilité, la Mondial a récemment rejoint le palmarès des pires voitures de tous les temps établi par le magazine *Time*. Son système électronique à base de transistors était notoirement problématique. Toutefois, c'est aussi l'une des Ferrari les plus abordables. **RD**

Corvette C4 | Chevrolet

1984 • 5 733 cm³, V8 • 208 ch • 0-97 km/h en 6,8 s • 240 km/h

Après avoir mis à la retraite tous les modèles Corvette, Chevrolet savait que le suivant devait s'avérer un succès pour que cette gamme populaire ne s'éteigne pas. La production de la Corvette C3 s'était achevée en 1982 car, malgré l'excellente qualité du modèle, ses ventes déclinaient. Comment la C4 pouvait-elle inspirer de nouveau l'intérêt ? Même si cela signifiait qu'aucun modèle ne serait disponible en 1983, Chevrolet a construit pas moins de 43 prototypes pour la mettre à l'épreuve et la perfectionner.

La nouvelle Corvette, finalement disponible en 1984, arborait des lignes plus pures et s'avérait plus rapide que n'importe quelle autre auparavant. C'était, depuis 1968, la première de la gamme entièrement renouvelée. Plus courte et plus légère, elle jouissait aussi d'un aérodynamisme amélioré de 25 %. Cela s'était avéré nécessaire à cause de nouvelles normes américaines en matière de consommation. De nouvelles règles de sécurité avaient imposé l'installation d'un volant qui se repliait en cas de collision frontale afin de protéger le conducteur. L'airbag n'ayant pas encore été inventé, la boîte à gants avait été remplacée par une partie rembourrée pour protéger le passager avant.

Chevrolet, qui désirait offrir la meilleure tenue de route possible, a collaboré avec Goodyear pour concevoir les pneus de la C4, en s'inspirant de ceux qu'utilisaient les voitures de formule 1 par temps pluvieux. Ils devaient bien se comporter à vitesse élevée mais aussi être esthétiques. La nouvelle Corvette, qui coûtait 21 800 dollars à son lancement, a retrouvé le succès commercial dont avait joui la gamme plusieurs années avant. Sa production a continué jusqu'en 1996. **MG**

Testarossa | Ferrari

1984 • 4 943 cm³, F12 • 390 ch • 0-97 km/h en 4,8 s • 288 km/h

Testarossa, qui signifie «tête rousse» en italien, faisait référence aux couvre-culasses rouges de la voiture. Toutefois, le nom pourrait simplement être synonyme de testostérone. La Testarossa a été lancée en 1984 ; vraie supercar, c'était la voiture de série la plus rapide au monde, un titre qu'elle a détenu pendant onze ans.

Ses origines remontaient à 1982 quand le bureau de style italien Pininfarina, qui avait dessiné des douzaines de magnifiques automobiles pour des constructeurs tels

que Rolls-Royce, Chevrolet, Jaguar, MGB, Alfa Romeo et Ferrari, a été chargé de concevoir cette voiture de rêve. Il allait de soi qu'elle serait pourvue d'un 12 cylindres capable de développer 390 chevaux, bénéficierait des équipements les plus luxueux mais, en outre, serait aussi pratique que possible et offrirait aux membres de la jet-set beaucoup d'espace pour leurs bagages.

La silhouette aux lignes d'une pureté époustouflante avait été conçue dans un tunnel aérodynamique pour

approcher de la perfection en ce domaine, et faisait appel à de l'aluminium léger là où des matériaux plus solides et plus lourds n'étaient pas nécessaires. Elle était légèrement plus grande que la Boxer et d'allure très différente. On remarquait particulièrement son rétroviseur unique, fixé assez haut, à gauche sur le montant A. Il a retrouvé une position plus convention- nelle sur les modèles destinés au marché américain, et un second rétroviseur a finalement été ajouté du côté droit pour des raisons de sécurité. La voiture coûtait 100 000 dollars lors de sa mise en vente en 1984, et a été produite jusqu'en 1991 quand la 512 TR l'a remplacée. Plus de 7 000 modèles avaient été produits entretemps.

La Testarossa a non seulement séduit le public, mais c'était aussi une vedette du petit et du grand écran. Ferrari a notamment offert deux modèles aux produc- teurs de *Deux Flics à Miami*, de couleur blanche pour qu'ils ressortent dans les scènes nocturnes. **MG**

205 T16 | Peugeot

(F)

1984 • 1 775 cm³, S4 turbo • 457 ch • 0-97 km/h en 4,5 s • inconnue

L'âge d'or des rallyes est né en 1982 avec l'apparition du groupe B ; en l'absence presque totale de restrictions, la seule condition requise pour y participer était de construire 200 modèles homologués sur route pour chaque voiture. Plusieurs grands constructeurs ont chargé les meilleurs experts de leur département de compétition automobile de construire des voitures de rallye à 4 roues motrices. Capables de développer plus de 400 chevaux grâce à la turbocompression, la plupart de ces modèles étaient pourvus de carrosseries ultralégères, le moteur étant placé au centre pour un meilleur maniement.

Peugeot s'est aligné sur les rangs un peu tard, en 1984, avec sa T16 et a éprouvé des difficultés à suivre le rythme imposé par les Quattro. Toutefois, après quelques réglages et en faisant appel aux talentueux pilotes Salonen et Kankkunen, Peugeot a remporté le Championnat du monde des rallyes dans les catégories pilote et constructeur en 1985 et 1986.

Cette voiture à empattement court n'était pas facile à piloter mais bénéficiait de hordes de supporters qui attendaient avec impatience le modèle homologué sur route. Ces 200 modèles spéciaux abritaient eux aussi un moteur turbo à la place des sièges arrière, mais avaient été bridés pour ne pas dépasser 200 chevaux, une puissance moins mortelle. Si, de l'extérieur, la T16 ne se différenciait pas de la 205 de série, elle n'avait en commun avec cette dernière que le cadre de son pare-brise.

Quand les rallyes de groupe B ont été supprimés, Peugeot a adapté sa T16 au Paris-Dakar. Après avoir parcouru 13 000 kilomètres dans le désert nord-africain, elle a remporté l'épreuve en 1987 et 1988 avant d'être mise à la retraite. **DS**

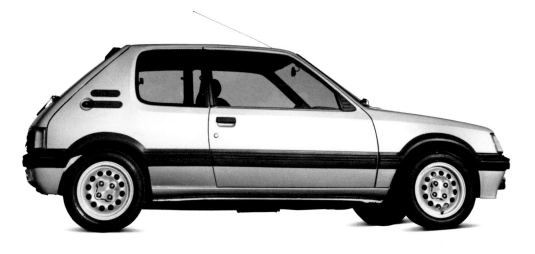

205 GTI 1.6 | Peugeot (F)

1984 • 1 580 cm³, S4 • 117 ch • 0-97 km/h en 8,7 s • 197 km/h

La Peugeot 205 GTI était probablement la plus dynamique des voitures à hayon à hautes performances des années 1980. De hauts sièges renforcés, de la moquette rouge ainsi qu'un volant et un pommeau de levier de vitesse recouverts de cuir la distinguaient encore davantage. De subtils ajouts aérodynamiques, des bandes rouges et d'élégantes jantes en alliage à 8 rayons la différenciaient de modèles de moindre qualité.

Quand elle a été lancée, la 205 GTI était moins chère que les modèles similaires de Ford, Volkswagen et Vauxhall. Pourtant, lors d'essais sur route de plusieurs voitures à hayon à hautes performances, la 205 est très souvent arrivée en tête. Les journalistes faisaient surtout les louanges de son extraordinaire maniement et, selon le magazine *Autocar*, «la 205 établi[ssai]t de nouveaux critères en matière de capacité de réaction. Sa tenue

de route et sa traction [étaient] extraordinaires à l'avant, et le roulis de la caisse minime dans les virages serrés». Peugeot avait obtenu ces résultats grâce à une suspension plus raide, des amortisseurs améliorés, des barres stabilisatrices à l'avant et des supports de suspension renforcés. La voiture était de plus très légère (850 kilos).

Toutefois, la GTI pouvait se rebiffer si on la poussait trop ; quand on levait le pied de l'accélérateur en plein virage, elle perdait son équilibre. Dépourvue des dispositifs de sécurité qu'on trouvait sur les autres voitures, la GTI attirait aussi les voleurs. De plus, à cause de son coût réduit, beaucoup de modèles se sont rapidement détériorés en passant d'un propriétaire à l'autre. Il devient de plus en plus difficile de trouver des GTI de la première génération en bonne condition. Aujourd'hui, elles sont très recherchées. **DS**

Fiero GT | Pontiac

USA

1984 • 2 500 cm³, S4 • 93 ch • 0-97 km/h en 11,6 s • 168 km/h

General Motors avait compris qu'il existait un créneau vierge pour un véhicule d'apparence sportive mais équipé d'un simple 4 cylindres offrant une consommation raisonnable à un prix abordable : ainsi est née la Fiero. Malgré la réaction décevante de la critique, qui déplorait la puissance dérisoire de la voiture, celle-ci s'est bien vendue. L'usine Pontiac, située dans la ville éponyme du Michigan, a eu du mal à répondre à la demande dans les premiers temps et, en cinq ans, plus de 370 000 Fiero ont été achetées.

Sous sa carrosserie saisissante, la voiture était résolument traditionnelle, construite sur un châssis en acier extrêmement solide. Ses pièces de carrosserie en matériaux de synthèse, célèbres pour leur capacité à retrouver leur forme après un accident mineur, étaient révolutionnaires pour l'époque. L'emplacement central du moteur avait été choisi pour une meilleure répartition de la masse, et la Fiero a par la suite été déclinée en tricorps et en voiture à hayon. En 1985, un V6 plus puissant a été proposé.

La Fiero a été abandonnée en 1988. GM avait pris sa décision à cause d'un rapport interne prédisant le déclin prochain des 2 places, mais aussi parce que le moteur du modèle original avait tendance à s'enflammer spontanément. On en a imputé la cause à des fuites d'huile sur des pièces surchauffées. En 1990, une concept car a été exposée mais jamais produite.

La Fiero est aujourd'hui une voiture culte, très prisée des collectionneurs. Ses pièces de carrosserie détachables ont incité beaucoup de propriétaires à la transformer en copie de Ferrari ou Lamborghini et, plus récemment, elle a parfois été convertie en voiture électrique. **RY**

Mantula | Marcos

GB

1984 • 3 532 cm³, V8 • 158 ch • 0-97 km/h en 6 s • 224 km/h

Entreprise britannique, Marcos a tenté de construire des voitures de sport compétitives avec des résultats mitigés. Frank Costin, l'un des deux fondateurs, a quitté la firme après deux ans seulement, laissant le second fondateur, Jem Marsh, seul aux commandes. Marcos avait lancé deux versions de sa Mantis en 1968 et connut alors un certain succès – qui ne dura malheureusement pas puisque la société déposa une première fois le bilan en 1972. Jem Marsh a redonné vie à l'entreprise en 1982 et présenté deux ans plus tard son principal nouveau modèle, la Mantula.

Cette voiture abritait un moteur Rover de 3 532 cm³ et était proposée en kit, comme les modèles antérieurs du constructeur. Avec un moteur plus léger que les précédents, cette fois-ci la Mantula ne partait pas battue d'avance face aux sportives plus connues telles que la Morgan. Sa vitesse maximale et son accélération étaient impressionnantes.

La voiture était belle, rappelant une version réduite de la classique Jaguar Type E, et l'intérieur modernisé par rapport à celui de la Mantis. Toutefois, la Mantula était toujours destinée à demeurer une voiture de production limitée, et seuls 170 modèles ont été construits entre le lancement, en 1983, et la fin de la production, en 1992.

Marcos a aussi produit la Martina, déclinaison meilleur marché de la Mantula, et la version décapotable de cette dernière, la Spyder, en 1986.

La Mantula a conservé sa popularité et est toujours appréciée des acheteurs. Elle s'avère relativement peu onéreuse aux enchères, entre 16 000 et 19 000 dollars pour un modèle en bonne condition. **MG**

350i | TVR

GB

1984 • 3 528 cm³, V8 • 200 ch • 0-97 km/h en 6,5 s • 216 km/h

À la fin des années 1970, TVR, constructeur de voitures de sport basé à Liverpool, désirait revigorer sa gamme. Bien que la Taimar ou la 3000S se soient avérées d'excellents modèles, la carrosserie de base avait peu changé depuis le milieu des années 1950.

Un tout nouveau modèle, la Tasmin, a été dévoilé au Salon de l'automobile de Belgique en janvier 1980. Dessinée par Oliver Winterbottom, ancien concepteur de Lotus, la forme en coin si caractéristique de la voiture avait été inspirée par l'Esprit et l'Eclat. Les premières Tasmin ont emprunté à la Capri son fiable V6 Ford, puis, sous la direction de Peter Wheeler, la voiture s'est vu attribuer un V8 Rover de 3 528 cm³, entièrement en aluminium.

Cette Tasmin améliorée a finalement été baptisée 350i. La tubulure du système d'échappement sportif lui conférait un grondement profond. Les propriétaires de cette « bombe de Blackpool », actuels ou anciens, racontent tous la même histoire : les promenades du week-end étaient organisées de façon à pouvoir emprunter autant de tunnels que possible pour jouir au maximum de l'expérience sonore de ce magnifique V8.

Si le murmure du système d'échappement est devenu la marque de TVR, on doit aussi mentionner l'accélération de la voiture et son maniement, bien meilleurs que sur les modèles précédents. Après des essais avec un prototype en septembre 1983, *Car Magazine* a écrit qu'elle « rappelait un dragster, non seulement par ses grondements mais aussi par son accélération ». Le journaliste concluait son article par ces mots : « La 350i, qui coûte 23 200 dollars, m'a offert plus de plaisir automobile pur que n'importe quelle autre voiture depuis la Ferrari 275 GTB/4 il y a plus de dix ans. » **DS**

MR2 Mk 1 | Toyota

1984 • 1 587 cm³, S4 • 114 ch • 0-97 km/h en 8 s • 205 km/h

Au début des années 1980, Toyota, connue pour ses voitures familiales pratiques, était en train de mettre au point un petit modèle économique qui séduirait les passionnés de conduite et apporterait une touche d'éclat à sa gamme. Le projet existait depuis 1976, mais n'avait progressé que lentement sous la direction d'Akio Yoshida. Plusieurs prototypes ont été mis à l'essai au Japon et en Amérique où Toyota a fait appel à Dan Gurney, pilote de formule 1.

Ce n'est qu'en 1983 que l'on s'est approché du stade de la production. Les examens approfondis des diverses options et les nombreux essais ont finalement donné naissance à une petite voiture de sport à roues motrices arrière et moteur central. La MR2 a été lancée à l'occasion du Salon de l'automobile de Tokyo cette même année. Elle a inévitablement bénéficié d'une immense

publicité car ce devait être la première japonaise à moteur central produite en grand nombre. On a pu l'acheter dès le printemps suivant.

Bien que les initiales de son nom aient fait référence en anglais à sa petite taille et à son type de traction (le « 2 » faisant allusion à ses 2 places), inévitablement, au fil des ans, les anglophones l'ont surnommée Mister 2. Prononcé à voix haute, cet ensemble de lettres et de chiffre évoquant le célèbre mot de Cambronne en français, dans l'Hexagone, la voiture a été baptisée Toyota MR.

La MR2 devait son succès à son prix abordable, et au plaisir qu'on prenait à conduire cette petite voiture de sport grâce au maniement mis au point par Roger Becker, ingénieur spécialiste des suspensions chez Lotus. Après trois générations de MR2, la production a cessé en 2007. **SB**

M3 | BMW

D

1985 • 2 302 cm³, S4 • 200 ch • 0-97 km/h en 6,9 s • 235 km/h

Paul Rosche, directeur technique de BMW M Gmbh, avait conçu le moteur dont était équipée la Brabham, au volant de laquelle Nelson Piquet avait remporté le championnat du monde en 1983. Rosche a été chargé par BMW d'homologuer la E30 M3 pour les courses de voitures de tourisme du groupe A où elle rivaliserait avec des Mercedes-Benz. Il a alors conçu celle qui deviendrait la première d'une série de fabuleuses M3.

Le modèle de Rosche a été lancé au Salon de l'automobile de Francfort de 1985. Le magazine allemand *Sport Auto* l'a rapidement désigné « berline sportive de l'année ». Les seules pièces de carrosserie qu'elle avait en commun avec le modèle de série étaient le capot et le toit, y compris sa partie ouvrante. La carrosserie comprenait des passages de roue distinctifs, carrés et renflés, qui pouvaient contenir des pneus plus importants.

La boîte de vitesses était à grille inversée. Le moteur, un 4 cylindres en ligne, avait été choisi pour sa puissance et son poids réduit. Rosche est parvenu à en tirer 238 chevaux dans les modèles EVO ultérieurs.

La M3 a rencontré le succès en compétition, remportant des courses d'endurance de Nürburgring, Spa et Guia, et même le Tour de Corse où, à cause de la présence de gravier, ses roues motrices arrière représentaient un handicap par rapport aux 4 roues motrices de ses concurrentes telles que la Sierra Cosworth de Ford.

Malgré son prix de 36 800 dollars, la voiture a été très bien accueillie. La première M3 est rapidement devenue culte grâce à ses antécédents et à ses performances. Les générations suivantes abritaient des moteurs à 6 et 8 cylindres mais l'on considère souvent la E30 M3 originale, à 4 cylindres, comme la meilleure de toutes. **RD**

328 | Ferrari

1985 • 3 185 cm³, V8 • 271 ch • 0-97 km/h en 5,1 s • 261 km/h

Pour sa 328, Ferrari s'est tourné une fois de plus vers Pininfarina qui avait déjà dessiné la carrosserie de la Testarossa. On pouvait difficilement attendre mieux du concepteur italien car toutes les voitures ne peuvent être extraordinaires, mais Ferrari devait remplacer sa 308 par un modèle haut de gamme, baptisé 328 : « 32 » en référence à la taille du moteur de 3,2 litres (3 185 cm³) et « 8 » pour le nombre de cylindres.

Comme la 308, la 328 était déclinée en deux versions, la GTB et la GTS. La Gran Turismo Berlinetta était dotée d'un toit fixe, la Gran Turismo Spyder d'un toit amovible. Pourvues d'un habitacle plus spacieux et luxueux que la 308, toutes deux la dépassaient aussi en termes de performances, tenue de route et conception. La 328 était légèrement plus haute que la 308 mais sa silhouette était si effilée et aplatie qu'elle semblait plus petite et plus rapide. Une fois encore, Pininfarina avait créé un classique.

En 1986, Ferrari a construit deux versions spéciales de la voiture, la GTB Turbo et la GTS Turbo, conçues pour le marché italien, de sorte que les moteurs ont été ramenés à moins de 2 litres pour bénéficier d'une TVA moins élevée. Toutefois, grâce au turbo, les niveaux de performance demeuraient presque intacts.

Ferrari a construit 7 400 modèles de sa 328 jusqu'en 1989, année qui a marqué son remplacement par la 348. La GTS, au toit amovible, était presque quatre fois plus populaire que la GTB. La 328 représentait alors le plus gros succès commercial du constructeur italien et demeure très recherchée aujourd'hui, certains exemplaires en bonne condition ayant atteint récemment des prix compris entre 60 000 et 80 000 dollars. **MG**

Metro 6R4 | MG (GB)

1985 • 2 991 cm³, V6 • 416 ch
0-97 km/h en 3,2 s • 193 km/h

En octobre 1980, British Leyland avait dévoilé l'Austin Metro, remplaçante possible de la Mini originale. Un mois seulement après le lancement de la Metro, British Leyland a retiré sa TR7 V8 des rallyes internationaux ; il semblait, en effet, logique d'aligner le plus récent de ses modèles dans les épreuves du groupe B.

Ce projet a été confié à la firme Williams Grand Prix Engineering qui, en 1984, avait dévoilé le prototype de la MG Metro 6R4 (préparée pour les rallyes, 4 roues motrices, 6 cylindres). Arborant une robe blanc et rouge, couleurs classiques des Mini Cooper championnes du Rallye Monte-Carlo, la 6R4 n'avait que peu en commun avec la Metro de série. Son V6, placé au centre, était accompagné d'un châssis en treillis et d'une cage de sécurité intégrale. La carrosserie, légère, était en aluminium et fibre de verre. D'immenses ailerons, des passages de roue renflés et des conduites d'air complétaient la transformation de la Metro. Ancienne petite voiture terne à hayon, c'était désormais un monstre de compétition. Les 200 modèles homologués sur route ont été baptisés 6R4 Clubman.

La voiture ne s'est jamais vraiment avérée compétitive en rallye, et a obtenu son meilleur résultat, la troisième place, lors de sa première course, le rallye de Grande-Bretagne de 1985. **DS**

Uno Turbo | Fiat (I)

1985 • 1 372 cm³, S4 • 116 ch
0-97 km/h en 7,7 s • 209 km/h

Cette voiture à hayon à hautes performances a régné dans les rues européennes des années 1980. Son allure ne faisait rêver personne, mais Abarth, préparateur de Fiat, voyait en elle des possibilités. Son moteur à arbre à cames unique a été doté d'un turbo et de l'injection électronique séquentielle, puis préparé pour développer 116 chevaux. Cette Uno était aussi dotée d'une carrosserie plus aérodynamique et d'une suspension indépendante modifiée pour pouvoir supporter une puissance accrue. Malgré cela, la voiture ne pouvait rivaliser avec ses concurrentes des écuries Peugeot et Renault, qui réalisaient des prouesses.

Pour sa gamme de prix, elle offrait toutefois une bonne vitesse en ligne droite et une conduite nerveuse. Elle a peu à peu été améliorée, gagnant en puissance, en équipement et en aménagement intérieur. Tous les freins étaient à disque, et la boîte manuelle, à 5 rapports, très précise. Certains modèles étaient équipés de sièges en cuir, d'un aileron arrière, d'un tuyau d'échappement chromé, de jantes en alliage et de freins ABS.

On pouvait aisément préparer le moteur turbo et beaucoup de modèles ont été adaptés par des passionnés ou réglés pour la course. Selon certains, une petite Fiat préparée peut développer plus de deux fois et demie la puissance du modèle de série. **SH**

Celica | Toyota　　　Ⓙ

1985 • 1 998 cm³, S4 • 150 ch
0-97 km/h en 8,5 s • 210 km/h

La quatrième génération de la Celica, présentée en 1985, était entièrement renouvelée. Les roues motrices avant et le moteur de 1 998 cm³ constituaient ses principales nouveautés mécaniques et la carrosserie avait été redessinée pour offrir des lignes plus pures et arrondies.

Au Japon, la voiture a été suivie en 1986 de la GT-Four. À 4 roues motrices, celle-ci abritait une version turbo du nouveau moteur et a constitué la voiture de rallye officielle du constructeur aussi longtemps qu'elle est demeurée en production. La plupart des Celica étaient construites au Japon puis réglées aux États-Unis, mais la GT-Four était préparée pour les rallyes par l'équipe européenne de Toyota, basée à Cologne, en Allemagne.

La première génération des GT-Four, la ST165, a participé au Tour de Corse en 1988 mais a dû attendre le rallye d'Australie de 1989 pour remporter sa première victoire. La deuxième génération, la ST185, est apparue en 1989 ; 1992 s'est avérée particulièrement fructueuse pour ce modèle qui a gagné à cinq reprises cette année-là, dont le rallye Safari et le Championnat mondial des rallyes dans la catégorie pilote. En 1993 et 1994, la Celica a de nouveau remporté ce championnat dans les catégories constructeur et pilote. La génération suivante, la ST205, a gagné le Championnat d'Europe des rallyes en 1996. La GT-Four méritait donc bien son titre de reine des Celica. **MG**

Delta S4 | Lancia　　　Ⓘ

1985 • 1 759 cm³, S4 • 400 ch
0-97 km/h en 3,2 s • 245 km/h

La Delta S4 de Lancia a été conçue comme voiture de rallye de groupe B, en remplacement de la 037 qui avait remporté le prix du meilleur constructeur pour Lancia en 1983 mais n'avait pu rivaliser avec les modèles d'Audi et de Peugeot. La Delta S4 a gagné sa première épreuve, le rallye de Grande-Bretagne de 1985, pilotée par l'extraordinaire Finlandais Henri Toivonen.

La voiture avait été baptisée Delta en référence à la gamme éponyme de Lancia – bien qu'elles n'aient en commun que leurs silhouettes. Le moteur de la S4 était à la fois turbocompressé et surcomprimé : la surcompression intervenait à une vitesse plus réduite, jusqu'à ce que le turbo se déclenche. En résultait un extraordinaire taux d'accélération. Des essais indépendants ont produit des résultats encore plus impressionnants que les chiffres officiels, indiquant qu'elle pouvait passer du 0 au 97 km/h en à peine plus de 2 secondes.

Sa victoire de 1985 a été suivie, en 1986, de celles des rallyes de Monte-Carlo, d'Argentine, d'Europe et de l'Acropole. Au cours du Tour de Corse, cette même année, la voiture a tragiquement plongé dans un ravin et le pilote, Henri Toivonen, ainsi que son copilote, Sergio Cresto, sont morts brûlés. La Delta S4 a été abandonnée peu après. On considère que c'est la meilleure voiture n'ayant jamais remporté de titre mondial. **MG**

Turbo R | Bentley

1985 • 6 750 cm³, V8 • 299 ch • 0-97 km/h en 7,5 s • 217 km/h

En 1985, Bentley a dévoilé au Salon de l'automobile de Genève la Turbo R, modèle à hautes performances qui devait constituer l'héritière de la populaire Mulsanne Turbo. Le R signifiait *roadholding*, « tenue de route ».

Bentley devait proposer simultanément les deux modèles sur le marché mais les premières critiques de la Turbo se sont avérées favorables, ses ventes plus élevées que prévu, et la production de la Mulsanne a été interrompue plus tôt. Quoi qu'il en soit, Bentley disposait d'un stock de Mulsanne assez important pour continuer à offrir les deux modèles pendant quelques années.

La Turbo R avait hérité du gros moteur turbo de la Mulsanne mais l'a rapidement échangé contre un autre, plus puissant, qui lui permettait d'atteindre plus rapidement une vitesse maximale accrue. La suspension, elle aussi transformée, constituait une immense amélioration par rapport à la Mulsanne, dont on avait souvent critiqué le confort de conduite, qui ne correspondait pas à ce

qu'on était en droit d'attendre. La Turbo R était de plus la première Bentley équipée de jantes en alliage, choix surprenant de la part d'un constructeur relativement guindé. Cela lui conférait une allure plus sportive, que les clients traditionnels du constructeur n'ont pas appréciée.

En 1989, une transformation générale qui comprenait de petits changements de conception tels que le remplacement des phares carrés par des ronds lui a conféré une apparence encore plus sportive. La production a continué jusqu'en 1997 quand le modèle a été remplacé par la Bentley Turbo RT.

Au long de ces douze années, seules 7 230 Turbo R avaient été construites, mais ce modèle constituait néanmoins l'un des plus gros succès commerciaux de Bentley. Aujourd'hui, on peut en trouver en bonne condition à un prix modeste, entre 20 000 et 25 000 dollars, ce qui constitue une réduction de 20 % par rapport au prix d'achat d'un modèle neuf. **MG**

Une Sinclair C5 participe à une course organisée par le quotidien *Daily Mail* entre divers moyens de locomotion lors d'une grève des transports en 1989.

C5 | Sinclair (GB)

1985 • moteur électrique de 250 watts, batterie électrique de 12 volts • 0,34 ch • inconnue • 24 km/h

Clive Sinclair s'était fait connaître avec le premier micro-ordinateur britannique à bas prix, le ZX80, produit par son entreprise, Sinclair Research, basée à Cambridge. L'homme s'est ensuite intéressé au transport personnel et a conçu le Sinclair C5, un tricycle électrique.

Ce véhicule monoplace ouvert sur les côtés fonctionnait grâce à une batterie, et sa carrosserie en plastique était dépourvue de toit. Le conducteur le dirigeait à l'aide d'un guidon placé entre les genoux. La C5 ne mesurait que 1,75 mètre de long sur 79 centimètres de large. Hoover, entreprise de Merthyr Tydfil au pays de Galles, a été chargée de la construire.

Le singulier véhicule a été lancé en fanfare au palais Alexandra de Londres le 10 janvier 1985, mais accueilli avec plus d'hilarité que d'admiration. Au cours d'une démonstration télévisée dans les jardins du palais, l'une des roues a décollé du sol et la C5 s'est presque renversée en tentant de négocier un petit rond-point.

Ni la presse ni le public n'étaient convaincus. Le monoplace paraissait trop vulnérable pour se mêler à la circulation, son absence de toit était clairement inadaptée aux conditions climatiques notoirement changeantes de la Grande-Bretagne, le froid raccourcissait la durée de vie de sa batterie et le public se méfiait de son instabilité présumée. Le véhicule était de plus jugé cher à 640 dollars, frais de livraison non inclus.

Cela a été un désastre commercial. Malgré le soutien de Stirling Moss, légendaire pilote de course britannique, la demande est demeurée inexistante et la production n'a duré que sept mois. En août 1985, Hoover a annoncé y mettre fin après avoir construit 17 000 modèles et, deux mois plus tard, Sinclair Vehicles faisait faillite. **SB**

Saga | Proton (MA)

1985 • 1 500 cm³, S4 • 91 ch
inconnue • inconnue

Le Premier ministre de Malaisie, Mahathir ibn Mohamad, a décidé au début des années 1980 de développer l'industrie automobile nationale. La société de construction automobile Proton fut créée, et deux ans plus tard les premiers véhicules quittaient la chaîne de montage près de Kuala Lumpur. En un an, Proton avait produit 10 000 voitures.

Même si la Saga n'incarnait pas la technologie de pointe, la Malaisie allait jouer un rôle dans la construction automobile. Moins de 20 ans plus tard, Proton a acquis Lotus. L'entreprise exporte aujourd'hui dans 50 pays et participe aux courses de formule 1 et d'IndyCar.

Cette aventure a débuté avec l'humble Saga, aussi baptisée MPI dans certains pays. Des versions améliorées de la Saga sont toujours vendues aujourd'hui. Elle était fondée sur la Mitsubishi Lancer, petite voiture japonaise moderne mais ordinaire. Proton a tout d'abord collaboré avec Mitsubishi, l'un de ses actionnaires, jusqu'à ce que des intérêts malaisiens ne rachètent ses parts. Deux moteurs étaient proposés, de 1 300 et 1 500 cm³ respectivement, ainsi que deux styles de carrosserie, l'une à hayon et l'autre en berline.

Une loterie a été organisée en Malaisie pour sélectionner l'heureux citoyen qui baptiserait la nouvelle automobile nationale. Le vieux soldat tiré au sort a rapidement choisi Saga, nom d'un arbre malaisien.

Achetée à l'étranger principalement en raison de son bas prix, la Saga a fait l'objet d'une immense fierté nationale. La première voiture construite a été offerte au musée national de Malaisie, et Mahathir ibn Mohamad a traversé le pont de Penang à son volant pour inaugurer officiellement ce bâtiment en 1985. **SH**

V8 Zagato | Aston Martin (GB/I)

1986 • 5 341 cm³, V8 • 430 ch
0-97 km/h en 4,9 s • 300 km/h

Les Aston Martin sont toutes prisées des collectionneurs mais la DB4 GT, dont l'Italien Zagato a dessiné la carrosserie, l'emporte. Entre 1960 et 1963, seules 19 d'entre elles ont été construites, qui ne s'échangent aujourd'hui jamais à moins de un million de dollars. Au milieu des années 1980, Zagato, notant que cette automobile était recherchée, a pensé qu'une version moderne bénéficierait du même engouement.

Le carrossier, qui s'est contenté d'exposer un dessin de l'Aston Martin V8 Vantage Zagato au Salon de l'automobile de Genève de 1985, a reçu plus de 50 commandes et s'est lancé dans sa production. La voiture était basée sur la V8 Vantage de série mais sa carrosserie était en aluminium. C'était une réinterprétation, plus anguleuse, de la DB4 GT Zagato des années 1960, calandre carrée comprise. Le gros renflement du capot n'était pas du goût de tout le monde mais il était nécessaire car il abritait les deux carburateurs Weber.

Comme la DB4 GT Zagato, la V8 Vantage Zagato était plus courte et plus légère (de 10 %) que le modèle de série sur lequel elle était basée. Un an après le salon de Genève, la voiture était lancée. 52 exemplaires seulement ont été construits avant que Zagato ne propose une version roadster, plus onéreuse, qui serait produite à 37 exemplaires. **JB**

Alpine GTA | Renault (F)

1986 • 2 458 cm³, V6 • 200 ch
0-100 km/h en 5,8 s • 250 km/h

Fabriquée dans l'usine Renault de Dieppe, l'Alpine GTA constituait la première tentative du constructeur de produire une supercar capable de battre les Porsche. Ce coupé à 2 portes s'est avéré une réussite en tous points, sauf sur le marché. Le V6 turbo de 2 458 cm³ qui équipait la grosse Renault 25, une berline de luxe, propulsait jusqu'à 250 km/h cette voiture de dimensions plus réduites, à la carrosserie en polyester et fibre de verre. Il était situé latéralement à l'arrière et accompagné d'une suspension sportive sophistiquée ainsi que de freins ABS. Le luxe ne manquait pas à l'appel : l'intérieur était habillé de cuir noir et, parmi les équipements, on comptait le verrouillage central par télécommande.

Le coupé a toutefois pâti de son apparence ingrate et du snobisme des amateurs de supercars. Malgré leur extraordinaire aérodynamisme, ses lignes n'offraient pas le caractère glamour de ses rivales américaines, japonaises, italiennes ou allemandes. Seules 7 000 Alpine GTA ont été vendues au cours de ses neuf années d'existence. En 1991, ce modèle a été remplacé par l'Alpine A610, d'apparence très similaire, elle aussi équipée d'un V6 turbo placé à l'arrière, mais plus puissant avec ses 3 000 cm³. Toutefois, 800 voitures seulement ont été commandées en cinq ans, et sa production s'est achevée en 1995. **SH**

412 | Ferrari (I)

1986 • 4 943 cm³, V12 • 322 ch
0-97 km/h en 6,3 s • 239 km/h

Ferrari avait inauguré sa série 400 en 1976 et, dix ans plus tard, il était temps de la rajeunir, notamment parce que Jeremy Clarkson, le plus célèbre des journalistes de la presse automobile britannique, avait jugé la voiture « atroce en tous points » dans son émission télévisée, *Top Gear*. La Ferrari 412 s'est révélée bien meilleure, son moteur, ses capacités d'accélération et sa vitesse de pointe étant supérieurs à ceux de la version précédente. C'était aussi la première Ferrari équipée d'un système antiblocage des roues, équipement qui existait depuis le début des années 1970 mais ne devenait courant que depuis peu.

La production de la 412 n'a duré que jusqu'en 1989, avec 576 exemplaires. L'un de ces modèles est devenu culte en apparaissant dans le film *Daft Punk's Electroma*, sorti en 1987. Il arborait le mot *human* sur sa plaque d'immatriculation. Le film raconte l'histoire de deux robots qui désirent devenir humains. La voiture a été proposée sur eBay par EMI en 2011, en compagnie d'autres produits liés à la musique dans le cadre d'une collecte de fonds pour les victimes du tsunami japonais. Elle a atteint 42 000 dollars, moins que le sac à main de Jane Birkin qui s'est vendu à 163 000 dollars, mais plus que le trampoline en forme de gâteau utilisé lors des concerts de Katy Perry, acheté pour 5 075 dollars. **MG**

560SEC | Mercedes-Benz (D)

1986 • 5 549 cm³, V8 • 238 ch
0-97 km/h en 6,8 s • 248 km/h

La Mercedes 560SEC, produite entre 1986 et 1991 seulement, était très appréciée des conducteurs. Ce n'était que l'une des nombreuses Mercedes de la Sonderklasse, ou « classe spéciale » en français, mais elle a fait l'objet d'une réelle fidélité et possède encore aujourd'hui de nombreux admirateurs.

La 560SEC appartenait à la série W126 de Mercedes, ainsi baptisée en référence à son châssis (le « 560 » de son nom était lié à la taille du moteur). Cette série avait été lancée en 1979 après six ans de mise au point. Mercedes voulait absolument s'assurer de préserver le statut et le succès établis par la série précédente, la W116, la berline de luxe la plus vendue au monde. Plus particulièrement, le constructeur savait qu'il devait améliorer la consommation de son nouveau modèle, actualiser ses dispositifs de sécurité et garantir une conduite encore plus confortable.

Plusieurs versions ont été proposées lors du lancement de la W126 au Salon de l'automobile de Francfort en 1979. Les modèles SEL étaient dotés d'un empattement plus long, les SEC, dévoilés en 1981, étaient de nouveaux coupés. Après le lancement de la 506SEC en 1986 et durant ses cinq ans d'existence, 74 000 exemplaires ont été achetés, chiffre qui représentait alors 40 % des ventes mondiales de Mercedes. **MG**

Charger GLH-S | Shelby (USA)

1986 • 2 212 cm³, S4 • 148 ch
0-97 km/h en 6,5 s • 200 km/h

Cela peut sembler horrible à dire, mais il suffirait de prendre une belle voiture comme une Pontiac Firebird Trans Am ou une Ford Mustang et de la conduire doucement dans un mur, de reculer puis de heurter une deuxième fois ce mur pour obtenir un modèle dont l'avant rappellerait tout à fait la Shelby Charger GLH-S. Mais il n'y a pas que les apparences qui comptent, et l'analogie qui précède est bien entendu faussée car les ailes avant droites de la GLH-S n'étaient pas le produit d'un accident… L'habitacle constituait lui aussi un désastre ergonomique. Pour dire la vérité, la GLH-S était particulièrement laide. Fort heureusement, elle avait été construite à des fins autres qu'esthétiques.

C'était une Dodge Omni GLH modifiée, autre muscle car conçue pour la vitesse et non pour les concours de beauté, et l'une des rares voitures à hautes performances jamais réalisées par Chrysler. Le slogan de Dodge, « elle roule à une vitesse d'enfer », convenait parfaitement à la Charger GLH. Le moteur Turbo I de l'Omni avait bénéficié d'une transformation radicale : un refroidisseur intermédiaire éliminait la chaleur excessive de ce moteur capable de développer 148 chevaux et de produire une accélération de 0 à 97 km/h en 6,5 secondes seulement. La voiture pouvait de plus parcourir 0,4 kilomètre en 15,7 secondes, plus vite qu'une Nissan ZX.

Seuls 500 modèles ayant été produits, la GLH-S n'atteignait pas le minimum requis pour l'homologation des courses de la SCCA (1 000). Les Pontiac Trans Am et les Ford Mustang n'avaient pas à s'inquiéter. Si elles avaient dû affronter cette Shelby sur 400 mètres en 1986, c'est la puissante voiture au nez aplati qui aurait eu le dernier mot. **BS**

LM002 | Lamborghini (I)

1986 • 5 167 cm³, V12 • 450 ch
0-97 km/h en 6,9 s • 200 km/h

Surnommée « Rambo Lambo », la LM002 ne ressemblait à aucune Lamborghini avant elle. SUV massif qui contrastait avec les voitures sportives effilées généralement associées à la marque, c'était un peu le Hummer de son époque.

Lamborghini s'était lancée dès 1977 dans la mise en chantier d'un SUV, doté du nom de code « Cheetah » (« guépard » en français). Le constructeur espérait vendre ce modèle à l'armée américaine mais elle en a détruit le prototype lors des essais et le projet n'a pas abouti. En 1981, Lamborghini a entrepris de transformer son Cheetah en un modèle plus commercial, la LM001, qui a finalement présenté de sérieux problèmes de maniement et n'a existé qu'au stade de prototype.

Convaincus que ces problèmes de maniement provenaient de l'emplacement arrière du moteur, les ingénieurs ont finalement situé celui-ci à l'avant et remplacé le V8 de la LM001 par un V12. Le véhicule qui en est résulté compensait largement les déboires du précédent. Dévoilé au Salon de l'automobile de Bruxelles de 1986, il était destiné aux militaires comme aux particuliers. Ce solide SUV était luxueusement équipé de sièges en cuir et d'un système stéréo haut de gamme inséré dans le toit.

Pirelli avait été chargé de créer deux types de pneus exclusivement pour la LM002, les uns pour des conditions d'utilisation normales, les autres pour la conduite dans le désert. Ces derniers pouvaient supporter une chaleur torride et les exigences d'un véhicule lourd roulant à grande vitesse, et, même dégonflés, ils roulaient sans s'abîmer. On dit que Kadhafi aurait acquis une centaine de LM002 pour l'armée libyenne. **MG**

M5 | BMW

(D)

1986 • 3 420 cm³, S6 • 290 ch • 0-97 km/h en 6,2 s • 246 km/h

La M5 originale a été mise au point et construite sur commande par les ingénieurs à qui la marque avait déjà confié ses voitures de course. Leur savoir-faire était évident dans ce modèle. Dotée du châssis de la 535i et du moteur modifié de la M1, un Twin Cam de 3 420 cm³, à 6 cylindres en ligne et 24 soupapes, la voiture bavaroise offrait d'extraordinaires performances. Pouvant atteindre 6 500 tours par minute, elle développait 290 chevaux et offrait de magnifiques ronflements de moteur.

BMW s'est assuré que la M5 n'éclipse pas ses autres produits plus grand public. Les performances chiffrées citées paraissaient étrangement basses, peut-être pour éviter de souffler la vedette à la M635CSi, plus onéreuse. Alpina et Hartge offraient des préparations supplémentaires et le même moteur était capable de développer 911 chevaux, un chiffre époustouflant, quand il était turbocompressé pour les courses de groupe 5. L'attrait de la voiture ne se limitait pas à son moteur. Pour ceux qui parvenaient à la maintenir sur route, la M5 s'avérait très gratifiante. Aujourd'hui, c'est l'un des modèles les plus rares de la série M car seuls 2 145 exemplaires ont été construits à l'origine.

Selon la rumeur, Jeremy Clarkson, présentateur de *Top Gear* sur la BBC, a un jour aidé un ami à remorquer une M5 en panne dans Londres. Après avoir attaché l'une des extrémités d'une corde à sa propre voiture et l'autre à ce qu'il prenait pour le crochet de dépannage de la M5, il a roulé un long moment avant de comprendre qu'il ne tirait que le refroidisseur d'huile qui s'était séparé du reste du véhicule. Cela n'aurait pas fait rire les ouvriers qui avaient assemblé la voiture à la main chez BMW… **RD**

RS200 | Ford

1986 • 1 803 cm³, S4 • 253 ch • 0-97 km/h en 6,1 s • 225 km/h

Pour qu'un véhicule puisse participer aux rallyes de groupe B, 200 modèles homologués sur route doivent être construits. C'est ainsi que la RS200 a vu le jour. Dévoilé au Salon de l'automobile de Turin de 1984 et dessiné par Ghia, carrossier de Turin, ce coupé était équipé d'un moteur turbo central. Doté d'un déflecteur à l'arrière du toit pour accroître l'appui aérodynamique, il pouvait développer jusqu'à 650 chevaux en option.

La production a débuté en 1986 et le modèle a immédiatement trouvé le succès en compétition en se classant à la troisième place du rallye de Suède. Sa compétition suivante, le rallye du Portugal, s'est toutefois révélée tragique. Dans l'un des pires accidents de course automobile depuis des années, une RS200 lancée à toute vitesse a quitté la route, tué trois spectateurs et blessé de nombreux autres. Après d'autres accidents graves impliquant la RS200 et d'autres voitures de groupe B, ce championnat a été annulé. Ford s'est alors retrouvée face à un problème onéreux mais, plutôt que d'abandonner le projet, le constructeur a chargé Tickford, une firme d'ingénierie, de convertir ses 200 modèles de course, au style dépouillé, en luxueuses automobiles. Elles ont été proposées à 70 000 dollars.

Leurs heureux propriétaires découvraient une conduite étonnamment souple compte tenu des antécédents de la RS200, et la voiture adhérait bien à la route dans les virages. Cependant, l'habitacle était exigu et le bruit du moteur omniprésent – la RS200 n'avait pas vocation à être un véhicule d'utilisation quotidienne. Ainsi, bien que l'image de Ford ait bénéficié des performances de ce modèle, le constructeur a dû admettre par la suite qu'il avait perdu des millions sur ce projet. **RY**

C'est grâce à la Ford Sierra RS Cosworth de 1986, que la gamme
aux lignes futuristes a séduit les passionnés d'automobile.

Challenge | Sbarro (CH)

1986 • 4 973 cm³, V8 • 350 ch
0-97 km/h en 5 s • 315 km/h

Chaque année, le stand de Franco Sbarro constitue l'un des clous du Salon de l'automobile de Genève car ce Suisse y expose certains des véhicules les plus fous qu'on puisse imaginer. L'édition de 1985 n'a pas fait exception à la règle : Sbarro y a dévoilé sa Challenge.

Extrêmement cunéiforme, dotée de portières en élytres et d'un pare-brise presque plat, elle ne rappelait aucun autre modèle. Sa silhouette s'avérait aussi très glissante et son coefficient de traînée, de 0,26 seulement, en fait une voiture plus aérodynamique que la majorité des supercars pour des années encore.

Les caractéristiques techniques de la Challenge étaient impressionnantes. Son moteur turbo, un V8 Mercedes-Benz, offrait à cette 4 roues motrices une vitesse maximale de plus de 320 km/h. Parmi ses autres innovations, citons un essuie-glace fonctionnant par rotation, des ailerons servant d'aérofreins à l'arrière, des écrans placés dans les portières, un magnétoscope et une caméra en guise de rétroviseur.

Cela pouvait sembler relever du fantasme de concepteur qui ne deviendrait jamais réalité, mais la Challenge est parvenue au stade de la production. En 1986 et 1987, Sbarro a construit plusieurs voitures, baptisées Challenge II et III. Contrairement au prototype exposé lors du salon de 1985, celles-ci étaient à deux roues motrices seulement et équipées d'un moteur Porsche à 6 cylindres de type « boxer ». Offertes au prix de 320 000 francs suisses, elles auraient trouvé dix acheteurs.

Sbarro a continué à construire des véhicules excentriques et à les exposer au Salon de l'automobile de Genève. À ce jour, il compte toujours la Challenge parmi l'une de ses créations préférées. **JB**

Sierra RS Cosworth | Ford (B/GB)

1986 • 2 000 cm³, S4 • 204 ch
0-97 km/h en 6,2 s • 233 km/h

En 1986, la Sierra de Ford avait gagné en popularité, mais c'est la version RS Cosworth qui lui a finalement permis d'être adoptée par les passionnés d'automobile. Une partie de ses nouvelles caractéristiques mécaniques, dont une suspension et un aérodynamisme améliorés, étaient dérivées de la Merkur XR4Ti, version de course américaine de la Sierra. Le nouveau modèle devait sa puissance à un turbo Twin Cam de 2 000 cm³, à 16 soupapes, spécialement mis au point par Cosworth à partir du Pinto de Ford. Cette puissance pouvait aisément être accrue jusqu'à 300 chevaux pour la compétition.

Construite dans l'usine Ford de Genk en Belgique, cette voiture arborait la carrosserie d'une Sierra de série, à 3 portes et roues motrices arrière. Après avoir réalisé des essais sur le circuit de Nardò, en Italie, Ford a décidé de lui ajouter un grand déflecteur arrière pour combattre la portance aérodynamique. La voiture n'était offerte qu'en noir, blanc et bleu. Exception faite des sièges baquets Recaro et d'un indicateur de suralimentation turbo, l'habitacle rappelait celui d'une Sierra de série.

Pour 25 000 dollars, ses acheteurs pouvaient atteindre une vitesse digne d'une supercar tout en bénéficiant d'une consommation relativement normale pour l'époque, soit 12 litres aux 100 kilomètres.

En 1988, Ford a lancé la deuxième génération, la Sierra Sapphire RS Cosworth, une berline à 4 portes à la suspension plus souple mais équipée du même moteur.

Une troisième incarnation a été dévoilée en 1990. La Sierra Sapphire Cosworth 4x4 était dotée d'une transmission intégrale pour pouvoir courir dans les rallyes. La puissance avait été augmentée pour compenser le poids accru, et ses performances demeuraient identiques. **SH**

959 | Porsche

ⓓ

1986 • 2 847 cm³, F6 • 457 ch • 0-97 km/h en 3,9 s • 317 km/h

En 1981, plusieur ingénieurs chez Porsche pensaient que la 911 approchait de la fin de son existence naturelle. Porsche procèda alors à diverses innovations technologiques donnant ainsi naissance à la 959.

Pour être homologué en rallye international au sein du groupe B, le nouveau modèle devait être accompagné de 200 autres homologués sur route. Lorsque ces premières voitures de série ont été révélées, la 959, à transmission intégrale, s'avérait un véritable tour de force

technologique qui relevait plus du laboratoire automobile ambulant que de la voiture de rallye. Équipée d'un 6 cylindres en ligne de 2 847 cm³ qui avait fait ses preuves en compétition, la voiture jouissait d'une transmission du couple à chaque roue, contrôlée par ordinateur, qui lui permettait d'atteindre 97 km/h en moins de 4 secondes.

Même si la 959 participait désormais moins à la compétition automobile, elle s'est extrêmement bien comportée dans l'éreintant Paris-Dakar, se classant

aux première et deuxième place en 1986. Cette même année, une version préparée pour les circuits a remporté sa catégorie aux 24 Heures du Mans.

Les consommateurs ont dû attendre un an de plus avant de pouvoir acquérir le modèle homologué sur route. Capable d'une vitesse de 317 km/h, la 959 constituait la voiture de série la plus rapide de 1987. Malgré son prix élevé, plus de 780 000 dollars actuels, Porsche n'a pu couvrir qu'environ la moitié des frais de production. Quoi qu'il en soit, la 959 valait chacun de ses centimes et, sans elle, la 911, si adorée du public, n'aurait peut-être pas survécu.

Comptant aujourd'hui parmi les classiques du design moderne, une 959 argentée, propriété de Ralph Lauren, a été exposée au musée des Beaux-Arts de Boston en 2005. L'acteur Jerry Seinfeld et les fondateurs de Microsoft, Bill Gates et Paul Allen, comptent parmi les propriétaires célèbres de ce modèle. **DS**

Offrant un grand plaisir de conduite, la version décapotable de la Saab 900 avait l'image de la sophistication suédoise. ▷

5 GT Turbo | Renault (F)

1986 • 1 400 cm³, S4 • 120 ch
0-97 km/h en 7,5 s • 201 km/h

Dans les années 1980, les constructeurs rivalisaient d'imagination pour transformer leurs petits modèles en véhicules à hautes performances similaires aux voitures de rallye. L'élément le plus excitant de ces voitures ainsi modifiées était le turbo.

Dans le cas de la petite Renault 5, lancée en 1972, le constructeur a choisi d'oublier qu'elle était principalement dérivée de la vieille Renault 4, et a créé l'une des premières voitures à hayon à hautes performances : la Gordini/Alpine. Le moteur était un modèle à soupapes en tête mais il pouvait monter jusqu'à 160 km/h.

La GT Turbo représentait la deuxième génération de cette Renault 5 modifiée. Son moteur était toujours le 1 400 cm³ issu des années 1950 mais, cette fois-ci, il était accompagné d'un turbo. La voiture était légère (750 kilos), et les performances impressionnantes. Sa carrosserie était pourvue des ajouts habituels : épaisses jupes latérales, pare-chocs et arches en plastique. Le véhicule était certainement rapide mais souffrait d'un décalage turbo chronique. Une pression exercée sur l'accélérateur était immanquablement suivie d'une légère augmentation de puissance puis d'une autre, soudaine et tardive, quand le turbo reprenait vie.

Renault avait lancé auparavant une Renault 5 Turbo (mais pas GT). C'était une prétendante plus sérieuse avec son moteur turbo central et sa carrosserie de style rallye. Traction arrière (contrairement à toutes les autres Renault 5), lors de son lancement, c'était le modèle de série le plus puissant de France. Une Renault 5 Turbo apparaît dans le film de James Bond de 1983, *Jamais plus jamais*. L'agent secret y conduit une moto Yamaha modifiée mais ne parvient pas à rattraper la Renault. **SH**

900 Décapotable | Saab (S)

1986 • 2 000 cm³, S4 • 185 ch
0-97 km/h en 7,7 s • 230 km/h

La Saab 900, lancée en 1978, n'était qu'une version modernisée de la 99 qui datait des années 1960. Les 900 étaient des berlines haut de gamme, à traction avant, dotées d'un excellent maniement et de caractéristiques inhabituelles qui en ont fait un objet culte. Toutefois, en 1986, leur conception de base paraissait très datée.

La branche américaine de Saab a suggéré qu'une décapotable restaurerait l'éclat de la gamme et stimulerait ses ventes. À l'époque, les gros constructeurs automobiles américains ne produisaient pas de cabriolets, et l'idée n'en serait pas naturellement venue à l'esprit des Suédois, traditionnellement conservateurs.

Un carrossier du Michigan a été chargé de construire les prototypes et finalement la production d'une décapotable à 2 portes a été lancée dans une usine finlandaise. L'objectif était d'en produire 2 000 par an mais l'enthousiasme du public a dépassé les attentes de Saab. Dotée d'un habitacle spacieux, pour 4 personnes, et d'un solide toit en toile, cette décapotable arborait aussi un long capot et un train arrière courtaud qui paraissaient plus élégants une fois le toit abaissé. Il a bientôt fallu attendre trois ans pour en acquérir une ; en 1992, Saab vendait encore plus de 10 000 décapotables par an.

Le constructeur suédois a fusionné avec General Motors en 1989. La deuxième génération de la 900, fondée sur l'Opel Vectra, avait en partie perdu le caractère distinct des Saab. Pour les amateurs de la marque, cela marque la fin de son identité. Toutefois, les 900 décapotables ont tenu bon, avec leur vieille plateforme, jusqu'en 1995. La plupart étaient équipées d'un moteur turbo à 16 soupapes, de 2 000 cm³ et auquel correspondent les chiffres indiqués ci-dessus. **SH**

Croma Turbo D i.d. | Fiat (I)

1986 • 1 900 cm³, S4 • 94 ch
0-97 km/h en 12,5 s • 180 km/h

Longtemps les moteurs diesels ont été jugés bruyants, sales et lents par rapport à ceux à essence. La Croma D i.d. a joué un rôle essentiel dans l'amélioration de leur image. C'était aussi la première voiture de série jouissant de l'injection directe du carburant. Aujourd'hui, toutes les voitures diesel en sont pourvues.

Exception faite de cette caractéristique, la Croma s'avérait ordinaire. Elle comptait parmi les voitures de « type 4 » (avec la Saab 9000, la Lancia Thema et l'Alfa Romeo 164) construites sur une plateforme commune. La Croma constituait le modèle grand public de ce groupe.

C'était aussi la première grande Fiat, à traction avant et moteur placé latéralement et, quand ses ventes se sont montrées décevantes, le constructeur italien a cessé pendant un moment de produire des automobiles aussi volumineuses. La Croma offrait la gamme de motorisation habituelle, depuis un moteur à essence de 1 600 cm³ jusqu'à un V6 de 2 500 cm³.

Au cœur de cette version diesel pionnière, des injecteurs sophistiqués envoyaient le carburant directement dans les cylindres au lieu de passer par une préchambre comme dans tous les diesels précédents. Cela permettait une combustion beaucoup plus efficace. Les diesels sont alors devenus plus puissants, économiques, et donc attrayants. **SH**

205 GTI 1.9 | Peugeot (F)

1986 • 1 905 cm³, S4 • 132 ch
0-97 km/h en 7,6 s • 198 km/h

Au milieu des années 1980 est apparue une nouvelle vague de voitures telles que la Ford Escort RS Turbo et la Vauxhall Mark II Astra GTE. Peugeot a réagi en installant un bloc moteur à injection, plus efficace, dans sa 205 GTI, pour créer selon certains le meilleur modèle qui ait jamais appartenu à cette catégorie automobile.

Bien que le nouveau moteur, de 1 905 cm³, n'ait développé que 15 chevaux supplémentaires, il offrait une meilleure reprise et davantage de couple à faible régime. Les freins étaient entièrement à disque et les jantes en alliage plus grosses, à 38 centimètres. La suspension et les amortisseurs avaient été améliorés et les barres stabilisatrices épaissies. L'habitacle était en partie habillé de cuir. Avec un prix de base de 67 600 francs (10 300 euros), la nouvelle GTI constituait une excellente affaire, bien moins chère que sa concurrente la plus proche, la Golf GTI 16v de Volkswagen.

En 1988, le magazine *Car* a réalisé des essais entre la GTI de Peugeot et la Lotus Esprit Turbo, au coût quatre fois plus élevé. Tous les participants ont déclaré que la supercar n'était pas supérieure à la voiture française.

Véhicule vedette de la gamme 205, la GTI a redoré le blason de Peugeot. En 1990, *Car* l'a déclarée voiture de la décennie ; quand la production a cessé en 1998, plus de cinq millions de 205 avaient été construites. **DS**

Sierra Cosworth RS500 | Ford (GB)

1987 • 2 000 cm³, S4 • 224 ch
0-97 km/h en 6,1 s • 248 km/h

À la fin des années 1980, le règlement des courses du groupe A stipulait que, pour homologuer leurs modèles sur circuit, les constructeurs devaient en produire et en vendre 500 exemplaires homologués sur route. C'est ainsi qu'en 1987, Ford a conçu une version encore plus puissante de la Sierra RS Cosworth. La RS500 s'est avérée un succès en remportant plusieurs épreuves, et les modèles homologués sur route sont des classiques prisés des collectionneurs. Elle était plus rapide et plus puissante que les autres voitures de la série Sierra Cosworth et coûtait 6 250 dollars de plus que le modèle de série.

Les modifications avaient été apportées par Tickford, filiale d'Aston Martin spécialiste de la compétition automobile. Tickford a préparé le moteur en lui ajoutant des injecteurs supplémentaires, une pompe à carburant plus puissante et en renforçant le bloc. La RS500 était de plus équipée de meilleurs freins, d'une suspension plus rigide et s'avérait plus aérodynamique. À l'emplacement des feux de brouillard avant, on découvrait un refroidisseur intermédiaire qui amenait de l'air froid jusqu'au nouveau turbocompresseur, plus grand. Le choix des couleurs était limité : parmi les modèles vendus, 56 étaient blancs, 52 bleus et 392 noirs. Moins de la moitié reste en circulation et ils sont très recherchés, particulièrement les bleus et les blancs. Leur prix peut dépasser 40 000 dollars. **SH**

Thema 8.32 | Lancia (I)

1987 • 2 927 cm³, V8 • 215 ch
0-97 km/h en 6,8 s • 240 km/h

La Lancia Thema était un modèle sans prétentions aux formes carrées, produit depuis plusieurs années, quand il a bénéficié d'une transplantation de moteur : on a inséré sous le capot de la Thema le V8 de 2 927 cm³ qui équipait la Ferrari 308 et la Mondial Quattrovalvole. La 8.32 (« 8 » cylindres et « 32 » soupapes) était née.

La gamme abritait déjà un modèle à hautes performances, la 2.0 Turbo, qui accélérait plus vite mais ne pouvait rivaliser avec la puissance de la 8.32. Lancia vantait l'association avec Ferrari et déclarait que sa voiture possédait le « tempérament du cheval caracolant ».

La Thema 8.32 offrait un certain nombre de caractéristiques techniques inhabituelles, dont son moteur, le premier V8 placé transversalement dans une traction avant. Le châssis, les freins et la suspension avaient tous été modifiés pour résister à la puissance accrue. Lancia s'était aussi intéressée à l'habitacle, lui ajoutant des finitions luxueuses de style Alcantara et des accessoires tels qu'une prise pour casque-radio dans les sièges arrière. L'apparence extérieure de la 8.32 était très similaire à celle de ses sœurs moins puissantes, mais elle était aussi dotée d'un discret aileron que le conducteur pouvait déployer électriquement, peut-être pour aider les passants à localiser la source des glorieux ronflements du moteur Ferrari. **RD**

260 | Venturi (F)

1987 • 2 849 cm³, V6 • 264 ch
0-97 km/h en 5,2 s • 269 km/h

Claude Poiraud et Gérard Godefroy avaient abandonné leurs postes d'ingénieurs chez Heuliez, constructeur de concept cars et véhicules spéciaux dans la Loire, avec l'idée ambitieuse de produire une GT qui rivaliserait avec les Porsche et Ferrari. En découvrant la Venturi 260 aux magnifiques proportions, on comprenait que l'on devait prendre leur projet au sérieux.

La voiture était initialement baptisée MVS (abréviation de Manufacture de voitures de sport) mais cette désignation quelconque a bientôt été remplacée par Venturi. Le 6 cylindres, placé au centre, était un produit Renault mais a été substitué après quelques années par un modèle plus puissant, surcomprimé et développant 264 chevaux.

Malgré des critiques favorables, une demande importante et d'excellents résultats sur les circuits de course, Poiraud et Godefroy ont décidé de vendre leur entreprise en 1994, à son apogée. Venturi avait même établi son propre « trophée des gentlemen conducteurs ».

Le nouveau propriétaire de l'usine, qui employait plus de 400 personnes, était l'Écossais Hubert O'Neill, qui s'est principalement concentré sur la compétition automobile. Il a équipé ses Venturi de freins carbone-céramique, une première mondiale. Les voitures ont participé à plusieurs reprises aux 24 Heures du Mans mais l'entreprise a été absorbée en 1996 par une firme thaïlandaise. Un modèle à double turbo a été lancé mais des ventes languissantes ont conduit au dépôt de bilan en 2000. Venturi a de nouveau été vendue, cette fois au millionnaire monégasque Gildo Pallanca Pastor, qui se concentre actuellement sur les modèles électriques. **JB**

Wrangler | Jeep (USA)

1987 • 4 200 cm³, S6 • 112 ch
0-97 km/h en 12 s • 141 km/h

Le Wrangler est le descendant de la Jeep Willys, adaptée aux goûts d'une génération plus familière des SUV modernes. Ce véhicule militaire à transmission intégrale qui datait de la Seconde Guerre mondiale a été modernisé dans les années 1980 par Chrysler, notamment en matière de puissance, de confort et de style.

Cette nouvelle Jeep paraissait toujours aussi solide et capable de rouler en tout-terrain, mais ses conducteurs l'utilisant plus souvent pour se rendre au supermarché, elle s'était embourgeoisée, arborant une suspension plus sophistiquée, un écartement plus large et une garde au sol abaissée.

Le Wrangler était disponible en version décapotable, à toit en toile, ou à hard-top amovible. Dès le milieu des années 1990, il possédait des équipements dont la Willys n'aurait jamais rêvé : ceintures de sécurité à l'arrière, freins ABS, et boîte automatique en option.

Ses capacités de véhicule tout-terrain demeuraient toutefois sa force, grâce à de gros pneus accrocheurs, à son dessous de caisse protégé, à ses angles d'approche et de départ escarpés, et à sa boîte de vitesses à gamme basse. Des trous ont été agencés dans le plancher pour pouvoir le passer au jet d'eau après des excursions salissantes, et le véhicule peut rouler dans une hauteur d'eau de 50 centimètres. Comparé aux nouveaux SUV urbains, toutefois, le Wrangler, avec son empattement court, son habitacle bruyant exposé aux courants d'air, et ses performances peu exaltantes, constitue un choix improbable pour les trajets quotidiens réguliers.

Il était construit dans l'Ontario, au Canada, jusqu'en 1992 avant que sa production ne rejoigne l'usine Willys originale, dans l'Ohio, aux États-Unis. **SH**

Allanté | Cadillac

USA

1987 • 4 100 cm^3, V8 • 173 cm^3 • 0-97 km/h en 9,3 s • 196 km/h

Pendant plus d'un demi-siècle, les Cadillac sont arrivées en tête des palmarès de voitures de luxe aux États-Unis mais, au cours des années 1960 et 1970, elles ont commencé à céder du terrain face aux importations européennes plus sophistiquées. Quand sont arrivées les années 1980, il était temps que Cadillac crée un nouveau modèle pour demeurer compétitif. Si l'Américain voulait rivaliser avec Jaguar et Mercedes, il devait faire appel à un concepteur européen et à un carrossier

renommé. L'Allanté a été conçue en Italie par les maîtres artisans de Pininfarina. Ils ont créé une voiture de luxe qui alliait les lignes pures d'une carrosserie italienne à un V8 classique américain.

Cadillac a exploité la situation autant que possible dans sa campagne marketing, annonçant que les carrosseries Allanté, produites en Italie, étaient transportées dans des Boeing 747 spécialement aménagés jusqu'à l'usine Cadillac du Michigan où elles étaient accouplées

au châssis et au moteur. L'Allanté était qualifiée de « Cadillac italienne volante », produit de « la plus longue chaîne de montage au monde ». À des fins publicitaires, l'acteur Larry Hagman s'est vu offrir une Allanté, de même que le personnage qu'il interprétait dans la série télévisée *Dallas*, J. R. Ewing.

C'était la première fois que Cadillac se lançait dans le marché des roadsters de luxe. Disponible de 1987 à 1993, cette traction avant était proposée avec un hard-top amovible et un toit en toile. Elle abondait aussi en accessoires électroniques tels que le réglage électrique des sièges en cuir, qui offrait dix positions possibles, sans oublier ses instruments numériques de pointe et sa chaîne hi-fi Bose.

L'Allanté s'avérait toutefois onéreuse à 54 700 dollars et ses performances n'impressionnaient guère. Environ 21 000 modèles ont été produits, soit la moitié des prévisions du constructeur. **BK**

Galant | Mitsubishi (J)

1987 • 2 000 cm³, S4 • 240 ch
0-97 km/h en 7,3 s • 230 km/h

La Galant était depuis 1967 une familiale japonaise peu chère mais fade qui affichait un retard de cinq ans par rapport aux nouvelles tendances esthétiques et technologiques internationales. En 1987, Mitsubishi, déterminée à célébrer le vingtième anniversaire de la gamme avec un produit entièrement nouveau, a lancé la sixième génération (aussi baptisée Eterna, ZX, Dodge 2000GTX et Eagle 2000GTX). La Galant s'est soudain avérée une concurrente de classe internationale.

Les modèles de série, d'élégantes berlines à roues motrices avant équipées d'un moteur de 1 600 ou 2 000 cm³, étaient réputés pour leur fiabilité, mais ce sont les versions haut de gamme qui ont véritablement attiré l'attention. Elles étaient dotées d'un système de direction à 4 roues qui permettait de mieux prendre les virages quand la vitesse dépassait 48 km/h.

La Galant GTI-16v était agile et précise, mais la VR-4, aux 4 roues motrices et moteur turbo, constituait le modèle phare de la gamme (chiffres ci-dessus). Cette Galant a remporté trois rallyes importants avant que son moteur et sa transmission ne soient transférés à la Mitsubishi Lancer, plus petite et plus appropriée. Celle-ci est à son tour devenue une concurrente sérieuse dans les compétitions et a donné naissance à la gamme Evo, encore produite aujourd'hui. **SH**

Grand National GNX | Buick (USA)

1987 • 3 791 cm³, V6 • 280 ch
0-97 km/h en 5,5 s • 200 km/h

Les Grand National de Buick sont célèbres notamment pour leur carrosserie entièrement noire. Déclinaisons de la série Buick Regal, elles sont apparues en 1982 et devaient leur nom au championnat éponyme de la NASCAR : Buick y avait remporté la Coupe des constructeurs en 1981 et 1982. Les premières Grand National étaient grises et non pas noires, mais seuls 215 modèles avaient été construits en 1982. C'étaient d'excellentes voitures qui ont été très admirées mais dont Buick n'a pas poursuivi la production en 1983.

Celle-ci a repris en 1984, la voiture étant désormais peinte en noir et offrant une allure époustouflante. Buick en a alors construit 2 000 modèles. En 1987, la Grand National a atteint son apogée, particulièrement grâce au modèle GNX (Grand National Experimental). Produit phare de la gamme, il coûtait 29 900 dollars. Bien qu'officiellement, il soit passé du 0 au 97 km/h en 5,5 secondes, au cours de certains essais, ce chiffre est descendu à 4,7 secondes. La vitesse maximale dépassait aussi de 32 km/h celle indiquée par le constructeur.

Seules 547 GNX ont été construites, et beaucoup ont été achetées par des collectionneurs qui désiraient les préserver telles quelles. Elles sont aujourd'hui très prisées des collectionneurs contemporains prêts à payer plus de 50 000 dollars pour une GNX au kilométrage réduit. **MG**

Corolla | Toyota   (J)

1987 • 1 300 cm³, S4 • 74 ch
0-97 km/h en 12,8 s • 153 km/h

En 1987, la Corolla était en passe de devenir le modèle le plus vendu de tous les temps. La gamme, qui en était à sa sixième génération, comprenait des modèles sportifs à la conduite étonnamment précise. Les silhouettes s'étaient modernisées, certains modèles arboraient des phares rétractables, d'autres un nouveau style, le liftback, à mi-chemin entre le coupé et le break.

La sixième génération était aussi plus complexe techniquement : tous les modèles étaient dotés de roues motrices avant, et certains jouissaient même d'une transmission intégrale. La gamme de motorisation allait de l'humble 1 300 cm³ jusqu'au 1 600 cm³ surcomprimé, capable de développer 165 chevaux, qui équipait une voiture à hayon et à hautes performances, caractéristique des années 1980 et disponible seulement au Japon. Tout autour du monde, on trouvait au sein de la gamme Corolla des berlines à 2 et 4 portes, des modèles à hayon à 3 et 5 portes, un coupé, le liftback et un break.

Toyota a implanté une usine au Canada, et les Corolla de la sixième génération étaient construites dans neuf pays. Aux États-Unis, elle a été rebaptisée Geo Prizm, et Holden Nova en Australie.

Plus important encore, les consommateurs adoraient sa fiabilité. C'était tout simplement la première familiale ultrafiable, durable et d'entretien facile. **SH**

Delta Integrale | Lancia   (I)

1988 • 1 995 cm³, S4 • 203 ch
0-100 km/h en 5,5 s • 220 km/h

Fin des années 1980, les constructeurs automobiles devaient fabriquer 5 000 exemplaires de toute voiture qu'ils désiraient présenter au Championnat du monde des rallyes. Lancia s'est pliée à cette règle, afin de concourir avec une version turbo à 4 roues motrices de sa familiale à hayon, la Delta. Lancia a bien vendu ses 5 000 exemplaires obligatoires de sa Delta Integrale, mais finalement atteint un chiffre total de 44 296.

La version à 16 soupapes était la plus célèbre car elle avait remporté le premier rallye auquel elle avait participé en 1989. En 1990 et 1991, Lancia a gagné le titre mondial dans les catégories constructeur et pilote. Elle a conservé celui de constructeur six années consécutives, un record qui tient toujours.

L'Integrale était une imposante machine aux performances époustouflantes. La « voiture européenne de l'année 1980 » abritait un moteur de 1 995 cm³ révélé par un léger renflement sur le capot.

L'Integrale était au fond une voiture à hayon, pratique, qui se transformait en supercar dès qu'on effleurait l'accélérateur. Sa grande rivale de l'époque, l'Audi Quattro, s'avérait aussi musclée. Rien ne les distinguait vraiment en matière de conduite ou de performances, mais la Lancia coûtait deux fois moins que l'Audi. **SH**

V8 | Audi

1988 • 4 200 cm³, V8 • 280 ch • 0-100 km/h en 6,8 s • 250 km/h

Avec sa V8, Audi a tenté de se construire une image haut de gamme qui lui permettrait de rivaliser avec Mercedes et BMW. La stratégie a fonctionné. La voiture était une grande berline luxueuse dotée d'un V8 puissant, d'une transmission automatique à 4 rapports (par la suite, elle est devenue manuelle à 6 rapports). Audi a eu recours à la galvanisation, encore rare à l'époque, pour empêcher la carrosserie de rouiller, ce qui lui a permis d'offrir une garantie anticorrosion de dix ans.

Les 32 soupapes, 4 arbres à cames en tête, et les moteurs V8 entièrement en aluminium étaient en avance sur leur temps. Le premier de ceux-ci, un V8 de 3 600 cm³, était fondé sur deux moteurs de la Golf GTI de Volkswagen. Une version plus puissante, de 4 200 cm³, a ensuite été offerte, à laquelle correspondent les chiffres donnés ci-dessus.

La silhouette était fidèle à celle des Audi 100, avec des changements mineurs tels que la calandre, les pare-chocs, et des phares qui lui conféraient un aspect plus haut de gamme. L'intérieur était luxueux, avec des sièges en cuir chauffés et des finitions en noyer, de la moquette en laine, et une chaîne hi-fi Bose à 8 haut-parleurs.

La V8 était aussi disponible avec un empattement long et Audi a songé à construire un break. De fait, un tel modèle a été construit mais exclusivement pour la femme du PDG, Ferdinand Piëch. Il est désormais exposé au musée Audi à Ingolstadt, en Allemagne, institution qui abrite aussi les versions de course de la V8 arrivées en tête du Championnat allemand de voitures de tourisme en 1990 et 1991. Ce sont de rares exemples de voitures de course ayant incongrûment conservé l'intérieur en noyer du modèle de série. **SH**

164 V6 | Alfa Romeo

1988 • 3 000 cm³, V6 • 231 ch • 0-100 km/h en 7 s • 245 km/h

La 164 V6 était une berline élégante, spacieuse et luxueuse et la première grande Alfa Romeo à traction avant. Elle a aussi constitué le dernier modèle du constructeur avant qu'il ne soit absorbé par Fiat.

Équipée d'un V6 aux magnifiques grondements, la 164 prodiguait d'excitantes performances, à la hauteur de sa conduite sportive. L'intérieur, luxueux, offrait la climatisation à contrôle automatique ainsi que des sièges chauffés, recouverts de cuir et à réglage électrique. La technologie de pointe ne manquait pas, avec freins ABS, suspension contrôlée électroniquement pour un confort optimal et une tenue de route équilibrée, et moteur équipé de supports hydrauliques pour plus de régularité.

Comme la Fiat Croma, la Lancia Thema et la Saab 9000, la 164 comptait parmi les « Type 4 » mises au point simultanément. Alors que les trois autres étaient

tellement similaires qu'elles pouvaient s'échanger leurs pièces, Alfa Romeo avait conservé un certain degré d'indépendance et fait appel aux concepteurs de Pininfarina pour offrir à la carrosserie galvanisée de la 164 une silhouette distinctement plus effilée et aérodynamique.

Première grande voiture à succès d'Alfa Romeo, ce modèle s'est vendu durant des décennies, dépassant le quart de million d'exemplaires. Selon le magazine *Autocar*, c'était « une voiture allemande avec du caractère ». Malheureusement, elle était aussi pourvue d'un système électrique italien. Son câblage extraordinairement complexe comprenait trois ordinateurs de bord reliés entre eux et une grille de boutons, unique en son genre, sur le tableau de bord. Comme on pouvait s'y attendre, les propriétaires ont affronté de nombreux et ennuyeux problèmes électriques. **SH**

F40 | Ferrari　(I)

1988 · 2 936 cm³, V8 · 479 ch
0-97 km/h en 3,6 s · 322 km/h

La F40 a succédé à la 288 GTO. Le constructeur s'était à nouveau tourné vers les gourous du design italien de Pininfarina pour produire un modèle digne de sa marque, qui serait baptisé F40 en hommage au quarantième anniversaire de cette dernière. Le PDG de Pininfarina, Leonardo Fioravanti, a relevé le défi et annoncé que sa firme offrirait aux amateurs de conduite une Ferrari homologuée sur route aussi proche que possible d'un modèle de course. La vitesse maximale et l'accélération indiquées ci-dessus démontrent qu'il a tenu parole. Dans les dépassements, la voiture pouvait passer du 64 au 112 km/h en seulement 2 secondes.

C'était non seulement la Ferrari la plus puissante jamais construite, mais aussi la plus onéreuse. Son prix, qui devait initialement approcher des 280 000 dollars, est finalement monté en flèche, jusqu'à 400 000 dollars.

La F40 avait été conçue comme une voiture de course et bénéficiait par conséquent du meilleur aérodynamisme alors réalisable. Cependant, comme elle devait être conduite sur route, la stabilité l'emportait sur la puissance pure. Si l'on peut concevoir de perdre le contrôle d'une voiture sur un circuit de course, il en va autrement sur les routes publiques sinueuses.

Au cours des cinq ans qu'a duré la production, 1 315 F40 ont été construites, toutes peintes d'un éclatant *rosso corsa* (rouge de compétition). C'est le dernier modèle dont Enzo Ferrari ait été directement responsable : le fondateur de la marque est décédé en 1988, à l'âge de 90 ans. Il avait demandé à son équipe de construire la meilleure voiture au monde. Elle ne l'avait pas déçu, rendant à ce grand homme un hommage approprié. **MG**

V8 | Giocattolo　(AUS)

1988 · 4 987 cm³, V8 · 300 ch
inconnue · 257 km/h

Le paysage automobile australien est parsemé de rêves brisés, dont celui d'une entreprise de construction automobile basée à Caloundra, sur la côte du Queensland. Giocattolo Motori avait été fondée par Paul Halstead, passionné de voiture, et Barry Lock, ingénieur de formule 1. Au fil de deux ans prometteurs et novateurs, les deux hommes avaient conçu et manufacturé quinze Alfa Giocattolo V8. Ce modèle, dont le nom signifie « jouet » en italien, devait être un hybride typiquement australien, fondé sur une Alfa Romeo Sprint, une 2 places réputée, à traction avant, qu'ils modifieraient, par exemple en remplaçant son moteur par un Alfa V6.

Mais l'Alfa V6 était trop cher à l'importation. Halstead et Lock l'ont donc remplacé par un Holden V8 de 4 987 cm³, de groupe A, fabriqué en Australie par Walkinshaw. Le duo, qui visait une parfaite union de la mécanique et du châssis, a redessiné la Sprint en plaçant le moteur au centre pour une meilleure répartition du poids. Quand ce moteur a été homologué en groupe B, Giocattolo a enfin pu offrir un modèle avec lequel il fallait compter. Ce n'était pas le seul élément impressionnant de la voiture. Des extensions de passages de roue en kevlar ont suivi, ainsi qu'une suspension et des freins de formule 1, sans oublier un intérieur réalisé à la main.

Une nouvelle législation (ironiquement adoptée pour encourager la croissance de l'industrie automobile australienne) a malheureusement forcé Halstead et Lock à importer l'Alfa Romeo dans son entier, et pas seulement sa carrosserie. Les deux associés avaient créé la première supercar australienne mais au mauvais moment. Incapable de produire ce modèle de façon économique, Giocattolo a dû déposer le bilan en 1989. **BS**

Reatta | Buick USA

1988 • 3 791 cm³, V6 • 167 ch • 0-97 km/h en 9,5 s • 200 km/h

Lors de son lancement en 1988, la Reatta était la première 2 places proposée par Buick depuis 1946, et la seule sportive de sa gamme. Sa vitesse maximale était limitée électroniquement à 200 km/h ; un système d'alarme se déclenchait quand le conducteur atteignait ce seuil. La voiture jouissait d'autres nouveautés électroniques, comme le contrôle central à écran tactile qui permettait de contrôler la radio, de diagnostiquer les problèmes et de régler la climatisation.

Ce luxueux modèle était assemblé à la main, et les ingénieurs de Buick n'avaient épargné aucun détail. Initialement disponible en coupé à hard-top, la Reatta a été proposée en version décapotable en 1990. Buick avait placé de grands espoirs dans ce nouveau modèle sportif dont il espérait écouler 20 000 exemplaires annuels, mais les ventes ont été décevantes et

la première année, moins d'un quart de ce chiffre a été atteint. Le constructeur en a conclu que ses gadgets électroniques rebutaient ses clients traditionnels, généralement plus âgés, cependant que les plus jeunes des consommateurs voyaient en toute Buick une « lourde voiture de père de famille ».

Buick a retiré une partie des contrôles électroniques de ses modèles de 1990 et 1991, pour retourner à un tableau de bord d'aspect plus conventionnel, et éliminé entièrement l'ordinateur de bord. Mais, bien que les ventes aient augmenté en 1989 avec un peu plus de 7 000 modèles, et plus encore en 1990 avec 8 515 exemplaires écoulés, c'était loin d'être suffisant pour rentabiliser les coûts de production. Buick a décidé de se concentrer à nouveau sur son marché traditionnel, abandonnant complètement la Reatta en 1991. **MG**

Corrado | Volkswagen (D)

1988 • 2 861 cm³, VR6 • 190 ch • 0-97 km/h en 6,3 s • 235 km/h

Comme la Scirocco qui l'avait précédée, la Volkswagen Corrado constituait pour beaucoup une alternative économique et pratique aux 924 et 944, modèles d'entrée de gamme de Porsche. Ce coupé à 4 places, fondé sur la plateforme de la Golf de deuxième génération, était construit sous licence par Karmann. Une série de blocs moteurs l'ont équipé au cours de ses huit ans d'existence, dont un 1 800 cm³ et un 2 000 cm³, ainsi qu'un G60 surcomprimé de 1 800 cm³. En 1992, le constructeur a eu recours au VR6 à 12 soupapes, très applaudi, pour créer un excellent coupé sportif à moteur avant.

Baptisée Corrado SLC en Amérique du Nord, cette exportation arborait une cylindrée allégée, de 2 800 cm³, tandis que la version européenne bénéficiait du modèle « entier », de 2 900 cm³. Cette dernière jouissait aussi d'une direction et d'une suspension supérieures, provenant de la Golf III, et on avait dû élargir ses passages de roue et relever son capot pour y loger le nouveau 6 cylindres.

À culasse unique, le VR6 faisait appel à une configuration chevauchée décalée qui permettait de caser 6 cylindres dans un bloc moteur compact. La régularité de sa puissance de sortie et son splendide couple à faible régime en ont fait un succès immédiat. Si la voiture demeurait docile quand on la conduisait en ville à une vitesse modérée, elle pouvait aussi, si nécessaire, mettre dans l'embarras de nombreuses sportives qui avaient coûté deux fois plus qu'elle.

Le magazine britannique *Car* a inclus la Corrado dans ses 25 voitures que l'on doit conduire avant de mourir, et Richard Hammond, présentateur de *Top Gear* sur la BBC, a déclaré que la VR6 était destinée à devenir un classique. **DS**

405 Mi16 | Peugeot

(F)

1988 • 1 900 cm³, S4 • 158 ch • 0-97 km/h en 8,2 s • 216 km/h

La Mi16, au discret caractère sportif, a rapidement gagné une clientèle fidèle ; c'était une déclinaison de la 405, modèle plutôt familial à roues motrices avant. Le moteur à 16 soupapes avait été préparé pour offrir un niveau de performance alors exceptionnel pour une berline à 4 portes. La 405, désignée voiture européenne de l'année en 1988, était déjà réputée pour son équilibre et son maniement ; cette version légère était encore meilleure grâce à sa suspension indépendante, abaissée et renforcée. La Mi16 était dotée de jantes en alliage et d'un kit de carrosserie composé d'un mince aileron arrière, de jupes avant et d'extensions de bas de marche pour une allure plus sportive et un aérodynamisme accru.

Très puissant pour son époque, le moteur était un modèle de série Peugeot/Citroën qui avait été amélioré à l'aide d'un double arbre à cames en tête, d'une injection électronique et de 4 soupapes par cylindre. La Mi16 était de plus pourvue d'une boîte de vitesses manuelle à 5 rapports et de freins à disque à chaque roue, sans oublier le système ABS. Les Mi16x4, à 4 roues motrices, empruntaient leur transmission aux Lancia Integrale. Un poids accru ralentissait légèrement ce modèle dont la tenue de route était toutefois excellente.

Lors de sa transformation en 1992, la gamme a été dotée d'un moteur un peu moins puissant, de 2 000 cm³. Elle comprenait aussi la Mi16 Le Mans, une édition spéciale aux sièges en cuir, caractérisée par sa robe rouge.

Un modèle haut de gamme très rare, la T16, était une 4 roues motrices turbo capable de développer 220 chevaux. Elle passait du 0 au 97 km/h en 7 secondes environ, et 60 modèles ont été construits pour la police nationale. **SH**

Civic CR-X | Honda

J

1988 • 1 600 cm³, S4 • 159 ch • 0-97 km/h en 7,9 s • 211 km/h

La Honda Civic CR-X n'est peut-être qu'une petite 2 portes japonaise à hayon et traction avant dotée d'un puissant moteur, mais elle fait l'objet d'un culte grâce à son caractère insolent. Alors qu'elle n'est plus exposée chez les concessionnaires depuis des années, elle est toujours recherchée par les acheteurs.

Ce coupé compact a évolué au fil de diverses déclinaisons. Aux États-Unis, le modèle a commencé sa vie comme 2 places, en Europe comme 2 + 2. La première génération, aux formes carrées, offrait une gamme de motorisation débutant à 1 300 cm³ seulement. La deuxième, aux formes plus rondes et plus sexy, née en 1988, a atteint son apogée quand elle s'est vue équipée du nouveau moteur VTEC Honda, ultraperformant. Celui-ci faisait appel à un calage variable des soupapes qui augmentait la puissance à régime élevé tout en maintenant une consommation réduite. Dotée d'une direction très rigoureuse, d'une bonne tenue de route et d'un maniement précis, la CR-X constituait le véhicule de choix des passionnés de conduite au budget serré.

À la fin des années 1980, elle a engrangé des prix aux quatre coins du monde. Sa fiabilité était légendaire, son coût d'entretien réduit, et son grand hayon en verre très pratique au quotidien. Les sièges arrière se rabattaient pour accroître la surface du coffre.

En 1992, Honda a dévoilé la troisième génération, à la silhouette transformée, avec un toit Targa en option. Parfois baptisée Civic del Sol, cette CR-X était plus puissante mais moins précise. Les consommateurs, conscients qu'elle était dépourvue du caractère des modèles précédents, l'ont boudée. Elle a été abandonnée en 1997. **SH**

XJR-S | Jaguar   (GB)

1988 • 6 000 cm³, V12 • 333 ch
0-97 km/h en 6,5 s • 253 km/h

En 1984, Tom Walkinshaw, pilote de course et constructeur automobile, a remporté le Championnat européen des voitures de tourisme au volant de sa grosse Jaguar XJS, un coupé de luxe. Une autre XJS avait triomphé en un temps record dans le Cannonball Run, course américaine qui relie la côte atlantique à la côte pacifique, et ces voitures gagnaient aussi régulièrement dans les épreuves australiennes. Le modèle démontrait un peu partout ses capacités sportives, mais il n'était pas disponible en version homologuée sur route.

Au Royaume-Uni, les propriétaires pouvaient modifier leur véhicule grâce à la compagnie de Walkinshaw, TWR, qui vendait des carrosseries et suspensions de XJS en kit. Finalement, Jaguar s'est laissé convaincre et a chargé TWR de construire une XJR-S spéciale, à hautes performances et destinée à la conduite sur route. Ces modèles spéciaux ont été dotés d'un magnifique ensemble de jupes avant, arrière et latérales, de nouvelles jantes en alliage et d'un aileron arrière. L'intérieur était habillé de cuir et de noyer. TWR avait aussi modifié la suspension, la direction et les freins. On pouvait obtenir en option des freins de course et une hauteur de châssis réduite.

Le moteur de 5 300 cm³ a bientôt été remplacé par un 6 000 cm³ capable de développer 333 chevaux. La vitesse maximale était limitée à 253 km/h, et les acheteurs avaient le choix entre un coupé et une décapotable. Tous les modèles étaient assemblés à la main et arboraient une plaque numérotée sur l'un des marchepieds. Grâce à TWR, Jaguar a trouvé le succès : la production de la XJR-S a continué jusqu'en 1993, et 1 130 modèles ont été vendus. **SH**

Discovery | Land Rover   (GB)

1989 • 3 500 cm³, V8 • 154 ch
0-97 km/h en 11,8 s • 163 km/h

Le marché des véhicules tout-terrain se transformait rapidement. Land Rover avait déjà produit le grand et luxueux Range Rover et le Land Rover original, plus fruste, mais un modèle intermédiaire était nécessaire pour rivaliser avec la nouvelle vague de SUV japonais.

Le Discovery faisait appel au châssis du Range Rover mais sa présence était moins imposante. Il paraissait aussi plus fonctionnel que ce dernier et plus confortable qu'un Land Rover. Le constructeur, conscient de ne pas maîtriser le style contemporain, a fait appel au bureau de design Conran pour dessiner l'intérieur du Discovery. La création de Conran, récompensée de prix, était très novatrice : l'habitacle bleu ciel comprenait un fourre-tout en tissu Land Rover, inséré dans le tableau de bord et que l'on pouvait retirer pour s'en servir de sac. On découvrait des accessoires astucieux tels que les fentes au-dessus du pare-brise où l'on pouvait glisser les cartes routières, les prises aménagées dans les appuie-têtes, et une radio à télécommande. Les deux panneaux qui constituaient le toit ouvrant pouvaient se ranger dans des sacs derrière les sièges du fond.

Le « Disco » était initialement équipé d'un V8 de 3 500 cm³ ou d'un turbo diesel de 2 500 cm³. Un moteur à essence de 2 000 cm³ a été brièvement disponible. Le Discovery jouissait d'une transmission intégrale, d'un différentiel central à blocage manuel et d'une garde au sol élevée.

Une célèbre publicité télévisée britannique montrait des alpinistes japonais suivant difficilement un étrange véhicule à la trace. Parvenant finalement à le rejoindre en hélicoptère, ils essuyaient la neige de son capot pour révéler le sigle Land Rover. **SH**

Favorit | Skoda

CS

1989 • 1 289 cm³, S4 • 68 ch • 0-100 km/h en 17 s • 148 km/h

Les modèles des années 1970-1980 de l'industrie automobile tchèque étaient de bien moindre qualité que les produits occidentaux, notamment la Skoda, qui a fait l'objet de nombreuses moqueries.

Quand la Tchécoslovaquie a commencé à se transformer, ses voitures ont fait de même. La vieille Estelle, à moteur et roues motrices arrière, a été remplacée en 1989 par la Favorit, bien conçue et solidement construite. Cette voiture s'apprêtait à transformer l'image et l'avenir de Skoda, son constructeur.

C'était une 5 portes à hayon, à roues motrices et moteur avant, dessinée par le bureau de style italien Bertone qui avait auparavant conçu des Lamborghini ainsi que les Ford Mustang. Skoda, qui savait peut-être que la voiture serait historique pour la marque, avait baptisé son nouveau modèle en hommage à une berline sportive mémorable produite en 1936, avant l'ère communiste, elle aussi nommée Favorit.

Un an seulement après, Skoda s'est alliée au groupe Volkswagen et, en 1994, la Favorit, rebaptisée Felicia, a bénéficié d'un nouveau lancement. Six ans plus tard, Skoda arrivait en tête des enquêtes de satisfaction dans toute l'Europe de l'Ouest. La voiture a été améliorée chaque année au fur et à mesure que croissait l'influence de Volkswagen.

En 1994, une Skoda Favorit a participé au Championnat du monde des rallyes de la FIA. L'univers automobile a été abasourdi de voir la petite Tchèque remporter la catégorie des 2 litres (2 000 cm³) bien que n'étant équipée que d'un moteur de 1,3 litre (1 289 cm³). Plus extraordinaire encore pour Skoda, sa voiture avait battu celles de sa maison mère, Volkswagen. **SH**

S-Cargo | Nissan (J)

1989 • 1 487 cm³, S4 • 73 ch • inconnue • inconnue

Le Nissan S-Cargo, un monospace de style rétro, a été qualifié de voiture la plus laide jamais construite. Son nom est un calembour qui fait référence à l'animal auquel il ressemble, l'escargot.

Sa silhouette a été inspirée par la 2CV de Citroën, particulièrement la version fourgonnette très populaire au Japon. Comme cette dernière, le S-Cargo arborait des phares rappelant des yeux exorbités, un volant mono-branche et un gros indicateur de vitesse circulaire, au centre du tableau de bord. Seulement disponible avec le volant à droite, il était pourvu d'une transmission automatique à 3 rapports, le levier de vitesses étant fixé sur le tableau de bord. Le moteur à essence, de 1 487 cm³, offrait une puissance de gastéropode. La voiture possédait de nombreuses pièces en commun avec la Nissan Sunny.

Elle jouissait aussi de la climatisation, de sièges arrière amovibles et d'une grande surface plane au-dessus du tableau de bord, qui permettait d'étaler cartes routières et papiers. Parmi les options excentriques proposées, on comptait une fenêtre ovale de chaque côté et un toit en toile à ouverture électrique.

Au Japon, 12 000 exemplaires ont été produits pendant trois ans. D'autres pays ont augmenté ce nombre, sans toutefois une réelle stratégie d'exportation.

Malgré ses apparences, le S-Cargo offre les mêmes services qu'une petite fourgonnette. Il peut transporter des charges allant jusqu'à 300 kilos, possède un grand hayon et son plateau est bas pour qu'on puisse aisément remplir l'arrière. Les deux grands panneaux laté-raux qui se prêtaient bien à la signalisation commerciale ont souvent servi de support publicitaire. **SH**

TC | Chrysler (USA)

1989 • 2 213 cm³, S4 • 162 ch
0-97 km/h en 10,2 s • 210 km/h

Dans les années 1980, Chrysler a retrouvé une situation financière saine grâce à son P-DG, Lee Iacocca, mais ses véhicules étaient loin d'exciter ses clients habituels, encore moins d'en attirer de nouveaux. Iacocca a fait appel à son ami Alejandro de Tomaso, qui avait pris le contrôle de Maserati en 1975. Chrysler était à la recherche d'une décapotable de grand tourisme qui lui offrirait une touche de glamour et Maserati avait besoin d'argent après son affligeante Biturbo. La collaboration des deux marques a donné naissance à la Chrysler TC – dépourvue de glamour et de succès commercial.

La production a subi un retard de deux ans qui s'est révélé désastreux. La logistique était à elle seule un cauchemar. La transmission et les pneus provenaient d'Allemagne, les freins ABS de France, les cames de Floride, le câblage d'Espagne. Compte tenu du temps nécessaire pour que tout cela parvienne en Italie, que les moteurs turbo conçus par Chrysler et fabriqués par Maserati soient insérés dans les carrosseries italiennes assemblées à la main, et que les produits finis soient expédiés aux États-Unis, la TC était déjà dépassée lors de son lancement. Elle rappelait trop la Le Baron, modèle banal de Chrysler qui a finalement été produit avant elle, faisant passer la TC pour un projet secondaire – une copie, mais deux fois plus chère que « l'original ». **BS**

Golf G60 Rallye | Volkswagen (D)

1989 • 1 763 cm³, S4 • 162 ch
0-97 km/h en 7,4 s • 212 km/h

En 1986, Volkswagen s'est emparé de la première place du Championnat du monde des rallyes groupe A avec sa Golf GTi 16v, à 2 roues motrices. VW, qui désirait exhiber ses produits dans les rallyes plus connus, a mis en œuvre en 1988 la Golf G60 Rallye, à 4 roues motrices. Basée sur la Golf de la deuxième génération, la Rallye s'est vu attribuer un groupe moteur surcomprimé de 1 763 cm³ et 8 soupapes, qui respectait à peine les régulations de la FIA en termes de capacité.

Ces règles avaient déjà changé quand la voiture a été prête à affronter sa première saison de Championnat du monde des rallyes en 1990, et elle a dû rivaliser avec des turbos plus puissantes. Pour demeurer compétitif, son moteur a été poussé au-delà de ses limites et, selon la rumeur, les mécaniciens de l'écurie Volkswagen changeaient le compresseur de la voiture plus souvent que ses pneus. L'équipe Volkswagen n'a terminé la saison qu'en dix-septième position, mais plus de 5 000 modèles de la Rallye, homologués sur route et capables de développer 162 chevaux, avaient déjà été produits. Coûtant deux fois plus qu'une Volkswagen GTI courante, ils étaient équipés de sièges Recaro, de vitres électriques et d'un système hi-fi de grande qualité. Aujourd'hui, la Golf G60 Rallye compte parmi les Volkswagen classiques les plus prisées des collectionneurs. **DS**

SZ/RZ | Alfa Romeo ⓘ

1989 • 3 000 cm³, V6 • 209 ch
0-97 km/h en 6,9 s • 250 km/h

À la fin des années 1980, le groupe Fiat désirait redorer le blason de sa filiale autrefois renommée, Alfa Romeo. Il a pour cela créé l'une des voitures les plus extraordinaires de l'histoire de cette marque.

La SZ, ou Sprint Zagato, était une édition limitée dotée d'une carrosserie en matériaux plastiques, un super-coupé à traction arrière à une époque où la plupart des passionnés de conduite recherchaient une voiture à hayon à hautes performances. Les Italiens ont surnommé ce véhicule d'apparence extraterrestre *Il Mostro*, le monstre. Il attirait les regards à défaut de l'admiration. Pour certains, toutefois, c'était une voiture de rêve : la SZ était rapide et se maniait superbement. Disponible en rouge Alfa Romeo seulement, c'était une voiture de compétition automobile homologuée sur route. Son moteur en alliage, un V6 de 3 000 cm³, était allié à une suspension basée sur l'Alfa 75, une voiture de course.

Seuls 1 000 modèles ont été construits, tous dotés d'une plaque d'identification numérotée placée sur le tableau de bord. En 1992 est apparue une version décapotable, la RZ (Roadster Zagato), à l'apparence brutale. Elle est encore plus rare car sa production n'a pas dépassé 278 exemplaires. Alfa Romeo est ensuite retourné aux voitures grand public, et a délaissé Zagato pour retrouver Pininfarina, son concurrent. **SH**

XM V6 | Citroën Ⓕ

1989 • 2 975 cm³, V6 • 200 ch
0-100 km/h en 8,6 s • 235 km/h

La nouvelle Citroën XM a remporté le titre de voiture européenne de l'année en 1990, devant la Mercedes SL. Elle s'est vendue à plus de 300 000 exemplaires avant de disparaître en 2000.

À cause de son long profil abaissé et pointu à l'avant, et de son train arrière surélevé et vitré, les passagers arrière étaient assis plus haut que ceux de l'avant. Un grand hayon permettait d'accéder au vaste coffre, la version break abritant, selon son constructeur, le plus spacieux au monde. L'énorme habitacle comprenait un volant monobranche et un étrange appareillage de commutation, le frein à main étant ici actionné au pied.

Pour faire oublier les vieilles Citroën sujettes à la rouille, qui manquaient de puissance et ballottaient leurs passagers, la XM abondait en équipements de pointe tels une suspension à contrôle électronique, une carrosserie galvanisée et un puissant moteur. Mieux encore, on pouvait choisir un V6 à 24 soupapes qui alliait vitesse et confort de conduite feutré. Cuir et placage de bois ornaient l'habitacle, et les sièges chauffants et la climatisation ont été ajoutés au modèle de série.

Alex Moulton, gourou britannique de la suspension qui possédait une XM V6 achetée neuve, chantait souvent les louanges de son système hydropneumatique, très efficace. **SH**

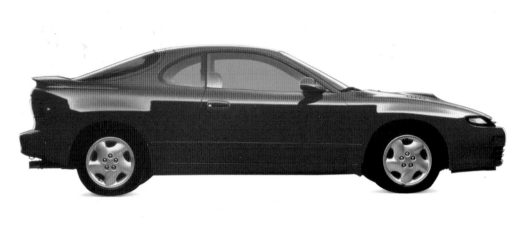

Celica | Toyota

J

1989 • 1 998 cm³, S4 • 160 ch • 0-97 km/h en 7,6 s • 212 km/h

La cinquième incarnation de la Toyota Celica jouissait d'une silhouette « super-ronde » qui, selon le constructeur, devait conférer une puissance supplémentaire à la voiture sans l'alourdir. Radicalement différent à l'époque, ce style a bientôt été adopté par les autres marques.

Bien que Toyota ait produit toute une gamme de moteurs pour la nouvelle Celica, ils n'étaient pas forcément disponibles partout. Par exemple, au Royaume-Uni, on ne trouvait qu'une cylindrée de 1 998 cm³, soit en modèle à hayon et roues motrices avant (chiffres indiqués ci-dessus), soit en GT-Four, modèle à 4 roues motrices qui constituait le *nec plus ultra* de la gamme. À la fin des années 1980 et au début des années 1990, Toyota était auréolé du succès de sa GT-Four préparée en rallye, qui a offert à la Celica une réputation de performances extraordinaires.

Le modèle homologué sur route de la GT-Four pouvait développer 224 chevaux grâce à son turbo. Il bénéficiait aussi d'une transmission intégrale et d'un différentiel central viscocoupleur qui distribuait la puissance entre les roues avant et arrière. Le modèle de série européen bénéficiait d'un système antiblocage et d'accessoires aussi luxueux que les vitres électriques. Plus tard est apparue une édition spéciale Carlos Sainz, en hommage au pilote de rallye espagnol de Toyota.

Les modèles de série à roues motrices avant étaient aussi populaires et offraient de bonnes performances à coût relativement réduit. Leur maniement, en particulier, était excellent grâce à la suspension entièrement indépendante.

Avec la Celica, Toyota a réalisé un exploit début 1990 : allier succès commercial et réussites sportives. **JI**

Taurus SHO | Ford

USA

1989 • 2 986 cm³, V6 • 220 ch • 0-97 km/h en 7 s • 230 km/h

Le succès de la Taurus SHO a surpris le département marketing de Ford. Destinée à une production limitée qui devait s'étendre sur trois ou quatre ans seulement, la voiture a suscité un tel engouement auprès des consommateurs – plus de 15 000 exemplaires ont été vendus dès la première année – que Ford a décidé de renforcer la production. Dix ans et trois générations plus tard, la série arrivait à sa fin en 1999, alors que 106 000 modèles avaient été achetés.

Muscle car de la gamme Taurus, la SHO était aussi la berline à 4 portes la plus rapide de l'histoire automobile américaine, grâce à un moteur V6 de 24 soupapes, construit en collaboration avec les ingénieurs de Yamaha. Il avait tout d'abord été conçu pour une voiture de sport à moteur central qui devait rivaliser avec la Chevrolet Corvette et la série Z de Nissan. Le modèle

avait finalement été annulé, mais Ford était dans l'obligation d'acheter les moteurs comme le stipulait le contrat, et les SHO en ont alors hérité.

Cette voiture ne devait jamais égaler les ventes phénoménales de la tranquille Taurus. La SHO était équipée de jupes latérales, d'une suspension à hautes performances et d'une boîte de vitesses manuelle à 5 rapports. Elle était de toute évidence destinée aux passionnés d'automobile même si elle n'était disponible qu'en berline. Pourvue de freins ABS, de phares antibrouillard, de barres antirenversement et de supports latéraux sur ses sièges baquets avant, elle est souvent apparue sur les couvertures de magazines automobiles américains ainsi qu'au sein de divers palmarès des dix meilleures voitures. Pour beaucoup, elle était comparable à une BMW, mais à un coût plus réduit. **BS**

Dakota | Shelby (USA)

1989 • 5 211 cm³, V8 • 177 ch
0-97 km/h en 5 s • inconnue

Le Shelby Dakota est né du pick-up Dodge Dakota, équipé d'un V6, d'apparence banale et de taille moyenne selon les normes américaines. Tout a changé pour l'humble véhicule quand, en 1989, le légendaire préparateur Carroll Shelby s'est intéressé à lui. Comme Clark Kent se transformant en Superman, le Dodge Dakota s'est métamorphosé en pick-up de série le plus rapide de son temps.

Le moteur a été remplacé par un V8 de 5 211 cm³. C'était le premier véhicule aux roues motrices arrière et à V8 que Shelby construisait depuis les années 1960. L'espace manquant dans le compartiment moteur pour installer un ventilateur propulsé par ce dernier, Shelby a choisi un modèle électrique. Le système de prise d'air a dû être modifié à l'aide d'un filtre de type snorkel provenant d'une muscle car.

Les avancées technologiques ne manquaient pas. La boîte automatique à 4 rapports, un nouveau modèle Chrysler/Dodge, était l'une des plus complexes jamais créées par le constructeur. Les roues arrière étaient équipées de freins ABS, et la suspension provenait du pick-up de série, mais on lui avait ajouté des amortisseurs monotubes à gaz sous pression. Le Shelby avait été pourvu de jantes en alliage et d'un nouveau pare-chocs avant. À l'intérieur, le logo de Shelby apparaissait au centre du volant, sur le tableau de bord et le tissu dont étaient recouverts les sièges.

Les performances étaient bonnes pour un pick-up. L'accélération du Shelby Dakota égalait celle de la berline Chrysler Neon et il fallait compter avec lui sur une route dégagée. Toutefois, il n'a été produit qu'une année, pour un total de 1 500 modèles. **JI**

Batmobile | Warner Bros. (USA)

1989 • turbine de jet • inconnue
0-97 km/h en 3,7 s • 531 km/h

Le film *Batman* de Tim Burton, sorti en 1989, présentait un superhéros beaucoup plus sombre qu'on ne s'y attendait, et dont le véhicule devait refléter ce nouveau caractère maussade. La Batmobile que conduisait Michael Keaton convenait parfaitement. Mis à part son châssis emprunté à la Chevrolet Impala, la voiture représentait le pire cauchemar de tous les méchants de Gotham City. Elle avait été dessinée par Anton Furst, décorateur de cinéma britannique qui a remporté à cette occasion un Oscar avant de mettre fin à ses jours.

La Batmobile était remarquablement armée et équipée. Pour pouvoir prendre les virages à toute allure, elle lançait des grappins qui lui permettaient de se balancer autour des bâtiments. Elle disposait aussi d'un pivot central qui, une fois abaissé, lui permettait de se retourner à 180 degrés dans les airs. Deux mitrailleuses Browning étaient insérées dans ses pare-chocs et un éjecteur latéral pouvait lancer quinze « batdisques » à la seconde. Des distributeurs d'huile glissante et des appareils fumigènes étaient prêts à être déployés, et les commandes vocales régnaient dans l'habitacle.

En 1992, dans *Le Retour de Batman*, toujours réalisé par Tim Burton, la même Batmobile disposait d'un mode où les roues et les ailes se dégageaient de la carrosserie pour laisser place à une fine capsule en forme de missile capable de se faufiler dans les allées étroites. Le véhicule, depuis remisé, demeure la plus populaire des Batmobile.

Étonnamment, un spécialiste américain de la course automobile a construit une réplique de la Batmobile de 1989 en utilisant un turbomoteur Boeing pour propulser les roues arrière. La voiture, qui fonctionnait parfaitement, pouvait rouler sur les routes en toute légalité. **SH**

Elan M100 | Lotus

1989 • 1 588 cm³, S4 • 167 ch • 0-97 km/h en 6,5 s • 219 km/h

L'Elan M100 est souvent la Lotus qu'on oublie, placée chronologiquement dans la production Lotus entre la dernière Esprit V8 et l'Elise. Toutefois, dans les souvenirs de quelques rares privilégiés, cette voiture à roues motrices avant bénéficiait de l'un des meilleurs maniements qu'on ait jamais vus.

C'était le premier modèle entièrement nouveau qu'avait produit Lotus depuis 1975 ; la mise au point de l'Elan M100, qui a fait l'objet d'une collaboration avec General Motors, n'a exigé que trois ans grâce à un budget de 55 millions de dollars. Elle demeure la seule voiture de sport à roues motrices avant jamais construite par Lotus, mais aussi la plus controversée. Pourtant, si certains la rejettent encore « parce que ce n'est pas une vraie Lotus », ceux qui ont eu la chance de la conduire lui vouent un vrai culte.

La majorité de ces Elan étaient équipées du moteur turbo Isuzu de 1 588 cm³, à 16 soupapes, qui pouvait lancer la voiture à 97 km/h en moins de 7 secondes. La publicité de cette voiture à carrosserie en fibre de verre annonçait que le châssis et la mécanique avaient été conçus pour « permettre à 100 % des propriétaires d'utiliser 90 % de ses performances 90 % du temps ».

Selon le magazine *Octane*, la M100 « prouvait que les voitures de sport peuvent être équipées de roues motrices avant, Lotus montrant de nouveau l'exemple en matière de technologie ». Malheureusement, l'année du lancement de l'Elan M100, le japonais Mazda dévoilait sa MX-5 au style rétro, un hommage à l'Elan originale. Moins onéreuse, cette Mazda à roues motrices arrière était certes moins fiable mais plus amusante. En fin de compte, seules 4 655 Elan M100 ont été construites. **DS**

Escort RS Cosworth | Ford

GB

1989 • 1 993 cm³, S4 • 220 ch • 0-97 km/h en 6,2 s • 220 km/h

De nombreux constructeurs annoncent en fanfare qu'un de leurs nouveaux modèles est une voiture de rallye ou de course adaptée à la conduite sur route, mais ce n'est souvent que de la vantardise. La Ford Escort RS Cosworth fait exception à cette règle.

À la fin des années 1980, Ford désirait construire un modèle qui participerait au Championnat du monde des rallyes dans le groupe A. À l'époque, le constructeur ne disposait pas d'une Escort turbo homologuée sur route et à 4 roues motrices. Il a donc entrepris de la construire en utilisant le moteur, la transmission et la suspension de la Sierra Cosworth. À cela s'ajoutait la carrosserie de l'Escort V, bien que la majorité de ses pièces aient en réalité été différentes.

Le moteur turbo affichait une cylindrée de 1 993 cm³. La première série de voitures, construite spécifiquement pour l'homologation en rallye, était équipée du grand Garrett T35 turbo. Ce dernier engendrait toutefois un délai assez important, moins grave en rallye que sur route. Une fois le modèle de rallye homologué, un turbo moins puissant mais plus régulier a été placé dans les voitures de série, dès lors plus faciles à conduire.

L'Escort RS Cosworth a vite fait ses preuves en rallye, en se classant à la deuxième place de celui de Monte-Carlo en 1993. Sur la route, elle faisait preuve d'une précision aiguë et avait la réputation d'être une « voiture de hooligan », c'est-à-dire dotée d'une immense puissance, de 4 roues motrices, d'un extraordinaire maniement et d'une apparence outrancière. La silhouette était dominée par un vaste spoiler arrière en forme de queue de baleine, élément que la plupart des acheteurs amateurs de rallyes ont choisi de conserver. **JI**

1990–1999

Porsche 911 GT2 multicolore, datant de 1997 – la GT2 était le modèle de compétition de la 911 Turbo.

Tempest | Jankel (GB)

1990 • 6 700 cm³, V8 • 543 ch
0-97 km/h en 3,89 s • 322 km/h

Robert Jankel construisait de luxueux sosies de Bugatti Royale, des 2 places épurées dotées de 6 roues et de moteurs de 8 000 cm³, ainsi que des roadsters Lima équipés de moteurs Vauxhall. Lorsque Porsche a lancé sa 959, une hypercar, Ferrari annoncé sa F40 et Jaguar sa XJ220, Jankel a décidé de créer un modèle de même classe.

Dans sa quête de puissance et de luxe, il s'est inspiré de la Corvette C4. Une grande partie de la carrosserie d'origine a été éliminée et remplacée par des pièces en kevlar et fibre de verre, fabriquées à la main puis attachées au châssis de course. La Tempest était une décapotable au toit amovible, avec conduite à droite.

Sous le capot se trouvait désormais un V8 surcomprimé, à injection d'eau, conçu pour la course sauvage par une entreprise de Los Angeles. Il révélait une immense puissance et, selon Jankel, permettait à la voiture de passer du 0 au 97 km/h en 3,3 secondes. Ce chiffre s'est cependant révélé légèrement optimiste. Le vrai, de 3,89 secondes, lui a tout de même permis d'apparaître dans le *Livre Guinness des records* en 1992 comme voiture homologuée sur route la plus rapide de son temps sur cette distance.

Grâce aux excellentes finitions caractéristiques des véhicules Jankel, et à son prix de 207 000 dollars, la Tempest paraissait bon marché par rapport à ses concurrentes. On ne sait exactement combien d'exemplaires de cette voiture ont été construits, sûrement plusieurs. Quand la pompe de servodirection est devenue bruyante en 2000 (soit dix ans après le lancement du modèle), les propriétaires pouvaient toujours la faire remplacer sous garantie. **JB**

Diablo | Lamborghini (I)

1990 • 5 700 cm³, V12 • 499 ch
0-100 km/h en 4,5 s • 325 km/h

La Diablo est l'une des supercars les plus célèbres. Ses performances et son design demeurent exceptionnels. Voiture de série la plus rapide du monde à l'époque, elle est devenue l'icône automobile de toute une génération. Sa carrosserie basse dotée d'une grande aile arrière, ses portières en élytres, ses jantes en alliage, ses immenses prises d'air latérales et ses phares rétractables lui conféraient une image de pur luxe glamour.

Elle n'était pourtant pas née sans douleur. Marcello Gandini avait dessiné les premiers plans mais, en les voyant, Chrysler, qui venait d'acquérir Lamborghini, a demandé à ses concepteurs de Detroit d'adoucir la silhouette. Gandini, qui avait dessiné les deux ancêtres de la Diablo, était furieux. Il a offert son dessin original, plus anguleux, à Cizeta, pour son nouveau modèle financé par le musicien Giorgio Moroder et construit par d'anciens employés de Lamborghini.

Pendant ce temps-là, Chrysler ajoutait quelques dernières touches au dessin modifié et lançait sa Diablo sous les acclamations. Sa silhouette a certainement mieux vieilli que celle de la Cizeta de Gandini. Au cours des onze ans de production, presque 3 000 Diablo ont été construites, un chiffre impressionnant pour une supercar assemblée à la main qui coûtait près de 150 000 dollars.

Au fil des ans, elle a acquis 4 roues motrices, plus de puissance et un toit amovible. Sur le plan mécanique, toutefois, elle n'a jamais été très sophistiquée. Ne possédant pas la finesse technique d'une Porsche, elle était pourvue d'un gros moteur bruyant, à 12 cylindres, situé juste derrière la tête du conducteur, qui suffisait au bonheur de la majorité de ses propriétaires. **SH**

Silhouette | Oldsmobile

USA

1990 • 3 129 cm^3, V6 • 120 ch • 0-97 km/h en 9,6 s • inconnue

Comme le Chevrolet Lumina APV et le Pontiac Trans Port, l'Oldsmobile Silhouette comptait parmi les monospaces dont les origines remontaient au Chrysler Mini-Max des années 1970. Modèle «de luxe» de GM, le Silhouette est apparu en 1990 mais les acheteurs se sont plaints de son tableau de bord qui réfléchissait énormément la lumière. De plus, il s'étendait sur une largeur de 1,20 mètre entre le conducteur et le pare-brise, et empêchait de voir les extrémités du capot incliné. La silhouette de ce nouveau type de véhicule fit l'objet d'un long débat au sein de GM, et les diverses modifications apportées aux monospaces suivants ont démontré que le Silhouette était loin d'être achevé.

Surnommé «l'avaleur de poussière» à cause de la ressemblance de sa partie avant avec les aspirateurs d'une certaine marque, ce monospace américain a toujours pâti de ventes languissantes. Il était néanmoins pratique. Ses sièges baquets étaient disposés en 2 + 3 + 2, une configuration adaptable. En option, on pouvait commander des portes latérales électriques qui reculaient automatiquement quand elles rencontraient un obstacle en cours de fermeture, un système d'antipatinage et une deuxième rangée constituée de sièges pour enfants. Le véhicule était aussi équipé d'ailes en matières plastiques qui retrouvaient aisément leur forme après un accident (très) mineur.

Le Silhouette a fait face à de rudes critiques, dont celles de l'Insurance Institute américain qui l'a mal noté en matière de sécurité. Pour une raison ou une autre, il a échoué à conquérir un important secteur de marché et le dernier exemplaire a quitté la chaîne de montage de GM en mars 2004. **BS**

454 SS Pickup | Chevrolet

1990 • 7 440 cm³, V8 • 230 ch • 0-97 km/h en 7,2 s • 193 km/h

En 1990, Chevrolet a transformé l'image vénérable du pick-up américain en offrant au C1500, un véhicule léger, au plateau arrière court et à 2 roues motrices, un V8 équipé d'un puissant radiateur constitué de deux refroidisseurs séparés, l'un consacré à l'huile et l'autre au liquide hydraulique.

Ce V8 était si volumineux qu'il remplissait presque entièrement le compartiment moteur du C1500, mais l'humble pick-up s'est ainsi transformé en puissante machine.

Le moteur offrait assez de couple pour que l'accélération du 454 SS puisse rivaliser avec celle de la Mustang GT. Chevrolet ne s'est pas contenté d'ajouter un nouveau V8 mais a aussi doté son pick-up d'un arceau de sécurité, d'une direction à rapports courts, d'une barre stabilisatrice à l'avant et d'accessoires intérieurs généralement réservés aux voitures de luxe, tels que des sièges baquets inclinables rouges, un régulateur de vitesse automatique et des vitres teintées.

Les SS étaient généralement peints en noir onyx, teinte qui contribuait à leur allure agressive même si seules la calandre obscurcie et les jantes chromées à fentes constituaient des signes extérieurs de hautes performances.

Compte tenu de son centre de gravité élevé, le SS se comportait exceptionnellement bien sur route. Sa capacité de charge, en dessous de 500 kilos, un peu plus réduite que celle des autres pick-up, ne semblait pas être un handicap ; son V8, en revanche, était très gourmand en carburant. Ce pick-up pouvait rouler confortablement à grande vitesse tout au long de la journée, contrairement à ses concurrents. **BS**

900 Carlsson | Saab (S)

1990 • 1 985 cm³, S4 turbo • 185 ch
0-97 km/h en 8 s • 290 km/h

La 900 Carlsson de Saab rendait hommage au pilote suédois éponyme, deux fois vainqueur du rallye de Monte-Carlo – et personnage dans deux romans de James Bond.

Toutes les Carlsson étaient fondées sur la 900 de série, une voiture à hayon à 3 portes, mais se distinguaient par leurs jantes en alliage à 3 branches pourvues de pneus fins, ainsi que par leur carrosserie aérodynamique, leurs deux tuyaux d'échappement chromés et leurs bandes et logo discrets. La voiture n'était disponible qu'en noir, rouge ou blanc, et ses sièges, son volant et son pommeau de levier de vitesses étaient habillés de cuir. Les options étaient limitées mais la construction était de qualité. Le tableau de bord arborait de nouveaux instruments et compteurs, et la voiture était dotée de quelques accessoires haut de gamme : un toit ouvrant en acier, des sièges avant chauffés et des vitres teintées. Le moteur était une version préparée d'un turbo préexistant, de 16 soupapes et 1 985 cm³, à injection électronique ; la boîte de vitesses manuelle était à 5 rapports.

Les performances de la Carlsson étaient respectables, son accélération était impressionnante, et le maniement se révélait excellent grâce à la suspension sportive. Les 600 modèles produits de 1990 à 1992 constituent aujourd'hui des classiques recherchés. **SH**

LS400 | Lexus (J)

1990 • 3 969 cm³, V8 • 258 ch
0-97 km/h en 6,7 s • 250 km/h

La première Lexus a pris d'assaut le marché automobile de luxe. Toyota avait dépensé 1 milliard de dollars pour mettre au point une voiture qui rivaliserait avec les Mercedes, Jaguar, Cadillac et BMW. Après avoir construit 450 prototypes et réalisé des essais sur 2,7 millions de kilomètres, le constructeur s'est déclaré satisfait. En un an les ventes ont dépassé celles de toutes les marques reconnues citées précédemment.

La LS400 présentait tous les éléments habituels d'une voiture de luxe : moteur V8, roues motrices arrière, et somptueuse carrosserie de berline. Toutefois, certains éléments étaient entièrement novateurs, tels le volant inclinable et télescopique, les ceintures de sécurité à réglage électrique, et un rétroviseur qui s'auto-inclinait. Le tableau de bord abritait un affichage numérique holographique et un système qui mémorisait les réglages. Le nouveau V8 était relié à une transmission automatique à 4 rapports sous contrôle électronique. La conduite était plus confortable qu'exaltante, mais Lexus jugeait que ses clients recherchaient avant tout le prestige.

Quand Cadillac a démonté une LS400 pour l'examiner, ses ingénieurs ont conclu que GM ne disposait pas des capacités nécessaires à la construction d'un tel modèle. Le seul défaut qu'on pouvait lui reprocher était sa silhouette ordinaire. **SH**

3000GT/GTO | Mitsubishi (J)

1990 • 3 000 cm³, V6 bi-turbo • 325 ch
0-97 km/h en 4,7 s • 249 km/h

Cette muscle car asiatique offrait quasiment toutes les dernières nouveautés technologiques de l'époque, dont la transmission intégrale, 4 roues directrices, un aérodynamisme intelligent et une suspension à contrôle électronique. Même le système d'échappement était ajustable, en mode sportif ou tourisme.

La carrosserie abritait à l'origine des spoilers avant et arrière à ajustement automatique ainsi que des phares rétractables qui ont été remplacés par des projecteurs fixes en 1990. Sous le capot du plus onéreux des modèles se trouvait un V6 à 24 soupapes et double turbo, mais la gamme de motorisation des divers modèles variait selon les pays et les époques, ce qui a prêté à confusion. Certains modèles étaient pourvus d'un moteur à arbre à cames en tête unique, alors qu'il était double sur d'autres. La puissance développée changeait aussi, depuis les 160 chevaux de la première génération américaine jusqu'au VR-4 final et explosif disponible sur tous les marchés.

Ce 2 + 2 relativement exigu était baptisé GTO au Japon mais, craignant que cela offense les amateurs de Ferrari et de Pontiac en Europe et en Amérique, Mitsubishi l'a rebaptisé 3000GT à l'exportation. Aux États-Unis, Dodge le commercialisait sous le nom de Dodge Stealth. **SH**

190E Evolution 1 | Mercedes (D)

1990 • 2 463 cm³, S4 • 232 ch
0-97 km/h en 7,3 s • 230 km/h

Mercedes a réagi au lancement de la M3 Sport Evolution de BMW en dévoilant sa 190E Evolution 1, qui n'avait qu'une raison d'être : la course. On reconnaît immédiatement une Evo 1 à ses ailes intérieures et ses passages de roue élargis, conçus pour abriter des pneus de course, ainsi qu'à sa direction plus réactive et à son imposant aileron arrière.

Sous le capot, le moteur était un 190 de série – dont on avait toutefois modifié quelques éléments comme le taux de compression et le jeu des soupapes pour augmenter la puissance jusqu'à 232 chevaux (au lieu de 195). L'Evo 1 était plus rapide que le modèle courant qui jouissait d'une cylindrée de 2 500 cm³ et de 16 soupapes, et elle se maniait superbement grâce à sa suspension et à ses amortisseurs renforcés. Cette suspension modifiée permettait au conducteur de changer la hauteur de garde au sol en appuyant sur un simple bouton.

Comme le suggère son nom, l'Evo 1 annonçait la naissance d'une nouvelle série. L'Evolution 2 était équipée de roues de 43 centimètres et de l'un des kits de carrosserie les plus déjantés pour une voiture de série. Les clients traditionnels de Mercedes ont un peu tardé à s'adapter à cette nouvelle allure, mais ces deux modèles ont réalisé leur objectif : égaler en tous points la M3 de BMW et attirer une clientèle plus jeune. **BS**

Sunny/Pulsar GTI-R | Nissan

(J)

1990 • 2 000 cm³, S4 Turbo • 230 ch • 0-97 km/ en 5,6 s • 232 km/h

Dans certains pays, c'était la Sunny, dans d'autres la Pulsar ; cette voiture n'avait été produite que pour permettre à Nissan de participer au Championnat du monde des rallyes, puis adaptée à la conduite sur route.

Ses caractéristiques étaient impressionnantes : transmission à 4 roues motrices en prise permanente, et moteur turbo Twin Cam de 2 000 cm³ et 16 soupapes. Elle se maniait et se comportait comme une voiture de course, dont elle avait de plus l'apparence. Tout autour du monde, les jeunes hommes rêvaient de la posséder.

Ils adoraient son kit de carrosserie constitué de prises d'air agencées dans le capot, d'un gros aileron arrière et de profondes jupes avant. Le châssis et la suspension avaient été préparés pour la course et les freins ABS étaient à gros disques ventilés. L'habitacle habillé de noir abritait des sièges baquets et un volant de course.

Nissan devait vendre 500 modèles homologués sur route pour pouvoir participer au Championnat du monde des rallyes : la voiture s'est révélée si populaire que le constructeur en a écoulé 15 000 environ. En rallye, toutefois, elle n'a jamais remporté une seule épreuve. Diverses excuses ont été avancées à l'époque : les pneus Dunlop ont été blâmés, de même que l'inefficacité du refroidisseur intermédiaire du turbo par temps chaud. Les luttes de pouvoir constantes entre la direction japonaise de Nissan et son écurie de rallye, basée en Europe, étaient probablement responsables de ce fiasco.

La GTI-R a affronté l'humiliation suprême quand Scot Colin McRae a gagné le Championnat britannique des rallyes non pas au volant de la supercar à 4 roues motrices, mais de la Sunny GTI de Nissan, à simples roues motrices avant. **SH**

622   **1990–1999**

MX-5/Miata/Eunos | Mazda ⓙ

1990 • 1 598 cm³, S4 • 116 ch • 0-97 km/h en 8,6 s • 187 km/h

La voiture de sport représentant les meilleurs chiffres de vente de toute l'histoire dans sa catégorie était un simple roadster léger, à 2 places.

La petite voiture avait été mise au point en partenariat avec des concepteurs japonais, américains et britanniques. Elle rappelait énormément la Lotus Elan des années 1960, y compris par ses phares rétractables de style rétro. Elle offrait aussi une conduite de rêve grâce à une parfaite répartition pondérale (50/50), une direction précise et une suspension à double triangulation.

En option, on pouvait obtenir un hard-top amovible en sus du toit repliable habituel, une chaîne hi-fi aux haut-parleurs insérés dans les appuie-têtes, et un habillage en cuir. La MX-5 n'était pas une supercar de luxe, mais plutôt une version modernisée et enjouée d'une MGB ou d'une Austin-Healey Sprite.

Elle en possédait aussi le charme populaire. La MX-5 était peu onéreuse et réputée extrêmement fiable. Elle a constitué un immense succès commercial. Des clubs de propriétaires enthousiastes ont surgi dans le monde entier et, grâce à son superbe maniement, la voiture était aussi populaire sur les circuits.

La première génération a été baptisée Miata aux États-Unis, MX-5 au Royaume-Uni et Eunos Roadster au Japon. Le moteur de 1 598 cm³ a bientôt été complété par des versions plus puissantes, dont le modèle haut de gamme, de 2 000 cm³, qui développait 170 chevaux. La dernière génération est plus luxueuse et, bien qu'elle ait perdu ses phares rétractables, elle demeure très populaire. Aujourd'hui, elle ne cesse de battre des records en termes de vente dans la catégorie des voitures de sport. En 2011, on en était à 900 000 exemplaires achetés. **LT**

MR2 Mk II | Toyota

⒥

1990 · 2 000 cm³, S4 turbo · 245 ch · 0-97 km/h en 6,2 s · 233 km/h

La première Toyota MR2 était une voiture de sport novatrice aux lignes anguleuses et au prix peu élevé, mais la deuxième génération, plus grande et plus lourde, plaçait la barre plus haut. Ce nouveau modèle était pourvu d'une carrosserie de supercar et d'une gamme de motorisation plus puissante.

Le moteur à 4 cylindres en ligne était placé derrière les deux sièges et offrait un maniement similaire à celui de la première génération mais un peu moins précis.

Les modèles variaient selon les marchés, et l'on pouvait trouver en option des moteurs turbo plus rapides et un toit Targa en verre, constitué de deux panneaux en T. La plupart des MR2 II étaient ornées d'un spoiler arrière et d'une sellerie en cuir. Les chiffres indiqués ci-dessus correspondent à la version GT turbo japonaise, le plus rapide des modèles de série. D'autres

versions offraient des accélérations moins performantes en échange d'un coût réduit. Les modèles européens et américains étaient souvent moins puissants, plus économiques et plus écologiques, mais de nombreuses turbos japonaises ont été exportées vers d'autres continents.

Une série de kits de carrosserie et de moteurs plus puissants était aussi disponible en option. Une MR2 MC8-R, construite pour les 24 Heures du Mans, était dotée d'un moteur à double turbo de 4 000 cm³ développant 600 chevaux, et d'autres versions, plus conventionnelles, ont trouvé un certain succès dans le Championnat japonais des voitures de tourisme. La MR2 II a été modifiée à diverses reprises, notamment sa suspension. Elle a été remplacée en 2000 par la troisième génération, un roadster au style moins flamboyant que certains ont baptisé le «Boxster des pauvres». **SH**

NSX | Honda

1990 • 3 179 cm³, V6 • 280 ch • 0-97 km/h en 4,4 s • 270 km/h

De l'avis général, la Honda NSX constitue la première supercar japonaise. Ses concepteurs désiraient lui offrir les mêmes performances que celles de la Ferrari 348, mais elle devait être moins chère que cette dernière et la fiabilité des Honda ne devait pas être remise en cause.

Construite à la main par 200 mécaniciens, la NSX était la première voiture de série dotée d'une carrosserie en aluminium. Honda a fait appel aux services de pilotes de formule 1. Satoru Nakajima a ainsi réalisé d'éprouvants essais d'endurance sur le circuit de F1 de Suzuka, tandis que la voiture devait son maniement à Ayrton Senna qui avait suggéré une suspension plus ferme.

Un an seulement après que ce modèle a débarqué en Amérique du Nord, il a été couronné voiture de l'année par le magazine *Automobile*. Les passionnés de conduite adoraient son caractère pratique et son impeccable tenue de route. Gordon Murray, concepteur de voitures de formule 1, a conduit une NSX pendant sept ans, et Ayrton Senna en possédait deux.

La conception a été rafraîchie à plusieurs reprises et la cylindrée du moteur VTEC, un V6 puissant, augmentée jusqu'à 3 200 cm³. En 2003, la NSX a bénéficié de sa dernière transformation et reçu des adieux mérités sur le circuit de Nürburgring dont elle a parcouru les 21 kilomètres en 7 minutes et 56 secondes, soit exactement le même temps que celui effectué par la nouvelle Ferrari 360 Challenge Stradale, qui offrait pourtant 50 % de puissance supplémentaire.

La voiture apparaît brièvement dans *Pulp Fiction*, film de 1994 de Quentin Tarantino. Winston Wolfe (Harvey Keitel) y conduit sa NSX argentée à toute vitesse dans de grands crissements de pneus. **DS**

Lotus Carlton | Vauxhall

(GB)

1990 • 3 615 cm³, S6 • 382 ch • 0-97 km/h en 5,2 s • 285 km/h

General Motors a entrepris de collaborer avec Lotus à la fin des années 1980 pour concevoir une version à hautes performances de l'Opel/Vauxhall Carlton. La Vauxhall Lotus Carlton, dévoilée en 1990, a bénéficié d'un accueil enthousiaste.

C'était une voiture phénoménale, Lotus ayant insufflé sa magie à un modèle courant pour en faire la berline à 4 portes la plus rapide de son époque, sa vitesse de pointe représentant deux fois et demie la limite autorisée en Grande-Bretagne. Les constructeurs ont offert à la Carlton un moteur plus puissant, à double turbo, ainsi que des freins renforcés, une suspension modifiée, un différentiel à glissement limité et des roues plus larges.

La mécanique de la Carlton avait été transformée, comme dopée aux stéroïdes, mais les différences extérieures étaient limitées, afin que la voiture préserve sa silhouette discrète et que ses propriétaires évitent de voir leur police d'assurance augmenter. Des prises d'air ont été aménagées dans le capot, un spoiler arrière et un kit de carrosserie, comprenant des passages de roue plus larges, ajoutés. De petits logos Lotus ornaient l'avant et l'arrière de la voiture. La Lotus Carlton n'était disponible qu'en une seule couleur, un vert profond.

Les passionnés d'automobile l'adoraient, tout comme les membres de la pègre. Devenue une cible notoire des voleurs, elle était si rapide – plus qu'aucune voiture de police à cette époque – qu'une fois dérobée, elle était presque impossible à rattraper.

GM avait prévu d'en construire 1 100 modèles. Mais la crise économique qui a frappé l'Europe au début des années 1990 a mis fin à la production en décembre 1992 : 150 exemplaires manquaient encore à l'appel. **SB**

300ZX | Nissan
(J)

1990 · 3 000 cm³, V6 turbo · 305 ch · 0-97 km/h en 5 s · 250 km/h

La deuxième génération de la 300ZX, lancée en 1990, a marqué un grand changement dans la série Z, une gamme sportive déjà ancienne. Le style des années 1980 avait été remplacé par une nouvelle silhouette épurée. Nissan avait eu recours au superordinateur Cray, à Seattle, pour dessiner un coupé sportif entièrement nouveau. C'était l'une des premières fois qu'un logiciel produisait une voiture de série. La carrosserie était abaissée, raccourcie et élargie, mais l'empattement plus long. En 2010, *GQ* jugeait que la 300ZX comptait parmi les voitures les plus élégantes des 50 années précédentes.

Son design n'était pas le seul à avoir bénéficié de technologies de pointe. La voiture était dotée de 4 roues directrices (pour une prise de virage plus précise) et d'une distribution à géométrie variable (qui offrait de meilleures réactions au moteur). La direction assistée était sensible à la vitesse et les conducteurs pouvaient choisir d'ajuster la suspension indépendante en mode « tourisme » ou « sport ».

L'intérieur était noir, simple et efficace. La plupart des modèles abritaient une chaîne hi-fi Bose, un climatiseur automatique, des airbags et des sièges à réglage électrique. La version à 2 places et double turbo offrait des performances de supercar (voir chiffres ci-dessus) avec une vitesse de pointe limitée à 250 km/h. Il y avait une option 2 + 2 et, pour la première fois dans l'histoire de la gamme Z, Nissan offrait une version cabriolet.

L'acteur américain Paul Newman a remporté la Trans Am au volant d'une 300ZX à Lime Rock, aux États-Unis. D'autres victoires ont suivi pour ce modèle, dont la première place des 24 Heures de Daytona et celle de sa catégorie aux 24 Heures du Mans. **SH**

Super Saphier | Jehle ⟨LI⟩

1990 • 6 500 cm³, V12 • 1 015 ch
0-97 km/h en 3,1 s • 400 km/h

La Jehle Super Saphier était produite dans un petit atelier du Liechtenstein. Fondée par Xavier Jehle, l'entreprise à qui l'on devait ce modèle était spécialiste des carrosseries de camions commerciaux, mais avait aussi préparé des voitures de sport pour De Tomaso. Ces deux activités ont fusionné et Jehle a décidé de produire sa propre voiture à hautes performances.

La Saphier possédait une carrosserie cunéiforme en matières plastiques et dépourvue de toute porte : le pare-brise et les deux ailes se soulevaient pour laisser entrer le conducteur et son passager. On pouvait entièrement retirer ces pièces de carrosserie pour une conduite à l'air libre. Le moteur, placé derrière les deux sièges, propulsait les roues arrière. Il y avait aussi des phares rétractables et un hayon en verre que l'on soulevait pour accéder au coffre, au-dessus du moteur. Au centre du tableau de bord, un quadrillage de boutons carrés de diverses couleurs correspondait à une série de commandes.

Le modèle de base faisait appel au châssis d'une Coccinelle, d'autres, plus puissants, au châssis en aluminium que produisait Jehle. Le premier modèle était équipé d'un moteur de Golf VW, un 4 cylindres de 76 chevaux. La cylindrée suivante constituait une amélioration fulgurante : on dit que la Super Saphier aurait été équipée d'un moteur de 6 500 cm³ qui développait 1 015 chevaux ! Si c'est vrai, c'était l'une des premières voitures à atteindre ce niveau de puissance.

L'ultime incarnation de la Saphier était l'Artemis, dotée de vitres réfléchissantes dorées et d'une carrosserie modifiée dont les deux grosses ailes abritaient de massives conduites d'air à l'arrière. Seules trois ont été construites, et une seule vendue – à un prince arabe. **SH**

EB110 | Bugatti ⟨F⟩

1991 • 3 499 cm³, V12 turbo • 560 ch
0-97 km/h en 3,4 s • 343 km/h

Romano Artioli était un millionnaire qui avait accumulé sa fortune en vendant des Ferrari et des Suzuki. Il a décidé d'offrir une nouvelle vie à la légendaire marque Bugatti qu'il venait de racheter en lui offrant une incroyable supercar : l'EB110. Ce nom était constitué des initiales du fondateur de la marque, Ettore Bugatti, et du nombre d'années écoulées depuis sa naissance.

Artioli a construit une nouvelle usine pour ce modèle : le châssis provenait de l'Aérospatiale, un quadruple turbo renforçait le moteur V12 à 60 soupapes, la transmission était à 4 roues motrices et la carrosserie bénéficiait d'un aérodynamisme intelligent. On pouvait admirer le moteur sous son couvercle transparent, et les portes en élytres révélaient un luxueux habitacle. Pour le lancement de l'EB110 à Paris, Bugatti a invité 1.800 personnes triées sur le volet qui ont célébré l'événement avec 1 000 bouteilles de champagne. Le prix de la voiture, 500 000 dollars, était tout aussi démesuré.

Bugatti a ensuite dévoilé l'EB110SS, qui développait jusqu'à 603 chevaux. Michael Schumacher, pilote de formule 1, en a acheté une peinte en jaune mais l'a abîmée dans un accident. C'était peut-être un mauvais présage pour Bugatti. Artioli avait vu trop grand en achetant aussi Lotus et en prévoyant de produire un modèle à 4 portes. Seules 150 EB110 ont été achetées et son entreprise a fait faillite.

Mais, ce n'était pas la dernière fois qu'on entendrait parler de la voiture : l'Allemand Dauer ainsi que l'Italien B-Engineering ont tenté de lancer des modèles fondés sur l'EB110. Finalement racheté par Volkswagen, Bugatti a survécu et produit la Veyron. Le rêve d'Artioli, redonner vie à Bugatti, s'est réalisé, mais pas comme il l'espérait. **RD**

Griffith | TVR

1991 • 3 950 cm³, V8 • 243 ch
0-100 km/h en 5,2 s • 254 km/h

La Griffith était la création de l'excentrique proprié-taire de TVR, Peter Wheeler. Ce devait être la descendante de la TVR Griffith qui avait eu du succès en compétition dans les années 1960. Wheeler, qui avait pris pour point de départ le modèle S de cette dernière, a conféré à sa nouvelle Griffith un robuste châssis en treillis, un empattement plus large, une suspension à triangle et une carrosserie en fibre de verre.

Un style moderne et des performances élevées ont assuré à la Griffith un succès immédiat. Son prix de 39 000 dollars était de plus très compétitif. Plus de 300 commandes ont été passées lors du seul lancement, et plus de 3 000 modèles finalement construits. Les TVR sont célèbres pour leur conception excentrique. Les poignées des portières des Griffith étaient renforcées, les pare-chocs lissés pour se fondre dans le reste de la carrosserie, et la plaque d'immatriculation éclairée par-derrière pour éliminer tout renflement superflu dans la silhouette arrondie. Même le bouchon du réservoir d'essence était caché dans le coffre.

Le modèle d'origine abritait un V8 mis au point par Rover à partir d'un produit Buick. Les conducteurs adoraient ses performances mais, à cause du train arrière de la voiture, aux mouvements capricieux, elle était réservée aux plus courageux d'entre eux. **RD**

Syclone | GMC (USA)

1991 • 4 300 cm³, V6 • 280 ch
0-97 km/h en 4,3 s • 203 km/h

Conçu pour la course et non pour le dur labeur, le GMC Syclone était le premier pick-up à dépasser le seuil des 200 miles/heure (322 km/h) dans les salants de Bonneville, dans l'Utah, en 1990 (où il a en réalité atteint 338 km/h). Son moteur V6 de 5 000 cm³ avait été modifié pour développer 549 chevaux et le véhicule était équipé d'un parachute pour l'aider à ralentir. C'était un exploit remarquable car ce pick-up était aussi aérodynamique qu'une brique.

Le Bonneville Syclone et le modèle de série, «plus doux et pacifique», qui a suivi l'année suivante constituaient des versions à hautes performances du pick-up Sonoma de GMC. Les Syclone de série abritaient un moteur Vortec V6 de 4 300 cm³ et un turbo à refroidisseur intermédiaire (à fluide) qui développait 280 chevaux, chiffre encore effrayant. En septembre 1991, un Syclone qui affrontait une Ferrari 348 TS sur 400 mètres l'a emporté de 0,4 seconde. Les deux véhicules se sont aussi livrés à un concours de freinage, et le premier pick-up entièrement équipé de freins ABS a encore une fois gagné.

Comme utilitaire, il laissait à désirer, son manuel d'entretien interdisant de transporter des charges dépassant 227 kilos, au risque d'endommager la transmission surbaissée. Mais qu'importe ! GMC avait créé une voiture de sport déguisée en pick-up. **BS**

780 Coupé Turbo | Volvo ⟨ S ⟩

1991 • 2 849 cm³, V6 • 204 ch
0-97 km/h en 8,7 s • 213 km/h

En produisant le 780 Coupé, Volvo désirait rivaliser avec les grandes marques allemandes ; sans être très raffinée, elle était très confortable et pourvue de bon nombre d'équipements et accessoires en série.

La version Turbo offrait de bonnes performances, sa carrosserie avait été dessinée par Bertone, et jamais Volvo n'avait conçu de meilleur habitacle. Le 780 Coupé a été mis en vente dès 1985 mais la plus rapide de ses versions, développant 200 chevaux, n'a été disponible qu'en 1991, alors que sa production s'achevait, et seulement en Italie. Il demeure le plus puissant des modèles Volvo à ce jour.

Le Coupé débordait de touches luxueuses : toit ouvrant électrique en verre, sièges chauffants et climatiseur automatique. La liste des caractéristiques était longue et comprenait des sièges en cuir, des freins ABS, une suspension à correcteur d'assiette, des finitions en bouleau et un différentiel à glissement limité.

Cela ne masquait toutefois pas la plateforme datée, à roues motrices arrière, une conduite mollassonne et un prix élevé. Même la silhouette a commencé à paraître dépassée alors que la voiture était toujours en vente. Malheureusement pour Volvo, la gamme entière de 780 Coupé n'a représenté que 8 500 ventes mondiales en cinq ans d'existence. **SH**

RX-7 | Mazda ⟨ J ⟩

1991 • 1 308 cm³, bi-rotor, bi-turbo • 280 ch
0-97 km/h en 5,3 s • 246 km/h

La dernière génération des coupés sportifs à moteur rotatif de Mazda était peut-être la meilleure de toutes. La RX-7, à roues motrices arrière, constituait l'un des produits phares de ce constructeur. Son moteur Wankel abritait deux rotors et un double turbo séquentiel qui permettait une puissance accrue dépourvue de tout décalage du turbo. Cette puissance a continué d'augmenter au fil de la production. Les chiffres indiqués ci-dessus correspondent à la dernière version, de 280 chevaux.

Les critiques ont chanté les louanges de la petite Mazda, désignée voiture étrangère de l'année par le magazine *Motor Trend*, voiture de l'année par *Playboy*, et « voiture de sport la plus excitante au monde » par *Road & Track*. La répartition du poids était presque parfaite sur chaque essieu et offrait à la RX-7 une tenue de route imbattable. Les versions offertes différaient selon les marchés, mais comprenaient une 2 places, une 2 + 2 et une décapotable.

Dans de nombreux pays, les ventes de la RX-7 ont été freinées par son habitacle exigu et sa consommation importante, qui pouvait dépasser 14 litres aux 100 kilomètres. En 1992, Mazda a tenté de doper ses ventes en abaissant le prix de 50 000 à 39 000 dollars. Le constructeur a aussi remboursé la différence de prix à ceux qui avaient acquis leur voiture avant cette réduction ! **SH**

Gold Label | Jankel   (GB)

1991 • 6 700 cm³, V8 turbo • 301 ch
0-97 km/h en moins de 5 s • 214 km/h

C'est à Robert Jankel, ingénieur londonien, que l'on devait les Panther des années 1970. Quand cette marque a fait faillite, Jankel s'est tourné vers la construction de véhicules spéciaux dans un atelier du Surrey. Il a tout d'abord créé des modèles sur mesure pour des marques telles que Bentley, Mercedes, Jaguar, Range Rover ou encore Rolls-Royce, pour qui il a construit plus d'une centaine de limousines Silver Spur. Puis, en 1991, Jankel a conçu la Gold Label, roadster de grand tourisme, entièrement nouveau. C'est aujourd'hui l'une des automobiles les plus rares au monde.

Sa silhouette était légèrement gauche, surtout l'avant à la calandre inclinée, mais la carrosserie en aluminium réalisée à la main par les employés de Jankel était d'une qualité exceptionnelle. Les contacts dont bénéficiait ce dernier parmi les meilleures marques lui avaient permis d'acheter du matériel de luxe. La Gold Label a ainsi été équipée d'un moteur turbo et d'une boîte de vitesses Bentley munie d'une surmultipliée qui permettait de rouler longtemps à une vitesse élevée. On dit qu'à 113 km/h, elle ne réalisait que 2 100 tours par minute.

Jankel séduisait sa clientèle à l'aide de détails luxueux. La Gold Label n'abritait que deux sièges, mais c'étaient des Recaro. L'habitacle était habillé de cuir Connolly similaire à celui qu'utilisait Rolls-Royce, et d'une moquette Wilton. Le toit souple doublé de mohair était rangé dans un compartiment spécial une fois replié électriquement. Le modèle de série offrait des sièges, vitres et rétroviseurs électriques ainsi qu'un système audio-vidéo sophistiqué.

Jankel n'est toutefois parvenu à construire que deux Gold Label. La première, bleue, a été achetée par le sultan de Brunei. On ignore où se trouve la seconde. **SH**

V16T | Cizeta-Moroder   (I)

1991 • 6 000 cm³, V16 • 548 ch
0-97 km/h en 4,5 s • 328 km/h

L'un des projets de supercars italiennes les plus prometteurs de la fin des années 1980 et du début des années 1990 était la Cizeta-Moroder V16T. Elle avait été conçue par un groupe d'anciens ingénieurs de Lamborghini sous la direction du talentueux Claudio Zampolli, qui s'était associé à un partenaire improbable : Giorgio Moroder, compositeur récompensé de trois Oscars et deux Grammy pour ses musiques de film, et qui était un passionné d'automobiles. Marcello Gandini avait dessiné la carrosserie ; on lui devait celles de la Lamborghini Miura, de la Lancia Stratos et de la Lamborghini Countach.

N'oublions pas le groupe moteur : fondé sur deux V8 associés, c'était un V16 placé transversalement, aux caractéristiques techniques époustouflantes. Le prix de 300 000 dollars était tout aussi stupéfiant. Le nouveau constructeur de supercars est parvenu à en vendre plusieurs, y compris à la famille royale du Brunei, qui en a acquis plus d'une. Mais quand la crise financière a frappé les pays riches peu après le lancement de cette voiture, il est devenu difficile d'en écouler davantage. Les pertes se sont accumulées pour Cizeta-Moroder qui n'a jamais atteint son objectif de construire un modèle par semaine, et pâtissait de plus d'un manque de réputation. La situation a encore empiré quand le partenariat s'est brisé et que la voiture a été rebaptisée Cizeta V16T. En 1995, l'entreprise a dû fermer, après que huit modèles seulement avaient été construits, selon la rumeur.

Toutefois, quelques personnes souhaitaient encore en acquérir : quelques années plus tard, trois autres ont été achevés. L'un d'eux, un roadster unique nommé Cizeta V16T Spyder TTJ, coûtait 850 000 dollars. **JB**

Figaro | Nissan (J)

1991 • 998 cm³, S4 turbo • 76 ch
0-97 km/h en 12 s • 171 km/h

Lancée à l'occasion du cinquantième anniversaire de Nissan, la Figaro était destinée à devenir un classique automobile. Cette décapotable 2 + 2 a été construite en nombre limité (20 000) au Japon pendant un an seulement, mais la demande a été si importante qu'une loterie a dû être organisée pour sélectionner ses acheteurs. Les tickets vainqueurs se sont échangés à des prix qui dépassaient celui de la voiture (16 000 dollars).

Celle-ci était inspirée des modèles des années 1950 et 1960 mais réalisée à une échelle réduite qui lui conférait un charme adorable. Le toit en toile se repliait aisément pour se glisser dans le coffre, et les sièges en cuir blanc, aux coutures contrastées, s'accordaient au volant, blanc lui aussi, et aux couleurs pastel de la carrosserie. Le chrome était omniprésent, à l'intérieur comme à l'extérieur, à une époque où il avait disparu de la majorité des modèles. Même les moyeux des roues étaient blancs.

Sous ce caractère rétro se cachait une petite voiture japonaise moderne, principalement fondée sur la Nissan Micra, sa contemporaine. La Figaro possédait donc les équipements caractéristiques d'une voiture à hayon des années 1990 tels que la climatisation, la direction assistée, une platine laser et des vitres électriques. Le moteur était petit (un turbo de 998 cm³) et la boîte de vitesses automatique, à 3 rapports. Ses performances modérées correspondaient à sa conduite détendue. C'était une voiture de tourisme plutôt qu'une sportive.

Certains journalistes se sont moqués du caractère adorable, trop féminin, de la Figaro. Ils n'y ont bien entendu rien compris, et ceux qui conduisent encore ce petit roadster fiable et élégant ont eu le dernier mot, car la valeur de la Figaro demeure très élevée. **SH**

Typhoon | GMC (USA)

1991 • 4 300 cm³, V6 turbo • 284 ch
0-97 km/h en 5,3 s • 200 km/h

À une certaine époque, les tout-terrain de style Land Rover, G-Wagon et Land Cruiser étaient lents et poussifs. On présumait que c'était le prix à payer pour leurs capacités en off-road, et leurs riches propriétaires acceptaient de rouler lourdement dans la file de droite.

Le Typhoon a en un instant renversé ces stéréotypes. Il annonçait la tendance qui a conduit aux SUV à hautes performances actuels tels que le Porsche Cayenne et le Cherokee SRT8. Soudain, les SUV étaient branchés.

C'était un GMC Jimmy à 2 portes, aux formes carrées, mais qui cachait sous son capot un V6 turbo de 4,3 litres. La puissance était transmise aux 4 roues par une boîte automatique à 4 rapports. Les conducteurs ont appris à passer en mode Drive (marche avant) tout en appuyant sur la pédale du frein, à accélérer jusqu'à passer en régime élevé, puis à relâcher la pédale du frein. Le gros SUV traditionnel démarrait comme une fusée – et franchissait 400 mètres en 14,1 secondes seulement.

Ces performances égalaient celles des Ferrari et des Mustang de l'époque, et le Typhoon laissait loin dans son sillage la Jeep Cherokee, jusque-là championne de sa catégorie. Les freins avaient été renforcés et la suspension affermie, mais il était impossible de manipuler le véhicule comme une voiture de sport, de sorte que GMC a limité sa vitesse à 200 km/h.

Il fallait malheureusement payer le prix de toutes ces capacités sur route : le Typhoon redoutait le off-road et le constructeur avertissait ses propriétaires de ne jamais tenter de remorquer quoi que ce fût. Ses 5 000 acheteurs n'en avaient cure : ils s'amusaient trop à surprendre les conducteurs de voitures de sport en démarrant en trombe à côté d'eux, quand le feu passait au vert. **SH**

Cappuccino | Suzuki

1991 • 657 cm³, S3 turbo • 64 ch • 0-97 km/h en 8 s • 140 km/h

Au Japon, les voitures « kei » sont des véhicules de taille réduite qui bénéficient d'une diminution de la TVA et des polices d'assurance. L'idée originelle était d'encourager l'industrie automobile japonaise.

La catégorie a donné naissance à d'étranges véhicules, mais ce n'est pas le cas de la Suzuki Cappuccino. C'était un roadster régulier dont on avait réduit les dimensions. Cette minuscule 2 places ne mesurait que 3,30 mètres de long et 1,40 mètre de large, pour un poids de 725 kilos seulement. Ainsi, ce véhicule à roues motrices arrière équipé d'un moteur de 657 cm³ roulait à vive allure sur les petites routes et en centre-ville, mais il éprouvait plus de difficultés sur autoroute.

Les panneaux du toit pouvaient être retirés, transformant le coupé en décapotable. Ils se rangeaient dans le coffre qui n'offrait plus aucun espace pour les bagages.

La Cappuccino n'a tout d'abord été disponible qu'au Japon mais, face aux suppliques des concessionnaires, elle a rejoint l'Europe en nombre limité en 1993. Elle coûtait 18 600 dollars environ. Améliorée à diverses reprises, elle a finalement été abandonnée en 1997. Les modèles ultérieurs offraient une direction assistée réagissant à la vitesse, une transmission automatique à 3 rapports en option, et des freins ABS. Certains conducteurs ont tenté d'améliorer les performances de la Cappuccino en l'équipant d'un gros moteur de moto, ou en préparant le moteur fourni. On pouvait développer jusqu'à 150 chevaux avec un nouveau turbo.

Comme l'Austin-Healey Sprite et la MG Midget qui ont inspiré sa silhouette, la Cappuccino fait l'objet d'un culte. Même Jeremy Clarkson, présentateur de *Top Gear* sur la BBC, y voit « une citadine estivale idéale ». **SH**

Cinquecento | Fiat

1991 • 1 108 cm³, S4 • 54 ch • 0-97 km/h en 13,4 s • 150 km/h

C'était la nouvelle citadine branchée de Fiat. Dotée d'une silhouette impertinente ainsi que d'une mécanique brillante et révolutionnaire, cette voiture à hayon anguleuse était produite en Pologne.

C'était la première Fiat entièrement construite dans l'ancienne usine FSO à Tychy, bâtie à l'origine pour produire une version polonaise de la Fiat 126. Le constructeur italien l'a achetée quand l'industrie automobile polonaise a été privatisée. Depuis, l'usine de Tychy a produit toutes les Cinquecento, Seicento, nouvelles Panda et nouvelles 500 pour le marché européen. Selon certains, c'est à partir de cette date que les Fiat ont bénéficié d'une meilleure qualité de construction.

Aujourd'hui, la Cinquecento ressemble à une 3 portes à hayon ordinaire, mais en 1991 la silhouette de Giorgetto Giugiaro était jugée novatrice et élégante. La technologie de la voiture était plus avancée que celle de n'importe quelle petite Fiat précédente. Le moteur était passé à l'avant. La suspension indépendante offrait un bon maniement à ce modèle, la carrosserie galvanisée était indifférente à la rouille, et les freins à disque et la structure déformable augmentaient la sécurité.

La gamme de motorisation allait d'une cylindrée de 704 cm³ jusqu'au moteur FIRE de la Cinquecento Sporting, un 1 108 cm³ à injection. Cette dernière jouissait d'une suspension abaissée, d'une boîte de vitesses à rapports rapprochés, de jantes en alliage et de barres stabilisatrices. À l'intérieur, on trouvait des sièges baquets et un volant en cuir. Les autres Cinquecento étaient équipées de longs toits ouvrants en toile, et une version électrique pionnière, l'Elettra, s'est relativement bien vendue dans certains pays, malgré son prix élevé. **SH**

Brooklands | Bentley

GB

1992 • 6 750 cm^3, V8 • 300 ch • 0-97 km/h en 10 s • 205 km/h

La Brooklands était une Bentley «économique» qui ne coûtait que 150 000 dollars et remplaçait la Mulsanne et la Bentley Eight, abandonnées simultanément. Ce modèle de luxe, soi-disant conçu pour répondre aux attentes des passionnés de conduite, abritait en réalité un vieux moteur à carburateur. Sa silhouette anguleuse était datée, de même que sa plateforme et son nom.

Brooklands était en effet un circuit du Surrey où Bentley avait gagné sa réputation dans les années 1930. Ce nom n'inspirait aucune confiance quant à la modernité de la nouvelle voiture car aucune course ne s'était déroulée à Brooklands depuis 1939, et les lieux abritaient désormais un musée. De fait, l'habitacle de la Bentley rappelait un musée ambulant. Il était calme, confortable et traditionnel, avec des kilomètres de bois poli et de cuir crème.

Sous le capot se trouvait un vieux moteur Rolls-Royce. Comme dans les modèles précédents, la transmission était à propulsion arrière, mais un nouveau levier de vitesses, de style sportif et relié à une boîte automatique électronique à 4 rapports, dépassait du centre du tableau de bord. La voiture abritait une technologie de pointe : des micro-ordinateurs contrôlaient la suspension à correcteur d'assiette, la climatisation et l'affichage des instruments. La voiture était spacieuse et bien construite, mais son prix toujours trop élevé pour ses performances moyennes. Au cours des cinq ans qu'a duré sa production, 1 400 exemplaires environ ont été vendus.

Volkswagen a absorbé Bentley l'année suivante et a ressuscité le nom en 2008 pour le Bentley Brooklands Coupé, une supercar spacieuse, à 2 portes, capable d'atteindre 296 km/h. **SH**

Camry | Toyota

J/USA

1992 • 2 500 cm³, V6 • 160 ch • 0-97 km/h en 9,8 s • 200 km/h

La Toyota Camry a mis quatorze ans à conquérir l'Amérique. Elle y avait été lancée en 1983 et peu à peu modifiée pour répondre aux goûts américains. Depuis 1997, c'est le modèle le plus demandé aux États-Unis.

Sa grande sœur, la vieille Corona à roues motrices arrière, était un produit japonais étrange et bon marché aux yeux des consommateurs américains. La nouvelle Camry, qui l'a remplacée en 1983, était dotée de 4 roues motrices avant et était plus grande, plus confortable et plus puissante, mais elle ne n'est écoulée qu'à 50 000 exemplaires cette année-là en Amérique.

Elle a peu à peu été transformée et sa cylindrée a augmenté. La Camry devenait une voiture silencieuse et bien équipée qui offrait un grand confort de conduite. Synonyme de fiabilité et de durabilité, elle était aussi mieux construite que n'importe quel modèle de Detroit.

À partir de 1992, on a pu acheter une Camry plus grande dont le V6 était allié à une boîte de vitesses automatique. Plus important, la voiture était construite aux États-Unis. La nouvelle usine Toyota, dans le Kentucky, produisait des Camry aussi vite que possible car les Américains en avaient fait cette année-là le cinquième modèle le plus demandé.

Toyota a continué à accroître sa puissance, son luxe et son caractère spacieux jusqu'à ce qu'elle représente les meilleures ventes aux États-Unis en 1997, position qu'elle a conservée les trois années suivantes, puis retrouvée en 2002 pour ne plus la quitter depuis. Au cours des trois dernières années, la Camry est aussi arrivée en tête des ventes de voitures américaines car plus de 80 % des pièces qui la constituent sont désormais fabriquées aux États-Unis. **SH**

RV8 | MG

GB

1992 • 3 946 cm³, V8 • 190 ch • 0-97 km/h en 6,9 s • 219 km/h

La MGB était morte, vive la MGB ! La RV8 célébrait le trentième anniversaire de ce roadster abordable apprécié depuis les années 1960.

La RV8 était fondée sur la carrosserie Heritage, mise au point pour aider les passionnés d'automobiles à restaurer leurs modèles originaux dévorés par la rouille, mais on l'avait aussi dotée d'un kit rondelet ainsi que de nombreuses touches luxueuses pour justifier son prix exorbitant de 30 000 dollars, proche de celui d'une Morgan Plus 8 ou d'une TVR Chimaera.

Un V8 produit par Range Rover avait été inséré de force sous le capot mais les freins étaient toujours à tambour, la suspension à lames, et l'on trouvait aussi un pont moteur. Autant de puissance sur un châssis aussi antédiluvien rendait la prise de virages aventureuse. En réalité, les passionnés d'automobile attendaient en 1992 une nouvelle voiture de sport MG capable de rivaliser avec la Mazda MX-5 de 1989, un modèle dont, soit dit en passant, le groupe Rover aurait dû avoir l'idée. L'accueil enthousiaste que les consommateurs (mais pas les journalistes de la presse automobile) ont réservé à la RV8 a finalement poussé Rover à explorer ce concept. La MGF a été dévoilée en 1995, mais trop tard pour sauver le constructeur.

En tout, 1 982 RV8 ont été produites, dont 1 583 expédiées au Japon. Un grand nombre de ces dernières ont ensuite regagné le Royaume-Uni ou l'Australie, car elles affrontaient des normes d'émissions nippones de plus en plus strictes. Aujourd'hui, ces modèles réimportés ont tendance à coûter moins cher au Royaume-Uni mais, selon certaines confidences, deux longues traversées maritimes favoriseraient la rouille. **LT**

Viper | Dodge

1992 • 8 000 cm³, V10 • 408 ch • 0-97 km/h en 4,6 s • 290 km/h

C'était une voiture de sport à l'ancienne, inspirée des vieilles Jaguar et Cobra, la muscle car d'une nouvelle génération. La première Viper, une simple 2 places très dépouillée, ne comprenait ni toit ni vitres latérales.

En 1992, cette machine capable d'atteindre 290 km/h semblait extraordinaire. Oubliez les supercars à moteur central dotées de gadgets permettant de contrôler la traction et la stabilité ; ici, il n'y avait même pas de système ABS. Comme l'a expliqué à l'époque l'un des responsables de Chrysler, le fonctionnement de la Viper était simple : « Elle produit de la puissance en grande quantité et la conduit à ses énormes roues. »

La carrosserie en fibre de verre semblait assez fruste. Il y avait un tuyau d'échappement latéral, un long train avant constitué d'une seule pièce qui semblait s'étendre jusqu'à l'horizon, des prises d'air immenses et de grosses jantes pourvues de très larges pneus. À quoi des poignées de portières extérieures auraient-elles servi ? Une housse destinée à recouvrir la voiture au garage constituait la seule protection contre le mauvais temps.

À la vitesse maximale, la conduite de la Viper était très aléatoire, et l'on ne compte plus le nombre de personnes qui se sont brûlé la jambe sur son pot d'échappement, mais la voiture offrait le nécessaire : un gros moteur puissant dépourvu de turbo, une suspension indépendante et une boîte de vitesses manuelle ainsi qu'un freinage efficace.

La Viper a évolué depuis, mais l'idée originale demeure. Le 25 000ᵉ exemplaire a été acquis par Kurt Busch, pilote de course américain. Comme l'écrivait le magazine *Car and Driver*, « la Viper est l'un des véhicules les plus excitants de tous les temps ». **SH**

850CSi | BMW

1992 • 5 600 cm³, V12 • 379 ch • 0-97 km/h en 8,1 s • 237 km/h

Ce grand coupé à la technologie de pointe représentait la nouvelle série phare de BMW. La gamme de motorisation de cette 2 portes allait du V8 de 4 000 cm³ de la 840Ci, jusqu'au V12 de 5 600 cm³ développant 379 chevaux de la 850CSi. Le véhicule avait été dessiné par Klaus Kapitza, qui avait aussi collaboré à la création de la Ford Escort et de la Sierra, deux produits moins excitants. Il s'était aidé de logiciels de conception automobile, fait inhabituel à l'époque.

La série 8 de BMW avait été dévoilée au Salon de l'automobile de Francfort de 1989. Ses innovations techniques comprenaient un accélérateur électronique, 4 roues directrices et, pour la première fois, une boîte de vitesses manuelle à 6 rapports était alliée à un moteur V12 dans un modèle homologué sur route. Toutefois, la 850CSi n'était pas une voiture de course allégée, c'était un véhicule de grand tourisme aux équipements luxueux et onéreux tels que sièges en cuir, colonne de

direction, stores et climatiseur électriques. L'extérieur, magnifique, comprenait des phares rétractables et des portières sans montants. Les publicités télévisées consacrées à la série 8 aux États-Unis annonçaient qu'elle permettait de «découvrir l'inattendu». De telles bêtises sibyllines n'ont pas dissuadé les acheteurs, parmi lesquels on comptait le boxeur Oscar de la Hoya.

BMW a brièvement prévu de lancer une version encore plus puissante de la 850CSi, baptisée M8, préparée à 550 chevaux. Toutefois, un seul exemplaire a été construit. Gardé sous clé en compagnie d'autres rares prototypes BMW, il a rarement été exposé.

Avec la série 8, BMW allait peut-être un peu trop loin. La demande était réduite pour les grands coupés onéreux, gourmands et ouvertement luxueux en ces temps de crise. Au fil des sept ans d'existence de la série, 30 000 modèles seulement ont été vendus dans le monde, de sorte que BMW l'a abandonnée en 1999. **RD**

Hyena | Lancia　　　　Ⓘ

1992 • 2 000 cm³, S4 • 253 ch
0-97 km/h en 5,4 s • 230 km/h

À la fin des années 1980, Lancia s'était forgé une solide réputation dans les rallyes internationaux grâce à sa légendaire Delta HF Integrale. De fait, cette voiture gagnait encore des rallyes en 1992, dix ans après son lancement. Cette même année, l'ultime version, supervisée par Zagato et résultat d'une vaste transformation, a été baptisée Hyena. C'était un coupé compact qui utilisait le même châssis que l'Integrale. Il était né de l'imagination d'un concessionnaire hollandais fan de Zagato, Paul Koot, qui en avait eu l'idée dès 1986. Koot a contacté Lancia et Zagato a accepté ce nouveau projet.

Koot a collaboré à la conception et à la mise au point du modèle qui a été lancé à Bruxelles en 1992. La construction de la Hyena s'est révélée compliquée car les voitures étaient expédiées depuis l'usine Lancia en Italie jusqu'aux Pays-Bas où elles étaient dépouillées de leur carrosserie et de leur intérieur. Elles étaient ensuite transportées jusque chez Zagato, à Milan, où elles recevaient une carrosserie plus légère, en aluminium. Après cela, elles repartaient à nouveau vers les Pays-Bas pour y être achevées.

Inférieure de 200 kilos à la Delta de série, dotée d'un meilleur aérodynamisme et d'une abondante puissance grâce à son turbo, la Hyena était non seulement belle mais aussi très rapide.

Zagato avait demandé à Lancia de construire 500 Hyena, mais, le constructeur ayant refusé, Zagato et Koot ont décidé de s'en charger eux-mêmes. La centaine de modèles qu'ils avaient prévue ne s'est toutefois jamais concrétisée. Seules 26 Hyena ont été construites et comptent aujourd'hui parmi les Lancia modernes les plus recherchées. **JB**

Twingo | Renault　　　　Ⓕ

1992 • 1 200 cm³, S4 • 55 ch
0-100 km/h en 13,7 s • 151 km/h

La première Twingo était une citadine dernier cri dotée d'un petit moteur, d'une silhouette impertinente et d'un habitacle moderne. Aujourd'hui, elle semble relativement ordinaire, mais à l'époque elle représentait un certain risque.

La petite Twingo était jugée quasi révolutionnaire en termes de style. Certains de ses éléments semblaient presque ludiques. La réaction du public a été immédiatement positive, l'augmentation des ventes montrant que la prise de risque en valait la peine. Ironiquement, ce sont les consommateurs d'âge moyen que les charmes de la Twingo ont le plus séduits. Le modèle de série était une 2 portes à hayon et roues motrices avant, qui dessinait une longue pente depuis le toit jusqu'au pare-chocs avant, et dont les roues étaient placées exactement aux quatre coins de la carrosserie.

L'espace intérieur était novateur : le siège arrière coulissait pour offrir plus d'espace dans le coffre ou au contraire pour les jambes du passager. Alors que la voiture était plus petite que la Clio, elle était plus spacieuse que la grande Renault 25, une luxueuse berline. Les critiques ont été époustouflés par un habitacle dépouillé où le tableau de bord exhibait seulement une rangée de voyants lumineux, sans le moindre cadran ni bouton.

Pour maintenir un prix bas, le seul choix proposé à l'acheteur était celui de la couleur. La Twingo arborait des teintes pastel qu'on n'avait jamais utilisées jusque-là pour les voitures de série, comme le vert, le rose ou le marron clair. Patrick Le Quément, alors responsable du design industriel, avait insisté pour que le blanc, la plus répandue des couleurs de voiture en France à l'époque, ne soit pas offert. **SH**

XJ220 | Jaguar

GB

1992 • 3 498 cm³, V6 • 549 ch • 0-60 km/h en 3,6 s • 320 km/h

Au cours des années 1980, divers employés de Jaguar se retrouvaient de façon informelle au sein du «club du samedi». Dirigé par Jim Randle, ingénieur en chef, le groupe a commencé à imaginer un concept pour une nouvelle catégorie de voitures de course, les supercars du groupe B. Ils ont façonné le châssis à la main, puis Keith Helfet, responsable du design industriel chez Jaguar, a créé une silhouette pour l'habiller.

Afin de montrer au monde entier ce dont Jaguar était capable, la XJ220 a été exposée sur le stand du constructeur lors du Salon de l'automobile de Birmingham en 1988. Le public a exprimé un tel ravissement que Jaguar a transformé son concept en modèle de série de production limitée.

Le constructeur britannique a produit cette supercar à moteur central en collaboration avec la firme Tom Wilkinson Racing. Construite dans l'Oxfordshire, la XJ220 abritait un moteur V6 de 3 498 cm³ à double turbo.

Un modèle modifié a été chronométré à 350 km/h, record de la voiture homologuée sur route la plus rapide au monde jusqu'à ce qu'une McLaren F1 le lui dérobe.

Peu après le lancement de la production en 1992, une conférence de presse a été organisée sur un circuit autrichien. L'un des journalistes invités travaillait pour le *Guardian*. Alors qu'il conduisait la voiture à grande vitesse, il a mal passé une vitesse et détruit la transmission de ce modèle de 620 000 dollars. L'histoire a fait la une des journaux du monde entier.

Au cours des deux années suivantes, 281 modèles ont été construits. Parmi les propriétaires célèbres de la XJ220, on compte Elton John et le sultan de Brunei. **SB**

Rocket | Light Car Company

GB

1992 • 1 070 cm³, S4 • 173 ch • 0-97 km/h en 3,8 s • 240 km/h

Seul produit de la Light Car Company (LCC), l'extra-ordinaire Rocket («fusée» en français) avait été dessinée par Gordon Murray, concepteur de voitures de course. Sa formule était ingénieuse. Murray pensait que si une voiture était assez légère, son moteur n'avait pas besoin d'être très gros. Il est donc parvenu à maintenir le poids de la Rocket à 381 kilos, un chiffre extraordinairement bas, et l'a équipée d'un moteur de moto préparé. Il avait raison : les performances de la voiture étaient époustou-flantes et son maniement était superbe.

Elle ressemblait à un modèle de Grand Prix des années 1950. Malgré sa taille réduite et un poids qui faisait paraître une Caterham corpulente, la Rocket abri-tait toute la technologie dont avait besoin un passionné d'automobile : suspension entièrement indépendante, ressorts hélicoïdaux et amortisseurs ajustables, sans

oublier les freins à disque, de compétition, des 4 roues. Le moteur était placé à l'arrière où il propulsait les roues.

La voiture était homologuée sur route mais c'était l'une des moins pratiques jamais construites. Il n'y avait ni toit, ni portières, ni pare-brise, ni coffre. Les conduc-teurs portaient généralement un imperméable, des gants, un chapeau, des boules Quiès et des lunettes protectrices. À l'arrière, on trouvait un petit siège couvert pour le passager occasionnel.

La voiture a été construite dans un petit atelier de l'Oxfordshire par une équipe qui comprenait plusieurs anciens mécaniciens de formule 1. Elle ne coûtait que 59 000 dollars, un prix si réduit que LLC a probable-ment perdu plusieurs milliers d'euros sur chacun des 40 modèles vendus. Toutefois, la Rocket a depuis été relancée et est toujours en vente aujourd'hui. **SH**

Roadster | Panoz   (USA)

1992 • 5 000 cm³, V8 • 309 ch
0-97 km/h en 4,3 s • 225 km/h

Il s'agit de la version américaine de la classique Lotus Seven. Panoz a utilisé de l'aluminium ultraléger pour la carrosserie, puis pour le châssis. L'idée de l'équiper d'un petit 4 cylindres, voire d'un moteur de moto, a été abandonnée, Panoz leur préférant le V8 de 5 litres de la Ford Mustang, gros et rugissant.

On a fait appel à Freeman Thomas pour dessiner une carrosserie nettement plus intéressante que la vieille et longue caisse de Lotus et Caterham qui n'avait pas changé depuis des décennies. Thomas était habitué aux voitures originales car il avait dessiné la nouvelle Coccinelle pour Volkswagen ainsi que la première Audi TT. Pour ce nouveau roadster, il prévoyait une version modernisée et glamour du concept de la Seven, comme une Caterham qui aurait fait de la musculation et dont on verrait saillir les biceps. Elle était courte, trapue et large, ses roues ayant été repoussées au maximum vers l'extérieur de la carrosserie.

La mécanique était simple : le gros V8 était accompagné d'une boîte à 5 rapports et de roues motrices arrière. Le plus d'éléments possible provenaient de Ford pour minimiser les coûts. Les gros pneus et la suspension sportive permettaient une excellente tenue de route.

En 1996, l'AIV Roadster, une version modernisée, a été lancée. Elle était dotée du nouveau châssis en aluminium et d'un V8 Ford plus puissant, une prise d'air renflant son capot. Quelques-uns de ces modèles étaient aussi équipés d'un compresseur, probablement pour de folles performances qui n'ont pas été homologuées. Les chiffres indiqués ci-dessus correspondent à l'AIV Roadster de série. **SH**

H1 | Hummer   (USA)

1992 • 6 500 cm³, V8 • 197 ch
0-97 km/h en 17,8 s • 134 km/h

C'est à Arnold Schwarzenegger que l'on doit l'existence du Hummer H1. En 1991, l'acteur avait découvert le Humvee militaire et voulait absolument en posséder un.

Le Humvee, ou HMMWV, était fabriqué par AM General pour l'armée américaine et non autorisé sur route. Schwarzenegger est parvenu à en obtenir un mais il a continué à faire campagne pour une version destinée aux civils . Après avoir fait faire des essais au H1, le magazine *Motor Trend* écrivait : « Chariot moderne de l'armée, l'AM General HMMWV est devenu un symbole de liberté. Il suffit d'en apercevoir un pour être animé d'un esprit patriotique. » AM General a lancé le Hummer civil en 1992 et Schwarzenegger a acheté les deux premiers exemplaires. La gamme, dont le premier modèle coûtait 93 650 dollars, comprenait une version décapotable, un SUV hard-top à 4 portes, un pick-up et l'Alpha Wagon, véhicule de collection. Il a été baptisé H1 quand GM a lancé le H2 en 2003.

Conduire un H1 sur route revenait à piloter un gros camion. L'intérieur, spartiate, était étonnamment exigu. En off-road, toutefois, le véhicule se révélait exceptionnel, capable d'escalader un obstacle de 56 centimètres, une pente inclinée à 60 degrés, et de traverser une hauteur de 76 centimètres d'eau.

En 2008, la crise financière a frappé l'industrie automobile de plein fouet et les ventes mondiales de Hummer se sont effondrées, passant de 66 261 modèles en 2007 à 37 573 en 2008. L'année suivante, Hummer périssait sur le bûcher des marques abandonnées par GM. Assistera-t-on à une renaissance ? Probablement pas. Les H1 d'occasion ne rapportent même pas la moitié de leur prix neuf. **LT**

968 Club Sport | Porsche

Ⓓ

1992 • 2 990 cm³, S4 • 243 ch • 0-97 km/h en 6,1 s • 257 km/h

La 944 représentait les meilleures ventes de Porsche. Le constructeur allemand souhaitait simplement rafraîchir la version de 3 000 cm³ pour pouvoir continuer à la vendre au long des années 1990, mais ses ingénieurs se sont tellement pris au jeu que 80 % des éléments mécaniques primordiaux de la voiture ont été remplacés ou améliorés. Porsche a alors décidé de relancer cette voiture transformée, en la baptisant 968.

Elle a été dotée d'une nouvelle silhouette épurée et d'un habitacle mieux équipé que celui de la 944. Les phares renfoncés avaient été empruntés à sa grande sœur, la 928, pour créer une nouvelle image de marque.

Le moteur de 2 990 cm³ refroidi à eau était le plus gros 4 cylindres de série de sa génération, capable d'un couple monumental. Un calage variable des soupapes offrait presque autant de puissance à la 968 qu'à la plus performante des 944 Turbo. Cette puissance étant distribuée instantanément au moyen des 6 vitesses, la 968 ne souffrait pas du décalage turbo du modèle précédent.

La tenue de route et l'équilibre des 968 étaient superbes, perfectionnés sur la plateforme originale de la 924 au fil de vingt ans d'améliorations. Une répartition pondérale presque parfaite et une suspension améliorée ont valu à la version Club Sport d'être désignée voiture de l'année par le magazine *Autocar & Motor*. Cette Porsche dépouillée coûtait environ 47 000 dollars, soit 7 800 dollars de moins que le modèle de série. Afin d'éliminer environ 50 kilos de poids superflu, elle se passait de luxes tels que sièges arrière, vitres électriques, verrouillage central et airbags. L'une des voitures préférées des passionnés de course sur circuit, la 968 devient aujourd'hui rare et très recherchée. **DS**

M3 | BMW

1992 • 2 990 cm³, S6 • 286 ch • 0-97 km/h en 5,9 s • 250 km/h

La M3 est la version hautes performances de la BMW Série 3 basée sur le modèle E30. En 1992, les attentes concernant la nouvelle M3 étaient grandes lors de son dévoilement au Salon de l'automobile de Paris. La brochure du modèle déclarait avec assurance : « La lettre M est gage chez BMW de performances suprêmes en matière de technologie ainsi que sur la route. »

Initialement disponible en coupé seulement, la M3 abritait un puissant 6 cylindres en ligne équipé d'un double arbre à cames à contrôle variable (VANOS en jargon BMW), développant 286 chevaux, accompagné d'une transmission manuelle à 6 rapports et de roues motrices arrière. La voiture était toutefois plus grande que le modèle précédent et, malgré sa puissance accrue, ses performances n'étaient pas aussi précises que celles de la M3 originale, à 4 cylindres.

Cette version constituait la première M3 disponible avec volant à droite. Plusieurs modèles spéciaux ont été construits pour la route et les circuits, dont la M3 Evo qui offrait 316 chevaux grâce à une complexe (et parfois problématique) boîte de vitesses manuelle séquentielle.

Deux ans après son lancement, BMW a augmenté sa gamme en proposant une version cabriolet et une berline à 4 portes (une première pour une M3). La 4 portes était née en partie pour combler un vide au catalogue BMW, demeuré presque trois ans sans M5 (fondée sur la série 5).

Même si elle manquait de l'éclat de la première M3, celle-ci était plus facile à conduire et presque 70 000 exemplaires ont été construits. Grâce à la popularité dont ils ont joui étant neufs, ils constituent les plus abordables des BMW « M » d'occasion. **RD**

◁ Même si son look peut faire penser à la Smart, la Zoom la précède de six ans.

Zoom | Renault (F)

1992 • électrique • 34 ch
0-97 km/h en 6 s • 121 km/h

La Zoom, création de Renault apparue en 1992, est l'un des concept-cars les plus novateurs et excitants des 25 dernières années. Petite citadine à 2 portes et 2 places, elle a été exposée au Salon de l'automobile de Paris six ans avant que quiconque ait entendu parler de la Smart.

La Zoom annonçait l'avenir ; son moteur électrique développait 34 chevaux et permettait de parcourir 150 kilomètres sans produire aucune émission. Les portes à élytres permettaient de gagner en espace et l'intérieur était futuriste si l'on considère que la même année était lancé le premier Hummer et que Whitney Houston arrivait en tête des hit-parades… Une console spéciale, placée entre les deux sièges de la large banquette, abritait un « centre de communication » équipé d'un téléphone portable mains libres et de la navigation par satellite. Le pare-brise et la lunette arrière s'étendaient au-dessus des têtes des passagers pour former un habitacle lumineux et spacieux habillé de couleurs originales. Un système audio à platine laser était intégré dans le volant.

L'empattement ajustable constituait l'innovation majeure. À grande vitesse, les roues arrière glissaient vers l'arrière de la voiture pour en améliorer la stabilité. On pouvait les incliner vers l'avant pour réduire l'empattement et ainsi garer le véhicule dans des espaces plus réduits. La carrosserie était constituée d'un matériau composite capable de s'autoréparer, et teinté en cours de fabrication afin qu'on n'ait jamais besoin de le repeindre.

Malheureusement, la Zoom n'est jamais arrivée chez les concessionnaires, mais on a par la suite retrouvé bon nombre de ses caractéristiques sur divers modèles de série. **SH**

Calibra Turbo 4x4 | Vauxhall (D/UK)

1992 • 2 000 cm³, S4 turbo • 204 ch
0-97 km/h en 6,4 s • 245 km/h

Déclinée en coupé à 2 portes, l'ennuyeuse Vectra, une familiale d'Opel, devenait l'excitante Calibra qui, grâce à son allure branchée, a fait l'objet d'un culte. Toutefois, lors de son lancement, cette dernière était équipée du même moteur que les berlines de la gamme et offrait le même maniement.

La silhouette bicorps de la Calibra a été dessinée par l'Américain Wayne Cherry. Très épurée, elle a été pendant dix ans « la voiture la plus aérodynamique au monde ». Commercialisée sous les marques Chevrolet, Vauxhall, Holden ou Opel en fonction des marchés, elle s'est vendue à près d'un quart de million d'exemplaires.

Les Calibra originales étaient équipées d'un moteur de 2 000 cm³ à 8 ou 16 soupapes, mais en 1992 un modèle turbo à 4 roues motrices a été lancé, puis en 1993 un V6 de 2 500 cm³ a été ajouté à la gamme. De légers changements de carrosserie ont malheureusement entraîné des coefficients de traînée moyens sur ces modèles pourtant plus rapides.

La Calibra Turbo était très sophistiquée. Elle disposait d'une boîte de vitesses manuelle et sportive, à 6 rapports, d'un moteur Twin Cam à 16 soupapes, et d'un complexe système à 4 roues motrices mis au point par Steyr-Puch-Daimler. La suspension, raide et basse, améliorait la conduite.

Toutefois, la transmission, fragile, s'est révélée problématique. La boîte de transfert était si délicate que l'on devait toujours s'assurer que les pneus présentaient le même degré d'usure : ils ne pouvaient différer de plus de 2 millimètres les uns par rapport aux autres, et il fallait les changer simultanément ; autrement dit, si l'un d'entre eux crevait, on devait en racheter quatre. **SH**

4/4 | Morgan GB

1993 • 1 796 cm³, S4 • 114 ch • 0-97 km/h en 8,3 s • 180 km/h

La Morgan 4/4 était le premier véhicule à 4 roues de la Morgan Motor Company. Dévoilée en 1936, elle n'avait jamais cessé d'être produite et détenait d'ailleurs le record de longévité dans ce domaine. 4/4 était synonyme de « 4 roues, 4 cylindres », et cette désignation a été le seul élément immuable de ce véhicule qui a évolué au fil des décennies pour comprendre des versions à 2 et à 4 places ainsi que des coupés cabriolets, tous équipés de moteurs de 4, 6 et 8 cylindres dont la puissance ne cessait d'augmenter au fil des innombrables changements.

En 1993, la Morgan 4/4 a reçu le plus puissant moteur à cette date, un Ford 1800 Zetec à 4 cylindres qui développait 114 chevaux. Depuis l'arrêt, il passait au 97 km/h en un peu plus de 8 secondes seulement. Morgan n'a jamais produit ses propres moteurs et sélectionnait des Ford aussi souvent que possible. L'élégante 4/4 offrait soudain des performances plus que satisfaisantes.

Les Morgan changent lentement. La production est d'environ neuf voitures par semaine, comme dans les années 1920. Les listes d'attente sont longues (environ cinq ans) et les courbes de la carrosserie brevetées de façon qu'une Morgan ne puisse jamais être copiée. La 4/4 de 1993, comme tous les autres modèles de la marque, possédait une sorte d'attrait paradoxal. Elle n'était pas toujours confortable ni pratique, ni parfois même étanche.

Mais elle se comportait comme une voiture de sport classique, sans l'aide d'éléments assistés, et offrait à son conducteur un contact avec la route qui, au mieux, ne se produisait que de façon aléatoire au volant d'autres modèles sportifs plus onéreux. **BS**

Camaro Z28 | Chevrolet

1993 • 5 733 cm³, V8 • 279 ch • 0-97 km/h en 6,5 s • 241 km/h

La Camaro, menacée d'extinction depuis trois générations, était l'une des grandes rescapées du catalogue Chevrolet. La Camaro SS avait déjà disparu, et la troisième génération annoncée en 1975 n'avait été mise en vente que sept ans plus tard. À la fin des années 1980, Chevrolet s'interrogeait sur la possibilité de transformer la Camaro en une version à roues motrices avant de la Lumina. Mais en 1993, alors que cette automobile semblait perdue, elle a soudain retrouvé son identité.

Le modèle de 1993 ne pouvait réaffirmer davantage tout ce qu'avait symbolisé la gamme, et est devenu l'aune à laquelle les autres coupés sportifs étaient jugés. Sa silhouette extraordinairement effilée était gainée de panneaux résistant aux bosselures, constitués d'un mélange de résine de polyester et de fibre de verre hachée. La Camaro Z28 était équipée de 2 airbags et de freins ABS ainsi que d'une suspension entièrement redessinée. Celle-ci offrait un confort de conduite plus doux (les Camaro précédentes étaient célèbres pour leurs secousses) sans que le maniement soit pour autant sacrifié. Ceux pour qui le prestige passe avant tout étaient ravis de la redécouvrir comme voiture pilote de l'Indianapolis 500, pour la première fois depuis 1982.

Chevrolet ne disposait pas du budget nécessaire aux modifications généralement effectuées entre deux générations. En désespoir de cause, les ingénieurs de GM, déterminés à maintenir la gamme en vie, ont emprunté des pièces aux Corvette et aux Cadillac. Toutefois, le déclin des ventes a conduit à l'interruption de la gamme en 2002, et la cinquième génération n'est apparue qu'en 2009. **BS**

Supra Mk4 | Toyota

(J)

1993 • 2 997 cm³, S6 à double turbo • 320 ch • 0-97 km/h en 4,9 s • 200 km/h

Le lancement de la quatrième génération de la Supra marquait un important progrès en termes de performances. La voiture avait vu le jour à la suite de la Celica, mais c'était désormais un modèle à part entière qui avait néanmoins emprunté une partie de sa mécanique à la Lexus Soarer Z30.

La Supra Mk4 avait échangé les lignes anguleuses de la troisième génération contre une carrosserie plus bulbeuse et arrondie. Cet effet était renforcé par la forme raccourcie et élargie de la voiture. Les deux moteurs de 3 litres abritaient 6 cylindres mais seul l'un d'eux était équipé d'un double turbo. En Europe et en Amérique, il développait 320 chevaux, légèrement moins au Japon. Les deux turbos fonctionnaient en tandem, le deuxième intervenant à régime plus élevé pour réduire le décalage et offrir une réaction plus immédiate à l'accélération.

La Supra Turbo abritait une boîte de vitesses manuelle à 6 rapports mais une version automatique était disponible. Ses freins étaient plus puissants qu'auparavant et l'on trouvait plus d'aluminium dans son châssis et sa suspension, ainsi que des matériaux ultralégers dans les autres parties. Tout cela lui offrait des performances dignes d'une supercar. Bien que la vitesse maximale de la voiture ait été limitée à 200 km/h, une version non bridée pouvait atteindre plus de 290 km/h.

La Supra Turbo est devenue une habituée des courses sauvages de jeunes fous du volant. Elle est aussi très aimée des préparateurs car il est facile de tirer davantage de puissance de son moteur. Un modèle capable de développer 700 chevaux était la vedette de *Fast and Furious*, film de 2001. Vous pouvez posséder la même pour 70 000 dollars. **JI**

Impreza Turbo | Subaru

1993 • 1 944 cm³, F4 • 211 ch • 0-97 km/h en 5,8 s • 220 km/h

Subaru construisait des voitures depuis les années 1950 mais c'est l'Impreza Turbo qui l'a fait connaître en dehors du Japon. Le moteur et la transmission de la voiture ont été pour cela essentiels. Le premier était de type boxer, de 2 litres, avec deux rangées de cylindres face à face, à plat – aujourd'hui l'une des caractéristiques des Subaru.

Le moteur de l'Impreza Turbo de 1993 développait 211 chevaux, un chiffre appréciable pour une voiture dont l'empattement n'atteignait que 2,20 mètres. La transmission à 4 roues motrices à prise permanente était dotée d'un viscocoupleur central. Il y avait aussi un différentiel à glissement limité, placé à l'arrière pour plus de traction. La suspension, particulièrement sur les modèles WRX aux caractéristiques techniques plus exigeantes, était préparée pour la vitesse.

La voiture a affiché des performances époustouflantes sur route. L'Impreza Turbo était non seulement rapide sur ligne droite mais se comportait aussi comme une voiture de rallye. Son niveau d'adhérence était purement phénoménal.

Alors que le modèle de série était en train de devenir culte, l'Impreza WRX remportait rallye sur rallye. Pour célébrer cela, Subaru a créé plusieurs éditions spéciales homologuées sur route, dont des modèles qui rendaient hommage aux pilotes Colin McRae et Richard Burns, aujourd'hui décédés.

Au-delà de ses performances, l'Impreza Turbo était une voiture très agréable au quotidien. Subaru est arrivée maintes et maintes fois en tête des enquêtes de fiabilité. Rapide, agile et bien construite : il n'est pas étonnant que l'Impreza Turbo soit devenue une légende. **JI**

LISTER
STORM

THE SUPERCAR FOR THE REAL WORLD

Storm | Lister   (GB)

1993 • 6 996 cm³, V12 • 554 ch
0-97 km/h en 4,1 s • 335 km/h

Dans les années 1980, Lister, petit préparateur britannique, était surtout réputé pour son travail sur les Jaguar XJS. Au début des années 1990, Laurence Pearce, P-DG de Lister, a décidé d'utiliser cette expertise pour se lancer sur le marché des supercars en créant un nouveau modèle. Après deux ans de mise au point, la Lister Storm a été dévoilée. Dotée d'un V12 Jaguar de 6 996 cm³ à double compresseur qui propulsait les roues arrière par l'intermédiaire d'une boîte de vitesses Getrag à 6 rapports, la Storm était la berline à 4 places la plus rapide de son époque.

Elle était pourvue d'un châssis léger, en aluminium et en nid-d'abeilles, ainsi que d'une carrosserie en fibre de carbone. Le moteur avait été repoussé presque jusqu'au poste de conduite pour permettre une meilleure répartition du poids. Son habitacle entièrement habillé de cuir, sa climatisation, sa chaîne hi-fi et ses sièges électriques lui conféraient un caractère luxueux. Elle possédait même un coffre digne de ce nom.

La silhouette était toutefois relativement excentrique et cette voiture assemblée à la main ne pouvait rivaliser avec le luxe et la qualité de construction de ses concurrentes. Son prix était astronomique (350 000 dollars) et seuls quatre modèles homologués sur route ont été commandés, dont trois ont survécu.

Après les avoir construits, Lister a été autorisée à créer six versions de course pour participer aux 24 Heures du Mans et aux championnats GT internationaux. Lister a finalement remporté le Championnat du monde FIA GT en 2000, dans la catégorie constructeur, cependant que Jamie Campbell-Walter, qui pilotait la Storm, s'emparait du même titre dans la catégorie pilote. **SH**

F150 Lightning | Ford   (USA)

1993 • 5 751 cm³, V8 • 250 ch
0-97 km/h en 7,6 s • 177 km/h

«Une Mustang GT pourvue d'un plateau»: c'est ainsi que Ford décrivait son F150 Lightning lors de son lancement en 1993. Le constructeur américain venait de transformer l'un de ses produits phares, un pick-up, en voiture à hautes performances.

Le F150 représentait les plus grosses ventes de pick-up en Amérique depuis 34 ans. En 1993, Ford a dévoilé la version Lightning afin de concurrencer le 454 SS de Chevrolet, un pick-up sportif. Aucun de ces deux modèles n'avait ouvert ce créneau sur le marché automobile: cet honneur revenait au Shelby Dakota.

Le F150 Lightning a indubitablement constitué le plus gros succès commercial de cette catégorie. Jackie Stewart, champion de compétition automobile, avait contribué à la mise au point de son châssis. Le centre de gravité avait été abaissé et le châssis rigidifié. Le moteur était particulièrement remarquable: c'était un V8 de 5 751 cm³ dont la culasse provenait de la GT40 Le Mans de Ford. Il développait 250 chevaux et était accompagné d'une boîte automatique.

Le Lightning jouissait d'un collecteur d'admission d'air spécial, de jantes en alliage, de sièges baquets à réglage électrique, et d'un différentiel à glissement limité. Sur ligne droite, le pick-up était capable de rivaliser avec n'importe quelle berline européenne. Il lui fallait moins de 8 secondes pour atteindre 97 km/h et sa vitesse maximale était limitée à 177 km/h.

Le temps consacré à la mise au point du châssis en avait valu la peine car le Lightning pouvait prendre les virages à une vitesse jamais vue auparavant pour un pick-up. En revanche, le confort était inexistant, et le choix des couleurs limité au rouge et au noir. **JI**

Celica | Toyota ⓙ

1993 • 2 000 cm³, S4 turbo • 254 ch
0-97 km/h en 6,1 s • 238 km/h

Au début des années 1990, Celica était un nom reconnu dans le monde entier. La nouvelle et sixième génération était peut-être la plus belle de toutes avec ses courbes, ses phares originaux et son train arrière. Elle était disponible en coupé à 2 portes, en voiture à hayon à 3 portes et en décapotable. Le moteur, de diverses cylindrées, était toujours placé à l'avant et la plupart des modèles étaient à roues motrices avant bien qu'une version 4 roues motrices ait aussi été disponible.

Après 22 ans d'évolution, la Celica s'était transformée en coupé sportif grand public. Voiture de grand tourisme, elle bénéficiait de la renommée mondiale de Toyota. Le constructeur a déclaré que cette Celica était plus rapide, plus puissante, plus sûre et plus spacieuse que tout autre modèle précédent. Elle était plus légère mais aussi plus rigide, et sa conduite s'était améliorée grâce à une suspension redessinée, de type MacPherson.

Le *nec plus ultra* de la gamme, la GT-4, était aussi la Celica la plus puissante jamais construite. Ce coupé à 4 roues motrices avait été amélioré grâce à l'expérience de l'écurie Toyota lors du Championnat du monde des rallyes. Le modèle abritait un moteur turbo qui développait 254 chevaux dans la version japonaise, un peu moins dans les modèles destinés à l'exportation. Les chiffres ci-dessus correspondent à la GT-4 japonaise. **SH**

Fleetwood 75 | Cadillac ⓊⓈⒶ

1993 • 5 733 cm³, V8 • 188 ch
0-97 km/h en 10,5 s • 204 km/h

Les Fleetwood avaient une longue et belle histoire chez Cadillac. Elles ne constituaient une gamme à part entière que depuis 1985, mais leur nom était ancien. Selon la légende, Henry Fleetwood était un charron anglais du XVIIᵉ siècle qui aurait émigré en Amérique, plus précisément en Pennsylvanie où a ensuite été établie la Fleetwood Body Company, rachetée par Cadillac en 1925. Fleetwood comptait parmi les meilleures entreprises de carrosserie américaines et, à partir de 1925, n'avait travaillé que pour Cadillac.

La Cadillac Fleetwood 75 se distinguait par sa longueur, soit 5,71 mètres d'un pare-chocs à l'autre. C'était de fait le modèle de série le plus long jamais construit aux États-Unis, mais qui ne pouvait toutefois pas rivaliser avec les modèles européens aux mêmes caractéristiques techniques. Sa popularité provenait principalement de son prix moins élevé, même si, à 30 000 dollars, il était loin d'être négligeable. La Fleetwood 75 était aussi lourde et relativement disgracieuse sans toutefois tomber dans la laideur. Beaucoup de conducteurs américains recherchaient encore des voitures relativement ternes et peu excitantes du moment qu'elles étaient grosses, et Cadillac a vendu plus de 90 000 exemplaires de ce modèle jusqu'à ce que sa production cesse en 1996. **MG**

Clio Williams | Renault (F)

1993 • 1 998 cm³, S4 • 150 ch
0-97 km/h en 7,8 s • 215 km/h

La Clio Williams était une voiture à hayon légère qui compensait son manque de puissance par un maniement fabuleux. La Clio originale avait été désignée voiture européenne de l'année en 1991, et Renault rentabilisait son association avec l'écurie Williams en formule 1 en baptisant de la sorte ce nouveau modèle, même si Williams n'avait en rien contribué à cette voiture.

Toutes les Clio Williams étaient peintes du même bleu électrique et arboraient des jantes dorées, en alliage. Elles étaient construites sur la même plateforme que la Clio mais dotées d'une boîte de vitesses et d'une suspension modifiées, et leur écartement avant était plus large. Ces changements transformaient le maniement et le moteur offrait davantage de puissance. D'un prix assez bas, on l'aperçoit souvent sur les circuits européens lors des Track Days. Elle s'est classée à la sixième place du palmarès des voitures de la décennie établi par le magazine *Evo*.

Toutefois, la rareté de ces premiers modèles a vite été menacée. La Williams I a été victime de son propre succès. Face à la demande, Renault a lancé un deuxième modèle, puis un troisième. Les acheteurs originaux étaient outrés. Mis à part des dispositifs de sécurité modernisés et un toit ouvrant, presque rien n'avait été modifié. La production totale approchait des 12 100 exemplaires. **RD**

Impreza WRX | Subaru (J)

1993 • 2 457 cm³, F4 turbo • 320 ch
0-97 km/h en 4,8 s • 254 km/h

Dans le monde de la compétition automobile, Subaru occupe dans la catégorie des rallyes la même place que Ferrari dans celle de la formule 1. Toutefois, contrairement à la marque italienne, Subaru doit principalement son succès à un seul modèle : l'extraordinaire Impreza WRX. Au début des années 1990, Subaru a commencé à mettre au point une voiture qui remplacerait la Legacy RS.

Dès 1993, le modèle de rallye de l'Impreza 555 préparé en usine impressionnait par ses prestations en championnat. Un an après seulement, les passionnés s'arrachaient le modèle de série, la WRX, une turbo à 4 roues motrices. Entre 1995 et 1997, l'écurie Subaru a remporté trois Championnats du monde des rallyes en tant que constructeur. Colin McRae est aussi devenu le premier champion britannique dans la catégorie pilote en 1995.

La WRX représentait les meilleures ventes de Subaru et les acheteurs pouvaient demander au préparateur du constructeur, Subaru Tecnica International (STI), de régler le moteur et la suspension de leur modèle pour créer une supercar de rallye dont les performances dépassaient celles de machines au prix quatre fois plus élevé.

La WRX a été souvent modifiée, et pas toujours avec succès. Mais les conducteurs recherchent l'Impreza pour sa puissance et son adhérence implacable, et non pour son allure, son confort ou sa consommation réduite. **DS**

Guarà | De Tomaso

1993 • 4 600 cm³, V8 • 309 ch • 0-97 km/h en 4,8 s • 277 km/h

Alejandro de Tomaso avait atteint son apogée comme constructeur automobile dans les années 1970, époque qui semblait désormais lointaine. Au début des années 1990, de nouvelles supercars surgissaient de tous côtés : il était temps pour l'Argentin de créer une nouvelle voiture de sport. Le résultat de ses efforts, dévoilé au Salon de l'automobile de Genève de 1993, a été baptisé De Tomaso Guarà, en référence à un chien sauvage d'Amérique du Sud. Sous ses apparences de supercar, la De Tomaso n'était pas aussi inédite qu'on pouvait le penser. Un prototype Maserati – la Barchetta Stradale – lui avait servi de base. Celle-ci était constituée d'un châssis tubulaire accouplé à un moteur V8 BMW placé au centre. Comme la Maserati sur laquelle elle était fondée, la Guarà avait été dessinée par Carlo Gaino et sa carrosserie était en fibre de verre et de carbone.

Trois déclinaisons étaient disponibles : le coupé, la Barchetta et la Spider, cette dernière étant la seule à avoir conservé le moteur BMW. Le coupé et la Barchetta ont en effet rapidement été équipés d'un V8 Ford capable de développer 305 chevaux, voire 430 avec l'option compresseur. Ce nouveau moteur ne pouvait être inséré dans les Spider dont le toit pliant occupait davantage d'espace. Malheureusement, la voiture n'a pas eu le succès qu'espérait de Tomaso. Sa société a été placée en redressement judiciaire en 2004, et la Guarà alors abandonnée. Au cours de toutes ces années, une cinquantaine de coupés auraient été construits ainsi que dix Barchetta et seulement cinq Spider. Un an avant que son entreprise dépose le bilan, Alejandro de Tomaso s'est éteint à l'âge de 75 ans. On a tenté plusieurs fois de faire renaître sa marque, sans succès. **JB**

Aurora | Oldsmobile USA

1994 • 3 995 cm³, V8 • 253 ch • 0-97 km/h en 8,6 s • 217 km/h

Dans les années 1980 et 1990, Oldsmobile souffrait d'un vrai problème d'image. Selon toutes les enquêtes d'opinion, c'était une marque de père de famille. GM a cherché pendant des années un modèle qui rajeunirait son image et a finalement trouvé un excellent concept : l'Aurora. Cette berline sportive a été dépouillée de toute référence à Oldsmobile dont le logo a même été remplacé par un A élégant qui ne signifiait rien en particulier, sauf peut-être que GM était plongée dans l'incertitude quant au sort de sa filiale.

Résultat de longues recherches, l'Aurora avait commencé à émerger avec la Tube Car, concept de 1989 qui formerait la base de sa silhouette. Ce concept-car arborait des lignes arrondies et des vitres sans montants, et ses feux arrière couvraient toute sa largeur ; ces caractéristiques ont été reprises dans l'Aurora. Cette voiture, qui ne ressemblait à aucune autre Oldsmobile avant elle, allait influencer les modèles ultérieurs de la marque pendant des années encore.

Animée d'un V8 de 3 995 cm³, l'Aurora était une berline de luxe à hautes performances qui aurait dû répondre à tous les espoirs de GM. Elle offrait un climatiseur automatique bi-zone, des sièges électriques avec incrustations de cuir, et des airbags pour le conducteur et le passager avant. Une version modifiée de son impressionnant moteur a été utilisée par l'écurie GM lors des courses de l'Indianapolis Racing League, et sa nouvelle structure monocoque s'est révélée si solide qu'elle a détruit la machine qui testait sa résistance. Ses ventes, solides au cours des premières années, ont bientôt décliné, et l'Aurora n'est finalement pas parvenue à régler les problèmes d'Oldsmobile. **BS**

Vertigo | Gillet （B）

1994 • 4 200 cm³, V8 • 420 ch
0-97 km/h en moins de 3 s • inconnue

Tony Gillet, ancien pilote de course, importait en Belgique des voitures de sport hollandaises de la marque Donkervoort quand il a décidé de créer sa propre supercar. Résultat : la Vertigo, un coupé sportif ultraléger dont le moteur était placé à l'avant et les roues motrices à l'arrière. Le modèle est toujours disponible bien qu'il ait évolué depuis 1994 en abritant des moteurs aux performances croissantes. Les Gillet sont appréciées des consommateurs européens très aisés, dont Johnny Hallyday et le prince Albert de Monaco.

La première génération de la Vertigo représentait un mélange étrange de voiture de course et d'élégant coupé. Elle abritait un moteur Ford Cosworth de 2 200 cm³ qui lui permettait d'atteindre une vitesse de 100 km/h en 3,27 secondes. Ce chiffre lui a permis de détenir brièvement le titre de voiture de série la plus rapide au monde. Une Gillet Vertigo a été choisie comme voiture pilote pour toutes les épreuves du championnat Procar belge de 1995 et elle a tenu le même rôle lors du Grand Prix de Monaco en 1995. La voiture utilise un châssis en nid-d'abeilles de style formule 1, réalisé en carbone et alliage, qui ne pèse que 58 kilos mais est solide et très rigide.

La dernière version, la Vertigo.5 Spirit, est équipée d'un moteur V8 Maserati, d'une boîte séquentielle et d'une carrosserie fermée aux portes papillons. Elle ne pèse toutefois que 950 kilos.

Depuis 1994, 26 modèles seulement ont été vendus et la Vertigo constitue l'une des voitures de série les plus rares du marché. Ironiquement, elle possède plus de propriétaires virtuels, adeptes des consoles de jeu, car elle constitue l'un des choix possibles dans *Need for Speed*, *Gran Turismo* et *Forza Motorsport*. **SH.**

F355 | Ferrari （I）

1994 • 3 495 cm³, V8 • 380 ch
0-97 km/h en 4,6 s • 298 km/h

Le moteur de la F355 comprenait des bielles en alliage de titane que l'on ne trouvait jusque-là que dans les modèles de formule 1. On pouvait commander en option un minuscule levier qu'on manœuvrait au doigt, qui remplaçait la pédale d'embrayage et était placé derrière le volant, comme sur les voitures de course. Mais c'étaient les 5 soupapes par cylindre qui constituaient l'atout de la 355 et lui offraient sa puissance : trois pour l'admission et deux pour l'échappement. La voiture a ainsi effectué un tour complet sur le circuit privé de Ferrari, à Maranello, en 7 secondes de moins que la « nerveuse » F348 qui l'avait précédée au catalogue.

Deux modèles étaient proposés lors du lancement de la F355, un coupé et une GTS à toit Targa (la décapotable serait proposée dès l'année suivante). Bien que les calandres latérales de la Testarossa aient disparu, la carrosserie dessinée par Pininfarina était dotée de lignes arrondies et comprenait des prises d'air, aussi fonctionnelles que sculpturales, qui ventilaient le moteur à l'arrière.

Ce sont toutefois les éléments issus de la formule 1 qui distinguaient la F355. Un plateau de dessous de caisse augmentait l'appui aérodynamique, et l'amortissement électronique permettait à la voiture de prendre les virages au plus serré. Elle exigeait moins du conducteur grâce à un embrayage plus léger que d'habitude pour une Ferrari et à une boîte à 6 rapports plus souple.

La F360 qui a remplacé la F355 ne constituait pas une amélioration. Cette dernière représente le plus important succès commercial de l'histoire de la marque, 11 200 de ses modèles s'étant écoulés au fil des cinq ans de production sans qu'elle ait bénéficié de modifications significatives. **BS**

FTO | Mitsubishi

1994 • 2 000 cm³, V6 • 170 ch • 0-97 km/h en 7,3 s • 209 km/h

Mitsubishi ne destinait son nouveau coupé, la FTO, qu'au marché japonais, mais ce modèle a rencontré un tel succès au Royaume-Uni, en Irlande et en Nouvelle-Zélande (tous des pays où le volant est à droite, comme au Japon), où il était importé de façon officieuse, que le constructeur a lancé son exportation.

Officiellement voiture de sport, la FTO relevait davantage du grand tourisme. Sa gamme de motorisation était limitée : on pouvait choisir entre un 4 cylindres à 1 800 cm³ et un V6 de 2 000 cm³ à 24 soupapes. Désignée voiture japonaise de l'année en 1994, la FTO était la première voiture de sport à bénéficier de ce titre depuis la première MR2 dix ans plus tôt.

Cela a incité Mitsubishi à lancer la GPX Special Edition, dont le V6 développait 197 chevaux et disposait de la distribution à géométrie variable. La puissance transitait par une transmission manuelle ou automatique, à 5 rapports. La version automatique faisait appel à un intelligent système électronique qui s'adaptait au style de conduite de l'usager et savait même reconnaître le degré d'inclinaison de la route.

Les avis divergent quant à la carrosserie, que certains trouvent laide et d'autres originale, mais nul ne peut nier le caractère sophistiqué du châssis. Une suspension de style MacPherson, à l'avant, était accouplée à une suspension arrière multibras qui conférait un maniement précis au véhicule. Comme souvent dans les modèles japonais, il fallait pousser le moteur pour qu'il offre sa puissance, mais le coupé devenait alors rapide.

A priori, cette voiture devait séduire les Européens. Mais le temps que Mitsubishi se décide à l'exporter, d'autres concurrentes avaient vu le jour en Europe. **JI**

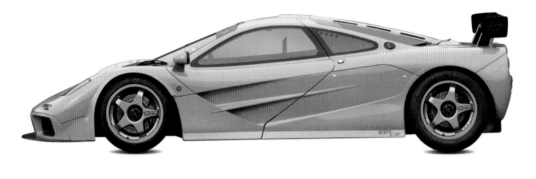

F1 | McLaren

1994 • 6 064 cm³, V12 • 627 ch • 0-97 km/h en 3,1 s • 388 km/h

McLaren est une écurie de formule 1 de renommée mondiale qui, au cours des années 1990, a aussi produit une supercar homologuée sur route, la McLaren F1, dont la production a commencé en 1992 et s'est achevée en 1998 après que 102 modèles ont été construits.

La F1 est née d'un concept imaginé par Gordon Murray, ingénieur en chef de McLaren qui a convaincu son supérieur, Ron Dennis, de soutenir le projet. Peter Stevens, l'un des concepteurs automobiles les plus célèbres du Royaume-Uni, a été chargé du style extérieur de la voiture. Il lui a dessiné une silhouette qui rappelait un chasseur à réaction dépourvu d'ailes.

La disposition des sièges, qui forment une rangée unique, est remarquable : le conducteur est assis légèrement en avant et au milieu, flanqué d'un passager de chaque côté. Les portières pivotent en hauteur et en avant pour permettre d'accéder à l'habitacle. La F1 a été construite à l'aide de matériaux légers très onéreux : de la fibre de carbone, du Kevlar, du titane, du magnésium et même de l'or.

Le moteur, un V12 de 6 064 cm³, était élaboré par le département compétition de BMW sous la direction de Paul Rosche. Ce modèle sophistiqué produisait une époustouflante puissance. Les performances de la voiture ont provoqué une admiration sans bornes lors de son lancement et, en 1998, la F1 est devenue la voiture homologuée sur route la plus rapide au monde, capable d'atteindre 391 km/h une fois qu'on avait retiré son limiteur de régime.

En raison de son prix astronomique (qui dépassait 960 000 dollars), seuls ceux qui possédaient énormément d'argent ont pu s'offrir une McLaren F1. **SB**

Mustang GT | Ford USA

1994 • 4 942 cm³, V8 • 215 ch
0-97 km/h en 6,7 s • 217 km/h

Environ 22 000 exemplaires de la Mustang originale s'étaient vendus le premier jour de son lancement, en 1964. En 1994, à l'occasion de son trentième anniversaire, Ford en a proposé une édition spéciale.

Le nouveau modèle, résultat de la première transformation majeure de la Mustang depuis quinze ans, a comblé toutes les attentes. La GT était construite sur une version du châssis Fox qui constituait la base de toutes les Mustang depuis 1979, ici plus rigide pour un meilleur maniement. Le moteur V8 de 4 942 cm³, bien que plus raffiné que celui du modèle de 1993, développait 10 chevaux de moins, et le conducteur devait le pousser pour en obtenir le grondement caractéristique des Mustang. Les fans n'appréciaient pas que ce nouveau modèle concède 60 chevaux à sa rivale, la Camaro.

Tout le monde savait néanmoins que c'était la meilleure Mustang produite depuis des années. Le magazine *Motor Trend* l'a désignée voiture de l'année 1994, et rien ne pouvait gâcher les soirées organisées par Ford pour célébrer le trentième anniversaire de son modèle, dont celle du circuit de Charlotte Motor Speedway où le président Bill Clinton est arrivé dans sa propre Mustang. La Camaro pouvait abriter davantage de chevaux sous son capot, la Mustang possédait le seul qui comptait : le pur-sang intemporel blasonné sur sa calandre. **BS**

Ram V10 | Dodge USA

1994 • 7 997 cm³, V10 • 299 ch
0-97 km/h en 7,8 s • inconnue

Avant de dessiner la nouvelle silhouette du Ram, les responsables du design industriel de Dodge ont demandé aux consommateurs ce qu'ils désiraient. «Un pick-up qui ressemble à un gros semi-remorque» a été leur réponse. Le nouveau Ram a ainsi été doté d'une partie avant qui semble provenir d'un 18 roues. Cela risquait de ne pas plaire à tout le monde, mais, au moins, le véhicule serait instantanément reconnaissable.

Toute une gamme de moteurs était offerte, depuis un V6 de 3 900 cm³ jusqu'à un diesel. Toutefois, celui qui a le plus fait parler de lui était un V10 de 7 997 cm³ provenant de la Dodge Viper, une supercar, et mis au point avec l'aide de Lamborghini. À l'époque, la firme italienne appartenait en effet à Chrysler, maison mère de Dodge. Le V10 avait été conçu pour les camions mais les ingénieurs de Lamborghini ont remplacé le fer du bloc et de la culasse par de l'aluminium. Le Ram était construit sur un châssis à longerons, et l'on trouvait à l'arrière un pont moteur primitif au lieu d'un modèle indépendant. Ce véhicule ne pouvait prendre les virages à la manière d'une voiture de sport, mais ses capacités de remorquage étaient impressionnantes.

En 1994, Dodge a vendu presque un quart de million de Ram. La barre était placée très haut pour les pick-up musclés qui suivraient. **JI**

A8 | Audi

1994 • 4 200 cm³, V8 • 300 ch
0-100 km/h en 7,3 s • 250 km/h

L'A8 était la première Audi de série pourvue d'une carrosserie en aluminium. La gamme abritait des versions à empattement long, une série de moteurs et des modèles à roues motrices avant, mais son produit phare était la Quattro, équipée de l'énergique V8 à 32 soupapes, tout en aluminium.

L'A8 était une luxueuse berline de prestige dont l'habitacle était habillé de cuir et de bois. L'image de marque d'Audi était fondée sur son utilisation de la technologie et l'on découvrait partout des accessoires, dont des sièges chauffants que l'on pouvait régler électriquement dans quatorze positions différentes. Parmi les autres accessoires de série, on comptait une chaîne hi-fi Bose, un climatiseur automatique bi-zone, de nombreux airbags et une trousse de premiers soins. Les modèles plus « sportifs », destinés aux passionnés de conduite, arboraient des suspensions abaissées, plus rigides, ainsi que des sièges baquets.

L'A8 était épurée mais conservatrice, ses jantes sportives en alliage lui conférant une touche d'excitation. Audi avait prouvé sa capacité à construire une berline de luxe qui rivalisait avec les plus grandes marques, et l'a encore démontré en 1996 avec la S8 Quattro, dont la dernière version relève de la supercar avec ses 512 chevaux et son accélération de 0 à 100 km/h en 4,2 secondes. **SH**

RS2 | Audi (D)

1994 • 2 226 cm³, S5 • 316 ch
0-97 km en 4,8 s • 262 km/h

Issue de la compétition automobile, la gamme RS offrait les meilleures performances du catalogue Audi dans les années 1990. Le premier était un break à 5 portes et 5 places, l'Audi Avant RS2, réalisé en collaboration avec Porsche, qui avait récemment transformé l'ennuyeuse Mercedes W124 en excitante 500E. Audi désirait que Porsche fît de même pour sa S2.

Porsche s'est attaqué sans tarder au moteur auquel ont été ajoutés un turbo KKK, un refroidisseur intermédiaire plus important, des arbres à cames plus agressifs, et de plus gros injecteurs. Le 5 cylindres en ligne d'Audi en a été transformé. La S2 a ensuite été pourvue du système de freinage de la Porsche 911, de ses jantes de 43 centimètres, de ses pneus Dunlop à hautes performances et d'une suspension préparée pour la course, qui abaissait de 4 centimètres la garde au sol de la carrosserie (cette dernière provenait de l'A80). La RS2 possédait encore la transmission intégrale de l'Audi Quattro et le système de sécurité Procon-Ten d'Audi dont les câbles « tiraient » sur le volant en cas d'accident, pour l'éloigner du conducteur.

Cette RS2 on ne peut plus transformée et rapide a rencontré un succès international. Avec ce modèle, Audi devenait réputé pour la qualité, le caractère pratique et les hautes performances de ses véhicules. **BS**

Spider | Alfa Romeo (I)

1995 • 3 000 cm³, V6 • 218 ch • 0-97 km/h en 6,8 s • 235 km/h

En 1995, au Salon international de l'automobile de Genève, Alfa Romeo a créé la surprise avec son nouveau spider et sa version dérivée, le coupé GTV. Le design était radicalement différent de celui du classique Duetto Spider sans cesse modifié depuis 30 ans.

Le charme suranné laissait la place à une musculature moderne et agressive. La nouvelle traction avant avait un capot plus trapu et des porte-à-faux courts, un pare-brise très penché et un arrière ramassé. Ces détails de style étaient apparus bien après l'élaboration de la Spider d'origine.

La grande originalité du design était une diagonale courant du pare-chocs avant jusqu'au coffre à l'arrière. Les stylistes de Pininfarina choisissaient délibérément d'ignorer le passé et de mettre au goût du jour le concept de spider.

Autre signe des temps, le spider était désormais construit par une branche du groupe Fiat, pour qui les économies d'échelle comptaient par-dessus tout. En conséquence, il a été fabriqué sur une plateforme commune à d'autres petites voitures du groupe telle la Fiat Tipo. Le spider a bénéficié de petites modifications en recevant le châssis ferme des Alpha et une nouvelle suspension arrière très sportive. Le choix du moteur allait du Twin Spark (1 800 cm³, 2 bougies par cylindre) à un V6 haut de gamme très puissant (caractéristiques ci-dessus).

Alfa Romeo avait développé sa ligne de spiders et fait connaître sa décapotable 2 places à une nouvelle génération. Cette voiture a cependant été accueillie différemment de l'originale et l'on n'y a souvent vu que la version cabriolet du GTV. **SH**

Barchetta | Fiat   Ⓘ

1995 • 1 800 cm³, S4 • 130 ch • 0-100 km/h en 8,9 s • 200 km/h

La « petite barque » (*barchetta* en italien) de Fiat était pour l'essentiel la version spider de la populaire Punto à hayon. Elle a néanmoins profité d'un look et d'un caractère spécifiques, avec son moteur 4 cylindres en ligne (16 soupapes) en disposition transversale avant. C'était le premier moteur Fiat à distribution variable, rendant la Barchetta plus sportive. Le design a bénéficié de touches rétro rappelant les anciens roadsters Fiat et Alfa Romeo. Le prototype de la version coupé dû au styliste italien Maggiora la faisait ressembler à une voiture anglaise des années 1960, mais sa production n'a pas été autorisée. Construit par une équipe rivale à Stola, un autre prototype était un racer sans toit doté du moteur 2 000 cm³ du Coupé Turbo de Fiat. Il pouvait atteindre la vitesse de 270 km/h et monter de 0 à 100 km/h en 5,8 secondes. Un seul exemplaire a été construit.

Fiat s'est concentré sur le roadster 2 places, mais n'a produit que des conduites à gauche, ce qui a limité les ventes au Japon et en Grande-Bretagne. Avec sa carrosserie légère, la Barchetta était agréable à conduire : le châssis souple et la suspension intégralement indépendante de la Punto ont été à la hauteur des attentes.

La décapotable 2 portes était bien équipée pour un prix raisonnable. Il y avait des airbags, une boîte de vitesses manuelle à 5 rapports, l'ABS et un équipement audio correct. Roues en alliage, sièges en cuir et air conditionné venaient en option.

La petite Fiat a été en 2010 la vedette de la spéciale de Noël de l'émission *Top Gear* (émission consacrée aux voitures et au sport automobile) sur la BBC. Les deux autres voitures étaient plus onéreuses – une Mazda MX-5 et une BMW Z3 – mais la Fiat était la plus fiable. **SH**

Integra Type R | Honda

1995 • 1 797 cm³, S4 • 190 ch • 0-97 km/h en 6,2 s • 233 km/h

En 2006, le magazine britannique *Evo* a établi le banc d'essai des meilleures tractions avant jamais construites. On trouvait dans les quinze finalistes des modèles plus anciens comme la Peugeot 205 GTI et la Lotus Elan M100, et d'autres plus récents tels que la GP remaniée par John Cooper Works pour Mini. Après plusieurs essais, le verdict final a été unanime : l'Integra Type R de Honda était la grande gagnante. Un journaliste a écrit : « Oubliez l'attrait des tractions avant plus imposantes. L'Integra Type R est l'une des meilleures voitures de passionné jamais fabriquées. »

La première Integra, lancée en 1985, a été assez répandue aux États-Unis en tant que modèle de base de la marque haut de gamme Acura, laquelle ne s'implantera en Angleterre qu'en 1997. L'Integra de troisième génération a été la première Honda de Type R.

À 9 000 tours par minute, le moteur VTEC de la Type R pouvait développer 190 chevaux. Les ingénieurs de Honda ont renforcé le châssis de l'Integra avec une plaque d'acier plus épaisse et ajouté des barres de renfort avant et arrière pour tenir compte du gain en puissance. Pour améliorer la conduite, la suspension a été abaissée de 15 millimètres et la voiture a subi une cure d'amaigrissement : vitres moins épaisses, sièges de course et roues en alliage ; une grande partie de l'insonorisation a été supprimée.

« R » est l'abréviation de « racing » et Honda voulait présenter ses produits haute performance sur les circuits du monde entier. L'énorme succès de la Type R dans les compétitions de voitures de tourisme compensait en partie l'argent que perdait Honda pratiquement sur chaque vente. **DS**

Coupé 20v Turbo | Fiat ⓘ

1995 • 1 998 cm³, S5 • 218 ch • 0-97 km/h en 6,5 s • 250 km/h

Le designer américain Chris Bangle connaîtra la gloire et la controverse en redessinant toute la gamme BMW, mais il s'est d'abord fait un nom dans le groupe Fiat en concevant l'une des plus étonnantes voitures du début des années 1990. Avec des arches de roue très agressives et des phares bombés, le look du coupé Fiat était en avance sur son temps : il faudra attendre au moins cinq ans pour retrouver sur d'autres modèles ce style anguleux très distinctif.

L'intérieur a été dessiné par le styliste italien Pininfarina, lequel a également construit la voiture dans son usine du nord de Turin.

Du point de vue mécanique, cette Fiat sportive, la première depuis dix ans, était impressionnante. Dans la version Turbo 20 soupapes, ses performances étaient exceptionnelles. C'est l'une des tractions avant européennes les plus rapides de son époque et le véhicule le plus vif jamais construit par Fiat.

Le coupé était également très pratique avec ses deux sièges arrière utilisables et un coffre étonnamment spacieux. L'équipement était assez bon pour l'époque : système ABS, sièges en cuir, doubles airbags et air conditionné. Les 5 rapports de la boîte de vitesses de la Turbo passeront ensuite à 6.

Cette voiture a rapidement été très prisée et, en 1998, Fiat a sorti une Turbo 20 soupapes à tirage limité, la LE. La carrosserie était plus agressive ; il y avait aussi des sièges compétition rouges Recaro, un bouton de starter rouge, des étriers de frein rouges ainsi qu'un châssis plus rigide pour une conduite encore plus sportive. Les LE portaient un numéro individuel. Michael Schumacher aurait acheté la première. **SH**

MGF | MG

1995 • 1 796 cm³, S4 • 145 ch • 0-97 km/h en 7,2 s • 209 km/h

Même si l'emblème de MG s'est retrouvé sur les versions haut de gamme des berlines familiales de British Leyland, la dernière vraie MG (le MGB Roadster jaune bronze, pour être précis) est sortie de l'usine en octobre 1980. Rover caressait depuis le début des années 1980 l'idée d'une nouvelle gamme de voitures de sport, mais le programme de développement de la MGF n'a reçu le feu vert que lorsque le lancement en 1989 de la Mazda MX-5 a démontré qu'il y avait encore un marché pour des décapotables sportives à prix raisonnable.

La MGF a bénéficié d'un budget minime et les ingénieurs de Rover ont dû piocher dans les pièces détachées pour la plupart des composants vitaux. Des designers inventifs ont inversé le faux châssis de la Metro pour abriter un moteur central de série K ; le système de suspension Hydragas (d'abord utilisé sur l'Austin Allegro) excellait à absorber les bosses. Des pièces des Rover 200 et 400 ont permis d'abaisser le coût de fabrication.

La MGF a été lancée en mars 1995 et a reçu un bon accueil de la part de la presse spécialisée, qui a loué la beauté de sa carrosserie et son aspect innovant. Les responsables des essais sur route ont apprécié la façon dont le moteur de série K (1 796 cm³ et distribution à géométrie variable) donnait toute sa puissance au-delà de 4 000 tours par minute, tandis que le châssis bien équilibré évitait pratiquement le tête-à-queue.

La MGF a tout de suite connu le succès et pendant six ans a été en tête des ventes de voitures de sport au Royaume-Uni. Certains disent qu'elle est demeurée trop longtemps en service, avec ses réincarnations TF et chinoises, mais la MGF originale était une digne rivale de l'omniprésente MX-5. **DS**

Sport Spider | Renault

(F)

1995 • 1 998 cm³, S4 • 145 ch • 0-97 km/h en 6,5 s • 211 km/h

Renault a dévoilé son Sport Spider en 1994, au Salon international de l'automobile de Genève. C'était un produit prestigieux, assez excitant pour ajouter de la sportivité à une gamme plutôt conservatrice. Il a toutefois connu une production limitée tant en voiture de course que routière. Renault parlera de « monoplace pour deux ».

Ce spider avait beaucoup de punch : le moteur de 1 998 cm³ de la Renault Clio Williams était transféré à l'arrière d'un châssis associé à la légère Lotus Elise. Les freins étaient ceux de la puissante Alpine A610. La carrosserie était faite en matériaux composites et Renault avait encore allégé l'ensemble en supprimant des éléments tels que le chauffage, le toit et le pare-brise : un système ingénieux forçait l'air chaud à passer par des évents faisant office de déflecteur à

l'endroit où le pare-brise aurait dû être installé. Pour les 200 conducteurs souhaitant affronter la pluie dans leur Sport Spider, un pare-brise conventionnel en verre avait été inclus dans le prix de départ de 39 000 dollars. Le journal *The Independent* avait parlé de « plaisir sauvage et masochiste ».

Le Sport Spider a été fabriqué à très peu d'exemplaires : 99 pour la compétition et 1 541 pour les passionnés de route. Le modèle de Renault, question performances, a été battu par la Lotus Elise : même si le spider n'avait généralement ni pare-brise ni toit, l'Elise était considérablement plus légère, avec un comportement sur route bien supérieur. Avec elle, en revanche, on ne pouvait vivre l'expérience enivrante que procurait l'absence de pare-brise : le vent fou dans les cheveux et les insectes dans les dents ! **RD**

Azure | Bentley

USA

1995 • 6 761 cm^3, V8 • 450 ch • 0-97 km/h en 6,3 s • 241 km/h

Un artisan anonyme mettait quinze heures pour coudre à la main le revêtement de cuir du volant. Le revêtement de bois de l'intérieur des portières et du tableau de bord était taillé à 0,6 millimètre d'épaisseur très exactement.

Cette voiture était si colossale que le toit décapotable dessiné par Pininfarina et rangé dans le coffre mesurait 2,1 mètres de long. Le faux châssis était soutenu par une paire de croix en fibre de carbone qui maintenaient en place tous les éléments et rendaient la nouvelle Bentley Azure trois fois plus compacte que le modèle qu'elle venait remplacer.

L'Azure était alors la décapotable 4 places de luxe la plus grosse et la plus chère au monde. Construite sur la plateforme du coupé Continental R, elle mesurait 5,3 mètres de long, pesait 2 610 kilos et avait besoin du moindre centimètre cube de son turbocompresseur V8. Par ailleurs, ses riches futurs propriétaires devaient faire preuve de patience et en attendre la livraison pendant plus de douze mois. Seuls neuf exemplaires ont vu le jour avant la fin de la première année de production (en tout, il n'y en a eu que 251).

Ce n'est pas parce que c'était une Bentley qu'il n'y avait pas d'imperfections. Le réalisateur Michael Winner en a essayé une et a préféré, de loin, sa propre Bentley Corniche datant de 1975 : « Dans ma Bentley, le siège me fait penser à une chaise longue. Là, c'est une chaise de bureau. Et regardez-moi ce bois ! On dirait qu'il sort d'un magasin Ikea ! » Il est peut-être vrai que seul un propriétaire de Bentley peut critiquer une voiture de la marque, mais pour nous autres, simples mortels, l'envie est toujours là. **BS**

A4 | Audi

(D)

1996 • 2 500 cm³, V6 • 150 ch • 0-97 km/h en 9 s • 210 km/h

Les Audi étaient des voitures solides, efficaces, mais ennuyeuses. En milieu de gamme, par exemple, on n'achetait pas la série 80 pour son style ou pour son image. Mais tout a changé avec l'arrivée de son successeur, la A4. Son design contemporain aux lignes pures a immédiatement séduit.

À cette époque, Audi était délibérément poussé vers le haut du marché par le groupe Volkswagen, de sorte que les deux marques pouvaient viser des publics différents. Cette stratégie a payé et Audi s'est bientôt retrouvé au même niveau que BMW ou Mercedes pour l'acheteur marqué par le slogan *Vorsprung durch Technik*, « l'innovation par la technologie ». Audi utilisait depuis longtemps ce slogan : avec le lancement de la A4, il est devenu l'élément clé de toute la publicité de la marque. C'est encore le cas aujourd'hui.

Il n'y avait pas grand-chose de neuf dans la A4. Elle reprenait de nombreuses pièces de la A80 et partageait une plateforme avec d'autres véhicules du groupe Volkswagen. De nombreux moteurs anciens ont été montés sur les tractions avant et il en est allé de même pour toutes les roues de certaines versions « quattro ». Il y avait la version berline, qualifiée de « compact executive », et le break Avant. Les modèles suivants de l'A4 incluent une version cabriolet.

Peu à peu, la ligne a connu plusieurs progrès technologiques. Parmi ces premières Audi, on pouvait trouver un moteur à 5 soupapes par cylindre, une première version de la transmission semi-automatique Tiptronic ou une berline sportive turbo-diesel à 4 roues motrices bénéficiant du système d'injection directe le plus récent (ses performances sont indiquées ci-dessus). **SH**

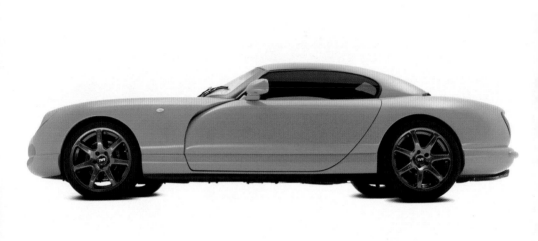

Cerbera | TVR

1996 • 4 475 cm³, V8 • 446 ch • 0-97 km/h en 3,9 s • 311 km/h

Dans la mythologie, Cerbère est le chien à trois têtes chargé de garder la porte des Enfers. C'est un nom qui va bien à cette voiture sportive aussi puissante que sauvage.

La Cerbera a été la première voiture à hard-top construite par la nouvelle direction de TVR, la première aussi à bénéficier de son propre moteur. Elle était conçue comme un coupé 4 places, avec un siège passager pouvant coulisser vers l'avant pour créer une configuration 3 + 1 assez inhabituelle.

Quand BMW a racheté le groupe Rover en 1994, TVR s'est inquiété de voir s'épuiser son stock de groupes moteurs V8 de 3 500 cm³. Pour protéger son nouveau modèle, la firme a fait dessiner un nouveau V8 de 4 200 cm³ par l'ingénieur de formule 1 Al Melling. Dans le cadre d'un marketing agressif visant à renforcer l'image

de « bad boy » de TVR, son propriétaire, Peter Wheeler, a déclaré aux journalistes conviés au lancement que le nouveau moteur « Speed Eight » inspiré de la F1 était bien trop puissant pour une routière légère.

Le Speed Eight a ensuite été développé pour atteindre les 4 475 cm³, un moteur reconnaissable au bruit caractéristique de son échappement. Dans la version « Red Rose » de haute performance, TVR a créé l'un des V8 les plus puissants jamais conçus (ses performances sont indiquées ci-dessus).

La dernière Cerbera a été la « Speed Twelve », une voiture de course de 7 700 cm³. La puissance exacte de cette voiture n'a jamais pu être établie : le dynamomètre de TVR a été détruit à la première tentative. À 295 000 dollars, une seule version routière a été vendue. **DS**

XK8 | Jaguar

GB

1996 • 3 996 cm³, V8 • 290 ch • 0-97 km/h en 6,5 s • 246 km/h

Première vraie sportive de Jaguar depuis la Type E, la XK8 a été conçue dans le cadre d'un partenariat entre Jaguar et sa société mère, Ford. Ses pièces ne sont toutefois pas le fruit d'une hybridation entre l'une et l'autre marque. Certes, son développement n'a pu se faire que par le biais d'une étroite collaboration, mais le matériel du successeur du coupé XJS est uniquement dû à Jaguar, du moteur V8 en alliage de 3 996 cm³ – premier V8 d'une marque renommée pour ses V6 et ses V12 – à la grille de radiateur rappelant furieusement celle de la Type E en passant par le renflement de son capot. Unique contribution de Ford, la micropuce de la clé de contact.

Bien que plus agile que la XJS, la XK8 ne pouvait pas être qualifiée de vraie sportive. C'était plutôt une voiture poids lourd de catégorie grand tourisme. La qualité primait: la quête des meilleures pièces a emmené les designers au Japon pour son système d'air conditionné ou en Allemagne pour la capote en toile à commande électronique dont bénéficiera la future version décapotable. Le confort de route de la XK8 était extraordinaire par tous les temps grâce au système d'antipatinage et aux freins dotés de l'ABS, et l'ensemble était si discret que le bruit des pneus était le plus fort que l'on puisse percevoir.

La XK8 allait être la voiture de sport la plus vendue de la marque Jaguar. Avec le temps, son prix a beaucoup baissé. On trouve aujourd'hui un des premiers coupés à moins de 13 000 euros. Il n'empêche qu'une XK8 de 1996, avec son intérieur en cuir Connolly, ses boiseries en noyer et son pedigree Jaguar, est aussi désirable aujourd'hui qu'à l'époque. Elle est seulement plus abordable. **BS**

Boxster 3.4 | Porsche

1996 • 3 386 cm³, F6 • 290 ch • 0-97 km/h en 4,7 s • 274 km/h

Les ventes de Porsche ont commencé à chuter au milieu des années 1990. Ses deux coupés à traction avant, la 968 et la 928, avaient des designs remontant au début des années 1970 ; la 911 à moteur refroidi par air datait des années 1960. Pour survivre, Porsche devait absolument raviver sa gamme.

La société a démontré son savoir-faire avec une nouvelle voiture de sport à moteur central et à prix abordable. Première Porsche à ne pas être identifiée par un chiffre, la Boxster doit son nom à son moteur 6 cylindres opposés à plat de type boxer et à son design très roadster. La presse spécialisée a été surprise par l'assurance et le maniement de cette petite 2 places ; invité de l'émission de télé *Top Gear* sur la BBC, Jeremy Clarkson a dit que sa tenue sur route était « digne d'une ballerine ». Certains journalistes ont toutefois été déçus

par le manque de puissance du moteur de 2 500 cm³ à refroidissement par eau ! En 2000, Porsche a complété sa gamme par une Boxster S de 3 200 cm³. Cette voiture a décroché de nombreux trophées, comme celui de « voiture de l'année » décerné par le magazine canadien *Le Guide de l'auto* et l'émission de télé américaine *MotorWeek*, ou celui de « championne du sex-appeal » attribué par la revue *American Women Motorscene*.

Malgré un sérieux lifting en 2009, la Boxster a conservé son beau style extérieur. Mais, contrairement à la plupart de ses conducteurs, elle continue à perdre du poids en vieillissant grâce au recours intelligent à des métaux exotiques et à des matériaux composites. La dernière Boxster S de 3 386 cm³ construite, dont le maniement reste sublime, possède plus d'ardeur qu'une 911 Turbo plus récente. **DS**

Elise | Lotus

GB

1996 • 1 796 cm³, S4 • 120 ch • 0-97 km/h en 5,8 s • 201 km/h

La Lotus Elise présente toutes les caractéristiques ayant fait la réputation de la marque. Stylée, légère, rapide et agile, elle apparaît à beaucoup comme la voiture la plus maniable de sa génération. Elle porte le nom de la petite-fille du businessman italien Romano Artioli, président de Lotus à l'époque de son lancement. Avec son moteur central et ses roues arrière motrices, cette 2 places un peu « brute » présente une carrosserie en fibre de verre avec finition à la main sur un châssis en aluminium extrudé. Cette voiture est légère mais solide et relativement peu coûteuse à fabriquer.

La production a commencé en 1996 à Hethel, dans le Norfolk (Grande-Bretagne), où Lotus est implanté et possède sa propre piste d'essai. La voiture a été conçue par l'ingénieur principal Richard Rackham et le directeur du design Julian Thomson, et tous deux passent pour avoir fait un excellent travail en imaginant une voiture aussi agréable à conduire.

Dès sa sortie, l'Elise a été appréciée pour sa tenue de route. Avec ses 725 kilos, elle est très légère, ce qui explique l'étonnante accélération de cette routière bénéficiant d'un moteur Rover série K de 1 796 cm³. Son freinage, ses pointes de vitesse en virage et sa consommation réduite sont la conséquence de sa légèreté. L'idée d'associer une carrosserie légère à un moteur de milieu de gamme avait germé depuis longtemps dans l'esprit du fondateur de Lotus, Colin Chapman ; il devait mourir quatorze ans avant la sortie de l'Elise.

La série 1 est restée en production jusqu'en 2001 et de nombreux enthousiastes voient dans ce modèle de base le meilleur de tous. La série 2, débutée en 2002, est toujours construite. **SB**

Esprit V8 | Lotus

1996 • 3 506 cm³, V8 • 350 ch • 0-97 km/h en 4,8 s • 282 km/h

Giorgetto Giugiaro est un designer automobile italien célèbre pour ses modèles des années 1970. On lui doit la DeLorean DMC-12, la Maserati Merak et cette nouvelle Lotus Esprit V8, un cabriolet à la ligne en coin.

La série Esprit avait 20 ans quand les lois antipollution américaines ont vu d'un mauvais œil ses versions 4 cylindres à forte émission. Elles ont obligé Lotus à passer à un V8 plus propre à deux turbines, entièrement développé par Lotus, qui allait porter cette voiture à un nouveau niveau de performance.

La Lotus superbement anguleuse de Giugiaro a été dotée d'un supermoteur approprié à son superlook. Les problèmes de boîte de vitesses ayant nui aux premiers modèles ont été corrigés et l'Esprit pouvait désormais comparer sa puissance en chevaux à celles de la Ferrari F355 et de la Porsche 996.

Cette voiture a gardé son air contemporain au fil des années ; elle a conservé le fameux style de conduite Lotus grâce à ses ressorts hélicoïdaux, à sa barre stabilisatrice et à sa direction à crémaillère. Bien sûr, l'intérieur posait toujours des problèmes ergonomiques pour monter et descendre, et les conducteurs dotés de grands pieds trouvaient le plancher désagréablement réduit.

La puissance était toutefois le point fort de cette nouvelle Esprit, au point que les performances du moteur ont été « réduites » pour protéger la boîte de vitesses Renault soudainement vulnérable. Une telle puissance permettait cependant de supporter plus facilement le vieux problème de fiabilité de la marque, matérialisé par l'éternel acronyme de Lotus, « Lots Of Trouble, Usually Serious », soit « beaucoup de problèmes mais toujours du sérieux ». **BS**

550 Maranello | Ferrari

1996 • 5 474 cm³, V12 • 485 ch • 0-97 km/h en 4,2 s • 320 km/h

Après un quart de siècle de production de ses super-cars rouges, de la Testa Rossa à la 512 M, on a vu apparaître la 550 Maranello, une Grand Tourisme à 2 places. C'était la réponse de Ferrari à ceux qui prétendaient qu'une traction avant V12 ne pouvait atteindre les mêmes performances qu'une voiture à moteur central. Sergio Pininfarina déclara : « Ferrari est revenu à la configuration traction avant parce que les progrès de la technologie nous ont permis d'atteindre le même niveau de performance que les modèles à moteur central. »

La Maranello avait un moteur V12 de 5 474 cm³, capable de développer près de 485 chevaux à 7 600 tours par minute. C'était très impressionnant, mais pour une fois le progrès majeur de Ferrari n'était pas son moteur. Un nouveau système de contrôle du nom d'ASR pouvait ressentir la perte de traction et

réduire immédiatement la puissance du moteur, en cas de dérapage des roues arrière par exemple. Si la situation échappait complètement au conducteur, l'ASR se déclenchait. Bien entendu, les conducteurs désireux de tirer le maximum de la Maranello avaient tendance à suivre les conseils de Jeremy Clarkson et à le désactiver.

L'intérieur était du pur Ferrari, avec le tachymètre et le compteur de part et d'autre de la colonne de direction et un levier de vitesses ultramince à pommeau boule métal. Un système de rangement personnalisé pouvait venir en aide lors du chargement du coffre d'une petite taille caractéristique, de même que l'ASR était là pour adapter la vitesse. Le 12 octobre 1998, à Marysville, dans l'Ohio, une 550 Maranello a établi le record de vitesse pour un véhicule de série à 304 km/h sur une distance de 100 kilomètres. **BS**

Berlingo | Citroën   （F）

1996 • 2 000 cm³, S4 • 90 ch
0-97 km/h en 12,7 s • 158 km/h

Le Citroën Berlingo a été un pionnier en matière de crossover entre la voiture familiale et la fourgonnette commerciale. Il existe d'ailleurs une version sans vitres, ce qui en fait une vraie fourgonnette. En tant que voiture, elle a un certain nombre de qualités. Elle est pratique, spacieuse et durable, avec une cabine légère et claire. Sans prétention, original et peu onéreux, le Berlingo est le meilleur petit transporteur de personnes.

Citroën a fait le maximum pour valoriser le Berlingo lors de sa sortie. Avec des couleurs vives, il était qualifié de «Multispace». Il disposait d'un toit ouvrant sur toute la longueur et de sièges rayés rappelant les chaises longues, mais ce n'est pas cela qui a dopé les ventes. Les gens l'achetaient pour le côté pratique des portières coulissantes qui révélaient des sièges arrière spacieux, susceptibles d'être repliés à plat ou enlevés pour créer un vaste espace de chargement.

Les moteurs allaient du 1 400 cm³ (essence) au 2 000 cm³ (diesel). Des versions différentes étaient alimentées au GPL ou à l'électricité. Pour cette dernière, un moteur électrique de 38 chevaux permettait une vitesse maximum de 95 km/h et une autonomie de 95 kilomètres. Le Berlingo électrique faisait partie du paysage français : il était utilisé entre autres par l'administration des postes. **SH**

GT | Keinath   （D）

1996 • 3 000 cm³, V6 • 213 ch
0-97 km/h en 7,8 s • 210 km/h

Même au milieu des années 1990, l'Opel GT était encore la voiture idéale de Horst Keinath de Gersthofen, dans le sud de l'Allemagne. Sa passion était telle qu'il décida d'en construire une se rapprochant le plus possible de ses goûts. Il était de plus persuadé que de nombreux amateurs comme lui l'achèteraient.

La GT lancée par Keinath en 1996 ne partageait que son allure générale avec la voiture d'origine. Elle avait un châssis tubulaire et une carrosserie en fibre de verre plus large de 23 cm que la version Opel. Sous le capot, on trouvait le moteur V6 de l'Opel Omega, capable de donner toute sa puissance au train arrière de ce petit coupé. L'intérieur de la voiture était bien plus luxueux que celui de son ancêtre, avec garnitures en cuir et gadgets électroniques.

Keinath aurait construit 38 exemplaires de sa GT avant que sa société fasse faillite. L'un d'eux présentait un moteur V8 de 5 700 cm³ et un autre un moteur V12 Mercedes-Benz qui devait rendre la conduite absolument démente. Pour autant, Keinath n'a pas abandonné et est revenu sur le devant de la scène avec la Keinath GT/R et la Keinath GTC, autres variations sur son coupé de rêve. Entretemps, la GT a pu ressusciter lorsque les droits de production ont été rachetés par une société chinoise. **JB**

156 | Alfa Romeo ⓘ

1997 • 3 200 cm³, V6 • 250 ch
0-97 km/h en 6,3 s • 250 km/h

Alfa Romeo, qui fait partie du groupe Fiat, lança en 1997 une compacte de luxe afin d'élargir son marché. Depuis trop longtemps Alfa construisait des voitures de sport passionnantes mais peu fiables. La marque tentait ainsi de concurrencer la BMW série 3.

Dans un style plus conservateur qu'à l'ordinaire, la 156 offrait une gamme attirante de berline à 4 portes et traction avant. Avec 680 000 exemplaires, cela a été un gros succès. Alfa Romeo n'a toutefois pas pu s'empêcher d'ajouter des éléments assez insolites : une plaque d'immatriculation avant décalée sur le côté, un volant en ébène en option et des portières arrière qui ne semblaient pas avoir de poignée. La gamme de motorisation était assez large, mais même le plus humble diesel montait jusqu'à 188 km/h ; toutes les voitures pouvaient atteindre les 0-97 km/h en moins de 6,3 secondes.

Lancée en 2001, la 156 GTA était très différente de la 156 classique. Son moteur à 24 soupapes de 3 200 cm³ était une version développée du V6 de 3 000 cm³ de l'Alfa classique. Le sélecteur de vitesses au volant semi-automatique style formule 1 était en option. La suspension sportive, abaissée et plus ferme, a été construite pour elle, les freins et le volant ont été considérablement améliorés. Alfa avait ainsi transformé sa 156 classique en une supercar pouvant atteindre les 250 km/h. **SH**

V70 T5 | Volvo Ⓢ

1997 • 2 319 cm³, S5 • 240 ch
0-100 km/h en 7,1 s • 245 km/h

Volvo avait la réputation de fournir aux classes moyennes des breaks solides et de belle taille : cela a donc été une grande surprise quand la marque suédoise a lancé une version turbocompresseur à couper le souffle de son modèle le plus gros.

La clé des performances de la V70 T5 était son moteur 5 cylindres à injection. En alliage léger, il présentait un double arbre à cames en tête et un turbocompresseur haute pression. Ce moteur fournissait à cette machine 4 roues motrices une accélération à rendre jalouses de nombreuses voitures de sport.

Parmi les autres caractéristiques, on trouvait un système de contrôle de la stabilité et de la traction, un intérieur en cuir et des roues en alliage. Il y avait aussi des éléments de sécurité élaborés, comme la protection latérale contre les chocs, des sièges avant anti-coup du lapin, des airbags à deux seuils et des rideaux gonflables latéraux. C'était à l'époque un véhicule unique, un break familial très rapide, idéal pour de longs trajets.

En 2000, la V70 T5 a fait l'objet d'une révision mineure, dont un nouveau moteur. Son volume est passé à 2 400 cm³ et un calage variable des soupapes en continu a été ajouté avec une puissance de 260 chevaux. Le nouveau modèle pouvait atteindre les 0-100 km/h en 6,8 secondes. **SH**

Thrust SSC | Programme SSC (GB)

1997 • 2 turboréacteurs • 112 000 ch
0-161 km/h en 4 s • 1 228 km/h

À l'heure actuelle, le Thrust SSC (SuperSonic Car) est le véhicule terrestre le plus rapide qui soit. En octobre 1997, dans le désert de Black Rock, au Nevada, il a battu le record du monde de vitesse au sol avec 1 228 km/h. Pour la première fois, un véhicule terrestre franchissait le mur du son !

Le Thrust disposait de deux turboréacteurs Rolls-Royce empruntés à la version britannique d'un avion de chasse, le F-4 Phantom. Leur puissance est équivalente à celle de 145 voitures de formule 1. De construction britannique, ce véhicule mesure 16,5 mètres de long et pèse 10,7 tonnes. Sa consommation est de quelque 5 500 litres aux 100 kilomètres. On peut voir le Thrust SSC au musée des Transports de Coventry, en Angleterre.

Le responsable de cet exploit était un pilote de chasse de la RAF, le commandant Andy Green. Il était aussi à la tête de l'équipe de tobogganing de la RAF, qui a dévalé la piste du Cresta Run, à Saint-Moritz. Green est par ailleurs le détenteur du record de vitesse au sol pour un véhicule diesel, le JCB Dieselmax qui a atteint les 529 km/h sur le lac salé de Bonneville Salt Flats, aux États-Unis.

Le projet émane de l'ingénieur et aventurier Richard Noble. Il travaille aujourd'hui à un engin encore plus performant, le Bloodhound SSC : la puissance d'une fusée et un moteur de jet permettraient de dépasser les 1 600 km/h ! Il y a d'autres projets du même type : le North American Eagle, véhicule à réaction américano-canadien, et le Silver Bullet australien, propulsé par une fusée.

Du point de vue technique, le Thrust n'est pas la voiture la plus rapide du monde puisqu'il ne peut être dirigé. Le record appartient au Vesco Turbinator américain avec 757 km/h. **SH**

Alpina B10 V8 | BMW (D)

1997 • 4 619 cm³, V8 • 345 ch
0-97 km/h en 5,9 s • 282 km/h

Avec sa série M, BMW a toujours proposé des modèles de haute performance. Certains clients préfèrent toutefois des véhicules dont la grande puissance est livrée moins lourdement qu'une « M », et la société Alpina, installée en Bavière, leur a proposé exactement ce qu'ils désiraient en 1997 avec l'Alpina B10 V8.

À partir de la variante E39 de la série M5 de BMW, Alpina a créé un bloc-moteur et un vilebrequin nouveaux ainsi qu'un V8 de 4 619 cm³ et une grosse puissance de 345 chevaux. Contrairement à la BMW M5 manuelle, construite d'après le même modèle E39, la transmission de l'Alpina B10 V8 était un système automatique dû à la société ZF.

Le processus de production a été intégré sans heurts à la propre chaîne de fabrication de BMW. Alpina a négocié avec BMW un accord stipulant que tout exemplaire de l'Alpina B10 V8 bénéficierait des mêmes garanties que les véhicules BMW.

En plus du gros moteur en couple, l'Alpina a ajouté du bois précieux et du cuir aux couleurs habituelles. La B10 avait ainsi des cadrans d'instruments bleus et des sièges frappés du logo Alpina ; elle n'était disponible que dans la couleur bleue brevetée Alpina.

L'Alpina était un moyen subtil de parcourir de longs trajets sur les autoroutes où la vitesse n'était pas limitée. Les acheteurs susceptibles de dépenser 100 000 dollars pouvaient aussi se permettre de consommer 14 litres aux 100 kilomètres.

Le magazine *Evo* a écrit : « Elle est méchamment rapide quand on veut s'éclater, relaxante et raffinée quand on veut seulement rentrer chez soi sans trop se presser. » **RD**

Corvette C5 | Chevrolet

1997 • 5 680 cm³, V8 • 350 ch • 0-97 km/h en 4,7 s • 291 km/h

Imaginer la version décapotable d'une voiture à hard-top déjà existante peut être problématique. Le toit métallique ne protège pas seulement de la pluie : il conserve aussi la rigidité du véhicule. Sans lui, la voiture peut se tordre. Pour pallier le problème, il faudrait ajouter tant de métal que le nouveau modèle pèserait plus que l'original. Ce n'est pas le cas de la Corvette C5. Chevrolet en a fait dès le début une décapotable avec un châssis n'ayant pas besoin de toit pour affirmer sa

rigidité. De même, la C5 était propulsée par un moteur V8 de 5 680 cm³ développant 350 chevaux. Le moteur avant communiquait toute sa puissance par l'intermédiaire d'une boîte de vitesses placée à l'arrière, ce qui répartissait le poids sur toute la longueur de la voiture. On avait le choix entre une transmission automatique et une boîte à 6 rapports. Curieusement, même la boîte de vitesses manuelle passait parfois automatiquement de la première à la quatrième.

Le dessin de la carrosserie était plus courbe que celui de la précédente C4, aux angles plus marqués. Le recours aux matériaux composites, à la fois robustes et légers (et moins chers à produire), a été accru.

La C5 mêlait de manière inhabituelle deux technologies, l'une ancienne, l'autre plus moderne : une suspension à lames côtoyait un accélérateur électronique et même un affichage tête haute. Pourtant, ce qui comptait le plus pour tout acheteur potentiel,

c'était la puissance cachée sous le capot. La C5 était sur ce point l'égale de quelques-unes des meilleures voitures au monde avec ses 97 km/h atteints en 4,7 secondes. Le prix de départ d'une telle merveille était de 38 995 dollars.

Une Corvette C5 décapotable a servi de « pace car » (voiture pilote) lors de l'Indy 500 de 1998. Pour bien des acheteurs potentiels, il n'aurait pu y avoir de meilleure publicité. **JI**

Prowler | Plymouth

USA

1997 • 3 523 cm³, V6 • 215 ch • 0-97 km/h en 7,2 s • 180 km/h

Comment le Prowler de Plymouth a-t-il pu entrer dans la liste des 50 pires voitures de tous les temps dressée par le magazine *Time* ? Peut-être y avait-il un détail invisible à l'œil nu, un défaut qu'on ne constatait qu'une fois au volant ?

Les ingénieurs de Chrysler avaient eu carte blanche pour créer un hot rod à faire tourner les têtes, et voilà le résultat. La voiture avait des roues avant ouvertes de type Indy à suspension apparente, un profil vieillot et fuselé au point d'en être agressif et une carrosserie rouge Prowler en aluminium pour réduire au maximum le poids. La demande a été telle que les futurs acheteurs faisaient monter les prix pour avoir l'un des 312 exemplaires produits la première année.

Hélas, les défauts n'ont pas tardé à sauter aux yeux dès l'instant où ces mêmes acheteurs y ont regardé de plus près. Ceux qui examinaient l'habitacle s'écriaient : « Mais où est le levier de vitesses ? » Un coup d'œil sous le capot suscitait un incrédule : « Mais où est le V8 ? » Il y a eu aussi de moindres surprises. Quand la capote était repliée dans le coffre arrière, il n'y avait plus de place que pour quelques livres : il était si petit que Plymouth proposait une remorque en option. Les épaisses roues arrière réagissaient à la moindre imperfection de la route et le pare-chocs avant était aussi incongru qu'inefficace.

En 1998, un nouveau modèle de 235 chevaux a réalisé des performances plus dignes d'un hot rod, mais le Prowler manquait toujours d'un V8 et d'une transmission manuelle. Les puristes étaient toujours aussi mécontents, mais, franchement, y avait-il là de quoi entrer dans la liste infâme établie par le *Time* ? N'y aurait-il pas eu là quelque vengeance personnelle ? **BS**

CLK GTR | Mercedes-AMG (D)

1997 • 5 986 cm³, V12 • 620 ch • 0-97 km/h en 3,8 s • 345 km/h

Quand le championnat de l'ITC (voitures de tourisme) a pris fin en 1996, AMG, la filiale de luxe de Mercedes, s'est retrouvée sans vitrine d'exposition de ses produits. Elle n'a toutefois pas tardé à en trouver une nouvelle avec le championnat international de super-tourisme. Mercedes n'avait pas de voiture à présenter et, pour être certains de voir l'équipe d'AMG participer à la saison 1997, les organisateurs ont reculé la date butoir de production des véhicules en compétition… au 31 décembre !

AMG s'est mise au travail. La firme a dessiné et construit ses deux premières CLK GTR en 128 jours seulement, juste à temps pour la première épreuve du championnat. Battue par McLaren lors des trois premières épreuves, la CLK a déçu. La direction d'AMG a résolu de ne pas la faire courir aux 24 Heures du Mans et a profité de ce répit pour améliorer son produit et rattraper son retard sur McLaren. Sage décision : Mercedes-AMG a dominé le reste de la saison et remporté le championnat des constructeurs comme celui des pilotes. Bernd Schneider a ainsi été couronné champion du monde.

Le châssis monocoque en fibre de carbone de la CLK GTR rappelait vaguement celui de la CLK, une routière, mais l'habitacle hyperréduit contraignait à conduire en étant en position quasiment verticale. Et les portières en aile de mouette n'amusaient que le spectateur qui en voyait une se soulever.

AMG avait l'obligation de construire 25 exemplaires. Les derniers ont vu le jour en 1998 et 1999. L'exclusivité et la vitesse de fusée de la CLK GTR en ont fait l'une des grandes supercars des années 1990. **BS**

VehiCross | Isuzu (J)

1997 • 3 500 cm³, V6 • 218 ch
0-97 km/h en 8,8 s • 185 km/h

Une authentique vision du futur : un off roader sportif, d'allure agressive, capable d'affronter n'importe quel type de terrain. Avec sa partie inférieure noire revêtue de plastique, ses roues chromées et sa silhouette sportive, le concept-car présenté par Isuzu au Salon de l'automobile de Tokyo en 1993 ressemblait à un tout-terrain de dessin animé.

Le VehiCross a connu un tel succès qu'Isuzu a décidé d'en lancer un modèle de série. L'industrie, qui s'attendait à une version édulcorée de cette voiture concept, s'est retrouvée face à un utilitaire sport d'avant-garde. Isuzu avait fait appel à un management très moderne. La société avait même rejeté la pratique courante d'essais auprès de clients, destinée à évaluer le design, au cas où ses idées seraient édulcorées.

Son allure extérieure était propre à susciter l'enthousiasme alors que ce crossover compact mettait en valeur toute la prouesse technologique d'Isuzu. Un système à 4 roues motrices contrôlé par ordinateur grâce à 12 capteurs disséminés sur le véhicule assurait une traction maximum sur toutes les surfaces. Pour une meilleure utilisation sur route et tout-terrain, la suspension bénéficiait d'un système d'amortissement à vases d'expansion. Sa bonne garde au sol et sa boîte de vitesses à faibles rapports permettaient une bonne conduite hors route.

Les performances du VehiCross étaient dues à un moteur V6 à 24 soupapes de 3 500 cm³, avec un système d'induction variable maximisant la puissance quel que soit le nombre de tours. Il y avait là assez de muscle pour s'attaquer à des collines boueuses ou s'élancer sur la route. De sorte qu'il a tout naturellement été le vainqueur dans sa catégorie lors du Paris-Dakar de 1998. **SH**

F50 | Ferrari (I)

1997 • 4 698 cm³, V12 • 520 ch
0-100 km/h en 3,7 s • 312 km/h

Avec sa F50, Ferrari a réussi comme jamais auparavant à reprendre les principes, la forme, la mécanique et les spécifications hypertechniques de la formule 1 pour les intégrer dans une voiture de tourisme. La F50 a été construite avec les mêmes contraintes qu'une formule 1 de compétition : par exemple, réservoir caoutchouté digne de l'aéronautique, châssis intégralement en fibre de carbone, carter de la boîte de vitesses en alliage de magnésium ou encore unité de contrôle électronique pour minimiser le roulis de la caisse. Les roues et les couvre-culasses étaient en alliage de magnésium, les moyeux en titane et, dans le carter, les chemises de cylindre étaient en Nikasil (matrice en carbure de silicium). Infiniment plus séduisant, le « style F1 » faisait appel à des plastiques de l'ère spatiale comme le Kevlar ou le Nomex en nid-d'abeilles pour ses panneaux extérieurs qui formaient une surface rouge ininterrompue, des prises d'air frontales au déflecteur arrière.

Malgré ces innovations débridées, beaucoup ont considéré que la F50 était un échec. On s'attend à ce qu'une nouvelle Ferrari batte des records de vitesse, ce qui n'a pas été le cas. Lors du lancement, Ferrari n'a pas prêté d'exemplaire à la presse ; le magazine *Car and Driver* a toutefois eu l'autorisation d'un propriétaire de F50 d'en tester l'accélération sur une piste d'essais de Dublin. Quand le propriétaire a voulu savoir : « Va-t-elle aussi vite que les autres supercars ? », on lui a répondu : « Plus qu'une Dodge Viper et une demi-seconde de plus que la Lamborghini Diablo. »

Malheureux possesseurs de Diablo… Dans le monde des supercars, on trouve toujours un peu plus rapide. Et d'habitude, c'est rouge. **BS**

Prius | Toyota ⓙ

1997 • 1 497 cm³, S4 plus moteur électrique
60 ch • 0-97 km/h en 12,7 s • inconnue

La Toyota Prius de 1997 a marqué une étape dans l'histoire de l'automobile et le magazine *Time* a vu en elle une des voitures les plus importantes de tous les temps. Même son nom était significatif. En latin, *prius* signifie « auparavant » ou « en premier », indiquant bien que ce véhicule était un précurseur.

La Prius est la toute première voiture hybride, vendue à perte par Toyota pour montrer son engagement à l'égard de la technologie verte. Hybride, elle bénéficie de deux formes de propulsion. À faible vitesse, c'est le moteur électrique, avec ses batteries nickel-métal-hydrure. Un moteur à essence de 1 497 cm³ prend le relais quand le conducteur a besoin d'une plus grande puissance pour accélérer ; en même temps, les batteries sont rechargées. Même les freins ont un rôle à jouer : ils utilisent l'énergie récupérée pour, eux aussi, charger les batteries.

Cette technologie est intelligente, on ne peut le nier, mais dès le lancement de cette voiture, l'opinion a été divisée : était-elle aussi verte que le prétendait Toyota ? Cela ne l'a pas empêchée d'accéder au statut d'icône quand des stars de Hollywood ont fait des pieds et des mains pour être photographiées au volant de la Prius. En 2003, cinq Prius ont fait office de limousines lors de la cérémonie des Oscars. **JI**

Forester | Subaru ⓙ

1997 • 2 000 cm³, F4 • 123 ch
0-97 km/h en 7,9 s • 198 km/h

On a eu du mal à qualifier la nouvelle Subaru Forester au moment de son lancement. Pour certains, c'était une berline à hayon, pour d'autres une tout-terrain, pour d'autres encore une berline sport, voire classique. Mais tous étaient d'accord : la conduire était un plaisir.

La Forester a été développée sur la même plate-forme que l'Impreza et elle avait le moteur de l'Outback mais ressemblait plus à une Legacy par son style. Ses 4 portes et son vaste hayon la rapprochaient d'une berline, mais ses performances rappelaient la voiture sport. La Subaru « soft-roader » était une vraie 4x4, avec une boîte de vitesses adéquate, toutefois ses capacités tout-terrain étaient limitées par sa faible garde au sol et ses pneus routiers de série.

La Forester se présentait en versions turbo et non-turbo (les chiffres relatifs à la S-Turbo sont donnés ci-dessus), mais il n'y avait pas de modèle diesel. Le moteur à plat disposait de 4 soupapes placées à l'horizontale de part et d'autre du vilebrequin ; plus souple, il tenait facilement sous un capot avant assez bas.

L'abaissement du centre de gravité contribuait au bon maniement de la Forester. Elle était plus souple sur le tarmac que toute autre utilitaire sport mais semblait plus solide et plus durable que les autres breaks ou berlines à hayon. **SH**

406 Coupé V6 | Peugeot (F)

1997 • 3 000 cm³, V6 • 190 ch
0-97 km/h en 7,6 s • 235 km/h

Peugeot a fait appel au designer italien Pininfarina pour dessiner les lignes de la version coupé de sa berline familiale. Résultat : un véhicule 2 portes d'une grande élégance. Selon la rumeur, Lorenzo Ramaciotti (designer chez Pininfarina de la Ferrari 456 et de la 550 Maranello) avait proposé ce projet à Ferrari pour les inciter à fabriquer une supercar à prix raisonnable. Sa proposition a été rejetée et c'est le constructeur français qui en a bénéficié.

Parmi toute la gamme de moteurs, le top du top était la V6 à 24 soupapes et injection directe. Agréable à conduire, elle montrait une bonne adhérence et un bon contrôle du volant. Seul l'intérieur banal, à la texture plastique, empêchait cette voiture d'accéder à la classe supérieure. Du moins était-il spacieux, y compris à l'arrière. Le niveau des équipements était remarquable : roues en alliage, air conditionné numérique avec contrôle de l'atmosphère, chargeur multi-CD, essuie-glace à détecteur de pluie, ordinateur de bord, sièges en cuir, airbags latéraux, rétroviseur intérieur anti-éblouissement, lave-phares, direction à assistance variable et système de freinage Brembo à 4 soupapes.

La 406 Coupé V6 a joué en 2002 un rôle capital dans le film *Le Boulet*. Elle participait à une impressionnante course-poursuite dans le centre de Paris et échappait, bien entendu, au flic à la moto. **SH**

R390 | Nissan (J)

1998 • 3 500 cm³, V8 • 650 ch
0-97 km/h en 3,1 s • 350 km/h

Quand Nissan a décidé en 1995 de revenir au sport automobile, sa priorité absolue était bien entendu les 24 Heures du Mans. La R390 GT1 a été construite à cette occasion avec l'aide de la Grande-Bretagne. Les lignes de la voiture sont dues à Ian Callum, qui venait de terminer l'Aston Martin DB7. Sous la sublime carrosserie se cachait un moteur V8 d'une grande puissance, conçu par Nissan en collaboration avec le chef de course Tom Walkinshaw.

Pour recevoir l'homologation pour les 24 Heures, Nissan avait besoin de prouver qu'au moins une voiture semblable avait été créée pour la route. La première Nissan R390 a été immédiatement l'une des plus passionnantes routières qui soient. C'est avec une peinture métallique bleu vif et un intérieur en cuir rouge qu'on l'a enregistrée au Japon. Nissan n'a jamais vendu ce modèle unique et le constructeur le détient toujours.

Lorsqu'un client européen exigeant a pris conscience de l'existence de cette voiture, il a demandé à Nissan qu'un exemplaire rejoigne sa fabuleuse collection de supercars. L'argent n'était pas un problème pour lui. Nissan a accepté et construit un deuxième exemplaire. Il appartient toujours à la personne qui l'a commandé ; autant dire qu'elle tient à rester anonyme.

En tout, cela monte à huit le nombre de Nissan R390 construites, y compris les R390 GT1 Le Mans. **JB**

TT | Audi ⟨ D ⟩

1998 • 2 480 cm³, S5 • 340 ch
0-97 km/h en 4,6 s • 249 km/h

L'Audi TT tire son nom du Tourist Trophy, célèbre course de moto organisée dans l'île de Man depuis 1904. Dans les années 1950, la NSU (qui fusionnera plus tard avec Auto Union pour former Audi) dominait la compétition. En souvenir de son héritage en matière de motocyclisme, la compagnie allemande avait lancé en 1965 la NSU 1000 TT à moteur rotatif. Trente ans plus tard, dans les bureaux de conception du groupe Volkswagen, l'appellation TT a été reprise pour un concept-car sportif 2 + 2 présenté en 1995 au Salon de l'automobile de Francfort. Bien que partant de la ligne de la Golf Mark IV, son design élégant, très Bauhaus, a été considéré avant-gardiste. Aux majestueuses courbes extérieures au style dépouillé répondait un cockpit bien ajusté et ergonomique ; les détails en aluminium brossé donnaient l'impression que la voiture avait été construite par des ingénieurs plutôt que par des robots.

Le coupé sport d'Audi est passé pour un chef-d'œuvre du design industriel moderne. Très vite, des milliers de personnes ont accouru chez les concessionnaires pour en retenir un exemplaire. À la fin des années 1990, la TT était devenue un must. Malheureusement, le principe du Bauhaus selon lequel « la forme suit la fonction » ne s'appliquait pas strictement à l'onéreuse TT. Elle avait le look et la puissance, mais sa conduite était décevante, surtout quand on la comparait à ses plus proches rivales, la Porsche Boxster et la Honda S2000.

En 2006, a été lancée la Mark II TT. Cette nouvelle version combinait la forme et la fonction et Audi a été couronné en 2007 du prix mondial de la voiture de l'année, catégorie design. Les chiffres indiqués ci-dessus sont ceux du modèle supérieur, la TT RS. **DS**

Niva | Chevrolet ⟨ RUS ⟩

1998 • 1 700 cm³, S4 • 83 ch
0-97 km/h en 17 s • 140 km/h

Quand General Motors a signé un contrat de joint-venture avec la société russe AvtoVAZ (anciennement VAZ), son objectif était de remplacer la Lada Niva, icône du monde automobile en vente depuis plus de 30 ans.

Le projet était de construire une voiture présentant des capacités tout-terrain ressemblant à la 4x4 favorite des Russes, mais avec plus de confort. GM a décidé de conserver la motorisation de base de la vieille Niva, ses parties mécaniques ayant largement fait leurs preuves dans la toundra. La carrosserie et l'intérieur ont toutefois été complètement rénovés et le moteur essence à 4 cylindres de 1 700 cm³ a subi une cure de jouvence.

Le résultat final était une voiture portant le nom de Chevrolet plutôt que Lada, toujours capable de rouler dans 60 centimètres d'eau et de s'attaquer à des pentes à 45 degrés. Son allure, cependant, était différente, la nouvelle Niva n'ayant pas l'apparence un peu rude de son prédécesseur. Les lignes étaient plus souples et elle ressemblait plus aux « soft-roaders » asiatiques qu'à la 4x4 Niva traditionnelle.

Néanmoins, la mise en vente ne s'est pas faite sans peine. Après la présentation du concept en 1998, c'était « silence radio » pendant pas mal de temps. Il s'est avéré que GM-AvtoVAZ avait des problèmes de production de ce nouveau véhicule. Le projet de moteur de 1 800 cm³ a été oublié et il a fallu attendre 2001 pour que la voiture soit présente chez les concessionnaires.

En Russie et en Europe de l'Est, la Chevrolet Niva remplace peu à peu la Lada Niva, mais l'exportation dans les pays de l'Ouest demeure problématique. Même le lifting pratiqué en 2009 par le designer italien Bertone ne réussit pas à séduire le grand public. **JB**

3200GT | Maserati

(I)

1998 • 3 217 cm³, V8 • 375 ch • 0-97 km/h en 4,9 s • 280 km/h

La 3200GT a été la première Maserati construite avec l'aide de Ferrari, les deux sociétés étant à l'époque dans le giron de Fiat. Le style de ce coupé 4 places est signé par l'équipe de Giorgetto Giugiaro, chez Italdesign. Lancée au Mondial de l'automobile de Paris en 1998, elle a été appréciée pour son design et ses performances, moins pour son comportement sur route.

Elle était pourtant prometteuse sur le papier. Le moteur bi-turbo V8 était livré avec boîte de vitesses manuelle ou automatique. Précédemment utilisé dans les modèles Quattroporte et Shamal, le V8 était renommé pour son bruit caractéristique. Cette voiture bénéficiait aussi d'une technologie sophistiquée, suspension entièrement réglable par exemple. L'accélérateur était électronique, les freins haute performance étaient fabriqués par Brembo et le système d'antipatinage par Bosch.

En revanche, le volant très sensible et les poussées brusques du turbo rendaient la 3200GT difficile à manier. Le pilote chargé de l'essai pour le magazine *Autocar* en crasha une lors d'un lancement en Angleterre.

Près de 4 800 exemplaires de la 3200GT se sont vendus à 96 000 dollars pendant ses quatre années de production. La plupart des clients étaient européens : les feux arrière à LED en forme de boomerang ne répondant pas aux normes de sécurité aux États-Unis, le modèle américain était doté d'ampoules traditionnelles derrière des caches d'une grande banalité.

La 3200GT est très performante quand on la compare aux Ferrari et aux Porsche de la même époque, mais prenez garde : le moteur et les systèmes électriques complexes de cette Maserati peuvent entraîner des frais de réparation énormes. **RD**

C12 │ Callaway

1998 • 5 700 cm³, V8 • 440 ch • 0-97 km/h en 4,6 s • 304 km/h

Fabriquée par Callaway, constructeur de supercars implanté en Nouvelle-Angleterre (États-Unis), la C12 est certainement l'une des voitures les plus séduisantes jamais conçues. Œuvre du designer canadien Paul Deutschman, elle affichait un prix de quelque 170 000 dollars.

Elle se présentait sous trois formes aussi attrayantes les unes que les autres : coupé, capote Targa ou décapotable. Sous les courbes de sa carrosserie en fibre de carbone et Kevlar se cachait une bonne vieille technologie américaine, empruntée à la Chevrolet Corvette C5 principalement. Sièges baquets en cuir, tableau de bord, garnitures de porte, console centrale et indicateurs étaient cependant tout nouveaux. Le client choisissait la couleur intérieure. Pour améliorer la conduite et le confort, un nouveau système de suspension a été construit par l'usine sœur de Callaway, IVM Engineering, en Allemagne.

La grande spécialité de Callaway avait toujours été la préparation. Reeves Callaway avait personnalisé des motorisations pour Aston Martin, Holden et Chevrolet, dont l'impressionnante Sledgehammer. Pour la C12, son équipe a démonté le V8 de la Corvette C5, usiné la culasse et ajouté de nouvelles pièces haute performance pour booster sa puissance de près de 100 chevaux.

À la fin du processus de fabrication, Reeves Callaway aimait essayer chacune de ses voitures. Il est rare de voir le patron d'une société accorder autant d'attention à la qualité de ses produits. Il est vrai qu'ils ne sont pas nombreux à avoir pour clients des VIP tels que Dale Earnhardt Jr., pilote de course, Otis Chandler, du *Los Angeles Times* ou Rick Hendrick, patron de NASCAR. **SH**

Indigo 3000 | Jösse Cars　　(S)

1998 • 3 000 cm³, S6 • 206 ch
0-97 km/h en 6,5 s • 250 km/h

La société Jösse a été fondée en 1997 à Arvika, en
Suède, pour construire un roadster classique doté d'un
gros moteur Volvo : l'Indigo 3000, une décapotable
2 places traditionnelle à roues arrière motrices.

Technologie moderne mise à part, elle aurait pu être
une Austin-Healey d'il y a 30 ans. L'Indigo 3000 avait des
panneaux légers en matériau composite sur un châssis
rigide en acier soudé galvanisé. Elle avait aussi une
direction assistée, des rétroviseurs extérieurs électriques
chauffants et réglables, des phares automatiques ainsi
que des sièges et un volant réglables. Quatre freins à
disque venaient la compléter, avec l'ABS en option.

Le moteur tout aluminium, un Volvo à 6 cylindres
en ligne, fournissait énormément de puissance. Avec
ses 24 soupapes et son moteur à injection multipoint, il
donnait une accélération très rapide, un bruit enthou-
siasmant et une vitesse maximale de 250 km/h.

Volvo était présent à toutes les étapes. Le designer
Hans Philip Zackau avait travaillé sur le hayon de la
Volvo 850. La boîte de vitesses manuelle à 5 rapports
et la suspension arrière étaient celles de la Volvo 960, la
colonne de direction celle de la 850 et la base du siège
celle de la S40.

L'équipe de Jösse a lancé son roadster en tant que
voiture haute performance tout en insistant sur la sécurité ; des barres antirenversement derrière chaque siège
et des bas de marche très hauts contre les impacts latéraux protégeaient les passagers.

Malheureusement, la société n'a construit que
48 exemplaires avant de disparaître, de sorte que l'Indigo 3000 se fait aujourd'hui très rare, même sur les
routes du sud de la Suède. **SH**

Fortwo | Smart　　(D)

1998 • 999 cm³, S3 • 84 ch
0-97 km/h en 13,8 s • 148 km/h

La Smart ressemble à une montre Swatch : bon
marché, colorée et assez funky. Elle était également
vendue, au début tout au moins, avec une carrosserie transparente. En fait, SMH, fabricant des montres
Swatch, avait travaillé avec Daimler-Benz pour créer la
Smart, mais des différences de conception aux premiers
stades du projet ont poussé Daimler à se retirer.

Cette voiture a été imaginée dans le centre de
design de Mercedes-Benz, en Californie. Ce devait être
une citadine 2 places, peu gourmande et pouvant se
garer dans un tout petit espace. En 1998, en Europe, les
voitures étaient présentées les unes sur les autres dans
une tour de verre rappelant les distributeurs automatiques : la « Smart » ne demandait qu'à être « emportée ».

Avec ses 999 cm³, la Smart ne risquait pas de rouler
trop vite. Agréable en ville ou sur de petites routes, elle
avait tendance à se traîner sur autoroute. Ses principaux
inconvénients étaient le bruit, le manque de souplesse
de la conduite et la boîte semi-automatique saccadée.
Même ainsi, c'était une citadine économique.

À son dixième anniversaire, en 2008, plus d'un
million d'exemplaires s'étaient vendus dans 37 pays.
L'entrepreneur du sport automobile Roger Penske en a
vendu 45 000 aux États-Unis entre 2007 et 2011 quand
son réseau de concessionnaires en a acquis les droits
exclusifs.

Smart a sorti un nombre étonnant de modèles dont
le Roadster, le Roadster Coupé de 2003 à 2005 et le
Brabus. L'Electric Drive de 2011 consomme 3,3 litres aux
100 kilomètres. Pour sa publicité, la marque a recouru
au véhicule du chanteur Robbie Williams, la Crossblade,
une version cabriolet revue par Brabus. **LT**

smart

>>Less CO_2. More O_2.

What a breath of fresh air. Now you can enjoy all that oxygen knowing your smart cabrio has the lowest CO_2 emissions of any convertible. And while you soak up the solar power, you can revel in the fact that the cabrio's fuel consumption is a measly 57.6mpg. Even the remotely operated hood saves you using too much energy. How cool is that?

Great minds think smart.

smart - a brand of DaimlerChrysler

Multipla | Fiat ⓘ

1998 • 1 900 cm³, S4 • 120 ch • 0-97 km/h en 12,2 s • 177 km/h

Le monde ne sut que faire de l'étrange monospace lancé par Fiat en 1998. Il a été fièrement présenté au musée d'Art moderne de New York et l'émission *Top Gear* de la BBC l'a consacré «familiale de l'année» pendant quatre ans. On a dit aussi que le Multipla était «la voiture la plus laide au monde».

L'objet de tous ces commentaires était un humble monospace qui avait l'audace d'avoir un look différent. Inhabituellement large et peu long, il était pourvu de deux rangées de trois sièges. Des détails design en faisaient un véhicule très pratique. Tout cela suscitait autant de dérision que de désir. La façon dont le pare-brise rencontrait le capot large et plat avait quelque chose d'unique. Parmi ses caractéristiques originales, on trouvait un arrière bulbeux et lisse, de longs rétroviseurs montés sur des sortes de tiges et des feux latéraux disposés sur une bande à l'arrière du capot. Sur la lunette arrière des modèles anglais d'origine, on pouvait lire : «Attendez de voir l'avant.»

L'intérieur était agréablement spacieux vu que ce véhicule polyvalent partait de la Bravo 3 places à hayon ; il y avait effectivement assez de place pour six adultes et leurs bagages. Une fois les sièges arrière enlevés, le Multipla avait le volume intérieur d'une fourgonnette de taille moyenne. Il jouissait de bonnes performances routières, en revanche il était difficile à garer dans les rues étroites.

On a ensuite vu apparaître d'autres versions du Multipla. Il est toujours d'une largeur inhabituelle et continue d'avoir deux rangées de trois sièges, mais son look, qui avait été tellement décrié, est beaucoup plus proche des monospaces rivaux. **SH**

Cube | Nissan (J)

1998 • 1 800 cm³, S4 • 122 ch • 0-97 km/h en 10 s • 169 km/h

Curieusement, ce minuscule utilitaire Nissan est de plus en plus cubique depuis sa première mise sur le marché. Le Cube d'origine s'inspirait de la Nissan Micra à hayon et avait tout d'une version à toit plus haut que celle-ci. Il s'est principalement vendu au Japon. La deuxième génération est arrivée en 2002 avec un look plus rond, plus jouet, et une lunette arrière englobante d'un seul côté seulement. Après 2008, la troisième génération, la première à être exportée de manière officielle, a très vite acquis un statut culte en Europe et aux États-Unis.

Le Cube était fidèle à la tradition Nissan des voitures micros, rétros et bizarres, comme la Figaro et la S-Cargo. Elle tombait dans la catégorie : « On l'aime ou on la déteste. » Le gourou du style qu'était Stephen Bayley y a vu « un amusant affront fait aux conventions » alors que le *Los Angeles Times* a parlé d'une « boîte de laideur ». La réalité était plus prosaïque. Le Cube était une petite fourgonnette permettant d'accueillir cinq adultes, et sa surface de charge était accessible par une porte latérale à poignée. Sa conduite était agréable, surtout en ville, même si le fait de reculer les sièges arrière empiétait sur la quasi-totalité du coffre. Le Cube est bien équipé avec un toit ouvrant en verre, des roues en alliage et un système de navigation. Les performances et la consommation sont moyennes.

Il existe deux versions électriques, dont une avec système 4x4 débrayable. On peut aussi trouver des boîtes de vitesses manuelles, automatiques pour certaines ou à transmission à variation continue (CVT). Les chiffres ci-dessus sont ceux de la version la plus puissante. **SH**

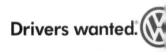

Drivers wanted.

◁ La Nouvelle Coccinelle de Volkswagen était disponible
en plusieurs couleurs, comme le montre cette publicité de 1999.

Nouvelle Coccinelle
Volkswagen

1998 • 1 984 cm³, S4 • 117 ch
0-97 km/h en 10,9 s • 185 km/h

La Nouvelle Coccinelle de Volkswagen était sans conteste la descendante de son ancêtre dessinée par Porsche et elle en a hérité un certain nombre de détails pour son design. Comme la vieille Coccinelle refroidie par air, elle présentait des ailes séparées, des phares penchés, de larges feux arrière en «pied d'éléphant» et le même profil courbe. Contrairement à son aïeule, la Nouvelle Coccinelle bénéficiait du refroidissement par eau de la Golf Mark IV. Une large gamme de moteurs était disponible, mais cette voiture n'était pas spécialement révolutionnaire. Sa forme était néanmoins agréablement originale à une époque où tous les véhicules avaient tendance à se ressembler. Proposée dans toute une palette de couleurs vives, elle a connu un succès immédiat. En 2003, les ventes ont encore augmenté avec le lancement de la version décapotable.

Tout n'était cependant pas parfait. La marque allemande avait une réputation d'excellente qualité, mais nombre de Nouvelle Coccinelle fabriquées au Mexique ont présenté de sérieux problèmes électriques et mécaniques. L'habillage intérieur était fragile et la décapotable avait de nombreux soucis au niveau du capot et du mécanisme des vitres.

Quand la production a cessé fin 2010, quelque 1 164 000 voitures s'étaient vendues dans le monde, et 74 % des acheteurs étaient des femmes.

En Amérique du Nord, une Nouvelle Coccinelle de seconde génération a été annoncée en novembre 2010 lors de la dernière émission de *Oprah's Favorite Things*. L'équipe de Volkswagen a distribué une clé de contact à chacun des 275 membres du public afin qu'ils aillent chercher leur propre véhicule l'année suivante. **DS**

TD 2000 Silverstone
TD Cars

1998 • 2 000 cm³, S4 • 130 ch
0-97 km/h en 6,7 s • 180 km/h

Cette Silverstone ressemble à une voiture de sport britannique des années 1930, mais possède une carrosserie en fibre de verre légère et moderne, un châssis en acier et un moteur Twin Cam de chez Toyota. Nostalgie mise à part, la copie est bien supérieure à l'originale.

La Silverstone a été dessinée pour reprendre ce qu'il y avait de mieux dans la MG TA Midget de 1936. On imagine facilement des pilotes moustachus de la RAF conduire cette MG, avec le côté glamour des roues à rayons et des sièges en cuir ainsi que du tableau de bord et du volant en bois. La réplique rétro de Malaisie présente un tableau de bord en loupe de noyer, des garnitures en cuir rouge, un volant cerclé de bois, des vitres à «rideaux» traditionnelles et des cadrans noir sur blanc. Il y a même un coffre qui s'ouvre sur le côté, une roue de secours montée sur le capot arrière, une housse couvre-capote, un porte-bagages de toit et des coloris deux tons en option.

Heureusement, cette voiture n'est pas une copie exacte. Les 4 roues sont équipées de freins à disque et on trouve aussi des éléments de sécurité comme le volant pliant, le troisième feu stop, une barre antirenversement et des renforts latéraux. Parmi les éléments modernes, citons le radio-CD et le système antidémarrage.

La traction est toujours arrière mais elle se fait par une boîte de vitesses japonaise automatique à 3 rapports ou manuelle à 5. Parmi les autres améliorations, citons l'injection électronique et une suspension sportive indépendante à double fourchette. Comment comparer ces deux voitures ? Disons seulement que la MG TA atteignait les 0-97 km/h en 23 secondes et que la TD 2000 n'a besoin que de 6,7 secondes. **DH**

Accord Type R | Honda ⓙ

1998 • 2 200 cm³, S4 • 220 ch
0-97 km/h en 6,9 s • 229 km/h

La Honda Accord Type R ne se distinguait pas facilement du reste de la ligne Accord. Rien n'indiquait la présence d'une suspension sport indépendante renforcée, de freins améliorés ou d'un différentiel autobloquant. Le système d'échappement double et la boîte de vitesses manuelle légère à 6 rapports rapprochés étaient invisibles, et l'on ne pouvait deviner que le moteur caché sous le capot était un VTEC de 2 200 cm³. En fait, la seule indication était un minuscule « R » rouge apposé sur la calandre et le capot arrière.

Aux États-Unis, la ligne Accord a été un best-seller ; en revanche, l'Europe y a vu un véhicule cher et banal par rapport à ses homologues continentaux. La berline à 4 portes et à 4 roues motrices était confortable et fiable, mais elle ne plaisait qu'aux conducteurs « pépères ».

Avec la virilité de son moteur, la Type R a causé un choc. La voiture était plus dépouillée donc plus légère, les vitres électriques arrière et le toit ouvrant ayant été abandonnés et la finition intérieure minimisée. On trouvait des sièges sport Recaro, un volant Momo bordé de cuir et un pommeau de levier de vitesses gros et court.

Si la Type R ne s'est vendue qu'en Europe et n'a connu qu'une brève période de production de cinq ans, elle a rempli son contrat : montrer à l'Europe qu'une Honda de type familial n'était pas réservée qu'aux familles. **SH**

Seville STS | Cadillac ⓤⓈⒶ

1998 • 4 565 cm³, V8 • 300 ch
0-97 km/h en 6,8 s • 217 km/h

Les Cadillac Seville de 1997 et 1998 ont l'air de jumelles quand on les regarde de loin. Le style de la STS 1998 n'avait rien de remarquable : elle était seulement un peu plus large et plus courte que son prédécesseur, un peu plus courbe aussi. La grande innovation de la nouvelle berline Cadillac 4 portes était son moteur Northstar V8, un des meilleurs au monde selon les connaisseurs : pas besoin de système d'injection, et une révision tous les 150 000 kilomètres seulement !

La STS avait aussi un système de modification des algorithmes de comportement (PAS) qui anticipait un virage et choisissait le rapport idéal. Ajoutons à cela une « suspension consciente », qui s'ajuste d'elle-même quand la voiture roule sur du bitume, et le conducteur n'a plus grand-chose à faire sinon tourner le volant.

L'inconvénient était la lenteur frustrante de la boîte de vitesses automatique. La STS était aussi une traction avant dans un monde de tractions arrière, même si, d'après Cadillac, les consommateurs se moquaient de savoir quel train de roues faisait le travail.

La STS a été la première incursion de Cadillac sur le marché européen et la meilleure représentante de la marque à ce jour, pourtant ses ventes n'ont pas décollé. Elle était trop grosse et trop gourmande en essence, sans avoir la qualité d'une Mercedes ou d'une BMW. **BS**

Racing Puma | Ford USA

1999 • 1 679 cm³, S4 • 155 ch
0-97 km/h en 7,8 s • 209 km/h

Le concept de la Ford Puma ST160, version «d'inspiration rallye» de son petit coupé sport, a été présenté pour la première fois au Salon de l'automobile de Genève en 1999. Un feedback positif a incité Ford à produire une série limitée de 1 000 Racing Puma en partenariat avec Tickford Engineering, en Grande-Bretagne.

Les Puma déjà montées et toutes peintes du même « bleu course » de la marque étaient envoyées chez Tickford, où l'intérieur de série recevait un habillage bleu Alcantara, des sièges de course Sparco et un volant à trois branches. Avec le nouveau moteur Sigma (16 soupapes et 1 679 cm³, développé en partenariat avec Yamaha) et un échappement sport Janspeed, les performances étaient de près de 30 chevaux supérieures à celles de la Puma standard. La presse spécialisée a écrit que la Racing Puma était la traction avant la plus maniable jamais conduite et l'a mise au même rang que l'Integra Type R de Honda ou la Lotus Elan M100.

La voiture était trop chère à cause d'un processus de production complexe. Même à 36 000 dollars, Ford perdait de l'argent sur chaque vente. Après s'être battu pour se débarrasser des invendus des concessionnaires, le constructeur a ramené la fabrication à 500 véhicules en Grande-Bretagne. Aujourd'hui, les fans de Ford feraient tout pour avoir une Racing Puma. **DS**

Celica | Toyota J

1999 • 1 794 cm³, S4 • 190 ch
0-97 km/h en 7,2 s • 225 km/h

1999 a été l'année de la septième et dernière génération de coupés sport Celica. La Celica Mark VII avait un nouveau design avec un arrière gros et court, des prises d'air sur le capot et sous le pare-chocs avant ainsi qu'une inclinaison plus forte de ses phares. Si elle ressemblait à une voiture rapide, elle était faite pour la route, pas pour les rallyes. Seuls des moteurs de 1 794 cm³ étaient disponibles mais leur puissance changeait selon le pays. Le VVT-i était le meilleur de tous, avec son calage variable des soupapes et son injection électronique séquentielle. Les chiffres de la version européenne sont donnés ci-dessus, ceux de l'Amérique du Nord sont un peu inférieurs. La Celica avait toujours constitué un bon choix avec ses révisions peu fréquentes, son coût d'entretien raisonnable, ses dispositifs de sécurité et sa faible perte de valeur à la revente. Ces facteurs comptaient certainement plus que le fait que les sièges arrière ne pouvaient accueillir que des enfants. Le grand hayon en verre donnait quand même accès à un vaste coffre pouvant encore être agrandi en repliant les sièges arrière.

La concurrence était trop grande pour la Celica Mark VII. Des voitures rivales comme la Mazda RX-8, la Chrysler Crossfire ou la Nissan 350Z se vendaient mieux, de sorte que la série Celica a pris fin en 2006 après 36 années de bons et loyaux services. **SH**

DB7 Vantage | Aston Martin

GB

1999 • 5 935 cm³, V12 • 420 ch • 0-97 km/h en 5 s • 296 km/h

La DB7 a été la première Aston Martin développée en collaboration avec Ford, devenu propriétaire d'Aston en 1988. Le modèle a été présenté au Salon de l'automobile de Genève en 1993. Il avait pour base la Jaguar XJS (Ford détenait également Jaguar) et la pureté architecturale de son moteur devait beaucoup à la Jaguar XJR de 1995-1997. On éprouvait un étrange sentiment de déjà-vu, dans la forme principalement : de loin, la nouvelle DB7 pouvait être prise pour la nouvelle Jaguar XK8. Les ressemblances étaient indiscutables, mais la nouvelle DB7 ne faisait que lancer une série qui allait se révéler être du pur Aston Martin.

En 1999, la DB7 et sa cousine décapotable ont été suivies de la DB7 Vantage et de la Vantage Volante, une décapotable. Vantage (c'est-à-dire « supériorité ») était chez Aston Martin synonyme de « performance »,

et tous les modèles Vantage du passé avaient des moteurs destinés à donner le maximum de puissance. Cette fois-ci, l'amélioration allait encore plus loin, le nouveau modèle Vantage étant la première production Aston à bénéficier d'un moteur V12. L'augmentation de puissance était massive par rapport aux modèles de 1993-1998 et la voiture a eu besoin de freins Brembo améliorés, d'un châssis sensiblement modifié et d'une suspension capable de l'aider à faire face à sa force toute neuve.

L'intérieur présentait tout le raffinement attendu par les clients d'Aston : cuir, bois, daim, instruments de précision. La conduite de la DB7 constituait toutefois son progrès majeur. Elle laissait loin derrière les écueils du passé pour devenir enfin ce dont tout amoureux d'Aston pouvait être fier quand il négociait un virage. **BS**

SC-5A | Strathcarron

1999 • 1 200 cm³, S4 • 125 ch • 0-97 km/h en 5,6 s • 201 km/h

Le Strathcarron SC-5A était un petit véhicule de sport ultraléger imaginé par Ian McPherson, journaliste spécialisé et auteur de deux romans d'espionnage, qui a hérité en 2006 du titre de lord Strathcarron.

Présentée au Salon de l'automobile de Genève en 1999, c'était une 2 places à carrosserie composite, dotée à l'origine d'un moteur de moto Triumph Trophy de 1 200 cm³ placé au centre et développant 125 chevaux. On y trouvait également la boîte séquentielle à 6 rapports de la moto.

Le SC-5A a participé à de nombreuses épreuves sur piste. Ce petit roadster dépouillé sans toit, ni portes, ni chauffage a eu de nombreux admirateurs. Son moteur haute performance était rapide et sa conduite facilitée par une suspension complexe. La société Strathcarron voulait vendre une cinquantaine d'exemplaires à partir de l'année 2000, mais un brusque changement de la législation britannique a suscité des problèmes peu après son lancement : le SC-5A n'était plus autorisé à rouler sur route.

Le design a été modifié à la hâte et le moteur de moto remplacé par un autre de la série K de Rover. Cela fait, d'autres problèmes se sont fait jour, d'ordre financier cette fois : en 2001, la société a fait faillite après seulement 17 ventes.

L'unique solution était de céder le projet. En 2002, le droit de construire cette voiture est échu à Javan Smith, qui l'a commercialisée sous le nom de Javan R1. La forme était pratiquement la même mais le moteur avait changé encore une fois : un Honda VTEC de 223 chevaux donnait un rapport puissance-poids supérieur à celui de nombreuses supercars. **JB**

Insight | Honda (J)

1999 • 995 cm³, S3 plus électrique
68 ch • 0-97 km/h en 10,6 s • 180 km/h

Quel a été le premier véhicule hybride à se vendre dans le monde entier ? La plupart des gens répondraient la Toyota Prius, mais en fait la Honda Insight s'est imposée sur le marché japonais et dans les autres grands pays dès 1999. Lancée au Japon deux années plus tôt, la Prius n'a conquis le monde qu'en 2001. L'Agence américaine de protection de l'environnement (EPA) a attribué d'excellentes notes à l'Insight de 2000 : 4 litres aux 100 kilomètres sur route et 4,6 en ville.

Lors de son lancement en 1999, Honda a défié plusieurs magazines spécialisés pour prouver son intérêt économique. L'équipe de *Car and Driver* a préparé tout particulièrement une Ford Excursion avec laquelle l'Insight pourrait être conduite dans un environnement aérodynamique quasi parfait. Elle ne consommait que 2,3 litres aux 100 kilomètres à une vitesse moyenne de 93 km/h. Dans la réalité, les chiffres n'étaient pas aussi impressionnants. Avec une transmission à variation continue (CVT) et la climatisation, la consommation passait à près de 5 litres aux 100 kilomètres.

L'Insight, dont le moteur à essence alternait avec un moteur électrique d'un peu plus de 13 chevaux, avait un design trop radical. Honda misait sur une clientèle de primo-acquéreurs urbains qui désiraient une voiture avec une certaine identité. L'Insight en forme de larme était mignonne et chic, avec des couvre-roues, mais ce n'était qu'une 2 places sans grande surface de rangement. Plus spacieuse, la Prius s'est vendue à plusieurs millions d'exemplaires alors que l'Insight était à la peine. Elle a été abandonnée en 2006. Une nouvelle génération a vu le jour en 2009, mais c'était une voiture à hayon d'aspect conventionnel. **LT**

Zonda | Pagani (I)

1999 • 5 987 cm³, V12 • 750 ch
0-97 km/h en 3 s • 375 km/h

En 1992, l'homme d'affaires argentin Horacio Pagani cherchait à concurrencer Ferrari et Lamborghini : rares étaient ceux qui le croyaient capable de transformer l'idée qu'on se faisait d'une supercar.

Pagani et Juan Manuel Fangio, légende de la formule 1, ont travaillé sur le projet d'une voiture de sport à moteur central. Pagani était résolu à en faire une sorte d'œuvre d'art, avec un intérieur luxueux, des instruments réalisés sur commande et un changement de vitesses chromé. Fangio acceptait de donner son nom à cette voiture si elle bénéficiait d'un moteur Mercedes. Il est malheureusement mort avant sa présentation au Salon international de l'automobile de Genève en 1999. En hommage au pilote disparu, elle a été baptisée Zonda, nom du vent qui souffle dans les Andes argentines.

La technologie de l'aérospatiale marquait la construction de la Zonda. Elle en a aussi inspiré l'esthétique : la verrière en forme de bulbe est située au-dessus du conducteur et placée en avant comme celle d'un avion de chasse, et les quatre pots d'échappement sont réunis comme le barillet d'une mitrailleuse Gatling.

Quelque 140 véhicules ont été vendus au cours des douze années de production. Le meilleur a peut-être été la Zonda R, voiture de compétition qui a battu en juin 2010 le record du tour sur le circuit du Nürburgring avec 6 minutes et 47 secondes. Ses caractéristiques sont indiquées ci-dessus.

Le magazine *Top Gear* a écrit que Horacio Pagani était « le Léonard de Vinci des constructeurs automobiles, un génie rare dont la maîtrise de l'équilibre entre maintien et puissance, modernité et classicisme, a donné naissance à la machine à conduire la plus pure de la planète ». **DS**

TT Roadster | Audi

D

1999 • 1 968 cm³, S4 • 170 ch • 0-97 km/h en 7,5 s • 225 km/h

Lancée juste un an après le coupé, l'Audi TT Roadster Mark I a été montée dans la même usine, à Györ, en Hongrie. En dépit d'une mauvaise presse lui reprochant son manque de stabilité à grande vitesse et de menus problèmes électriques, les listes d'attente ont été longues pour ce qui était devenu la voiture à toit escamotable la plus désirable de la fin des années 1990.

Inspiré du style Bauhaus, le design du TT est l'œuvre de l'équipe américaine de J. Mays et Freeman Thomas, lesquels avaient travaillé ensemble sur la Nouvelle Coccinelle de Volkswagen. La version décapotable n'avait pas toute la simplicité élégante du tin-top, mais peu de gens l'avaient achetée en espérant la voir se comporter comme une voiture de course. Pour cette raison, bien des clients ont choisi dans la gamme Audi des moteurs plus économiques. Beaucoup de

TT Roadster Mark I ont été équipés d'un moteur de 1 800 cm³, et 182 chevaux, tandis que le Mark II recevait pour la première fois un moteur turbo-diesel de 1 968 cm³ (caractéristiques indiquées ci-dessus).

Plus maniable, le Mark II est plus long et plus large que son prédécesseur, mais les sièges arrière sont toujours minuscules. En revanche, le toit électrique s'ouvre et se replie en moins de 12 secondes. Le TT s'est toujours bien vendu en Amérique du Nord et dans le sud de l'Europe : c'est une alternative à la BMW Z4 et à la Mercedes SLK.

Le TT Roadster est devenu une icône du design. Il demeure le choix par défaut de l'automobiliste recherchant un véhicule à toit escamotable stylé, bien construit et jouissant de la bénédiction de la marque Audi. **DS**

S2000 | Honda

1999 • 2 000 cm^3, S4 • 250 ch • 0-100 km/h en 6,2 s • 241 km/h

Pour célébrer son cinquantième anniversaire, Honda a construit une jolie 2 places bénéficiant d'un des moteurs non turbo les plus puissants jamais créés. Légère, avec un moteur Twin Cam et 16 soupapes, elle incorporait de nombreux progrès technologiques apportés par la compétition.

Le moteur Honda bénéficiait entre autres d'un calage variable des soupapes permettant de tirer le maximum de sa puissance quelle que fût la situation. Il pouvait friser les 9 000 tours par minute comme une moto à plein régime et atteignait sa puissance maximale (250 chevaux) à 8 300 tours par minute, de quoi faire exploser la plupart des moteurs de 2 000 cm^3.

En dehors de cet excellent groupe moteur, la Honda S2000 avait un système de direction assistée très précis, une énorme adhérence et une traction arrière de

qualité. Il y avait de quoi rêver : boîte de vitesses sport à 6 rapports rapprochés, différentiel autobloquant pour une meilleure traction ou encore suspension à double fourchette de haute qualité. La S2000 était appréciée pour sa fiabilité et le soigné de sa construction. Elle a des années durant été première dans les enquêtes de satisfaction portant sur les voitures de sport.

Mais le roadster Honda – successeur des S500, 600 et 800 des années 1960 – n'avait pas toute la personnalité ni le charme qui, à la même époque, expliquaient le succès dans le monde entier de la Mazda MX-5.

Au fil des ans, des corrections ont été apportées : meilleur contrôle de la traction, suspension renforcée pour davantage d'adhérence et capot repliable en 6 secondes. Malgré tout, les acheteurs s'en sont détournés et la production a cessé en 2009. **SH**

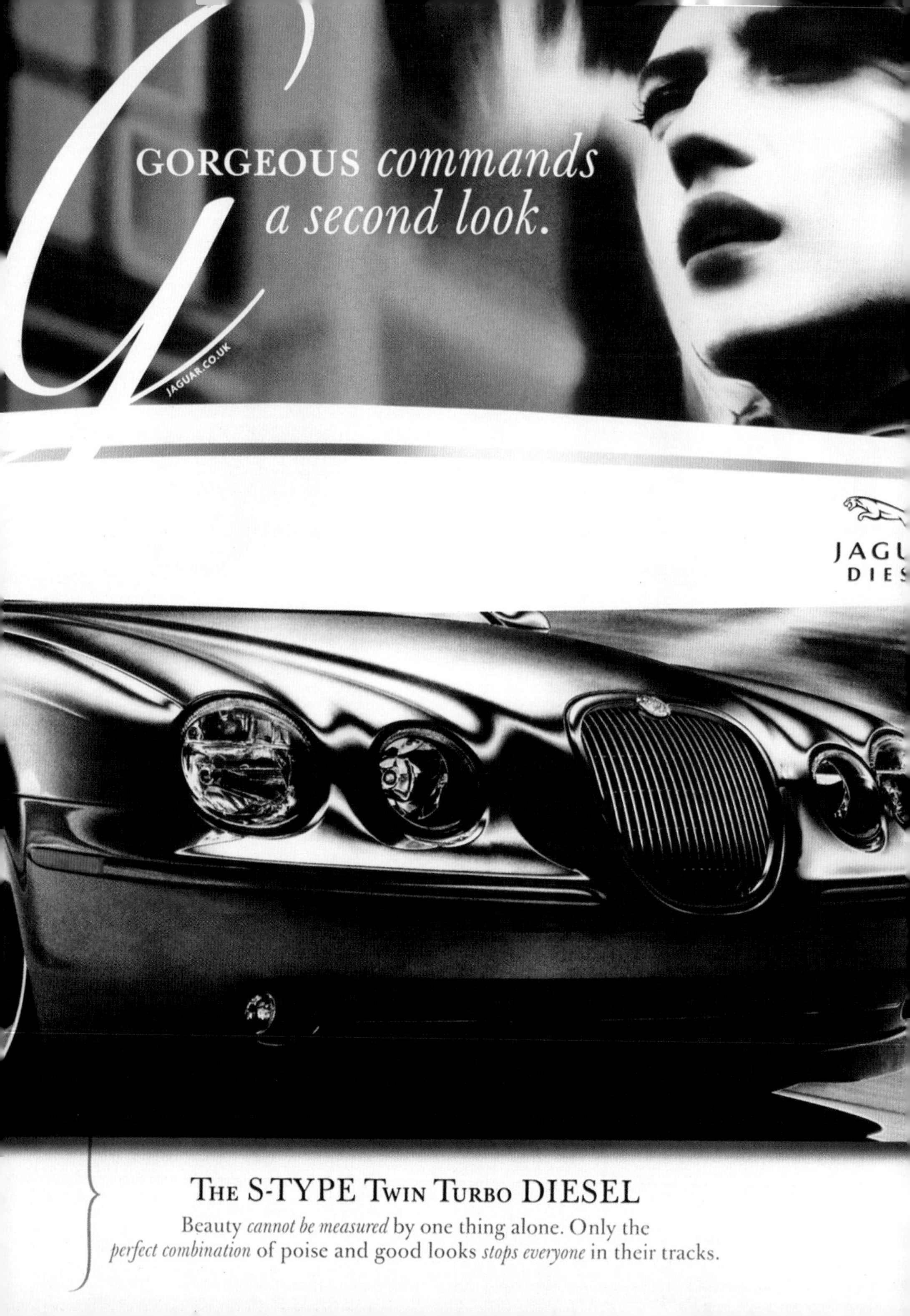

GORGEOUS *commands a second look.*

JAGUAR.CO.UK

JAGUAR
DIESEL

THE S-TYPE TWIN TURBO DIESEL

Beauty *cannot be measured* by one thing alone. Only the *perfect combination* of poise and good looks *stops everyone* in their tracks.

S-Type | Jaguar

1999 • 3 000 cm³, V6 • 240 ch
0-97 km/h en 8 s • 267 km/h

Le design de la S-Type rappelait délibérément l'héritage automobile de Jaguar pour s'imposer sur un marché dominé par les marques allemandes. La lunette arrière arrondie, les quatre phares séparés et la calandre rétro évoquaient les Jaguar des années 1960. Sous le style classique se cachait toutefois une voiture moderne construite dans la vieille usine Jaguar de Castle Bromwich, en Angleterre… et à Taiwan, en Asie.

Ce véhicule de prestige à 4 portes faisait plateforme commune avec la Ford Thunderbird et la Lincoln LS. C'était une vraie berline sportive à traction arrière conçue par le designer automobile britannique Geoff Lawson. Elle devait prendre des parts de marché à BMW, Audi et Mercedes, c'est pourquoi elle s'est présentée avec une large gamme de motorisation, du 2 500 cm³ V6 au 4 200 cm³ V8. Il y eut même une version diesel à double turbocompresseur de 2 700 cm³. Les caractéristiques ci-dessus concernent la 3 000 cm³ V6 automatique de 1999. La S-Type R surcomprimée est venue rejoindre la gamme avec sa carrosserie sportive et son moteur V8 de 4 200 cm³ : elle atteignait les 0-97 km/h en 5,3 secondes seulement.

Toutes les S-Type arboraient un style élégant tant à l'intérieur qu'à l'extérieur. La conduite était douce et confortable, les moteurs puissants et sans à-coups. L'intérieur était typique des Jaguar, souvent habillé de bois et de cuir, toujours avec des équipements de haute qualité disposés de façon traditionnelle : régulateur de vitesse automatique, phares automatiques, siège conducteur électrique. La tradition s'arrêtait là toutefois : le jaguar bondissant du capot n'était plus proposé en série, seulement en option. **SH**

Skyline GT-R R34 | Nissan

1999 • 2 688 cm³, S6 • 276 ch •
0-97 km en 5,2 s • 250 km/h

Dernière à porter le nom de Skyline, la R34 a été la cinquième génération de ce véhicule à hautes performances de Nissan. Sa dernière version allait simplement être appelée GT-R. Si son moteur était identique à celui du modèle précédent, la nouvelle voiture était moins longue, avec un porte-à-faux plus court. Son avant présentait également des différences subtiles, progressant légèrement vers l'aspect totalement remanié qu'allait avoir la GT-R après quelques années d'évolution de la gamme.

Dans l'habitacle, un écran LCD affichait des informations telles que la température de l'huile et de l'eau, la pression du turbo, la répartition du couple ainsi que la position de la pédale d'accélérateur. Le moteur six cylindres bi-turbo de 2 688 cm³ développait 276 chevaux mais beaucoup de propriétaires du modèle de série annoncèrent des valeurs supérieures. Réussir à atteindre des performances supérieures à ce qui était prévu témoigne de la puissance du moteur et de la transmission de la R34.

Si le moteur de la R34 était très proche de celui du modèle précédent, il avait cependant été perfectionné pour obtenir des performances plus régulières. La voiture apparaissait dans le film *Fast and Furious 2*, mais s'était révélée trop puissante pour la caméra. Comme le réalisateur avait besoin qu'elle dérape dans un style purement hollywoodien, il avait fait déconnecter son arbre de transmission avant pour la transformer en une traction à deux roues motrices. Une version V-Spec de la R34 était en outre dotée du système ATTESA qui distribue la puissance de manière optimale vers les roues avant lorsque les conditions de route l'exigent. **JI**

2000–2013

Sur la Audi E-tron, concept-car de 2010, un moteur électrique anime chacune des 4 roues.

La Z8 de BMW avait laissé les critiques perplexes, mais elle était suffisamment racée pour être utilisée par James Bond dans *Le monde ne suffit pas* (1999). ▷

ML 55 AMG | Mercedes-Benz (D)

2000 • 5 439 cm³, V8 • 342 ch
0-97 km/h en 6,9 s • 241 km/h

En 2000, date de la sortie du tout-terrain ML 55 AMG de Mercedes-Benz, celui-ci était aussitôt devenu le SUV le plus rapide et le plus maniable au monde. Il était doté d'un fabuleux moteur V8 à 24 soupapes de 5 439 cm³ en aluminium mis au point par AMG.

La technologie avait permis d'améliorer son comportement routier par rapport à la Classe M classique. Le logiciel de contrôle de stabilité d'AMG permettait de détecter un défaut de traction et d'adapter le freinage afin de ramener le véhicule sur la trajectoire prévue. Le ML 55 était aussi le premier SUV à être équipé à la fois d'airbags avant et latéraux.

Le nouveau modèle était spacieux et bien équipé. L'intérieur était habillé de cuir et de ronce de noyer, doté de jolis sièges. En revanche, sa finition globale n'était pas la plus aboutie. Les modifications du moteur et du châssis avaient été exécutées en Allemagne, mais l'assemblage avait été réalisé aux États-Unis, dans l'usine Mercedes de la Classe M située en Alabama.

Dans *Top Gear*, l'émission de la BBC consacrée à l'automobile, une imperfection avait été constatée sur l'une des tôles de l'AMG par l'animateur Jeremy Clarkson, qui avait pu passer les doigts entre le garde-boue arrière et les feux. Le fâcheux interstice était révélateur des défauts de finition du véhicule et avait donné lieu à de cruelles plaisanteries sur les « Mercedes de l'Alabama ».

Dans l'ensemble, cependant, le modèle connut un immense succès. Version à hautes performances de la Mercedes 320, il possédait la réactivité d'une voiture de sport, le raffinement d'une berline de luxe et la puissance nécessaire pour faire face aux meilleurs 4x4 tout-terrain de l'époque. **BS**

Z8 | BMW (D)

2000 • 4 941 cm³, V8 • 400 ch
0-97 km/h en 4,8 s • 249 km/h

Dans *Le monde ne suffit pas* de 1999, une BMW Z8 conduite par James Bond (Pierce Brosnan) est coupée en deux par un hélicoptère. Qu'elle figure dans le film témoignait de l'attrait exercé par la nouvelle BMW. Les 5 703 exemplaires produits avaient été fabriqués à la main et près de la moitié d'entre eux exportés aux États-Unis.

La Z8 était une version de série de la Z07, un concept-car présenté au Salon de l'automobile de Tokyo en 1997. Conçue pour rappeler la BMW 507 classique de 1956, la Z07 avait été dessinée en Californie par Henrik Fisker à titre d'exercice de style. Cependant, ses performances n'ont pas été historiques. Propulsée par le V8 de la M5 de BMW, la Z8 affichait des chiffres d'accélération standards pour l'époque. BMW ne l'avait équipée que d'une boîte de vitesses manuelle à 6 rapports, même si Alpina en proposait une version automatique.

Sa carrosserie galbée dissimulait un certain nombre d'innovations techniques, telles que des feux rouges et des feux clignotants alimentés par des tubes à néon, des clignotants dissimulés dans des ouïes d'aération pour les rendre invisibles lorsqu'ils ne fonctionnaient pas et des pneus anticrevaison. Pour rendre l'habitacle rétro plus sobre, les équipements modernes étaient discrètement placés derrière des caches. Chaque voiture était vendue avec un hard-top assorti.

Le magazine *Car and Driver* avait testé la voiture et constaté qu'elle était dotée d'une meilleure accélération que la Ferrari 360 Modena. En revanche, elle déroutait certains critiques. S'agissait-il d'une voiture de luxe, d'une voiture néorétro ou d'une supercar ? Le magazine *Bimmer* est, semble-t-il, celui qui l'a le mieux définie, en la qualifiant de « supercar civilisée ». **RD**

M3 | BMW (D)

2000 • 3 246 cm³, S6 • 338 ch
0-97 km/h en 5,1 s • 249 km/h

La M3 dévoilée à l'occasion du Salon de l'automobile de Paris en 2000 était la version série 3 E46. Elle possédait beaucoup d'atouts et comportait toutes les options attendues, telles qu'une suspension et des freins améliorés ainsi qu'un différentiel à glissement limité qui améliorait la traction. Plus intéressant encore, cette M3 comportait le moteur doté du meilleur rendement à l'époque pour un moteur BMW atmosphérique.

Équipée au choix d'une boîte de vitesses manuelle à 6 rapports ou d'une boîte manuelle séquentielle de Getrag, la M3 à propulsion avait rapidement obtenu de nombreuses distinctions pour ses performances. Les conducteurs appréciaient sa puissance, développée grâce à un châssis bien équilibré, mais son freinage avait été le premier élément modifié pour les pilotes sur circuit. Comme presque toutes les voitures allemandes de l'époque, la M3 était dotée d'un limiteur de vitesse, mais sur un tronçon d'autoroute adapté et sans ce limiteur, elle pouvait atteindre 307 km/h.

Les acheteurs avaient le choix entre un coupé et une décapotable équipée d'une capote en tissu. Quel que fût le style choisi, ils se trouvaient au volant de l'une des grandes BMW. Il s'agissait toutefois de la dernière M3 6 cylindres, car les modèles suivants ont été équipés d'un moteur 8 cylindres. **RD**

Impreza P1 | Subaru (J)

2000 • 1 994 cm³, F4 • 280 ch
0-97 km/h en 4,8 s • 250 km/h

En 1999, Subaru Grande-Bretagne avait un problème. Les automobilistes britanniques souhaitaient avoir accès aux versions ultrasportives de l'Impreza présentes sur le marché japonais. Les importateurs non officiels se frottaient les mains, plongeant les concessionnaires Subaru dans l'embarras. De plus, les véhicules importés hors des circuits habituels échappaient à certains contrôles.

Subaru a contacté Prodrive, la société britannique responsable de son équipe de rallye et préparateur officiel, qui avait conçu l'Impreza P1. La puissance utile du moteur boxer avait été portée à 280 chevaux (au lieu des 217 chevaux du modèle d'origine), ce qui avait fait passer de 6,3 à 4,8 secondes son temps d'accélération de 0 à 97 km/h. La suspension, déjà excellente, avait été remaniée spécifiquement pour les routes de Grande-Bretagne.

L'Impreza P1 était la plus extrême et la seule en version berline 2 portes. Ses ailerons avant et arrière avaient été dessinés par Peter Stevens, l'homme qui avait conçu les Subaru 555 pour le Championnat du monde des rallyes et la formule 1 de McLaren. Elle était aussi équipée d'un ABS, d'une direction plus rapide, d'une timonerie de boîte de vitesses raccourcie et de jantes en alliage OZ. Tantôt sauvage, tantôt sublime, la P1 était une véritable ultrasportive dédiée à la route. **JI**

Defender | Land Rover (GB)

2000 • 3 950 cm³, V8 • 182 ch
inconnue • inconnue

Tout au long de *Lara Croft : Tomb Raider*, film d'aventures de 2001 riche en action, l'héroïne (Angelina Jolie) conduit un Land Rover Defender modifié. Peint en gris foncé et renforcé de plaques d'aluminium striées en damier, le véhicule est doté d'une boîte de vitesses automatique et équipé d'une cage de sécurité, d'un porte-bagages de toit, d'un périscope pour traverser les rivières, de treuils et de phares Safari.

Deux pick-up 110 de grande capacité avaient été réalisés sur mesure pour le film par une équipe de dix hommes sur le site de Land Rover. Chacun avait coûté 175 000 dollars et nécessité 500 heures de travail. L'un d'eux fait aujourd'hui partie de la collection du musée Heritage Motor Centre du Warwickshire en Angleterre.

Land Rover a construit 250 exemplaires du Defender Tomb Raider. Ceux-ci, qui n'ont été commercialisés que dans des concessions britanniques, étaient propulsés par le turbo-diesel à 5 cylindres de Land Rover. Possédant le même ton de gris Bonatti et un toit noir, ils comportaient des plaques spéciales et des accessoires d'expédition rappelant le modèle Tomb Raider.

Le film avait constitué une belle occasion pour Land Rover de présenter ses véhicules à un public plutôt jeune. D'autres Land Rover y apparaissaient, notamment deux Discovery et un Freelander V6. **DS**

X5 Le Mans | BMW (D)

2000 • 5 999 cm³, V12 • 700 ch
0-97 km/h en 4,6 s • 278 km/h

Le X5 Le Mans a été présenté au Salon de l'automobile de Genève en 2000. Il s'agissait d'un concept-car destiné à démontrer les capacités maximales sur route du nouveau SAV (« Sports Activity Vehicle ») de BMW.

Un peu plus tôt, au printemps, BMW avait retiré un X5 classique de sa chaîne de production en Caroline du Sud (États-Unis) et l'avait expédié par bateau en Allemagne. Au moment de son arrivée, une équipe de douze ingénieurs de BMW l'avaient équipé d'un moteur V12 de 5 999 cm³ en alliage moulé provenant de la voiture de sport de la firme allemande victorieuse au Mans en 1999. Non bridé, le moteur pouvait développer 700 chevaux. Partout où cela était possible, l'aluminium et la fibre de carbone, plus légers, remplaçaient les matériaux habituels, et l'habitacle avait été pourvu de 4 sièges baquets. Hormis les jantes en alliage de course de 51 centimètres et un abaissement de la suspension, les seules modifications extérieures étaient l'élargissement de la prise d'air à l'avant et le décuplement de la puissance du moteur.

BMW avait recruté Hans Joachim Stuck pour prendre le volant sur le circuit du Nürburgring. Durant deux jours, Stuck avait parcouru cet « enfer vert » sous les yeux de la presse et de la direction de BMW. Ayant bouclé le circuit en 7 minutes et 50 secondes, il avait réalisé un meilleur temps que la Z8 de BMW. **RD**

Elise 340R | Lotus

2000 • 1 796 cm³, S4 • 187 ch
0-97 km/h en 4,4 s • 209 km/h

La Lotus Elise 340R est née de l'imagination de quatre journalistes de la revue automobile britannique *Autocar* et d'une équipe d'ingénieurs attitrés de la Lotus. L'objectif était de créer une voiture dépouillée, conçue pour les circuits. Le constructeur britannique, qui avait en tête la Caterham Superlight R, visait une performance de 340 chevaux par tonne, pour un prix de 55 000 dollars.

Dépourvue d'ailes, de toit et de portières, la carrosserie en fibre de verre de la 340R couvrait à peine la moitié du châssis en aluminium et du cockpit. Les lames avant et le gros déflecteur arrière inspirés de la formule 1 amélioraient l'adhérence et permettaient à la voiture de prendre des virages à des vitesses effroyables. Les roues et les éléments de la suspension restaient exposés, ce qui donnait à la Lotus un style futuriste, spartiate, évoquant les motos minimalistes du type Ducati Monster.

La 340R était propulsée par une version ajustée du moteur Rover VHPD («Very High Performance Derivative») de 1 796 cm³ utilisé sur la Lotus Exige. Le magazine *Evo* la présentait avec enthousiasme : «La 340R est une Elise multipliée par onze. Le comportement du châssis lorsqu'elle est vraiment poussée est plus que brillant : presque inimaginable.» En 2009, *Evo* avait attribué à la 340R la seconde place sur sa liste des cent meilleures voitures à conduire ; la première place était revenue à la Pagani Zonda F, vendue 670 000 dollars.

Si la 340R ne peut dépasser les performances incroyables des meilleures Superlight de Caterham, elle est souvent considérée comme plus agréable à conduire. Après de premiers articles de presse élogieux, la totalité des 340 exemplaires de cette Lotus avaient été vendus avant même d'avoir été fabriqués. **DS**

Megabusa | Westfield GB

2000 • 1 300 cm³, S4 • 178 ch
0-97 km/h en 3 s • 238 km/h

Durant les cinquante dernières années, beaucoup de voitures ont été inspirées par la Lotus Seven. Westfield a pris une autre voie avec sa Megabusa, en la dotant d'un moteur de moto. Le fait d'utiliser un tel moteur, petit, puissant et à vitesse de rotation élevée, permet d'obtenir une vitesse et une agilité incroyables pour un faible coût.

Westfield avait choisi le moteur 16 soupapes de 1 300 cm³ de la Hayabusa GSX 1300R de Suzuki et l'avait relié à la boîte de vitesses séquentielle à 6 rapports de Suzuki pour propulser les roues arrière. Il s'agissait bien d'un moteur de moto, qui pouvait «crier» jusqu'aux 10 000 tours à chaque passage de rapport. La carrosserie sobre, en fibre de verre préalablement teintée, ne pesait que 440 kilos.

Westfield est une firme familiale implantée dans les Midlands de l'Ouest, en Angleterre. Elle fabrique des voitures de sport et a vendu plus de 12 000 kits ou voitures entières depuis ses débuts, en 1982. Parmi ses créations figurent une voiture inspirée de la Lotus Seven propulsée par un V8 ainsi qu'un projet de voiture de sport électrique.

La Megabusa est officiellement conçue à la fois pour la route et la course, mais elle manque de fonctionnalité pour être utilisée au quotidien. La liste de ses options, notamment sa cage de sécurité, ses ceintures quatre points et son volant rapidement rétractable pour faciliter l'accès à bord, montre bien qu'elle est destinée à la course. Ses propriétaires s'en donnent à cœur joie sur la route, bien qu'elle n'ait ni portes, ni système de chauffage, ni toit, le pare-brise étant en option. Coûtant environ 34 000 dollars, cette voiture est l'une des ultra-sportives les moins chères du monde. **SH**

Tuscan | TVR

2000 • 3 605 cm³, S6 • 350 ch • 0-97 km/h en 3,7 s • 254 km/h

Cette remarquable Tuscan était l'un des derniers modèles de TVR, petit constructeur de voitures de sport indépendant installé à Blackpool, en Angleterre. Troisième voiture de TVR à s'appeler Tuscan, elle était aussi l'une des plus rapides.

Il s'agissait de la première TVR à être propulsée par un moteur de la marque ; appelé « Speed 6 », celui-ci avait été proposé en version 3 605 cm³, puis 4 000 cm³, avec une puissance de 350 à 400 chevaux. La voiture était disponible en versions coupé, Targa et décapotable, à 63 000 dollars comme prix de départ.

TVR avait déjà commencé à développer le Speed 6 lorsque BMW avait racheté Rover, constituant une menace potentielle pour sa source d'approvisionnement en moteurs. La conception du Speed 6 avait été accélérée, et le patron de TVR, féru de médias, n'avait

pas manqué une occasion de faire sa promotion en affirmant : « Je ne veux rien d'allemand dans mes voitures. » Il ignorait probablement que la pompe à carburant et la bobine venaient de chez Bosch.

Habituellement, chez TVR, les équipements de sécurité étaient rares. La firme avait déclaré au journal *Telegraph* que la voiture était plus sûre sans système d'antipatinage, sans airbags ni ABS, car elle incitait les conducteurs à se montrer plus responsables de leur conduite.

Dans *Opération Espadon*, film de 2001 interprété par John Travolta et Hugh Jackman, les deux acteurs empruntent une Tuscan pour échapper à des dizaines de tueurs à gages les poursuivant dans des SUV noirs. Malheureusement, TVR n'en a tiré que peu de bénéfices, car la voiture n'était pas disponible aux États-Unis à l'époque. **RD**

Exige | Lotus

2000 • 3 456 cm³, V6 • 345 ch • 0-97 km/h en 3,8 s • 277 km/h

Dotée d'un hard-top aérodynamique, de gros ailerons et de beaucoup plus de chevaux sous le capot que la Lotus Elise, l'Exige était minimaliste, ultralégère et conçue pour apporter un plaisir de conduite maximal.

La première Exige, dérivée de l'Elise Série 1, était dotée d'un moteur central Rover VHPD (Very High Performance Derivative) de 1 800 cm³. La version ayant subi la préparation la plus poussée, capable de délivrer 192 chevaux, était rapidement devenue la meilleure sur circuit. Aujourd'hui, les Exige Série 1 sont presque des objets de collection, en raison de leur carrosserie fragile et du peu d'exemplaires fabriqués.

Les designers de l'Exige Série 2 s'étaient concentrés sur son aérodynamisme et le nouveau modèle avait une adhérence presque huit fois supérieure à celle de l'Elise classique. Quant à la version S260, elle délivrait 257 chevaux grâce à son moteur Toyota de 1 800 cm³ ; elle passait de 0 à 97 km/h en l'espace de 4 secondes.

En 2012, Lotus a annoncé que la nouvelle Exige S Série 3 allierait «des performances brutes, une agilité époustouflante ainsi qu'un confort et un comportement routier sans précédent». Possédant un empattement plus long que l'Elise et le moteur V6 de 3 500 cm³ de la Lotus Evora S, cette voiture a fait frémir d'excitation les amateurs de Lotus. Pesant 1 080 kilos, la nouvelle Exige S est une sportive extrêmement rapide, comme en témoignent les chiffres ci-dessus.

L'Exige R-GT en est une version très remaniée construite pour concurrencer ses rivales allemandes et italiennes sur le tarmac durant les Championnats du monde des rallyes, dont les rallyes de Monte-Carlo et de Sanremo. **DS**

GTR | Ultima

2000 • 6 300 cm³, V8 • 534 ch • 0-97 km/h en 2,6 s • 372 km/h

Ultima est un petit constructeur de supercars implanté dans le Leicestershire, en Angleterre. La GTR est un modèle qui a battu de multiples records. Elle a été conçue par Ted Marlow et Lee Noble (qui allaient fonder Noble Automotive par la suite).

La GTR se compose d'un châssis en treillis tubulaire et de panneaux de carrosserie en composite. Son moteur V8 de Chevrolet LS3 de 6 300 cm³ est apparié à une boîte-pont à 5 rapports G50 de Porsche. Le moteur délivre 534 chevaux en version de série, mais il est souvent modifié de façon à délivrer la puissance monumentale de 1 000 chevaux.

La voiture est un assemblage de composants de marque : AP Racing en a fourni les freins, Intrax la suspension, et les serrures des portes proviennent de la modeste Fiat Panda ; selon Ultima, elles étaient « les plus légères que nous ayons pu trouver ». Les portes papillon, une fois ouvertes, révèlent des sièges en cuir, en option, équipés de ceintures de sécurité. Cette voiture est autorisée sur route, mais fait peu de concessions au confort.

Ce sont ses performances qui ont rendu la GTR célèbre : elle détient, au moment de la rédaction de cet ouvrage, les records de vitesse suivants : celui du 0-97 km/h (2,6 secondes) ; du 0-160 km/h (5,3 secondes) ; du 0-100-0 km/h (9,4 secondes) ; et du 100-0 km/h (3,6 secondes).

Les modèles d'Ultima participent à des courses de diverses catégories dans le monde. Selon le magazine *Car and Driver*, « il y aurait beaucoup à dire, mais en résumé, nous serions prêts à sacrifier beaucoup pour une journée sur circuit au volant de la GTR ». La GTR est disponible à partir de 109 000 dollars. **RD**

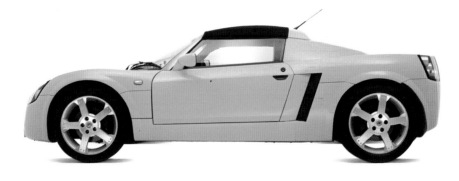

VX220 | Vauxhall

2000 • 2 196 cm³, S4 • 145 ch • 0-97 km/h en 5,6 s • 217 km/h

La Vauxhall VX220 à moteur central, surbaissée, avait été dessinée par un Australien, conçue en Allemagne et fabriquée en Angleterre. General Motors avait collaboré avec Lotus pour développer une voiture devant succéder à la célèbre Elise Série 1, de nouvelles législations européennes en matière de sécurité impliquant que Lotus n'allait pas pouvoir poursuivre sa production au-delà de l'an 2000. En réponse aux efforts consentis par GM, Lotus avait accepté de construire le pendant de la nouvelle Elise Série 2, en l'équipant cette fois d'un moteur Opel. Initialement appelée Lotus Type-116, la voiture avait été baptisée Opel Speedster en Europe et Vauxhall VX220 au Royaume-Uni.

GM espérait qu'une sportive légère inspirée de l'Elise permettrait de rehausser l'image de Vauxhall, et lorsque les toutes premières voitures destinées aux essais de la presse avaient été remises aux journalistes spécialisés dans l'automobile en 1999, les critiques avaient été élogieuses. La VX220 rugit plus que l'Elise, toutefois, c'est son comportement routier qui a fait sa réputation.

À son lancement, la VX220 atteignait la somme de 36 700 dollars, presque exactement le même prix que la nouvelle Elise. Malheureusement, la Lotus s'est cinq fois mieux vendue. En Grande-Bretagne, Vauxhall ne parvenait pas à faire oublier son image de constructeur de voitures trop sages, même si la VX220 était très réussie. Seules 5 267 voitures à aspiration normale avaient été fabriquées avant l'arrêt de la production en 2004.

En décembre 2009, le magazine *Evo* avait classé la voiture parmi les dix plus grandes de la décennie, et un journaliste avait déclaré : « La première fois que vous avez une VX220 devant les yeux, vous oubliez de respirer. » **DS**

Connue comme étant la voiture de James Bond, la Vanquish doit néanmoins sa renommée à son extraordinaire technologie.

Vanquish | Aston Martin   (GB)

2001 • 5 935 cm³, V12 • 465 ch
0-97 km/h en 4,4 s • 305 km/h

Aston Martin a réalisé plusieurs voitures emblématiques au fil des ans, la Vanquish étant celle qui a permis de propulser la firme britannique dans le XXIᵉ siècle.

La Vanquish a été conçue par Ian Callum, qui avait auparavant travaillé pour Ford et allait par la suite concevoir la toute nouvelle Jaguar XK (qui offre une certaine ressemblance avec l'Aston). Sa magnifique carrosserie faisait à la fois appel à des techniques de pointe et à des compétences et un savoir-faire traditionnels. Sa structure était essentiellement composée d'aluminium, et raccordée à des éléments en fibre de carbone et en acier. La voiture était assez spacieuse pour être aménagée en version 2 places ou 2 + 2 places, avec deux sièges arrière modestes.

Si Aston Martin, soutenue par Ford, qui était encore sa maison mère, avait mis au point un procédé de fabrication de pointe pour la Vanquish, la carrosserie était cependant toujours confectionnée à la main. La Vanquish allait être la dernière Aston Martin réalisée de cette manière. Il s'agissait aussi du dernier modèle à sortir de l'usine de Newport Pagnell (Angleterre), ouverte depuis près de cinquante ans.

Sous la carrosserie aérodynamique se dissimulait un moteur V12 à aspiration normale de 5 935 cm³ conçu par Ford aux États-Unis. Ce moteur en alliage de 48 soupapes développait 465 chevaux à 6 500 tours par minute. Par le biais de sa boîte de vitesses électronique commandée par des palettes situées sur le volant, la Vanquish pouvait atteindre tout juste 305 km/h.

L'image de la voiture avait été rehaussée par le fait qu'elle était conduite par James Bond dans *Meurs un autre jour* en 2002. **JI**

XTR2 | Westfield   (GB)

2001 • 1 299 cm³, S4 • 170 ch
0-97 km/h en 3,1 s • 257 km/h

XRT2 signifiait « Extreme Track & Road 2002 ». Il s'agissait d'une voiture sportive ultralégère dotée d'un moteur de moto et destinée essentiellement aux passionnés de courses sur circuits.

Dénuée de tout confort, la voiture possédait un cockpit ouvert construit sur la base d'un châssis en treillis léger. Sa coque en fibre de verre était dotée d'un immense aileron arrière destiné à améliorer son appui aérodynamique. Son poids de 410 kilos, soit moitié moins que la Lotus Elise ou un tiers de moins que la Mini Cooper S, était un avantage décisif en course.

Elle était propulsée par le moteur de la Hayabusa GSX 1300R de Suzuki, couplé à une boîte de vitesses séquentielle à 6 rapports. Avec de petits ajustements, il était possible d'atteindre une puissance de plus de 180 chevaux. Parfaite pour le circuit, la XTR2 homologuée pour la route n'était pas idéale pour les déplacements quotidiens de tout un chacun.

Le plus surprenant, sans doute, de la voiture sportive superlégère de Westfield, était son prix. En 2002, un kit de démarrage permettant de construire le châssis de base chez soi, dans son garage, était vendu 9 470 dollars. Le véhicule achevé coûtait environ 31 580 dollars et pouvait être construit en l'espace d'une semaine.

Développant une puissance époustouflante de 460 chevaux par tonne, ce modèle de Westfield possédait des arguments de poids sur circuit – la Ferrari F40 ne délivrant que 440 chevaux par tonne. En 2002, le pilote d'essai de l'émission *Top Gear* de la BBC, surnommé « le Stig », a conduit la XTR2 de 1 299 cm³ sur la piste de l'aéroport de Dunsfold (Royaume-Uni) en réalisant un meilleur temps que la Pagani Zonda de 7 300 cm³. **DS**

Clio V6 | Renault

F

2001 • 2 946 cm³, V6 • 227 ch • 0-97 km/h en 7,5 s • 234 km/h

La Renault Clio standard, qui s'est vu décerner le prix de voiture européenne de l'année, est une petite voiture plutôt sage. En 2001, toutefois, Renault décida de se baser sur ce modèle pour réaliser une série de course unique et extrême. Le constructeur créa ainsi la plus nerveuse des sportives compactes : la Clio V6.

La transformation avait été radicale. Comme le sous-entendait son nom, elle était propulsée par un V6 à 24 soupapes de 3 000 cm³ doté d'une levée d'ouverture variable des soupapes et développant deux fois plus de puissance que ce pour quoi le châssis avait été conçu à l'origine. Les freins étaient du type de ceux des modèles de TVR et de Morgan. Les sièges arrière avaient été supprimés et remplacés par le moteur, l'ancien compartiment moteur, à l'avant, devenant inutile. La modification de la répartition du poids était

un inconvénient, 66 % de celui-ci se trouvant à l'arrière, rendant une conduite rapide difficile. Dans cette configuration, le rayon de braquage était très important.

Les modèles du V6 de la phase 1 étaient fabriqués par TWR en Suède, leurs cache moteur sur mesure provenant de chez Valet en Finlande. Selon le magazine automobile *Practical Performance*, ils avaient « l'aspect d'une grenouille et l'agressivité d'un bouledogue ».

Les voitures de la phase 2 avaient davantage de puissance, grâce à Porsche, et développaient 255 chevaux. Reconnaissant avoir créé un monstre, Renault en avait allongé l'empattement et élargi les voies. La phase 2 conservait toutes les caractéristiques sonores du modèle initial, mais était plus facile à garder sous contrôle. Un journaliste du magazine *Evo* a alors écrit : « Je peux enfin faire confiance à cette mutante furieuse. » **RD**

Avantime | Renault

(F)

2001 • 2 946 cm³, V6 • 210 ch • 0-97 km/h en 8,6 s • 220 km/h

Lorsque l'Avantime a été présentée au Salon de l'automobile de Genève, Patrick Le Quément, responsable du design chez Renault, a évoqué le concept révolutionnaire de « coupéspace ». Les journalistes l'avaient simplement qualifiée de « minivan ». Son prix de départ était élevé, mais Renault envisageait néanmoins d'en vendre 2 000 exemplaires par an.

La forme de bateau renversé de l'Avantime avait certes beaucoup plu. Des portières originales à double articulation et dépourvues de montants permettaient d'accéder à l'avant comme à l'arrière et un bouton « grand air » ouvrait simultanément toutes les vitres ainsi que le vaste toit ouvrant, donnant l'impression de se trouver dans une décapotable, tout en restant dans un minivan. Des stores électriques évitaient aux occupants d'être trop exposés au soleil.

L'Avantime était dotée d'un coffre de 530 litres assez vaste pour accueillir les bagages. En revanche, les sièges à l'arrière, certes surélevés, n'étaient pas très confortables et laissaient peu de longueur aux jambes.

Toutefois, la conduite était étonnamment agréable. Le V6 de 2 946 cm³ ou le turbo de 2 000 cm³ donnaient à l'Avantime un comportement incisif. La boîte à 6 rapports était fluide et maniable, mais l'accoudoir pouvait gêner les mouvements du bras du conducteur. La voiture était plus vive et plus agile que la Renault Espace, mais il ne s'agissait pas d'un coupé sportif.

L'Avantime n'avait pas modifié le visage des voitures de luxe telles que nous les connaissons, et a cessé d'être produite en 2003. Mais le journaliste Stephen Bayley, grand spécialiste du design, a déclaré qu'elle était « exceptionnellement novatrice ». **LT**

ZT-260 | MG   (GB)

2001 • 4 061 cm³, V8 • 260 ch
0-97 km/h en 6,2 s • 218 km/h

Avec la MG ZT XPower 500, les ingénieurs de MG-Rover avaient réalisé un concept-car ambitieux : celui-ci était basé sur la berline sportive Rover 75. Le concept-car n'était pas destiné à être produit en série, mais uniquement à démontrer le savoir-faire de MG en matière de châssis. Il avait toutefois reçu un accueil très favorable. MG avait donc décidé de construire un modèle plus économique. C'est ainsi qu'était née la MG ZT-260.

MG et le préparateur automobile Prodrive avaient considérablement modifié la Rover 75. Elle était passée d'une traction à une propulsion, et accueillait désormais un V8 de 4 601 cm³ de Ford Mustang.

Vendue au tarif compétitif de 45 000 dollars, la MG ZT-260 donnait l'impression de pouvoir être conduite par une vieille dame, mais dissimulait une véritable muscle car. Dans le magazine *Auto Express*, elle avait été qualifiée de « voiture réellement remarquable, compte tenu du budget limité de MG en matière de développement par rapport aux firmes concurrentes ».

En 2003, une version modifiée était devenue le modèle de break non commercialisé le plus rapide après avoir participé à une course durant la Speed Week à Bonneville dans l'Utah (États-Unis). Son V8 avait été porté à 6 000 cm³ et surcomprimé pour atteindre une puissance exceptionnelle de 765 chevaux. Il avait en outre été doté d'un différentiel autobloquant. La voiture avait atteint une vitesse de pointe de 361 km/h.

Lorsque MG-Rover a fait faillite en avril 2005, la voiture qui avait battu un record de vitesse à Bonneville a été vendue aux enchères pour 48 000 dollars. On peut se demander ce qui se serait passé si MG-Rover avait montré autant d'audace avec ses autres produits. **RD**

S7 | Saleen   (USA)

2001 • 7 000 cm³, V8 • 550 ch
0-97 km/h en 3,8 s • 399 km/h

Pour certains, la Saleen S7 était la première supercar américaine. Cette création de l'ancien pilote de course Steve Saleen avait d'ailleurs tout à fait l'apparence d'une supercar. Atteignant une vitesse de pointe de 399 km/h, elle n'était pas simplement rapide ; c'était aussi la voiture la plus aboutie de l'époque sur le plan technologique.

Sa carrosserie était en fibre de carbone, un matériau léger très résistant composé de polymères renforcés par des fibres de carbone. Elle reposait sur un châssis nid-d'abeilles en acier et aluminium. La voiture pesait 1 247 kilos. Son moteur, disposé derrière le cockpit, était à aspiration normale (sans turbo), ce qui permettait à la Saleen de parcourir 400 mètres en 11,75 secondes, à une vitesse de 203 km/h. D'immenses prises d'air avaient été intégrées pour refroidir le moteur. À 257 km/h, la voiture générait son propre appui aérodynamique.

Lorsqu'elle est sortie, la S7 était la seule voiture américaine homologuée sur route dotée d'une puissance supérieure à 500 chevaux. Peu à peu, une telle puissance avait paru moins extraordinaire, ce qui avait entraîné une évolution de la S7. En 2005, son nouveau moteur développait 750 chevaux, avec une nouvelle vitesse de pointe de 399 km/h et une accélération de 0 à 97 km/h en seulement 2,8 secondes. Combien coûtait le fait d'atteindre cette vitesse ? Un prix également élevé, de presque 600 000 dollars.

Ensuite, Saleen avait produit un « package de compétition » dont la puissance atteignait 1 000 chevaux. Dans le film de 2008 intitulé *Iron Man*, il y avait une « S7 de compétition » qui n'avait besoin que de 2,6 secondes pour passer de 0 à 100 km/h. Sa vitesse de pointe aurait été de 402 km/h. **SH**

Aero 8 | Morgan GB

2001 • 4 398 cm³, V8 • 325 ch • 0-97 km/h en 4,3 s • 270 km/h

L'Aero 8 était une supercar ultrasophistiquée dotée d'un châssis et d'une carrosserie en aluminium et construite par la société Morgan à Malvern, en Angleterre. Le style de l'automobile, en revanche, était inspiré de l'année 1936.

Après avoir vu l'Aero 8 au Salon de l'automobile de Genève en 2000, des journalistes spécialisés avaient émis de sévères critiques. Selon eux, elle « louchait » car ses phares étaient montés sur la face interne des ailes. Quant à son prix, il était élevé, son tarif de départ s'élevant à 87 700 dollars et celui du coupé à près du double.

Lorsque l'Aero 8 est sortie, Morgan n'avait pas conçu de voiture depuis 1948. La société produisait à l'origine des voitures sportives à trois roues, et le plus gros changement réalisé au cours de son histoire avait été d'y ajouter une quatrième roue en 1936. C'est Charles Morgan, appartenant à la troisième génération des propriétaires de la firme, qui avait offert aux amateurs le roadster Aero 8 (de même que sa version coupé, l'Aeromax, et la SuperSports, équipée d'un toit Targa), tous ces modèles étant les premières Morgan sans châssis en bois.

Un moteur V8 BMW de 4 398 cm³, dont la cylindrée a été augmentée à 4 799 cm³ en 2008, avait permis à cette voiture légère de réaliser de belles performances, et l'Aero 8 était devenue agréable à conduire, y compris en course. La voiture avait concouru plusieurs fois, et terminé à deux reprises la course des 24 Heures du Mans.

Son habitacle en frêne, un bois dur, est toujours réalisé à la main, et l'acquéreur de l'automobile a le choix entre huit coloris de cuir différents. Dès 2006, ses phares de Coccinelle, évoquant des yeux d'insectes, ont été remplacés par des phares de Mini fournis par BMW. **LT**

Thunderbird | Ford

USA

2001 • 3 933 cm³, V8 • 252 ch • 0-97 km/h en 7,6 s • 235 km/h

En lançant le modèle 2001 de la Thunderbird, Ford renoue avec l'esprit du modèle original de 1955. À l'époque, Ford l'avait qualifiée de première « voiture personnelle », un véhicule grand public doté d'équipements luxueux et de qualités sportives. Au fil des ans, la Thunderbird avait toutefois perdu beaucoup d'attrait, finissant par devenir réellement quelconque.

La Thunderbird ressuscitée avait d'abord été présentée comme un concept-car au Salon de l'automobile de Detroit en 1999. Sa production avait commencé en septembre 2001. La nouvelle voiture était qualifiée de « rétrofuturiste », ce qui signifiait peut-être qu'elle ressemblait à une voiture du futur qui aurait été dessinée à la fin des années 1950.

Sous sa carrosserie majoritairement synthétique se dissimulait une Lincoln LS ou une Jaguar S-Type (qui partageaient la même plateforme). La longueur de la Thunderbird de 2001 atteignait ainsi 27,5 centimètres de plus que celle du modèle initial de 1955.

Elle était systématiquement équipée d'un moteur V8 de 3 933 cm³ apparié à une boîte de vitesses automatique à 5 rapports. Certains conducteurs américains l'avaient trouvée trop petite, car la 2 places était presque aussi lourde que l'ancien modèle de 4 places. La voiture n'existait qu'en version décapotable, mais il était possible d'acheter un hard-top séparément : celui-ci était très lourd, il fallait deux personnes pour le soulever.

Certaines versions remaniées de voitures anciennes plaisent au public (la Mini BMW en est un excellent exemple), mais la nouvelle Thunderbird n'a pas eu le succès escompté. S'appuyer sur la gloire passée n'a pas suffi : la production a cessé en 2005. **JI**

Murciélago | Lamborghini

(I)

2001 • 6 496 cm³, V12 • 661 ch • 0-100 km/h en 3,1 s • 342 km/h

Cette Lamborghini 4 roues motrices portait le nom d'un célèbre taureau qui, après avoir survécu à près d'une trentaine de coups d'épée, avait été épargné par le matador, El Lagartijo.

S'inspirant des flamboyantes Countach et Diablo qui l'avaient précédée, la Murciélago possédait des portes en élytres et un style agressif similaires. Il s'agissait du seul nouveau modèle de la marque depuis onze ans, et du premier à être créé sous la direction d'Audi. Comme l'avait annoncé le P-DG de la société lors du lancement de la campagne de presse, « la Murciélago est extrême, exceptionnelle et indéniablement italienne ».

La Murciélago était la dernière Lamborghini entièrement de série à être dotée du légendaire V12 à 4 arbres à cames qui équipait la 350 GT en 1964. La nouvelle supercar, remaniée et possédant une cylindrée de 6 200 cm³ près de deux fois supérieure à celle du modèle initial, pouvait propulser ses occupants à 97 km/h en 3,5 secondes environ et atteindre plus de 322 km/h.

En 2009, Lamborghini a dévoilé la dernière version de la Murciélago (dont les performances sont indiquées ci-dessus). Le moteur LP 670-4 SuperVeloce de 6 496 cm³ avait été allégé de 91 kilos grâce à un usage généralisé de la fibre de carbone. D'après le magazine *Car and Driver*, la voiture offrait « des sensations électrisantes, bruyantes, merveilleusement brutales ». En dépit de son style ostentatoire, les auteurs de l'article concluaient : « Lorsque ce V12 ultraperformant tourne à environ 5 000 tours par minute, rugissant du plus profond de ses entrailles, et qu'un tremblement parcourt l'ensemble de la voiture, vous pouvez embaucher le pilote, que vous aimiez vous faire remarquer ou non. » **DS**

C8 | Spyker

NL

2001 • 4 200 cm³, V8 • 400 ch • 0-100 km/h en 4,5 s • 300 km/h

En 2000, la société Spyker a été ressuscitée par deux entrepreneurs néerlandais : Victor Muller, également président de Saab, et le designer automobile Maarten de Bruijn. Les deux hommes avaient créé un modèle original, la C8, supercar 2 places, toujours produite aujourd'hui et existant en différentes versions. Spyker appartient actuellement à l'Américain Alex Mascioli.

Le modèle initial de la C8 comportait les caractéristiques traditionnelles d'une supercar, telles la propulsion et des portières s'ouvrant en élytres. Les célèbres prises d'air tubulaires évoquant celles des avions sur les flancs et le toit de la version coupé étaient ses traits les plus distinctifs. Les versions destinées aux circuits atteignaient une puissance de 600 chevaux. La voiture a figuré dans les films *Basic Instinct 2* en 2006 et *Rogue l'ultime affrontement* en 2007.

La société Spyker a conçu un processus d'identification personnalisé afin d'attirer les clients fortunés. Chaque voiture se voit attribuer par son nouveau propriétaire un cahier des charges enregistré sur le carnet de la voiture. Le carnet peut être consulté par le propriétaire sur une page Internet personnelle. Chaque élément de carrosserie et chaque composant de la Spyker C8 sont numérotés de manière à être rattachés au numéro de châssis de la voiture. Le propriétaire a la possibilité d'assister à l'assemblage de sa voiture grâce à un système de webcams installé dans l'usine.

Aujourd'hui, la Spyker C8 Aileron possède toutes les caractéristiques qui ont permis à la C8 de rester au premier plan au sein de l'univers des supercars. Elle est dotée d'un V8 Audi puissant monté en position centrale arrière et d'une carrosserie légère en aluminium. **SH**

2000–2013 737

RS6 Avant | Audi (D)

2002 • 4 200 cm³, V8 • 450 ch
0-100 km/h en 4,4 s • 250 km/h

La RS6, modèle situé au sommet de la gamme Audi A6, faisait appel à un moteur et une technologie uniques, et a été produite en série limitée par la société Quattro. Elle existait en version berline ou break (pour l'Avant).

Le cahier des charges ne se limitait pas à des suspensions plus dures, à des freins plus puissants et à un volant plus petit. La RS6 était véritablement la vitrine technologique d'Audi. Les deux versions étaient équipées de 4 roues motrices, d'une transmission Tiptronic semi-automatique et du Dynamic Ride Control, système d'amortissement Audi comprenant des absorbeurs de choc adaptables limitant le roulis et le tangage dans les virages brusques. Les énormes freins sophistiqués compensaient l'imposante puissance du V8 en aluminium à 40 soupapes, dont la vitesse de pointe, 250 km/h, était bridée.

En 2004, la version RS6 Plus, sortie uniquement en Europe, possédait encore plus de puissance, son moteur ayant été préparé par Cosworth. Elle n'était disponible que pour le modèle Avant et atteignait une vitesse de pointe de 280 km/h. En 2008, la RS6 de la seconde génération développait 571 chevaux et sa vitesse de pointe était de 274 km/h. Les amateurs qui vouent un culte à la RS6 qualifient cette voiture qui arbore les anneaux entrecroisés d'Audi de « Seigneur des anneaux ». **SH**

XC90 | Volvo (S)

2002 • 4 400 cm³, V8 • 311 ch
0-100 km/h en 6,9 s • 209 km/h

Le XC90 était le premier tout-terrain de Volvo. Il ressemblait à un gros break et a été le modèle le plus vendu durant deux ans.

Les ingrédients de ce crossover réussi étaient un luxe et un prestige discrets, assortis d'un caractère pratique. Spécialisés dans les breaks, les Suédois l'avaient équipé de sept sièges et de nombreux espaces de rangement.

Les gros SUV tendent à prendre du roulis dans les virages, et à tanguer sur les aspérités plus qu'un break. Doté du premier système de stabilité antiroulis, le XC90 ne souffre pas autant de ce type de problèmes qu'un grand nombre de ses concurrents. Sur ce véhicule moderne, les éléments de sécurité sont nombreux : une zone de déformation brevetée à l'avant sert de protection en cas d'impact. La voiture possède aussi un système antiretournement incluant des renforts de toit très résistants en acier. Le XC90 a d'ailleurs été récompensé pour son niveau de sécurité élevé.

Les chiffres indiqués plus haut concernent le V8 de 4,4 litres, le plus puissant des moteurs proposés, produit par Yamaha. Le XC90 a acquis une célébrité improbable dans un film à gros budget sorti en 2009, intitulé *3 Idiots*. C'est le film de Bollywood ayant engrangé le plus de recettes à ce jour, ce qui a entraîné une hausse des commandes du modèle de Volvo dans toute l'Inde. **SH**

Leon Cupra R | Seat (E)

2002 • 1 800 cm³, S4 • 207 ch
0-100 km/h en 6,7 s • 241 km/h

Seat était à l'époque bien implanté dans l'empire Volkswagen. Le constructeur espagnol devait, semble-t-il, devenir la première filiale sportive de VW.

La gamme Leon de berlines à hayon avait été lancée en 1998, s'inspirant de la Golf Mark IV de VW et de l'A3 d'Audi. Elle avait un aspect plus sportif, plus jeune et comportait des versions sportives. La Leon Cupra, par exemple, possédait un moteur à turbocompresseur de 1 800 cm³ et de 20 soupapes, ou, dans certains pays, un VR6 de 2 800 cm³ et 4 roues motrices.

Pour la Cupra R en 2002, les ingénieurs de la société ont modifié la Cupra R classique comme si elle devait courir une course : la voiture avait reçu un nouveau système de gestion du moteur, de nouveaux dispositifs d'admission et d'échappement, un autre refroidisseur intermédiaire de turbo, de meilleurs freins, un châssis abaissé, des absorbeurs de choc plus solides, une direction améliorée et des suspensions plus agiles.

Lorsqu'en 2010 les lecteurs du magazine *Autocar* ont été invités à voter pour la meilleure sportive compacte de tous les temps, la Cupra R s'est vu attribuer une honorable septième place, devant la Renault 5 GT Turbo, la Mini Cooper S, la Citroën Saxo VTS, la Renault Clio Williams, et, plus impressionnant encore, devant la Golf GTI 16 soupapes de sa maison mère. **SH**

Aerio/Liana | Suzuki (J)

2002 • 1 586 cm³, S4 • 105 ch
0-100 km/h en 11,3 s • 175 km/h

Cette petite voiture familiale est devenue l'une des voitures de course les plus célèbres au monde après être apparue dans un reportage de l'émission *Top Gear* de la BBC, réalisé avec plusieurs célébrités.

Suzuki avait lancé l'Aerio, baptisée Liana sur le marché européen (acronyme de «Life In A New Age», la vie dans un nouvel âge), espérant accroître ses ventes. Malheureusement, l'Aerio avait été sélectionnée par *Top Gear* pour représenter la médiocrité de nombreuses voitures modernes. Le modèle du programme valait 15 000 dollars et n'avait rien de particulier. Chaque invité s'était entraîné avant d'essayer à plusieurs reprises de réaliser le meilleur temps sur le circuit.

La Liana avait été bien maltraitée. L'acteur Michael Gambon avait failli la retourner à un endroit désormais baptisé «Gambon Corner» (le coin de Gambon). L'une des roues avant s'était détachée lorsque le chanteur Lionel Richie l'avait conduite, et l'acteur et chanteur David Soul avait détruit deux boîtes de vitesses. Au total, la voiture avait effectué 1 600 tours et ses pneus ainsi que ses freins avaient été changés 100 fois ; elle avait eu besoin de six nouveaux embrayages, de deux nouveaux moyeux, arbres de transmission, triangles de suspension et amortisseurs, de deux nouvelles timoneries de boîtes de vitesses et d'un nouveau rétroviseur. **SH**

Enzo | Ferrari (I)

2002 • 5 998 cm³, V12 • 651 ch
0-100 km/h en 3,1 s • 350 km/h

La Ferrari Enzo fait office d'étalon pour l'évaluation des autres supercars. Portant le nom d'Enzo Ferrari, fondateur de la firme automobile, elle avait été construite à l'époque où la Scuderia Ferrari et le formidablement talentueux Michael Schumacher dominaient complètement la formule 1. Sous la carrosserie en fibre de carbone de l'Enzo, un moteur V12 atmosphérique propulsait la voiture à 160 km/h en 6,6 secondes. Sa transmission semi-automatique à palettes de type F1, ses freins en carbone-céramique et un diffuseur arrière commandé électroniquement permettaient à l'Enzo de parcourir le Nürburgring en moins de sept minutes et demie. Un bouton « de course » rouge permettait d'effectuer des changements de vitesse rapides, durcissait la suspension et facilitait le contrôle de la traction. L'Enzo possédait également une touche de démarrage à distance, comme celles employées sur les voitures de F1 jusqu'en 1995 avant qu'elles soient interdites.

C'est en des termes élogieux que le magazine *Evo* a présenté ce nouveau fleuron de Ferrari en 2003 : « Lancez-vous et accélérez franchement. Le résultat est stupéfiant. Les yeux écarquillés à travers le pare-brise, vous avez l'impression que les autres voitures se déplacent comme si elles roulaient dans de la mélasse. Je n'ai jusqu'alors conduit aucun véhicule qui ait dissimulé sa vitesse de façon aussi surréaliste et qui crée néanmoins une impression de contrôle aussi satisfaisante. Le Vieil Homme serait fier. »

Seules 400 Ferrari Enzo ont été construites ; la première importée en Grande-Bretagne, arborant un jaune vif de Modène, a été achetée par une légende du rock, Eric Clapton. **DS**

62 | Maybach (D)

2002 • 5 500 cm³, V12 • 543 ch
0-100 km/h en 5,4 s • 250 km/h

Wilhelm Maybach, fondateur de la société, avait collaboré avec Gottlieb Daimler à la fin du XIXᵉ siècle afin de construire les premières voitures à moteur à combustion interne. Son fils Karl et lui s'étaient installés à leur compte en 1909 pour construire des moteurs pour les dirigeables Zeppelin et, par la suite, de belles voitures de luxe réalisées sur mesure.

En 1960, Daimler avait racheté le nom alors tombé en désuétude, qui a été enfin ressuscité au XXIᵉ siècle avec les Maybach 62 et 57 – nommées d'après leur longueur en décimètres. Le modèle S signifiait « Special », et en 2009, la décapotable Maybach Landaulet est sortie, pour un prix de 1 380 000 dollars.

Malheureusement, les Maybach 62 et 57 n'étaient pas à la hauteur des modèles originaux. Alors que la nouvelle Rolls-Royce Phantom avait été entièrement reconçue, la solide carrosserie de la Maybach reposait sur une ancienne plateforme de Mercedes classe S et n'offrait pas la merveilleuse expérience de conduite qu'aurait exigé son prix (375 000 dollars). Toute l'attention avait été accordée à l'aménagement des places arrière, somptueuses, avec leurs sièges individuels inclinables dotés d'une fonction massage du dos.

Son style faussement art déco, son éclairage diffus et ses rideaux en option à l'arrière donnaient à la Maybach des airs de corbillard, mais elle était appréciée dans l'univers du hip-hop. Des stars telles que Puff Daddy en possédaient une ou l'évoquaient dans leurs textes de rap ; Kanye et Jay-Z en personnalisaient une dans un clip. Mais le modèle n'ayant jamais été rentable, il cessera d'être produit en 2013. Entretemps, la plupart des stars du hip-hop se sont tournées vers Bugatti. **LT**

Série 7 | BMW

2002 • 2 497 cm³, S6 • 228 ch • 0-100 km/h en 8,1 s • 237 km/h

La luxueuse berline BMW de la Série 7 était assez différente de ses devancières. Appelée Type E65 chez BMW, elle arborait un style extérieur fascinant et un habitacle high-tech intégrant de nombreux gadgets. Le designer Chris Bangle avait fait l'objet de critiques à cause de l'arrière de la voiture, alors que celui-ci avait en réalité été dessiné par Adrian Van Hooydonk, qui allait lui succéder par la suite.

Les premiers modèles étaient dotés du système iDrive. Le contrôle de toutes les fonctions par le biais d'un simple bouton éliminait ainsi la multiplication des commandes habituelles. Sur les 700 fonctions de l'iDrive, 270 pouvaient être activées par commande vocale. Des options ultérieures incluaient la vision nocturne infra-rouge pour le conducteur et la télévision numérique pour les passagers.

Comme la plupart des BMW de l'époque, la Série 7 se révélait sportive, en dépit de tous ses équipements luxueux. Elle pouvait être équipée d'un moteur diesel 6 cylindres en ligne de 2 497 cm³ ou d'un V8 de 4 400 cm³. Parmi les moteurs à essence, le conducteur avait le choix entre un 6 cylindres en ligne de 3 000 cm³, un V8 de 4 400 cm³ ou un V12 de 6 000 cm³. Un modèle expérimental alimenté à l'hydrogène avait même été commercialisé. La Série 7 incluait aussi un dispositif anti-roulis Dynamic Drive, qui permettait de virer à plat sans exercer une charge trop forte sur la suspension. Une version Alpina 87 atteignait même 300 km/h.

Fabriqué en Allemagne, en Thaïlande, au Mexique, en Égypte et en Russie, le modèle restylé, doté d'un iDrive modifié, était extérieurement moins voyant, mais sa dynamique de conduite restait excellente. **RD**

Escalade EXT | Cadillac

2002 • 6 000 cm³, V8 • 354 ch • 0-97 km/h en 8,4 s • 174 km/h

Le premier Escalade de Cadillac, sorti en 1999, était une reprise bâclée et maladroite du Yukon Denali de General Motors, mais aussi le premier SUV réalisé par la marque. Selon Cadillac, l'Escalade était « le SUV le plus plébiscité de tous les temps », bien qu'il n'ait pas été plébiscité du tout. Toutefois, l'Escalade EXT, datant de 2002, s'est révélé bien plus intéressant.

Ce SUV construit au Texas possédait tout ce qu'il fallait pour le marché américain : il était spacieux, pouvant accueillir huit passagers, et puissant, offrant le choix entre deux V8, un 5 300 cm³ et un 6 000 cm³ (les chiffres de ce dernier figurant ci-dessus). Cadillac ne l'avait pas mentionné, mais le 6 000 cm³ était très proche d'un moteur équipant les camionnettes Chevrolet de une tonne. Au lieu de cela, les commerciaux de la société avaient claironné que ce moteur animait « le SUV le plus puissant du monde », car celui-ci délivrait 3 chevaux de plus que le Mercedes ML55 AMG ; or ils avaient omis de dire que l'AMG était beaucoup plus rapide. Les acheteurs pouvaient opter pour la version 4 roues motrices, ou choisir la version à propulsion, moins chère.

L'habitacle de l'Escalade, en cuir, débordait de gadgets et d'équipements luxueux, tels qu'un téléphone mains-libres à commande vocale, un écran informatif avec connexion Internet, une hi-fi Bose de 250 watts, ainsi que des sièges chauffants à l'avant et sur la seconde rangée.

La plus belle surprise de l'Escalade était sa maniabilité. Le gros SUV était agile et sa suspension très efficace. « Nous sommes surpris de voir combien l'Escalade se conduit facilement en dépit de sa taille », pouvait-on lire dans le magazine *Motor Trend*. **SH**

Crossblade | Smart

2002 • 600 cm³, S3 • 70 ch • 0-100 km/h en 16,5 s • 135 km/h

Fondée par Mercedes-Benz et par le groupe Swatch, la marque Smart avait les atouts nécessaires pour prendre un bon départ. Une nouvelle usine située sur la frontière franco-allemande avait été créée en 1997 pour produire ces citadines originales.

Il est toutefois difficile de comprendre l'objectif de la marque, qui a démonté une Smart pour réaliser le Crossblade. Enlever les panneaux des portières, le toit et une grande partie du pare-brise a donné naissance à l'une des voitures les plus étranges de la décennie.

Le Crossblade possédait un moteur de 70 chevaux préparé par Brabus et couplé à une transmission semi-automatique saccadée. La Smart classique était conçue pour effectuer de petits trajets en ville, mais le Crossblade ne possédait qu'un minuscule pare-brise en Perspex et ses propriétaires n'osaient pas s'aventurer à l'extérieur à moins que le soleil brille. Les conducteurs se plaignaient aussi des barres faisant office de portières, qui se coinçaient. Le véhicule, pesant environ le même poids que la Smart traditionnelle, était plus sûr qu'il n'y paraissait. Grâce à sa carrosserie en acier baptisée Tridion, à ses airbags, à son dispositif de stabilité et au bridage de sa vitesse de pointe, les conducteurs risquaient plus de recevoir une mouche dans l'œil que d'être blessés dans une collision. Disponible uniquement avec le volant à gauche, le Crossblade était vendu 25 000 dollars. Il a été produit durant douze mois et seuls 2 000 exemplaires ont été mis sur le marché.

À l'époque, la marque affirmait : « Aucun autre constructeur de voitures de série n'a créé de véhicule comparable au Smart Crossblade. » Peut-être parce que aucune autre marque n'en voyait l'utilité. **RD**

Ram SRT10 | Dodge

(USA)

2002 • 8 275 cm^3, V10 • 510 ch • 0-100 km/h en 5,2 s • 248 km/h

Le Dodge Ram est plus qu'un pick-up ; il s'agit d'une icône américaine. Le SRT-10 est le Ram le plus emblématique, qui a emprunté le moteur V10 de 8 275 cm^3 de la Viper entre 2002 et 2007.

En février 2004, le pilote Brendan Gaughan de la Nascar avait conduit un SRT-10 non modifié pour le Guinness mondial des records. Celui-ci avait atteint une vitesse de pointe de 248 km/h sur une distance de 1 kilomètre en ligne droite. Le groupe Chrysler, englobant Dodge, avait apprécié que le modèle fasse mieux que la SVT Lightning de Ford (235 km/h).

Lors de la sortie du SRT-10 Quad Cab (double cabine) en 2006, Dan Knott, du groupe Chrysler, a déclaré : « Nous souhaitions non seulement offrir à la clientèle le pick-up le plus audacieux, le plus terrifiant et le plus rapide au monde, mais un pick-up doté de deux rangées

de sièges et d'une grande capacité de remorquage. » Le véhicule pouvait en effet remorquer une charge de 3 969 kilos.

Le SRT-10 était doté de grandes roues en aluminium forgé de 56 centimètres de diamètre ; les sièges, inspirés de ceux des véhicules de course, étaient revêtus de daim, et la version Quad Cab proposait des distractions pour les enfants à l'arrière. Le prix de base du pick-up était de 22 425 dollars, mais il pouvait doubler avec les accessoires. Et quiconque s'inquiétait de sa consommation de 31 litres aux 100 kilomètres faisait partie du marché potentiel du Ram…

Cependant, des nuages financiers s'étaient amassés, et le V10 a rapidement été supprimé. En 2011, signe des temps, le groupe a commencé à tester une flotte de Ram hybrides électriques. **LT**

2000–2013 745

Burton | Burton (NL)

2002 • 602 cm³, S4 • 29 ch
0-100 km/h en 13 s • 140 km/h

Ce roadster des Pays-Bas possède un support technologique improbable, la Citroën 2CV. En effet, la Burton est montée sur le châssis de l'ancienne voiture française, et son moteur est l'humble 602 cm³ de la 2CV.

La société Burton avait été créée par deux frères, des originaux passionnés d'automobile, Dimitri et Iwan Göbel. Grands amateurs de 2CV, ils avaient ouvert aux Pays-Bas un atelier spécialisé dans la réparation et la préparation de ces voitures. Ils avaient ensuite réalisé leur propre version pick-up de la voiture. La sportive Burton avait suivi, livrée montée ou en kit.

La carrosserie en fibre de verre de la Burton s'inspire de celle des sportives d'avant-guerre, telles que les premières Bugatti et Alfa Romeo. Réutiliser des pièces de 2CV permet de limiter considérablement les coûts de construction et les frais ; les voitures livrées montées sont disponibles à partir de 13 500 dollars.

Il existe une version coupé dotée de portières papillon et un roadster équipé d'une capote. La voiture pèse un tiers de moins que la 2CV, ce qui la rend plus vive et lui donne un comportement routier plus intéressant. Burton a doté le moteur d'une plus grosse cylindrée, d'arbres à cames de voiture de course, d'un allumage électronique et d'un volant plus léger.

Le nouveau roadster électrique constitue une option encore plus économique. Sa carrosserie est identique, mais il est doté d'une petite batterie de 16 kilowatts et d'un moteur électrique au lieu d'un moteur à essence. La Burton Electric ne pèse que 740 kilos. Elle possède une autonomie de 140 kilomètres et peut atteindre une vitesse de pointe de 120 km/h. Le coût de rechargement complet, selon Burton, est d'environ 4 euros. **SH**

350Z | Nissan (J)

2002 • 3 500 cm³, V6 • 309 ch
0-100 km/h en 5,5 s • 250 km/h

Massive, virile et agressive, à la manière d'une Porsche musclée, la nouvelle « Z » de Nissan a réactualisé la série sportive de la marque. Le coupé 2 portes et 2 places possédait toujours l'essentiel, bien sûr : une vitesse plus élevée que celle d'une voiture fiable d'un prix identique, du type d'une belle berline familiale ; une tenue de route ultraprécise ; et enfin, un intérieur élégant, avec des sièges sport en cuir et un tableau de bord bien conçu. Conservant le style Z, la voiture était bien équipée, comptant 6 airbags, une climatisation, un chargeur automatique de CD et des phares au xénon.

La 350Z marquait le retour d'une série sportive apparue en 1969. Après la 300ZX, quatre ans s'étaient écoulés avant le lancement de cette cinquième génération de la Z ; l'attente en valait la peine, ce coupé était la plus belle voiture de sport de Nissan de tous les temps et ses performances étaient stupéfiantes.

Un roadster avait suivi le lancement du coupé, ainsi qu'un modèle « Track » pour circuit. Le 350Z avait commencé à remporter des courses et était préparé par des spécialistes. Son moteur avait été officiellement modifié pour fournir de meilleures performances encore (celles-ci figurent en tête de l'article).

Le concept-car 350 GT-S a été dévoilé en 2006 au Festival de vitesse de Goodwood, en Grande-Bretagne. Il était doté d'un surcompresseur qui pouvait être commandé par un bouton du tableau de bord. Développant 383 chevaux, le véhicule montrait des performances supérieures à celles d'une Porsche. Il a été envisagé de le commercialiser en série limitée, mais, sans doute en raison de conditions économiques défavorables, la voiture surcompriméé n'est pas sortie. **SH**

Z4 | BMW (D)

2002 • 2 979 cm³, S6 • 335 ch • 0-100 km/h en 4,8 s • 249 km/h

La Z4 de BMW était une voiture de sport à propulsion et à 2 places qui succédait efficacement à la Z3. Dévoilée pour la première fois au Salon de l'automobile de Paris en 2002, sa carrosserie anguleuse se distinguait nettement des courbes plus douces du roadster Z3. Beaucoup avaient apprécié ses lignes effilées et modernes dues au designer américain Chris Bangle, entré chez BMW en 1992. Le magazine *Automobile* lui a décerné son prix de «design de l'année» en 2002.

Si la Z3, sortie pour la première fois en 1996, s'était bien vendue, notamment en Amérique du Nord où elle était fabriquée, elle n'avait jamais été très estimée pour ses capacités sportives. La Z4 était un tout autre animal. Son châssis était trois fois plus raide que celui des modèles précédents et elle avait été dotée d'une suspension arrière multibras afin d'améliorer notablement sa tenue de route. Une rangée de 6 cylindres en ligne était disposée sous son capot, mais une version

à 4 cylindres était également disponible. La boîte de vitesses était manuelle et à 6 rapports. Les performances de la Z4, au style agressif, ont rapidement été remarquées, et la voiture, baptisée « Land Shark » (requin des terres), a été reconnue comme une rivale sérieuse de la Porsche Boxster et de la Honda S2000.

La Z4 de seconde génération est sortie en 2009. Elle réunissait le roadster au coupé en un modèle unique grâce à un hard-top rétractable électrohydraulique qui pouvait être levé ou abaissé en l'espace de 20 secondes. Si le poids supplémentaire du hard-top atténuait légèrement les capacités de la voiture sur circuit, la Mark II Z4, dont l'avant avait été redessiné, a été bien reçue en raison de son esthétique, de la qualité de sa conception et de son confort. Le magazine *Automobile* est une nouvelle fois venu en renfort, affirmant qu'elle avait une « silhouette harmonieuse, dégageant beauté et élégance, et exprimant puissance et performance ». **RD**

CS | Lexus

J

2002 · tout électrique avec 47 batteries · 671 ch · inconnue · 123 km/h

Steven Spielberg avait demandé au constructeur japonais d'imaginer un concept-car qui pourrait être utilisé dans son film *Minority Report*, sorti en 2002. C'est ainsi qu'est née la CS, une voiture de sport électrique hors du commun associant à la fois des idées provenant des recherches de l'industrie automobile japonaise, des technologies très sophistiquées issues du sport automobile et l'imagination la plus débridée des designers. Certaines des idées de ces designers sont devenues des applications courantes : le système d'assistance au parking, les ordinateurs de bord et les dispositifs d'autodiagnostic.

La CS possédait un châssis en fibre de carbone et en titane ainsi que des panneaux de carrosserie en composite de carbone teintés dans la masse. L'acteur Tom Cruise avait conduit la voiture tout au long du film, dont l'action se déroulait en 2054. Le moteur électrique «à rechargement intelligent» était alimenté par 47 batteries et développait 671 chevaux. Le véhicule 2 places pouvait rouler à 113 km/h durant une longue période entre les rechargements. Tom Cruise activait par commande vocale la plupart des fonctions et n'avait pas besoin de clé – un système d'identification d'ADN déclenchant l'allumage. La voiture comprenait aussi une fonction «voiturier» qui lui permettait de déposer son propriétaire, de se garer pour être rechargée puis d'aller rechercher son propriétaire à l'endroit demandé.

La suspension à double triangulation en titane se composait de dispositifs AVS et AHC. Les freins à disque en céramique électroniques étaient dotés d'un système de régénération intégré permettant de recharger les batteries, et les pneus régulaient automatiquement la traction pour s'adapter aux conditions de route. **SH**

Streetka | Ford

(E)

2003 • 1 597 cm³, S4 • 94 ch • 0-100 km/h en 12 s • 174 km/h

La Ford Ka, sortie en 1996, a eu beaucoup de succès grâce à son esthétique et à une excellente tenue de route. La voiture était facile à garer, frugale et amusante.

En 2003, Ford en avait réalisé deux versions plus puissantes, la Sportka, visant une clientèle masculine (présentée comme « le double maléfique de la Ka ») et la Streetka, voiture à toit escamotable 2 places dédiée aux femmes. Les deux versions étaient dotées d'un moteur de 1 597 cm³ et d'une carrosserie volumineuse.

La Streetka était équipée d'un toit léger et simple pouvant être ouvert ou refermé d'une seule main. Ford avait fait en sorte que le toit soit aussi rigide que possible, de sorte qu'il résistait mieux sur les routes cabossées que celui de nombreux cabriolets plus coûteux. L'excellente tenue de route de la Ka, la précision de sa direction et ses qualités d'adhérence avaient été préservées.

Toutes les versions de la Streetka étaient dotées d'un verrouillage centralisé, de jantes en alliage, de vitres électriques et d'un lecteur CD, de sorte que les acheteurs n'étaient pas lésés en matière d'équipement. La version 1,6i Luxury possédait des sièges en cuir et quelques éléments plus esthétiques sur le plan visuel. Un moteur vif et communicatif et une commande de boîte précise, avec un levier bien en main, garantissaient le plaisir de conduite.

Pour intervenir dans la promotion du film *Les Sentinelles de l'air* en 2004, Ford avait conçu une édition spéciale de la Streetka, la Streetka Pink, affichant le même rose que la Rolls-Royce FAB 1 de Lady Penelope. Ceux – ou « celles » – tentés par l'achat d'un tel modèle d'occasion devaient réellement aimer le rose. Il serait sans doute difficile de le revendre. **LT**

Desert Runner | URI　　(ZA)

2003 • 3 000 cm³, S4
107 ch • inconnue • inconnue

Ce 4x4 à toute épreuve a été construit à l'origine par Ewart Smith, un fermier élevant des chèvres en Namibie, pour se déplacer dans le désert du Kalahari. L'entrepreneur Adriaan Booyse l'a aperçu dans la ferme de Smith, en a acquis les droits, et a créé la société Uri (mot signifiant « saut » en namibien) afin de produire le Desert Runner.

Conçu pour affronter les terrains les plus difficiles d'Afrique, le Desert Runner est composé de tubes en acier de 3 millimètres d'épaisseur revêtus d'une couche métallique de 1,6 millimètre d'épaisseur constituant une structure très résistante. Le hayon et les portières peuvent être enlevés pour charger des objets encombrants. Les revêtements zingués et industriels offrent une excellente protection contre la rouille ; le polyuréthane industriel est utilisé pour traiter la totalité du dessous de caisse, l'aire de chargement, le compartiment moteur et l'intérieur.

De lourds composants mécaniques sont disposés à l'arrière afin d'optimiser la traction et de longues suspensions tout-terrain sur tout le pourtour permettent d'obtenir une garde au sol deux fois plus élevée que sur un 4x4 normal. Le moteur et la boîte de vitesses proviennent des pick-up de Toyota. Les acheteurs peuvent opter pour un moteur turbo-diesel de 2 000 cm³ ou de 3 000 cm³, ou bien pour des moteurs à essence de 2 200 ou 2 400 cm³.

La robustesse de sa conception assure au Desert Runner une durée de vie d'environ 300 000 kilomètres, souvent atteinte, voire dépassée. Le véhicule peut transporter toutes sortes de matériaux de dépannage et d'outils de grande dimension. **SH**

Viper ZB | Dodge　　(USA)

2003 • 8 300 cm³, V10 • 500 ch
0-97 km/h en 3,8 s • 310 km/h

Possédant un énorme moteur sous son long capot, la Viper ZB est directement inspirée de la Chevrolet Corvette. Elle reste une muscle car , mais sa qualité de conception est supérieure. La version décapotable du roadster est dotée d'un toit escamotable convenable.

Chrysler faisait désormais partie de l'empire Daimler-Benz, l'influence de l'Europe se faisant sentir. La Viper restait tout aussi fabuleuse et attrayante, mais son style était davantage tourné vers l'international. Le designer de ce bolide tout à fait américain était Osamu Shikado, ancien responsable du design de la Corolla et de la Camry chez Toyota. Ses lignes, plus élégantes, étaient presque trop belles pour une muscle car. Osamu s'est donc vu refuser ses sorties d'échappement normalisées, qui étaient restées à leur emplacement traditionnel, sur le côté, presque dissimulées par les marchepieds.

Le nouveau modèle était plus court qu'auparavant, avec un empattement allongé, les roues ayant été repoussées vers les angles. L'équipe Street and Racing Technology de Chrysler en avait aussi amélioré le châssis, le rendant plus léger et plus rigide. La Viper Mark III offrait donc une conduite plus raffinée, mais se montrait plus démonstrative dans les virages. Une version coupé était sortie par la suite, conservant le toit à double bulle caractéristique des modèles précédents. L'équipe SRT avait même travaillé sur la sonorité de la nouvelle voiture. Auparavant, les sorties d'échappement latérales ne traitaient que les émissions d'un des côtés du V10, la voiture produisant le son d'un 5 cylindres en ligne de chaque côté. Les sorties d'échappement avaient été ensuite intégrées, les passants pouvant profiter de tout le registre musical du V10 des deux côtés de l'échappement. **SH**

SSR | Chevrolet

(USA)

2003 • 5 326 cm³, V8 • 300 ch • 0-97 km/h en 7,7 s • 203 km/h

Tout a commencé en 1997 avec la Plymouth Prowler, un bolide, suivi en 2000 de la PT Cruiser, qui manquait de vivacité. La Chevrolet SSR (Super Sport Roadster) de 2003 ressemblait à un pick-up chromé des années 1950, mais elle possédait la motorisation d'une voiture de sport à propulsion, étant équipée d'un V8 ainsi que d'un hard-top en deux parties rétractable automatiquement.

Le concept de la voiture était l'œuvre d'Ed Welburn, directeur du design chez GM. Le véhicule a été présenté au Salon de l'automobile de Detroit en 2000 et, devant l'intérêt du public, GM a lancé la production en série en 2003.

La SSR de série était basée sur une version modifiée du châssis de la TrailBlazer. C'était une traction à 2 roues motrices dotée de roues en aluminium de 48 centimètres de diamètre à l'avant et 51 centimètres

à l'arrière. Le train avant indépendant et le train arrière à 5 bras favorisaient une conduite assez sportive, mais le V8 de Corvette, de 5 700 cm³ et 350 chevaux, avait du mal à mouvoir avec vivacité le véhicule de 2 132 kilos. En 2005, l'introduction d'un moteur de 400 chevaux et 6 000 cm³, secondé par une boîte de vitesses manuelle à 6 rapports, a donc été bien appréciée.

L'habitacle pouvait accueillir confortablement deux personnes. Les sièges étaient en cuir, mais les autres éléments de confort étaient en option. Le prix était élevé, 41 500 dollars, et la production a toujours été limitée, de sorte que Chevrolet n'en a vendu que 25 000 exemplaires entre 2003 et 2006. Toutefois, le goût du rétro persiste, et la SSR continue d'avoir des amateurs ; qui sait, un autre joli pick-up de sport décapotable verra peut-être le jour ? **LT**

Fulgura | Laraki

(MA)

2003 • 5 493 cm^3, V8 • 920 ch • 0-100 km/h en 3,2 s • 398 km/h

La première supercar arabe a été conçue et produite à Casablanca, au Maroc. Le jeune designer marocain Abdeslam Laraki avait commencé par créer des yachts luxueux. S'appuyant sur les goûts des plus fortunés de ce monde, qu'il connaissait bien, il a réalisé entre 2002 et 2008 deux supercars aujourd'hui oubliées.

La Fulgura était le premier modèle de la société de Laraki. Dévoilée au Salon de l'automobile de Genève en 2002, le modèle « de série » est sorti un an plus tard, un moteur de Mercedes remplaçant le bloc Lamborghini initial. La voiture reposait sur un châssis de Lamborghini Diablo et possédait un moteur V12 quadri-turbo Mercedes de 6 000 cm^3. Laraki avait habillé la voiture d'une carrosserie innovante, fluide et légère en fibre de carbone, ce qui donnait un poids à vide de 1 152 kilos. La voiture coûtait plus de 500 000 dollars.

Une version légèrement modifiée est sortie en 2004, offrant le choix entre un moteur V8 et un V12 Mercedes. En 2005, Laraki a affirmé que le moteur pouvait développer 671 chevaux, et en 2007 il a créé un concept réputé atteindre la puissance stupéfiante de 920 chevaux. Ses performances, indiquées ci-dessus, sont des estimations du constructeur et n'ont pas fait l'objet d'essais indépendants.

La seconde Laraki, la Borac, était une GT. Son moteur était disposé à l'avant et elle possédait deux petits sièges à l'arrière. Le moteur était le Mercedes de la Fulgura, sans turbocompresseur. Des modèles aux cahiers des charges spécifiques avaient été réalisés en tant que prototypes, mais les très riches clients de Laraki ne les ont apparemment pas achetés. Depuis, les deux modèles sont tombés dans l'oubli. **SH**

Copen | Daihatsu

(J)

2003 • 1 300 cm³, S4 • 86 ch • 0-100 km/h en 9,5 s • 170 km/h

La Copen de Daihatsu était une minuscule sportive rétro à 2 portes équipée d'un toit rétractable en aluminium. Au Japon, elle était équipée d'un moteur de 659 cm³ à 3 cylindres et à turbocompresseur pour répondre aux restrictions imposées aux Midget. Cette version pouvait passer de 0 à 100 km/h en 11,7 secondes et atteindre 145 km/h. Beaucoup d'autres pays ont importé une version plus tardive, équipée d'un moteur de 1 300 cm³ provenant de la Daihatsu Sirion. Il s'agissait d'un moteur sophistiqué avec calage variable des soupapes et double arbre à cames en tête dont les performances étaient plus dynamiques (voir les chiffres ci-dessus). Les deux versions possédaient un moteur avant et 4 roues motrices.

Le hard-top se repliait et disparaissait dans le coffre étonnamment spacieux en 20 secondes environ après avoir actionné un bouton. L'intérieur était élégant, mais étroit, garni de sièges et d'un volant en cuir. La voiture ne pesait que 850 kilos, de sorte que son guidage était précis. Parmi les équipements figuraient la climatisation, l'ABS et les jantes en alliage, mais cela ne changeait rien au fait que la Copen était si petite que beaucoup de conducteurs avaient l'impression de conduire une voiture pour enfant. Un journaliste britannique l'a même appelée la voiture « qui a pris d'assaut Toytown » (la « ville des jouets »).

Néanmoins, elle n'était pas chère et consommait peu, s'attirant en outre un nombre impressionnant de sourires sur son parcours. Cette minicitadine tournait les têtes et était amusante à conduire. La petite Copen a fait des adeptes, et la cote des modèles d'occasion est donc restée remarquablement élevée. **SH**

Roadster | Smart

2003 • 689 cm³, S3 • 80 ch • 0-97 km/h en 10,9 s • 175 km/h

L'équipe de Jens Manske chez Smart souhaitait créer une nouvelle voiture à partir de la Smart classique, qui connaissait un grand succès. La décision a donc été prise de créer une sportive simple, légère et abordable. Conçue pour rappeler le style de conduite de modèles classiques modestement puissants, comme la MG Midget, la Smart Roadster permettait de rouler cheveux au vent dans une voiture fiable et moderne. « Réduite au maximum » : telle était la philosophie de Smart.

La Roadster, sorte de Smart étirée en longueur, possédait un toit escamotable dans le style Targa ainsi qu'un centre de gravité surbaissé. Le même moteur Suprex turbocompressé développé par Mercedes, disponible en deux versions, propulsait les roues arrière, mais n'était pas en mesure de perturber un radar. La boîte de vitesses semi-automatique à 6 rapports était également modérée : elle nécessitait une certaine habitude pour passer les vitesses de manière fluide. Cela, outre le fait que le châssis démontrait plus d'adhérence que de réactivité, était le talon d'Achille de la voiture.

Son prix de départ était de 15 000 euros et elle pesait 790 kilos. Elle offrait une conduite sportive à une vitesse très – trop – raisonnable.

La société allemande Brabus de préparation automobile avait construit un prototype de la Roadster équipé de deux des moteurs d'origine à 3 cylindres, réunis pour créer un V6 incluant deux turbos. Cette voiture, développant 215 chevaux, possédait le même rapport poids/puissance qu'une Porsche 911 contemporaine, mais elle ne correspondait plus à la philosophie minimaliste du Roadster. Heureusement, elle n'a pas été commercialisée. **RD**

◁ Les prouesses du Hummer H2 de 2003 trahissent ses origines militaires, et son aspect déplaît aux amoureux de la nature.

H2 | Hummer (USA)

2003 • 6 000 cm³, V8 • 316 ch
0-97 km/h en 10,4 s • 150 km/h

Le Hummer était à l'origine un véhicule militaire, le Humvee, qui a joué un grand rôle pendant la première guerre d'Irak. Arnold Schwarzenegger avait fait campagne pour convaincre son constructeur, AM General, d'en réaliser un modèle civil à partir de 1992. Le succès de ce dernier a incité General Motors à en racheter les droits en 1999 et à en concevoir un modèle plus adapté à la ville. Doté du même châssis que le Chevrolet Tahoe, le H2 possédait la même stature imposante et menaçante et un avant bardé de métal.

Son prix de départ était fixé à 48 800 dollars et il offrait à ses propriétaires des possibilités sans précédent en matière de conduite tout-terrain et une indéniable présence. Il aurait sans doute pu remorquer une maison si nécessaire. Il avait toutefois comme inconvénients sa tenue de route proche de celle d'un poids lourd, son habitacle étroit et la gourmandise de son V8 (28,2 litres aux 100 kilomètres).

Bientôt, les H2 ont côtoyé les Chevrolet Suburban et les Lincoln Navigator dans les centres commerciaux de l'ensemble des États-Unis. GM en a produit d'autres modèles, dont des pick-up et le H3, plus petit, Hummer devenant donc une marque à part entière. Les Hummer avaient beaucoup de succès auprès de ceux qui aimaient soigner leur image et ont souvent été customisés. D'autres en revanche ont été vandalisés par des activistes qui les jugeaient polluants et responsables de la destruction de la planète.

Les ventes se sont effondrées après la crise financière de 2008. GM a donc arrêté la production. Des H2 d'occasion peuvent aujourd'hui être acquis pour un prix avoisinant les 15 000 dollars. **LT**

SV | MG (GB)

2003 • 4 601 cm³, V8 • 320 ch
0-97 km/h en 5,3 s • 265 km/h

MG-Rover cherchait à rajeunir sa gamme de modèles et acheta les actifs de la filiale italienne du groupe Qvale Automobile. Le constructeur britannique espérait que la Qvale Mangusta pourrait lui servir de modèle, car elle était déjà vendue aux États-Unis. La Mangusta était issue de la De Tomaso Bigua qui avait été rachetée par Qvale lorsque De Tomaso avait connu des problèmes financiers.

La Mangusta, dotée du nom de code MG X80, avait été modifiée par le designer britannique Peter Stevens. Sa coûteuse carrosserie en fibre de carbone avait été assemblée à partir de plus de 3 000 pièces. Son châssis léger en acier était équipé de barres antiretournement intégrées lui permettant de répondre aux spécifications de la FIA en matière de course. Ses phares étaient de marque Fiat et son moteur Ford, un V8 de 4 601 cm³, délivrait des performances à la hauteur de son look. La MG SV, dont le prix de départ était de 100 000 dollars, se révélait être un projet ambitieux pour une société en difficulté.

Pourtant, en 2004, une version encore plus puissante du modèle était sortie : la SV-R. Propulsée par un V8 très remanié de 5 000 cm³ développant 385 chevaux, celle-ci atteignait une vitesse de pointe de 281 km/h. MG entendait proposer des versions plus puissantes, capables de développer jusqu'à 1 000 chevaux.

En raison d'un processus de production complexe et des difficultés financières de MG-Rover durant cette période, le modèle n'a été produit qu'à 75 exemplaires. La disparition de MG-Rover en 2005 n'a toutefois pas entraîné la disparition de la voiture. En 2007, une société appelée MG Sports and Racing en a acheté les droits. **RD**

M3 CSL | BMW   (D)

2003 • 3 245 cm³, S6 • 355 ch
0-100 km/h en 4,5 s • 155 km/h

La BMW M3 avait déjà connu un énorme succès, mais les ingénieurs perfectionnistes de BMW sentaient qu'ils pouvaient faire mieux. Une version transformée appelée M3 CSL a été conçue pour des marchés restreints. La CSL (Coupe Sport Leichtbau) était plus légère et plus puissante. Un moteur de M3 à 6 cylindres en ligne, des modifications de l'admission, des soupapes et du calage de l'arbre à cames lui conféraient 17 chevaux supplémentaires. La voiture n'était disponible qu'avec la boîte de vitesses semi-automatique SMG, afin que les passages de vitesse soient très rapides.

La carrosserie faisait largement appel à la fibre de carbone. BMW a même employé un acier plus fin pour l'échappement et du verre moins épais pour le pare-brise afin d'économiser quelques grammes. Le gain de poids total, d'environ 110 kilos, pouvait ne pas sembler si important, mais BMW a travaillé sur la répartition du poids de la voiture, abaissant son centre de gravité de manière à améliorer la tenue de route.

La série limitée avait été vendue instantanément. Pour les acheteurs possédant une licence de course, BMW a supprimé le limiteur de vitesse. Les changements effectués, mineurs en apparence, ont fait une grande différence. Le perfectionnisme de BMW a transformé la M3 déjà puissante en une effrayante supercar. **RD**

VX220 Turbo | Vauxhall   (GB)

2003 • 1 998 cm³, S4 • 197 ch
0-97 km/h en 4,6 s • 242 km/h

Malgré des articles dithyrambiques, la VX220 s'était vendue cinq fois moins bien en 2002 que sa rivale d'écurie siglée Lotus. Injustement perçue comme l'Elise des pauvres, elle n'était pas auréolée du même prestige que la Lotus. Une cure de jouvence s'imposait.

La petite sportive a donc été équipée d'un moteur turbocompressé de 1 998 cm³ d'Astra GSI ; son gain de puissance a été de 38 %. Ne pesant que 930 kilos grâce à son châssis en aluminium, la VX possédait désormais un rapport poids/puissance rivalisant avec celui d'une Porsche 911. Elle passait de 0 à 100 km/h en moins de 5 secondes, mais c'est avant tout la puissance qu'elle délivrait au-delà qui a impressionné les premiers pilotes d'essai.

La VX220 Turbo ne coûtait que 40 000 dollars lorsqu'elle est sortie. L'émission de la BBC *Top Gear* l'a consacrée voiture de sport de l'année 2003.

Seules 1 940 voitures ont été fabriquées avant l'arrêt de la production en 2005. Malheureusement, beaucoup d'entre elles ont subi des dommages irréparables lors de collisions, et le modèle est devenu de plus en plus rare. Pour cette raison, le site Internet MSN Cars a émis l'avis en 2011 que la VX220 Turbo était l'un des dix meilleurs placements potentiels pour un collectionneur de voitures, et qu'elle deviendrait un classique. **DS**

Gallardo | Lamborghini ⓘ

2003 • 4 961 cm³, V10 • 493 ch
0-97 km/h en 4,1 s • 309 km/h

En 1998, Lamborghini a été acquis par le groupe Volkswagen-Audi. Un projet concernant une nouvelle voiture, la «Baby Lambo», était en cours, et celle-ci avait été entièrement conçue sous la direction de VW et commercialisée en 2003. Elle a été baptisée Gallardo, du nom d'une célèbre race de taureaux de combat.

Même s'il ne s'agissait pas de la première Lamborghini réalisée sous la direction de la firme allemande (après la Murciélago), la Gallardo était importante car elle démontrait la volonté de VW d'accroître et de consolider la gamme de ses voitures. La voiture mesurait 10 centimètres de moins que la Murciélago et était propulsée par un moteur V10 au lieu d'un V12, qui délivrait une puissance de 493 chevaux. Les acheteurs avaient le choix entre une boîte de vitesses classique à 6 rapports et une boîte électronique actionnée par des palettes au volant.

La nouvelle voiture était plus facile à piloter que les précédentes Lamborghini, mais elle n'avait rien perdu de son statut de supercar. Elle est même devenue la Lamborghini la plus vendue à ce jour, avec 10 000 exemplaires construits au cours des sept premières années. Le châssis de la Gallardo a aussi été utilisé pour l'Audi R8, même si celle-ci était à l'origine équipée d'un moteur V8 pour l'empêcher de concurrencer sa cousine italienne. Aujourd'hui, elle possède le même moteur V10. **RD**

RX-8 | Mazda ⓙ

2003 • 1 300 cm³, bi-rotor • 228 ch
0-97 km/h en 6,4 s • 235 km/h

La Mazda RX-8 possédait le moteur à piston rotatif de la RX-7, affichant de belles performances, mais elle était moins chère et plus grande. Dotée de petites portes à l'arrière et de grandes portes à l'avant, elle était pourvue de petits sièges assez étroits, mais plus confortables que dans les véhicules 2 + 2, où ils étaient souvent inutilisables. L'habitacle était plus luxueux, les passages de roues plus grands et l'avant profilé.

Côté moteur, les turbocompresseurs séquentiels ont été abandonnés en faveur d'un moteur atmosphérique aux performances prévisibles. Différentes préparations du moteur étaient disponibles selon les pays, suivant leur législation en matière de pollution. Les chiffres ci-dessus concernent la configuration pour le Royaume-Uni. La RX-8 a été chaleureusement accueillie par les journalistes britanniques, mais elle souffrait toutefois des faiblesses de la RX-7 : un manque d'espace pour les bagages et une consommation de carburant élevée. De plus, la dépréciation importante du véhicule le rendait encore plus coûteux.

Mazda a essayé de reproduire le succès de sa petite MX-5 en réalisant plusieurs éditions spéciales, un changement de style de la carrosserie et une version avec un moteur à hydrogène, la RX-8 RE. Mais le temps a fait son œuvre et le modèle a cessé d'être produit en 2012. **SH**

Phantom | Rolls-Royce

2003 • 6 749 cm³, V12 • 453 ch • 0-97 km/h en 6 s • 240 km/h

En 2003, Rolls-Royce a eu de nouveau le vent en poupe. La Seraph, lourde et peu maniable, a été bannie et remplacée par un monstre brutal, aux flancs plats, doté de petits phares et d'une calandre très classique, presque caricaturale. Le prix de départ de la Phantom était de 300 000 dollars. Naturellement, de nombreux cheiks, oligarques, rappeurs et stars du football en voulaient une. La Phantom est devenue l'une des voitures les plus customisées. Rolls-Royce aime mettre l'accent sur l'héritage automobile britannique et sur le fait que son usine de Goodwood est située sur la propriété du comte de March, un passionné de voitures. Pourtant, l'entreprise est une filiale de BMW depuis 1998, son puissant V12 et une grande part de ses habitacles étant allemands.

La Phantom est équipée du moteur V12 à injection directe réalésé, en alliage et à 48 soupapes de la BMW 760iL. La voiture, puissante, régulière et somptueuse, offre un confort de conduite inégalé. Son châssis et ses panneaux en aluminium favorisent sa rigidité tout en réduisant son poids. Ses ressorts pneumatiques épargnent les passagers sur les plus mauvaises routes. La direction est légère mais précise et la Rolls semble plus petite qu'elle ne l'est en réalité. Des caméras sont disposées sur le long capot pour voir au-delà des virages.

Les passagers arrière accèdent aux sièges grâce à des portes antagonistes qui se ferment en appuyant sur un bouton. Un parapluie est logé dans chaque porte. À l'intérieur, les pieds des passagers s'enfoncent dans un tapis en laine de mouton.

La touche finale, c'est le logo « RR » au centre du volant qui reste toujours droit, car il est monté sur un losange indépendant. **LT**

SLR McLaren | Mercedes-Benz $\boxed{\text{D}}$

2003 • 5 439 cm³, V8 • 626 ch • 0-97 km/h en 3,6 s • 334 km/h

La Mercedes SLR McLaren est une véritable supercar : un mélange de technologie de pointe et d'art. Faisant l'objet d'une collaboration anglo-allemande entre Mercedes et McLaren, elle est assemblée au centre technique de l'écurie de formule 1 de Woking, en Angleterre.

La voiture a été inspirée par la Mercedes-Benz 300 SLR Uhlenhaut de 1955, menée à la victoire par Stirling Moss durant les Mille Miglia en Italie. La nouvelle SLR possède un design innovant, une carrosserie entièrement en fibre de carbone et un châssis en aluminium. Son moteur est un V8 surcomprimé en aluminium construit à la main. À l'origine, le moteur était positionné à l'avant du véhicule, mais McLaren l'a reculé d'un mètre pour créer un meilleur équilibre ; techniquement, la SLR est dotée d'un moteur central avant. Le moteur développe 626 chevaux, la transmission aux roues arrière

s'effectuant par le biais d'une boîte de vitesses semi-automatique sophistiquée, à 5 rapports. Les conducteurs peuvent choisir le mode de fonctionnement de la transmission et décider à quel régime s'effectueront les passages de rapports.

Les autres éléments mécaniques de la voiture ont été tout aussi bien pensés : suspension à double triangulation, disques de freins en carbone et aileron arrière sophistiqué. Ce dernier, qui se soulève à vitesse élevée, peut être réglé à l'aide d'un bouton ; en cas de freinage puissant, il fait office d'aérofrein.

La première SLR Mclaren était exceptionnelle, mais Mercedes et McLaren en ont réalisé plusieurs autres versions, notamment la « Stirling Moss », un roadster en édition limitée dont la puissance atteignait 640 chevaux. L'année 2009 a marqué la fin de la gamme SLR. **JI**

Cayenne Turbo | Porsche   (D)

2003 • 4 500 cm³, V8 • 450 ch
0-97 km/h en 5,3 s • 266 km/h

Lorsque Porsche a annoncé son intention de produire un SUV de sport, les amateurs de la marque ont été atterrés. « Attendez de l'avoir conduit », avait répondu la firme allemande. Effectivement, ils ont alors changé d'avis. Les conducteurs profitaient pour la première fois d'une vue imprenable à l'avant, mais avaient aussi la possibilité de dépasser presque tout ce qui les devançait.

Pesant environ deux tonnes et mesurant 170 centimètres de haut, le Cayenne n'a rien à voir avec la Porsche 911, mais ses performances sont extraordinaires pour un SUV. Sa tenue de route est parfaite grâce à sa suspension à double triangulation à l'avant et à l'arrière, à ses ressorts pneumatiques et à sa barre stabilisatrice. C'est une nouvelle race de véhicule, le crossover ultra-sportif.

Porsche n'était pas une société suffisamment importante pour financer seule ce nouveau véhicule. Le Cayenne, subventionné par Volkswagen, partage 60 % de ses pièces avec le Touareg. Toutefois, certains des éléments qui lui donnent toute sa personnalité viennent de Porsche, notamment son moteur V8 et sa transmission semi-automatique à 6 rapports.

La garde au sol est réglable et il existe trois modes de suspension : normal, confort et sport. Les critiques portaient essentiellement sur l'aspect, plutôt anonyme, et la consommation élevée du Cayenne. En 2009, Porsche a donc proposé une solution improbable à ce problème de consommation : une version diesel. À nouveau, les inconditionnels de la marque ont protesté, mais les performances du turbo diesel ont emporté leur assentiment. **SH**

Carrera GT | Porsche   (D)

2003 • 5 733 cm³, V10 • 604 ch
0-97 km/h en 3,5 s • 330 km/h

Porsche n'est pas réellement un constructeur de supercars. Même si la première 911 Turbo et la 959 de rallye étaient des machines extraordinaires, la firme allemande s'est concentrée sur les voitures sportives de série.

La Porsche Carrera GT est un tout autre animal. Elle a été créée de toutes pièces et, malgré quelques similitudes de conception, n'a pas été limitée par le châssis de la 911. Cette fois, l'inspiration est venue du prototype LMP2000 Le Mans. Afin de ne pas être surpassée par Audi, sa rivale allemande, Porsche a mis fin à ce programme de voiture de course pour consacrer son énergie, sa technologie et son budget à une supercar homologuée pour la route.

Propulsée par un moteur V10 de 5 700 cm³ conçu à l'origine pour l'écurie de formule 1 Footwork, la voiture est dotée d'une carrosserie et d'un châssis légers, entièrement en fibre de carbone. Clin d'œil à l'héritage de la GT Le Mans, le bouton du levier de la boîte manuelle à 6 rapports est en bois, tout comme celui de la Porsche 917. Le gros aileron arrière se déploie vers le haut sur deux supports en fibre de carbone lorsque la voiture atteint 110 km/h.

Seules 1 270 Carrera ont été construites jusqu'en 2006, la moitié ayant été exportées aux États-Unis. Parmi les rivales évidentes de la Carrera GT figuraient la Ferrari Enzo et la Pagani Zonda. Des débats enflammés avaient lieu pour déterminer quelle était la plus belle supercar des trois. Un essai mené par *Autocar* en 2004 a finalement donné lieu au commentaire suivant : « La Carrera GT est la meilleure des supercars jamais réalisées et sans doute la voiture de tourisme la plus excitante de l'histoire de l'automobile. » **DS**

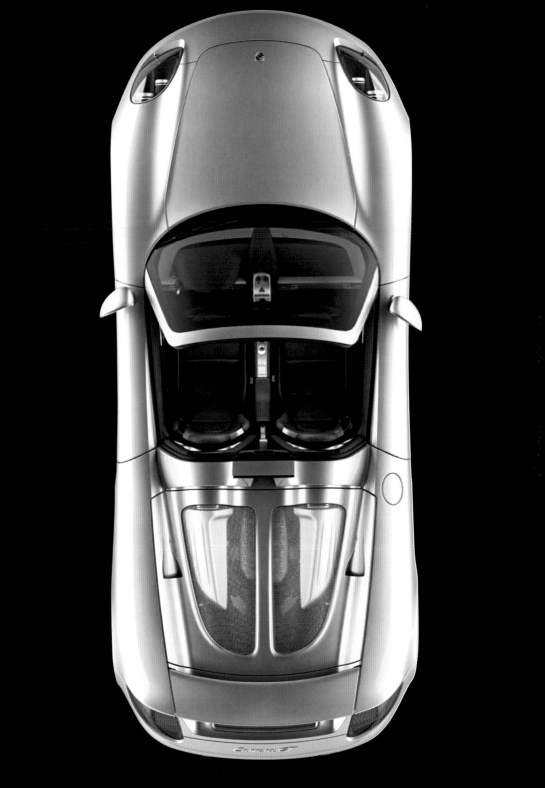

Crossfire | Chrysler

USA

2003 • 3 200 cm³, V6 • 215 ch • 0-97 km/h en 6,4 s • 250 km/h

La Crossfire évoquait une grosse muscle car ressuscitée : cette 2 places à propulsion dissimulait un V8 fougueux et était taillée pour affronter les Mustang et les Camaro des années 1970.

Conçue par l'Américain Eric Stoddard, qui a ensuite travaillé pour Hyundai, elle possédait le châssis et le moteur d'une Mercedes SLK. Mêlant des caractéristiques de voitures de sport américaines et européennes, elle se distinguait par ses ouïes d'aération latérales et sa poupe rétro façon bateau. Son côté sportif était souligné par de grandes roues, un aileron arrière rétractable et un double échappement à sortie centrale.

Cette voiture pleine de caractère a hérité de la structure rigide de la SLK, fabriquée dans la même usine en Allemagne. Néanmoins, une nouvelle SLK étant sortie en 2004, la Crossfire est alors apparue comme une relique.

Certains Américains ont eu l'impression qu'il s'agissait d'un modèle de seconde main fabriqué en Europe.

Le contrôle de la stabilité, l'ABS et le système anti-patinage permettaient d'obtenir une belle adhérence, mais n'avaient pas amélioré la lourde direction et la suspension inconfortable. De même, les sièges en cuir à commande électrique, la climatisation bizone et une stéréo de 240 watts ne compensaient pas l'emploi abusif de plastique dans l'habitacle, ni son étroitesse.

Une décapotable est sortie peu après, puis une version SRT-6 surcomprimée et dynamique de 330 chevaux, passant de 0 à 97 km/h en 4,8 secondes. Cependant, les ventes n'ont jamais été excellentes, avec moins de 100 000 exemplaires vendus dans le monde, et Mercedes et Chrysler se sont séparés en 2007, mettant fin à la production de la Crossfire. **SH**

Quattroporte | Maserati

2004 • 4 201 cm³, V8 • 394 ch • 0-97 km/h en 5,6 s • 334 km/h

Comme son nom l'indique, la Quattroporte est une berline 4 portes de Maserati. Le modèle de 2004 a été conçu par la société de design italienne Pininfarina. Berline de sport luxueuse, la Quattroporte a été dévoilée au Salon de l'automobile de Francfort en septembre 2003. Elle possède le style classique d'une Maserati, avec sa calandre ovale, ses trois ouïes d'aération placées sur les ailes et son horloge en forme d'amande ornant le tableau de bord. En 2003, le magazine *GQ* lui a attribué la 21ᵉ place parmi les 100 plus beaux objets du monde.

Sa beauté stupéfiante dissimule une supercar musclée. Le modèle de lancement possédait un V8 de 4 201 cm³ et de 395 chevaux. Selon le magazine *Auto Express*, la voiture avait « l'une des plus belles sonorités qui soient pour une voiture de série ».

Sa transmission, toutefois, a fait l'objet de nombreuses critiques. Sur la boîte de vitesses, baptisée DuoSelect et basée sur un modèle Ferrari, les changements de rapports pouvaient se révéler malcommodes. En 2007, Maserati l'a remplacée par une boîte de vitesses automatique classique à 6 rapports du constructeur allemand ZF.

Le prix de départ était de 210 000 dollars pour le modèle doté d'un V8 de 4 201 cm³. Plus tard, un modèle Sport GTS a atteint une puissance de 433 chevaux. Le magazine *L'Automobile* l'a proclamée voiture la plus luxueuse de l'année 2008, mais elle n'a jamais été récompensée pour son caractère économique ni pour ses faibles émissions de gaz. Naturellement, 19 exemplaires de la Quattroporte ont été achetés par le gouvernement italien. **RD**

T6 Roadster | Caresto (S)

2004 • 2 900 cm³, S6 • 330 ch • Inconnue • Inconnue

Caresto occupe une place de choix dans le paysage des bolides suédois. Le fondateur de la firme est l'ingénieur de développement Leif Tufvesson, qui avait travaillé chez Volvo et chez Koenigsegg. Caresto crée habituellement des bolides inspirés des Volvo classiques. Ce modèle rétro à l'aspect hors du commun, basé sur une Volvo XC90, est l'une de ses créations les plus réussies.

La petite équipe, qui travaille dans un atelier à la campagne dans le sud de la Suède, a équipé l'arrière du T6 d'un moteur Volvo classique propulsant les roues arrière via une boîte de vitesses séquentielle Volvo à 4 rapports. La voiture a été dotée d'une carrosserie en aluminium et d'un toit amovible en polycarbonate recouvrant un châssis métallique tubulaire fabriqué à la main. Ses lignes sont simples et magnifiques.

Pour ce modèle, Caresto a utilisé le moteur biturbo à 6 cylindres en ligne de la plus grosse voiture de série de Volvo. Comme la voiture ne pèse que 1 075 kilos, ses performances sont éblouissantes, mais non répertoriées, Caresto ne les ayant pas publiées.

Le T6 possède des équipements d'excellente qualité, dont une sellerie en cuir écossais cousue à la main, l'ABS et des jantes en alliage. Il est très sophistiqué sur le plan technique : pour éviter une surchauffe du moteur, le capot arrière se soulève automatiquement à une température préétablie. La suspension très performante est constituée de bras triangulaires spécifiques et de ressorts à lames en fibre de carbone.

D'après le magazine *Hot Rod*, le T6, qui a obtenu plusieurs prix, est l'un «des bolides dont le style est le plus spectaculaire». **SH**

T4 | Troller

BR

2004 • 3 000 cm³, S4 • 161 ch • Inconnue • 150 km/h

Le tout-terrain T4 a été inspiré par la Jeep Willys et reste proche de son modèle original, simple et léger. Troller est un constructeur de véhicules tout-terrain brésilien et également une filiale de Ford. Le T4 est son fer de lance. Rival local de la Ford Wrangler, il est considéré comme meilleur marché et plus solide.

Ce 4 x 4 possède un gros moteur turbo diesel de 3 000 cm³ doté d'une injection directe à haute pression. Il s'agit d'une transmission intégrale permanente et sa boîte de vitesses manuelle est à 5 rapports. La carrosserie en fibre de verre (qui présente un faible coût, un poids modéré et ne rouille pas) arbore un style classique et repose sur un châssis métallique tubulaire rectangulaire et rigide. Parmi les équipements figurent des sièges en cuir, la climatisation, la direction assistée, les rétroviseurs et vitres automatiques ainsi que les jantes en alliage.

Le T4 possède un toit amovible, un petit hayon arrière sur lequel est fixée la roue de secours, des longerons de toit et une «cheminée» d'échappement amenant les émissions à hauteur du toit – ce qui lui permet de rouler dans une grande profondeur d'eau. Le T4 possède des angles d'attaque et de sortie excellents, grâce auxquels il peut aborder des montées ou des descentes raides sans endommager son pare-chocs.

Le véhicule a participé à de nombreux rallyes, dont le Paris-Dakar. Il a été tellement apprécié en Afrique que Troller a ouvert une usine en Angola. En décembre 2009, un hélicoptère de la télévision brésilienne en avait filmé un qui roulait dans les rues inondées de São Paulo, alors que l'eau recouvrait son capot et remontait sur son pare-brise. Ce T4 a fait une telle impression que Troller a depuis utilisé ces images dans sa publicité. **SH**

DB9 | Aston Martin

2004 • 5 935 cm³, V12 • 469 ch • 0-97 km/h en 4,6 s • 300 km/h

Si la Vanquish est connue comme étant la dernière voiture construite dans l'usine d'Aston Martin à Newport Pagnell, la DB9 était la première à sortir de la nouvelle usine du constructeur, à Gaydon dans le Warwickshire.

Le modèle précédent, la DB7, était basé sur la Jaguar XJS. Mais l'année 2004 a constitué un tournant pour Aston Martin, qui appartenait alors à Ford. De nombreux investissements ont été réalisés dans de nouveaux modèles et de nouvelles technologies et la DB9 fut entièrement repensée. Ce fut la première voiture construite sur un châssis en aluminium VH, qui allait aussi être utilisé pour la V8 Vantage.

Pourquoi le constructeur est-il passé de la DB7 à la DB9 en oubliant la DB8 ? C'était principalement pour souligner l'immense bond en avant technologique du modèle, et puis, si la voiture avait été appelée DB8, elle aurait peut-être été perçue comme équipée d'un V8 plutôt que du même V12 que la Vanquish.

La DB9 a été dessinée par Ian Callum peu avant qu'il ne rejoigne Jaguar, pour qui il a conçu la XKR. Les deux voitures présentent quelques similitudes et se font concurrence sur le même secteur du marché automobile : celui du Grand Tourer.

Des robots ont participé à l'assemblage de la DB9 – contrairement aux modèles précédents –, notamment à la fixation des panneaux de carrosserie. La voiture associe les qualités traditionnelles de l'Aston Martin à la haute technologie, étant équipée d'une zone rouge variable en fonction du kilométrage et de la température du moteur. Le V12 permet d'atteindre 300 km/h et peut rouler facilement toute la journée à une vitesse deux fois supérieure à la limite légale – dans tous les pays. **JI**

Titan | Nissan (J)

2004 • 5 552 cm³, V8 • 305 ch • 0-97 km/h en 7,2 s • 185 km/h

Parmi les croyances ancrées aux États-Unis, on retrouve celle qui consiste à penser que plus une chose est grande, mieux c'est. Des burgers aux buildings, la taille est importante.

Cela explique peut-être pourquoi les énormes pick-up ont tant de succès dans ce pays. Le patriotisme joue sans doute également un rôle : les pick-up qui y sont les plus populaires sont tous fabriqués par des sociétés américaines. Toyota a tenté de pénétrer ce marché, mais les marques américaines l'ont emporté. Les modèles japonais n'étaient peut-être pas assez grands.

Aussi, en arrivant sur le marché, Nissan a veillé à le faire à sa manière, avec l'imposant Titan. Deux faits ont peut-être compté dans le succès de ses ventes : le pick-up est fabriqué dans l'usine Nissan de Canton, dans le Mississippi, et mesure 6 mètres de long.

Le V8 de 5 552 cm³ a dû également jouer un rôle, beaucoup ayant pensé qu'en matière de puissance, il était supérieur à ses concurrents américains. Ce V8, fabriqué aux États-Unis, bénéficie aussi de la technologie japonaise ; le géant compte 4 soupapes par cylindre, contre deux pour certains de ses rivaux.

Si le Titan n'existe qu'en une seule taille, il est toutefois disponible en plusieurs versions. Le King Cab est doté de sièges arrière, mais non de portes arrière. Le Crew Cab est plus grand, aux dépens de l'aire de chargement, mais son confort à l'arrière favorise un usage à la fois de véhicule familial et de camionnette de transport.

Grâce à ses caractéristiques, le Titan a rapidement conquis le public américain. Nissan a investi l'un des secteurs les plus concurrentiels de l'automobile américaine et a remporté le combat haut la main. **JI**

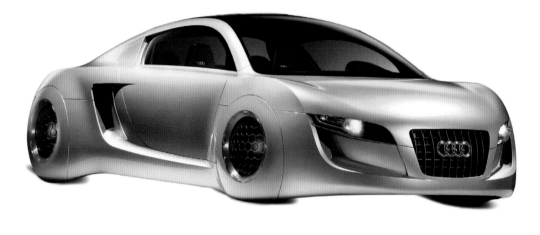

RSQ | Audi   Ⓓ

2004 · Inconnue · Inconnue · Inconnue · Inconnue

2035. Un policier interprété par Will Smith roule à grande vitesse autour de Chicago dans un coupé 2 portes et 2 places immédiatement identifiable comme étant une Audi. Pour ce film tiré du roman de science-fiction *I, Robot*, d'Isaac Asimov, Audi a créé un modèle entièrement nouveau. Les designers d'Audi, qui n'avaient que dix semaines pour concevoir la RSQ, sont parvenus à trouver un compromis plausible entre le présent et le futur. Le véhicule devait être extraordinaire tout en intégrant un maximum d'éléments caractéristiques des Audi. Ainsi, son apparition dans ce film entraînera un maximum de bénéfices sur le plan du marketing.

En dépit de sa carrosserie audacieuse en fibre de verre, l'avant ressemble presque à celui d'une Audi classique, avec sa calandre trapézoïdale et son logo. À l'arrière, les quatre anneaux d'Audi brillent d'un éclat rouge. Mieux encore, la voiture présente des similitudes de style avec les TT et R8 à venir, laissant supposer que la RSQ a influencé la conception des modèles suivants.

La RSQ est un coupé à moteur central qui se caractérise surtout par ses roues sphériques. Elle possède également des portes papillon antagonistes (comme celles de certains modèles de Lamborghini, firme dirigée par Audi), un pilote automatique fonctionnel et une peinture luminescente qui change de couleur.

À l'intérieur, Will Smith utilisait un volant en U qui se déployait automatiquement. En mode autopilotage, le volant rentrait de nouveau dans le tableau de bord. Un des équipements de cette voiture est aujourd'hui disponible sur les modèles Audi : les spectateurs attentifs auront pu voir Will Smith utiliser le clavier et l'écran Multi Media Interface de la marque. **SH**

Mark III La Joya | Bufori

MAL

2004 • 2 656 cm³, V6 • 172 ch • 0-100 km/h en 6,7 s • 220 km/h

Bufori est une petite société familiale qui fabrique des véhicules inspirés par les coupés des années 1930. En 1986, Gerry Khouri a entrepris de construire trois voitures de sport originales dans son garage, à Sydney en Australie : une pour lui-même et une pour chacun de ses frères, Anthony et George. Devant la réussite du modèle, les trois frères créèrent une entreprise à Kuala Lumpur, en Malaisie, leur petite usine spécialisée produisant 300 voitures par an.

La Joya (« joyau » en espagnol) était le 5ᵉ modèle de la société Bufori. Sans fausse modestie, l'entreprise vante sa voiture comme étant « l'une des voitures les plus originales et luxueuses de la planète ».

La 2 places a peut-être un style rétro, mais elle est tout à fait moderne, associant la fibre de carbone et le Kevlar, résistants et légers, et un V6 à 4 arbres à cames propulsant les roues arrière par l'intermédiaire d'une boîte de vitesses automatique Tiptronic. Elle est aussi dotée des dernières avancées technologiques, comme l'ABS, des capteurs de stationnement, l'antipatinage, le Bluetooth et l'affichage de la pression des pneus.

Mais ce sont les finitions de la voiture qui font la différence. L'habitacle est habillé de tapis perses en soie, d'un tableau de bord en noyer poli français et d'instruments plaqués or 24 carats. Un logo solide en or peut être acquis en option et les acheteurs peuvent faire sertir de pierres précieuses l'endroit de leur choix sur la voiture.

La Joya possède un long capot classique, mais son moteur est monté juste derrière l'essieu arrière. Avec sa suspension à double triangulation et ses amortisseurs réglables, celle-ci possède une tenue de route à la hauteur de son dynamisme. **SH**

612 Scaglietti | Ferrari (I)

2004 • 5 700 cm³, V12 • 533 ch • 0-100 km/h en 4,3 s • 315 km/h

Cette voiture a été l'un des véhicules de police les plus improbables du monde. Le modèle avait été peint en bleu foncé par Ferrari, une bande blanche horizontale et le mot «police» figurant sur le capot. Il possédait même une rangée de lampes sur le toit. Mais il s'agissait uniquement d'un clin d'œil promotionnel. Le modèle policier a été piloté par de véritables officiers de police dans le cadre d'un défilé de Ferrari à travers le Royaume-Uni au cours du 60ᵉ relais anniversaire de la marque en 2007.

La voiture possédait 4 véritables places, ce qui est inhabituel chez Ferrari. Ce grand coupé 2 portes Grand Tourisme était doté d'un moteur V12 de 5 700 cm³ (également présent sur la 575 Maranello) disposé sous le capot à l'avant et propulsant les roues arrière. La carrosserie fluide aux flancs creusés est en aluminium, soudée sur un châssis lui aussi en aluminium. Les acquéreurs ont le choix entre deux boîtes à 6 rapports, l'une manuelle et l'autre semi-automatique avec palettes au volant. La vitesse est exceptionnelle et la conduite sportive, mais il s'agit de la première Ferrari simple à conduire en ville et qui se faufile facilement dans la circulation.

Le nom de la voiture a trait à la Carrozzeria Scaglietti, célèbre carrossier italien qui a travaillé sur de nombreux modèles de course Ferrari dans les années 1950. La 612 est fabriquée dans l'ancienne usine de Scaglietti à Modène, en Italie. Elle constitue un hommage au carrossier Sergio Scaglietti, même si ce dernier n'a pas travaillé avec Ferrari depuis 17 ans. «J'ai découvert 2 heures avant sa présentation qu'elle s'appelait Scaglietti», a déclaré l'homme, âgé de 83 ans, aux médias. «Ils m'ont appelé pour être certains que je viendrais à la présentation de ma voiture. J'étais stupéfait.» **SH**

M400 | Noble

GB

2004 • 2 968 cm^3, V6 • 425 ch • 0-97 km/h en 3,2 s • 301 km/h

Cela fait longtemps que les constructeurs de voitures de sport au Royaume-Uni empruntent des moteurs à d'autres constructeurs, souvent américains, et les associent à un châssis preste et agile. Dès les années 1930, Allard procédait ainsi avec des V8. Noble a conservé cette tradition, s'appropriant le V6 de 2 968 cm^3 de la Ford Mondeo ST220 pour l'insérer sur le châssis de la M400. Le tout a ensuite été enveloppé d'une carrosserie en fibre de verre évoquant celle d'une Lotus.

Avant d'être utilisé pour la M400, le moteur de la Mondeo a été considérablement modifié par les ingénieurs de Noble (qui travaillaient à Leeds, même si les voitures étaient fabriquées en Afrique du Sud). Pour commencer, les ingénieurs l'ont équipé de deux turbocompresseurs, de nouveaux pistons et de nouveaux systèmes d'injection d'essence. Le moteur ainsi modifié développait 425 chevaux, pour une voiture qui ne pesait que 1 060 kilos. Au cours d'un essai effectué par un magazine, la voiture est passée de 0 à 161 km/h en 7,52 secondes ; un autre essai a montré qu'elle dépassait sa vitesse de pointe officielle, atteignant 325 km/h. Son rapport poids/puissance élevé de 400 chevaux par tonne (d'où le nom de « M400 ») et son aérodynamisme expliquent ces performances. La M400 a été conçue comme voiture de course, dotée d'une forte adhérence et d'une vitesse élevée dans les virages, mais beaucoup l'ont utilisée comme voiture de tourisme. Elle n'est alors pas des plus pratiques et peut être entendue de loin.

Noble a vendu les droits de la M400 à son importateur américain, 1G Racing. Cette société a renouvelé le modèle en créant la Rossion Q1, dont l'intérieur est plus luxueux et qui développe 450 chevaux. **JI**

SLK | Mercedes-Benz　(D)

2004 • 1 800 cm³, S4 • 161 ch
0-97 km/h en 7,9 s • 230 km/h

La Mercedes SLK est l'un des types de voitures les plus purs : un petit roadster 2 places léger et puissant. Ses initiales proviennent des termes allemands *Sportlich, Leicht und Kurz*, « sportive, légère et petite ». La voiture est sortie en 1996 pour concurrencer la Porsche Boxster et la BMW Z3. À l'époque, elle était le seul roadster muni d'un toit rigide escamotable. Ce dernier est pliant, en métal et actionné par cinq chambres hydrauliques. Il se replie dans le coffre.

L'avant du modèle de 2004 était inspiré par la formule 1, mais aussi par la concept car Mercedes de l'an 2000, la Vision SLA. La voiture dispose en outre d'une nouvelle gamme de moteurs, allant du 4 cylindres turbo-compressé de 1 800 cm³ au puissant V8 de 5 400 cm³ qui équipait le SLK AMG – cette dernière ayant servi quelque temps de voiture de sécurité en formule 1.

À bord, le système Airscarf délivre un courant d'air chaud dans la nuque du conducteur et du passager. Pour une décapotable, il se révèle très utile : il s'ajuste à la vitesse et à la température extérieure.

Toutefois, l'objectif essentiel de la SLK était de procurer une conduite sportive et elle ne s'en est pas privée, récoltant un certain nombre de prix au passage. Même le modèle d'entrée de gamme délivre d'honnêtes performances sportives (voir chiffres ci-dessus). **JI**

Roadster | Morgan　(GB)

2004 • 2 967 cm³, V6 • 204 ch
0-97 km/h en 4,9 s • 216 km/h

« On ne change pas une équipe qui gagne » : ce proverbe doit probablement être épinglé sur le mur du siège de la Morgan Motor Company. Le Morgan Roadster a été lancé en 2004, mais présente de grandes similitudes avec certains modèles précédents du vénérable constructeur britannique.

En effet, il s'agit pour l'essentiel d'une copie de la Morgan Plus 8, modèle apparu à la fin des années 1960. Ce roadster présente toutefois une différence notable : son moteur. L'ancien V8 Rover a été remplacé par un V6 Ford de 3 000 cm³, plus moderne et plus léger.

Le Roadster, muni de roues à rayons, reste fidèle aux valeurs de Morgan : le conducteur et les passagers sont exposés aux éléments et « collés à la route » à grande vitesse. La voiture possède un châssis en métal surmonté d'une structure de carrosserie en frêne. La carrosserie est en acier et en aluminium.

La suspension était déjà ancienne lorsque la Plus 8 est sortie. L'arrière est équipé de ressorts à lames, tandis que l'avant est doté de piliers coulissants, l'ensemble roue et un demi-essieu montant et descendant dans un cadre. Le système ressemble à un triangle de suspension classique, mais il est fixe. Ajoutez à cela des freins à tambour assez rudimentaires à l'arrière et le choix d'un V6 Ford délivrant 204 chevaux paraît plutôt audacieux. **JI**

C55 AMG | Mercedes-Benz　Ⓓ

2004 • 5 439 cm³, V8 • 362 ch
0-97 km/h en 6,2 s • 250 km/h

En apparence, la Mercedes C55 AMG est une berline de luxe confortable, mais elle comporte de nombreuses caractéristiques d'une sportive musclée. Son V8 Mercedes de 5 439 cm³ a été considérablement modifié par les préparateurs d'AMG. Ce moteur atmosphérique est très puissant, développant 362 chevaux à seulement 5 500 tours par minute.

La C55 AMG est équipée de systèmes électroni-ques permettant de préserver la stabilité du châssis pour une conduite confortable et sereine. La boîte de vitesses automatique à 5 rapports offre plusieurs modes de conduite, dont un mode manuel. Détail agréable, les rapports sont alors gérés manuellement, même lorsque le conducteur atteint le régime limite, contrairement aux autres modes, pour lesquels la montée en régime est plus élevée. En désactivant l'ESP, le pied droit commande directement le V8. Cela suffit à faire fumer les pneus et à propulser la voiture à une vitesse prodigieuse. Sur une route glissante, la situation pourrait échapper au contrôle du conducteur, mais c'est alors que l'électronique embarquée intervient et rectifie les choses.

La grande rivale de la C55 AMG est la légendaire BMW M3, également équipée d'un V8. La plupart des journalistes ont trouvé que la Mercedes était superbe, mais la BMW reste à la hauteur. **JI**

G 55 AMG | Mercedes-Benz　Ⓓ

2004 • 5 439 cm³, V8 • 476 ch
0-97 km/h en 5,6 s • 209 km/h

Le Mercedes Classe G est un tout-terrain robuste et pratique, utilisé par les troupes militaires et les agences gouvernementales du monde entier ; même le pape en possède un. Quoi de mieux pour fêter son 25ᵉ anniversaire que d'intégrer un moteur V8 surcomprimé de 5 439 cm³ délivrant 476 chevaux ?

Lorsque le véhicule atteint sa vitesse de pointe, bridée à 209 km/h, il est difficile d'y tenir une conversation en raison du bruit du vent. Le G55 est en effet aussi aérodynamique qu'un bloc de béton projeté par une catapulte. À vitesse inférieure, les occupants peuvent au moins profiter du grognement du puissant V8 d'AMG, dont les sorties d'échappement sont situées juste devant les roues arrière.

La suspension n'est pas des plus souples, mais le G55 offre une bonne visibilité grâce à un poste de conduite élevé et à un large pare-brise. Sur route, la direction est étonnamment directe pour un véhicule de cette taille. La plupart des G55 AMG ne quittent probablement jamais le tarmac, ce qui est dommage, car, comme tous les Classe G, ils se révèlent d'extraordinaires tout-terrain.

La plupart des acquéreurs ne désirent pas traverser des déserts ; ils souhaitent simplement savoir qu'ils possèdent le 4 x 4 le plus puissant qui soit. Le footballeur international anglais Wayne Rooney en a acheté un. **JI**

Evo VIII FQ-400 | Mitsubishi

Ⓙ

2004 · 1 997 cm^3, S4 · 405 ch · 0-97 km/h en 3 s · 282 km/h

Entendre le nom de cette voiture prononcé en entier (Mitsubishi Lancer Evolution) fait le même effet qu'entendre un journaliste de la télévision appeler une star du rock par son véritable nom !

La FQ-400 est une voiture extrême. Mitsubishi n'a jamais confirmé ni démenti la rumeur selon laquelle son nom correspondrait à un juron anglais répandu suivi du mot *quick* (« rapide »), mais il s'agirait d'une bonne description de la voiture !

Le « 400 » concerne la puissance de l'Evo, légèrement supérieure à 400 chevaux et délivrée grâce à un moteur à 4 cylindres en ligne de 1 997 cm^3. Quel bond en avant par rapport à l'Evo VIII (hors version FQ) de 276 chevaux ! Le moteur délivre plus de 200 chevaux par litre, une performance réputée comme étant la puissance la plus élevée pour une voiture de tourisme de série. Pour y parvenir, Mitsubishi a confié une Evo VIII classique à trois sociétés britanniques : Rampage Tuning, Flow Race Engines et Owen Developments. Le bloc moteur est nouveau, de même que ses pistons. Il comporte un turbo Garrett réalisé sur mesure et un collecteur d'échappement en acier inoxydable. Les améliorations concernent presque tous les aspects mécaniques de la voiture.

La FQ-400 a en commun avec tous les modèles Evo une gestion électronique qui évite de perdre le contrôle de la voiture. Le système Active Yaw Control (« contrôle de lacet ») ajuste la puissance transmise à chaque roue ; grâce à cela, même l'Evo FQ-400 rentre dans le rang…

Les conducteurs qui apprécient des performances lisses et raffinées n'y seront guère à leur aise. Mais si vous aimez jouer les *bad boys*, prenez le volant ! **JI**

Cayman | Porsche $\quad\boxed{D}$

2005 • 3 387 cm³, F6 • 295 ch • 0-97 km/h en 4,8 s • 275 km/h

La Cayman est une Boxster dotée d'un toit en métal et d'un hayon. Ses lignes arrondies rappellent celles de la Porsche 356 et la courbe simple de ses garde-boue arrière évoque la Spyder 550 de James Dean.

Porsche a déclaré que le toit et une traverse supplémentaire doublaient la rigidité en torsion du véhicule. Cela a permis aux ingénieurs de durcir la suspension pour améliorer la maniabilité.

La Cayman S est le premier modèle (ses performances figurent ci-dessus) ; elle consommait 16 litres aux 100 kilomètres en ville et 11 litres aux 100 kilomètres sur autoroute. Un modèle de base est sorti un an plus tard, équipé d'un moteur de 2 700 cm³ consommant respectivement 14 et 9,7 litres aux 100 kilomètres. Sur le papier, la S paraissait manquer de puissance ; pourtant, l'important n'était pas qu'elle rugisse et grogne :

sa force résidait dans son adhérence, sa précision et son équilibre, résultant de sa légèreté et de son couple élevé à moyen régime. La note métallique du moteur à 6 cylindres en ligne ainsi que le bruissement des courroies et des pompes provenant du moteur (derrière les sièges) sont une musique agréable à l'oreille des aficionados. En série, elle est dotée d'une boîte de vitesses mécanique à 6 rapports, et en option une boîte Tiptronic S automatique à 5 rapports.

La suspension est souple malgré les ressorts plus rigides, et les amortisseurs réglables du système électronique Porsche Active Suspension Management, en option, aplanissent les irrégularités.

Si elle coûte près de 10 000 dollars de moins qu'une 911 et est un peu plus chère que la Boxster, la Cayman est bien une Porsche. **LT**

Veyron EB 16.4 | Bugatti

2005 · 7 993 cm³, W16 · 1 001 ch
0-97 km/h en 2,5 s · 408 km/h

En 1998, Volkswagen a racheté la marque Bugatti et créé Bugatti Automobiles SAS. La Veyron a été conçue entièrement en Allemagne par le groupe Volkswagen.

Avant la Veyron, les Bugatti les plus célèbres étaient des voitures de course rapides telles la Type 35, dans les années 1920, ou l'opulente Type 41 Royale de 1927. La voiture porte le nom de Pierre Veyron, qui a remporté les 24 Heures du Mans en 1939 au volant d'une Type 57. « EB » sont les initiales d'Ettore Bugatti et les chiffres « 16.4 » correspondent aux 16 cylindres et 4 turbocompresseurs.

Toute description de la voiture tend à se réduire à une liste de chiffres abracadabrants. Le magazine *Automobile* a constaté que, conduite au maximum de sa vitesse, la voiture consomme toute son essence en douze minutes. James May, de l'émission *Top Gear*, a noté qu'à cette même vitesse maximale, le moteur consomme 45 000 litres d'air par minute, soit autant qu'un être humain en quatre jours.

À 220 km/h, un système hydraulique abaisse la garde au sol de la voiture, tandis qu'un diffuseur et un aileron se déploient, accroissant l'appui aérodynamique de 350 kilos (3 425 Nm). Pour atteindre une vitesse maximale, le conducteur doit tourner une clé : le diffuseur et l'aileron se rétractent, les clapets de diffusion avant se referment et la garde au sol passe à 6,5 centimètres. En 2010, le modèle Super Sport de 1 184 chevaux était devenu la voiture de série homologuée pour la route la plus rapide du monde, ayant atteint une vitesse de 434,2 km/h.

Son prix s'élève à plus de 1,5 million d'euros – sans doute son seul défaut ! **LT**

Haval H3 | Great Wall CN

2005 · 2 000 cm³, S4 · 128 ch
0-97 km/h en 12 s · 180 km/h

Il a fallu du temps pour que l'industrie automobile chinoise produise ses propres véhicules. Le Haval, également appelé Hover, Hafu ou X240 sur certains marchés, montre que le pays s'apprête à devenir un concurrent sérieux sur le plan mondial. Great Wall a déjà ouvert une usine en Bulgarie et doit en ouvrir également une aux États-Unis.

Le Haval repose sur un châssis provenant du Toyota 4Runner, il ressemble beaucoup à l'Isuzu Axiom et son moteur d'entrée de gamme est celui de la Mitsubishi Galant. Toutefois, Great Wall a également produit un Haval équipé de son propre moteur diesel de 2 800 cm³ à injection directe à haute pression. Le dernier H3, appelé H5, est plus esthétique et mieux conçu.

Tous les Haval sont soit à transmission intégrale, soit à propulsion. Ils sont munis d'une boîte de vitesses manuelle à 5 rapports, d'une suspension avant indépendante et de freins à disque sur les quatre roues. En général, les acquéreurs étrangers sont séduits par leur période de garantie très longue, incluant la révision gratuite et un service d'assistance routière. La promotion du véhicule, axée sur la marque, a également conduit à sa participation au Paris-Dakar 2011.

Curieusement, Great Wall produit également une version limousine du Haval qui a remporté beaucoup de succès, notamment sur les marchés à l'exportation. Le Hover Pi mesure sept mètres de long et est propulsé par un moteur Mitsubishi de 2 400 cm³. Le premier a été offert au président Fidel Castro de Cuba.

Les Haval de Great Wall ont un grand potentiel. Une version fonctionnant au gaz liquide est commercialisée en Italie. **SH**

Corvette C6 | Chevrolet

2005 • 6 000 cm³, V8 • 400 ch • 0-97 km/h en 4,2 s • Inconnue

Nouvelle carrosserie, nouveau moteur, nouvelle suspension : c'est un miracle que la voiture ait conservé son nom. Cette 6ᵉ génération a été totalement repensée.

La C6 conserve la disposition traditionnelle du moteur à l'avant et de la transmission à l'arrière et reste à propulsion, mais toutes ses autres caractéristiques ont été modifiées. Elle a été raccourcie de 13 centimètres, mais son empattement est plus long. Ses roues ont été repoussées vers les angles. L'habitacle a été soigné, afin de prendre des parts de marché aux rivales européennes. Cette tactique n'a que partiellement fonctionné, car la qualité des matériaux et de la distribution n'est pas à la hauteur des meilleurs modèles importés.

La carrosserie de la C6 est devenue plus aérodynamique, cette Corvette possédant la ligne la plus fluide de toutes. Les phares apparents donnent plus de caractère à l'avant ; c'est la première Corvette dépourvue de phares escamotables depuis 1962. L'écoulement d'air a été amélioré pour générer un appui aérodynamique plus important à l'arrière, de forme tronquée.

Le système de suspension indépendant rend la C6 plus agile et améliore son confort de conduite. La boîte de vitesses a aussi été améliorée et les freins ont été élargis. Mais ce sont ses performances qui distinguent surtout la voiture. Le moteur de 6 000 cm³ délivre 400 chevaux, soit assez pour parcourir 400 mètres en 12,9 secondes, à près de 177 km/h.

La nouvelle C6 a donné naissance à des Corvette encore plus performantes. La Z06, dotée d'un moteur de 7 000 cm³, est sortie peu après et la C6 ZR1, équipée d'un V8 de 6 200 cm³, est la plus puissante de toutes les Corvette. **SH**

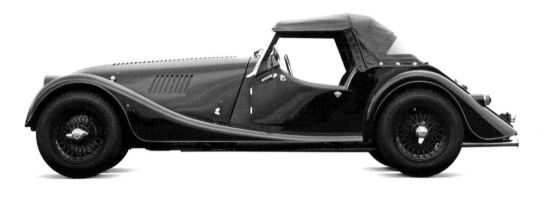

Plus 4 | Morgan

GB

2005 • 1 999 cm³, S4 • 200 ch • 0-97 km/h en 6 s • 209 km/h

Le style des principaux modèles du constructeur britannique Morgan a peu changé au cours des
100 dernières années. Réintroduite en 2005, la nouvelle
Morgan Plus 4 conserve le design du modèle original
des années 1950, mais possède des éléments mécaniques modernes. Propulsée par le moteur Duratec
de 1 999 cm³ de Ford, elle délivre 145 chevaux dans sa
version standard ; sa structure légère confère au roadster
de style rétro un meilleur rapport poids/puissance que
celui de la Mark IV Golf GTI.

En raison de son design traditionnel et de ses
belles performances, la Morgan Plus 4 a de nombreux
amateurs. Le magazine *Top Gear* de la BBC avait dit à son
sujet : « La Morgan Plus 4, institution tout aussi anglaise
que la douche froide, et tout aussi confortable, est une
petite folie démodée qu'il n'est guère raisonnable de

souhaiter posséder, mais que vous voulez absolument
acquérir à la seconde où vous grimpez dedans. »

En 1962, la première voiture de course Plus 4 Super
Sport a remporté une victoire au Mans. En l'honneur
de cette célèbre victoire, une version actualisée de la
Super Sport a été ajoutée à la gamme en 2011. Dotée
d'un nouveau moteur de 200 chevaux, d'échappements
sport et d'une suspension sportive améliorée, elle
incluait aussi des accessoires extravagants de l'époque,
dont deux chronomètres montés sur le tableau de bord,
un bouchon d'essence typé sport et des numéros de
course disposés sur les portes et le capot.

Ne coûtant que 55 000 euros, la Super Sport (dont les
performances figurent ci-dessus) n'a été fabriquée qu'à
60 exemplaires, représentant la 6ᵉ décennie de production de la Plus 4. **DS**

575 Superamerica | Ferrari

(I)

2005 • 5 700 cm³, V12 • 533 ch • 0-97 km/h en 4,3 s • 320 km/h

Atteignant une vitesse de pointe de 320 km/h, la Ferrari 575 Superamerica a été présentée comme la «décapotable la plus rapide du monde». Elle constitue une édition limitée spéciale de la 575 Maranello, qui est elle-même une version actualisée de la 550M, un modèle datant des années 1990. Il s'agit d'une décapotable réellement originale qui a insufflé une bouffée d'air frais à la série.

Il suffit d'appuyer sur un bouton pour que le toit se rétracte en un seul mouvement. Il pivote à 180 degrés sur ses montants arrière jusqu'à être disposé à plat contre le couvercle du coffre. L'opération ne nécessite que 7 secondes et, tout en étant très amusante, présente l'avantage que l'espace du coffre ne soit pas occupé. La lunette arrière pivote également, protégeant les occupants du vent.

Le toit pivotant est composé d'acier et de verre feuilleté électrochrome. Il peut ainsi passer du transparent au bleu foncé, sur simple commande, afin d'obscurcir l'habitacle. Le système rotatif et le verre employé sur la Ferrari n'ont auparavant jamais équipé une voiture de série.

Et si cela ne suffit pas à séduire les acheteurs, la 2 places à la ligne sexy est plus vigoureuse que le précédent modèle du coupé. Des modifications de la culasse et du moteur ont permis d'obtenir une puissance supplémentaire de 24 chevaux.

Rapide et dotée d'une silhouette de rêve, la Superamerica a fait revivre un nom que Ferrari a utilisé pour la dernière fois dans les années 1960 pour percer sur le marché américain. Cela a été différent, cette fois : tout le monde voulait une Superamerica, mais Ferrari s'est obstiné à n'en produire que 599. **SH**

Solstice | Pontiac

2005 · 2 384 cm³, S4 · 177 ch · 0-97 km/h en 7,4 s · 193 km/h

Ce joli petit roadster de General Motors est très proche du Saturn Sky du même constructeur et les deux voitures sont appelées à détourner quelques clients de l'indétrônable Mazda MX-5.

La nouvelle stratégie de GM à l'époque consistait à relancer Pontiac en tant que division sportive du groupe et ce petit roadster abordable tombait à point nommé. En 2006, il ne coûtait que 19 420 dollars, contre un prix de départ de 23 995 dollars pour le Sky, plus haut de gamme. Le MX5 Miata de troisième génération se situait au milieu, avec un coût de 20 435 dollars.

Malgré sa petite dimension, le Solstice affiche d'emblée son appartenance à Pontiac, grâce à sa calandre divisée en deux, à son logo ainsi qu'à sa voie large, qui constitue une part essentielle du discours publicitaire de la marque depuis des années.

Le Solstice Pontiac n'atteint pas une vitesse exceptionnelle, mais celle-ci est suffisante, et son confort de conduite ainsi que son comportement routier sont excellents. Comme le Miata, il est tout à fait à son aise sur les petites routes à lacets ou sur une petite piste de course, mais il n'est pas tout à fait aussi incisif et équilibré que le roadster japonais.

Les montants sont esthétiques lorsque la capote est relevée et la ligne reste belle lorsque celle-ci est fermée. Cependant, replier la capote est une opération complexe et elle occupe la moitié de la petite malle ; la capote du Miata se repliait en quelques secondes.

Lorsque la crise financière a frappé, elle a affecté non seulement le Solstice, mais aussi toute la marque Pontiac, de même que Saturn et le Sky. Avantage au Miata. **LT**

Les prises d'air, les courbes aérodynamiques et l'aileron arrière
de la Maserati MC12 de 2005 sont le résultat d'essais en soufflerie.

Roadster | Leopard   (PL)

2005 • 5 967 cm³, V8 • 405 ch
0-100 km/h en 4 s • 250 km/h

Cette voiture est une supercar rétro construite à la main et produite en petit nombre dans la banlieue de Mielec en Pologne. En revanche, il n'y a rien de rétro dans ses performances. Les véhicules d'autrefois n'accéléraient pas de 0 à 100 km/h en 4 secondes avec une vitesse de pointe limitée à 250 km/h.

La voiture a été créée par l'entrepreneur polonais Zbyslaw Szwaj, spécialisé dans le nucléaire et amateur enthousiaste de roadsters classiques, et par son fils Maxel, designer automobile pour Rover à Coventry et pour Porsche en Californie. Ils ont conçu un roadster de grande qualité, au style traditionnel, doté de belles performances et intégrant les dernières technologies.

La voiture possède une configuration classique : elle est à propulsion, mais son moteur est un V8 entièrement en aluminium de General Motors, également utilisé sur la Corvette. La transmission manuelle à 6 rapports est utilisée sur la Dodge Viper et la direction assistée hydraulique précise provient du concepteur britannique de systèmes de direction pour les Morgan.

Tous les équipements sont d'une luxueuse qualité, tels le volant Momo, les freins Brembo et le radiateur suédois Setrab fabriqué sur mesure. La carrosserie faite à la main est en aluminium, l'échappement est en acier inoxydable et le châssis bien équilibré est composé de tubes en acier (les roues étant en alliage léger adapté).

Le Leopard Roadster est la voiture la plus chère jamais produite en Pologne, avec un prix dépassant les 150 000 dollars. Vingt-cinq exemplaires maximum sortent de l'usine chaque année. Le roi Charles XVI Gustave de Suède en a acquis une, de même que le studio de cinéma Twentieth Century Fox aux États-Unis. **SH**

MC12 | Maserati   (I)

2005 • 5 998 cm³, V12 • Inconnue
0-97 km/h en 3,8 s • 330 km/h

Maserati n'a construit que 25 exemplaires de la MC12 pour la course, 25 pour sa clientèle et 5 supplémentaires destinés à la recherche et qui n'ont jamais roulé. Tous les exemplaires étaient bleu et blanc. Atteignant le prix faramineux de 600 000 euros, la voiture est un véhicule de course extrêmement rare destiné à quelques chanceux. Selon le magazine *Car and Driver*, «il faut être très chanceux pour en obtenir une et plus encore pour lui trouver une utilisation qui justifie son acquisition».

Maserati a entrepris de créer la MC12 pour participer au championnat FIA GT. Frank Stephenson et Giorgetto Giugiaro ont travaillé sur le style de la voiture, mais sa transmission, son châssis et ses autres composants majeurs proviennent directement de la Ferrari Enzo.

Le moteur V12, monté à 65 degrés, provient de l'Enzo, ainsi que la boîte de vitesses semi-automatique à 6 rapports. Extérieurement, le seul élément commun avec l'Enzo est le pare-brise, la MC12 mesurant 30 centimètres de plus que la Ferrari. Les roues de 48 centimètres de diamètre sont exclusives et les pneus de marque Pirelli, alors que ceux de l'Enzo étaient des Bridgestone. Les écrous au centre des roues possèdent un code couleur : ils sont rouges à gauche de la voiture et bleus à sa droite.

La MC12 possède un toit targa, mais celui-ci, une fois détaché, ne peut être rangé dans la voiture. L'intérieur, en fibre de carbone revêtue d'un gel spécifique, a peu de points communs avec la Ferrari ; il abrite l'horloge analogique traditionnelle de la marque. La MC12 a remporté sa première course à Zhuhai en Chine et a concouru au championnat GT en Italie, mais a été pénalisée en raison de sa dimension et de son poids au championnat American Le Mans Series. **RD**

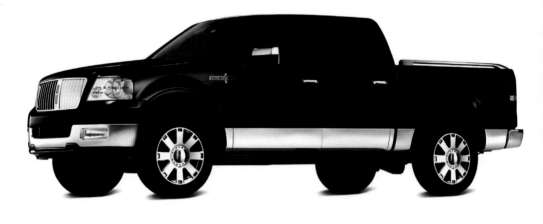

Mark LT | Lincoln USA

2005 • 5 409 cm³, V8 • 300 ch • 0-97 km/h en 8,8 s • 162 km/h

« Le Mark LT introduit le luxe sur un secteur qui en était dénué : le marché des pick-up », a déclaré Darryl Hazel, président de Lincoln Mercury au salon international de l'automobile d'Amérique du Nord, en 2005.

Lincoln tente de redorer son blason grâce à un nouveau style, plus moderne, de sa gamme de voitures et de SUV. La stratégie est, avec ce somptueux pick-up, d'attirer de nouveaux acheteurs vers une marque qui a eu du succès auprès de leur grand-père. Le Ford F150 et le Dodge Ram, également haut de gamme, ont en réalité déjà proposé de nombreux équipements de luxe auparavant ; mais il manque un pick-up siglé par une marque de prestige et abondamment garni de chrome.

Le Lincoln Mark LT s'appuie sur de véritables références en matière de pick-up, car il possède le châssis du F150 ainsi que son moteur V8. Il peut en outre remorquer

4 037 kilos. Toutefois, son style s'apparente à ceux des SUV Lincoln Aviator et Navigator. L'avant comporte de nombreux chromes et le SUV est ceint d'une grosse bande chromée. Les roues sont des monstres dont les jantes chromées aux rayons épais mesurent 46 centimètres de diamètre. L'habitacle confortable est habillé de véritable ébène, de cuir Nudo souple et son isolation contre le bruit est excellente.

Le LT n'a pas eu beaucoup de succès aux États-Unis, sans doute parce qu'il ne pouvait rivaliser avec le F150, très populaire. Il a été retiré en 2008. Toutefois, il a créé un véritable engouement au Mexique et un nouveau modèle y a été introduit en 2010. Depuis sa disparition, les F150 Lariat et Platinum et le Ram Laramie accumulent les détails fastueux, le LT ayant la réputation d'avoir lancé la mode des pick-up luxueux. **LT**

Exelero | Maybach

2005 • 6 000 cm³, V12 • 700 ch • 0-97 km/h en 4,4 s • 351 km/h

La Maybach Exelero est une luxueuse limousine originale, 2 places, pesant plus de 2,5 tonnes et pouvant atteindre la vitesse d'une supercar. L'unique exemplaire construit a été présenté à Berlin en 2005. Son prix était de 8 millions de dollars.

Le rappeur Brian Williams, alias « Birdman », a affirmé l'avoir acheté en 2011 (il possède déjà une Bugatti Veyron et une Maybach Landaulet), mais au moment de signer, le paiement n'aurait pas été effectué et la voiture serait toujours à vendre.

La Maybach Exelero est issue d'une collaboration avec le fabricant américain de pneus Fulda. Il s'agissait d'un véhicule d'essai à visée publicitaire. Sa carrosserie est librement inspirée de la voiture d'essai de Fulda des années 1930, elle-même basée sur une Maybach. Auparavant, Fulda avait déjà collaboré avec Porsche pour créer une voiture modifiée de 600 chevaux afin de présenter ses pneus haute performance. La Maybach Exelero a été assemblée à Turin après que les ingénieurs de Mercedes ont travaillé sur son V12 pour en améliorer le rendement. L'essai final sur le circuit de Nardo en Italie du Sud a prouvé qu'ils ont bien fait leur travail. L'énorme voiture a atteint 351 km/h, un record du monde pour une limousine équipée de pneus routiers standards.

Le design de la voiture se caractérise par des éléments ordinaires, rétro et aérodynamiques. Dotée d'une suspension pneumatique, elle possède trois ailerons actionnés manuellement afin de diminuer la portance à l'arrière. L'intérieur est habillé de cuir et de fibre de carbone. Les deux occupants bénéficient de sièges de sport rigides et de harnais de course à 5 points. **SH**

Alpina B5 | BMW　(D)

2005 • 4 398 cm³, V8 • 493 ch
0-97 km/h en 4,5 s • 314 km/h

La BMW Alpina B5 est une machine monstrueuse intégrée à une modeste berline Série 5. La B5 est aussi facile à utiliser qu'une voiture standard de la Série 5 (ce qui est aussi étonnant que ses performances).

Dotée du V8 de la BMW 545i, la voiture a été considérablement remaniée par Alpina, qui l'a équipée d'un turbocompresseur et d'un refroidisseur intermédiaire. La puissance de 493 chevaux est supérieure à celle de prestigieuses voitures telles que la Ferrari F40, qui ne délivre que 478 chevaux. Contrairement à sa cousine la BMW M5, la B5 affiche une puissance maximale à bas régime et est soumise à moins de contraintes du fait de sa boîte de vitesses automatique. Selon le magazine *Autocar*, « la conduite est contrôlée, prudente et accessible même si l'on est assez courageux pour désactiver le contrôle de traction ».

La plupart des pièces proviennent d'anciens modèles BMW. La voiture a été assemblée sur la chaîne de production de la Série 5 et est même proposée en version break (d'une qualité et d'une fiabilité équivalentes). Dans la lignée d'autres modèles Alpina, la B5 possède un intérieur habillé de bois et de cuir. L'extérieur comporte les fines rayures caractéristiques et les sigles Alpina remplacent ceux de BMW – même si la plupart des autres usagers de la route n'y voient que du feu. **RD**

Evo IX FQ360 | Mitsubishi　(J)

2005 • 1 997 cm³, S4 • 360 ch
0-100 km/h en 3,9 s • 253 km/h

L'Evo IX est la dernière de la lignée des Mitsubishi de rallye avant l'Evo X, arrivée en 2008. Des essais ont été menés sur la configuration turbocomprimée à transmission intégrale avec cylindrée de 2 000 cm³. L'immense aileron arrière, le radiateur apparent et l'énorme échappement montrent bien que la voiture n'est pas une version aux performances améliorées de la série de voitures familiales de Mitsubishi. L'Evo est dotée de panneaux légers en aluminium, d'une suspension et d'amortisseurs améliorés, de puissants freins Brembo et d'une transmission intégrale à commande électronique.

Sur le papier, la FQ360, voiture haut de gamme, peut sembler un peu en retrait par rapport à l'Evo VIII FQ400 qu'elle a remplacée ; toutefois, la nouvelle voiture délivre un couple plus important et, à régime modéré, affiche un plus grand dynamisme, grâce au préparateur attitré de Mitsubishi, Ralliart. Le magazine *Car* a été particulièrement impressionné par la FQ360 : « Elle est absolument exceptionnelle. Outrageusement excitante à conduire, incroyablement rapide, dotée d'un contrôle du châssis incroyable, d'un amortissement excellent et d'une direction superbe. »

Coûtant environ 55 000 dollars, l'Evo IX FQ360 est plus chère que l'Impreza la plus rapide, mais 40 % moins chère que la BMW M3. **DS**

F430 | Ferrari ⓘ

2005 • 4 300 cm³, V8 • 483 ch
0-100 km/h en 4 s • 315 km/h

L'ancien pilote de course Jason Plato a conduit tous les modèles Ferrari, et a parcouru les routes de campagne entourant Maranello, en Italie, dans une F430 jaune. Après l'avoir testée sur une piste d'essai, Plato a annoncé qu'il allait en acquérir une.

Qu'y a-t-il de si irrésistible dans cette nouvelle Ferrari dotée de multiples aides à la conduite ? Tout d'abord, la F430 a tout pour plaire : en version coupé 2 places ou décapotable, elle incarne l'essentiel de la marque. Son superbe V8 produit un grognement symphonique perceptible sous la lunette arrière. Le design emprunte à la fois à Ferrari et à Maserati, Ferrari renonçant pour la première fois en plus de 50 ans au moteur V8 Dino.

La F430 comporte aussi deux avancées technologiques. Le différentiel électronique de la voiture a été développé par Ferrari pour optimiser la traction dans la formule 1 de Michael Schumacher ; il équipe pour la première fois une voiture de série. L'autre innovation est un interrupteur monté sur le volant. Celui-ci permet au conducteur d'ajuster la configuration de la voiture en fonction des conditions et de choisir entre les modes « sportif », « piste » et « neige et glace » pour la boîte de vitesses, l'accélérateur, la suspension et le différentiel électronique. Les plus audacieux peuvent même désactiver toutes les aides à la conduite. **SH**

STS-V | Cadillac ⓊSA

2005 • 4 400 cm³, V8 • 469 ch
0-97 km/h en 4,8 s • 266 km/h

La STS-V est une voiture haut de gamme rapide, puissante, luxueuse et aérodynamique, aux performances d'un bolide. Les ingénieurs de Cadillac ont muni le V8 Northstar de 32 soupapes à quadruple arbre à cames, d'un turbocompresseur et ont débridé la voiture. La « V » est le fleuron de la gamme STS et se distingue par un avant surbaissé, une puissance accrue et une calandre agrandie. Les accessoires aérodynamiques, dont un plus gros aileron arrière, rendent la voiture plus fluide.

Le turbocompresseur a accru la puissance du V8 classique de la STS de 120 chevaux. Autrefois, cela aurait placé la Cadillac en tête de sa catégorie, mais les berlines sportives actuelles affichent souvent 500 chevaux sous leur capot. Néanmoins, les performances et la tenue de route de la STS-V sont à la hauteur de celles des modèles européens. Ses caractéristiques techniques sont satisfaisantes : elle dispose de roues, de pneus et de freins plus imposants, d'un antiblocage électronique et de contrôles de stabilité et de traction. L'assistance au parking, l'alerte de franchissement involontaire de ligne et l'alerte d'angle mort sont également de série.

La STS-V est l'égale des meilleures voitures du monde, son principal concurrent est le coupé CTS-V de Cadillac, plus rapide et plus attrayant. Celui-ci est un peu moins spacieux, mais il coûte 20 000 dollars de moins. **SH**

Sport | Range Rover

2005 • 4 997 cm³, V8 • 510 ch • 0-97 km/h en 5,9 s • 225 km/h

Dans les années 1970, les Range Rover sont essentiellement des tout-terrain utilisés par les personnes qui travaillent à la campagne. Les premiers modèles n'accordent que peu de place au confort, mais ils possédent un coffre pratique et leurs tapis en caoutchouc, leur tableau de bord en plastique et leurs sièges en vinyle peuvent être lavés si l'on souhaite se rendre en ville avec.

Trente-cinq ans après, le tout-terrain a évolué, se transformant en un SUV luxueux, haut de gamme et apprécié des professionnels aisés. Mais ce citadin sophistiqué n'en est pas moins capable que l'ancien modèle.

Le châssis du Range Rover Sport provient de son homologue utilitaire, le Discovery, mais il a été modifié et raccourci. Sa garde au sol classique de 17,2 centimètres ne l'empêcherait pas de s'embourber sur un chemin cahoteux, mais un simple bouton permet de

l'élever à 22,7 centimètres. Et le SUV a plus d'un tour dans son sac : lorsqu'il est chargé, sa suspension pneumatique s'élève complètement (28 centimètres).

Le système breveté Terrain Response de Land Rover offre également des réglages adaptés à la neige, à la boue, au sable et aux rochers ; des différentiels électroniques, le contrôle de traction et des programmes d'assistance à la descente font du Range Rover Sport un excellent tout-terrain. Pourtant, la plupart des exemplaires sont aperçus dans les jungles urbaines plutôt que dans les contrées sauvages.

La tenue de route du Sport est remarquable, grâce à ses équipements électroniques et à sa suspension pneumatique. Quant aux performances du modèle propulsé par le V8 surcomprimé de 5 000 cm³, moteur le plus puissant proposé, elles sont éblouissantes. **DS**

H3 | Hummer

USA

2005 • 3 460 cm³, S5 • 220 ch • 0-97 km/h en 11 s • Inconnue

Avec l'arrivée du H3 en 2005, Hummer est devenue la marque la plus à la pointe de General Motors. Le H3, destiné à conquérir un créneau sur le marché mondial, est construit en Louisiane, en Afrique du Sud et en Russie.

Le client ciblé devait désirer correspondre à l'image virile des conducteurs du Hummer tout en possédant un véhicule plus petit et moins coûteux permettant d'économiser substantiellement du carburant.

Si le H2 occupait la moitié de la route, le H3 est dominé par le Chevrolet Suburban et par le GMC Yukon ; il ne compte que deux rangées de sièges et un espace décevant pour les bagages. Toutefois, s'il partage son châssis avec le Chevrolet Colorado et ne dispose, sous son capot plat et carré, que d'un moteur à 5 cylindres en ligne, le H3 est bel et bien un Hummer. Ses dimensions, sa calandre chromée et ses vitres étroites sont

caractéristiques. Ses capacités de tout-terrain valent celles de plus gros SUV. Sa transmission intégrale à commande électronique permet de moduler sa vitesse en actionnant un simple bouton. Des porte-à-faux courts et d'excellents angles d'approche et de dégagement lui permettent de franchir des pentes raides et de rouler sur des pierres. Il peut même avancer à moins de 8 km/h dans 61 centimètres d'eau et remorquer 2 041 kilos.

Le premier modèle consommait 20 litres aux 100 kilomètres en ville et 16 litres aux 100 kilomètres sur autoroute, mais n'était pas très rapide. En 2007, sa puissance a donc été portée à 239 chevaux.

En 2010, le Hummer est devenu un symbole de l'excès et même ce petit modèle est à la hauteur des modèles phares de GM, ainsi que de ceux d'Oldsmobile, de Pontiac et de Saturn. **LT**

La Gumpert Apollo de 2005, conçue pour les circuits, est un véritable monstre de puissance affichant des performances extraordinaires. ▷

Mustang GT | Ford   (USA)

2005 • 4 600 cm³, V8 • 300 ch
Inconnue • Inconnue

La Ford Mustang de 2005 est entièrement remaniée, mais son design rétro-futuriste reprend ses plus belles caractéristiques passées. La Mustang Mark V existe en version coupé ou décapotable. Les deux versions sont aussi agréables à conduire que les modèles précédents.

La nouvelle suspension de la voiture est plus sophistiquée et comporte des éléments plus légers. La voiture est donc extrêmement confortable et son comportement routier est incisif et sportif. Elle reste une propulsion, mais son empattement est plus important, les roues ayant été repoussées vers les angles de la carrosserie ; l'habitacle est donc spacieux.

La version GT est dotée d'un V8 puissant et fluide de 4 600 cm³, à calage variable des soupapes. Son moteur délivre 300 chevaux, soit deux fois plus que celui de la première Mustang de 1964. Elle possède les plus gros freins ayant jamais équipé une Mustang grand public, assortis de l'ABS et du contrôle de traction.

· Le rétro est aussi présent dans l'habitacle. Suivant le modèle et la configuration, les équipements incluent l'entrée sans clé, un système hi-fi de 1 000 watts et des sièges en cuir. Les conducteurs peuvent même choisir la couleur du rétroéclairage des instruments du tableau de bord en appuyant sur un bouton : blanc, bleu, vert ou orange. La sellerie en cuir rouge assortie de tapis de sol rouges est en option.

La Mustang est restée emblématique des voitures de sport américaines depuis 1964, conservant un design viril, un moteur imposant et une propulsion. Le modèle de 2005 est très différent, mais maintient les traditions de la gamme. Il est plus rapide, plus agile et plus beau que jamais. **SH**

Apollo | Gumpert   (D)

2005 • 4 163 cm³, V8 • 641 ch
0-100 km/h en 3,1 s • 360 km/h

Pour une voiture de course homologuée pour la route, l'Apollo est considérée comme extrêmement rapide. Son V8 biturbo Audi (provenant de la RS6) est proposé en trois configurations : Street Plus (641 chevaux), Sport (690 chevaux) et R pour la course (789 chevaux). La version de base peut atteindre 360 km/h et passer de 0 à 200 km/h en 8,9 secondes. La version R met environ 2 secondes pour passer de 0 à 97 km/h.

Chaque modèle Apollo a des éléments de voitures de course : les énormes freins ont des étriers 8 pistons, la boîte de vitesses à 6 rapports inspirée de la formule 1 est séquentielle, et de vastes prises d'air refroidissent leurs freins et leur moteur. Il s'agit d'une supercar destinée aux amateurs de circuits qui souhaitent aussi utiliser leur voiture sur route. Elle possède tous les éléments classiques d'une voiture ultrarapide moderne : un moteur central et une propulsion favorisant son équilibre, un châssis tubulaire en alliage et des panneaux de carrosserie en fibre de verre ou de carbone, plus légers.

Naturellement, il n'y a que 2 places ; les occupants y accèdent par de spectaculaires portes papillon. Le luxe reste discret. Si l'habitacle est habillé d'Alcantara et de cuir, les équipements se limitent à un bouton de démarrage, à des harnais 4 points et à un extincteur. La version de course est livrée avec des combinaisons de course Nomex et des casques de course gratuits.

L'Apollo a été créée par un ancien ingénieur d'Audi, Roland Gumpert. En 2008, la voiture a été présentée dans l'émission *Top Gear* de la BBC. Avec Le Stig (pilote mystère de l'émission) au volant, l'Apollo S a réalisé le tour de circuit le plus rapide de l'émission, avant d'être battue par la Bugatti Veyron Super Sport. **SH**

Sagaris | TVR

2005 • 4 000 cm³, S6 • 380 ch • 0-97 km/h en 3,7 s • 298 km/h

La carrosserie de la Sagaris de TVR est aérodynamique et comporte de grosses ouïes d'aération, réelles ou fausses. Le toit est surélevé pour permettre au conducteur de porter un casque et le double échappement est disposé à angle droit sur les flancs de la voiture.

TVR est un constructeur de voitures de sport britannique implanté au nord-ouest du pays. Depuis 2006, la firme a changé plusieurs fois de mains, de statut et d'implantation et sa situation actuelle reste floue.

La Sagaris ne coûte que 77 000 dollars, ce qui fait d'elle le véhicule le moins cher qui permette d'atteindre 298 km/h. Comme toutes les TVR, c'est une voiture musclée dont la carrosserie en fibre de verre et le moteur puissant font tourner les têtes. Selon des journalistes, c'est la voiture la plus bruyante jamais testée. TVR n'a pas foi dans les équipements de sécurité, affirmant qu'ils favorisent la négligence du conducteur, aussi la Sagaris ne dispose-t-elle pas de contrôle de traction, d'airbags, ni même de l'antiblocage. Pourtant, elle s'est révélée être l'une des premières TVR dont le comportement routier est prévisible tout en permettant une accélération en ligne droite brutale. La direction est extrêmement réactive, deux tours de volant suffisant pour braquer d'un côté à l'autre.

Comme toutes les TVR, la voiture comporte quelques équipements fantaisistes, tels un bouton du tableau de bord faisant office de poignée de porte et des instruments dont l'éclairage éblouit le conducteur. Toutefois, le problème d'une qualité irrégulière, redondant chez TVR, persiste. Le verdict de Clarkson, lorsqu'il pilotait la Sagaris, était sans appel. Il a hurlé : « Ça sent la colle et des bouts de carrosserie se détachent. » **SH**

300C SRT8 | Chrysler

2005 • 6 059 cm³, V8 • 425 ch • 0-97 km/h en 4,9 s • 265 km/h

La 300C n'est pas une interprétation néo-rétro d'un modèle classique tel que la Mustang ou la Camaro, mais elle évoque néanmoins les puissantes berlines américaines d'autrefois. Sa ceinture de caisse haute, ses boucliers incurvés et ses grandes roues dégagent une impression de puissance et de solidité. Sa calandre chromée massive est révélatrice de ce qu'elle dissimule. L'habitacle, revêtu de matériaux de qualité, est simple, mais élégant. Certains éléments mécaniques sont issus du partenariat entre Chrysler et Daimler (Mercedes), mais la voiture reste américaine dans le sens où elle est à propulsion et est équipée d'un puissant V8 Hemi.

C'était déjà un Hemi qui propulsait la Chrysler 300 des années 1950, ainsi que des muscle cars telles que la Dodge Charger et la Plymouth Barracuda. Le moteur est différent, mais son nom réveille une corde sensible.

Le nouvel Hemi, avec sa cylindrée de 5 700 cm³ et ses 340 chevaux, permet à la voiture de passer de 0 à 97 km/h en 5,6 secondes. Chrysler a confié la 300C à l'équipe SRT (Street and Racing Technology). Celle-ci se compose d'amateurs de bolides qui, au sein de Chrysler, créent les voitures qu'ils aimeraient conduire. Le V8 standard a été abandonné au profit d'un moteur de 6 100 cm³ réalésé délivrant 425 chevaux. Un nouveau V8 est sorti en 2012, avec une cylindrée de 6 400 cm³ et une puissance de 465 chevaux.

Cette voiture relève le défi face aux berlines européennes. Des ajustements de la suspension ont permis d'abaisser et de rigidifier son châssis, de sorte que la SRT8 présente un bon équilibre poids/puissance. Le système de contrôle de stabilité permet aux amateurs de dérapages de s'amuser si le besoin s'en faisait sentir. **LT**

M6 | BMW

D

2006 • 4 999 cm³, V10 • 500 ch • 0-100 km/h en 4,4 s • Inconnue

Les premières voitures de la Série 6 de BMW des années 1970 et 1980 étaient de belles machines caractérisées par leurs moteurs à 6 cylindres en ligne et leur ligne de coupé. Lorsque BMW a relancé le nom de Série 6 en 2003, le constructeur en a conservé les principales caractéristiques, à savoir la propulsion et la forme « coupé ». Toutefois, les nouvelles voitures sont à la pointe de la technologie. La M6 de 2006 est au sommet de la gamme et il s'agit de l'un des modèles les plus chers.

Le V10 de la M6 provient de la M5. Capable de délivrer une puissance phénoménale de 500 chevaux, il a remporté dix prix de « Moteur de l'année » dans différentes catégories en l'espace de trois ans. Sans limiteur de vitesse, il permet d'atteindre 330 km/h. La transmission est proposée en version manuelle à 6 rapports ou

semi-automatique à 7 rapports. Avec le système i-Drive de BMW, le conducteur peut modifier le rythme du passage des rapports, les réglages des amortisseurs et les configurations du moteur. Un écran tête haute indique la vitesse, le régime du moteur et donne des informations sur la navigation. Les sièges sont munis de coussins gonflables électriques qui enveloppent automatiquement le conducteur.

En dépit de ses suspensions, de ses portes et de son capot en aluminium, de son toit en fibre de carbone, ainsi que du couvercle de sa malle et de ses ailes en plastique, elle est plus lourde que la grande Porsche Panamera. Elle est maniable, mais ne possède plus le caractère sportif des premières Séries 6. Le magazine *Autocar* aurait d'ailleurs affirmé que le meilleur modèle des Séries 6 était la décapotable diesel. **RD**

Spider V6 Q4 | Alfa Romeo ⓘ

2006 • 3 200 cm³, V6 • 260 ch • 0-100 km/h en 7 s • 235 km/h

Le dernier roadster d'une longue lignée d'Alfa Romeo Spider possède tous les ingrédients d'un roadster classique : un design séduisant et un V6 guttural et puissant. Il est doté d'un mécanisme d'ouverture du toit rapide (25 secondes), d'une transmission intégrale pour une meilleure tenue de route et d'une fonction aide au démarrage en côte. Dessinée par Pininfarina, la gamme Spider inclut aujourd'hui un diesel de 200 chevaux et un moteur à essence plus économique de 2 200 cm³ à traction, mais le V6 est le plus performant des trois.

Le roadster Spider ne se résume pas à une Alfa Brera décapotable ; son châssis est plus court et plus proche du sol. L'avant est caractéristique des Alfa, avec leur logo et leur calandre classiques, mais ici les lignes pures soulignant les passages de roues arrière musclées et le pare-brise incliné donnent une forme dynamique au Spider.

Les conducteurs qui s'introduisent dans l'habitacle étroit, habillé de cuir souple et d'aluminium, et qui appuient sur le bouton de démarrage entendent le rugissement du V6 à 24 soupapes. Un levier de vitesses court commande la transmission manuelle à 6 rapports rapprochés. Les équipements incluent la climatisation bizone, la commande audio au volant, la navigation par satellite et un système Bluetooth.

Le moteur en aluminium est doté de 2 arbres à cames en tête, d'un calage variable des soupapes et d'une injection directe d'essence dans la chambre de combustion. Si le Spider semble aussi italien que possible, il est pourtant fabriqué par General Motors en Australie. Le moteur du V6 Q4 se révèle des plus aptes à propulser cette décapotable étonnamment lourde à une vitesse respectable. **SH**

Lacetti | Chevrolet (USA)

2006 • 1 800 cm³, S4 • 120 ch
0-97 km/h en 9,5 s • 194 km/h

La Chevrolet Lacetti est en réalité une Daewoo. En 2003, la firme coréenne a décidé de rebaptiser ses voitures «Chevrolet» à destination de certains marchés européens. La ligne officielle de la société était que «Daewoo avait suffisamment évolué pour devenir Chevrolet». Il semblait donc préférable d'utiliser le logo Chevrolet que celui de Daewoo.

La Lacetti est une berline à hayon de taille moyenne. Son moteur de 1 800 cm³ délivre des performances honnêtes, mais peut devenir bruyant lorsqu'il est très sollicité. Sa tenue de route n'est pas aussi bonne que celle de la meilleure dans sa catégorie, mais la voiture est nettement moins chère.

La Lacetti est surtout connue depuis qu'elle a été choisie en 2006 dans le cadre de l'émission *Top Gear* de la BBC pour remplacer la Suzuki Liana dans une rubrique au cours de laquelle des célébrités testent une voiture sur le circuit de l'émission. En 2010, lorsqu'elle a été remplacée par une autre voiture dans l'émission, elle a reçu un hommage funèbre spécial, et a été délibérément écrasée sous une cheminée en cours de démolition.

La Lacetti n'est peut-être pas la meilleure voiture du monde, mais elle s'est bien vendue sur différents marchés. Elle est disponible dans le monde entier sous plus d'une vingtaine de noms et de logos différents. **JI**

Z4M Coupé | BMW (D)

2006 • 3 246 cm³, S6 • 343 ch
0-100 km/h en 5 s • 249 km/h

Si le roadster BMW Z3 a été un succès (près de 280 000 ventes durant ses sept années de production), certains conducteurs lui ont reproché sa suspension et son châssis trop souples. En revanche, près de 20 000 personnes ont acheté des Z3 dotées d'un véritable toit en métal. Le Z3 Coupé était trois fois plus rigide que le modèle décapotable et était excellent dans sa déclinaison M-Sport. En 2000, il a été élu «voiture sportive de l'année» par le magazine *Top Gear*. Le roadster Z4 a été présenté et très bien reçu au mondial de l'automobile de Paris en 2002, mais il a fallu attendre quatre ans avant de pouvoir profiter de sa version M-Sport à toit rigide – qui était aussi réussie que le Z3M Coupé.

Si le premier Z3M Coupé n'était pas très esthétique, son successeur l'était. Son superbe toit double bulle (rappelant celui des voitures de course carrossées par Zagato dans les années 1950) laisse de la place pour des casques et son aileron arrière intégré ancre les roues arrière au sol à grande vitesse.

Lorsque la voiture a été testée sur le circuit du Grand Prix de Belgique, le magazine *Evo* n'a pas tari d'éloges : «Le Z4 vole véritablement, accélérant avec hargne et prenant de la vitesse sans hésiter, faisant battre le cœur plus vite… Le M Coupé tremble presque avec une intensité et une acuité étonnantes.» **RD**

John Cooper Works GP | MINI GB

2006 · 1 598 cm³, S4 · 218 ch
0-97 km/h en 6,3 s · 240 km/h

Le retour de la MINI a rencontré un véritable succès lors de son lancement par son nouveau propriétaire, BMW, en 2001. La version de série la plus sportive, la Cooper S surcomprimée, est destinée aux adeptes de la voiture. Il existe des préparations John Cooper Works qui permettent de passer à une version supérieure.

Toutefois, la seconde génération de MINI étant sur le point de sortir, les designers souhaitaient utiliser la plate-forme de la Cooper S pour créer la Super Mini la plus sportive. Cette édition limitée préparée partiellement pour la course fut baptisée GP et ne compte que 2 000 exemplaires assemblés à l'usine de Bertone en Italie. Tous affichent une teinte bleu métallisé Thunder Blue (avec un toit Pure Silver) et sont dotés de rétroviseurs rouges originaux ; chaque numéro de série figure aussi sur le toit et sur une plaque dans l'habitacle.

Les essuie-glaces arrière, l'isolation phonique et même les sièges arrière ont été supprimés pour alléger la voiture de 41 kilos. Des sièges avant enveloppants ont été installés et un longeron de raidissement arrière rigidifie le châssis. La suspension de la GP a été abaissée et allégée, les freins améliorés et le dessous a été modifié de manière à accroître la circulation de l'air. Une préparation supplémentaire permet à son minuscule moteur de délivrer 218 chevaux. **DS**

D12 Peking to Paris | Spyker NL

2006 · 6 000 cm³, W12 · 500 ch
0-97 km/h en 5 s · 298 km/h

L'une des premières supercars du monde à être aussi un SUV, le Spyker D12 est un véhicule de luxe sportif et tout-terrain portant le nom d'un Spyker arrivé en seconde position au cours d'un rallye d'endurance audacieux de Pékin à Paris en 1907.

Le prototype présenté en 2006 associe le design d'une voiture de sport à des caractéristiques de tout-terrain. La carrosserie et son châssis sont en aluminium et surmontent des jantes de 61 centimètres de diamètre en alliage à 10 rayons. Son habitacle est spacieux et lumineux, surmonté d'un toit vitré sur toute sa longueur. Ses portes arrière sont à charnières antagonistes, l'avant est doté d'une large calandre et la proue arrondie est pourvue de feux ronds.

La voiture est propulsée par un moteur W12 Audi, correspondant à deux moteurs V6 côte à côte. Le W12 est relié à une boîte de vitesses séquentielle à 6 rapports et couplé à une transmission intégrale permanente. Les suspensions sont pneumatiques et les freins sont en carbone-céramique. Le D12 est de grande dimension, mais ses performances routières excèdent celles de nombreuses sportives. Il se révèle un excellent tout-terrain, en raison de sa garde au sol élevée et de sa transmission à 4 roues motrices. Son prix a été estimé à 310 000 dollars. **SH**

RS4 Avant | Audi

D

2006 • 4 200 cm³, V8 • 0-100 km/h en 4,9 s • 250 km/h

Le premier RS4 Avant Quattro, qui, selon le jargon d'Audi, est un break à transmission intégrale, est sorti en 2000. Il est propulsé par un V6 turbocomprimé de 2 700 cm³ conçu par Cosworth au Royaume-Uni.

Le RS4 de deuxième génération est sorti en 2006. Cette fois, il était équipé d'un gros moteur de 4 200 cm³, d'une transmission intégrale et existait également en version berline et en version cabriolet. Le break est toutefois le plus impressionnant. Il associe des performances et un comportement routier de voiture sportive ainsi qu'une capacité de chargement de 1 354 litres lorsque les sièges arrière sont rabattus.

Son moteur V8 sophistiqué, mais à aspiration naturelle, entièrement en aluminium et à calage variable des soupapes, permet d'atteindre une vitesse maximale de 250 km/h.

Selon l'émission *Top Gear* de la BBC, ce V8 serait même l'un des meilleurs moteurs du monde. Le break est plus bas qu'un Avant classique et a un aspect plus massif. Il comporte une boîte manuelle à 6 rapports et sa transmission intégrale est permanente.

La voiture fait dans son ensemble l'objet d'un cahier des charges exigeant, d'où son prix élevé. Son système hi-fi Bose de 190 watts compte 10 haut-parleurs, elle est dotée de sièges Recaro à l'avant, d'un bouton de démarrage et sa carrosserie en acier est galvanisée pour prévenir la rouille.

Au moment de la rédaction de cet article, la sortie d'une nouvelle RS4 Avant était annoncée. Celle-ci sera équipée d'un V8 plus puissant et d'une boîte de vitesses à 7 rapports. Selon les rumeurs, elle ne sera également disponible qu'en version break. **SH**

C70 | Volvo

2006 • 2 500 cm³, S5 • 230 ch • 0-100 km/h en 7,4 s • 235 km/h

Le coupé décapotable Mark II C70 de Volvo remplace le Mark I, doté d'un toit en tissu pliant classique. La seconde génération conserve l'attrait de la première version, notamment la qualité de sa finition, son habitacle 4 places spacieux et son confort de conduite raffiné, mais elle est dotée d'un toit high-tech mécanisé. Lorsque le toit est en place, la Volvo ressemble à un élégant coupé 2 portes. Quand il y a du soleil, le toit en métal peut être replié à l'aide d'un simple bouton.

Le fonctionnement du toit est étonnant. Celui-ci semble se scinder en trois panneaux avant de se rétracter derrière les sièges arrière en 30 secondes environ. La mode des toits escamotables en métal a permis aux constructeurs de produire une décapotable utilisable toute l'année, quel que soit le climat. Lorsque le toit est replié, toutefois, l'espace du coffre est réduit de moitié.

L'intérieur du C70 se caractérise par les éléments de design les plus récents de Volvo, dont une console centrale flottante étroite qui lui donne un aspect épuré et contemporain. Lorsqu'il n'y a que deux personnes à bord, un déflecteur d'air peut être placé au-dessus des sièges arrière pour atténuer les courants d'air, ce qui transforme la voiture en une 2 places.

Ce coupé n'est pas une voiture sportive aux performances très élevées, mais son moteur et sa maniabilité permettent d'effectuer sans difficulté des trajets rapides. Volvo continue de mettre l'accent sur la sécurité, avec des caractéristiques telles qu'un système d'alerte d'angle mort et les premiers airbags rideaux du monde intégrés dans les portes, qui fonctionnent même lorsque le toit est replié. Le C70 pourrait être le coupé décapotable le plus sûr de tous les temps. **SH**

Commander | VEPR   (UA)

2006 • 3 900 cm³, S4 • Inconnue
Inconnue • 140 km/h

Les gros Hummer semblent dérisoires à côté du VEPR Commander, un tout-terrain polyvalent ukrainien. Le boxeur poids lourd Vitali Klitschko, originaire de la région, a conduit le monstrueux 4 x 4 afin d'en faire la promotion lors de son lancement à Kiev. Celui-ci mesure deux mètres de haut, mais se révèle maniable. Long de cinq mètres, le véhicule dépasse le Hummer H1 de 30 centimètres, pèse plus de trois tonnes et peut transporter plus de 15 passagers.

Les caractéristiques du VEPR sont mal connues, en raison de son usage à des fins militaires. Il s'inspire en réalité d'un véhicule militaire : le Chainmail. Deux autres versions du véhicule sont fabriquées, l'une pour chasser dans des conditions extrêmes, l'autre étant entièrement blindée pour des missions de haute sécurité. Des dispositifs de protection électroniques permettent de repousser les missiles.

Le Commander, assemblé à Krementchouk en Ukraine centrale, coûte plus de 70 000 dollars dans l'état de base. Conçu pour affronter les terrains les plus difficiles de Sibérie, il permet d'ajuster la pression des pneus à la configuration du sol, possède une garde au sol réglable allant de 30 à 60 centimètres et des freins à tambour hermétiques qui fonctionnent dans 1,5 mètre d'eau. La transmission est manuelle et la suspension est indépendante tout autour du véhicule. Doté d'un châssis en acier, celui-ci peut transporter une charge de deux tonnes.

Le Commander est plus qu'un immense tracteur primitif, avec son bel habitacle revêtu de cuir, sa climatisation et un système de chauffage fonctionnant indépendamment du moteur. Sa consommation d'essence est étonnamment modeste. **SH**

Aero | SSC   (USA)

2006 • 6 300 cm³, V8 1 287 ch
0-97 km/h en 2,8 s • 414 km/h

En 2007, l'Aero de SSC (anciennement Shelby Supercars) a été chronométrée à 414 km/h sur une route de 6,4 kilomètres au Texas. Elle devenait ainsi la voiture de série la plus rapide du monde. Étrangement, elle était pilotée par un homme de 71 ans qui n'avait aucune expérience de la course et avait refusé de porter un casque. Ce record n'a pas été battu durant 3 ans, jusqu'à ce que la Bugatti Veyron Super Sport atteigne 434,2 km/h en 2010. La version suivante de SSC, l'Ultimate Aero TT, est un peu plus légère et plus puissante. Selon le constructeur, elle peut atteindre 439 km/h. Son moteur V8 de Chevrolet est réglé pour délivrer une puissance colossale, sa carrosserie est ultralégère et aérodynamique.

La voiture est une luxueuse 2 places à moteur central et à propulsion dotée de portes papillon en élytres. Le titane et l'aluminium employés en réduisent le poids. Elle possède un nouveau système « Aerobrake », composé d'un aileron s'élevant jusqu'à 20 centimètres pour ralentir la voiture lorsque le frein est actionné.

Les voitures de SSC sont l'œuvre d'une petite équipe d'ingénieurs et d'un passionné, Jarod Shelby, qui travaillent dans un garage derrière la maison de ce dernier dans l'État de Washington. (Ce Jarod n'est pas apparenté à Carroll Shelby, préparateur de Cobra.)

Le prototype de la nouvelle voiture de SSC a été dévoilé à Shanghai. Appelée Tuatara, celle-ci serait une version encore plus puissante de l'Aero, délivrant une puissance phénoménale de 1 350 chevaux. Son prix est à l'avenant, s'élevant à environ 1 300 000 dollars. Elle atteindrait 444 km/h ; une nouvelle fois, le record du monde de vitesse d'une voiture serait pulvérisé par les États-Unis. **SH**

MT900 S | Mosler

2006 • 7 000 cm³, V8 • 612 ch • 0-97 km/h en 3,1 s • 288 km/h

Lorsque George Lucas, le producteur-réalisateur de *Star Wars*, achète une nouvelle voiture, elle se doit d'être spéciale. Ainsi, lorsque la première Mosler MT900 S homologuée fut livrée dans son ranch en Californie, les regards se sont tournés vers ce petit constructeur américain. Mosler Automotive, fondé par Warren Mosler, est situé en Floride. Il fabrique un petit nombre de voitures hautes performances depuis plus de 25 ans, pour la plupart utilisées sur piste uniquement.

La série des MT900, dont seulement une poignée a été vendue en une décennie de production, fut lancée en 2001. La MT900 R est une version course qui a remporté plusieurs victoires sur piste. La MT900 S noire de Lucas fut conçue comme le modèle route de cette version sport et ressemble à une machine futuriste. Elle fut construite à partir d'une formule classique de

supercar, avec un moteur Corvette V8 suralimenté et monté entre les essieux, qui entraînent les roues arrière. La MT900 S est dotée d'une boîte manuelle 6 vitesses et d'un différentiel à glissement limité pour une traction supplémentaire, tandis que le châssis, la carrosserie et les jantes sont en fibre de carbone. Les portes ciseau évoquent un vaisseau spatial de *Star Wars*. Lucas a spécifié que l'intérieur devait être également en noir et a fait rajouter un système hi-fi douze CD avec des enceintes acoustiques en fibre de carbone.

Le coût de la MT900 S avoisine 189 000 dollars ; avec un extra de 50 000 dollars, les acheteurs peuvent bénéficier du modèle Photon, dans lequel le mélange de fibres de magnésium, de titane et de carbone réduit le poids à 898 kilos. Une Photon fut importée en Europe, mais le détail de ses performances n'est pas connu. **SH**

806   2000–2013

V8 Speedster | Caresto

2006 • 4 400 cm³, V8 • 340 ch • Inconnue • Inconnue

Leif Tufvesson, le créateur suédois de la Caresto V8 Speedster, affirme qu'elle appartient à une nouvelle catégorie de voitures : les *sportrods*. « Il s'agit d'une voiture de sport dont les lignes représentent un développement moderne du hot-rod classique. Mon intention était de construire une voiture agréable à conduire et à regarder. Le dynamisme et le plaisir au volant n'ayant jamais vraiment été typiques des hot-rods, le terme "Sportrod" nous a semblé approprié », explique-t-il.

Il s'agit, en tout cas, d'une voiture atypique. Le moteur, par exemple, est un Volvo XC90 reconverti pour fonctionner indifféremment à l'essence sans plomb et à l'éthanol. La carrosserie de la Speedster est moulée à la main à partir d'aluminium et de fibre de carbone sur un châssis tubulaire en acier. La suspension peut être abaissée ou levée pour s'adapter aux conditions de la route. Le couvercle du coffre arrière se soulève automatiquement afin de refroidir le moteur à une température préréglée. Le toit rigide en matériaux composites est amovible. Il y a trois caméras de recul. Beaucoup de détails stylistiques, comme les bras de suspension ou les boîtiers de phares, sont fabriqués par fraisage informatisé dans de l'aluminium massif. La Speedster séduit aussi par le rugissement de son moteur Volvo V8 placé à l'arrière et par la fine odeur de ses deux magnifiques sièges baquets en cuir. La boîte de vitesses séquentielle 6 rapports est une autre fabrication de Volvo.

Aucun chiffre de performance n'est précisé, mais avec son moteur V8 couplé à une légère carrosserie biplace, la Speedster porte bien son nom. Caresto en a fabriqué seulement six exemplaires, vendus chacun au prix de 330 000 dollars. **SH**

7 CSR | Caterham

GB

2006 • 2 300 cm³, S4 • 280 ch • 0-97 km/h en 3,1 s • 250 km/h

Les fabuleuses performances affichées par les voitures de sport ne sont parfois pas suffisantes pour certains conducteurs. Ils préfèrent se sangler dans l'équivalent d'une fusée terrestre : ce que la Caterham 7 CSR promet. Cette évolution extrême de la Lotus Seven offre une expérience de conduite singulière, à travers une formule simple : insérer un moteur de course Cosworth 16 soupapes au sein d'une coque en plastique minuscule, de 575 kilos. Et le résultat, prévisible, est explosif. En effet, ce petit biplace peut passer de 0 à 97 km/h en 3,1 secondes. *Top Gear*, une émission de la BBC, compare sa conduite à l'équivalent d'une « lutte à mort entre animaux sauvages ».

La 7 CSR fait partie de cette dernière génération de voitures hautes performances Caterham, issues d'un long processus de raffinage. Elle est plus véloce qu'une supercar grâce à son adhérence proche de celle d'une voiture de course. Les freins et la direction non assistés sont simples et ultrasensibles.

Mais les problèmes classiques de la Lotus Seven demeurent. La direction est lourde à basse vitesse, le toit, difficile à dresser, est une bâche à boutons-pression primitive et le coffre est minuscule. L'aérodynamisme de la 7 CSR est vieillot, le flux d'air soulève la voiture sur ses suspensions à vitesse élevée.

La 7 CSR est disponible en kit, comme l'ont toutes été les précédentes Caterham, mais la société en déconseille l'achat en raison de la complexité de la voiture. Le coût du modèle de base oscille autour de 37 000 livres sterling, mais ne prend pas en compte le toit ni les portes, éléments pourtant considérés comme indispensables. **SH**

Tramonto | Fisker

2006 • 5 500 cm³, V8 • 619 ch • 0-97 km/h en 3,6 s • 325 km/h

La Fisker Tramonto (qui signifie «coucher de soleil» en italien) est une supercar joliment stylée qui jouit de hautes performances. Elle est produite par une petite équipe, basée dans un atelier du sud de la Californie, qui a simplement modifié la Mercedes SL55 AMG.

Si le client souhaite obtenir plus de puissance que la version AMG, un pack hautes performances est disponible, avec un moteur préparé par le spécialiste danois Kleeman, qui délivre 619 chevaux. La voiture est également équipée de toutes les mises à jour techniques nécessaires afin de faire face à cette vague de puissance supplémentaire. Elle possède également des freins hautes performances, une nouvelle suspension et un échappement avec quatre convertisseurs catalytiques en acier inoxydable. Un ordinateur de contrôle du moteur a aussi été installé.

La carrosserie de la Mercedes ainsi que l'intérieur ont été modifiés, pour être remplacés par une nouvelle robe en fibre de carbone et en aluminium. Le designer Henrik Fisker, qui a déjà travaillé avec Aston Martin et BMW, est à l'origine de ce style. Les lignes sont élégantes, avec un segment arrière plus court et un long capot plongeant. Le nez est inspiré par l'avion de chasse F-22 Raptor.

À l'intérieur, toutes les surfaces sont en cuir italien cousu main (peaux d'alligator et d'autruche sont en option) et des pièces en aluminium usiné ont été utilisées pour l'appareillage électrique.

Le toit rigide rétractable, les airbags, le système de suspension active et les zones de protection contre les chocs de la Mercedes d'origine sont restés en place, ce qui a complexifié les nouveaux essais du véhicule par les autorités gouvernementales américaines. **SH**

XKR | Jaguar

2006 • 5 000 cm³, V8 • 551 ch • 0-100 km/h en 4 s • 280 km/h

La série XK de Jaguar séduit le monde de l'automobile haut de gamme depuis 1996, après avoir remplacé l'ancienne et majestueuse série XJS. La Jaguar XK8 fut le tout premier modèle à 8 cylindres. Une version suralimentée est apparue en 1998, appelée la XKR.

En 2006, la nouvelle génération de voitures XK a accouché de cette forme étonnamment musclée. Avec sa vitesse de pointe mesurée à 280 km/h, la nouvelle version « R » affiche des performances intéressantes. Les chiffres ci-dessus sont ceux du modèle le plus rapide : le 5 000 cm³ doté d'un V8 suralimenté, lancé en 2011.

Les XK sont disponibles en version coupé ou cabriolet. Elles possèdent 4 sièges, même si ceux de l'arrière sont davantage réservés aux enfants. La version R suscite l'intérêt des amateurs. Ses performances se combinent avec une suspension plus sportive et de meilleurs freins.

Les ressorts et les amortisseurs ont été améliorés et l'ordinateur qui commande la suspension a été reprogrammé. Un système d'échappement actif bride le son du moteur à vitesse de croisière, mais le volume augmente fortement lors des accélérations. Le *Daily Telegraph* a comparé le vrombissement de la XKR à « la chute de l'ensemble des percussions de l'orchestre philharmonique de Londres en bas d'une cage d'ascenseur ».

Les caractéristiques de la R sont : des boîtiers de phares adaptables, un contrôle de la stabilité, le déverrouillage et le démarrage sans clé. On y trouve également des entrées iPod et USB, un capteur de la qualité de l'air, une assistance de parking et de puissants rétroviseurs chauffants qui se plient automatiquement. Les autres options incluent la radio par satellite et le volant chauffant. **SH**

Corvette Z06 | Chevrolet

2006 • 7 000 cm³, V8 • 511 ch • 0-97 km/h en 3,6 s • 320 km/h

Sous le long capot menaçant de la Z06 se cache un moteur dérivé de la bonne vieille Chevy, même s'il ne s'agit pas uniquement d'un simple morceau de force brute. Car cette fois-ci, Chevrolet a utilisé toutes les compétences de l'écurie General Motors. Ainsi, on retrouve sous le capot de cette V8 des composants racés tels que des bielles et des soupapes d'admission en titane, des soupapes d'échappement remplies de sodium, des pistons en alliage d'aluminium à haute tolérance et un vilebrequin en acier forgé. Le circuit d'huile contient également un « carter sec », un élément qu'on ne retrouve en principe que sur les voitures de course.

Appelé LS7, le moteur de cette version fait d'elle la plus rapide et la plus puissante des Corvette produites par General Motors. Le LS7 est fabriqué à la main par l'équipe du General Motors Performance Build Center,

dans le Michigan. Il est identique à celui utilisé dans la Holden W427, la voiture la plus rapide d'Australie.

Les performances de la supercar Z06 sont soutenues par une carrosserie légère en panneaux d'aluminium, posée sur une structure composite en fibre de carbone, magnésium et aluminium. Afin d'alléger encore son poids, les ingénieurs ont conçu un plancher composite en bois de balsa et fibre de carbone, ainsi qu'un berceau moteur en magnésium. Grâce à ses jantes en alliage léger, la voiture pèse à peine plus qu'une Volkswagen Golf GTI. Pas mal pour un monstrueux V8 de 7 000 cm³.

Les performances sont sensationnelles. La voiture atteint 97 km/h en 3,6 secondes, avec une vitesse de pointe de 320 km/h. La Z06 fut d'ailleurs choisie comme voiture pilote, à la fois pour le Daytona 500 de 2006 et pour les 500 miles d'Indianapolis. **SH**

GT | Ford

2006 • 5 410 cm³, V8 • 558 ch • 0-97 km/h en 3,6 s • 341 km/h

Pour fêter son centenaire, Ford a annoncé qu'ils allaient produire une réplique de leur classique GT40. Il s'agit du modèle qui remporta à quatre reprises les 24 Heures du Mans au cours des années 1960 et qui a vu le jour lorsque Henry Ford II exigea que ses voitures battent Ferrari.

Pour des raisons juridiques, Ford n'a pas été en mesure de réutiliser entièrement le nom de GT40, c'est pourquoi cette nouvelle voiture s'appelle simplement Ford GT. Et si elle ressemble à l'original, elle est pourtant d'une conception entièrement nouvelle.

Le châssis en treillis et les panneaux de carrosserie sont en aluminium. Ils ont été collés à l'aide d'une technique de soudage par friction-malaxage (SPF à haute température) : le métal est chauffé jusqu'à ce qu'il perde sa rigidité, afin d'être façonné plus facilement. Le moteur V8, en aluminium, de 5 410 cm³ délivre 558 chevaux à 6 500 tours par minute. Sa puissance est envoyée aux

roues arrière via une boîte manuelle 6 vitesses et un différentiel à glissement limité pour une meilleure traction. Pour faire face à ce surcroît de puissance, la voiture possède une suspension aluminium en triangles superposés. Les freins, de marque Brembo, se chargent de sécuriser l'arrêt.

Les performances de la GT sont aussi impressionnantes que la technologie utilisée pour y parvenir. La vitesse de 97 km/h est atteinte en seulement 3,6 secondes, tandis que la vitesse de pointe mesurée est un incroyable 341 km/h.

La GT est en vente pour 140 000 dollars, bien que les premiers exemplaires soient partis pour beaucoup plus cher. Ford avait prévu d'en livrer 4 500, mais la production s'est arrêtée à moins de 4 100. La plupart des amateurs seront cependant d'accord sur le pari de Ford : la GT est un bel hommage à cette légende des années 1960. **JI**

599 GTB Fiorano | Ferrari

⬤ I

2006 • 5 999 cm³, V12 • 622 ch • 0-97 km/h en 3,6 s • 330 km/h

Nommée ainsi à cause de sa cylindrée, la GTB (Grand Tourisme Berlinette) commémore également la piste d'essai privée de Fiorano, sur laquelle s'entraînent les pilotes Ferrari de formule 1.

L'élégante carrosserie signée Pininfarina vise à équilibrer «la sportivité et le raffinement». En intégrant un vigoureux V12 à l'avant, les concepteurs ont ainsi créé une 2 places spacieuse, avec un espace bagages sur mesure, ce qui confère à la 599 la classe Grand Tourisme. Cependant, son attitude volontariste, son quadruple échappement et son cockpit en fibre de carbone en font une prétendante sérieuse dans la catégorie des voitures de sport.

À l'époque de son lancement, les 5 999 cm³ du moteur de la 599 faisaient d'elle la plus puissante des voitures Grand Tourisme de Ferrari. La technologie dite du *trickle-down*, issue du monde de la formule 1, fut également la source d'inspiration d'une nouvelle boîte 6 vitesses «SuperFast», dont le mode «RACE» permet des changements de rapport extrêmement rapides, de l'ordre d'un dixième de seconde.

Les critiques de la presse automobile furent positives. Le magazine *Auto Express* s'est exclamé : «La 599 GTB peut se targuer d'être l'une des meilleures voitures jamais construites dans le monde des supercars.» Le magazine *Evo* a élu la Fiorano voiture de l'année 2006, de même que l'émission *Top Gear* sur la chaîne BBC.

Parmi les plus célèbres propriétaires de 599 GTB, on trouve l'acteur Sylvester Stallone et la rock star Rod Stewart. Le joueur de football portugais Cristiano Ronaldo en acheta également une seconde, après un accident dans un tunnel routier près de Manchester. **DS**

C16 | Callaway (USA)

2006 • 6 200 cm³, V8 • 700 ch • 0-97 km/h en 3,2 s • 338 km/h

Cela fait 30 ans que l'ancien professeur de conduite sur piste Reeves Callaway vend des packs de performances supplémentaires pour les voitures de sport classiques. C'est depuis son quartier général, situé dans le Connecticut, qu'il a conçu l'un des plus populaires kits de conversion, qui porte le nom de Callaway C16.

La C16 est basée sur une Corvette C6 transformée en monstre cracheur de feu, dont la vitesse de pointe mesurée est de 338 km/h. Ainsi, la conversion du moteur de la C6 fut le point de départ : Callaway ajouta un compresseur, avant d'en modifier de nombreux composants, à l'instar des arbres à cames, des soupapes et des poussoirs. Le résultat inscrit le moteur de la C16 dans le domaine des hautes performances.

La Callaway C16 peut être commandée en version coupé, cabriolet ou «speedster», sans toit. L'intérieur a été imaginé par l'atelier allemand de Callaway, voisin de l'usine Audi. Une équipe de spécialistes Audi s'est d'ailleurs assurée de la qualité de finition exemplaire, notamment pour les nombreuses surfaces en cuir souple cousu main. Toutes les voitures sont vendues directement par Callaway et jouissent d'une durée de garantie impressionnante de cinq ans.

Callaway a repensé la suspension de la voiture en la dotant d'amortisseurs réglables, a façonné un châssis plus rigide et a renforcé les freins. La carrosserie, plus classique, possède un look rétro. Même les jantes, mélange de carbone et de magnésium, ont été spécialement conçues par Callaway, qui prétend qu'elles sont 40 % plus légères que des jantes en aluminium. La C16 contient finalement encore peu de la Corvette d'origine, mais avec de telles performances, qui s'en soucie ? **SH**

Papamobile | Mercedes-Benz (D)

2006 • 5 500 cm^3, V8 • 388 ch
0-97 km/h en 6 s • 249 km/h

Le moyen de transport officiel du chef de l'Église catholique a bien évolué depuis les années 1970, lorsqu'il était simplement porté sur une chaise posée sur les épaules des préposés du pape. Il coûte désormais 300 000 dollars, pèse cinq tonnes et surpasse de nombreuses voitures de sport.

La dernière papamobile du pape Benoît XVI est un véhicule utilitaire Mercedes Classe M, fortement personnalisé et doté de fonctions de sécurité renforcée. Elle possède une plaque anti-bombe en acier de treize millimètres d'épaisseur sous son châssis, des pneus anti-crevaison, ainsi qu'un habitacle en Kevlar. Son verre pare-balles en plastique mesure 8 centimètres, tandis que l'approvisionnement en air peut être séparé en cas d'attaque chimique. En dépit de sa forme, le véhicule est capable de monter jusqu'à 257 km/h, même si sa vitesse de croisière est généralement de 10 km/h.

En entrant par le hayon de la porte arrière, le pape s'assoit dans la position normale du passager arrière, mais pendant les défilés, le siège s'élève à l'intérieur de la tourelle de verre grâce à des moteurs hydrauliques, afin que le pape soit vu par la foule. Les panneaux latéraux en verre peuvent s'abaisser lorsque les conditions de sécurité le permettent. L'intérieur est garni de cuir blanc et présente des icônes religieuses. La plaque d'immatriculation est personnalisée, « SCV 1 » signifiant la position du pape dans l'État du Vatican.

Mercedes travaille à l'heure actuelle sur un moteur hybride à destination de la papamobile Classe M, même si l'idée d'un véhicule tout électrique fut précédemment rejetée, car considéré comme trop lent pour s'échapper d'une situation d'urgence. **SH**

HSV Maloo R8 | Holden (AUS)

2006 • 5 965 cm^3, V8 • 405 ch
0-97 km/h en 5,1 s • 271 km/h

Aux yeux des Australiens, le « ute » est un véhicule utilitaire qui est le symbole de leur pays autant que le pick-up l'est pour les Américains. Ce sont tous deux des machines robustes, pratiques et souvent alimentées par de puissants moteurs. Mais elles ne sont pas semblables pour autant, car à la différence du pick-up, le « ute » est conçu comme une voiture ordinaire à l'avant, avec l'aspect pratique du plateau à l'arrière. Cela amène son centre de gravité plus bas, ce qui le rend plus maniable, à l'instar de la Holden Maloo R8, qui, sous ses traits de cheval capable de supporter de lourdes charges, cache une voiture énergique.

La Maloo, entrée en production à l'aube des années 1990, se présente sous la forme d'un utilitaire coupé hautes performances. La R8, un dérivé du Holden Ute ordinaire extrêmement populaire, appartient à la catégorie des véhicules spéciaux de marque HSV (Holden Special Vehicles), la division performances du constructeur. Le V6 de série a été remplacé par un V8 de 6 000 cm^3, également à l'œuvre dans la Chevrolet Corvette LS2. Il délivre une puissance de 405 chevaux, transmise aux roues arrière par une boîte manuelle 6 vitesses.

La R8 possède une suspension indépendante, contrairement à la plupart des pick-up américains, qui reposent encore sur des systèmes de ressorts à lames et des essieux rigides. Les freins ont également été pris très au sérieux, bien évidemment.

Cette voiture rivalise avec des berlines V8 sur les circuits australiens. Elle est capable de tenir tête à une BMW M5… et d'aller transporter une lourde charge de briques ensuite. **JI**

Monaro VXR 500 | Vauxhall

(AUS)

2006 • 5 965 cm³, V8 • 405 ch • 0-97 km/h en 4,9 s • 306 km/h

Cette voiture voyagea beaucoup avant même de quitter la salle d'exposition. Le moteur, un colossal V8 de 6 000 cm³, fut conçu à l'origine pour la Chevrolet Corvette, avant d'être expédié des États-Unis vers l'Australie. Passant par Holden, la Monaro fut ensuite envoyée au Royaume-Uni, afin de finir entre les mains du préparateur Wortec, qui lui ajouta un compresseur Harrop. Le produit fini était disponible chez un seul concessionnaire, situé dans le Kent, en Angleterre.

Mais tout ce chemin en valait bien la peine. Car la Monaro VXR 500 signée Vauxhall (qui à l'instar de la marque Holden appartient à General Motors) peut compter sur son étonnante puissance de 405 chevaux. Elle jouit d'une boîte manuelle 6 vitesses à rapport court, ce qui lui permet d'atteindre 97 km/h en moins de cinq secondes, quand la vitesse de pointe mesurée est de

306 km/h. Heureusement, des freins AP améliorés, ainsi qu'une suspension réglable, ont été rajoutés afin de renforcer la tenue de route.

La VXR 500 pourrait facilement passer pour une Monaro standard, si ce n'était le vrombissement qui s'échappe des tuyaux d'échappement et qui ne ressemble à rien d'autre de connu. En effet, celui-ci célèbre le mariage entre un V8 américain, l'ingénierie australienne et un astucieux savoir-faire anglais. Le résultat est capable de faire dresser les poils de l'épiderme des plus endurcis.

La VXR 500 pourrait même déchiqueter ses propres pneus grâce à la quantité monstrueuse de couple moteur. Il y a également un contrôle de traction, mais qui n'a pas été mis à niveau par rapport au modèle standard, ce qui peut rendre la conduite moins aisée. **JI**

CX-7 | Mazda $\quad$ (J)

2006 • 2 260 cm³, S4 • 248 ch • 0-100 km/h en 8 s • 209 km/h

« Pourquoi devoir choisir entre puissance, fonctionnalité et praticité ? » se demandaient les ingénieurs de Mazda. « Ce crossover innovant vous offre le meilleur des trois domaines, en combinant performances routières, fonctionnalités et position de conduite surélevée. Tout ce que vous attendez d'un SUV de luxe, doté des caractéristiques les plus adaptées d'une voiture de sport. »

Et ils avaient raison d'une certaine façon, car le modèle Mazda CX-7 jouit d'un dynamisme à la hauteur de ses bons résultats sportifs. Il s'agit d'un 4x4 agile, doté de nombreux équipements et d'un large espace intérieur, en sus d'une sélection de moteurs rapides. Les plus performants des CX-7 sont disponibles au Japon et aux États-Unis, les chiffres donnés ci-dessus étant ceux de la version essence turbo. Le turbo diesel, disponible en Europe, délivre moins de puissance.

Tous les modèles sont équipés de 4 roues motrices à commande électronique et du contrôle de stabilité. Ce véhicule multi-segment a surpris les journalistes lors de son lancement, grâce à sa tenue de route sportive. Un critique a même affirmé que le CX-7 offrait « les frissons du MX-5 avec le corps d'un SUV ».

Peut-être que ses capacités hors route sont compromises par ses caractéristiques sportives ; en pratique, le CX-7 est limité par la nécessité d'en faire un SUV, au style pourtant rapide. Un exemple : le compartiment bagages est en moyenne plus grand que dans la plupart des crossovers, mais moins que celui d'un break. Néanmoins, les sièges arrière se rabattent afin d'obtenir plus d'espace.

Le coût du carburant, les frais d'assurance, ainsi que les rejets de CO_2 sont assez élevés. Une conséquence logique de ses performances ajoutées. **SH**

Brera V6 | Alfa Romeo ⓘ

2006 • 3 200 cm³, V6 • 258 ch
0-100 km/h en 7 s • 250 km/h

La Brera est la version moderne du coupé sport et du roadster Alfa Romeo. Le modèle phare, le V6, affiche des performances et des fonctionnalités qui lui permettent de lutter à armes égales contre Porsche et BMW.

Le moteur V6 24 soupapes, avec ses quatre arbres à cames en tête, cache une pointe de modernité : le calage variable des soupapes et l'injection directe qui autorisent davantage de puissance. Et les ingénieurs d'Alfa Romeo ne se sont pas contentés de canaliser les 258 chevaux à travers les seules roues avant. Ils ont opté pour un système permanent de 4 roues motrices, capable d'envoyer jusqu'à 75 % de puissance vers l'essieu qui en a le plus besoin.

Plus tard, une version V6 à 2 roues motrices avant a été également conçue. Si elle s'avère légèrement plus lente au démarrage, en raison d'une répartition différente de la traction, en contrepartie, sa vitesse de pointe est plus élevée car elle est aussi plus légère. Les chiffres sont indiqués ci-dessus.

La gamme Brera a été dessinée par le styliste italien Giorgetto Giugiaro et est assemblée dans l'usine de sportives indépendantes de Pininfarina. Elle est disponible en coupé ou en cabriolet. Le coupé possède deux petits sièges à l'arrière, uniquement adaptés aux enfants, tandis que la décapotable Spider est une vraie biplace. **SH**

Latigo CS | Fisker ⓤⓢⓐ

2006 • 5 600 cm³, V10 • 649 ch
0-97 km/h en 3,9 s • 330 km/h

Le Danois Henrik Fisker a fait revivre l'art ancestral du design automobile en créant ce superbe coupé 2 portes. Sous l'élégante carrosserie de la Latigo se cache une BMW 650i ou M6.

La Latigo fut dévoilée pour la première fois en 2005 au salon de Francfort, en Allemagne, sous le regard gêné des designers de BMW. En effet, Fisker a retravaillé les courbes sobres et sans véritable génie de la précédente carrosserie imaginée par Chris Bangle, afin de la transformer en quelque chose de plus excitant et exotique.

Pour créer la Latigo, Fisker a retiré l'intégralité de la carrosserie d'une BMW Série 6 et a remplacé la robe par des panneaux de matériaux composites en fibre de carbone et en aluminium. Enfin, l'intérieur a aussi été modifié et revêtu de cuir souple. Les acheteurs avaient même la possibilité d'assortir l'intérieur du coffre en cuir.

Les jantes Fisker sont larges de 20 pouces et la suspension, plus rigide, est plus adaptée à une prise en main sportive. Fisker est également capable d'installer un moteur BMW V10 modifié, qui délivre 649 chevaux. Tous ces changements doublent aisément le prix de la voiture originale, mais avec une nouvelle vitesse de pointe mesurée à 330 km/h, la BMW 2 + 2 standard, coupé ou cabriolet, se transforme en une des 4 places les plus rapides du monde. **SH**

S65 AMG | Mercedes (D)

2006 • 6 000 cm³, V12 • 604 ch
0-97 km/h en 4,2 s • 250 km/h

Lorsque Mercedes transmet une S65 standard à sa filiale de sport tuning AMG pour une petite remise à niveau sportive, l'entreprise accouche de la S65 AMG. Cette voiture de grand luxe est non seulement devenue la berline la plus puissante jamais créée par AMG, mais également la plus puissante du monde.

Le design conservateur de la Classe S fut retravaillé par AMG avec pour objectif de concevoir une ligne encore plus aérodynamique. Des améliorations furent apportées à divers composants tels que la suspension, les freins, l'alimentation en carburant et le système de refroidissement. Mais c'est la puissance brute du moteur qui fait de la Classe S AMG une limousine à part. Les chiffres donnés par le fabricant (ci-dessus) sont sous-estimés, car ses propriétaires affirment qu'il s'agit de la berline la plus rapide sur route. En effet, la vitesse maximale de la S65 est limitée à 250 km/h, mais AMG offre la possibilité de réinitialiser la limite à 300 km/h. Et elle serait capable d'aller encore plus vite si cela était autorisé, car une autre modification peut l'augmenter jusqu'à 740 chevaux.

Sa motorisation 36 soupapes délivre tellement de couple et de puissance de traction qu'il a été jugé nécessaire de la limiter électroniquement. Le magazine *Evo* compare la sensation d'accélération de la S65 AMG à « une expérience hors du corps ». **SH**

Cee'd | Kia (ROK)

2006 • 1 591 cm³, S4 • 125 ch
0-97 km/h en 10,4 s • 191 km/h

Depuis 2010, les célébrités qui participent régulièrement à l'émission *Top Gear* diffusée sur la BBC, dans une séquence intitulée « Une star dans une voiture petit budget », se mettent au volant de la Kia Cee'd pour effectuer quelques tours de piste.

Ainsi, la Cee'd a pris le relais de la Chevrolet Lacetti et de la Suzuki Liana. Stephen Kitson, le directeur de la communication chez Kia Motors Angleterre, a déclaré à ce propos : « La dernière fois que l'émission *Top Gear* s'était intéressée à notre marque, je crois qu'ils comparaient l'une de nos voitures à une machine à laver… Il s'agit donc d'un énorme pas en avant dans la compréhension des changements intervenus chez Kia. »

La principale raison du succès de la Cee'd en Europe s'explique par son prix très attractif et par sa garantie d'une durée de sept ans. Kia qualifie par ailleurs la Cee'd de « voiture à l'épreuve du temps » en raison de sa faible décote. Certes, son moteur à essence de 1 591 cm³ est inconsistant et bruyant comparé à une Golf ou à une Ford Focus qui font à peu près tout mieux, mais la Cee'd est conçue et fabriquée en Europe. Elle est élégante et, globalement, elle offre un bon rapport qualité/prix.

Les acheteurs ont le choix entre une berline 3 ou 5 portes et un break. Il existe aussi une petite version essence de 1 396 cm³ ainsi qu'un 1 600 cm³ diesel. **LT**

One | Carver (NL)

2007 • 660 cm³, S4 • 65 ch
0-97 km/h en 8 s • 185 km/h

Le Carver One est une courageuse tentative de créer un système unique de voiture de sport à 3 roues, qui s'incline dans les virages comme une moto. Ainsi, l'habitacle peut pencher jusqu'à 45 degrés, en fonction non pas de la vitesse du véhicule lui-même, mais de la vitesse et de la force avec laquelle le volant est tourné.

Une roue unique de moto est située à l'avant, tandis que les roues arrière sont légèrement plus étroites. Le moteur est petit, trop petit, mais les valves turbo et les 4 cylindres lui confèrent des performances raisonnables. Cependant, une mise à niveau optionnelle lui permet de délivrer jusqu'à 86 chevaux avec une vitesse de pointe mesurée à 227 km/h. La boîte de vitesses manuelle 5 rapports est guidée par un levier en aluminium. Le volant de direction, convenable, ne s'apparente pas un guidon. Un passager peut s'asseoir derrière le conducteur et le toit est amovible. Les rapports de tests sur route sont mitigés. En effet, si certains examinateurs trouvent la prise en main du Carver One passionnante, d'autres sont davantage déconcertés par son système d'inclinaison à 45 degrés qu'ils jugent inapproprié.

En Europe, le Carver One nécessite le permis B, même s'il est taxé comme une moto. Parmi ses points forts, son concepteur insiste sur la prise en main, la facilité de stationnement en ville et la faible consommation de carburant. Mais le Carver n'est pas donné (environ 35 000 euros), ce qui le place dans la même gamme de prix qu'une voiture de sport Lotus. Les ventes furent mauvaises et le fabricant hollandais rencontra rapidement des problèmes financiers. Une société américaine racheta la technologie de l'inclinaison sur 3 roues, mais n'a toujours pas relancé de production à ce jour. **SH**

IS-F | Lexus (J)

2007 • 5 000 cm³, V8 • 423 ch
0-97 km/h en 4,9 s • 270 km/h

Lexus est un fabricant de voitures de luxe, de véhicules high-tech et de voitures hybrides. Mais le constructeur n'avait encore jamais conçu de voiture sportive aussi puissante que la IS-F.

La division « luxe » de Toyota s'était rendu compte qu'elle ne pourrait jamais rivaliser avec les marques allemandes tant qu'elle ne posséderait pas un modèle « hautes performances ». Les ingénieurs de Lexus décidèrent de transférer le V8 de la limousine LS600 à l'avant de la petite berline IS. Quelques modifications furent adoptées en cours de route : la culasse et l'échappement ont été supervisés par les spécialistes de la Yamaha Racing Team et certains paramètres du logiciel de bord ont été maximisés. Le résultat est une voiture 4 portes compacte, dont la motorisation délivre 423 chevaux.

L'IS-F est la réponse de Lexus à la M3 de BMW, c'est pourquoi la carrosserie de l'IS a été entièrement redessinée. La carrosserie a été abaissée, le capot bombé. De nouveaux pare-chocs, des jupes et des prises d'air ont été rajoutés, sans oublier deux paires supplémentaires de sorties d'échappement à l'arrière.

À l'intérieur, l'ambiance cosy habituelle de Lexus fait place à 4 sièges baquets, à des panneaux en aluminium et à une boîte automatique 8 rapports pilotée électroniquement avec commande séquentielle et palettes au volant. Les roues en aluminium forgé, les étriers Brembo 6 pistons, la direction électrique et un système de stabilité multimodes complètent le tableau.

Le vrombissement de l'IS-F dégage une lourde impression de puissance. Elle accroche dans les virages, mais reste confortable en conduite normale. Lexus a enfin obtenu la muscle car dont il a toujours rêvé. **SH**

A10 | Ascari GB

2007 • 5 000 cm³, V8 • 634 ch • 0-97 km/h en 2,8 s • 350 km/h

Installez-vous dans son siège baquet, bouclez votre harnais à cinq points et appuyez sur le bouton de démarrage rouge : le V8 prend alors vie derrière vous. Appuyez sur la pédale d'accélérateur et l'Ascari bondit vers l'horizon. Effleurez à peine sa boîte séquentielle 6 vitesses et l'A10 peut atteindre 160 km/h en 5,8 secondes.

L'Ascari est alimentée par un V8 de BMW M5, doté d'une meilleure synchronisation de valve variable, ce qui lui permet de monter à 634 chevaux. La carrosserie est composée de cinq panneaux de fibre de carbone, pour un poids total de seulement 1 280 kilos.

Cette supercar avec moteur central et 2 roues motrices arrière fut imaginée dans le cadre verdoyant de la ville de Banbury dans l'Oxfordshire, en Angleterre. Sur une idée originale du milliardaire néerlandais Klaas Zwart, un passionné de course, l'A10 fut conçue afin de célébrer le 10ᵉ anniversaire de son entreprise. Il s'agissait de la version route de la KZ1-R, qui a participé au championnat GT d'Espagne. Les deux voitures ont été imaginées par l'ex-designer de formule 1 Paul Brown. Leur coût est d'environ 650 000 dollars.

L'A10 ne s'encombre d'aucun luxe : pas de climatisation ni d'insonorisation ou de système audio. Elle est dotée en contrepartie d'un arceau de sécurité, d'un système de suspension calibré pour la course, ainsi que d'une fonction qui permet de modifier l'équilibre des freins avant et arrière.

Zwart a également fait construire l'Ascari Race Resort, une piste de course située dans le sud de l'Espagne qui comprend une copie des plus célèbres virages des circuits du monde entier. On y trouve aussi un luxueux hôtel et une école de formation sportive au volant. **SH**

Leon FR TDI | Seat

E

2007 • 1 900 cm³, S4 • 170 ch • 0-100 km/h en 8 s • 214 km/h

Assister à la victoire d'une voiture diesel lors d'un championnat de voiture de tourisme a sans aucun doute convaincu de nombreux acheteurs potentiels. En effet, après les familiales, les berlines, les véhicules haut de gamme, et même les voitures de sport, le diesel devait encore investir le domaine de la piste.

Le groupe Volkswagen-Audi (VAG) fut longtemps situé à l'avant-garde de la promotion des moteurs diesel : puissance élargie, augmentation du couple et efficacité énergétique. Les voitures diesel du groupe VAG rencontrèrent un succès notable sur piste grâce à l'Audi R10 TDI, qui remporta les 24 Heures du Mans en 2006.

La berline Leon à traction avant de Seat, division espagnole du groupe VAG, est un nouveau pas en avant pour le diesel. Ainsi, la version FR TDI jouit d'un moteur de 1 900 cm³, turbo diesel *common rail* (injection directe à rampe commune), couplé à une suspension et une carrosserie sportives et à des jantes en alliage. Sa consommation de 4 litres aux 100 la rapproche pourtant des performances d'une voiture familiale. Il n'est pas étonnant qu'elle soit la plus vendue des Seat Leon.

Seat fut le premier constructeur automobile à inscrire des voitures diesel au championnat du monde des voitures de tourisme. La Leon FR TDI est arrivée à la moitié de la saison, peu après son lancement en 2007, et a obtenu trois victoires et sept podiums en dix courses.

Deux versions préparées de la Leon FR TDI se sont engagées dans la saison 2008 du même championnat, ce qui a permis à Seat de remporter le titre de meilleur constructeur, grâce aux victoires du pilote français Yvan Muller. L'année suivante, Gabriele Tarquini a remporté une double victoire au volant de la Leon FR TDI. **SH**

i30 | Hyundai (ROK)

2007 • 1 582 cm³, S4 • 126 ch
0-97 km/h en 10,9 s • 196 km/h

Les Coréens Hyundai et Kia se sont fait connaître grâce à leurs voitures bon marché. Après avoir pris pied sur la scène internationale avec ces modèles à bas prix, les deux sociétés ont opéré un glissement progressif vers le haut de gamme. Avec l'i30, Hyundai a prouvé au monde entier que la Corée était capable de concevoir une voiture aussi performante qu'un véhicule occidental. Il s'agit d'une familiale confortable à l'allure moderne, agréable à conduire, fiable, raffinée, bien équipée et dotée d'un excellent rapport qualité/prix.

Sous sa carrosserie contemporaine et spacieuse, l'i30 entretient des liens étroits avec la Kia Cee'd. Côté moteur, les chiffres du diesel figurent ci-dessus. L'i30 « toutes options » inclut un volant gainé de cuir, des jantes en alliage, six coussins gonflables et un système électronique de stabilité. Les instruments de bord s'éclairent d'un bleu discret, l'air conditionné refroidit également la boîte à gants et le système stéréo accepte les mp3.

Les Hyundai sont vendues avec une garantie de cinq ans et la valeur de l'i30 devrait bien résister aux affres du temps, une autre première pour la Corée. Comme l'affirme Jeremy Clarkson (dans l'émission *Top Gear*) avec sa verve habituelle : « Soit quelqu'un a glissé quelque chose dans mon verre, soit il s'agit de la première voiture coréenne que j'aie vraiment envie d'acheter ! » **SH**

Q7 | Audi (D)

2007 • 6 000 cm³, V12 • 500 ch
0-100 km/h en 5,5 s • 250 km/h

Le tout-terrain Audi Q7 est le tout premier SUV de sport. C'est un véhicule imposant dont les dimensions et l'encombrement rendent la conduite et le stationnement en ville peu aisés. Il est de toute façon plus adapté à la conduite sur route qu'au hors-piste.

L'Audi Q7 possède 4 roues motrices, et une suspension pneumatique avec garde au sol réglable. Mais ses acheteurs seront bien plus excités par son luxe et sa technologie embarquée, à l'instar de son système audio compatible iPod, ou son contrôle des angles morts. La boîte de vitesses semi-automatique Tiptronic 8 rapports est standard. Les options comprennent aussi un système de commande vocale, la gradation automatique des lumières et des caméras de stationnement. Les derniers modèles possèdent l'Audi Connect, service interactif d'information en ligne, avec écran tactile couleur sur le tableau de bord et connexion Wi-Fi dans l'habitacle.

Les chiffres ci-dessus concernent le plus puissant des Q7 : le V12 turbo diesel. Il s'agit d'un choix singulier pour une voiture de tourisme, puisque ce moteur est dérivé de celui de la voiture de course Audi R10. La suspension du Q7 V12 ainsi que les pneus et les freins ont été renforcés afin de faire face à cet afflux de puissance supplémentaire. Cette version est désormais considérée comme la plus maniable de toutes. **SH**

Fighter T | Bristol (GB)

2007 • 8 000 cm³, V10 • 1 027 ch
0-97 km/h en 3,4 s • 340 km/h

La supercar Fighter T est entrée dans le club très fermé des 1 000 chevaux depuis l'ajout de turbocompresseurs sur son moteur V10 de Viper. Sa vitesse de pointe est limitée à 340 km/h, mais dépasse potentiellement les 435 km/h.

Bristol est un petit constructeur britannique de supercars qui fabrique aussi des avions. L'héritage aéronautique est évident sur la Fighter, à travers le travail d'ingénierie sur l'écoulement du vent, avec des tuyaux d'échappement calés à l'intérieur de seuils afin d'accompagner les courbes lisses du soubassement. Le coupé Fighter possède 2 portes papillon et un grand cockpit, qui d'après Bristol peut accueillir un pilote d'une hauteur de 2 mètres maximum. L'habitacle, recouvert de cuir brun, est spacieux et bien fini. Le moteur étant à l'avant, il y a de la place pour des bagages à l'arrière.

La Fighter était déjà une voiture rapide, mais l'énorme gain de puissance apporté par la version T fut rendu possible avec l'ajout de deux turbocompresseurs, en plus d'un réglage adéquat du moteur. Le couple, autrement dit la puissance de traction, est particulièrement élevé, de sorte que la boîte de vitesses manuelle 6 rapports a dû être repensée pour tenir la cadence. Cela signifie que la Fighter T est capable d'atteindre 97 km/h en première en moins de 3,5 secondes. **SH**

Golf W12-650 | Volkswagen (D)

2007 • 5 998 cm³, W12 • 650 ch
0-97 km/h en 3,7 s • 325 km/h

Le Wörthersee GTI Festival en Autriche est le lieu de pèlerinage annuel des fanatiques européens de la marque Volkswagen (VW) depuis plus de 30 ans. Afin de remercier ses fidèles clients, VW choisit régulièrement cet événement pour dévoiler ses nouveaux modèles. Cependant, tandis qu'il ne restait que deux mois avant l'ouverture du festival en 2007, VW manquait encore d'une pièce maîtresse.

Ses ingénieurs ont imaginé la concept car W12-650, qui combine l'essieu arrière d'une Lamborghini Gallardo aux freins de l'Audi RS4, avec la motorisation 12 cylindres biturbo de la Bentley Continental GT. Le moteur de 5 998 cm³ a été monté au milieu du châssis en aluminium de l'Audi R8, avant d'être couplé à la boîte de vitesses automatique DSG de la VW Phaeton. La W12-650 possède une carrosserie similaire à la Golf GTI Mark VI, posée sur une base beaucoup plus large et basse que l'originale, les seuls éléments communs aux deux voitures étant le capot, les portes et l'éclairage. Tout le reste de la carrosserie a été fabriqué dans un mélange de plastique léger et de fibre de carbone.

Même si la W12-650 n'entra jamais en pleine production, elle témoigne de l'énorme potentiel, de la compétence technique, de l'énergie et de la vision de ses concepteurs allemands. **DS**

Reventón | Lamborghini

(I)

2007 • 6 496 cm³, V12 • 649 ch • 0-97 km/h en 3,3 s • 335 km/h

Lors de son lancement au salon de Francfort en 2007, la Lamborghini Reventón est devenue la voiture de sport la plus chère produite par le fabricant italien. Cette série limitée à 20 exemplaires est vendue pour la coquette somme de 1,5 million de dollars.

Selon Lamborghini, le nom «Reventón» est celui d'un célèbre taureau de combat. En espagnol, ce mot peut aussi signifier «explosion». Il est parfaitement approprié puisque cette puissante et légère hypercar est capable d'atteindre 335 km/h.

Lamborghini explique comment la peinture gris mat de la Reventón ainsi que sa carrosserie anguleuse en fibre de carbone sont inspirées des avions de combat. Peu de temps après son lancement, un pilote d'essai au volant de la Lamborghini Reventón s'est confronté à un chasseur des forces aériennes italiennes le long

d'une piste de trois kilomètres. Résultat, le jet a dépassé la Lambo dans les derniers instants de la course, au moment de prendre son envol.

Derrière son apparence futuriste, la Reventón partage la même mécanique que la Lamborghini Murciélago LP640-4. Son système de 4 roues motrices lui confère une excellente adhérence, ce qui lui permet d'atteindre 97 km/h en seulement 3,3 secondes. Les aérations permettent de refroidir ses énormes étriers de freins et ses disques de carbone, tandis que des informations sont dispensées au conducteur par le biais de deux écrans à cristaux liquides.

En 2009, une quinzaine de roadsters Reventón ont également été fabriqués, d'après un modèle basé sur la LP 670-4 SuperVeloce, estimé à 1,6 million de dollars. Ralph Lauren fait partie de ses heureux acquéreurs. **DS**

R8 | Audi

(D)

2007 • 4 200 cm³, V8/V10 • 420 ch • 0-100 km/h en 4,6 s • 302 km/h

Sortie de nulle part, la supercar Audi R8 dévoilée lors du Salon de l'automobile de Paris en 2006 a connu une longue période de gestation. Le constructeur à l'origine de la berline A3 et de la familiale A4 s'est tourné vers l'univers des supercars pour deux raisons. Tout d'abord, la division sport automobile d'Audi a affirmé sa progression depuis ses premiers succès en rallye dans les années 1980, puis aux 24 Heures du Mans. Deuxièmement, Audi a racheté Lamborghini en 1998.

Audi a alors créé l'une de ses plus célèbres voitures de course, l'Audi R8, qui remporta cinq fois les 24 Heures du Mans, ainsi que l'American Le Mans Series à sept reprises. C'est donc une voiture de compétition en fibre de carbone, à propulsion arrière et dotée d'un moteur central V8 biturbo de 3 600 cm³ qui délivre 680 chevaux. La R8 fut remplacée par la R10 à moteur diesel.

Cependant, la R8 dévoilée à Paris était une machine très différente d'aspect. Elle partage le même moteur V10 (325 km/h) que la Lamborghini Gallardo. Mais en lieu et place du look exotique de la Lamborghini italienne, cette nouvelle R8, un coupé 2 places avec carrosserie en aluminium et transmission intégrale *quattro* à 4 roues motrices, arbore davantage l'esprit germanique.

Il existe également une version cabriolet, appelée Spyder R8, que l'on peut apercevoir dans le film *Iron Man 2*. Une version GT fabriquée en 2010 a atteint la vitesse de 100 km/h en 3,6 secondes, avec une pointe mesurée à 320 km/h. La R8, toujours en pleine évolution, prévoit d'utiliser, en 2014, un 4 000 cm³ V8 biturbo. **JI**

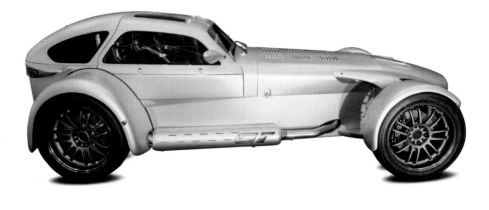

D8 GT | Donkervoort

NL

2007 • 1 800 cm³, S4 • 272 ch • 0-97 km/h en 3,6 s • 250 km/h

La Donkervoort D8 GT ressemble à une Caterham qui aurait pris trop de stéroïdes, même s'il s'agit d'une voiture hautes performances à part entière. À l'instar de la Caterham, elle est dérivée d'une Lotus Seven classique, pour devenir quelque chose de très différent.

La D8 GT est la première voiture du constructeur néerlandais équipée d'un toit. Construite d'après une expertise trentenaire, elle combine les performances du pur-sang high-tech avec le confort d'une élégante voiture Grand Tourisme. Sa carrosserie distinctive fut construite à la main dans la nouvelle usine Donkervoort située à Lelystad, aux Pays-Bas. Grâce à la fibre de carbone, la D8 GT ne pèse que 650 kilos. Les demi-portes papillon permettent d'accéder facilement à l'habitacle, et on peut rentrer les bagages à travers une lunette arrière rabattable.

Sous le capot, on retrouve plusieurs versions d'un moteur turbo Audi : 180 chevaux, 210 chevaux ou 270 chevaux. Son moteur le plus puissant lui confère une extrême vélocité. À l'heure actuelle, la version sans toit de la Donkervoort D8 270 est l'une des dix voitures de production les plus rapides. La D8 GT a notamment remporté la course des 24 heures de Dubaï.

Donkervoort Automobielen ne figure pas parmi les constructeurs indépendants les plus connus, même s'il fabrique des voitures de sport depuis 1978. C'est dans son hangar que Joop Donkervoort a commencé par concevoir des versions modifiées de la Lotus Seven avec un moteur Ford de 2 000 cm³. Ses voitures se servent peu des aides électroniques et certains amateurs apprécient cette forme de retour aux sources. Plus de 1 100 Donkervoort ont été vendues à ce jour. **SH**

Superlight R300 | Caterham GB

2007 • 2 000 cm³, S4 • 175 ch • 0-97 km/h en 4,5 s • 225 km/h

Une voiture lourde aura beau avoir un énorme moteur, elle sera lente si le rapport poids/puissance n'est pas en sa faveur. L'inverse est aussi vrai. Les propriétaires de Caterham mentionnent souvent le rapport poids/puissance de leurs voitures, car elles sont si légères que n'importe quel moteur suffit à les rendre rapides. Ainsi, cette Caterham possède l'un des moteurs les plus petits et les moins puissants que l'on puisse trouver dans une supercar. Un simple 175 chevaux.

Mais il suffit de passer quelques minutes au volant de la R300 pour constater la générosité de ces 175 chevaux. Si la route est mouillée et que l'on maîtrise mal le maniement des 2 roues arrière motrices, cette puissance peut même s'avérer excessive.

Le moteur de la Superlight R300 est un Ford Duretec de 2 000 cm³, légèrement modifié, comme on en trouve sous le capot d'une douce berline familiale. Pourtant, installé à l'intérieur de cette Caterham, cela traduit un ratio poids/puissance qui dépasse celui de la BMW M3, ou celui de la Porsche 911.

La R300 est sensiblement identique à n'importe quelle autre Caterham : une voiture vraiment très spartiate. La R300 ressemble à une vieille voiture de course monoplace qui aurait un second siège collé à celui du conducteur. Elle ne possède aucun luxe ni gadget. Le pare-brise, les portes et le toit sont disponibles en option.

Malgré tout, la prise en main et les performances sont tellement appréciables que la plupart de ses acheteurs la considèrent comme une fantaisie du week-end, que l'on utilise uniquement pour le plaisir de conduire. Le chanteur de rock et passionné de voitures Chris Rea compte parmi ses plus grands fans. **SH**

⟨⟩ Même si l'ultra-aérodynamique Caparo T1 ressemble à une voiture de course, elle est homologuée pour pouvoir légalement rouler sur la voie publique.

T1 | Caparo (GB)

2007 • 3 496 cm³, V8 • 574 ch
0-100 km/h en 2,5 s • 322 km/h

La Caparo T1 fut officiellement dévoilée par le prince Albert II de Monaco lors du salon Top Marques à Monte-Carlo, en 2006. Le public s'est demandé si elle pouvait se conduire sur route, malgré une apparence et une technologie clairement inspirées par le monde de la formule 1. Et la réponse est : oui, la T1 est bien homologuée pour la route. Le magazine *Evo* est même allé plus loin, la qualifiant de « véritable formule 1 de la route ».

Une technologie et des matériaux de pointe ont été employés dans tous les domaines de construction de la T1. La carrosserie monocoque est en fibre de carbone et nid-d'abeilles d'aluminium, tandis que la crémaillère de direction est en magnésium. Les sièges possèdent des harnais à six points pour le conducteur et le passager, assis légèrement derrière le conducteur. La voiture est équipée d'un système d'extinction d'incendie.

Le moteur est un V8 de 3 500 cm³ avec 32 soupapes à aspiration naturelle, du constructeur américain Menard. Très léger (116 kilos), il peut monter jusqu'au régime incroyable de 10 500 tours par minute. Le moteur est central, les roues arrière sont motrices et la T1 est capable d'atteindre la vitesse de 100 km/h en 2,5 secondes. Grâce à ses appuis générés par son allure aérodynamique inspirée d'une F1, il est théoriquement possible de monter jusqu'à 322 km/h.

Pour s'offrir ce concentré de technologie, il faut débourser 333 000 dollars, sans les options. Quinze voitures ont été vendues pour le moment. Peut-être aurait-elle connue de meilleures ventes si elle n'avait pas pris feu entre les mains de Jason Plato, dans l'émission *Fifth Gear*, diffusée à la télévision anglaise. Des performances de F1, certes, mais pas sans les risques. **RD**

GTM Supercar | Factory Five (USA)

2007 • 7 000 cm³, V8 • 515 ch
0-97 km/h en 3 s • 257 km/h

La GTM de Factory Five Racing fait tourner la tête. En effet, l'idée est de fabriquer sa propre supercar pour moins de 12 750 euros. Toutefois, ce sont les acheteurs qui devront la construire, sans oublier qu'ils seront également dans l'obligation de fournir le châssis et le moteur. Le résultat est une supercar américaine biplace avec 2 roues motrices arrière, un moteur central V8 en aluminium, une carrosserie composite au galbe aérodynamique et un châssis tubulaire en acier, en sus d'une cage de protection.

Les acheteurs peuvent opter pour un moteur de Chevrolet Corvette C5 de 5 700 cm³ ou de 7 000 cm³, des suspensions sport, d'énormes freins, ainsi qu'une boîte de vitesses de Porsche 911. Les pièces peuvent être achetées neuves ou d'occasion. D'après les estimations de Factory Five Racing, le coût total serait multiplié par deux par rapport au prix du pack d'origine.

Après des années de tests cliniques et de prototypes, Factory Five Racing est finalement parvenu à livrer une supercar au design sophistiqué, avec une excellente répartition du poids et une bonne prise en main. Mais la GTM Supercar jouit d'autres avantages : un large cockpit, une bonne visibilité, un contrôle moderne de la température, une climatisation et des vitres électriques. Si elle ne peut en aucun cas rivaliser avec les marques classiques de voitures de luxe, elle ne lésine pas pour autant sur le cuir et sur une instrumentation claire et limpide.

La société Factory Five Racing, située en Nouvelle-Angleterre, fut créée en 1995. Elle a notamment conçu un roadster en kit basé sur une Ford Mustang. Depuis, plus de 5 000 exemplaires ont été vendus, ce qui en fait l'une des voitures en kit les plus populaires. **SH**

500 | Fiat ⓘ

2007 • 875 cm³, S2 • 86 ch • 0-97 km/h en 11 s • 174 km/h

En 2007, Fiat réinventa l'iconique Cinquecento, 50 ans après le lancement de l'originale. Commercialisée en grande partie à destination des femmes, soucieuses des modes automobiles, la voiture peut être personnalisée à partir d'un large éventail de couleurs de carrosserie, de garnitures intérieures, d'un choix de roues et de motifs.

À l'heure actuelle, 549 396 combinaisons de Fiat 500 sont proposées. Des éditions spéciales existent aussi, à l'instar d'une version Barbie métallique rose ou de l'Abarth 695 Tributo Ferrari (182 chevaux).

Sous une carrosserie tout en courbes, la 500 partage ses fondements mécaniques avec deux de ses cousines, la Fiat Panda et la Ford KA. Pour ceux qui sont à la recherche d'une voiture de ville plutôt frugale, le TwinAir turbo bicylindre révolutionnaire de Fiat émet une très faible quantité de CO_2. En outre, ce moteur de 86 chevaux permet de parcourir jusqu'à 32,4 kilomètres par litre. La sortie de la Fiat 500 le 4 juillet 2007 fut l'un des plus importants lancements de l'histoire de l'automobile. Trente des plus belles places historiques de l'Italie furent bouclées afin que Fiat puisse présenter son nouveau bébé. Au milieu des fêtes de rue, des stands de nourriture, des expositions de voitures et des spectacles, les seuls véhicules que l'on pouvait observer étaient la Fiat 500, à la fois le nouveau et l'ancien modèle. Soixante mille exemplaires se sont vendus en moins de trois semaines.

Depuis son lancement, la nouvelle Fiat 500 a reçu de nombreuses récompenses pour son design, son innovation et ses références écologiques. En 2008, elle est devenue le 12ᵉ membre de la famille Fiat à remporter le titre de «Voiture européenne de l'année». **DS**

Clubman | MINI

GB

2007 • 1 560 cm³, S4 • 110 ch • 0-97 km/h en 10,4 s • 193 km/h

En août 2011, le Premier ministre David Cameron a conduit le deux millionième exemplaire de la BMW-MINI fabriqué au Royaume-Uni. Il s'agissait d'un événement important car, en seulement dix ans, la marque MINI s'est imposée comme la favorite de la mode du renouveau des modèles rétro.

En 2007, la deuxième génération de la nouvelle MINI fut lancée avec une version break appelée Clubman. Il s'agit d'un nouveau modèle qui reprend plusieurs éléments de design de la MINI familiale originale, sans oublier le coffre arrière et ses «portes de grange».

Techniquement, la MINI Clubman est un croisement entre un break et un coupé 2 portes. Fait intéressant, la Clubman dispose d'une petite porte (officiellement appelée «Clubdoor») sur son côté droit, ce qui permet un accès plus facile à la banquette arrière, laquelle peut désormais accueillir confortablement trois passagers. Bien qu'il s'agisse d'un ajout bienvenu, il contraria néanmoins les clients britanniques et japonais, obligés de débarquer leurs familles du côté de la circulation.

Les performances sont en dents de scie, à cause d'un empattement plus long et d'un poids plus important que sur la MINI classique. Toutefois, les acheteurs qui optent pour la Clubman sont plutôt à la recherche d'une certaine praticité. Les chiffres donnés ci-dessus concernent la version Cooper diesel.

Si la BMW MINI Clubman est agréable à conduire et à prendre en main, son nom même irrite les nombreux amateurs de la marque. En effet, les breaks originaux portent le nom d'Austin Mini Countryman et de Morris Mini Traveller, tandis que cette Clubman doit son nom au modèle apparu tardivement à la fin des années 1960. **DS**

CCXR | Koenigsegg

2007 • 4 700 cm³, V8 • 1 078 ch • 0-100 km/h en 2,8 s • 400 km/h

Le terme de supercar écologique semble contradictoire, pourtant le moteur de la CCXR fabriquée par Koenigsegg, le spécialiste des voitures suédoises hautes performances, fonctionne notamment à l'éthanol, un carburant fabriqué à partir de pommes de terre. Étonnamment, les propriétés de refroidissement de l'éthanol permettent à la CCXR d'être encore plus rapide que ses consœurs à essence. Elle est cependant loin d'être une supercar « verte », car sa consommation de carburant est très importante. Au mieux, elle consomme 22 litres d'éthanol (ou d'essence) aux 100 kilomètres.

Elle s'apparente au profil classique des supercars 2 portes et 2 places, avec un moteur situé au milieu, qui entraîne les roues arrière. Mais ses autres caractéristiques la font davantage ressembler à une voiture de course qu'à une machine standard : d'énormes freins en céramique avec étriers 8 pistons, des jantes en fibre de carbone, des palettes 6 rapports au volant et un impressionnant système de refroidissement.

Pour certains acheteurs, Koenigsegg a développé une version encore plus… particulière, la CCXR Trevita, pour laquelle une nouvelle technique fut employée : il s'agissait d'enrober de diamants les fibres de la coque composite. Son prix : 4 850 000 dollars.

En 2010, le nouveau propriétaire du Harrods situé à Londres avait fait sensation en se garant devant le grand magasin à bord d'une CCXR. Ce qui n'a pas empêché un agent de la circulation de lui coller une amende. Le multimilliardaire arabe ignora l'avertissement, ce qui conduisit la CCXR à la fourrière. La voiture est finalement revenue entre les mains de son conducteur, après qu'il se fut acquitté d'une nouvelle amende de 109 dollars. **SH**

Fetish | Venturi

2007 • Moteur électrique • 299 ch • 0-100 km/h en 4 s • 200 km/h

Cette voiture avec toit ouvert est fabriquée artisanalement par Venturi, l'un des premiers constructeurs mondiaux de voitures de sport électriques, dans son atelier de la principauté de Monaco.

En apparence, il s'agit d'un roadster classique 2 portes et 2 places, avec roues arrière motrices et un moteur situé en position centrale, derrière les sièges. Sous la carrosserie, l'ingénieux moteur électrique est capable d'atteindre 12 500 tours par minute.

Avec une seule charge de batterie, la Fetish peut parcourir 340 km à la vitesse constante de 90 km/h sans aucune émission de gaz. La recharge rapide se fait en une heure grâce à un chargeur externe ou en trois heures sur une prise de courant normale. Mais elle n'est pas pour autant une « écovoiture » sobre, car la Fetish est aussi un véhicule de luxe, avec un cockpit en fibre de

carbone garni à la main de cuir. Durant toute la période de garantie limitée à deux ans, les acheteurs peuvent également la connecter par le Wi-Fi à un réseau dédié afin que les techniciens de Venturi puissent procéder à un contrôle technique à distance.

L'homme d'affaires et millionnaire Gildo Pastor, qui racheta Venturi en 2001, pousse la marque vers la production de véhicules électriques innovants. C'est pour cette raison que Venturi a notamment conçu une voiture unique appelée Jamais Contente, qui a battu le record de vitesse d'un véhicule à propulsion électrique à Bonneville aux États-Unis en 2010, en atteignant la vitesse de 495 km/h.

Venturi limite la production de la Fetish à dix voitures par an. Son prix est l'assurance d'un choix exclusif : elle coûte environ 300 000 euros. **SH**

DBS | Aston Martin

2007 • 6 000 cm³, V12 • 517 ch • 0-97 km/h en 4,3 s • 307 km/h

Aussi incroyable que cela puisse paraître, la DBS est encore plus puissante que l'Aston Martin DB9. Bien entendu, il s'agit d'une voiture pour toujours liée à l'agent 007, James Bond. Ainsi, la version antérieure de la DBS était déjà présente dans le film *Au service secret de Sa Majesté* (1969), tandis que la version actuelle a fait une apparition très remarquée entre les mains de Daniel Craig dans *Casino Royale* (2006) et *Quantum of Solace* (2008).

Cette nouvelle DBS est basée sur la voiture de course DBR9, ce qui explique qu'elle est plus basse, plus large et plus agressive que la DB9 standard. Les conduits de refroidissement dominent un nez qui abrite un énergique moteur V12. Les lignes directrices ont hérité du charme discret britannique, avec seulement une petite lèvre de spoiler en fibre de carbone située à l'arrière. La DBS se révèle digne de la marque Aston Martin.

Les panneaux de carrosserie ultralégers, en fibre de carbone moulées sur une structure en aluminium, ont fortement réduit son poids. Le moteur est équipé d'une prise d'air supplémentaire qui s'ouvre à haut régime, afin de booster davantage ses performances grâce au mélange d'air et de carburant. En outre, la DBS dispose de toute la technologie nécessaire pour gérer cet apport de puissance avec ses amortisseurs adaptatifs, son contrôle de la traction et de la stabilité, et ses freins en carbone-céramique.

La DBS coûte environ 286 000 dollars, sans compter l'assurance, les pneumatiques, la consommation et l'entretien. Toutefois, certains experts affirment que des clients l'acquièrent uniquement dans le but d'en tirer un bénéfice. En effet, une Aston Martin de 1960 peut valoir jusqu'à 397 000 dollars aux enchères aujourd'hui. **SH**

LS 600h | Lexus $\boxed{J}$

2007 • 5 000 cm³, V8 avec moteur électrique • 445 ch • 0-100 km/h en 6,3 s • Inconnue

La LS 400, l'ancienne berline de luxe de Toyota, avait vampirisé petit à petit les marques premium déjà établies grâce à son mélange réussi entre technologie et qualité. La LS 600h perpétue cette tradition et offre aux acheteurs soucieux de l'environnement le premier moteur V8 et électrique. Elle devient par la même occasion la plus puissante voiture hybride au monde.

À petite vitesse, cette grosse berline n'émet aucune pollution, car elle tourne sur son seul moteur électrique. Mais au fur et à mesure que la vitesse augmente, le V8 prend le relais. À plein régime, l'essence et l'électricité se combinent afin de fournir davantage d'énergie. La répartition de la puissance allouée entre les deux systèmes est parfaitement contrôlée par un ordinateur, qui assure également la recharge constante des batteries du moteur électrique. Cependant, l'économie de carburant est à peine supérieure à la version normale. Quant à son prix, il en fait la voiture de luxe la plus chère jamais construite au Japon, avec une entrée de gamme qui avoisine les 100 000 dollars.

La LS 600h dispose d'un habitacle spacieux et luxueux : l'intérieur est garni de cuir fin et les acheteurs peuvent choisir un modèle 4 ou 5 places, avec un empattement court ou long. Les sièges arrière sont inclinables et disposent d'un système de massage. D'autres merveilles technologiques sont présentes comme un système de parking automatique, une suspension variable adaptative, un régulateur de vitesse intelligent et un écran tactile de 20 centimètres. Mais ce qui impressionne le plus reste le raffinement de sa conduite rapide et silencieuse. Si la Lexus LS 400 a créé une dynastie, la LS 600h va l'entretenir. **SH**

GT-R | Nissan

2007 • 3 799 cm³, V6 • 544 ch • 0-97 km/h en 3,5 s • 311 km/h

Le sigle GT-R (qui signifie «Grand Turismo Racing») est apparu pour la première fois sur la Nissan Skyline 5 portes de 1969, créée dans le but de concurrencer les meilleures voitures de sport européennes. Par la suite, de nombreuses générations de Skyline GT-R auront conservé cet héritage, qui va culminer avec ce modèle dévoilé lors du salon automobile de Tokyo en 2007.

Afin d'honorer ses ancêtres et de perpétuer la tradition, cette nouvelle génération «Godzilla» est monstrueusement rapide, même en départ arrêté. Son cockpit en fibre de carbone contient un tableau de bord doté d'un écran multifonction numérique, développé par les concepteurs du jeu vidéo *Gran Turismo 5* sur PlayStation.

À sa sortie, cette supercar 2 + 2 biturbo semblait viser les performances de la Porsche 911 Turbo. En effet, les deux modèles connaissent des temps d'accélération, une vitesse de pointe et des niveaux de pratique

similaires. Cependant, la Nissan GT-R coûte moitié moins que sa rivale. Son tarif s'aligne davantage sur celui d'un Range Rover, alors qu'elle est plus rapide qu'une Bugatti Veyron sur la piste de Nürburgring.

Avant même l'arrivée de la Nissan GT-R dans les rayons des importateurs officiels américains ou européens, la presse automobile s'était déjà emparée du phénomène à l'aide de nombreux prix. Entre 2007 et 2009, la GT-R fut élue « voiture de l'année » par l'émission télévisée *Motor Trend*, ainsi que par les magazines *Evo*, *Autocar* et *Automobile*. Il en ira de même pour l'émission de la BBC *Top Gear*, dans laquelle Jeremy Clarkson déclara que la GT-R avait été « conçue pour aller plus vite qu'on ne l'aurait jamais cru possible, grâce à son grip au-delà des normes physiques, à ses changements de vitesse plus rapides qu'un clignement d'œil et à ses arrêts d'une telle férocité que l'on sent réellement son visage se détacher ». **DS**

S5 Coupé | Audi (D)

2007 • 4 200 cm^3, V8 • 359 ch
0-97 km/h en 5,1 s • 250 km/h

L'Audi S5 est le fruit d'une évolution progressive. Tout d'abord, il y a eu la berline haut de gamme A4. Puis la version coupé 2 portes : l'A5. La S5 est la version hautes performances issue de cette lignée, disponible en coupé, cabriolet ou Sportback. Grâce au système Audi Quattro, ce coupé est l'équivalent moderne de l'Audi Quattro des années 1980, même si elle est, à bien des égards, plus pratique et plus confortable qu'une vieille Quattro. Audi n'hésite d'ailleurs pas à la qualifier de «voiture Grand Tourisme moderne».

À son lancement, la S5 coupé était propulsée par un V8 de 4 200 cm^3 (ses chiffres sont donnés ci-dessus), tandis que les versions cabriolet et Sportback utilisent un moteur V6 suralimenté de 3 000 cm^3. En 2012, le coupé est rajeuni et modernisé, notamment avec une boîte de vitesses semi-automatique 7 rapports et un système «stop-start» du moteur, pour une meilleure économie de carburant. La carrosserie de la S5 a été légèrement modifiée, afin d'obtenir un rendu plus agressif à l'aide de bandeaux à LED, d'une nouvelle calandre, de jantes en alliage 19 pouces avec pneus à profil bas, en sus d'un discret aileron arrière. Les freins de la S5 sont aussi plus conséquents, au vu de l'augmentation considérable de puissance, tandis que la suspension s'est rigidifiée pour améliorer la prise en main. **SH**

8C | Alfa Romeo (I)

2007 • 4 700 cm^3, V8 • 450 ch
0-97 km/h en 4,2 s • 292 km/h

Lorsque Alfa Romeo dévoila son modèle 8C au Mondial de l'automobile de Paris 2006, plus de 1 200 personnes se sont immédiatement portées acquéreuses. Ironie du sort, le constructeur italien avait décidé de n'en construire que 500 exemplaires. La 8C est une création d'apparence spectaculaire. En effet, peu de voitures possèdent un style aussi identifiable, de ses quatre tuyaux d'échappement brillants à ses prises d'air béantes à l'avant.

Sous sa magnifique carrosserie de style rétro en fibre de carbone se cache un merveilleux V8 de 4 700 cm^3 à l'origine d'un grondement qualifié d'«épique». La suspension est modifiée. Le moteur, qui provient de Maserati ou Ferrari, est situé derrière l'essieu avant, tandis que la boîte de vitesses robotisée semi-automatique 6 rapports se trouve en face de l'essieu arrière. Ainsi, les deux blocs fonctionnent en harmonie afin d'équilibrer le poids de la voiture.

Cette supercar moderne de chez Alfa a emprunté son nom aux voitures de course historiques de la marque, même si elle fut clairement conçue pour les amateurs. Malgré tout, son compartiment à bagages est minime, elle est fabriquée uniquement en conduite à gauche, et elle coûte la coquette somme de 267 000 dollars. **SH**

CL600 | Mercedes-Benz (D)

2007 • 5 500 cm³, V12 • 513 ch
0-97 km/h en 4,3 s • 250 km/h

La CL600 est un coupé dans lequel il est aisé d'entrer et qui contient beaucoup d'espace pour les bagages. Mais c'est aussi une voiture luxueuse, dotée d'une forte adhérence et d'une belle souplesse, et qui jouit de l'accélération d'un moteur qui tourne à 8 500 tours par minute. La Mercedes CL600 s'était révélée être une des meilleures voitures Grand Tourisme du monde lors de son apparition en 2007.

Elle incarnait également la vitrine des dernières technologies automobiles : une boîte 7 vitesses semi-automatique avec modèle de changement adaptatif, un coffre électronique, des feux stop adaptatifs qui clignotent lors d'un arrêt d'urgence et des sièges qui massent sur demande. Ses autres particularités techniques comprennent aussi un système de vision nocturne infrarouge qui permet de voir les piétons la nuit, un radar intelligent avec régulateur de vitesse afin de garder une distance de sécurité dans le trafic et un système d'assistance de parking avec des capteurs radar avant et arrière, pour visualiser l'espace de stationnement.

Mais le meilleur est encore à venir. Sous le capot, on trouve un 12 cylindres bi-turbo et une puissance de traction énorme. La vitesse de pointe mesurée est de 250 km/h et comme l'affirme un critique du site inside-line.com : « Son ratio performance/luxe est parfait. » **SH**

Mondeo | Ford (GB)

2007 • 2 200 cm³, S4 • 173 ch
0-97 km/h en 8,1 s • 224 km/h

La Mondeo, qui succéda à la Ford Sierra, est une voiture moderne avec roues motrices à l'avant. Depuis 1992, Ford n'a eu de cesse d'améliorer cette berline bien équipée et facile à conduire, aux courbes arrondies avec un hayon et un habitacle spacieux.

En Amérique du Nord et en Australie, elle fut pourtant accueillie moins chaleureusement, de sorte que Ford fut contraint d'abandonner ses prétentions de voiture universelle en faveur de véhicules plus adaptés à la demande locale. Mais en Europe, et plus particulièrement au Royaume-Uni, la Mondeo est devenue une figure de la culture populaire. L'« homme Mondeo » est le stéréotype du cadre de classe moyenne. La Mondeo fit également taire de nombreuses critiques grâce à ses caractéristiques de conduite excellentes et à une offre de motorisation intelligente. Les chiffres indiqués ci-dessus concernent le diesel 2 200 cm³.

En 2007, à partir de la 4e génération, la Mondeo fut développée en partenariat avec Volvo. Certains affirment qu'il s'agit de la meilleure Mondeo à ce jour. Au fil de son existence, la Mondeo continue de refléter la conjoncture économique et un marché automobile en constante mutation. La Mark V, annoncée pour 2013, sera une voiture à visée mondiale, simplement siglée du logo Fusion en Amérique du Nord. **SH**

F400 | Ginetta

2008 • 3 000 cm³, V6 • 389 ch • 0-97 km/h en 3,7 s • 282 km/h

Propulsée par un moteur Ford V6 suralimenté, la F400 est un coupé sportif 2 places à moteur central, qui rivalise avec les performances des meilleures supercars du monde entier. Cependant, l'histoire de sa création est loin d'être simple, à l'instar des difficultés que rencontrent fréquemment les petits indépendants du sport automobile. Ainsi, le nom et le propriétaire de la voiture changèrent à plusieurs reprises ces dernières années, au fil de ses diverses évolutions.

À l'origine, il y a un constructeur nommé Farboud qui avait conçu une sportive du nom de GTS. Farboud fut racheté par Farbio, un autre constructeur indépendant basé dans le sud-ouest de l'Angleterre et dirigé par l'ancien pilote de course Chris Marsh. Farbio était spécialisé dans la fibre de carbone et possédait une usine de production située à Bath, dans le Somerset, en Angleterre.

Puis Ginetta racheta Farbio et transforma le projet GTS en projet F400. Ginetta est un constructeur anglais d'automobiles sportives fondé en 1958 qui connut lui-même plusieurs changements de propriétaire. Depuis, Ginetta s'est fait davantage connaître dans le domaine du sport automobile que dans celui des voitures de tourisme. L'entreprise est basée dans le nord de l'Angleterre et est dirigée par l'homme d'affaires Lawrence Tomlinson.

Ginetta a usé de son expertise afin de réaménager la voiture Farbio. La F400 fut rebaptisée G60 en 2011. Les prix varient suivant le nom et la dernière version est affichée à 150 000 dollars. La F400 reste un élégant coupé 2 portes, dotée d'une carrosserie allégée en fibre de carbone et résine, assise sur un châssis en treillis. Ses performances sont impressionnantes, avec une vitesse de pointe mesurée à 282 km/h. **SH**

FX50 | Infiniti

2008 • 5 000 cm³, V8 • 396 ch • 0-97 km/h en 5,8 s • 250 km/h

Infiniti est la marque premium de l'alliance Renault-Nissan. Après les premières critiques qui comparaient le look du FX première génération à une Coccinelle géante, une nouvelle version remaniée est apparue en 2008. Ce modèle de seconde génération fut le premier vendu en Europe.

Malgré son amélioration esthétique, ce SUV continue de partager l'opinion. Le FX50 adopte la hauteur d'un véhicule tout-terrain avec les lignes arrondies d'une voiture de sport. Mais il paraît trop large pour les petites routes européennes, sans compter des énormes roues avec jantes en alliage de 21 pouces. Toutefois, les acheteurs jouissent d'un habitacle luxueux, ce qui le place sur un pied d'égalité avec la marque concurrente Lexus, appartenant à Toyota. Sous cette carrosserie controversée se cache une technologie sophistiquée qui inclut « une direction arrière active ». Il s'agit d'un système utilisant un moteur électrique qui fait légèrement tourner les roues arrière, afin de préserver la stabilité lors des changements de voie à grande vitesse.

En conduite normale, la puissance se concentre dans les roues arrière, mais n'hésite pas à se répartir vers l'avant lorsqu'un besoin supplémentaire d'adhérence se fait sentir. La liste des gadgets électroniques est conséquente, avec entre autres un régulateur actif de vitesse, une alerte de franchissement involontaire de ligne et des caméras à 360 degrés.

Le moteur de la version haut de gamme est un V8 de 5 000 cm³, doté de bonnes performances sportives au prix d'une consommation élevée de carburant. Certains commentaires affirment qu'il est capable d'engloutir jusqu'à 17 litres aux 100 kilomètres. **SH**

F16 Sport | Secma

2008 • 1 598 cm³, S4 • 105 ch • 0-97 km/h en 5,5 s • 180 km/h

Le Secma F16 revendique les performances et la prise en main d'une voiture de sport pour le prix d'une berline, puisqu'il coûte autour de 15 000 euros.

Ce véhicule français 2 places construit à Aniche, dans le nord de la France, mesure seulement 2,76 mètres de long et 1,76 mètre de large. Cette minuscule carrosserie est fabriquée à partir d'un moule de polyéthylène posé sur un puissant châssis en acier. La voiture ne pèse que 560 kilos. Le moteur Renault Mégane 16 soupapes de 1 600 cm³ entraîne les roues arrière par l'intermédiaire d'une boîte de vitesses manuelle Renault 5 rapports.

La masse modeste du F16 Sport signifie que l'humble moteur Renault est capable de performances impressionnantes, tout en offrant une consommation de carburant proche des voitures familiales, avec une moyenne de 6,5 litres aux 100 kilomètres.

Secma construit également des petits modèles sans permis, ce qui fait du F16 Sport le véhicule le plus grand et le plus puissant de la marque. Les conducteurs enthousiastes ont tout ce qu'il faut à disposition : des freins à disque, une suspension sport, des jantes en alliage, un système d'échappement en acier inoxydable et des sensations de conduite comparables à celles d'un kart.

Les gadgets et autres extras de confort sont, en contrepartie, peu nombreux. Les options comprennent un cockpit fermé, une capote rétractable, un porte-bagages, des sièges en cuir et un volant gainé de cuir. Les deux sièges sport ne sont pas réglables, mais les pédales le sont. Le F16 n'a pas de tapis de sol ni de boîte à gants pour ranger des objets de valeur. Les acheteurs doivent aussi s'acquitter d'un supplément s'ils désirent l'ajout de portes papillon. **SH**

MiTo | Alfa Romeo

2008 • 1 750 cm³, S4 • 241 ch • 0-100 km/h en 5 s • 250 km/h

Pour créer cette miniberline sportive, les ingénieurs d'Alfa Romeo mélangèrent avec brio les ingrédients de la supercar Alfa Romeo 8C avec la plate-forme fortement modifiée de la Fiat Grande Punto et de l'Opel Corsa. La MiTo reprend le bulbe avant, la forme des fenêtres et les feux arrière arrondis de la 8C. Le nom MiTo est la contraction de l'abréviation de Milan, où la voiture a été conçue, avec celle de Turin (Torino), où elle est construite.

Les conducteurs peuvent choisir trois réglages du nouveau système de gestion électronique DNA (Dynamic Normal All-Weather) inventé par Alfa. Cela influe sur les paramètres de comportement du moteur, des freins, de la direction, de la suspension et de la boîte de vitesses. Le système DNA supervise également le différentiel électronique de l'essieu avant, ce qui joue sur la traction de la voiture en fonction des conditions.

L'allure de ce petit coupé sportif rend hommage à la populaire Alfa Bertone des années 1960. La version sportive est dotée du même moteur de 1 750 cm³ que le célèbre coupé Bertone GTV de 1967. Les chiffres donnés ci-dessus concernent le modèle hautes performances GTA qui, en raison de conditions économiques difficiles, n'entra jamais en pleine production. La MiTo de série affiche des performances plus humbles, bien que la plupart des modèles à essence soient capables d'atteindre 100 km/h en moins de 8 secondes.

Alfa a inclus un bouton au motif du logiciel Windows sur le volant, pour le raccordement à un système d'information et de divertissement. Il y a également un contrôle vocal de la musique et une connexion Bluetooth. En italien, *mito* signifie « mythe » ou « légende », à l'image des espoirs d'Alfa Romeo. **SH**

SL | Mercedes-Benz

D

2008 • 5 500 cm³, V12 • 517 ch • Inconnue • Inconnue

La Mercedes SL (Sport Léger), apparue pour la première fois en 1954, est une voiture Grand Tourisme de luxe vendue à plus de 630 000 exemplaires. Tous les modèles sont des roadsters 2 portes, équipés d'un moteur à l'avant qui entraîne les roues arrière, bien que les caractéristiques n'aient jamais cessé d'évoluer.

Le modèle 2008 est la 5ᵉ et meilleure incarnation de la SL (remplacée depuis 2012 par la 6ᵉ génération et première série entièrement en aluminium). Elle est la plus rapide, avec sa boîte 7 vitesses semi-automatique et une gamme de moteurs allant de 3 500 cm³ à 6 000 cm³, hérités du même V12 utilisé par le préparateur AMG pour ses modèles hautes performances. Les chiffres indiqués ci-dessus concernent la version 5 500 cm³.

Tous les modèles 2008 disposent d'un élégant toit en métal automatiquement rétractable, plutôt que d'une toile. Un arceau de sécurité surgit systématiquement si la voiture détecte un risque de renversement, tandis que le toit se replace.

Mercedes a peaufiné sa version 2008 en optant pour une allure branchée et sportive. Des phares enveloppants remplacent les anciens feux à double unité et de puissants renflements sont apparus sur le capot. La calandre et l'étoile à trois branches ont été simplifiées.

La SL possède également une technologie intéressante. En effet, le modèle 2008 jouit de phares bixénon avec un système d'éclairage « Intelligent Light », qui offre différents modes d'éclairage, grâce à son principe « actif » qui fait pivoter le faisceau lumineux dans la même direction que les roues, selon les conditions routières : le pays, le type de route, le brouillard et les virages. **SL**

Phantom Drophead Coupé | Rolls-Royce

2008 • 6 749 cm³, V12 • 460 ch • 0-97 km/h en 5,7 s • 240 km/h

Lors du lancement de la Phantom Drophead Coupé, Ian Cameron, le designer en chef de Rolls-Royce, a déclaré : «Supprimer le toit peut parfois s'avérer suffisant pour créer une grande décapotable… mais elle ne sera pas parfaite.» Ainsi, l'enrobage de la Drophead est nouveau, afin d'épouser le style d'une berline, dans des proportions plus adaptées à sa carrosserie plus courte.

L'équipe de Cameron a opté pour des matériaux naturels, de sorte que l'énorme capot, les cadres, ainsi que la calandre élancée, sont en acier brossé.

Le pont arrière comprend une trentaine de pièces individuelles en teck massif, traitées à l'aide d'une technique spécialement élaborée afin de préserver le bois, sans oublier une épaisse couche de vernis. Rolls-Royce s'est inspiré du design des voiliers de la coupe de l'America, des voitures modifiées des années 1930, des bateaux à moteur Riva des années 1950, sans oublier l'automobile star du film pour enfants *Chitty Chitty Bang Bang*.

Le toit en tissu ressemble à un costume sur mesure. Il fut préféré à un toit métallique rétractable, car il nécessite moins d'espace de stockage et semblait plus approprié au prestige de la marque. Cameron, en grand poète, déclara également qu'«il n'y a rien de plus romantique que de conduire une décapotable la nuit, en écoutant la pluie frapper le toit».

La Phantom Drophead offre un plaisir de conduite exceptionnel, grâce à son châssis treillis en aluminium, extrêmement solide et léger. La statuette «Spirit of Ecstasy» qui orne le nez de la Phantom Drophead fut redessinée durant l'année de son lancement, afin d'être plus réaliste. Debout à l'avant de cette machine, on comprend aisément la raison de son sourire. **LT**

X6 Falcon | AC Schnitzer ⟨D⟩

2008 • 4 400 cm³, V8 • 655 ch
0-97 km/h en 4,4 s • 300 km/h

AC Schnitzer est un préparateur basé à Aachen en Allemagne, qui travaille sur l'amélioration de voitures et motos BMW. L'AC Schnitzer X6 Falcon est la version musclée du crossover sportif BMW X6.

Schnitzer a dopé le moteur d'une centaine de chevaux supplémentaires en utilisant une nouvelle unité de contrôle motorisée et un système d'échappement plus sportif. La suspension, également retravaillée, permet à la Falcon de maîtriser ce surcroît de puissance, comme l'indiquent les chiffres de la BMW X6 M ci-dessus. En parallèle, l'intérieur de l'habitacle a été transformé grâce à une garniture de carbone et à un élégant volant signé Schnitzer. Les pédales et le couvercle du système de contrôle iDrive sont fabriqués en aluminium. Le tableau de bord contient lui aussi de nouveaux instruments, à l'instar des cadrans à aiguilles rouges sur fond blanc.

Les changements les plus significatifs sont pourtant visibles à l'extérieur. La carrosserie entièrement en carbone de la Schnitzer Falcon comprend des spoilers avant et arrière, des arches de roue larges de 40 centimètres, un nouveau capot, ainsi qu'un aileron sur le coffre. Le châssis est rabaissé, sans oublier l'ajout d'un système d'échappement sportif avec quatre embouts chromés. Les larges jantes en alliage accueillent des pneus à profil bas. Une option supplémentaire permet de mettre en valeur le moteur grâce à un capot en Plexiglas.

Ceux qui trouvaient la BMW X6 imposante et prétentieuse risquent de voir dans cette version Falcon un monstrueux véhicule doté des performances d'une Porsche. **SH**

Atom 500 | Ariel ⟨GB⟩

2008 • 3 000 cm³, V8 • 500 ch
0-97 km/h en 2,3 s • 274 km/h

« Je n'avais jamais conduit une voiture qui accélère autant ! » s'est exclamé Jeremy Clarkson, le présentateur de *Top Gear* sur la chaîne BBC, à propos de l'Atom 500.

Pourtant, par rapport aux autres supercars, elle ressemble plutôt à une petite et ridicule biplace, sans portes ni toit ni pare-brise ni même carrosserie. Elle a l'apparence d'une voiture de course partiellement déshabillée. Cependant, elle est homologuée pour la route, ce qui signifie que l'Atom propose une expérience de conduite unique et passionnante.

L'Atom détient de nombreux records, y compris celui de la voiture *indoor* la plus rapide du monde (mesurée à 110 km/h sur une piste de 200 mètres à Birmingham) ou celui de la voiture la plus rapide testée par le magazine *Autocar* : de 0 à 97 km/h en 2,7 secondes.

Pourtant, certains acheteurs jugèrent les performances de l'Atom trop faibles. C'est pourquoi, en 2008, l'édition limitée de l'Atom 500 V8 fut lancée, avec son châssis distinctif recouvert d'or. L'ancien moteur Honda VTEC a été remplacé par un moteur américain Hartley V8, élaboré à partir de la combinaison de deux moteurs de moto Suzuki. La vitesse fait également un bond en avant car l'Atom 500 V8 ne pèse plus que 550 kilos. La boîte de vitesses séquentielle avec palettes au volant permet des changements de vitesse en moins de 40 millisecondes. Dotée d'une suspension de voiture de course, elle permet d'effectuer de nombreux réglages, ce qui lui assure agilité et souplesse, y compris sur piste.

Seulement 25 Atom 500 V8 furent construites. Malgré un prix de 150 000 euros, 20 exemplaires ont trouvé preneur avant même qu'elle ne soit lancée ; le reste serait vendu peu de temps après. **SH**

Q1 | Rossion ⟨ZA⟩

2008 • 3 000 cm³, V6 • 462 ch
0-97 km/h en 3,2 s • 304 km/h

Ian Grunes et Dean Rosen, deux Sud-Africains amateurs de supercars, ont importé une Noble M400 des États-Unis. Puis ils en ont acheté les droits de fabrication, afin de convertir cette voiture britannique en une supercar luxueuse, raffinée et pratique.

Le Rossion Q1, un supercoupé biplace léger, était né. Son nom signifie « Quick 1 », tandis que le logo représente un faucon pèlerin, le plus rapide des oiseaux au monde, en piqué. Le Q1 est construit dans une usine moderne à Port Elizabeth, en Afrique du Sud, bien que l'entreprise Rossion (la combinaison de « Ros » et « Ian ») soit située à Pompano Beach, en Floride.

La carrosserie du Q1 est en fibre de verre. Son moteur central arrière V6 biturbo Ford Duratec, qui entraîne les roues arrière, est installé au sein d'un châssis treillis en acier. Le rapport poids/puissance est à l'avantage de la Q1, voiture très rapide, surtout en départ arrêté. Mais grâce à la conception de son châssis et à sa suspension sophistiquée, la Q1 s'avère moins brutale que la plupart des voitures de sport axées sur la conduite sur piste.

L'habitacle de la Rossion est étonnamment élégant et confortable pour une supercar. Le volant est recouvert de cuir, tandis que les pédales en aluminium sont réglables, afin de s'adapter à la taille du conducteur. **SH**

X-Bow | KTM ⟨A⟩

2008 • 1 984 cm³, S4 • 240 ch
0-100 km/h en 3,9 s • 217 km/h

C'est en 1954 que Kraftfahrzeuge Trunkenpolz Mattighofen s'est lancé dans la production de motocyclettes, de cyclomoteurs et de bicyclettes à Graz, en Autriche. En 2006, c'est désormais sous le nom de KTM qu'est élaboré un projet de voiture de sport légère pour un usage sur circuit uniquement, avec le concours de Dallara, un constructeur italien de voitures de course et spécialiste du châssis. La X-Bow est une voiture barquette en fibre de carbone et revêtue de panneaux en plastique. Inspirée par les motos KTM et alimentée par un moteur Volkswagen turbocompressé à 4 cylindres, elle ne pèse que 790 kilos.

Trois modèles ont été proposés au lancement : les versions Clubsport et Street conservent leur puissance d'origine mesurée à 240 chevaux, tandis que la R, une X-Bow améliorée, développe plus de 300 chevaux. La X-Bow ne possède aucun contrôle de la traction, ni de servofrein ou de direction assistée. Les harnais à quatre points sont standards, à l'instar du différentiel à glissement limité et des pédales réglables individuellement.

En 2008, l'émission *Top Gear* décerna à la X-Bow le titre de voiture sportive de l'année. Elle est disponible seulement en modèle bicolore orange et noir, un classique de la marque KTM. Son prix de base est d'environ 77 000 dollars sans les options. **RD**

FCX Clarity | Honda ⓙ

2008 • Piles à combustible • 133 ch
0-97 km/h en 10 s • 160 km/h

La Honda FCX Clarity est une voiture à propulsion électrique qui génère elle-même de l'électricité en utilisant une pile à combustible d'hydrogène. Elle emploie la technologie suivante : le réservoir de carburant est rempli d'hydrogène comprimé, combiné avec de l'oxygène, qui permet à la pile à combustible de faire fonctionner le moteur électrique situé à l'avant de la voiture, ce qui finalement entraîne les roues avant. La seule émission produite est de l'eau pure. Elle ne nécessite aucune recharge, n'utilise pas le réseau électrique (et donc l'énergie qui en résulte), et ne pollue pas.

Actuellement, la Clarity coûte si cher à fabriquer que Honda ne prévoit d'en produire que 200 exemplaires. Elle est disponible uniquement en location, principalement en Californie, en sus de quelques exemplaires destinés au Japon et à l'Europe. Son utilisation est limitée aux zones qui possèdent des stations-service équipées de pompes à hydrogène. La voiture peut parcourir 386 kilomètres entre deux pleins. Elle embarque une batterie qui sert à stocker l'électricité générée par le freinage et le processus de décélération.

Plusieurs experts estiment que les piles à combustible, davantage que les voitures hybrides ou électriques, incarnent l'avenir du secteur. La bonne nouvelle est que l'hydrogène est une ressource inépuisable. **SH**

M3 | BMW ⓓ

2008 • 3 999 cm^3, V8 • 420 ch
0-100 km/h en 4,7 s • 249 km/h

Dévoilée lors du salon de Genève en 2007, la BMW M3 de type E90/92/93 s'est érigée sur le modèle du succès de la M3 E46 six cylindres. La nouvelle BMW M3 fut la première de la série à utiliser un V8. C'est pourquoi elle affiche un prix élevé, avec un tarif de départ fixé à 78 000 euros, sans compter les options.

La nouvelle M3 fit forte impression dans le milieu du sport automobile. Elle a remporté l'American Le Mans Series de 2009, les 24 heures du Nürburgring et la catégorie GT2 de l'Intercontinental Le Mans Cup 1 000 km, à Zhuhai en Chine. En plus de sa puissance énorme et d'une conduite ferme, la M3 est équipée en standard avec tout le luxe nécessaire. Elle jouit également d'une fonctionnalité moderne, le système iDrive, qui permet le contrôle électronique de l'amortissement à travers trois modes sélectionnables : Sport, Confort, et Normal.

Le moteur V8 relativement léger (202 kilos) est couplé à une boîte de vitesses manuelle 6 vitesses. Une boîte Getrag à double embrayage 7 vitesses est disponible en option, pour des changements de rapport plus rapides. Trois modèles existent : une berline 2 portes, cabriolet avec toit rigide rétractable et motorisé et une berline 4 portes. Le magazine *Car and Driver* ne tarit pas d'éloges : « D'après nous, la nouvelle M3 constitue le meilleur investissement possible à ce jour. » **RD**

Q5 | Audi

(D)

2008 • 1 968 cm³, S4 • 170 ch • 0-97 km/h en 9,5 s • 203 km/h

Le SUV Q5 est un peu la version rétrécie et remaniée de l'Audi Q7, puisqu'il lui ressemble étonnamment, malgré l'aspect beaucoup plus bestial de ce dernier.

Lorsqu'il fut lancé en 2008, le SUV Q5 devait occuper le marché face au BMW X3, au Land Rover Freelander et au Volvo XC60, qui sont tous des SUV premium légèrement plus petits que le X5, le Discovery et le XC90. Bien qu'ils ne soient guère capables de monter davantage qu'un trottoir au moment d'aller chercher les enfants à l'école, ils possèdent néanmoins une certaine crédibilité de tout-terrain.

Audi, dans son désir de soigner le Q5, l'a élaboré sur la même plate-forme de taille moyenne que le coupé A5. Ce qui le rend plus imposant qu'un Volkswagen Tiguan ou qu'un Skoda Yeti, qui font également partie de la famille Audi-VW-Skoda-Seat, mais qui s'inscrivent dans une fourchette plus basse de prix. Il existe plusieurs choix de motorisation, avec notamment l'emploi du moteur de la Golf GTI et de l'Audi A3. Cependant, la plupart des acheteurs optent pour la version turbo diesel, qui offre une puissance suffisante, doublée d'une bonne efficacité. Les chiffres sont indiqués ci-dessus.

Sur la route (qui est l'endroit privilégié par 90 % des Q5), le SUV se comporte comme une berline moderne, aidé en cela par son système permanent de 4 roues motrices et par un excellent châssis. À l'instar de la plupart de ses concurrents, le Q5 jouit d'une grande qualité de construction, d'un habitacle spacieux pour les passagers, ainsi que de nombreux équipements. Pour beaucoup, il représente une tranche abordable de luxe et de prestige sur le marché des véhicules utilitaires sportifs. **JI**

X6 | BMW ⬤ D

2008 • 4 395 cm³, V8 • 555 ch • 0-100 km/h en 4,7 s • 250 km/h

La X6, calquée sur les modèles M6 et X5 de BMW, fut la première voiture à être commercialisée en tant que SAC (Sports Activity Coupé). Elle fut rapidement suivie par la MINI Paceman, présentée au Salon de l'automobile de Detroit en 2011. Selon le communiqué de presse de BMW de l'époque, les SAC sont une nouvelle race de véhicules qui combine la garde au sol élevée et les capacités tout-terrain d'un SUV avec « les lignes sportives et élégantes d'un coupé ».

La X6 incarne la tentative de BMW de pénétrer dans le marché lucratif du crossover de luxe, dominé par le Range Rover Sport et le Porsche Cayenne. Contrairement à ses principaux rivaux, le fabricant du X6 n'hésite pas à mettre en avant ses qualités de tout-terrain, bien que son environnement naturel soit fermement situé sur l'autoroute.

Les journalistes spécialisés de l'émission britannique *Fifth Gear* furent sérieusement impressionnés par le comportement routier de la X6 : « Compte tenu de sa taille et de son poids, sa manière d'aborder les virages est assez surprenante. Grâce à ses 4 roues motrices avec vectorisation de couple, la puissance est renvoyée de l'avant à l'arrière, mais aussi de gauche à droite… »

Toutefois, le SAC n'évite pas un certain nombre de contradictions. S'il possède la taille d'un véhicule polyvalent, quatre places seulement sont disponibles (une 5e est en option depuis 2011). Il jouit d'une garde au sol élevée, mais celle-ci reste insuffisante pour pratiquer le hors-piste. De plus, le X6 ActiveHybrid s'avère moins économique que le modèle de base.

Si vous souhaitez vraiment vous acheter un X6, autant prendre la version M-Sport de 515 chevaux. **RD**

Chairman | SsangYong

ROK

2008 • 5 000 cm³, V8 • 306 ch • 0-97 km/h en 6,6 s • 250 km/h

Si la confortable berline Chairman fabriquée en Corée du Sud ressemble à la version asiatique d'une voiture de luxe Mercedes-Benz, ce n'est pas un hasard. En effet, SsangYong collabore avec le constructeur automobile allemand depuis les années 1990.

La firme SsangYong, créée en 1954, commença par fabriquer des Jeep destination de l'armée américaine. Dans les années 1960, la société construisit aussi des autobus, suivis en 1970 par des SUV. Puis vint le partenariat avec Mercedes, qui donna accès aux Coréens à de nouveaux composants mécaniques. La première génération de Chairman était basée sur la plate-forme de la Mercedes Classe E. Elle en reprenait même l'allure.

En 2008 est apparu le modèle seconde génération, sous le nom de Chairman W. Cette fois, SsangYong est monté d'un cran afin de cibler le segment haut de gamme de la Mercedes Classe S. Il s'agit d'une voiture entièrement nouvelle, toujours élaborée avec l'aide de la marque et des composants Mercedes. Elle bénéficie d'une boîte 7 vitesses à transmission automatique, d'une suspension à 4 roues motrices et d'un radar de contrôle de vitesse. Même le moteur est dérivé de la gamme Mercedes. La Chairman W ressemble à un mélange entre BMW, Mercedes et Lexus.

Lors de son lancement, la Chairman W était la voiture fabriquée en Corée du Sud la plus chère, avec un prix affiché de 105 000 dollars. Sa suspension pneumatique à 4 roues motrices est contrôlée électroniquement. Elle possède un système hi-fi surround, dix airbags, des portes et un coffre automatiques, ainsi que la reconnaissance vocale. Les sièges sont vibrants et chauffants, tandis que les emplacements pour boissons sont climatisés. **SH**

Challenger SRT8 | Dodge

USA

2008 • 6 100 cm³, V8 • 428 ch • 0-97 km/h en 4,7 s • 274 km/h

Lancé, en 1970, la Dodge Challenger originale succomba rapidement à la crise du carburant qui tua les muscle cars. Elle est également connue dans le monde entier pour son célèbre accident à la fin de *Point limite zéro*, road-movie emblématique de 1971.

Le modèle de 2008, qui surfe sur la vague de renouveau de la muscle car, est apparu au même moment qu'un nouvel effondrement financier, conjugué à la flambée des prix du pétrole. Il s'agit néanmoins d'une renaissance bienvenue, plus ouvertement rétro que la Dodge Charger, qui conserve l'allure classique de son prédécesseur, grâce à son long capot et à une calandre « bandit » quatre feux.

On retrouve sous sa carrosserie une version à empattement court de la plate-forme utilisée par la Chrysler 300C et le Charger, avec une suspension de Mercedes Classe S à l'avant et Classe E à l'arrière. Le vrombissement de son V8 Hemi de 6 100 cm³ fait aussi partie du pack classique, qui s'inscrit dans une réinterprétation moderne de la Challenger.

Le prix, raisonnable, débute à partir de 40 495 dollars. La voiture consomme 22 litres aux 100 kilomètres en ville et 16 litres aux 100 kilomètres sur la route. Une version avec un V6 de 3 500 cm³, moins coûteuse et plus économe, est sortie en 2009.

La Dodge Challenger, populaire dans le milieu du hip-hop, du rap et chez les stars de football, est souvent aperçue affublée d'énormes roues et d'un kit de fuselage. L'équipe Dodge, dirigée par le sympathique Haïtien Gilles Ralph (qui est passé du poste de designer à celui de président de la marque), en a ravivé les couleurs originales à l'aide d'une édition limitée. **LT**

500 Abarth 500 Assetto Corse | Fiat　　　　　　　　　　　（ I ）

2008 • 1 368 cm³, S4 • 190 ch • 0-97 km/h en 7,4 s • 210 km/h

La version course de la Fiat Cinquecento fut révélée au Mondial de l'automobile de Paris en 2008. Modifié par Abarth, le préparateur interne de Fiat, l'Assetto Corse (ou «Trim Racing») possède des roues de course en aluminium de 17 pouces, une suspension réglable, un aileron arrière et une double sortie d'échappement. Gris pastel, la voiture est ornée du logo scorpion Abarth et de rayures rouges. Le toit à damier est un hommage à l'Abarth 850 Competizione Turismo des années 1960.

Grâce à la fibre de carbone, les 180 kilos de garniture intérieure excédentaire ont été supprimés. L'unique siège de course, avec harnais de sécurité à six points, a été légèrement déplacé au centre de la voiture afin d'aider à mieux répartir le poids. Avec son moteur turbo de 1 368 cm³ qui développe 190 chevaux, et un poids à vide de seulement 930 kilos, l'Assetto Corse affiche un meilleur rapport poids/puissance que la Porsche Cayman.

Seulement 49 exemplaires furent construits en 2008, dont presque l'intégralité est partie chez des pilotes de course qui participent à l'Abarth 500 Trophy sur divers circuits à travers l'Europe. Hors taxes, l'Assetto Corse coûte la coquette somme de 32 800 euros, tandis que les honoraires d'entrée du championnat s'élèvent à 12 000 euros. Mais Abarth fournit en contrepartie une combinaison de course, un casque, des gants et des chaussures personnalisés.

En 2011, l'Abarth 695 Assetto Corse confirme l'emprise de la Cinquecento dans le domaine du sport automobile grâce à ses 15 chevaux supplémentaires, une boîte de vitesses séquentielle, un arceau soudé et des fenêtres Lexan allégées. **DS**

iQ | Toyota ⓙ

2008 • 996 cm³, S3 • 67 ch • 0-97 km/h en 14,1 s • 150 km/h

Toyota affirme que l'iQ est la plus petite 4 places du monde, grâce à ses trois mètres de longueur, même si sa principale qualité est plutôt son économie.

L'aspect décalé de l'iQ provient du studio de design européen de Toyota. Son habitacle confortable et sa prise en main ont reçu des éloges du monde entier, même si ses performances se sont révélées médiocres. Apparue au Japon en 2008, elle dispose au choix d'un moteur de 996 cm³ à 3 cylindres, d'un 1 329 cm³, ou d'un 1 364 cm³ diesel, plutôt destiné au marché européen. Une version électrique fut lancée en 2012. Aux États-Unis, où elle est disponible depuis 2009 pour le même prix qu'une grande Ford Fiesta, l'iQ colle bien à l'esprit de la marque Scion de Toyota. Curieusement, surtout compte tenu de son manque de punch, le lancement presse s'est déroulé dans les rues escarpées de San Francisco.

L'iQ fut globalement bien accueillie, mais personne ne s'attendait à la voir un jour arborer un badge d'Aston Martin. L'Aston Martin Cygnet, vendue 49 000 dollars, est arrivée en Europe en 2011. Cette petite voiture de luxe, dont la garniture intérieure revêt plus de cuir qu'une DB9, a permis à Aston Martin de se conformer aux nouvelles réglementations de l'Union européenne, grâce à son moteur de 1 000 cm³ qui consomme 5,2 litres aux 100 kilomètres.

La Toyota iQ et la Cygnet tentent également de répondre à la question posée par Mercedes lors du lancement de la Smart : est-il vraiment possible de séduire des acheteurs avec un véhicule de marque premium, capable de se garer n'importe où et doté d'excellentes qualités écologiques ? Aujourd'hui, la question demeure. **LT**

Nagari | Bolwell

2009 • 3 500 cm³, V6 • 268 ch • 0-97 km/h en 4 s • 290 km/h

Dans les années 1960, Campbell Bolwell a créé des voitures fabriquées en fibre de verre et pièces d'occasion. La Nagari 1970 signa sa meilleure création grâce à un design attrayant de coupé, à son moteur V8 Ford et à sa suspension d'Austin 1800. Ses performances étaient solides, avec une vitesse de pointe mesurée à 209 km/h. Sa conception fut principalement inspirée par Lotus.

Au total, près de 800 exemplaires ont pu être vendus avant un réajustement strict du système d'homologation, sans compter l'arrivée d'une crise du carburant, ce qui a contraint ce constructeur indépendant australien à se reconvertir dans la fabrication de yachts.

Puis Campbell Bolwell relança la production de prototypes dans son usine à Melbourne au début des années 2000, avant de sortir en 2009 un nouveau modèle Nagari. Cette version, qui rappelle un peu l'ancien coupé, se veut néanmoins plus sérieuse. Dotée d'un moteur central et de roues arrière motrices, cette supercar coupé 2 places renferme de nombreux matériaux composites. Avec sa carrosserie en fibre de carbone, qui repose sur un châssis en acier, elle ne pèse que 850 kilos.

En outre, les frères Bolwell ont continué de récupérer des pièces chez d'autres fabricants, à l'instar du moteur V6 de 3 500 cm³ avec 24 soupapes et des feux qui proviennent respectivement de la berline de luxe Toyota Aurion et de la Honda Integra. Elle possède également une boîte 6 vitesses séquentielle semi-automatique avec palettes au volant. Et cette fois, les spécifications sont conformes aux normes des supercars, avec freins antiblocages, suspension réglable à double triangulation et sièges Recaro. **SH**

GT MF5 | Wiesmann $\boxed{D}$

2009 • 4 999 cm³, V10 • 507 ch • 0-100 km/h en 3,9 s • 310 km/h

La Wiesmann GT MF5 est une puissante voiture de sport au look rétro classique, qui se caractérise par son long capot courbé et un profil bas.

Pourtant, les matériaux et la technologie utilisés pour sa construction n'ont rien d'ancien. Chaque voiture est fabriquée à la main, ce qui peut prendre jusqu'à 350 heures de montage, dans l'usine Wiesmann à Dülmen, en Allemagne. Le logo de la société Wiesmann est un gecko, pour tracer un parallèle entre l'excellente tenue de route de leurs voitures et la capacité du gecko à adhérer aux surfaces difficiles.

La haute qualité de fabrication de la GT MF5 justifie déjà un prix de 275 00 dollars. Les acheteurs peuvent spécifier la conduite à droite ou à gauche, ainsi que la couleur du cuir de l'habitacle. La carrosserie est en fibre de verre renforcée. Le châssis en aluminium léger permet au moteur BMW, couplé à une boîte de vitesses manuelle 7 rapports, de ne propulser aucun poids superflu.

La carrosserie aérodynamique de la Wiesmann GT MF5 possède une petite nageoire caudale qui permet d'améliorer la tenue de route à haute vitesse. Une édition limitée de la voiture, le roadster MF5 décapotable, est également disponible, mais le cycle de production de ce cabriolet s'est limité à seulement 55 exemplaires.

Grâce à ses roues arrière motrices et à son accélération, la Wiesmann GT MF5 est une voiture véloce et agréable à conduire sur route, dans les virages et sur tronçons ouverts. Qu'elle ait été choisie comme voiture de sécurité pour la saison 2009 de la FIA GT Racing en dit long sur cette sportive très désirable. **SF**

G50 EV | Ginetta   (GB)

2009 • Moteur électrique • 121 ch
Inconnue • 193 km/h

Ginetta est une petite entreprise britannique spécialisée dans les voitures de course et de sport depuis 1958. La G50 EV est sûrement leur modèle le plus excitant à ce jour, puisqu'il s'agit de la première supercar tout électrique. Un prototype fut testé par des journalistes du magazine *Autocar*, qui ressortirent «convaincus par ses caractéristiques de voiture de course». La G50 EV est très étroitement basée sur la Ginetta G50 essence, restée invaincue dans le championnat GT britannique. Elle remporta aussi le titre européen en 2009.

L'EV est un coupé 2 places et 2 portes, à roues arrière motrices, dans lequel l'habituel V6 Ford Duratec de 3 500 cm³ est remplacé par un ingénieux moteur électrique de 121 chevaux, monté devant l'essieu arrière. Trois batteries à sodium chlorure de nickel, placées à l'avant de la voiture, peuvent être rechargées à partir d'une prise de courant domestique standard en six heures environ. Ginetta garantit une autonomie d'au moins 240 kilomètres, même sur piste. L'EV est devenue le cheval de bataille de Lawrence Tomlinson, le président de Ginetta. Il a demandé une subvention de 2,7 millions de dollars au gouvernement britannique afin de pouvoir développer cette voiture électrique, une aide refusée car le projet était considéré comme «trop réducteur».

Néanmoins, en 2009, John Surtees (le seul pilote à ce jour champion du monde de moto et de formule 1) est devenu le premier conducteur à traverser le tunnel sous la Manche au volant d'une voiture de sport. Surtees a conduit l'EV à travers le tunnel de service de 50 kilomètres à l'occasion du 15ᵉ anniversaire de l'ouvrage, afin d'amasser des fonds pour une association caritative… et de promouvoir la voiture. **SH**

Steam Car | British   (GB)

2009 • Turbine à vapeur • 269 ch
Inconnue • 238 km/h

C'est dans le désert du Mojave en Californie, sur la base de l'armée américaine Air Force Edwards, que la British Steam Car a tenté de battre le record de vitesse d'un véhicule mû par la vapeur.

Cette voiture à vapeur a nécessité dix ans de développement par une équipe de Britanniques travaillant dans les bâtiments agricoles de la New Forest. Leur moteur à vapeur sophistiqué utilise un brûleur à gaz liquide de trois mégawatts, qui chauffe l'eau d'une turbine capable de monter à 13 000 tours par minute. La vapeur surchauffée à 400 degrés entraîne alors la turbine à plus de deux fois la vitesse du son.

C'est l'équivalent de l'ébullition de 1 500 bouilloires en même temps, ou de 23 tasses de thé par seconde. Les douze chaudières et les trois kilomètres de tuyaux de la Steam Car consomment plus de 2 000 litres d'eau distillée à l'heure. Une séance d'essai officiel a permis à la «bouilloire volante», comme elle est surnommée par les médias, de battre le précédent record de 204 km/h, détenu depuis 1906 par l'Américain Fred Marriot sur une Stanley Steamer. Une équipe de Floride a annoncé qu'ils allaient construire un nouveau véhicule à vapeur pour tenter de rendre le record du monde aux États-Unis.

Pour le moment, le pilote d'essai Don Walles, petit-fils du Britannique Malcolm «Bluebird» Campbell, a conduit la Steam Car à la vitesse record de 238 km/h sur plus de 3,2 km, même si Walles affirme avoir en réalité atteint la vitesse de 241 km/h.

Cette voiture aérodynamique de 7,7 mètres de long repose sur un châssis treillis en acier léger, recouvert d'une carrosserie composite en carbone et aluminium. Les puissants freins sont en carbure de silicium. **SH**

V12 Vantage | Aston Martin

2009 • 6 000 cm³, V12 • 510 ch • 0-100 km/h en 4,2 s • 305 km/h

La sortie de la V12 Vantage d'Aston Martin, la plus puissante des voitures sportives de série, fut une grande source d'excitation.

Elle incarne tout ce qu'un amateur peut attendre du constructeur britannique à l'origine de voitures hautes performances. Elle est raffinée et racée, à la fois dans son allure et dans ses caractéristiques.

À une époque où il est de plus en plus difficile d'obtenir un crédit et où la réduction de notre empreinte carbone est essentielle pour assurer la pérennité de notre monde, il semble improbable qu'une voiture nantie d'un imposant moteur de 6 000 cm³ puisse être vendue plus de 180 000 dollars.

Et pourtant, les retours étaient tellement enthousiastes et le nombre d'acheteurs potentiels si élevé, qu'une nouvelle version noir carbone métallisé fut spécialement conçue pour le marché américain, lors de son arrivée aux États-Unis en 2010.

Le magazine *Wheels*, vendu au Moyen-Orient, l'a élue supercar de l'année. Les performances de la V12 Vantage ont permis à Aston Martin de remporter la victoire des 24 heures de Nürburgring dans la catégorie SP8. Elle repose sur la base des composants et de la technologie du coupé V8 Vantage, couplé au moteur V12 de la DBS. Elle s'adresse aux conducteurs consciencieux.

L'équipement est lui aussi très travaillé. Les sièges sont légers, mais confortables et les finitions s'alignent sur les normes élevées de la marque Aston Martin. En conditions d'utilisation normale, il est cependant peu probable que la V12 Vantage puisse exprimer la totalité de son potentiel sportif ou de son système audio de 700 watts. **SH**

Ghost | Rolls-Royce GB

2009 • 6 529 cm³, V12 • 563 ch • 0-97 km/h en 4,7 s • 249 km/h

La Rolls-Royce Ghost est vendue 250 000 dollars, soit environ les deux tiers du prix de la Phantom.

Lorsqu'elle fut lancée en 2009, la Ghost était la plus puissante des voitures produites par la vénérable marque. Son allure est délibérément moderne. Ian Cameron, le directeur du design, affirme à propos de sa silhouette : « Nous avons cherché à nous éloigner du style traditionnel du Parthénon, pour nous rapprocher davantage de celui d'un avion à réaction. »

Tandis que les propriétaires de Phantom utilisent généralement un chauffeur, ceux qui choisissent la Ghost se mettent volontiers derrière le volant. Ce bébé Rolls, silencieux à basse vitesse, récompense son pilote dès que les chevaux s'emballent, grâce à un équilibre et à des caractéristiques dynamiques. Cependant, cette voiture n'est pas conçue pour être aussi performante que certaines de ses concurrentes, d'autant que sa boîte automatique 8 vitesses n'est pas reliée à des palettes au volant ou à une sélection de mode sportive. La suspension de la Ghost conserve cette touche traditionnelle et discrète propre aux Rolls-Royce.

La Ghost contient évidemment tout le luxe nécessaire, à l'instar d'une fonction de massage ou de la climatisation à travers les sièges en cuir perforé. On retrouve même des tables de pique-nique en bois laqué à l'arrière. Des caméras permettent au conducteur de voir derrière, devant et au-dessus du véhicule, en plus d'une option de vision nocturne (lorsque c'est autorisé par la loi).

En 2010, le préparateur Mansory a lancé un modèle de Ghost blanche, qui développe 630 chevaux pour une vitesse de pointe mesurée à 290 km/h. **LT**

Scirocco BlueMotion | Volkswagen

2009 • 1 968 cm³, S4 • 142 ch • 0-100 km/h en 9,3 s • 222 km/h

Ce coupé diesel est une version considérablement remaniée de la populaire Scirocco, une voiture de sport, lancée à l'origine par Volkswagen en 1974, qui rencontra un tel succès qu'il s'en est vendu 795 650 exemplaires.

La BlueMotion est la version diesel du puissant coupé essence R. Elle partage le même profil bas, une allure sportive et subtile identique, ainsi qu'un spoiler arrière. Profilée sur un design aérodynamique, la Scirocco BlueMotion repose sur une version modifiée du châssis de la Golf Mark V.

Malheureusement, la série R est arrivée en même temps que la plus grave crise économique mondiale depuis la Grande Dépression. C'est regrettable, mais cela a peut-être convaincu certains clients d'opter pour la version diesel de cette sportive à 6 rapports. Ce modèle embarque la technologie BlueMotion de Volkswagen,

ce qui lui permet d'atteindre un rendement énergétique assez impressionnant de 4,5 litres aux 100 kilomètres, tout en étant suffisamment puissant pour passer de 0 à 100 km/h en moins de 10 secondes.

Vendue à une époque où l'on se préoccupe de l'environnement, la BlueMotion affiche un taux d'émissions de carbone de 134 g/km, ce qui constitue un argument de vente supplémentaire, tandis que les injecteurs piézo-électriques maximisent son efficacité.

À l'instar des autres modèles de la série Scirocco R, cette voiture, qui fut développée en Allemagne, est produite dans l'usine Volkswagen d'AutoEuropa à Palmela, au Portugal. Les ouvriers de ce site de production, situé assez loin dans le sud de l'Europe, peuvent de temps en temps sentir les effets du Sirocco, un vent chaud et violent en provenance du Sahara. **SF**

G37 Décapotable | Infiniti (J)

2009 • 3 700 cm³, V6 • 325 ch • 0-97 km/h en 6,4 s • 250 km/h

Le G37 est un coupé cabriolet chic et rapide, construit par Infiniti, la branche luxe de Nissan. C'est un véhicule haut de gamme : il dispose d'un hard-top rétractable trois pièces qui se replie en 25 secondes, le système de son hi-fi Bose est «Open-Air», les sièges en cuir sont chauffants ou rafraîchissants et une technologie sophistiquée de contrôle climatique influe sur le positionnement du toit.

Le G37 a fait l'objet aux États-Unis d'une intense campagne de marketing sur le Net, les visiteurs étant invités à vivre des expériences interactives sur des sites populaires, des réseaux sociaux et même sur leurs mobiles. Le coupé cabriolet est un 2 + 2 ; les sièges arrière sont donc relativement étroits pour des adultes. Le talon d'Achille du G37 reste son absence d'une alternative diesel à destination du marché européen.

Japonaise dans l'âme, la voiture contient de nombreux dispositifs modernes, à l'instar d'une caméra de recul, d'un écran tactile de navigation et d'une boîte 7 vitesses automatique avec palettes au volant (ou 6 vitesses en manuelle). Bien qu'elle partage une base commune avec la Nissan 350Z et un moteur qui provient du coupé sport 370Z, la carrosserie est celle d'une Grand Tourisme de luxe, conforme à l'image de la marque Infiniti.

Dans l'habitacle, des détails comme son horloge analogique traditionnelle ovale et ses instruments violets qui brillent dans le noir créent une aura de qualité supérieure, même si cela peut paraître un peu ringard. Car il est parfois difficile pour une entreprise d'envergure mondiale de faire semblant d'être spécialisée dans la fabrication de voitures de luxe. **SH**

Evora | Lotus

GB

2009 • 3 456 cm³, V6 • 345 ch • 0-97 km/h en 4,6 s • 277 km/h

La Lotus Evora est une rareté : une 2 + 2 avec un moteur en position centrale arrière. Il s'agit également du premier modèle produit par le constructeur d'automobiles sportives britannique depuis le lancement de l'Elise en 1995. Le terme «Evora» est la combinaison des mots *evolution*, *vogue* (mode), et *aura*.

L'enveloppe svelte en fibre de verre de l'Evora repose sur un châssis modulaire en aluminium ultraléger. Le compartiment bagages, capable d'accueillir un ensemble de clubs de golf, est assez généreux pour une supercar, mais les sièges arrière (en option) sont vraiment dédiés aux enfants. À l'avant, les sièges baquets Recaro, le levier de vitesses en aluminium brossé et la somptueuse garniture en cuir témoignent de la volonté de Lotus de monter en gamme. Côté performances, les ingénieurs affirment que, lors de tests sur le célèbre circuit du Nürburgring en Allemagne, le prototype de l'Evora s'est montré plus rapide et plus stable à haute vitesse que l'Elise et l'Exige, ses aînées pourtant destinées à la conduite sur piste.

En 2010, l'Evora S fut lancée afin de concurrencer la Porsche 911. Son V6 de 3 500 cm³ suralimenté de Toyota, qui développe 345 chevaux, est doté d'une fonction sport qui en augmente encore les capacités – grâce à l'ouverture d'une soupape, qui lui confère un grondement proche «des sonorités des voitures de course».

L'Evora S a remporté de nombreux prix depuis sa sortie. En 2011, le magazine *GQ* l'a élue meilleure voiture vendue sous la barre des 100 000 dollars, affirmant qu'«elle incarne le mélange idéal entre prise en main et conduite sportive grâce à Lotus, un constructeur désormais au sommet de sa forme». **DS**

S1 | Invicta

2009 • 5 000 cm³, V8 • 600 ch • 0-97 km/h en 3,8 s • 322 km/h

L'Invicta S1 est la première voiture de série qui utilise une coque intégrale entièrement en fibre de carbone. Dotée d'un imposant V8 de Ford Mustang qui développe 600 chevaux, il s'agit d'une supercar très puissante.

La marque Invicta remonte aux années 1900, époque à laquelle elle construisait des voitures de sport qui rivalisaient avec la qualité des Rolls-Royce et la vitesse des Bentley. La société est réapparue dans les années 1940, à l'occasion de la sortie d'une berline sportive devenue très rare, appelée le Prince Noir.

Invicta est située dans la petite ville de Chippenham dans l'ouest de l'Angleterre, près de l'hippodrome historique de Castle Combe. C'est une petite société indépendante de voitures hautes performances fabriquées à la main. Moins de 20 exemplaires sont produits par an.

La S1 est une imposante biplace, notamment à cause de sa largeur de 2,50 mètres. Son grand coffre et son habitacle pratique sont adaptés aux longs trajets qui répondent aux critères Grand Tourisme. Lors de son lancement en 2009, le prix était d'environ 237 000 dollars. Des versions plus abordables avec un moteur moins puissant que le V8 de 5 000 cm³ sont aussi disponibles.

Le cahier des charges comporte d'énormes freins de course à disques ventilés, une suspension sportive finement réglable, un différentiel à glissement limité, un châssis tubulaire en acier et un arceau de sécurité. Le dessous de la voiture, insonorisé, est plat afin de faciliter l'aérodynamisme. Elle est spacieuse, garnie de cuir et d'aluminium brossé, avec des sièges Recaro chauffants, une navigation par satellite, la climatisation et un système audio hi-fi. **SH**

XFR | Jaguar

2009 • 5 000 cm³, V8 • 510 ch • 0-97 km/h en 4,7 s • 250 km/h

Pour atteindre des vitesses dignes d'une supercar, la berline la plus rapide de l'histoire de Jaguar s'appuie sur l'énorme moteur survitaminé de la Range Rover Sport. Quel chiffre imaginer, concrètement ? Eh bien, en désactivant l'inévitable limiteur de vitesse, pendant une épreuve de vitesse à Bonneville Salt Flats aux États-Unis, une XFR de série a atteint 363 km/h !

Avec une telle performance, associée au luxe intérieur des Jaguar et à une technologie de pointe sous le capot, ce bolide fait honneur au slogan de son fabricant dans les années 1960 : *Grace, space, and pace* («*Grâce, espace et allure*»). Rapide et agile, la XFR réussit à être féline et silencieuse autant que confortable. L'accélération est pure et linéaire, les changements de vitesse imperceptibles, les sièges larges et luxueux, et l'ambiance garde le traditionnel équilibre entre style

moderne et élégance *british*. Quant à la liste d'équipements, longue et sophistiquée, elle va de la transmission automatique avec aide au freinage d'urgence à la navigation par satellite à écran tactile.

La XFR pourrait être vue comme une mise à jour de la XF. Les modifications sont discrètes : boucliers plus imposants, jantes plus larges et capot plus aérodynamique. La boîte de vitesses semi-automatique a été modifiée, la suspension rigidifiée et le système de freinage renforcé.

Selon l'émission de la BBC *Top Gear*, la XFR est « peut-être la meilleure des berlines haut de gamme ». Le magazine *Autocar* conclut pour sa part que « Jaguar a construit un champion de classe mondiale ». Le *Daily Telegraph* s'est contenté de claironner : «*Rule Britannia*» (ou «La Grande-Bretagne gagne», allusion au chant patriotique britannique homonyme). **SH**

TT RS Quattro | Audi

(D)

2009 • 2 500 cm³, S5 • 340 ch • 0-100 km/h en 4,5 s • 250 km/h

Sur des étriers d'un noir brillant, à travers les roues de 43, 48 ou 51 centimètres en alliage léger caractéristique, un logo « RS » se détache. Cette marque de hautes performances, la TT Quattro a été le premier coupé d'Audi à l'arborer. Et pour cause : le traditionnel coupé 2 places du constructeur, toujours aussi courbé et stylisé, affiche en fait des caractéristiques techniques qui le rapprochent d'une supercar.

Successeur spirituel de l'imbattable coupé Quattro, la voiture de rallye phare des années 1980, la RS Quattro s'appuie sur 4 roues motrices pour une adhésion et une traction fabuleuses sur n'importe quel terrain. Elle présente également des performances foudroyantes, grâce à un tout nouveau moteur à turbocompresseur à injection directe. C'est aussi le premier véhicule de la gamme RS à avoir été assemblé dans l'usine de TT

traditionnelle à Gyar en Hongrie, où les standards de qualité se sont révélés très élevés, plutôt qu'au QG d'Audi Quattro, à Neckarsulm en Allemagne.

Bien sûr, la RS Quattro n'est pas juste une TT en version plus puissante. Elle a été entièrement pensée pour permettre ses nouvelles performances, à l'image de sa suspension plus rigide et plus basse et de ses freins relevés et agrandis. Et contrairement à la Quattro d'origine, la TT RS est disponible avec hard-top et roadster. Elle est vite tombée dans les mains d'adeptes de tuning extrême. Dès 2010, le spécialiste allemand des VAG, MTM, l'a poussée à 343 chevaux. Cette TT RS surdopée a atteint 100 km/h en 3,9 secondes, et a été chronométrée à 312 km/h ! Au départ, la voiture ne devait pas être distribuée aux États-Unis, mais une pétition de plus de 11 000 signataires a vite fait changer d'avis Audi. **SH**

XJ | Jaguar GB

2009 • 5 000 cm³, V8 • 510 ch
0-100 km/h en 4,9 s • 250 km/h

C'est dans une galerie d'art londonienne qu'en 2009 l'humoriste Jay Leno et le top-modèle Elle Macpherson ont levé le voile sur cette luxueuse auto. Dernière en date d'une longue série de berlines Jaguar née dans les années 1960, la XJ s'éloigne de l'obsession de la marque pour le rétro en s'attaquant de front à ses rivales allemandes. Elle s'avère en effet plus grande et plus moderne que d'habitude, tout en conservant les qualités propres à la marque : douceur, confort, prise en main sportive mais élégante, et intérieur opulent.

En plus d'être toujours aussi soigné, l'habitacle est spacieux et possède un énorme toit ouvrant ; les inconditionnels du luxe peuvent demander un revêtement cuir. Un écran tactile de 20 centimètres de diagonale, un caisson hi-fi de 1 200 watts et un système d'instruments virtuels sont là pour combler les amateurs de gadgets.

Jamais une Jaguar n'a donné aussi peu de prise à l'air, grâce à ses lignes extérieures musculeuses et aérodynamiques. Le châssis en aluminium lui permet de garder un poids plancher, ce qui en fait une voiture rapide, vive et économe. Pour des sensations encore plus sportives, le conducteur peut même enclencher un petit bouton à motif à damier. Difficile de faire plus « Jaguar ». Pas étonnant que ce gros matou soit vite devenu le numéro 1 des ventes de voitures de luxe outre-Manche. **SH**

Scirocco 2.0 TSI R Coupé | VW D

2009 • 1 968 cm³, S4 • 265 ch
0-97 km/h en 8,9 s • 250 km/h

La 2.0 TSI R Coupé s'impose comme la plus puissante voiture de toute l'histoire des Scirocco. Klaus Bischoff, chef designer de Volkswagen, a dirigé l'équipe de spécialistes qui a réimaginé le style et les entrailles de la gamme avant sa présentation en 2009 aux 24 Heures du Nürburgring. C'est là qu'une version GT24 du modèle a participé à la course, finissant onzième sur 200 partants et glanant deux victoires par catégorie.

La 2.0 TSI R Coupé est une 2 portes intelligemment conçue. Ses lignes pures et discrètes offrent à la fois des sensations de vitesse et une impression apaisante de maîtrise. Son système de châssis adaptatif ACC contribue à rendre la conduite agréable, en permettant de choisir entre réglages sport, confort et normal.

Les capteurs mesurent constamment la façon dont la voiture vire, accélère ou freine, afin d'ajuster les amortisseurs pour votre sécurité. La traction avant offre 6 vitesses par défaut, en manuel ou automatique. Les sièges baquets, les roues à 5 rayons, et la faible prise d'air contribuent à donner cette allure sportive au modèle.

La TSI R Coupé peut transporter quatre adultes et dispose d'un coffre d'une capacité de 312 litres. Du coup, elle est considérée comme une berline à hayon arrière, pratique mais sexy. **SF**

GT | Artega ⟨D⟩

2009 • 3 600 cm³, V6 • 300 ch
0-100 km/h en 4,8 s • 270 km/h

Sexy et racée, l'Artega GT est une nouvelle supercar allemande créée par le designer d'Aston Martin Henrik Fisker, le designer technique de Porsche Hardy Essig, et l'ancien P-DG de Rolls et Maserati Karl-Heinz Kalbfell. Assemblée à la main dans une jeune usine de Delbrück en Allemagne, elle est dotée d'un châssis en aluminium et d'une carrosserie en carbone composite, ainsi que d'un moteur en position arrière V6 à 24 pistons issu de la tonitruante Volkswagen Passat R36.

Le pilote pourra se délecter d'une direction légère, ultraréactive et précise. La version standard inclut une boîte de vitesses DSG semi-automatique 6 vitesses avec commande sur le volant et un système de stabilité électronique à la pointe.

L'habitacle revêtu de cuir et Alcantara est simple mais étonnamment spacieux pour une 2 places, et met en vedette l'ordinateur et navigateur satellite de bord, entièrement à commande tactile. Enfin, les sièges sont des baquets sportifs, et le coffre est très vaste pour une voiture de cette catégorie.

Une impressionnante version électronique de 380 chevaux, l'Artega SE, a été dévoilée au Motor Show de Genève en 2011. Artega affirme qu'elle passe de 0 à 100 km/h en seulement 4,3 secondes, avec une vitesse de pointe de 250 km/h. **SH**

E63 AMG | Mercedes-Benz ⟨D⟩

2009 • 6 200 cm³, V8 • 525 ch
0-97 km/h en 4,3 s • 320 km/h

Demandez à AMG, la branche sportive de Mercedes, d'assembler une berline à la main, et voilà ce que vous obtenez : une supercar déguisée en voiture pour cadre !

AMG a débuté comme constructeur de moteurs sportifs en 1967. La firme est devenue en 1990 le préparateur spécialiste en hautes performances de Mercedes, qui l'a achetée en 2005. L'E63 AMG, sa première voiture, reprend ainsi librement la Mercedes Classe E mais en y injectant énormément de puissance. La Classe E version AMG atteint les 320 km/h !

Sous son aspect offensif, la carrosserie aérodynamique glisse plus efficacement sur l'air à haute vitesse, tandis que les jupes et les entrées d'air permettent l'aération continue du V8 installé sous le capot. Les passages de roues avant ont été élargis pour offrir une position plus basse et plus stable. Enfin, une suspension plus ferme (avec trois réglages de conduite), des roues en alliage ultraléger, un système d'échappement sportif, un freinage amélioré et même des phares AMG ajoutent aux qualités de la voiture.

L'E63 présente certes un prix sans commune mesure avec le modèle standard, mais il s'agit d'un genre de véhicule très à part. Il conserve la robustesse et le raffinement de la Classe E, tout en y ajoutant une dimension sportive presque exubérante. **SH**

GranTurismo S | Maserati

(I)

2009 • 4 691 cm³, V8 • 440 ch • 0-100 km/h en 4,5 s • 294 km/h

En 2007, après une longue période dans le rouge, Maserati renouait avec les bénéfices. Cette même année naissait la GranTurismo, un coupé 2 + 2 dérivé de la berline Quattroporte V. Hélas, sa puissance ne fut pas à la hauteur des attentes des acheteurs. Pour la somme dépensée, ils ne disposaient de guère plus que le joli design réalisé par Pininfarina. Jusqu'à ce qu'en 2009 sorte une GranTurismo S, profondément remaniée…

Cette fois, fini les performances décevantes. La S dispose du même moteur que la Ferrari F430 et l'Alpha Romeo 8C, mais calibré en 4 691 cm³. Elle partage le design de sa boîte 6 vitesses semi-automatique avec Ferrari, et propose le système de suspension adaptative Skyhook. Ne restait qu'à pousser la puissance à 440 chevaux pour obtenir une nouvelle voiture. Le modèle se distingue par des roues plus grandes

(51 centimètres) marquées d'un motif en trident qui évoque le logo de la marque.

Les créations de Maserati ont souvent eu du mal à rivaliser avec la conduite des Ferrari et des Porsche. La situation a changé avec la GranTurismo S, toutes ces modifications ayant donné à la voiture l'adhérence, l'équilibre et les sensations qui manquaient. La S est devenue la GT la plus rapide de l'histoire de Maserati, avec des pointes à 294 km/h.

Ces facteurs ont fait de la GranTurismo S une compétitrice à la ville comme au circuit, via une version course qui troque le cuir pour la fibre de carbone, la MC Racecar. Le magazine *Autocar* la décrit comme « une sublime GT, rare et désirable, avec autant de panache sous le capot que de raffinement dans l'habitacle ». Enfin une Maserati aussi agréable à regarder qu'à piloter ! **RD**

Panamera Turbo | Porsche (D)

2009 • 4 800 cm³, V8 • 500 ch • 0-97 km/h en 3,3 s • 303 km/h

Pour la légion de fanatiques des voitures de sport de Porsche, le moindre écart par rapport à la propulsion arrière et au pilotage primitif de ses bolides d'antan est intolérable. Pourtant, ces dernières années, le plus grand succès commercial de la marque n'est pas une sportive, mais un crossover Cayenne. Dès lors, qui pourra blâmer Porsche de varier ses gammes en lançant une berline de luxe ? Avec son allure de Porsche 911 allongée, la Panamera a été accueillie avec consternation par les amoureux de la marque, mais reçut des critiques dithyrambiques, et aujourd'hui encore, elle continue de bien se vendre. La Turbo, en particulier, s'apparente au crossover moderne ultime : elle mêle la vitesse d'une supercar et le contrôle d'une 4 roues motrices.

Accessible par un large hayon, l'espace bagages est énorme (440 litres), et peut même grimper à 1 250 litres une fois les sièges arrière rabattus. La Panamera intègre par ailleurs une suspension pneumatique adaptative qui combine douceur et constance dans le port et précision dans la prise en main. L'habitacle tout en cuir et noyer offre plus d'une centaine de fonctions, dont un GPS avec écran tactile et un caisson sonore de 585 watts classé parmi les meilleurs systèmes audio tous véhicules confondus. Climatisation, système antipatinage, suspension adaptative et sièges avant à réglage électronique avec mémoire sont également présents, ainsi qu'un système de commande vocale en option.

Depuis le lancement de la Panamera, une version Turbo S à 550 chevaux a déjà vu le jour, pour toujours plus de puissance. Et Porsche a une nouvelle fois scandalisé ses fans en présentant… une version Diesel d'entrée de gamme. **SH**

Roadster | Tesla (USA)

2009 • moteur à induction • 305 ch
0-97 km/h en 3,7 s • 201 km/h

La Tesla Roadster est issue du cerveau de deux entrepreneurs américains, Martin Eberhard et Marc Tarpenning. Ces écologistes engagés ont constaté que, sur le marché automobile, on ne trouvait pas de voiture électrique de la puissance d'une supercar, qui aurait pu permettre aux passionnés de conduite comme eux de parcourir les collines de Californie la conscience tranquille. Le fondateur de PayPal, Elon Musk, a rejoint l'équipe en 2004 en tant que P-DG de la société.

En 2005, Tesla et Lotus ont commencé à collaborer étroitement, le constructeur britannique d'autos sportives apportant son expertise technique et assurant l'assemblage de la Roadster dans son usine de Norfolk. Néanmoins, moins de 7 % des composants de la Lotus Elise finirent dans la Tesla. Pendant les quatre premières années, 2 100 Roadsters furent livrées dans 31 pays. Avec un prix de base d'environ 100 000 euros, les coûts initiaux étaient trois fois plus élevés que ceux de sa cousine estampillée Lotus. Mais la Tesla peut couvrir, en équivalent pétrole, 57 kilomètres pour 1 litre, sans la moindre émission et un coût en carburant de moins de 2 centimes par kilomètre.

En 2010, les journalistes du magazine *Evo* ont fait l'éloge de sa version Roadster Sport : « Le moteur a une pêche proprement extraterrestre. Sans les signaux de circulation, vous feriez un carnage. Il vous suffirait de pousser l'aiguille à fond et de dire *bye-bye*. » Voyez ses prouesses dans la ligne des caractéristiques.

Produit américain, écologique, aux performances épatantes et au look étourdissant, la Tesla est en train de rapidement s'imposer comme la voiture de base des stars d'Hollywood ! **DS**

Nano | Tata (IND)

2009 • 623 cm³, S2 • 33 ch
inconnue • 109 km/h

La Tata Nano est une petite citadine toute mignonne, à direction arrière et 4 portes passagers. Mais surtout, c'est la voiture la moins chère du monde. Elle a été conçue pour le peuple indien, avec un prix abordable par le plus grand nombre. La Nana a été commercialisée à 100 000 roupies.

Il n'y a pas besoin de chercher longtemps pour voir où les économies ont été faites : le moteur est minuscule (un bicylindre de 623 cm³), il n'y a qu'un rétroviseur latéral et qu'un essuie-glace, pas de direction assistée, ni airbags ni air conditionné, et les vitres et les portes se ferment manuellement. La radio ? En option. Tata a même fait l'économie d'un accès direct au coffre à bagages – les passagers doivent rabattre les sièges arrière pour y accéder. Tout a été revu à l'économie : la boîte de transmission offre 4 vitesses au lieu de 5, les freins sont à tambour plutôt qu'à disque, et les roues ont 3 fixations et non 4 comme d'habitude.

Pourtant, son look est assez séduisant. La Nano fait à peu près la taille de la Mini d'origine, mais l'habitacle est bien plus grand et plus rond. Avec ses petites roues (30 centimètres) disposées à chaque coin, on dirait un œuf mobile géant ! Grâce à sa conduite souple, elle peut passer sans heurt les pires nids-de-poule d'Inde, le rayon de braquage est bon, et la voiture consomme peu d'essence (4,3 litres aux 100 kilomètres). Enfin, l'intérieur est spacieux, avec une bonne hauteur sous plafond et de la place pour les jambes, puisque le moteur est sous le coffre à bagages, et non contre les genoux du conducteur. Curieusement, la Tata fait penser à une autre célèbre « voiture du peuple » : la Coccinelle. **SH**

Yukon Denali | GMC

USA

2009 • 6 200 cm³, V8 • 410 ch • 0-97 km/h en 8,7 s • 156 km/h

La Denali est le summum des Yukon, puissants utilitaires sportifs de GMC. L'un des arguments commerciaux de ce modèle est sa sûreté. L'agence américaine en charge de la sécurité routière lui a accordé cinq étoiles dans les crash tests frontaux et latéraux.

Il faut dire que c'est un sacré véhicule. La version 4 roues motrices peut porter jusqu'à 3 675 kilos ! Le modèle standard fait 5,15 mètres de long, et la version XL est encore plus grande, avec un prodigieux 5,65 mètres qui peut accueillir non plus sept mais huit personnes grâce à ses trois rangées de sièges ! La Yukon Denali a tellement à offrir aux familles nombreuses que la star du foot anglais David Beckham en a paraît-il acheté une pour rouler aux États-Unis. Malgré les recherches de GMC sur les carburants hybrides et son engagement en faveur de l'environnement, ce n'est

pas le véhicule qui attirera les automobilistes soucieux de faire des économies à la pompe. La version la plus efficace, la 2-roues motrices avec une boîte à 6 vitesses automatique consomme 19,6 litres aux 100 kilomètres en ville et 12,38 litres sur autoroute. Le moteur est conçu pour fonctionner au sans-plomb, au superéthanol E85, ou même à une combinaison des deux.

La Denali se distingue enfin des autres Yukon par sa calandre en nid-d'abeilles et ses roues sportives (51 centimètres) à la finition standard chromée. L'intérieur est intelligemment pensé et confortable, avec du cuir souple et un tableau de bord aux reflets chromés. Une fonction d'alerte détecte et indique sur le rétroviseur côté conducteur la présence d'un véhicule dans l'angle mort. Particulièrement pratique pendant un remorquage. **SF**

Golf GTI | Volkswagen (D)

2009 • 1 984 cm³, S4 • 210 ch • 0-97 km/h en 6,9 s • 240 km/h

Voici la sixième génération de la GTI, voiture dont la popularité ne s'est jamais démentie : depuis 1975, cette Golf turbo s'est vendue à 1,7 million d'unités environ ! Dévoilé en 2008 au Salon de l'automobile de Paris, ce modèle Mark VI n'a pas abandonné la recette du succès : une voiture pratique mais stylée qui soit à la hauteur des attentes du consommateur. Cependant, Volkswagen propose de subtiles améliorations par rapport à la Mark V.

Cette mouture offre tout d'abord une conduite plus fluide et un surplus de puissance. L'amélioration de l'insonorisation la rend plus agréable à conduire. Les indicateurs rétroéclairés du tableau de bord sont devenus blancs, et le lifting complet de l'intérieur a permis d'améliorer la finition et de répondre aux exigences croissantes en matière d'élégance. Le tableau de bord en plastique mou est ainsi passé au chrome et à l'aluminium et le volant à trois branches participe de l'allure sportive du véhicule. Avec son nouveau design en nid-d'abeilles, la grille du garde-boue avant contribue à cette impression d'amplitude qui caractérise la nouvelle version de la Golf GTI.

Les médias répètent souvent aux conducteurs qu'il est indispensable de diminuer les émissions de carbone pour lutter contre le réchauffement planétaire et sauver le monde. Eh bien, la Golf GTI leur permet de rouler la conscience légère, puisqu'ils peuvent embarquer trois passagers dans ce véhicule qui relâche à peine 170 grammes de gaz polluants par kilomètre (soit 19 de moins que la Mark V), le tout avec une consommation de seulement 6 litres aux 100 kilomètres. Et dans ce monde précautionneux, Volkswagen a même introduit sept airbags en standard. **SF**

R | Tramontana

(E)

2009 • 5 500 cm³, V12 • 720 ch • 0-97 km/h en 3,6 s • 325 km/h

Tramontana A. D. est un jeune constructeur espagnol dont les voitures se veulent extrêmement légères ; le châssis et la carrosserie sont réalisés en fibre de carbone. Dans la Tramontana R, le pilote s'assoit au centre du cockpit, comme dans une formule 1 ou un avion de chasse moderne. Pressez l'accélérateur, et un moteur de 5 500 cm³ libère les 720 chevaux de cette voiture. Vous passez de 0 à 100 km/h en 3,6 petites secondes et la vitesse de pointe atteint 325 km/h !

Baptisée du nom d'un vent qui balaie les montagnes espagnoles, cette première supercar ibérique a été conçue par Josep Rubau, un designer automobile formé au Royal College of Art de Londres. Rubau a refusé un poste de concepteur de machines pour les films *Star Wars*, préférant se concentrer sur les voitures. Après avoir débuté chez Volkswagen en Allemagne, il a démissionné pour créer son propre véhicule de l'espace.

Étonnamment, son design aux allures futuristes a réellement abouti. Une petite dizaine de ces inimitables machines à moteur central sont construites chaque année dans une usine de la Costa Brava. Le pilote et le passager s'assoient l'un derrière l'autre comme dans la carlingue d'un avion, le passager étant légèrement surélevé par rapport au pilote. Le sigle sur le capot est en or blanc et toute la carrosserie est ajustée avec précision aux dimensions physiques de l'acheteur. Même les poignées et les pédales sont faites sur mesure en usine ! Et à la place d'un numéro de châssis, chaque Tramontana R reçoit un vers de poésie composé pour l'occasion.

Sa puissance vient d'un moteur Mercedes V12 bi-turbo. Si la version standard et ses 550 chevaux ne suffisent pas, un bouton permet de le pousser à pas moins de 720 chevaux. Malheureusement, le taux d'émission de CO_2 est aussi très élevé. **SH**

Camaro 2SS | Chevrolet

2009 • 6 200 cm³, V8 • 430 ch • 0-97 km/h en 4,9 s • 250 km/h

La cinquième génération de la Camaro de Chevrolet arbore une carrosserie étonnamment musculeuse. Et en plus de ce côté un peu rétro, voilà qu'elle vire comme une sportive et sprinte dans les lignes droites !

La gamme des Camaro a été lancée en 1966 pour concurrencer la Ford Mustang. Quatre versions ont vu le jour, avant que la production cesse en 2002. General Motors a passé les sept années suivantes à concevoir une nouvelle mouture assez réussie pour surpasser la Mustang actuelle. Et avec un moteur emprunté à la Corvette, cette Camaro cinquième génération aligne des performances dignes d'une supercar. Le modèle de pointe, la 2SS, intègre d'autres moteurs pour s'adapter à la boîte de vitesses. Ce sont les chiffres de la transmission 6 vitesses manuelle, la plus puissante, qui figurent ci-dessus.

Touche de démarrage à distance, suspension adaptative, et systèmes de contrôle de traction et d'aide au stationnement font partie des technologies embarquées.

Hormis quelques parties en plastique bas de gamme, tout l'intérieur est en cuir. D'habitude, c'est la pauvreté de l'habitacle et la tenue de route approximative qui écartent les européens des « pony cars » américaines, et cette nouvelle Camaro n'y changera pas grand-chose. En fait, elle est clairement plus une muscle car typique des États-Unis qu'une sportive comme la Corvette. Une édition spéciale, jaune avec des bandes noires, a officialisé son lien avec Bumblebee, la Camaro qui se transforme en robot de combat dans le film *Transformers* de 2007. Difficile de trouver meilleure image pour une voiture qui veut rallumer la guerre des « pony cars ». **SH**

Continental Supersports | Bentley

2009 • 6 000 cm³ bi-turbo, W12 • 630 ch • 0-100 km/h en 3,7 s • 329 km/h

Bentley fabrique des GT raffinées… mais aussi, des coupés 2 portes aux performances dingues. En 2009, le constructeur a dévoilé la version Supersports de sa Continental, transformant la sportive aristocrate en supercar hooligan. Jamais Bentley n'avait fait aussi rapide, aussi puissant. Ses caractéristiques sont démoniaques : un moteur bi-turbo de 6 000 cm³ W12 arrangé pour produire 630 chevaux ! À chaque extrémité, les plus grands freins jamais introduits dans une voiture de série – 420 millimètres de disques en carbone-céramique qui « peuvent vous arracher la face », dixit Jeremy Clarkson, le présentateur de l'émission *Top Gear* sur la BBC.

La Supersports utilise une carrosserie de Continental, mais de nombreux éléments ont été sacrifiés sur l'autel de la légèreté. Par exemple, il n'y a pas du tout de siège arrière, des garnitures en fibre de carbone remplacent le noyer, et les « sofas » de devant cèdent leur place à des baquets sportifs inclinés. Le système à 4 roues motrices a été revu pour que l'essentiel de la puissance aille à l'arrière, le système de suspension a été amélioré, et des barres antiroulis, des roues en alliage de 20 centimètres avec des pneus Pirelli haute performance et des bagues antivibrations ont été rajoutées. Tout cela fait de la Supersports la Bentley la plus maniable de l'histoire. Celle-ci a même battu le record du monde de vitesse sur glace sur la mer gelée de Finlande en 2011. Le champion du monde de rallye Juha Kankkunen a en effet atteint 331 km/h avec un modèle décapotable. La voiture avait été légèrement modifiée pour des raisons de sécurité, mais le moteur était standard. Hélas pour Bentley, le record n'a tenu que trois semaines : une Audi RS6 l'a battu de 0,8 km/h. **SH**

Type 5 Sports Car | Harper　(ZA)

2010 · 1 600 cm³, S4 · 177 ch
0-100 km/h en 6,8 s · 185 km/h

Craig Harper est un pilote de course africain qui a renoncé à sa carrière sportive pour des raisons financières. Il a décidé de créer une voiture de course rapide, agréable, économique à entretenir, et qui puisse à la fois faire de la piste et de la route. Il en est arrivé à un kit car à moteur central, acclamé par la critique et guère plus cher qu'une petite berline. Pour le tester, Craig l'a pilotée du Botswana au Zimbabwe lors d'une course d'endurance contre de sérieux challengers, comme des Porsche.

La Harper Type 5 Sports Car est désormais produite et vendue dans un atelier près du Cap. Le moteur, la boîte de vitesses, la direction, les freins et le système de refroidissement provenant d'une Toyota Corolla standard, les composants et l'entretien coûtent relativement peu. À l'extérieur, la Harper arbore d'énormes prises d'air dynamiques de chaque côté, afin de refroidir le radiateur, placé derrière les sièges. Sa carrosserie en fibre de verre est montée sur un châssis en tubes d'acier léger pour maintenir son poids aux alentours de 650 kilos, si bien que Harper affirme que sa Type 5, une fois préparée, peut facilement monter à 230 km/h.

Protection en cas de collision, espace intérieur et importante capacité de stockage n'ont pas non plus été oubliés, et le seul défaut pratique de la Sports Car réside dans son absence de toit. Les clients peuvent choisir parmi des moteurs plus performants, y compris un Honda VTEC et un Volkswagen/Audi 20 pistons turbo, et construire eux-mêmes leur voiture ou la demander montée. À l'heure où nous écrivons, Harper planche sur une prometteuse Type 6 de 4 000 cm³ alimentée par un moteur V6. **SH**

One-77 | Aston Martin　(GB)

2010 · 7 312 cm³, V12 · 760 ch
0-97 km/h en 3,5 s · 355 km/h

Tout dans cette voiture de luxe indique son caractère exclusif, jusqu'à son nom. Car la marque Aston Martin a beau être mondialement reconnue pour les compétences de ses ingénieurs, le « 77 » qui orne ce modèle a une signification bien précise : il n'en sera pas produit davantage que ce chiffre !

Pour certains, la One-77 est une œuvre d'art automobile. En 2009, le Chicago Athenaeum, musée d'architecture et de design, a d'ailleurs attribué son prestigieux Good Design Award à Aston Martin pour l'originalité et l'inventivité technique de la One-77. Mais ce ne sont pas seulement ses courbes aérodynamiques radicales qui lui ont valu des lauriers, mais aussi la technologie et l'ingénierie que l'on trouve dans cette supercar.

Tous les éléments à l'intérieur de son habillage en aluminium sont faits à la main à Gaydon en Angleterre, et montés sur un châssis en fibre de carbone. Le résultat est un objet éminemment désirable, qui embarque par ailleurs le moteur atmosphérique à essence le plus puissant du monde. Son accélération foudroyante bénéficie de la technologie d'Aston Martin et a été affûtée après une série d'essais rigoureuse à Nürburgring.

Ce bolide au look ultradynamique a un profil sportif et silencieux. Avec ses 1 630 kilos, il peut développer 750 newton-mètres de couple, un rêve pour tout passionné d'automobile.

Mais pour la plupart des gens, conduire la One-77 restera justement un rêve. Le prix de base de ce chef-d'œuvre du genre avoisinait au départ 1,3 million d'euros, et aurait depuis monté à 1,5 million. Les premiers clients ont été livrés au printemps 2011. **SF**

Adding a piece of art adds value for life.

Body – Handmade aluminium   Backbone – carbon fibre   Heart – 7.0 litre 12 cylinder

ASTON MARTIN

Mulsanne | Bentley

2010 • 6 750 cm³, V8 • 515 ch • 0-97 km/h en 5,1 s • 298 km/h

Lors d'un voyage en voiture, vous êtes-vous déjà dit : « C'est sympa, mais ma salle de séjour est plus agréable » ? Ou même : « OK, je roule très vite, mais ce dont j'ai vraiment besoin, c'est de me sentir dans le salon d'un grand manoir » ? Dans le cas, assez improbable, où la réponse serait oui, peut-être devriez-vous envisager un petit tour au volant d'une Bentley Mulsanne.

Il s'agit d'une imposante voiture de 2,5 tonnes, puissante avec son moteur bi-turbo de 6 750 cm³, sa propulsion et sa boîte automatique 8 vitesses ; et rapide (298 km/h). Mais elle est aussi d'un niveau de confort presque comique, avec son gigantesque espace arrière pour deux passagers seulement. Il y a bien un troisième siège au milieu, mais la plupart préfèrent le rabattre pour accéder au GPS tactile, à la climatisation, et aux porte-gobelets haut de gamme.

Depuis son lancement en 2010, la Mulsanne est le porte-drapeau de Bentley. Baptisée d'après le nom d'un virage du circuit du Mans (théâtre de nombreux succès de la marque), elle est aussi la première voiture conçue et fabriquée à l'usine du constructeur à Crewe depuis 1930. Elle a été dévoilée en Californie, lors du prestigieux Pebble Beach Concours d'Elegance. La Californie est le principal marché pour Bentley aux États-Unis, et le pays est le marché n° 1 pour la compagnie.

Ce qui conduit les millionnaires américains à acheter une voiture fabriquée à Crewe, ce n'est pas seulement sa puissance, son style ou son confort, mais son côté *british*. Comme le disait un testeur américain : « Dans la plupart des voitures, on commente la qualité du plastique. Mais dans la Bentley, nous n'en avons même pas trouvé. » **JI**

Ampera | Vauxhall

USA

2010 • 1 400 cm³, S4, et électrique • 80 ch (essence) • 0-97 km/h en 9 s • 161 km/h

On doit au constructeur américain General Motors d'avoir lancé une nouvelle sorte de voiture hybride, la Volt – de son nom d'origine aux États-Unis et en Australie. Appelée Ampera et distribuée par Opel en Europe, elle s'appuie sur un moteur électrique de 151 chevaux qui peut basculer sur un moteur thermique lorsque ses batteries tombent à plat. Ce dernier est mis à contribution pour le démarrage du moteur électrique, pour la recharge et pour l'amélioration de l'autonomie du véhicule.

Le système apporte une réelle innovation par rapport à l'éternel problème des voitures électriques : le peu d'autonomie avec une seule charge. Il faut ainsi six heures, à partir d'une simple prise de courant, pour recharger l'Ampera, mais ses batteries ne lui assurent qu'un trajet d'une soixantaine de kilomètres. Or à l'aide de son moteur traditionnel, au contraire des autres, elle peut parcourir environ 500 kilomètres.

L'interaction entre essence et électricité est assez complexe. Pour monter de longues côtes abruptes, par exemple, la voiture puise dans ses deux générateurs à la fois pour maintenir une vitesse optimale.

L'Ampera est relativement chère pour une petite berline à hayon, mais coûte beaucoup moins cher à l'usage qu'une voiture fonctionnant uniquement à l'essence.

Selon les pays, les taxes et charges supplémentaires sont très basses, voire inexistantes. Et le constructeur reconnaît que, pour 80 % des trajets, le conducteur n'utilisera pas du tout le moteur à essence – ce qui signifie concrètement que la plupart du temps, l'Ampera sera 100 % écologique. **SH**

Focus RS500 | Ford ⟨ D ⟩

2010 • 2 521 cm³, S5 • 305 ch • 0-97 km/h en 5,4 s • 265 km/h

Après avoir créé la Focus, probablement la berline familiale la plus maniable du marché, puis l'excellente Focus ST, une petite sportive compacte de 250 chevaux, les ingénieurs de Ford Europe ont conçu la Focus RS500, qui avec ses 305 chevaux monte à 265 km/h !

Cela leur suffira bien, pensait-on : en termes de performance, ils avaient en effet placé la barre très haut pour une sportive de poche. Mais les équipes de Ford ne lâchent jamais le morceau, et elles ont créé, en édition limitée, la Focus RS500 (« 500 », comme le nombre total d'unités prévu). Une voiture encore plus puissante : 350 chevaux à 6 000 tours par minute.

La RS500 a eu droit à un certain nombre de modifications de ses entrailles, comme un nouveau calculateur moteur (appelé ECU), un nouveau tuyau d'échappement, un refroidisseur intermédiaire plus large et un plus grand filtre à air. Le système de transmission manuelle à 6 vitesses a lui aussi été amélioré. Un différentiel à glissement limité très sophistiqué permet désormais d'amener toute cette puissance dans les roues avant sans provoquer trop d'effet de couple. Dans l'habitacle, on note quelques détails subtils comme une plaque en métal avec le numéro de série de la voiture. Mais la différence la plus évidente est à l'extérieur : la carrosserie de chaque RS500 est recouverte d'un film plastique d'un noir mat, réalisé par un spécialiste allemand situé près de l'usine de Ford. Cet « emballage » lui donne une allure de voiture d'espionnage, ce qu'elle n'est certainement pas, vu la rudesse de son pot d'échappement.

Signe de l'amour des Britanniques pour leurs petites berlines sportives (et les Focus), sur les 500 RS produites, 101 étaient destinées au Royaume-Uni. **JI**

Range Rover Evoque | Land Rover

2010 • 1 999 cm³, S4 • 240 ch • 0-97 km/h en 7,1 s • 217 km/h

On peut résumer la Range Rover Evoque à une anecdote : Victoria Beckham a été choisie comme consultante pour son lancement. C'était en 2010, lors d'une soirée paillettes à Londres en l'honneur des 40 ans de la Range Rover – le véhicule qui a fait chavirer les regards en pimentant d'une pointe de luxe une Land Rover jusqu'alors très fonctionnelle. Bref, son créneau, c'est le style.

Comme la Range Rover a monté en gamme et s'est urbanisée, rien n'était plus logique qu'une nouvelle version plus compacte et *fashion*. À la fois élégante et compacte, l'Evoque présente une forme générale plus proche du coupé que de l'utilitaire sportif, *a fortiori* pour une 3 portes. Le modèle de série colle en fait à la LRX, une « concept car » Land Rover très profilée qui avait fait sensation au Salon de l'automobile de Detroit de 2007.

Le constructeur a enregistré 18 000 commandes avant que la production ne débute. Chaque Evoque prend 22 heures pour être assemblée, et la première année, il en sortait une de l'usine toutes les 70 secondes. Le véhicule possède la même plate-forme que d'autres « classe D » comme la Land Rover Freelander, la Ford Mondeo et la Volvo S60, entre autres.

L'Evoque est néanmoins plus légère et agile que ses prédécesseurs, et se comporte véritablement comme une voiture de route. Le bloc essence 4 cylindres de 2 000 cm³ est l'option la plus puissante, mais en Europe on lui préfère généralement le moteur diesel TD4 de 2 200 cm³.

Histoire de rester fidèle à l'esprit de la marque, une version 4 roues motrices intègre même tout ce qu'il faut pour faire du hors-piste digne de ce nom. **LT**

GTX | Devon

2010 • 8 400 cm³, V10 • 650 ch • inconnue • inconnue

La Devon GTX est une supercar créée par l'entrepreneur américain Scott Devon et le designer suédois Daniel Paulin. Pour sa 2 places haut de gamme et ultraperformante, le premier a commandé au second une carrosserie pleine d'allure. Ce dernier a imaginé un hybride de sportives classiques et de voitures de science-fiction : les porte-à-faux sont réduits au minimum, les portières s'ouvrent par le haut, et le pourtour des roues arbore une couleur distincte.

À l'intérieur, le minimalisme prévaut. Les sièges sont légers comme de la fibre et tendus de cuir noir et blanc, et le tableau de bord électronique est très dépouillé. La boîte manuelle à 6 rapports se contrôle avec un levier de vitesses des années 1970 surmonté d'une poignée blanche, le tout sortant du tunnel de transmission centrale.

La qualité de la carrosserie en fibre de carbone est digne d'un avion de chasse. Montée sur un châssis en acier, elle s'appuie sur un moteur V10 de Dodge Viper pour propulser les roues arrière. La suspension indépendante a un système d'amortissement ; les freins, les pneus et les roues sont tous de haut niveau.

Le pilote Justin Bell a été mis à contribution pour peaufiner les réglages. Avec de telles caractéristiques, les performances sont stupéfiantes – comme le prix : environ 500 000 dollars. Un «package racing» encore plus rapide est disponible pour 24 000 dollars de plus. Devon promet le moteur atmosphérique le plus puissant du marché. La voiture a battu le record de vitesse au tour sur les circuits de Willow Springs et Laguna Seca. En revanche, côté affaires, son départ a été désastreux. Seulement deux voitures ont été construites. **SH**

458 Italia | Ferrari

(I)

2010 • 4 500 cm³, V8 • 560 ch • 0-100 km/h en 3,4 s • 325 km/h

Le meilleur rapport puissance/litre de toutes les voitures sans moteur turbo, des pointes à un rugissant 9 000 tours par minute, la reprise la plus dynamique de l'histoire de Ferrari… l'Italia promettait. Mais les choses ont mal tourné quand plusieurs d'entre elles ont été détruites par la combustion spontanée de leur partie arrière. Après qu'une dizaine de ces supercars à 270 000 dollars sont littéralement parties en fumée, les ingénieurs se sont rendu compte qu'une des colles utilisées fondait à haute température, coulant dans le pot d'échappement avant de prendre feu – et de cuire la carrosserie en aluminium au passage !

Ferrari a dû demander à chacun de ses 1 200 possesseurs, comme le chanteur Eric Clapton ou le présentateur anglais Chris Evans, de renvoyer leur voiture pour remplacer la glu par de bons vieux rivets. Et comme si cela ne suffisait pas, une autre 458 a été ravagée, cette fois dans un incendie sans rapport avec la glu, à l'aéroport de Londres. C'était une édition limitée toute neuve, avec un intérieur Dolce & Gabbana à 104 000 dollars. Puis divers sites Web se sont mis à publier par pelletées des photos de 458 gravement accidentées…

Pure malédiction ou simple jalousie, toute cette mauvaise presse a occulté le fait que l'Italia est une voiture extraordinaire, super légère, avec un profil aérodynamique à prise d'air active, un moteur central surpuissant, et à la boîte semi-automatique à 7 vitesses ultrarapide. Avec l'aide de Michael Schumacher lors de la phase de réglages, Ferrari s'est appuyé sur la technologie de ses formules 1 pour les freins, la transmission et la conduite. Et ce afin de créer une voiture aux performances… flamboyantes. **SH**

Cette vue de dessus dévoile les quatre spacieux sièges qui distinguent l'Aston Martin Rapide des autres sportives.

Rapide | Aston Martin (GB)

2010 • 5 935 cm³, V12 • 475 ch
0-100 km/h en 5,3 s • 296 km/h

Une sportive 4 places, c'est un peu une contradiction en soi ; on soupçonne des concessions. L'Aston Martin Rapide, pourtant, est véritablement une voiture de sport, et malgré sa silhouette affinée, elle est assez spacieuse pour transporter quatre adultes. Il y a de quoi être surpris, vu le profil aplati de cette supercar. Ses courbes très prononcées, qui rappellent un coupé allongé, ont pu être comparées aux « hanches musculeuses d'un cheval de course ».

Étant donné la reprise offerte par la propulsion, la logique voudrait que les passagers se délectent du voyage. Mais au cas où ils auraient l'esprit ailleurs, ils peuvent s'occuper en regardant des films sur les écrans LCD situés au dos des sièges avant. Le son est diffusé par des enceintes Bang & Olufsen, mais on peut aussi brancher un casque audio.

Ses roues à 10 branches de 50,8 centimètres et ses phares bi-xénon étirés donnent à la Rapide une allure moderne et sportive, et les performances sont à la hauteur de son look. Le système d'amortissement améliore la conduite, et le système d'aide au freinage hydraulique d'Aston Martin permet de décélérer plus vite et sans risque sur de courtes distances. Un plaisir, qu'on soit derrière le volant ou passager.

Le concept de la Rapide a été présenté au Salon de l'automobile de Detroit en 2006 et sa mise en production en Autriche a débuté un an plus tard, après la vente d'Aston Martin par Ford, à un prix public d'environ 150 000 euros. Puissante mais élégante, la Rapide a permis au constructeur d'élargir son offre face à ses concurrents dans le domaine de la voiture de luxe. **SF**

Spirra | Oullin (ROK)

2010 • 2 700 cm³, V6 • 495 ch
0-97 km/h en 3,5 s • 300 km/h

Au début des années 1990, Han-Chul Kim et sa femme Ji-sun Choi, tous deux experts en automobiles, démissionnent de leurs postes au sein de firmes automobiles leaders du pays pour travailler comme consultants pour d'autres constructeurs. Leur souhait était de concevoir leur propre supercar, et ce qui a débuté comme un rêve s'est transformé en projet industriel concret. En 2001, ils présentaient à la presse leur prototype, la « PS-II ».

Bien qu'elle soit le cinquième plus grand fabricant automobile du monde, la Corée du Sud n'a jamais produit de voitures hautes performances. Établir une petite ligne de production manuelle pour un véhicule aussi exotique n'est pas allé sans poser problème. Une décennie et quatre générations de réingénierie se sont révélées nécessaires, mais le résultat est impressionnant.

La Oullin est propulsée par un V6 Hyundai disponible en quatre versions, dont la plus puissante s'appuie sur un double turbocompresseur de 494 chevaux. Avec sa boîte de transmission manuelle à 6 vitesses, elle a l'énergie d'une supercar, même si son look est délibérément moins agressif que ses rivales.

La voiture suit la formule moderne des véhicules pensés pour la course : une carrosserie en fibre de carbone poids plume, un châssis tubulaire rigide, et un moteur survitaminé en position centrale pour l'équilibre. Que vaut-elle, au juste ? Le couple a conduit une Spirra V6 612 chevaux modifiée lors du Korean GT Masters Championship, et a remporté deux victoires consécutives contre de pures voitures de course comme des Porsche 911 GT3 RSR, des BMW M3 et des Nissan 350Z. **SH**

Plethore | HTT   (CND)

2010 • 6 200 cm³, V8 • 760 ch • 0-100 km/h en 2,8 s • 348 km/h

La première supercar *made in Canada* suit la même recette que tant d'autres nouvelles venues dans ce monde : un moteur V8 Corvette ZR1 monté en position centrale, un châssis rigide en fibre de carbone et un look tape-à-l'œil. Dans cette voiture de course de rue conçue à Montréal, le pilote s'assoit au centre pour un équilibre parfait, comme dans une F1 McLaren. Deux passagers peuvent prendre place à ses côtés. Le moteur est placé très bas pour abaisser le centre de gravité, et les suspensions de sport et la transmission en aluminium permettent d'obtenir un poids de 1 250 kilos seulement.

HTT assure que la Plethore est « la voiture la mieux équilibrée jamais construite ». L'équipe d'ingénieurs a même réussi à caser un V8 Corvette de 1 300 chevaux. Les chiffres ci-dessus sont des estimations, aucune mesure n'étant encore connue à l'heure où nous écrivons.

Non sans humour, les initiales de la compagnie renvoient à « High-Tech Toy » (« jouet high-tech »). Ses acheteurs bénéficient en effet de tout un attirail de gadgets et de technologies justifiant ce nom, dont une suspension électronique ajustable, deux caméras arrière avec écran LCD, un système de téléphonie sans fil, et une climatisation sophistiquée. Les portes en élytres s'ouvrent à distance, révélant un intérieur en cuir, sept enceintes hi-fi et une boîte séquentielle à 6 vitesses.

En 2011, les fondateurs de HTT, Sébastien Forest et Carl Descoteaux, ont présenté leur supercar à la télévision canadienne lors d'une émission de télé-réalité pour entrepreneurs, *Dragon's Den*. Deux des juges ont été tellement impressionnés qu'ils ont immédiatement investi 1,5 million de dollars et acquis 20 % de la compagnie ! Et se sont commandé une voiture chacun. **SH**

Superlight | Rapier USA

2010 • 6 200 cm³, V8 • 640 ch • 0-100 km/h en 3,2 s • 357 km/h

Conscient que même les acheteurs de supercar souffrent de la récession, Rapier a inauguré un système de facilité de paiement : déboursez 50 % du prix officiel de la Superlight, puis patientez neuf mois, pendant que les salariés à Boston construisent votre coupé. Vous pouvez suivre son avancée grâce à un journal en ligne. À terme, vous obtenez l'une des supercars les plus rapides du monde… et le solde de la facture de cette voiture à 179 000 dollars. L'équipe de Rapier construit chaque voiture aux dimensions et aux goûts du client. Par exemple, il peut choisir parmi quatorze couleurs, trois moteurs (le Corvette ZR1 étant le plus puissant, cf. les chiffres ci-dessus), différentes finitions intérieur, neuf types de roues et une longue liste de gadgets.

Rapier la décrit comme « la supercar sur mesure la plus exotique de la planète ». C'est vrai qu'avec son habitacle en forme de cockpit d'avion, ses portes en élytres et son impressionnant aileron arrière, elle ne passe pas inaperçue. Cette Superlight porte bien son nom, en outre : le châssis est en aluminium et la carrosserie en composite. Rapier revendique un poids de 1 077 kilos – soit 454 de moins que la Corvette équipée du même moteur. Ce dernier est situé derrière les passagers, et propulse les roues arrière au moyen d'une boîte manuelle à 6 vitesses.

Avec ses 357 km/h en vitesse de pointe, on ne s'étonnera pas qu'elle soit à moitié considérée comme une voiture de circuit, et donc qu'elle intègre une cage de sécurité et des roues à démontage rapide. La suspension est également aux standards sportifs. Et pour éviter les excès de vitesse en agglomération, elle possède aussi d'énormes freins de course ! **SH**

Vantage N420 | Aston Martin (GB)

2010 • 4 735 cm³, V8 • 425 ch
0-100 km/h en 4,9 s • 240 km/h

Disponible en roadster ou en coupé, la N420 est une édition limitée sportive de l'Aston Martin V8 Vantage. Son look s'inspire bien davantage des voitures de course d'antan que des sportives exagérément agressives d'aujourd'hui. Les roues vont de l'avant, néanmoins, avec leur finition noire brillante et leurs 10 branches.

La N420 pèse 27 kilos de moins qu'un véhicule classique, surtout grâce à la fibre de carbone, présente même dans les sièges. L'intérieur fait moderne et chic, avec ses instruments en graphite, tandis qu'un volant en cuir classique ou en Alcantara noir stylisé est compris dans le prix de base.

L'une des différences clés entre la V8 Vantage et ce modèle réside dans les suspensions sportives, livrées en standard sur la N420. L'expérience acquise par Aston Martin à Nürburgring a également permis d'améliorer les absorbeurs de chocs, la barre antiroulis et les ressorts, conférant plus de répondant à la conduite.

Pour les amateurs de sports mécaniques, le son très particulier du pot d'échappement de la N420, tout en puissance, est un régal. Les fans d'Aston sont unanimes : peu de voitures rendent aussi bien à l'oreille le plaisir de pousser la voiture jusqu'à la sixième vitesse, que ce soit avec une boîte manuelle ou sportive, en option. **SF**

New Stratos | Lancia (I)

2010 • 4 038 cm³, V8 • 540 ch
0-100 km/h en 3,3 s • 274 km/h

Quand le prototype de la Lancia Stratos signé Bertone a été dévoilé au Salon de l'automobile de Turin en 1971, ce fut une révolution dans le design automobile. Avec ses fenêtres cintrées et son allure agressive, elle a eu un tel impact sur l'homme d'affaires allemand Michael Stoschek que, pendant plus d'une décennie, il a poursuivi le rêve de ressusciter l'iconique voiture de rallye sous une forme moderne. Stoschek a d'abord financé la concept car de la Fenomenon Stratos, qui fut l'une des stars du Salon de l'automobile de Genève en 2005. Mais quand ce projet a commencé à capoter, il a commandé à Bertone une Stratos particulière, pour son usage personnel, basée sur une version raccourcie du châssis de la Ferrari 430 Scuderia. La structure de la carrosserie rend hommage à la voiture de rallye culte des années 1970, tout en n'utilisant que de la fibre de carbone. Alimentée par un V8, elle offre le double du ratio puissance/poids de sa grande sœur.

En 2010, une petite production de 50 voitures a été annoncée. Néanmoins, les mêmes pressions qui ont mis fin à la carrière de la Lancia Stratos originale ont fait que la New Stratos est restée un exemplaire unique. En 2011, Ferrari, craignant peut-être qu'elle devienne une sérieuse concurrente à sa 458 Italia, a en effet interdit à ses fournisseurs de soutenir le projet. **DS**

DS3 Racing | Citroën   (F)

2010 • 1 598 cm³, S4 • 215 ch
0-100 km/h en 6,9 s • 235 km/h

Citroën n'a jamais vraiment capitalisé sur ses succès en championnat du monde de rallye (WRC). Il y a bien eu une C4 Série spéciale siglée Sébastien Loeb, mais cela n'a guère demandé plus que de placer un sticker et de peindre les roues en blanc. C'est seulement depuis l'arrivée de la DS3 Racing que Citroën s'échine enfin à mettre son palmarès en sport automobile en avant.

La recette est simple : prendre une DS3 (l'arme du constructeur dans les manches de la WRC). Glisser un moteur turbo de 1 598 cm³ comme celui de la BMW Mini Cooper S Johnson Cooper Works. Faire travailler la division sport sur la suspension, pour abaisser et dynamiser la DS3 standard, et muscler un peu les freins pour que la voiture puisse décélérer rapidement. Enfin, peaufiner la direction pour que le conducteur puisse canaliser les 215 chevaux qui entraînent les roues avant.

Le résultat, c'est une voiture à la puissance étonnante pour sa taille, couplée à une tenue de route incroyable. Les apprentis champions de WRC peuvent même désactiver le système d'aide électronique au pilotage.

Oh, et un dernier détail de la recette : ajoutez un peu de mystère en prévenant que seules 1 000 voitures seront produites (même si la réalité s'avère plus proche de 2 000), et observez les commandes affluer, même au drôle de prix de 29 900 euros. **JI**

Ibiza Cupra Bocanegra | Seat   (E)

2010 • 1 390 cm³, S4 • 188 ch
0-100 km/h en 7,2 s • 255 km/h

La Seat Ibiza appartient à la même famille que la Skoda Fabia et la VW Polo. Toutes les trois sont disponibles dans différentes versions très alléchantes, aussi Seat, qui se veut la marque «sportive avec une pointe de caractère», a dû jouer des coudes. Pour l'Ibiza Cupra Bocanegra, c'est la puissance et l'avant du capot peint en noir (Bocanegra signifie «bouche noire») qui la distinguent. Le moteur et la mécanique sont en effet similaires à ceux du modèle Cupra (sensiblement moins cher), donc les changements sont surtout cosmétiques : des aplats de noir, des roues différentes et un tuyau d'échappement central.

Le moteur turbo surcompressé donne une bonne dose de puissance tout en restant économe. Les 7 rapports de la DSG, la boîte de transmission perfectionnée de VW, fonctionnent en mode manuel aussi bien qu'en automatique. Ce dernier facilite la conduite quand il y a du trafic, tandis que la commande manuelle donne plus de répondant sur les routes dégagées. La Bocanegra a également un système électronique qui confère plus d'adhérence dans les virages.

Le problème pour Seat, c'est que la Skoda Fabia vRS est équipée du même moteur, de la même boîte de vitesses, et délivre les mêmes performances. Son habitacle est également plus spacieux. Mais surtout, elle coûte beaucoup moins cher. **JI**

SC7 | Orca (FL)

2010 • 4 200 cm³, S4 • 850 ch
0-100 km/h en 2,6 s • 400 km/h

Après 20 ans d'expériences avec divers prototypes, l'ingénieur et designer suisse René Beck a fini par défier les bolides les plus rapides du monde, grâce à l'incroyable Orca SC7 qu'il a construite dans un petit atelier à Vaduz, au Liechtenstein. Cette voiture possède le moteur bi-turbo V8 en aluminium de l'Audi A6 dans une configuration classique, moteur central et roues arrière motrices, logées sous une carrosserie en fibre de carbone ultralégère et hyperaérodynamique. Elle ne pèse que 850 kilos. Le préparateur allemand MTM a trafiqué le moteur pour qu'il produise 850 chevaux, le tout avec une boîte séquentielle à 7 vitesses pour contrôler toute cette puissance.

Le châssis se compose de trois grandes parties en fibre de carbone, en aluminium et en Nomex tandis qu'un assemblage de dix panneaux composites forment la carrosserie. Un système de suspension active élève ou abaisse la voiture sur ses roues, tandis que les amortisseurs à contrôle électronique optimisent la tenue de route à haute vitesse.

Son look se caractérise par des portières papillon, deux becquets arrière, plein de ventilations et de canaux de refroidissement, dont deux juste au-dessus du toit du cockpit.

L'Orca est l'une des très rares voiture à avoir atteint le Saint-Graal des ingénieurs : un ratio de 1 cheval par kilo – d'où ses performances extraordinaires.

Beck n'a construit que sept exemplaires de ces voitures « Street Competition » (d'où le nom SC7). On suppose qu'elles ont été vendues à des clients extrêmement fortunés. Depuis, Beck s'est tourné vers d'autres projets de supercar. **SH**

SLS AMG | Mercedes-Benz (D)

2010 • 6 208 cm³, V8 • 570 ch
0-100 km/h en 3,8 s • 317 km/h

La Mercedes-Benz SLS a été créée par Gorden Wagener, d'AMG, qui cherchait une remplaçante pour la SLR de McLaren. La nouvelle venue a été présentée au Salon de l'automobile de Francfort en 2009. Le design de la SLS évoque volontairement la Mercedes 300SL.

La première chose qui attire l'attention, ce sont ses portes papillon montées sur des vérins à gaz. Mais le reste de la voiture est tout aussi épatant. Le châssis tubulaire en aluminium est fait à la main ; et sous le capot, AMG a installé un V8 magique, avec sa boîte semi-automatique 7 rapports à double embrayage, actionnée par des molettes en métal sous le volant. Divers réglages de châssis sont proposés pour s'assurer que la SLS se comporte aussi bien sur les boulevards que sur les lignes droites de circuit. On compte également d'autres petits plus technologiques comme des composants mécaniques en fibre de carbone et des boulons explosifs pour libérer les portes papillon au cas où celles-ci seraient bloquées suite à un accident. Les freins de course en carbone-céramique sont eux en option.

La SLS AMG dispose d'une répartition du poids presque parfaite et a la réputation d'être facile à conduire malgré sa puissance. Néanmoins, huit airbags et une pléthore d'aides électroniques de sécurité sont prêts à intervenir si jamais le pilote se laisser déborder par ses 317 km/h de vitesse de pointe.

La SLS s'est fait une sacrée publicité en devenant la voiture de sécurité de la saison 2010 de formule 1.

À l'heure où nous écrivons, Mercedes travaille sur une nouvelle SLS aux performances améliorées… et propulsée par un moteur électrique pour chaque roue qui devrait être disponible courant 2013. **RD**

RCZ | Peugeot ⓕ

2010 • 1 600 cm³, S4 • 200 ch • 0-100 km/h en 7,6 s • 237 km/h

En 2007, Peugeot avait construit une concept car incroyable. Il s'agissait d'un coupé sport futuriste, loin des modèles d'ordinaire assez quelconques du constructeur français. Il ne prévoyait d'ailleurs pas de le produire en série, mais l'enthousiasme de la presse et du public fut tel que la compagnie reconsidéra la question. Peut-être, pensa Peugeot, la société pourrait-elle récupérer un peu du prestige qui était autrefois le sien du temps de la 205 GTi, de la Mi16 et de la 406 Coupé ?

La concept car est donc partie en production, et a donné la RCZ. Ce coupé aux lignes sportives a connu un succès immédiat : 30 000 ventes la première année.

Sous le capot, on trouve un petit moteur bi-turbo, le même que la MINI, pour une traction avant. La voiture possède la mécanique d'une bombinette, et un pilotage et des performances qui s'en rapprochent.

Tout réside dans son look. La véritable innovation tient à sa carrosserie, avec son toit à double bulle qui se fond avec la vitre arrière. Larges passages de roue, arches aux reflets aluminium, becquet arrière qui se relève tout seul… la RCZ a une vraie présence sur la route.

Les clients peuvent opter pour une version diesel de 2 000 cm³ et choisir une finition plus luxueuse avec des sièges en cuir chauffés, hi-fi JBL, de plus grandes roues en alliage, et des phares directionnels au xénon. Dans l'habitacle, à part un volant sportif plus large, peu de choses la différencient d'une compacte de la famille de la 308 – à part l'espace moins grand à l'arrière.

Peugeot a aussi construit une concept car de RCZ 4 roues motrices hybride, qui roule au diesel et à l'électricité. Ce qui n'était une fois encore qu'une concept car est sorti en 2012 sous le nom d'HYbrid4. **SH**

CTS-V | Cadillac   USA

2010 • 6 162 cm³, V8 • 560 ch • 0-100 km/h en 3,9 s • 308 km/h

La Cadillac CTS-V rivalise avec les meilleures séries du vieux continent ! Elle aurait pu avoir une carrière un peu plate, comme la CTS, la berline familiale qui la précède dans la gamme que Cadillac commercialise aux États-Unis. Mais le moteur de la CTS-V est un V8 turbo-compressé, basé sur le C6 Corvette, et il a une capacité de 560 chevaux. Il fonctionne avec une transmission manuelle à 6 vitesses ou une boîte de transmission automatique.

Toute cette puissance ne servirait à rien sans une conduite à la hauteur – ce pour quoi les américaines ne sont guère réputées. Et c'est là que la CTS-V excelle. Elle dispose d'une suspension intégralement indépendante (sans le moindre essieu ni ressort à lames), et d'un système multibras à l'arrière. La voiture s'appuie sur la technologie MagneRide, un système d'amortisseurs à huile qui s'adapte automatiquement aux mouvements du véhicule, grâce aux informations relevées chaque centième de seconde par les capteurs. La direction s'ajuste également par rapport à la vitesse.

L'habitacle foisonne de détails et de gadgets, dont une jauge de mesure de la poussée latérale et un voyant LED qui clignote pour rappeler aux conducteurs étourdis de passer la vitesse supérieure.

La question la plus importante est : par rapport à des rivales comme une BMW M5 ou une Jaguar XFR, comment se comporte la voiture sur route et sur circuit ? La réponse est : brillamment. L'un de ses titres de gloire est d'avoir battu le record au tour sur le Nürburgring dans la catégorie des berlines de série. Le doute n'est donc pas permis, voici une voiture que les constructeurs européens ont dû prendre très au sérieux. **JI**

B2 | Marussia

(RUS)

2010 • 2 800 cm³, V6 • 420 ch • 0-100 km/h en 3,8 s • 250 km/h

Après avoir construit la première supercar russe, la B1, fameuse pour son look sexy tout en courbes, les équipes moscovites de Marussia ont repris le même châssis pour bâtir leur second modèle, plus agressif encore, la B2. Les deux sœurs s'appuient sur le même moteur Cosworth, le même châssis léger, les mêmes freins hautes performances et les mêmes finitions de luxe. Elles affichent presque le même prix : environ 4 millions de roubles.

La nouvelle élite des millionnaires russes peut demander à personnaliser aussi bien la carrosserie que l'intérieur de la voiture. Marussia réfléchit même à un modèle de sport, ainsi qu'à une version utilitaire et une version électrique – chacune reprenant le même châssis en panneaux de fibre de carbone.

La B2 est une 2 places à moteur central, légère comme une plume et influencée par le design des italiennes. Le moteur V6 est placé sur l'essieu arrière et utilise une boîte automatique à 6 vitesses. Plusieurs tailles et plusieurs performances sont proposées, la version 420 chevaux étant la plus puissante (voir les chiffres ci-dessus). L'intérieur mêle écrans LCD high-tech (avec réseau 4G et disque dur de 320 Go) et revêtement cuir traditionnel surpiqué, du siège au levier de vitesses.

L'initiateur du projet est le chanteur, présentateur et pilote russe Nikolai Fomenko. Il assure qu'un tiers des composants de la voiture proviennent de Russie et le reste de constructeurs étrangers de renom.

Marussia ne manque pas de financements. Son premier showroom a ouvert à Moscou en 2010 et cette même année la société a pris une part significative du capital de l'équipe de F1 Virgin Racing. D'autres showrooms sont prévus à Londres et Monaco. **SH**

ST-1 | Zenvo

DK

2010 • 7 000 cm³, V8 • 1 100 ch • 0-100 km/h en 2,9 s • 375 km/h

La toute première voiture danoise de l'histoire a été construite dans un petit atelier de l'île de Seeland. Le pays n'étant pas connu pour sa tradition automobile, on s'attendrait à une production plutôt amateur. Erreur.

Zenvo a réalisé une voiture de sport de classe mondiale, pour laquelle les acheteurs sont prêts à payer plus de 1,5 million d'euros. La société danoise prévoit de n'en construire que quinze, ce qui est dommage, celle-ci étant l'une des plus belles et des plus performantes de toutes les supercars modernes.

La ST-1 a été conçue suivant la norme des supercars actuelles : roues arrière motrices pour la maîtrise, moteur en position centrale pour l'équilibre, et un corps en fibre de carbone aérodynamique pour la légèreté et la robustesse. Sa carrosserie arbore d'impressionnantes prises d'air pour ventiler le moteur et les freins, et de vastes passages de roue pour que l'air glisse à haute vitesse, néanmoins Zenvo semble avoir incorporé tous ces éléments dans un ensemble séduisant. Le design de la voiture s'inspire des costumes des *stormtroopers* dans la saga *Star Wars*, affirme le constructeur !

L'énorme moteur maison délivre une puissance monstrueuse grâce à la turbocompression et à la surcompression. Sa vitesse de pointe est limitée à 375 km/h, avant tout pour protéger les pneus.

Le pire, c'est qu'une version encore plus performante a été produite pour les États-Unis, avec une puissance de croisière de 1 216 chevaux, et des performances encore plus incroyables. Seuls trois exemplaires de cette ST-1 50S sont prévus. Si cela ne suffit pas à convaincre les acheteurs, une montre suisse est « offerte » avec la voiture. Valeur : environ 40 000 euros. **SH**

Leaf | Nissan

(J)

2010 • moteur électrique • 109 ch • 0-100 km/h en 9,9 s • 150 km/h

La Nissan Leaf a été la première voiture électrique à être produite en série. Il s'agit d'une 5 portes à cinq sièges avec moteur électrique en traction avant, assemblée au Japon, aux États-Unis et en Grande-Bretagne. Sa forme générale conventionnelle et ses bonnes performances la destinent au grand public ; les dirigeants de Nissan prévoient de produire 250 000 véhicules par an quand les trois usines tourneront à plein régime.

Même si le profil de la Leaf est d'un aérodynamisme sophistiqué, conçu pour améliorer ses performances et son autonomie, ce n'est pas pour son look qu'elle a été plébiscitée ; ni pour son tarif, car elle n'est pas bon marché, même si son prix varie dans le monde ; en 2012, elle coûtait 28 990 euros en France. Ce qui a séduit les premiers acheteurs, ce sont ses coûts de fonctionnement minimalistes. Lors d'un essai, le magazine *Consumer*

Reports a calculé que la Leaf coûtait environ 6 centimes par kilomètre ; pour comparaison, la Toyota Corolla coûte un peu plus de 22 centimes. La Nissan pourrait atteindre l'équivalent électrique de 45 kilomètres par litre !

Le constructeur japonais annonce une autonomie moyenne de 117 kilomètres en conditions normales, et précise que 95 % de la population mondiale parcourt moins de 100 kilomètres par jour. Une recharge complète prend huit heures avec un chargeur de 240 volts, mais Nissan propose un chargeur qui remplit les batteries à 80 % de leur capacité en 30 minutes.

En 2010, la Leaf a été élue voiture de l'année. Comme l'a écrit *Wired* dans la foulée : « Nissan n'a pas conçu une remarquable voiture électrique ; le constructeur a conçu une voiture remarquable, et il se trouve qu'elle est électrique. » **DS**

Nouvelle Coccinelle | Volkswagen ⟨ D ⟩

2011 • 2 000 cm³, S4 • 197 ch • 0-100 km/h en 7,3 s • 224 km/h

La première version fut l'un des emblèmes du IIIᵉ Reich. La seconde était une machine un peu rétro et rigolote. La troisième s'apparente, enfin, à la voiture que la Coccinelle a toujours voulu être. L'icône réinventée n'a jamais été aussi belle, avec sa position plus large et plus basse et son capot arrière courbé comme un coupé.

Sous sa robe 3 portes, on retrouve essentiellement une version rétro des VW Golf et Jetta, que VW assemble dans la même usine mexicaine qui avait déjà fabriqué certaines des voitures de première et seconde génération. Son look est cette fois un peu plus musclé, et Volkswagen espère attirer davantage d'acheteurs masculins.

Le modèle 2.0 TSI est basé sur une Golf GTI avec une boîte robotisée DSG à 7 rapports et à double embrayage. VW n'a pas confirmé si le concept de Coccinelle survitaminée présenté au Salon de l'automobile de Francfort en 2011, la Beetle R, rejoindrait la gamme.

La Nouvelle Coccinelle est réussie, mais comme la réédition de 1998, elle se destine surtout à ceux qui privilégient le style. Plus lente et moins agile qu'une Golf équivalente, elle se rattrape en effet par sa personnalité. Pour étoffer ses charmes, la Coccinelle Mark III offre toute une gamme de fonctionnalités premiums et d'options : enceintes Fender de 400 watts, système Bluetooth, déverrouillage sans clé, bouton de démarrage, toit ouvrant coulissant…

Le lancement de la Nouvelle Coccinelle en 2011 a été un autre signe des temps. Difficile d'imaginer ce que les concepteurs du modèle original auraient pensé des soirées de lancement à Berlin, New York et Shanghai, tout en musique, avec MTV en partenaire. **SH**

Série 1 M Coupé | BMW

2011 • 2 979 cm³, S6 • 335 ch • 0-100 km/h en 4,9 s • 250 km/h

La BMW Série 1 était en vente depuis huit ans quand le constructeur allemand a lancé sa version M. La Série 1 M est moins une version premium de cette gamme de voitures de petite taille qu'une supercar. Il s'agit toujours d'une compacte à propulsion, mais avec un châssis allégé, des suspensions plus rigides et plus sportives, et des freins à disque composites hautes performances repris de la M3, le modèle de course de son aînée la Série 3.

Surtout, son énorme moteur bi-turbo de près de 3 000 cm³ vient de la BMW 335, ce qui donne à cette petite 2 portes une pointe de vitesse à 250 km/h, avec la limite électronique.

Le coupé 1 M est uniquement disponible en blanc, noir ou orange vif. Sur la route, impossible de le rater. Sa carrosserie reprend celle de la Série 1 mais avec des passages de roue bombés, pour améliorer la tenue de route avec des pneus de course, plus larges. Quatre sorties d'échappement apparaissent sous le large capot arrière, lui-même surmonté d'un aileron pour stabiliser la voiture à haute vitesse. À l'avant, une grille très aérée ventile le moteur tandis que de longues échancrures aérodynamiques décorent ses ailes.

L'intérieur du coupé 1 M est dominé par le cuir noir avec quelques surpiqûres en contraste. Un petit levier trapu active la boîte manuelle à 6 vitesses, et un bouton «M» sur le volant multifonction permet aux pilotes de basculer instantanément vers un style de conduite extrasportif.

Les sièges arrière, exigus, ne conviennent guère qu'aux enfants ou aux courts trajets. Mais on peut les rabattre pour améliorer la capacité du coffre – même s'il s'agit de la dernière chose qui intéresse ses clients. **SH**

C30 Electric | Volvo

2011 • moteur électrique • 110 ch • 0-100 km/h en 10,5 s • 130 km/h

La Volvo C30 Electric ressemble à une C30 normale ; elle a d'ailleurs tout le style, le confort et la sécurité du modèle standard. La différence, c'est que celle-ci marche uniquement à l'électricité, sans la moindre émission de CO_2, et qu'elle a une autonomie de 150 kilomètres avec une seule charge. Apparue pour la première fois en 2010, la C30 Electric est l'une des premières voitures électriques grand public authentiquement utilisable et attrayante. Son moteur se loge sous le capot. Il est alimenté par des batteries au lithium fabriquées aux États-Unis, situées à l'emplacement habituel du réservoir d'essence et du tunnel de transmission. La place disponible dans le coffre est donc inchangée. En revanche, les batteries alourdissent la voiture de 280 kilos, mais le centre de gravité plus bas permet au véhicule d'adhérer davantage à la route.

On recharge la batterie par une prise de courant située sous le rabat de la grille avant. Il faut huit heures à peu près pour refaire le plein en électricité, mais deux heures et demie de recharge suffisent à ajouter 40 kilomètres d'autonomie. Le compte-tours est remplacé par un indicateur de charge, un petit écran indiquant la distance que la voiture peut encore parcourir. En guise de levier de vitesse, un petit manche en chrome que l'on pousse vers l'avant pour reculer et vers l'arrière pour démarrer. La C30 Electric a un système de chauffage qui marche au bioéthanol – pratique pour ne pas gaspiller d'électricité. Comme tous les véhicules électriques, elle est généralement silencieuse, et donne une impression immédiate de puissance, parce qu'elle répond instantanément. Elle va même un peu plus vite et a un meilleur contrôle que la version diesel ! **SH**

M600 | Noble

2011 • 4 439 cm³, V8 • 660 ch
0-100 km/h en 3,5 s • 362 km/h

La M600 est une supercar signée Noble Automotive. Son fondateur, Lee Noble, a appris le métier en formule 1, et bien qu'il ait quitté la compagnie pour monter Fenix Automotive peu avant son lancement, la M600, avec son poids plume et sa puissance, s'inspire clairement des voitures de F1. Contrairement à ses prédécesseurs la M12 et la M400, équipées d'un moteur Ford V6, la M600 embarque un V8 Yamaha bi-turbo en position centrale. La seule boîte de vitesses proposée offre 6 rapports en manuel. Le châssis est en acier inoxydable et les panneaux en fibre de carbone.

Noble adapte la finition de l'intérieur aux goûts du client, mais rien de trop luxueux – il s'agit d'une voiture de sport avant tout. Le magazine *Autocar* l'a définie comme «l'une des supercars britanniques les plus excitantes jamais vues». Avec le même ratio puissance/poids qu'une Bugatti Veyron, elle s'avère même encore plus «excitante» sur chaussée mouillée, grâce à l'absence totale d'aides électroniques. La voiture a bien un système antipatinage, mais un loquet rouge de chasseur-bombardier permet de le désactiver.

Dans un contexte économique difficile, son retard au lancement, son prix élevé, et sa marque obscure ont fait que l'on croise rarement la M600 sur la route, mais ceux qui l'ont vue s'en souviendront toujours. **RD**

SV12 R Biturbo | Brabus

2011 • 6 300 cm³, V12 • 800 ch
0-100 km/h en 3,9 s • 350 km/h

La SV12 R Biturbo (version Brabus de la Mercedes Classe S) est la berline la plus rapide du monde, et un exemple extrême de ce que les préparateurs automobiles actuels peuvent faire. Brabus a commencé par améliorer le moteur standard en le faisant passer de 5 500 à 6 300 cm³. Puis il a ajouté un conduit d'échappement en acier inoxydable ainsi qu'un différentiel autobloquant pour une meilleur traction, et une boîte automatique à 5 vitesses renforcée pour gérer la puissance supplémentaire.

Cette diligence de luxe pour homme d'affaires n'a jamais paru aussi musclée. Brabus a adapté l'extérieur avec un nouveau kit carrosserie aérodynamique, ajoutant des spoilers et des bas de caisse. De grandes roues de 53 centimètres de diamètre ont ensuite été posées. Plus des freins haute performance avec des étriers à douze pistons ; des suspensions améliorées, plus basses et plus rigides, et des pneus spécial grande vitesse.

L'habitacle est revêtu de cuir, d'Alcantara ou de bois selon la préférence de l'acheteur. Les clients peuvent demander un système multimédia Apple à la pointe de la technologie, toute l'électronique Mercedes étant contrôlée par un iPad. Les sièges arrière ont chacun une tablette en cuir pour tenir un iPad, avec une station d'accueil intégrée pour recharger ses batteries. **SH**

4C | Alfa Romeo (I)

2011 • 1 700 cm³, S4 • 230 ch
0-100 km/h en 5 s • 250 km/h

La 4C est une étonnante concept car révélée à Genève en 2011. Ce petit coupé a tout de suite emballé les observateurs. Les réactions ont été telles que les ingénieurs d'Alfa ont rapidement reçu comme instruction de l'envoyer en production aussi vite que possible. La plupart des personnes chez Fiat comme au-dehors ont été surprises, car il s'agit d'un modèle plutôt excentrique, même pour Alfa : une petite voiture basse sur pattes avec un moteur en position centrale, plus petite qu'une MiTo, mais aussi puissante qu'une Porsche.

Avec son arrière-train très court et son absence de porte-à-faux, elle s'inspire un peu de la 8C, un modèle plus grand, et de ses ancêtres.

Le baquet central de la 4C en fibre de carbone et sa structure arrière en aluminium proviennent de la KTM X-Box, autre concept car conçue en Italie, par Dallara. Son extérieur est en fibre de verre composite. Le pilote disposera de boutons de commande sur le volant pour contrôler la boîte de vitesses séquentielle à double embrayage. Il n'y aura aucune option manuelle, mais plusieurs styles de conduite seront disponibles.

À l'heure où nous rédigeons, sa production n'a pas encore débuté. Elle pourrait même être le fer de lance d'Alfa pour son retour aux États-Unis, à l'occasion du Salon de l'automobile de Detroit en... 2014. **SH**

911 GTS | Porsche (D)

2011 • 3 800 cm³, F6 • 410 ch
0-100 km/h en 4,2 s • 306 km/h

La GTS est la dernière version de la génération 997 de la Porsche 911, la classique sportive à propulsion. Une nouvelle gamme de 998 a été présentée en 2012, mais la GTS ne mérite pas que les acheteurs s'en détournent, parce que c'est l'une des meilleures 911 de l'histoire – et ce n'est pas peu dire.

La GTS combine de manière adroite les meilleurs aspects des 911 existantes, avec une propulsion sous la carrosserie d'un modèle à 4 roues motrices, un moteur modifié pour de meilleures performances, et quelques retouches extérieures pour la rendre visuellement plus terrienne, plus aiguisée, plus déterminée.

Mais la GTS est également rapide. Son moteur dispose d'un nouvel échappement sport et de quelques astuces de branchement pour améliorer sa vitesse de croisière – détail qui ne se voit pas dans les chiffres mais qui fait une grande différence dans la vie de tous les jours.

Les acheteurs qui cocheront l'option « suspension sport » disposeront d'un différentiel autobloquant et d'une station plus basse pour mieux adhérer à la route. Pour autant, la GTS n'est pas une voiture de casse-cou : pratique et confortable, elle convient à un usage quotidien. Le magazine *Auto Express* n'y est pas allé par quatre chemins : « À ce jour, c'est la meilleure Porsche. » **SH**

M5 | BMW $\quad\boxed{\text{D}}$

2011 • 4 395 cm³, V8 • 560 ch • 0-100 km/h en 4,4 s • 250 km/h

Au début des années 1970, les ingénieurs de BMW ont pris une berline standard, et, apportant quelques retouches et ajouts çà et là, l'ont transformée à la main en voiture de sport. C'était le début d'une sorte de course à l'armement avec la branche préparation de Mercedes-Benz, AMG, et les préparateurs des autres constructeurs. Trente ans plus tard, la BMW basée sur la Série 5, la M5, débarque et montre tout le chemin parcouru par les préparateurs de BMW, passés du bidouillage de carburateurs à ce bolide délivrant une puissance quasi atomique de 560 chevaux.

La précédente génération reposait sur un moteur atmosphérique V10, mais des contraintes d'émissions de carbone et de consommation d'essence ont conduit à un autre choix pour la M5. Elle s'appuie donc sur un V8 de 4 395 cm³ à deux turbos, le même moteur que l'on peut trouver dans la X5 M et la X6 M. La transmission, elle, reprend la boîte séquentielle à 7 vitesses de BMW.

Comme avec toutes les BM haut de gamme, la vitesse est limitée à 250 km/h, mais les clients peuvent demander le pack « Expérience M », qui donne accès à une pointe débridée de 305 km/h… Grâce à un système de récupération d'énergie cinétique similaire au KERS en F1, la M5 ne consomme que 9,9 litres aux 100 kilomètres, et ce malgré son poids (1 945 kilos).

L'habitacle est lui aussi bien armé, avec un affichage tête haute et un mode nocturne. Seuls les puristes sauront distinguer une Série 5 standard d'une M5, pourtant – aux étriers de frein bleus et au discret diffuseur, qui lui sont spécifiques. Paradoxe d'une M5 à la puissance atomique, mais qui se fait discrète comme un bombardier furtif. **RD**

Geneva | Bufori

2011 • 6 100 cm³, V8 • 430 ch • 0-100 km/h en 5,4 s • 267 km/h

La Geneva vise ceux qui « n'arrivent pas à s'identifier à une voiture de luxe produite en série et sans âme », expliquait le directeur marketing de Bufori à son lancement. S'il y en a qui trouvent Rolls-Royce et Cadillac désespérément communes, ils trouveront sans doute leur bonheur dans cette limousine rétro.

La Geneva se destine à ceux pour qui l'argent n'est pas un souci, avec son éclairage d'ambiance, son minibar à champagne, et son coffre-fort pour les objets précieux, autant de clins d'œil insistants envers les plus aisés. Peu de rivales peuvent offrir un habitacle en cuir et bois précieux avec service à thé, réfrigérateur, machine à expressos, et humidificateur à cigares.

Le design mêle des éléments d'inspiration 1930 comme ses courbes et ses portes à ouverture antagoniste avec des touches modernes comme des phares avant au bi-xénon et des phares arrière à LED. La conduite à 2 roues motrices n'est pas mal non plus. Le V8 Chrysler retravaillé apporte énormément de puissance, mais il existe même une version suralimentée de 441 chevaux qui vous laissera bouche bée.

Les nouvelles technologies se retrouvent partout. Un mélange de pointe entre Kevlar et fibre de carbone, avec des couches de résine de vinylester forment sa carrosserie légère, rigide et extrêmement résistante. Tous les gadgets à la mode sont au rendez-vous : antipatinage, affichage tête haute, caméra de vision nocturne, régulateur de vitesse et détecteur de piéton.

Les clients particulièrement soucieux de sécurité pourront commander un blindage pare-balles, même si la brochure de la Geneva promet déjà une « résistance balistique ». **SH**

Hot Rod Jakob | Caresto

S

2011 • 2 521 cm³, S5 • 524 ch • inconnue • inconnue

Pour célébrer les 80 ans de Volvo, le constructeur et designer suédois Leif Tufvesson et sa compagnie, Caresto, ont créé un hot rod hors du commun. Il se base sur la première Volvo produite en série, l'OV4 de 1927 (OV4 signifiant «voiture ouverte 4 cylindres»), surnommée la «Jakob» par les Suédois. Cet exemplaire unique a fait le tour de l'Europe et des États-Unis où elle a rapidement cumulé les récompenses, comme celles de hot rod de l'année ou de voiture la plus innovante. Volvo, ravi, l'expose désormais dans son musée à Gothenburg.

Cette nouvelle mouture imite bien des éléments de l'OV4. Les motifs de sa grille de radiateur sont identiques, et comme dans l'original, la structure en chrome qui tient le pare-brise tout droit descend jusqu'à la base du siège. Les matériaux et les dimensions correspondent aussi. Caresto a repris jusqu'au nombre de vis de l'OV4 !

En revanche, même en rêve, les ingénieurs Volvo d'il y a 80 ans n'auraient pas imaginé pouvoir employer un tel châssis en fibre de carbone, ni une structure en acier pour tenir le moteur (issu d'une Volvo T5 moderne) capable de marcher aussi bien au diesel qu'à l'essence.

La Hot Rod Jakob est une 2 places à 2 roues arrière motrices, avec les roues typiques de ce genre de voiture, à l'air libre et aux jantes énormes – respectivement 48 et 56 centimètres de diamètre à l'avant et à l'arrière, comme les roues en bois de l'original. La carrosserie a été faite à la main avec des panneaux en aluminium pliés au marteau avec une roue anglaise – la méthode qui était utilisée dans les années 1920. L'OV4 semblait sortir d'un dessin animé ; des pneus Pirelli massifs aux rainures fraisées créés pour l'occasion et de grands disques de freins lui donnent aujourd'hui une certaine vraisemblance. **SH**

Z-One | Perana ZA

2011 • 6 200 cm³, V8 • 449 ch • 0-100 km/h en 3,9 s • inconnue

Mélangez le carrossier milanais Zagato et l'ambitieux constructeur sud-africain Hi-Tech Automotive, et qu'obtenez-vous ? L'étourdissante Perana Z-One. Son nom vient d'une série de voitures hautes performances produites en Afrique du Sud dans les années 1960 et 1970.

Aujourd'hui, grâce à des techniques de développement sophistiquées à base de réalité virtuelle, il a suffi de quatre mois pour construire le premier exemplaire de A à Z. Elle est depuis produite en série à Port Elizabeth.

Ce supercoupé 2 places ultraléger offre une configuration classique : roues arrière motrices et moteur à l'avant pour obtenir une parfaite répartition du poids, essentielle pour une conduite en contrôle. Son style est impressionnant. La carrosserie en fibre de verre montée sur un châssis en acier tubulaire donne un capot agressif digne d'une muscle car, avec des flancs gainés qui montent jusqu'aux arches des roues arrière. Toute la puissance d'un V8 dans une voiture aussi légère, cela signifie des performances de fusée : 0 à 160 km/h en moins de dix secondes ! Et pourtant, cette Perana en édition limitée coûte moins que certaines berlines haut de gamme. C'est dû à l'approche pragmatique de Hi-Tech : pas de gadgets ni d'aides superflues ici.

Le constructeur a eu recours aux meilleurs composants, dont de puissants freins Brembo, des amortisseurs Bilstein, et des sièges Recaro. Le V8 tout en aluminium vient des Corvette et Camaro, et la boîte à 6 vitesses hautes performances, de la Cadillac CTS-V. Et pour tout acheteur suffisamment fou pour en vouloir encore plus, Hi-Tech proposera en option un moteur plus gros, celui de la Corvette Z06, une pile nucléaire de 7 000 cm³ délivrant 498 chevaux. Attachez vos ceintures ! **SH**

Fabia vRS S2000 | Skoda

CZ

2011 • 1 400 cm³, S4 • 180 ch • 0-100 km/h en 7,3 s • 224 km/h

La Fabia vRS S2000 est une bombinette en édition limitée créée pour fêter la victoire de Skoda dans l'Intercontinental Rally Challenge (IRC).

Autrefois, Skoda était la cible de toutes les blagues – c'était la voiture qui coûtait moins cher qu'un plein, équipée d'une vitre arrière chauffée pour le confort de celui qui la pousse, et qui se faisait doubler par les piétons pressés. Elle a été aidée par la puissance marketing du groupe Volkswagen, désormais propriétaire de la marque, mais c'est vraiment la qualité de ses dernières voitures qui a changé la manière dont les gens la perçoivent. Désormais, l'existence même d'une Skoda esprit rallye et excitante n'a plus rien d'extraordinaire.

La dernière version de la Fabia vRS arbore la combinaison de couleurs de l'équipe, vert éclatant avec un toit blanc, des roues en alliage léger inratables et tout ce qu'une voiture de course peut avoir d'autocollants et de logos en tout genre. Cette édition est produite en édition limitée à 200 unités. Elle célèbre également les 100 ans de Skoda dans le sport automobile.

Le véhicule oublie les modifications extrêmes qui ont permis au constructeur de gagner le titre IRC, à savoir un moteur de 2 000 cm³ à seize valves de 267 chevaux, 4 roues motrices et un kit carrosserie complet. Mais cela reste une des Skoda les plus sportives jamais commercialisées. Le moteur vRS développe une puissance impressionnante pour une si petite cylindrée. Le conducteur a également droit au DSG, une boîte de rapports séquentielle sophistiquée faite pour les voitures de course, avec un manche placé sur le volant en cuir. Et par-dessus tout, il s'agit d'une petite voiture économique, familiale, pratique et bien construite. **SH**

VXR8 | Vauxhall

2011 • 6 200 cm³, V8 • 430 ch • 0-97 km/h en 4,9 s • 250 km/h

Cette mangeuse de BMW M5 au look brutal sort de chez Holden, l'équivalent australien de Vauxhall, la marque de General Motors. Il s'agit de la version muscle car de la Commodore, la berline multiprimée de Holden.

Avec son gros V8 à l'avant, cette imposante berline 4 portes affiche des performances à faire crisser les roues. Sa carrosserie aux formes majestueuses est désormais défigurée par des rainures d'aération, des optiques à LED et de nombreux ajouts aérodynamiques. La VXR8 est la fille spirituelle des Holden Special Vehicles, l'équivalent des M-Sport ou des AMG chez le constructeur australien.

Le moteur a beau être un rescapé de la vieille Monaro sensiblement boosté, le reste de ses caractéristiques ne plaisante pas : ses freins à disque monstrueux peuvent faire stopper la VXR8 lancée à 97 km/h en seulement 36 mètres, et les roues en alliage géantes

cachent une barre antiroulis à l'arrière avec contrôle actif de la suspension. On y trouve également un système antiblocage et antipatinage, et un système d'aide au démarrage pour une accélération optimale à l'arrêt. L'écran tactile envahit le tableau de bord, offrant au pilote des données en temps réel : poussée, chrono, vitesse, couple, etc. Une alerte au survirage s'affiche également si le conducteur rate sa trajectoire.

En même temps, cette imposante Vauxhall est un véhicule pratique avec de l'espace pour quatre passagers dans son vaste intérieur en cuir. Le coffre est volumineux, et une caméra d'aide au créneau et un indicateur de pression sont livrés en standard.

Vauxhall prépare également un break et, de manière inhabituelle pour le marché britannique, une hallucinante version pick-up. **SH**

LFA | Lexus

(J)

2011 • 4 800 cm³, V10 • 555 ch • 0-97 km/h en 3,6 s • 325 km/h

Lexus est spécialisé dans les limousines, mais depuis plusieurs années la société essaie de se faire une place dans la catégorie des bolides surperformants.

Sans once de modestie, le fabricant décrit la LFA comme la « supercar suprême ». Incontestablement, on retrouve les ingrédients des voitures de ce type : un profil de coupé aux 2 portes coulissantes, un puissant moteur V10… et un temps de développement incroyablement long. En fait, un prototype de LFA a été testé dès 2004 à Nürburgring.

Le moteur essence se situe derrière l'essieu avant. Il propulse les roues arrière grâce à une boîte séquentielle à 6 vitesses capable de réagir en un clin d'œil (200 millisecondes). Pile ce dont a besoin le pilote, étant donné que la voiture peut passer de 0 à 9 000 tours par minute en 0,6 seconde.

La carrosserie est en plastique renforcé de fibres de carbone et de nombreux éléments sont en fibre ou en aluminium, comme la suspension, le volant ou les larges roues. Des pneus fins et larges permettent d'améliorer l'adhérence. À haute vitesse, un aileron arrière s'ajuste automatiquement pour améliorer l'aérodynamisme.

L'intérieur est prévu pour deux personnes mais reste assez spacieux. Quelques détails révèlent que les ingénieurs ont peut-être longtemps hésité sur les technologies embarquées. Par exemple, pour se mettre au point mort, il faut actionner deux leviers simultanément, ou, pour enclencher la marche arrière, appuyer sur deux boutons dans un ordre précis.

Rien de tout cela ne devrait gêner les 500 heureux propriétaires de cette édition limitée, pourvu qu'ils aient réussi à dénicher les 375 000 euros nécessaires. **SH**

MXT | Mastretta

2011 • 1 999 cm³, S4 • 245 ch • 0-100 km/h en 4,9 s • 260 km/h

La MXT est la première voiture produite par Daniel et Carlos Mastretta, deux frères qui pendant 20 années ont construit des bus et des kit cars Volkswagen dans une usine d'assemblage située dans les environs de Mexico City.

Et quels débuts ! Difficile de ne pas être impressionné par cette 2 places surbaissée aux performances élevées. Prix budget et moteur en position centrale, elle dédaigne la plupart des aides électroniques pour se cantonner à une formule classique : carrosserie légère, suspensions sportives, moteur puissant et direction arrière. Son allure massive et prononcée est unique, avec des roues en magnésium et un revêtement en plastique renforcé de fibre de carbone, une suspension à double wishbone à l'avant comme à l'arrière et de puissants disques de freinage à quatre pistons.

L'habitacle est bon marché, mais intègre un système antiroulis, des sièges en cuivre et fibre de carbone, et un harnais de sécurité.

On y trouve un petit volant plat en cuir suédé, un levier de vitesses manuel à 5 rapports et deux pédales en aluminium proches l'une de l'autre pour jouer du talon/pointe.

Sur piste, la MXT s'appuie sur des freins antiblocages, des phares au xénon, deux airbags, l'air conditionné, et un système multimédia incluant navigation au GPS, bluetooth pour la téléphonie, lecteur DVD et station iPod.

Son look flamboyant témoigne de l'influence italienne. Dans les années 1930, le père des frères Mastretta était étudiant à Milan, où il a eu pour professeur en ingénierie un certain Enzo Ferrari. **SH**

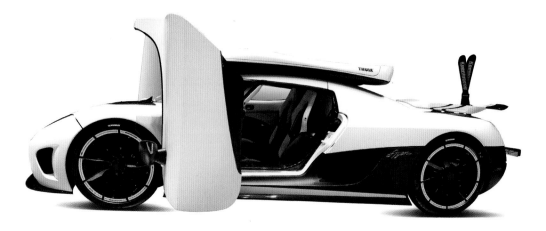

Agera R | Koenigsegg ⬭ S

2011 • 5 000 cm³, V8 • 1 115 ch • 0-100 km/h en 2,9 s • 443 km/h

Fin 2011, sur la piste d'essais de Koenigsegg à Ängelholm en Suède, cette supercar a battu plusieurs records de vitesse et de freinage. Elle a réussi à passer de 0 à 300 km/h en 14,5 secondes, puis s'est arrêtée en seulement 7 secondes. Sa vitesse maximum doit encore être homologuée, mais cette 2 places venue du nord est clairement une des voitures de série les plus rapides jamais construites.

Pourtant, la R n'est qu'une édition limitée de l'Agera 2 places standard, équipée d'un moteur qui tourne au biocarburant. Étonnamment, celui-ci est plus véloce que le modèle à essence traditionnel. L'Agera R accepte aussi l'essence, mais ses performances sont amoindries.

Comme toute Agera, la R a tous les ingrédients d'une supercar de classe mondiale : un V8 monstrueusement puissant monté en position centrale, une direction arrière, une carrosserie très légère en fibre de carbone et Kevlar, et un châssis très rigide en carbone léger. L'intelligence du design et l'efficacité de la haute technologie se répondent partout. L'aileron arrière, par exemple, n'est pas alimenté. Il fonctionne grâce à la pression du vent, qui à haute vitesse modifie son angle et génère une déportance tout en aspirant l'air chaud sous la voiture. Ce système est plus léger, plus simple, et plus réactif que tout aileron à force hydraulique.

L'Agera a de nombreuses caractéristiques sophistiquées comme une transmission à 7 rapports, des roues en aluminium forgé, un éclairage intérieur à fibre optique, un toit targa rétractable qui se range sous le capot, et des portes en ciseau à la conception somptueuse. Sans surprise, son prix est astronomique : un peu plus de 1 million d'euros. **SH**

T5 Clubman | Elfin

2011 • 5 665 cm³, V8 • 333 ch • 0-97 km/h en 3,7 s • 281 km/h

L'Australie n'ayant jamais été un acteur majeur de l'industrie automobile, apprendre qu'Elfin est le numéro 2 mondial de la construction de voitures de course n'est pas la moindre surprise. Cette compagnie basée dans le sud du pays a été fondée en 1957 par Garrie Cooper, qui a produit 250 modèles de course ou de sport jusqu'à sa mort en 1982. Son père a depuis vendu la société, mais celle-ci n'a jamais cessé ses activités. Une vitalité plutôt agréable à souligner, dans un pays inondé d'exemples d'entrepreneurs automobiles ratés.

Le châssis de la T5 Clubman est construit pile aux normes des standards de course, avec une coque en aluminium de première qualité minutieusement rivetée à la main puis scellée afin d'obtenir une force optimale. Tous les points de fixation sont soudés pour plus de rigidité et de longévité. Le châssis complet est ensuite décapé à la sableuse, puis recouvert d'une couche de peinture de 50 microns, comme un miroir. Son design sans portes (celles-ci existent néanmoins en option, tout comme le toit) fait qu'il est aisé de monter et descendre de voiture. Les pilotes avec des problèmes de cou feraient bien en revanche d'éviter de la conduire sur des pistes difficiles, car la moindre bosse se sent fort bien !

Résurgence de la Clubman de 1961, la conduite à direction arrière se situe entre une formule 1 et un pur hot rod. La presse britannique avait reproché à la MS8 Streamliner d'Elfin d'être trop lourde, fougueuse, et difficile à maîtriser. En réponse, la Clubman a eu droit à une structure plus légère et une suspension un peu moins punitive. Mais ne croyez pas que les performances ont été sacrifiées. La T5 Clubman garde un meilleur ratio puissance/poids qu'une Porsche 911 Turbo ! **BS**

Karma | Fisker

USA

2011 • 2 000 cm³, S4, deux moteurs électriques • 435 ch • 0-97 km/h en 6,3 s • 201 km/h

En 2007, après quelques passages chez BMW, Ford et Aston Martin, Dane Henrik Fisker s'est associé à Bernhard Koehler pour fonder Fisker Automotive en Californie. En 2011, la compagnie a dévoilé la Fisker Karma, la première berline électrique à l'autonomie renforcée. Ses responsables marketing la décrivent comme « l'expression audacieuse du luxe, sans compromission ».

La Karma peut rouler pendant 80 kilomètres juste avec ses deux moteurs à batterie (150 chevaux), et parcourir jusqu'à 480 kilomètres en utilisant le moteur à essence. Celui-ci n'actionne pas les roues, mais un chargeur de 3,3 kilowattheures branché sur les batteries au lithium. Les conducteurs qui voudront voyager davantage devront trouver un endroit où connecter la prise de 120 volts de la voiture.

L'avantage de la puissance électrique, c'est le couple prodigieux qu'elle développe (1 300 newton-mètres), bien que ses performances chiffrées relativement

modestes rappellent ce qu'elle est vraiment : une berline de luxe de 5 300 kilos avec des ambitions écolo.

La Karma dispose de certaines caractéristiques techniques inhabituelles : un panneau solaire sur le toit pour alimenter l'air conditionné, une finition en bois recyclé, et des roues en alliage de 56 centimètres. Malgré l'important emprunt américain, la Karma vient seulement à 50 % des États-Unis : elle est assemblée en Finlande, dans une usine plus habituée aux Saab.

La voiture a été designée « berline de l'année » et « meilleur design de l'année » par les magazines *Top Gear* et *Automobile*, et figure dans la liste des « 50 meilleures inventions de l'année 2011 » de *Times Magazine*. Les acteurs Ashton Kutcher et Leonardo DiCaprio ont été parmi ses premiers acheteurs. Pour que les ambitieuses prévisions de Fisker se concrétisent, il faut maintenant que la société trouve 14 998 autres clients ayant 100 000 dollars à dépenser dans ce bijou vert. **RD**

© La finition orange de la McLaren MP4-12C est un hommage aux premières voitures de course de la marque.

MP4-12C | McLaren   (GB)

2011 • 3 799 cm³, V8 • 600 ch
0-100 km/h en 3,1 s • 330 km/h

La MP4-12C est la première McLaren nouvelle génération à sortir de Woking, le centre de production anglais de la société, depuis le lancement de l'épatante F1 en 1993. En lui accordant le même souci du détail qu'à ses voitures de course, McLaren a développé un chef-d'œuvre d'ingénierie sur route.

De son propre aveu, McLaren a fait de la chasse aux kilos une obsession. Vers la fin du développement de la MP4-12C, quand tous les composants déjà très légers avaient été conçus, les ingénieurs ont été renvoyés à leur feuille de travail avec la mission de réduire encore le poids de 5 %. Leur dernière version a réussi à économiser 70 kilos sur le modèle de série. Au cœur de la voiture, son châssis en fibre de carbone Monocell, de 80 kilos seulement. Plusieurs astuces de design, comme des radiateurs latéraux, permettent de réduire la tuyauterie ; de même, des pots d'échappement situés à l'extrémité arrière leur permettent d'être plus courts et plus légers.

Son trésor interdit, la technologie de formule 1, McLaren l'a pillé pour cette voiture. La MP4-12C offre une aide au démarrage et un freinage actif qui aident à virer à grande vitesse en ralentissant les roues intérieures (système banni en 1977 suite à la facile victoire de McLaren au Grand Prix d'Europe). Lancée à près de 200 000 euros, cette supercar *made in Great Britain* est capable de parcourir le circuit de Nürburgring plus vite que ses rivales italiennes de même prix, la Ferrari 458 Italia et la Lamborghini Gallardo.

McLaren a le sens du spectacle : la MP4-12C a des portes papillon qui s'ouvrent par le haut pour permettre l'accès, via un bas de marche en carbone, à l'habitacle. Une version décapotable existe aussi. **DS**

Roadster | Chinkara (IND)

2011 • 1 800 cm³, S4 • 115 ch
0-100 km/h en 6,7 s • 187 km/h

La Chinkara Roadster, une des premières voitures de sport indiennes, est une version miniature de la Lotus Seven, mais avec des composants locaux pour réduire les coûts de fabrication et de réparation. Cette 2 places sans portes est alimentée par le moteur Isuzu de l'Hindustan Ambassador, et sa suspension, sa direction et ses freins viennent de la Maruti Suzuki Alto, la citadine la plus vendue en Inde.

Chinkara est dirigé par un couple de Mumbai, Guido et Shama Bothe. Lui est allemand, elle indienne. Leur société porte le nom de la plus petite gazelle d'Asie et leur activité principale consiste à construire des bateaux, d'où leur expertise dans la fibre de verre. Ils ont également conçu la Jeepster (un utilitaire de sport au design rétro) et projettent un clone de l'AC Cobra.

La Roadster présente toutes les caractéristiques d'une Lotus Seven traditionnelle : une carrosserie en fibre de verre légère comme une plume, un châssis tubulaire, de larges pneus sous des garde-boue surélevés, des phares en hauteur, un toit décapotable rudimentaire, et une direction arrière. Le châssis de la Roadster est toutefois plus rigide et costaud que dans la Lotus Seven, pour s'accommoder des routes indiennes souvent imprévisibles. Chinkara y a ajouté des baquets en cuir rouge et noir, un volant en bois, un tout nouveau pot d'échappement silencieux et des ceintures de sécurité à trois points.

La voiture se présente comme un jouet de luxe pour la jeune classe d'hommes d'affaires du sous-continent. Ceux-ci peuvent choisir une boîte de vitesse automatique ou manuelle, un toit fixe et des portes papillon. Néanmoins, la Roadster n'a ni système antipatinage, ni freins antiblocages, ni même la direction assistée. **SH**

CLS63 AMG | Mercedes-Benz (D)

2011 • 5 500 cm³, V8 • 518 ch • 0-100 km/h en 4,4 s • 250 km/h

Réunir puissance et maîtrise dans une volumineuse berline de luxe demande un travail de titan. C'est pourquoi les heureux possesseurs de ce coupé n'ont pas hésité à débourser plus de 115 000 euros pour l'acquérir.

Les performances de la Mercedes CLS63 AMG sont phénoménales. Cette spacieuse 4 portes à la finition haut de gamme pèse 1 910 kilos, mais elle atteint les 250 km/h, plus qu'une Porsche Carrera ! La version AMG de cette gamme pour cadres exécutifs comporte quelques légers changements touchant sa carrosserie aérodynamique, mais ils sont tous très discrets et fidèles à la tradition Mercedes. Fondamentalement, la caisse de l'AMG est longue, ample et élégante, et ressemble beaucoup à la CLS standard. Il faut regarder sous le capot pour s'apercevoir que le moteur de la Classe E a été transformé en fauve indomptable.

Ce V8 tout en aluminium fournit 518 chevaux. C'est déjà énorme, mais pour les clients qui optent pour le « Pack Performance » (près de 10 000 euros), la puissance monte à 549 chevaux ! Sa plus-value est discutable : le pack coûte environ 300 euros par cheval-vapeur mais ne permet de gagner qu'un dixième de seconde sur l'accélération de 0 à 100 km/h.

L'AMG « de base » est une voiture sophistiquée. Elle inclut une efficace boîte automatique à 7 vitesses, une suspension pneumatique, un système d'autoblocage et un volant qui s'adapte à la vitesse. Les freins de course en carbone-céramique et un différentiel à glissement limité pour la traction sont proposés en option.

Avec autant d'adhérence, d'agilité et de réactivité, voilà une Mercedes taille XL fascinante à conduire. Et c'est l'une des meilleures AMG jamais produites. **SH**

Mégane 2.0T Renault Sport 250 | Renault   (F)

2011 • 1 998 cm³, S4 • 250 ch • 0-100 km/h en 6,1 s • 181 km/h

La Mégane 2.0T Renault Sport 250 sort de l'usine du constructeur à Dieppe, où ses modèles grand public sont transformés en versions sportives.

Cette compacte intelligemment équipée doit ses performances à un moteur turbo de 1 998 cm³ qui lui fournit 250 chevaux. Mais en plus d'embarquer davantage de puissance que ses proches rivales, la Golf GTi et la Ford Focus ST, la Mégane 2.0T possède un atout caché. Pour une voiture à direction avant, elle vire extraordinairement bien, grâce à une technologie de contrôle de sous-virage baptisée Perfohub. Contrairement aux autres compactes sportives, elle ne perd pas de vitesse quand elle prend les tournants à la corde, et offre donc une conduite sûre. Comme l'a écrit le magazine *Evo*, « elle ne mord ni ne se déporte. Elle se contente d'avaler sereinement tout ce qui passe sous ses roues, d'un seul coup, imperturbable ». Le moteur turbocompressé 2.0 offre la reprise que l'on peut en attendre, sans faire perdre le contrôle. La Mégane 250 a été élue trois fois de suite compacte sportive de l'année par le magazine *What car* ?

Renault la présente et la vend comme une coupé, ce qui la distingue encore un peu plus de ses rivales à 3 ou 5 portes. L'habitacle bardé de gadgets propose un démarrage sans clé, un toit vitré, parmi d'autres bonus comme un compte-tours jaune vif, un GPS rétractable à portée de doigts et même un système de mesure de l'accélération gravitationnelle dans les virages. Le prix est également compétitif : moins de 20 000 euros hors options. Le modèle au-dessus, la 265, affiche 260 chevaux, embarque davantage encore d'équipement, et présente quelques modifications du châssis. **RD**

MS8 Streamliner | Elfin (AUS)

2011 • 5 665 cm³, V8 • 333 ch
0-100 km/h en 4,5 s • 275 km/h

Quiconque a un jour rêvé d'être un pilote de formule 1 risque de fondre pour l'Elfin MS8 Streamliner. Cette voiture a absolument tout ce que l'apprenti conducteur de F1 considère comme un must : des ressorts de suspension Eibach, des amortisseurs Koni 811, des freins à disque perforés et ventilés, des flexibles de frein tressés de qualité aéronautique et des bras de suspension, sans parler des boulons et écrous à tolérance de 1 millimètre.

Fondée en 1957, la société Elfin Sports Car est le plus ancien constructeur de voitures de sport à l'activité ininterrompue. On lui doit certaines des monoplaces et des sportives les plus belles et les plus compétitives de leur époque.

Conçue par Elfin et stylisée par l'équipe de Holden Design, la Streamliner est une supercar à direction arrière et construite à la main, avec des portes papillon qui s'ouvrent par l'avant pour faciliter la sortie dans les espaces étriqués. L'intérieur est magnifiquement fignolé avec des sièges en cuir creux et une large porte dont le pas arrive à hauteur d'épaule, donnant au conducteur l'agréable impression d'être dans un cocon, malgré les 333 chevaux qu'il doit maîtriser. Les jauges d'eau et d'essence sont entourées par la ventilation, tandis que le compte-tours n'affiche aucune ligne rouge. Le toit peut s'enlever, et il n'y a pas de vitre latérale. Les baquets de course, très bas, sont équipés d'un harnais à quatre points et de cage antiroulis pour le pilote et le passager. La carrosserie est en plastique de verre renforcé et le châssis est couvert de joints pour l'empêcher de plier, etc.

La Streamliner va plus vite qu'une Porsche GT3, coûte moitié moins, et a tout pour triompher. **BS**

Aventador | Lamborghini (I)

2012 • 6 500 cm³, V12 • 700 ch
0-100 km/h en 2,9 s • 349 km/h

Il y a 40 ans, les supercars étaient l'apanage de Ferrari et Lamborghini, mais à présent, de nouvelles sociétés se sont spécialisées sur ce marché. Ce modèle-ci, dernier en date du constructeur aujourd'hui propriété d'Audi, peut-il rivaliser avec les performances de ses rivales à moteur central et carrosserie en fibre de carbone ?

Lamborghini s'est donné clairement à fond pour y arriver. L'Aventador, baptisée d'après un taureau de combat espagnol célèbre pour son courage, est une voiture entièrement nouvelle. La carrosserie, légère comme une plume, est moulée en plastique et fibre de carbone comme une coque de monoplace. Ses lignes sont épurées, trapues, spectaculaires.

D'énormes prises d'air refroidissent le moteur, que l'on peut apercevoir à l'arrière, sous une vitre dédiée. Ce V12 atmosphérique à essence donne un son génialement lourd et agressif quand on utilise les quatre roues – le moteur véloce est l'atout marketing numéro 1 de cette Lamborghini. Dans le cockpit, deux sièges baquets ajustables électroniquement et une boîte manuelle à 7 rapports. Il n'y a pas de coffre, mais on peut glisser quelques bagages sous le capot. À l'évidence, personne n'achète une supercar pour son aspect pratique.

Le tableau de bord tout numérique ne donne pas entièrement satisfaction. Un simple effleurement lui fait indiquer la vitesse et le nombre de tours moteur, mais pas en même temps.

L'Aventador a trois modes de conduite qui influent sur les réactions du moteur, de la boîte de vitesses, de la direction et des aides dynamiques. Le mode « Route » est le plus tranquille, « Sport » donne davantage dans le viril, et pour « Piste », vérifiez votre ceinture. **SH**

Golf R | Volkswagen (D)

2012 • 2 000 cm³, S4 • 265 ch
0-100 km/h en 5,5 s • 250 km/h

Serait-ce la Golf ultime ? La R, évolution turbo et 4 roues motrices de la célèbre citadine allemande, a été progressivement lancée dans le monde en 2012. Modèle le plus rapide de l'histoire de la gamme, elle atteint 250 km/h, sa limite électronique, et son accélération bat également tous les records de la marque.

On peut la distinguer de ses cousines plus modestes par quelques indices stylistiques : de nouveaux pare-chocs avant avec des phares LED et trois becquets, des miroirs latéraux d'un noir brillant, des pas de porte étendus, et des roues en alliage léger à 5 branches de 46 centimètres (ou 48 centimètres en noir en option). On trouve un mini-aileron sur l'arrière du toit, et deux sorties de gaz. Plus lourde, sa suspension est plus sportive.

La Golf R utilise une version réactualisée du système 4 roues motrices de Volkswagen, le « 4motion », qui se caractérise par des réactions très rapides pour optimiser la traction et réduire le patinage. Une boîte manuelle à 7 rapports est proposée en standard, mais avec l'option DSG 6 vitesses vous économiserez deux dixièmes de seconde sur les chiffres de l'accélération.

Cette Golf R ambitieuse respecte également les traditions des autres Golf. Elle consomme 8,6 litres aux 100 kilomètres et a une faible empreinte environnementale : 195 grammes par kilomètre. **SH**

335d | BMW (D)

2012 • 3 000 cm³, S6 • 267 ch
0-100 km/h en 6 s • 250 km/h

On doit à une poignée de courageux Français, il y a 30 ans, d'avoir changé notre vision des voitures diesel. L'industrie est désormais arrivée à un point où cette berline diesel allemande se montre plus attirante, plus rapide et plus économique que nombre de rivales à essence.

Les premiers modèles de la « F30 », une BMW Série 3 plus large, plus longue et plus élégante, ont été lancés en 2012. La 335d est censée être la version diesel haut de gamme. À l'heure où nous écrivons, elle devait afficher les performances d'une sportive tout en réduisant la consommation de carburant d'un tiers.

Les moteurs à diesel fournissent plus de couple, ou puissance de traction, que leurs équivalents à essence et cela se traduit par d'impressionnants grognements – le genre de performance qui fait plus d'effet lorsqu'on tient le volant. Cette Série 3 diesel est censée offrir 576 newton-mètres de couple, soit plus que ne développe la BMW M3 à V8 essence.

Les chiffres ci-dessus ne sont que des estimations mais il est probable que cette berline figure parmi les voitures non hybrides les plus économiques de sa catégorie. La précédente génération de diesel, la 330d, avait déjà placé la barre très haut en matière de performances stupéfiantes et de motorisation économe. **SH**

Lancer Evo XI | Mitsubishi (J)

2012 • 1 600 cm³, S4 • inconnue
0-97 km/h en 5 s • inconnue

Mitsubishi actuellement en charge du concept de la prochaine génération d'Evo (Evolution) a un objectif, construire la première supercar hybride. Les fanas de vitesse ont tremblé en apprenant que celle-ci fonctionnerait à un mélange de diesel et d'électricité, mais au moins ils étaient rassurés, la gamme n'était pas arrêtée.

Son prédécesseur, la Lance Evo de 2007, en était la dixième génération. Une voiture high-tech, capable de passer de 0 à 97 km/h en 4,8 secondes. Mais le contexte économique et les problématiques environnementales menaçaient la gamme. Or la réduction des émissions et les économies de carburant sont devenues aussi importantes que les performances aux yeux des clients.

Mitsubishi a donc annoncé le développement de la onzième génération de Lance Evo, combinant l'électricité (pour réduire l'empreinte écologique) et le diesel (pour maintenir la fameuse accélération qui caractérise la gamme).

L'Evo XI est censée offrir une version améliorée de la technologie 4 roues motrices de la dixième génération, le S-AWC, qui réunit contrôle de traction, freinage et direction dans un même système. Ses performances pourraient même dépasser celles de son aînée. Mais à l'heure où nous écrivons, faute de détails disponibles, les chiffres ne sont que des estimations. **SH**

Fiesta ST | Ford (GB)

2012 • 1 600 cm³, S4 • 177 ch
0-97 km/h en 7 s • 220 km/h

À l'heure où nous écrivons, la Fiesta ST reste une concept car, mais il s'agit de la version boostée de la dernière génération de Fiesta. Depuis 1976, cette gamme de citadines à direction avant est la supermini de Ford.

La Fiesta Mark VII arbore une nouvelle forme de capot, avec une grille noire béante et des phares en oblique. Inspirée de la Fiesta RS World Rally Championship, la version ST dispose d'un look encore plus agressif. Sa coque musculeuse porte un pare-chocs plus profond, un aileron arrière, deux tuyaux d'échappement et des roues en alliage léger de 43 centimètres. La suspension est plus basse et plus rigide, et les pneus plus larges, afin de dynamiser la conduite.

La Fiesta ST est alimentée par le nouveau moteur Ecoboost de Ford, un tricylindre turbocompressé à injection directe, ce qui lui permet de décupler les performances de la voiture tout en réduisant ses émissions et en améliorant sa consommation. Sa transmission manuelle à 6 vitesses est également plus sportive.

La voiture de production reprendra nombre de gadgets des récentes Mondeo Ecoboost et Focus ST, dont un système de stabilisation électronique. L'habitacle comportera des sièges baquets Recaro, des jauges en chrome, un lecteur CD Sony à la place du lecteur standard, et des lumières colorées. **SH**

Camaro ZL1 | Chevrolet

2012 • 6 162 cm³, V8 • 590 ch • 0-97 km/h en 3,9 s • 296 km/h

La Chevrolet Camaro ZL1 embarque le «moteur surcompressé le plus puissant du monde» : un V8 de 6 162 cm³, empreinté à la Cadillac CTS-V.

Chevrolet s'est donné pour but de construire une voiture aussi fameuse que l'originale, la ZL1 de 1969, une Camaro au look ordinaire à l'exception de son capot aérodynamique. Elle était, à l'époque, la reine de la piste.

Cette mouture 2012 est bien plus sophistiquée, à l'évidence, avec un système de suspension très élaboré à base de fluides magnétiques. Un moniteur surveillant les conditions en continu permet à la suspension de s'ajuster jusqu'à 1 000 fois par seconde.

Pour associer tout ceci à la puissance d'un V8, il fallait ou une boîte manuelle à 6 rapports, ou bien une transmission automatique électronique. Cette dernière a été trafiquée pour donner plus de puissance

dans les premières vitesses. Mais un mode manuel est également disponible, avec des touches d'accès rapide autour du volant.

La carrosserie est discrète, mais réussit pourtant à dégager une impression de menace. Même le pot d'échappement a été modifié pour donner un son agressif quand la voiture tourne au ralenti. L'attrait pour la Camaro a par ailleurs été décuplé grâce à son rôle de Bumblebee dans les films *Transformers*. En fait, la voiture était une star de cinéma avant même que les modèles de série soient disponibles !

Avec la Camaro ZL1, la Ford Mustang dernière génération s'est enfin trouvé une rivale crédible. La ZL1 atteint 97 km/h en moins de 4 secondes et flirte avec les 296 km/h. Comme le disent les pubs : « Barely street legal » («Presque illégale dans les rues »). **JI**

Corvette ZR1 | Chevrolet

(USA)

2012 • 6 162 cm³, V8 • 647 ch • 0-97 km/h en 3,4 s • 330 km/h

La Corvette ZR1 de 2012 est la voiture de série la plus puissante de toute l'histoire de General Motors, grâce à un V8 surcompressé qui emmène la voiture à 105 km/h rien qu'avec la première vitesse – autant dire que le levier de vitesses servira peu en ville. Lors de tests au circuit de Nürburgring en Allemagne, la ZR1 a amélioré le record de la précédente ZR1 de plus de 6 secondes, et celui de la Dodge Viper de 3 secondes. Dans les virages, la voiture est assistée d'un système de contrôle de performance, et de nouvelles roues en aluminium léger dotées de pneus Michelin « zéro pression » ultraépais (spécialement conçus pour la ZR1) lui donnent toute l'adhérence dont les pilotes auront besoin.

Parmi les améliorations propres à l'édition 2012, un système antipatinage qui ajuste le couple du moteur jusqu'à 100 fois par seconde, rendant la conduite plus sûre sur les revêtements traîtres ou gelés, ainsi que des coussins de soutien bien pratiques sur les côtés et au niveau des épaules pour éviter d'être ballotté d'un côté du siège à l'autre pendant un virage.

Histoire d'apaiser l'agence américaine de protection de l'environnement, la ZR1 présente une sortie d'échappement électronique qui se branche à un silencieux pour assourdir le bruit. Les conducteurs rebelles noteront qu'on peut retirer son fusible de 10 ampères en une petite minute. Museler les somptueuses notes de la ZR1 évitera peut-être que les oiseaux s'enfuient au passage de l'engin, mais, comme chaque passionné d'automobile ou amateur d'opéra vous le dira, ce sont les notes élevées qui séparent le bon du sublime. Qu'il s'agisse de Plácido Domingo ou de la ZR1, les notes élevées sont un indicateur de perfection, et on perd à les trafiquer. **BS**

SLS AMG E-Cell | Mercedes-Benz

(D)

2012 • quatre moteurs électriques • 542 ch • 0-100 km/h en 4 s • 250 km/h

À l'heure où nous rédigeons, la SLS AMG E-Cell n'est qu'une concept car. Mais Mercedes a célébré le 125e anniversaire du brevet de « véhicule avec moteur essence » de Carl Benz en suggérant que cet étonnant projet puisse entrer en production dès 2013.

Cet admirable coupé aux portes papillon présente des performances remarquables. Elle est tout aussi véloce que sa petite sœur à essence, la sexy SLS, au V8 de 6 200 cm³ à la fois polluant et glouton. Les prouesses de l'E-Cell s'expliquent par sa disposition innovante, un moteur électrique pour chaque roue. Cette répartition donne un équivalent électrique aux 4 roues motrices, avec tous les bénéfices d'une meilleure traction dans les virages et sur les surfaces glissantes. Chaque moteur peut tourner à 12 000 tours par minute et délivrer sa puissance maximale dès le démarrage. Le pilote de F1

David Coulthard a été filmé au volant d'un prototype jaune vif, et il a été visiblement bluffé par son accélération. « Épatant, a-t-il souri. Ses performances sont surprenantes. Elle est plus réactive qu'un V8 ! »

L'energie électrique est stockée dans des batteries lithium-ion haute tension refroidies par liquide et disposées aux quatre coins de la voiture. Elles peuvent être rechargées à partir d'une prise de courant domestique normale et offrent une autonomie de 130 kilomètres.

Le cockpit est similaire à celui de la SLS, à l'exception d'un cadran électronique qui affiche l'autonomie restante et l'état de la batterie pendant qu'on roule.

L'E-Cell montre que le futur de l'automobile ne sera pas uniquement affaire de carburants hybrides et de démarrages instantanés. Les voitures serviront aussi à se faire plaisir. **SH**

Focus ST | Ford

GB

2012 • 2 000 cm³, S4 • 245 ch • 0-100 km/h en 6,5 s • 248 km/h

La nouvelle compacte sportive à direction avant de Ford est sa première véritable production mondiale, et sa version ST est sa première voiture hautes performances à être vendue presque à l'identique en Europe, aux États-Unis et dans le reste du monde.

Avec ses grandes roues en alliage, son spoiler sur le toit, et son capot avant menaçant, la nouvelle Focus ST est le fruit du travail de la RS Team, les experts européens ès bombinettes de la compagnie, avec l'aide de la Special Vehicles Team aux États-Unis.

Cette 5 portes s'appuie sur le récent moteur tout en aluminium de Ford, l'Ecoboost, qui propulse les roues avant via une boîte séquentielle semi-automatique à 6 rapports. Le moteur introduit trois technologies sophistiquées : turbocompression à faible inertie, injection directe haute pression et calage variable de la distribution. Voilà qui permet de décupler les performances tout en réduisant la consommation et l'émission de particules. Pour reprendre les termes de Ford, le véhicule mêle «ingénierie poussée et adrénaline non diluée».

À l'intérieur, la ST ne donne pas dans la demi-mesure. L'habitacle en grande partie noir dispose de caractéristiques de pointe comme des sièges sportifs Recaro, un démarrage sans clé, un climatiseur deux zones, et des rétroviseurs électrochromiques. Ajoutons-y un ordinateur central équipé d'un écran tactile pour la navigation satellite, un système audio, et un accès Internet en wi-fi.

La voiture existe en orange, en rouge, en blanc et en bleu. Les roues sont noires, et le frein à main, rouge. Ford a également lancé une version break – sûrement l'un des moyens les plus rapides de transporter un vieux placard ou une poussette. **SH**

SR8 RX | Radical

2012 • 270 cm³, V8 • 460 ch • 0-97 km/h en 2,7 s • 286 km/h

Fondée en 1997 par Mick Hyde et Phil Abbott, Radical est une petite compagnie britannique qui s'appuie sur la technologie des Superbike pour construire des voitures sportives ultralégères et rapides. À l'heure où nous écrivons, la Radical SR8 détient le record au tour sur le célèbre circuit allemand de Nürburgring, dans la catégorie des voitures de route.

Certains ont mis en doute l'éligibilité de la Radical. Cette deux-places ridiculement basse est-elle franchement homologuée pour la route ? Mais son pilote Michael Vergers y a répondu : juste la veille de sa performance, il avait fait le trajet de la Grande-Bretagne à l'Allemagne… au volant de la SR8.

Pour autant, cette voiture n'a pas grand-chose à voir avec les modèles de route. De son réservoir à carburant rempli de mousse aux leviers de vitesses à palettes, le style et l'esprit piste prédominent. Le puissant moteur, conçu à partir de deux moteurs de motos 4 cylindres Suzuki, offre une accélération incroyable. Le bolide ne pèse que 680 kilos. Rajoutez-y une longue liste de caractéristiques de course sophistiquées, comme un système d'induction à carburant, un aileron arrière, une suspension entièrement ajustable, et l'on comprend pourquoi il s'agit de l'une des plus rapides des voitures homologuées pour la route.

Des étudiants de l'Imperial College London ont transformé une SR8 en voiture électrique et en 2010, l'ont conduite d'un bout à l'autre de la route panaméricaine pour illustrer les performances et l'autonomie de l'électrique. Avec une vitesse de pointe de 200 km/h et une endurance de plus de 400 kilomètres, elle a mis 70 jours à parcourir les 26 500 kilomètres. **SH**

F1 | Hulme

NZ

2012 • 7 000 cm³, V8 • 608 ch • 0-97 km/h en 2,8 s • 332 km/h

Baptisée en l'honneur de Denny Hulme, l'unique champion du monde de F1 néo-zélandais, cette épatante supercar à 2 places et moteur central veut recréer les sensations d'une monoplace, mais sur route. Elle est le fruit du travail d'un ancien de Rolls-Royce, l'ingénieur Jock Freemantle, et de son équipe de design.

Le moteur V8 est celui de la Corvette C6 de General Motors, turbocompressé et assemblé à la main. Le châssis est en carbone, Kevlar et titanium, et la carrosserie en panneaux composites. Un alliage sophistiqué pour un poids plume (990 kilos) et des performances exceptionnelles – les chiffres sont indicatifs.

Le cockpit sans toit (et sans concession) ainsi que les lourds spoilers à l'avant et à l'arrière confèrent au véhicule cette espèce de poussée aérodynamique propre aux voitures de F1. Les premiers tests indiquent qu'en

termes d'adhérence et de performances, elle sera parmi les meilleures voitures de route.

Le bolide s'appuie par ailleurs sur une suspension à poussoir sophistiquée, d'énormes pneus Pirelli et des freins AP Racing. Plusieurs types de boîtes de vitesses, manuelle ou séquentielle, sont proposées. Un différentiel autobloquant assiste par ailleurs la direction arrière.

Le design de la voiture est définitif, elle a déjà été assemblée et son prototype, plusieurs fois testé. L'équipe essaie à présent de passer à la phase de production en série. D'après les estimations, ce sera une toute petite édition, l'objectif de ventes est de neuf voitures par an, et la production totale devrait s'arrêter à 20 unités.

Jock Freemantle a lancé les ventes en 2012, pour commémorer le 20ᵉ anniversaire du héros automobile néo-zélandais, Denny Hulme. **SH**

◁ La Renault Twizy n'accepte qu'un passager. Les portes en option et les vitres souples sont recommandées pour les trajets sous la pluie.

Twizy | Renault

2012 • moteur électrique • 17 ch
inconnue • 80 km/h

La Twizy est-elle une voiture ? La petite citadine de Renault a-t-elle réellement sa place ici ? Oui, à l'évidence. Parce que sa façon innovante d'utiliser l'électricité marque un nouveau pas déterminant pour l'automobile. Avec son moteur électrique à l'arrière, la Twizy est conçue pour les petits voyages urbains. Son autonomie est de 50 à 80 kilomètres, après quoi il faut la recharger sur une prise standard pendant trois heures et demie.

La Twizy a 4 roues et un volant, mais c'est bien tout ce qu'elle a en commun avec les autres voitures. On n'y trouve ni vitesses, ni portes (à part en option), ni bien sûr de réservoir à essence – à peine deux sièges l'un derrière l'autre, comme sur une motobrenac. Pas besoin de casque : légalement, la Twizy est une voiture.

Le cockpit est une coque en plastique ouverte sur les côtés, posée sur un châssis tubulaire en acier. Les portes optionnelles s'ouvrent en ciseau. L'ensemble ne pèse que 450 kilos et fait 1,20 mètre de large, idéal pour manœuvrer et se garer facilement. Avec son centre de gravité assez bas et sa suspension agile, elle est très divertissante à conduire, et se rapproche davantage d'un kart électrique que d'une voiture. Parmi ses autres caractéristiques, un coffre derrière le siège arrière, une station iPod et ses enceintes, et un « tablier » en option pour protéger les jambes du conducteur des éclaboussures.

La Twizy ne pollue pas, elle est amusante comme tout à conduire, mais s'adresse à une clientèle aisée : 7 000 euros, plus 45 euros par mois de location de batterie. Elle reste plus sûre et plus confortable qu'un scooter, et moins chère et plus petite que la plupart des voitures électriques. Serait-ce la voiture du futur pour nos petits trajets quotidiens ? **SH**

Mondeo Ecoboost 240 | Ford GB

2012 • 2 000 cm³, S4 • 237 ch
0-97 km/h en 7,5 s • 246 km/h

À l'heure où nous écrivons, cette voiture, la Mondeo 2.0 Titanium X Sport Ecoboost 240, de son nom complet, est la plus rapide des Ford disponibles en Europe et la plus véloce des Mondeo. En raison de considérations économiques et écologiques, nombre de constructeurs ont revu leurs modèles haut de gamme. Aujourd'hui, la chasse au gaspillage est plus vendeuse que la vitesse pure ! Du coup, le nouveau porte-étendard de Ford Europe réduit sa consommation de 5 %, et brûle désormais seulement 6,4 litres aux 100 kilomètres.

L'intérieur de la X Sport Ecoboost 240 a un côté sportif, avec ses sièges en Alcantara et ses coutures rouges qui tranchent. Et sous le capot, elle présente un moteur aluminium à calage variable des soupapes et injection directe, et une boîte séquentielle semi-automatique à 6 rapports et double embrayage. Des amortisseurs actifs ajustent la suspension pour que cette Ford 5 portes puisse rouler sereinement sur route ou se déchaîner sur des voies plus bosselées. Le châssis de la Mondeo offre d'excellentes sensations quand on conduit.

La gamme Mondeo a gagné des parts de marché en 2007 quand sa nouvelle génération est arrivée. Ses dernières améliorations l'emmènent désormais encore plus loin dans le domaine du haut de gamme. Parmi les assistances électroniques, une alerte de franchissement involontaire de ligne, des phares plongeants automatiques, un détecteur de fatigue, des caméras de recul et un système de surveillance des points morts.

Les acheteurs d'aujourd'hui choisiront probablement le modèle TDCi diesel, qui consomme moins. Mais les passionnés de conduite préféreront le bruit, les sensations et les performances de l'Ecoboost. **SH**

Mustang Super Cobra Jet | Ford

2012 • 5 400 cm³, V8 • 430 ch • inconnue • inconnue

En 2012, Ford n'a produit que cinq unités de la Mustang Super Cobra Jet. La Cobra Jet n'est pas seulement une voiture homologuée pour la route. Les spécialistes de Ford Racing ont conçu une amatrice de courses, avec une suspension optimisée, des amortisseurs ajustables, une transmission manuelle ou automatique préréglée pour la course, une cage antiroulis entière et un harnais de course à cinq points. Il y a même un bouton de démarrage sur le tableau de bord et un interrupteur de batterie à l'arrière en cas d'accident.

Le cœur de la voiture est un V8 Ford surcompressé, qui avale 400 mètres en dix secondes, départ arrêté. Ses nouvelles roues et ses pneus de type dragster accentuent l'agressivité de la Cobra Jet Trim, de même que les écussons «Powered by Ford» et les incrustations de cobras.

Tout a été réglé et peaufiné pour qu'elle impressionne sur la piste. Par exemple, les pneus Goodyear développés pour cette voiture ont une chape minimale, afin de réduire au minimum le frottement au sol.

Cette Cobra Jet est produite en série et coûte 104 000 dollars. Elle n'est disponible qu'en bleu, blanc ou rouge (la photo montre le modèle de lancement, gris métallisé). Il est également possible de l'assembler en utilisant une Mustang normale comme voiture donneuse et des composants issus du catalogue Performance de Ford.

Les fans de Mustang désirant des voitures hautes performances homologuées pour la route peuvent se tourner vers les versions Boss et Shelby GT500 qui développeraient 650 chevaux et atteindraient 322 km/h, en montant de 0 à 100 km/h en moins de 4 secondes. **SH**

GT 86 | Toyota

(J)

2012 • 2 000 cm³, F4 • 197 ch • 0-100 km/h en 7 s • 240 km/h

Pour se faire une place dans le marché mondial de l'automobile, Toyota a commencé par concevoir d'excellentes sportives, comme la Celica, la MR2 ou la Supra. Cela lui a permis de devenir un des leaders de l'industrie en termes de ventes, mais depuis la compagnie s'est relâchée, a arrêté les sportives, et laissé ses véhicules les plus demandés s'affadir. Sous le slogan *Fun to drive, again* («Le plaisir de conduire, encore»), la société a su reprendre la main.

Dernièrement, ses rivaux ont opté pour un moteur toujours plus gros, la turbocompression, les 4 roues motrices et de multiples aides électroniques. Mais leurs voitures coûtent trop cher et sont souvent d'une conduite ennuyeuse. Toyota a préféré ramener les automobilistes aux plaisirs simples d'une direction arrière et d'un moteur non turbo.

C'est ainsi qu'est arrivée la Toyota GT 86 (ou Subaru BRZ, ou Scion FR-S, selon les pays). Ce coupé rétro 2 + 2 trapu évoque les premiers coupés sportifs japonais, en plus moderne. Ses performances sont volontairement moyennes, mais elle offre le genre de conduite qui donne le sourire aux pilotes, quelle que soit la vitesse.

Le cockpit offre deux sièges sportifs et deux sièges arrière presque inutilisables. Le volant à la finition en daim fait 36 centimètres de diamètre, le plus petit jamais vu dans une Toyota. Le tableau de bord intègre un ordinateur central à écran tactile pour la navigation par satellite, la musique, l'affichage arrière et le Bluetooth.

La GT 86 mesure 4,24 mètres de long, ce qui en fait la sportive à 4 places la plus compacte du marché. Toyota et Subaru ont collaboré sur ce modèle de coupé, que certains surnomment déjà la «Toybaru». **SH**

Grand Cherokee SRT8 | Jeep

USA

2012 • 6 400 cm³, V8 • 472 ch • 0-97 km/h en 4,8 s • 250 km/h

Voici le «crossover sportif ultime», selon le marketing tout en retenue de Jeep. C'est vrai que cette Grand Cherokee 4 portes a de la carrure, avec sa carrosserie d'une agressivité inouïe pour un SUV – à l'image de ses impressionnantes prises d'air à l'avant.

Le moteur V8 de 6 400 cm³ propulse le trapu véhicule à des vitesses de supercar, jusqu'à 250 km/h, pointe qui ne devrait pas franchement servir pour le hors-piste. Cette nouvelle Jeep peut même passer de 97 km/h à l'arrêt en seulement 35 mètres, grâce aux freins antiblocage à six pistons hautes performances de Brembo.

À l'évidence, Jeep a injecté de la technologie fraîche dans cette bonne vieille Grand Cherokee. La conduite a été transformée grâce à un différentiel à glissement limité qui confère plus de maîtrise sur la piste en éliminant les blocages arrière. Une nouvelle suspension intelligente

s'adapte au comportement des autres éléments de la voiture, comme le contrôle de la stabilité, la transmission, le différentiel et l'accélérateur. Concrètement, rouler est souvent confortable, et la voiture reste stable dans les virages, même à grande vitesse.

Dans l'habitacle, on se croirait dans une sportive, avec des sièges en cuir noir et suédé, un tableau de bord en fibre de carbone, un petit volant chauffé à la finition cuir et même des pédales en aluminium. Parmi les joujoux embarqués, un système audio surround Harman Kardon de 19 enceintes, un système de surveillance d'angle mort et un régulateur de vitesse automatique.

Chrysler fabrique des crossovers Cherokee depuis 1984, mais aucun ne ressemble au SRT8. «Elle, expliquent les responsables marketing, c'est la Jeep la plus puissante jamais vue.» **SH**

Overfinch | Land Rover

2012 • 5 000 cm³, V8 • 510 ch • 0-100 km/h en 5,9 s • inconnue

Overfinch est une petite compagnie de préparation et de décoration automobile, devenue la coqueluche des célébrités britanniques. Basée à Leeds, elle ne travaille que sur des Ranger Rover, mais les véhicules qu'elle produit ne passent pas inaperçus.

Par exemple, l'Overfinch Holland & Holland arbore une carrosserie à deux tons et une finition cuir luxueuse, des bois nobles, un bar, et un réfrigérateur garni de champagne et de spiritueux à volonté pendant la première année après l'achat. La récente Overfinch Sport GTS dispose d'un nouveau kit carrosserie avec des éclairages LED et de nouvelles roues. L'intérieur Range Rover a été complètement revu, à l'image du nouveau volant multifonction signé Overfinch. Le véhicule peut aussi être repeint. La société de Leeds propose plusieurs couleurs vives.

Overfinch ayant débuté comme préparateur automobile, elle modifie également les entrailles de la Range Rover. Généralement, elle remplace les moteurs d'origine par un V6 ou un V8 Corvette ou Jaguar (voir chiffres ci-dessus). Une fois, Overfinch a introduit une nouvelle boîte de vitesses faite sur mesure dans une Range Rover engagée dans le Paris-Dakar. Celle-ci a gagné la course.

Les voitures du préparateur sont devenues très prisées des footballeurs britanniques. Steven Gerrard, le capitaine de Liverpool et de l'Angleterre, en possède même plusieurs. La dernière en date, paraît-il, compte pour près de 35 000 euros d'options ! Le buteur de Manchester United, Wayne Rooney, en a également une, et sa femme Coleen, présentatrice TV, a acheté une version diesel (dans laquelle son mari a une fois malencontreusement mis de l'essence). **SH**

Polo R | Volkswagen

(D)

2012 • 1 600 cm³, S4 • 215 ch • 0-100 km/h en 6 s • 241 km/h

Presque 40 ans après le lancement de l'influente Golf GTI, Volkswagen prévoit une version hautes performances pour un véhicule qui ne paie pas de mine.

Cette fois, c'est au tour de Polo de faire un peu de culturisme. Comme nombre de ses prédécesseurs, la Polo R sera une petite compacte à direction avant avec un puissant moteur de rallye. Cette nouvelle version a été officiellement présentée fin 2012 et devrait déjà être disponible à l'heure où vous lirez ces lignes.

Cette Polo R est avant tout une sacrée séductrice : les premiers clichés montrent une robe sophistiquée et de grandes roues en alliage sexy avec des pneus très discrets. La division «R» de Volkswagen n'a pas encore annoncé quelles seraient les caractéristiques techniques exactes de la dernière-née de la gamme R, mais d'après les experts, elle devrait faire largement mieux que

l'actuelle Polo GTI et son moteur de 1 400 cm³. Il se peut même qu'elle aille taquiner sa grande sœur, l'actuelle Golf GTI, même si les chiffres ci-dessus ne sont que des estimations.

Cette nouvelle voiture coïncide avec le retour de Volkswagen dans le championnat du monde de rallye après une longue absence. Son modèle de course, la Polo R WRC, est déjà sorti de l'atelier. Cette bombinette de 300 chevaux à moteur turbo et 4 roues motrices a été conçue pour rivaliser avec la Citroën DS3, la Ford Fiesta, et la MINI Countryman.

La Polo R version ville devrait partager nombre des composants de pointe de sa cousine compétitrice. Il faut donc s'attendre à une boîte semi-automatique DSG à 7 vitesses et double embrayage, et peut-être le même système de 4 roues motrices que la WRC. **SH**

Paceman | MINI

GB

2012 • 1 598 cm^3, S4 • 213 ch • inconnue • inconnue

Le concept de la MINI Paceman a été révélé au Salon de l'automobile de Detroit de 2011. C'est le septième membre de la famille MINI à voir le jour en 2012. La Paceman est une 3 portes haut de gamme basée sur le véhicule utilitaire sport de la marque, la Countryman. Il s'agit d'une rivale à prix coupé de la BMW X6 et de la Land Rover Evoque.

Le moteur essence bi-turbo de 1 598 cm^3 développe pas moins de 210 chevaux. Il peut être associé au système de 4 roues motrices de MINI, le « ALL4 ». Ceux à qui la Paceman s'adresse veulent surtout de la puissance utilisable : le confortable couple de 260 newton-mètres en fait un véhicule commode pour déposer les enfants à l'école, tandis qu'un bouton permet de passer à 281 newton-mètres, par exemple pour un dépassement rapide.

Construite à l'usine de BMW à Graz en Autriche, la Paceman partage le même plancher et la même structure intérieure que la Countryman. Néanmoins, ses contours plus larges et son toit en pente lui donnent un air volontaire et renfrogné. Alors que la version JCW présente deux pots d'échappement et un diffuseur arrière, tous les modèles disposent du compteur kilométrique central et de la boîte de vitesses au look rétro, signatures de MINI.

En 2011, MINI a justement fait son retour au championnat du monde de rallye (WRC), après 42 ans d'absence. Alignées sur six épreuves seulement, les Countryman 300 chevaux préparées par Prodrive ont décroché deux places sur le podium. En 2013, la Paceman sera l'arme de choix de MINI dans les manches du WRC. **DS**

FF | Ferrari

 (I)

2012 • 6 262 cm³, V12 • 650 ch • 0-97 km/h en 3,5 s • 335 km/h

Revendiquer le titre de «voiture 4 places la plus rapide du monde», voilà qui serait bien intrépide de la part de n'importe quel constructeur. Mais si le constructeur s'appelle Ferrari, la promesse devient d'un coup plus crédible. De plus, la FF (la Ferrari Four) est la première quatre-roues motrices du constructeur italien. Une Ferrari 4 roues motrices ; difficile à croire, non ?

Dévoilée au Salon de l'automobile de Genève, la FF a été présentée par Ferrari comme un tout nouveau concept de voiture, même si d'autres parlent de «shooting brake», un type de break oublié depuis les années 1960 et que l'on pourrait décrire comme une berline 3 portes. Vue de devant, la FF est clairement une Ferrari, avec quelques marques reprises de la 458 Italia, mais dès que vous la regardez de profil, voilà qu'apparaît clairement une tout autre voiture. Il s'agit d'une vraie 4 places, pas une misérable 2 + 2, même si elle n'est pas aussi longue que la 612 Scaglietti, qu'elle remplace.

Sous le capot, un V12 atmosphérique à essence de 6 262 cm³, capable de développer 650 chevaux. Il est géré par un système de transmission baptisé 4RM Control. Sur le volant, il est possible de régler la voiture sur « confort » ou sur « neige » ; celle-ci bascule alors en mode 4 roues motrices adaptatif, la puissance du moteur étant délivrée à chaque roue en fonction de la nécessité. Le système est hautement complexe, avec un second levier de vitesses pour gérer la répartition du formidable couple de la voiture. Il fait augmenter la puissance de 20 % tout en faisant baisser la consommation d'essence de 25 %. Le 4RM Control peut être éteint d'un bouton sur le volant pour rétablir la conduite classique.

La FF a suscité de la part du public stupéfaction et admiration. Stupéfaction parce qu'elle apporte tout ce que Ferrari avait promis, et admiration parce qu'elle prend les virages à n'importe quelle vitesse, dans n'importe quelles conditions, d'une manière surnaturelle. **JI**

Glossaire

ABS
Présenté pour la première fois en 1969, ce système empêche les roues de se bloquer et renforce l'adhérence au sol en cas de freinage intense pour mieux éviter l'obstacle.

Amortisseur hydraulique
Il absorbe les mouvements violents de la suspension en utilisant les pertes de charge d'une huile circulant dans des cylindres hydrauliques emplis d'huile.

Arbre à cames
Tige cylindrique transformant le mouvement rotatif du moteur en mouvement longitudinal actionnant les soupapes d'admission et d'échappement. De la performance de l'arbre à cames dépend celle du moteur. Des arbres à cames doubles ou jumeaux sont plus efficaces parce qu'ils sont associés l'un aux soupapes d'admission, l'autre à celles d'échappement.

ASR
Système d'antipatinage des roues. Il joue sur la répartition du couple entre les roues motrices et permet un démarrage amélioré sur neige ou verglas, par exemple.

AVS (Adaptive Variable Suspension)
Suspension adaptative variable. Ce système ajuste en permanence la dureté de chaque amortisseur.

Bonus-malus
Méthode fiscale de lutte contre les émissions de gaz visant à orienter l'achat de voitures moins polluantes par l'octroi d'un bonus ; inversement les véhicules pollueurs sont taxés.

Carburateur
Organe mélangeant l'air et le carburant pour optimiser la combustion dans les cylindres.

Chevaux
Mesure exprimant la puissance de traction globale d'un moteur ; notion associée mais pas équivalente au couple moteur (cf. ce mot). Ne pas confondre avec « chevaux fiscaux ».

Concept car
Voiture produite en peu d'exemplaires généralement pour illustrer une innovation.

Coupé
Véhicule doté d'un arrière fuselé habituellement associé à un comportement sport, réel ou apparent.

Couple moteur
C'est la capacité à accélérer d'un moteur. Un moteur diesel a toujours plus de couple qu'un moteur essence et accélère plus fort en bas régime.

Crossover
Les responsables du marketing aiment donner des noms aux divers types de véhicules. Un crossover associe au moins deux catégories. Les crossovers les plus récents résultent du croisement d'un 4x4 et d'une voiture de sport.

Cylindres à plat
Configuration du moteur où les cylindres sont organisés en deux groupes opposés placés à l'horizontale. Le mouvement des pistons est tel qu'ils semblent se repousser mutuellement : on parle parfois de moteur « boxeur ».

Cylindres en ligne
Ils sont disposés le long d'une ligne unique (contrairement à la disposition à plat ou en V).

Cylindres en V
Le nombre de cylindres formant cette lettre de l'alphabet est ici souvent spécifié, exemple V12, V6, etc.

Différentiel
Grâce au système de pignons du différentiel, une roue située à l'extérieur d'un virage tourne plus vite que celle située à l'intérieur. Plus complexe, le différentiel à glissement limité équipe souvent les véhicules tout-terrain et agit à partir d'un certain seuil de glissement (neige ou boue, par exemple).

Frein à disque
Il remplace le vieux frein à tambour. Des pistons viennent frotter ou serrer chaque côté d'un disque placé sur le moyeu central de la roue.

Hatchback

Europe, 1970-1990. Ces versions sport des berlines à hayon sont extrêmement agréables à conduire. Certaines peuvent aller très vite.

Homologation

Pour participer aux courses, les fabricants automobiles doivent montrer qu'ils ont produit un nombre minimum de routières semblables aux véhicules de compétition. Pour ce faire, les routières peuvent être extrêmement sportives.

Hybride

Toute voiture recourant à plus d'un système de propulsion. Il peut être électrique et à essence, mais aussi faire intervenir le gas-oil, le biocarburant ou le gaz liquide. L'objectif est de produire un véhicule plus propre, plus respectueux de l'environnement.

Levier de vitesses

Il peut être monté au volant (directement sur la colonne de direction) ou au plancher.

Moteur transversal

Moteur monté perpendiculairement au véhicule, contrairement au moteur longitudinal. La position d'un moteur dépend exclusivement de celle du vilebrequin par rapport au cadre.

Muscle car

Désignait à l'origine les voitures américaines possédant un moteur surdimensionné.

Off-road(er)

Terme anglais utilisé dans la presse automobile pour désigner les véhicules tout-terrain.

Palettes de commande de boîte

Système semi-automatique permettant au conducteur de changer très rapidement de rapport grâce à des touches + et – placées au volant.

Pony car

Catégorie de voitures américaines lancée par la Ford Mustang en 1961. Elle est à la fois compacte et sportive. Avec un moteur à forte puissance et des suspensions renforcées, cela devient une « muscle car ».

Portes papillons

Également dites « en ailes de mouette », elles s'ouvrent vers le haut et l'extérieur. Sur les supercars modernes, on trouve la variante « en ciseaux », où les portes s'ouvrent également vers l'avant.

Refroidisseur intermédiaire

L'air en provenance du turbocompresseur est refroidi dans un organe spécial avant d'être envoyé dans le moteur.

Roadster

Automobile à 2 places, décapotable, traditionnellement sans fenêtres latérales. Plus marketing que technique, le terme désigne aujourd'hui toute voiture de sport légère.

Surcompresseur

Compresseur permettant un accès accru d'air dans le moteur pour en augmenter la puissance.

Suspension hydrolastique

Dans les premiers véhicules britanniques, des pièces en caoutchouc remplies de liquide constituaient l'ancêtre de la suspension moderne.

Suspension hydropneumatique

Mise au point par Citroën, elle permet de filtrer les irrégularités du terrain mais aussi de maintenir en toutes circonstances une voiture à hauteur constante au-dessus du sol.

Suspension indépendante

Chaque roue se lève et s'abaisse de manière indépendante pour procurer plus de confort de conduite.

Traction avant

La puissance du moteur est communiquée au train de roues avant et les roues arrière ne font que tourner. Avec la traction arrière, c'est le contraire qui se produit. Dans le cas des 4x4, les 4 roues sont motrices et la puissance accrue permet de rouler sur un terrain accidenté ou glissant.

Turbocompresseur

Système utilisant la puissance des gaz d'échappement pour faire tourner une turbine injectant davantage d'air dans le moteur afin d'en accroître la puissance.

Index par modèle

Collaborateurs

Sue Baker (SB) a collaboré avec divers journaux et magazines britanniques. Ancienne animatrice de l'émission *Top Gear*, elle a essayé des voitures sur tous les continents. Sue fait également partie du jury – exclusivement féminin – de Women's World Car of the Year.

Jeroen Booij (JB) vit à Amsterdam et est un journaliste spécialisé dans l'automobile depuis 1998. Il s'intéresse tout particulièrement aux voitures exceptionnelles dans tous les sens du terme, voire excentriques. Ses articles sont publiés dans 18 pays.

Rich Duisberg (RD) a travaillé en Angleterre, en Allemagne et en Scandinavie. Il a été coach sportif du pilote de F1 Luca Badoer. Par ailleurs, il a écrit pour des magazines comme *Practical Performance Car* et *Evo*.

Stuart Forster (SF) est un écrivain britannique. Il a notamment coécrit *Driving Holidays Across India* qui lui a valu, en 2010, le prix de « meilleur livre de voyage » en anglais attribué par India National Tourism.

Mike Gerrard (MG) partage son temps entre l'Angleterre et l'Arizona où il vit. Écrivain-voyageur, plusieurs fois primé, il est aussi l'un des rédacteurs du site www.pacific-coast-highway-travel.com.

Simon Heptinstall (SH) a commencé à travailler comme chauffeur de taxi et gérant d'un garage avant de devenir un écrivain reconnu. Il a également participé au lancement du magazine *BBC Top Gear* et participé à la réalisation de la série télévisée *Jeremy Clarkson's Big Boys' Toys*.

Jerry Ibbotson (JI) a été journaliste à la BBC et a travaillé dans l'industrie des jeux vidéo. Il est aussi l'auteur de plusieurs livres de fantasy urbaine. À son grand regret, la voiture qu'il conduit habituellement ne figure pas parmi les 1001 de cet ouvrage…

Bob Kocher (BK) est journaliste et critique automobile depuis plus de 25 ans. Ses articles ont été publiés dans de nombreux journaux et magazines. Il a été président de l'association Midwest Automotive Media et également juge pour le concours d'élégance de Greenwich dans le Connecticut.

George Lewis (GL) a essayé toutes les voitures des entrées qu'il signe dans cet ouvrage, exception faite de la ZiL. Il a par ailleurs testé presque toutes les citadines pour le marché britannique depuis 1987. Ses notes et critiques ont été publiées dans plusieurs magazines.

Darryl Sleath (DS) est écrivain, photographe et restaurateur de voitures anciennes. Ses articles ont été publiés dans plusieurs magazines automobiles. Il vit actuellement dans le sud du pays de Galles où il prépare un livre sur les voitures de sport.

Barry Stone (BS) vit à Picton, en Australie. Écrivain à succès, plusieurs de ses romans ont été publiés dans le monde entier.

Liz Turner (LT) a travaillé pour *What Car?* et *Autocar*. Aujourd'hui, elle est pigiste pour divers journaux et magazines dont le *New York Post*, *The Independent* et *Classic & Sports Car*.

Richard Yarrow (RY) vit au Royaume-Uni. Il a été pendant plusieurs années rédacteur du magazine *Auto Express*, l'hebdomadaire automobile britannique le plus vendu dans le pays. Depuis 1998, il écrit régulièrement pour la presse automobile.

Crédits photographiques

Nous nous sommes efforcés d'attribuer correctement les copyrights des photographies à leurs ayants droit. Toutefois, si malgré toute notre attention, une erreur s'était produite, nous tenons à nous en excuser dores et déjà et serons heureux d'apporter la (les) correction(s) nécessaire(s) lors d'une prochaine réédition.

Giles Chapman **513** magiccarpics.com **514g** magiccarpics.com **514d** magiccarpics.com **515g** Dikiiy/Shutterstock.com **515d** magiccarpics.com **516** Car Culture/Corbis **517** Peter Harholdt/CORBIS **518** Performance Image/Alamy **519** Mazda Motor Corporation **520** N/A **521** Anthony Fosh **522** magiccarpics.com **523** Ford Motor Company and Wieck Media Services, Inc. **525** Giles Chapman **526** magiccarpics.com **527** magiccarpics.com **528** Kimball Stock **530** Giles Chapman **531** magiccarpics.com **532** magiccarpics.com **534** Giles Chapman **536g** Giles Chapman **536d** Octane Magazine **537g** GM Company **537d** Matt Garrett/www.GM-Classics.com **539** Kimball Stock **540g** Richard McDowell/Alamy **540d** Giles Chapman **541g** magiccarpics.com **541d** magiccarpics.com **543** NBC via Getty Images **544** magiccarpics.com **545** Kimball Stock **547** magiccarpics.com **548** magiccarpics.com **549** Giles Chapman **550** Fabiano Guma **551** Kimball Stock **552** magiccarpics.com **553** magiccarpics.com **554g** Motoring Picture Library/Alamy **554d** magiccarpics.com **555g** Renault **555d** Kimball Stock **556** Kimball Stock **557** magiccarpics.com **558** Kimball Stock **560** James Mann **561** magiccarpics.com **562** Giles Chapman **563** Giles Chapman **564** magiccarpics.com **565** magiccarpics.com **566** magiccarpics.com **567** Kimball Stock **568g** magiccarpics.com **568d** Giles Chapman **569g** Giles Chapman **569d** FIAT S.p.A **570** magiccarpics.com **572** Paul Fievez/Associated Newspapers /Rex Features **574g** magiccarpics.com **574d** Giles Chapman **575g** Neill Bruce **575d** magiccarpics.com **577** magiccarpics.com **578** magiccarpics.com **579** magiccarpics.com **581** magiccarpics.com **582** magiccarpics.com **585** magiccarpics.com **586g** magiccarpics.com **586d** magiccarpics.com **587g** magiccarpics.com **587d** Giles Chapman **589** magiccarpics.com **590** Kimball Stock **592g** Giles Chapman **592d** GM Company **593g** Giles Chapman **593d** FIAT S.p.A **594** Audi AG. **595** Giles Chapman **596** Kimball Stock **598** Giles Chapman **599** magiccarpics.com **600** Giles Chapman **601** magiccarpics.com **603** Jaguar Land Rover **604** Giles Chapman **605** Nissan Motor Co.,Ltd. **606g** Richard Spiegelman **606d** magiccarpics.com **607g** Giles Chapman **607d** Citroen **608** Giles Chapman **609** Giles Chapman **611** Getty Images **612** Group Lotus PLC **613** magiccarpics.com **614** Kimball Stock **617** Kimball Stock **618** Transtock Inc./Alamy **619** Les Barrett/www.454ss.com **620g** Giles Chapman **620d** Avec l'autorisation de Toyota USA Archives **621g** Giles Chapman **621d** Giles Chapman **622** Nissan Motor Co.,Ltd. **623** James Mann **624** magiccarpics.com **625** Motoring Picture Library/Alamy **626** magiccarpics.com **627** magiccarpics.com **629** James Mann **630g** Motoring Picture Library/Alamy **630d** Giles Chapman **631g** Volvo **631d** Mazda Motor Corporation **633** Transtock/Corbis **634** magiccarpics.com **636** Suzuki Motor Corporation **637** FIAT S.p.A **638** Phil Talbot/Alamy **639** Transtock Inc./Alamy **640** Phil Talbot/Alamy **641** Kimball Stock **642** BMW Group **645** Giles Chapman **646** Giles Chapman **647** Kimball Stock **649** John Decker/Sacramento Bee/ZUMA/Corbis **650** Phil Talbot/Alamy **651** Kimball Stock **652** Patrick Sautelet/Renault **654** Morgan Motor Company Limited **655** GM Company **656** Kimball Stock **657** Giles Chapman **658** magiccarpics.com **660g** Toyota **660d** GM Company **661g** Richard Warburton/Alamy **661d** Subaru **662** Giles Chapman **663** Transtock Inc./Alamy **665** Kimball Stock **666** The Colt Car Company Ltd **667** Kimball Stock **668g** Ford Motor Company and Wieck Media Services, Inc. **668d** Dodge **669g** Audi AG. **669d** Audi AG. **670** FIAT S.p.A **671** Phil Talbot/Alamy **672** Honda **673** FIAT S.p.A **674** magiccarpics.com **675** Kimball Stock **676** Drive Images/Alamy **677** Transtock Inc./Alamy **678** magiccarpics.com **679** Jaguar Land Rover **680** magiccarpics.com **681** James Mann **682** Group Lotus PLC **683** magiccarpics.com **684g** PSA Peugeot Citroën **684d** magiccarpics.com **685g** Phil Talbot/Alamy **685d** Trinity Mirror/Mirrorpix/Alamy **686** Getty Images **688** Kimball Stock **690** Giles Chapman **691** Kimball Stock **693** Kimball Stock **694g** Toyota **694d** FUJI HEAVY INDUSTRIES Ltd. **695g** PSA Peugeot Citroën **695d** Nissan **696** magiccarpics.com **698** Maserati **699** Kimball Stock **701** The Advertising Archives **702** FIAT S.p.A **703** magiccarpics.com **704** The Advertising Archives **706g** magiccarpics.com **706d** Car Culture/Corbis **707g** Phil Talbot/Alamy **707d** Kimball Stock **708** magiccarpics.com **709** Giles Chapman **711** James Mann **712** Audi AG. **713** Kimball Stock **714** The Advertising Archives **716** Car Culture/Getty Images **719** Mark Jenkinson/CORBIS **720g** BMW Group **720d** FUJI HEAVY INDUSTRIES Ltd. **721g** magiccarpics.com **721d** Giles Chapman **722** Guy Spangenberg/Transtock/Corbis **724** TVR GmbH **725** Group Lotus PLC **726** Kimball Stock **727** magiccarpics.com **728** MGM/EON/The Kobal Collection/Maidment, Jay **730** Motoring Picture Library/Alamy **731** Trinity Mirror/Mirrorpix/Alamy **733** Transtock Inc./Alamy **734** Morgan Motor Company Limited **735** Ford Motor Company and Wieck Media Services, Inc. **736** Kimball Stock **737** James Mann **738g** Audi AG. **738d** Volvo Car Corporation **739g** Seat **739d** Suzuki Motor Corporation **740** Kimball Stock **741** BMW Group **743** Kimball Stock **744** Daimler AG **745** Dodge **747** Kimball Stock **748** BMW Group **750** Toyota **751** Ford Motor Company and Wieck Media Services, Inc. **753** Kimball Stock **754** Kimball Stock **755** magiccarpics.com **756** Daihatsu Motor Co., Ltd **757** Daimler AG **758** Kimball Stock **760g** BMW Group **760d** Vauxhall **761d** Guy Spangenberg/Transtock/Corbis **762** Rolls-Royce Motor Cars Ltd. **763** Daimler AG **765** magiccarpics.com **766** Kimball Stock **767** Maserati **768** Caresto **769** Donizetti Castilho **770** Aston Martin **771** Kimball Stock **772** Audi AG. **773** Bufori Motor Car Company **774** Kimball Stock **775** Kimball Stock **776g** John Early/TRANSTOCK/Transtock/Corbis **776d** magiccarpics.com **777g** Robert Kerian/Transtock/Corbis **777d** Giles Chapman **778** The Colt Car Company Ltd **779** Rick Chou/TRANSTOCK/Transtock/Corbis **780** magiccarpics.com **782** Kimball Stock **783** Morgan Motor Company Limited **784** Kimball Stock **785** Kimball Stock **787** James Mann **788** Ford Motor Company and Wieck Media Services, Inc. **789** Daimler AG **790g** BMW Group **790d** The Colt Car Company Ltd **791g** Kimball Stock **791d** GM Company **792** Jaguar Land Rover **793** Kimball Stock **795** James Mann **796** TVR GmbH **797** Chrysler **798** Kimball Stock **799** FIAT S.p.A **800g** GM Company **800d** BMW Group **801g** BMW Group **801d** Spyker Cars N.V. **802** Audi AG. **803** Motoring Picture Library/Alamy **805** Kimball Stock **806** Kimball Stock **807** Caresto **808** magiccarpics.com **809** magiccarpics.com **810** Kimball Stock **811** Kimball Stock **812** Ford Motor Company and Wieck Media Services, Inc. **814** Kimball Stock **815** Kimball Stock **816** ALEXANDRA BEIER/X01172/Reuters/Corbis **818** Vauxhall **819** Drive Images/Alamy **820g** magiccarpics.com **820d** Kimball Stock **821g** Daimler AG **821d** Kia Motors Corp. **823** Kimball Stock **824** Ascari **825** Seat **826g** Hyundai **826d** Audi AG. **827g** Bristol **827d** Volkswagen **828** Lamborghini **829** Audi AG. **830** Car Culture/Corbis **831** Caterham Cars **832** T1 Cars Limited **834** magiccarpics.com **835** Kimball Stock **836** Koenigsegg **837** Venturi Automobiles **838** Aston Martin **839** Toyota **840** Kimball Stock **842g** Audi AG. **842d** FIAT S.p.A **843g** Daimler AG **843d** magiccarpics.com **844** Goddard Automotive/Alamy **845** Drive Images/Alamy **846** Secma Automobile **847** FIAT S.p.A **848** Daimler AG. **849** Rolls-Royce Motor Cars Ltd. **851** James Mann **852g** Rossion **852d** KTM **853g** Honda Motor Europe Limited **853d** Drive Images/Alamy **854** Audi AG. **855** BMW Group **856** SsangYong Motor Company **857** Kimball Stock **858** FIAT S.p.A **859** Toyota **860** Bolwell **861** Kimball Stock **863** Getty Images **864** Aston Martin **865** Rolls-Royce Motor Cars Ltd. **866** Volkswagen **867** Infiniti **868** Kimball Stock **869** Invicta Car Company **870** Kimball Stock **871** Audi AG. **872g** Jaguar Land Rover **872d** Volkswagen **873g** Artega Automobil GmbH & Co. KG **873d** Daimler AG **874** Kimball Stock **875** Kimball Stock **876** Kimball Stock **878** GM Company **879** Volkswagen **880** Kimball Stock **882** H. Lorren Au Jr/ZUMA Press/Corbis **885** Aston Martin **886** Bentley Motors Limited **887** Vauxhall **888** Ford Motor Company and Wieck Media Services, Inc. **889** Jaguar Land Rover **890** Kimball Stock **891** Kimball Stock **892** Aston Martin **894** HTT Automobile **895** magiccarpics.com **896g** Aston Martin **896d** Martyn Goddard/Corbis **897g** PSA Peugeot Citroën **897d** Seat **899** Daimler AG **900** PSA Peugeot Citroën **901** WireImage /Getty Images **902** Car Culture/Corbis **903** magiccarpics.com **904** Nissan Motor Co.,Ltd. **905** Volkswagen **906** Mark Scheuerr/Alamy **907** Volvo Car Corporation **908g** Noble Automotive **908d** Brabus **909g** FIAT S.p.A **909d** Kimball Stock **910** BMW Group **911** Bufori Motor Car Company **912** Caresto **913** H. Lorren Au Jr/ZUMA Press/Corbis **914** magiccarpics.com **915** Vauxhall **916** Toyota **917** Kimball Stock **918** Bloomberg via Getty Images **919** Elfin Heritage Centre **920** Kimball Stock **922** McLaren Automotive Limited **924** Daimler AG **925** Renault **926** Bloomberg via Getty Images **928g** Volkswagen **928d** BMW Group **929g** The Colt Car Company Ltd **929d** Ford Motor Company and Wieck Media Services, Inc. **930** GM Company **931** Kimball Stock **932** Daimler AG **933** Ford Motor Company and Wieck Media Services, Inc. **934** Radical Sportcars Ltd **935** Hulme Supercars Ltd **936** Renault **938** Ford Motor Company **939** Toyota **940** Wes Allison/Transtock/Corbis **941** Jaguar Land Rover **942** Volkswagen **943** BMW Group **944** Bloomberg via Getty Images

Remerciements

L'éditrice tient à remercier tout particulièrement Dominique Chapatte pour sa préface.
Elle remercie également les traducteurs et les correctrices pour leur travail.
Enfin, merci à Isabelle Ducat, David Fourré, Marie-Laure Miranda et Boris Guilbert.

1002 et plus… (notes personnelles)